정신분열병: A to Z

과학적 자료에 근거한 정신분열병의 최신 지견

Jeffrey A Lieberman · Robin M Murray

옮긴이 권 준 수

군자출판사

정신분열병: A to Z

과학적 자료에 근거한 정신분열병의 최신 지견

첫째판 1쇄 인쇄 | 2003년 9월 20일
첫째판 1쇄 발행 | 2003년 9월 30일
첫째판 2쇄 발행 | 2009년 3월 10일

지 은 이 Jeffrey A Lieberrman, Robin M Murray
옮 긴 이 권준수
발 행 인 장주연
편집디자인 권연정
표지디자인 이성애
발 행 처 군자출판사
등 록 제 4-139호(1991. 6. 24)

본 사 (110-717) 서울특별시 종로구 인의동 112-1 동원회관 BD 3층
Tel. (02) 762-9194/5 Fax. (02) 764-0209
대구지점 Tel. (053) 428-2748 Fax. (053) 428-2749
광주지점 Tel. (062) 223-9492 Fax. (062) 223-9493
부산지점 Tel. (051) 893-8989 Fax. (051) 893-8986

ISBN 89-7089-407-1

정가 25,000원

옮긴이 약력

1984년	서울의대 졸업
1988년	서울대학교병원 신경정신과 수료
1989~1991년	국군수도병원 정신과장
1996~1998년	미국 하바드의대 정신과 Visiting Assistant Professor Brigham & Women's Hospital, Brockton VAMC 연수
현재	서울의대 정신과학교실 부교수 서울대학교 대학원 뇌과학 및 인지과학 협동과정 겸임교수 서울대학교병원 임상시험센터 연구지원실장
수상	폴얀센 정신분열병 연구자상(1999) 대한정신약물학회 학술상(2002) 대한신경정신의학회 GSK 학술상(2002) 서울대학교병원 젊은연구자상(2003)
학회활동	대한정신약물학회 학술이사 대한뇌기능매핑학회 총무이사 한국인지과학회 총무이사 국제신경정신약물학회 펠로우
논문	Gamma frequency range abnormalities to auditory stimulation in schizophrenia, Arch Gen Psychiatry(1999) 외
저서	'나는 왜 나를 피곤하게 하는가' 외

옮긴이 서문

어느 날 30대 중반의 여성이 외래 진료실을 방문하였다. 감정은 무디어 보였고, 현실감도 없어 보여, 나는 그가 만성 정신분열병이라는 것을 쉽게 알 수 있었다. 늙고 병든 부모가 보호자로서의 역할을 할 수도 없고, 직업도 없어 병원에 오기도 힘든 상황이었다. 몇주간 외래를 방문하였지만 그는 계속 약을 먹을 필요가 없다고 하였다. 이렇게 반복되길 몇 주후 어느 날 그는 갑자기 내게 비둘기 이야기를 했다. 자신의 집에 다리를 다친 비둘기가 둥지를 틀게 된 이야기였다. 다리를 다친 불쌍한 비둘기를 위해 자신의 집에 둥지를 만들어 주고, 먹이를 주고 있다는 것이었다.

나는 이 여성의 이야기를 듣고 깜짝 놀랐다. 감정이 별로 없을 것 같은 만성 정신분열병인 그 녀가 불쌍한 비둘기를 위해 먹이를 주고, 둥지를 만들어 주었다는 이야기는 필자에게 정신분열병이라는 병에 대한 생각을 다시 하게끔 만든 계기가 되었다. 감정의 둔마, 사고의 빈곤, 각종 음성 증상이 만성 정신분열병의 특징이라고 기계적으로 생각하곤 하였는데...

정신분열병은 개인의 인격을 황폐화시키는 것은 물론이고, 가족들 역시 정신적, 경제적인 부담을 떠 안아야 한다. 사회적으로도 활발한 경제활동을 할 시기인 20-30대에 발병함으로써 심각한 질병 비용을 부담해야 한다. 특히 정신분열병이라는 사회적 '낙인' 때문에 환자들이나 가족들은 치료를 받기 보다 숨기는 편을 택하게 된다.

정신분열병은 아직도 정확한 원인을 밝히지 못하고 있지만, 최근 뇌영상술의 발전과 분자생물학적인 발전으로 그 베일이 하나씩 벗겨지고 있다. 특히 최근에 개발된 비정형항정신병약물의 개발은 정신분열병환자의 삶의 질을 증가시키며, 사회 복귀로의 희망을 더해 주고 있다.

미국과 영국에서 각각 정신분열병의 세계적인 대가인 Jeffrey A Lieberman과 Robin M Murray는 이 책에서 정신분열병에 관한 모든 부분을 명확하게 설명하고 있다. 특히 약물치료를 비롯하여 재활요법, 가족 문제, 사회문화적인 측면, 치료저항성 정신분열병, 소아청소년기 정신분열병, 조기 정신병 등 다양한 문제들을 알기 쉽게 설명해 주고 있다. 특히 마지막 부분의 '일인칭 이야기'는 정신분열병을 겪은 환자들의 진솔한 이야기가 기술되어 있어 감동을 준다.

이 책은 정신분열병에 대해 포괄적으로 공부하길 원하는 정신과 전공의, 심리학자, 정신간호사, 사회사업가 등을 위한 것이며, 또한 정신분열병에 대한 최신 지견을 습득하고자 하는 정신과 전문의에게도 도움이 되는 내용으로 되어 있다.

그 동안 일반인들을 위한 간단한 정신분열병 소개서는 많이 나와 있었다. 그러나 환자 자신이나 가족들에게 좀 더 자세하고 전문적인 내용을 소개하는 책은 없었다. 이 책은 그런 역할도 충분히 할 수 있으리라 생각한다.

1차 번역에 협조해 준 서울의대 정신과학 교실의 대학원생들에게 심심한 감사를 전한다. 또한 하태현선생의 노력이 없었더라면 이 역서는 빛을 보지 못했을 것이라는 점을 밝히고 싶다.

모든 정신분열병 환자들의 새로운 삶의 희망을 위하여...

2003년 9월
서울대학교병원 신경정신과 권준수

정신분열병 : A to Z

과학적 자료에 근거한 정신분열병의 최신 지견

서문

낮은 발병률에도 불구하고 정신분열병은 그 오랜 투병기간, 그리고 환자 개인과 가족들, 지역사회에 미치는 심각한 후유증으로 말미암아 중대한 공중보건 문제로 남아 있다. 유럽 정신병원 병상의 거의 절반이 정신분열병인 환자들로 채워져 있으며, 정신질환으로 무능력해진 환자들의 대부분의 환자들이 정신분열병이다. 세계보건기구는 21세기의 10대 장해 원인에 정신분열병이 포함될 것이라고 예상하였다. 정신분열병 환자들은 자살률이 높고, 이 질병에 씌워진 낙인과 관련된 모든 것들-예를 들면, 정신분열병 환자들이 치료받는 병원, 몇세대에 걸친 환자 가족들, 치료에 사용되는 약물들은 실로 압도적이다. 정신분열병에는 성역이 없어 보인다. 이 증후군은 동서고금을 막론하고 관찰되었고 잘 기술되어 있다. 최근에 이르기까지 정신분열병의 치료는 만족스럽지 못했다. 약물치료는 상대적으로 낮은 효과에 반해, 매우 심한 부작용이 나타나기도 했다.

그렇기에, 정신분열병과 그 치료에 관한 출중한 문헌을 기쁨으로 환영하지 않을 수 없다. 매우 존경받는 뛰어난 학자이자 정신과의 이 분야의 지도자인 편집자들은, 진단을 내리고 치료하며 질병과 더불어 사는 데에 발생하는 문제점들을 탁월하게 이해하고 있는 우수한 전문가 집단을 소집했다. 이 책의 방대함이란 그 수많은 장점들 중 하나에 불과하다. 또 다른 훌륭한 부분이라면, 질환에 대한 일인칭 이야기를 다루고 있는 장, 여러 나라의 정신분열병 치료체계와 정신분열병에 미치는 문화의 영향에 관한 종설을 다룬 장, 현재 사용되고 있는 치료법의 대부분을 체계적으로 검토함으로써 탄탄한 근거를 밑바탕으로 삼은 모든 내용들을 포함했다는 점이다.

이 책은 정신분열병을 배우고 가르치는 사람들만을 위한 교과서가 아니다. 정신분열병에 관한 현 지식을 대단히 흥미롭게 설명한 책이기도 한 것이다. 따라서, 관련된 분야에 종사하는 연구자로서 자신이 골몰해 있는 영역으로부터 다소 거리가 있는 다른 관련 분야의 과학발전을 이따금씩 따라잡기가 어려운 사람들에게도 대단히 유용할 것이다.

노만 사토리우스
스위스, 제네바

서문

이렇게 훌륭한 책의 서문을 맡아 기쁘다. 제프리 리버만과 로빈 머레이는 각각 미국과 영국의 가장 잘 알려진 정신분열병의 대가들 중 한 사람이다. 치료에 대한 그들의 접근은 진정 포괄적인 것으로서, 약물학적 접근으로 시작하여 심리학적 접근(인지행동)과 재활로 이어진다. 특수한 치료 문제에는 개별적으로 주목한다. 자살, 난폭성, 물질남용, 혹은 치료 저항성 등이 여기에 해당된다. 결정적인 요소임에도 불구하고 때로는 교과서에서 홀대받는 주제였던 환자의 치료 순응도를, 이 책에서는 한 장을 할애해 적절히 다루고 있다. 또한, '임상의의 환자 및 가족과의 상호작용' 이라는 제목의 장에서는 환자와 그 가족들을 경청해야 할 중요성이 강조되어 있다.

이 책은 정신분열병 환자들을 위한 '포괄적 치료' 란 무엇이어야 하는가를 요약함과 동시에, 그 치료적 당위성과 현실 사이의 괴리를 부각시킨다. 리버만과 머레이, 그리고 이 책에 기여한 많은 학자들의 노고를 통해, 정신분열병을 잘 치료하는 데에 필요한 구성성분을 알 수 있다. 하지만, 국립정신보건원의 역학적 표집지역 조사(Epidemiologic Catchment Area(ECA) survey)에 의하면, 한 해에 어떠한 치료도 받지 않는 정신분열병 환자들의 비율이 40%라고 한다. 볼티모어 도심 내 지역사회 조사를 통해서도 치료받지 않는 정신분열병의 비율이 50%임이 밝혀졌다. 따라서, 다수의 포괄적 치료란 환상에 불과한 개념인 셈이다. 이들에게는 *어떠한* 치료라도 주어진다면, 그것이 바로 치료의 개선이라고 할 수 있을 것이다.

치료를 받지 않는 정신분열병 환자들은 현대 의학과 사회복지의 큰 비극이다. 이들은 미국과 유럽의 노숙자의 삼분의 일을 차지하며, 감옥과 교도소 수용자의 상당 비율을 이루고 있다. 질병으로 인해 방어할 수도 없기에, 희생자-강도, 강간, 심지어는 살인까지-가 되는 빈도가 증가하고 있다. 망상, 사고장애, 그리고 기타 증상 때문에, 이들 중 소수는 타인에게 공격적 행동을 하기도 한다. 미국에서는 이러한 행동이 연간 1,000건의 타살로 이어진다고 추산되고 있다.

서구 사회에서 양질의 치료 개념과 현실 사이에 이렇게도 깊은 골이 놓인 질환은 아마도 정신분열병 밖에 없을 것이다. 인간적인 면으로만 보자면, 그토록 절실히 치료를 필요로 하는 이 환자들을 치료하지 못하고 있다는 것은 정말 이해할 수 없는 일이다. 경제적인 관점에서 보더라도, 치료하지 않음으로써 불필요한 재입원 비용, 사회복지 비용, 수감 비용 등등의 추가 비용을 지불하고 있지 않은가. 그러므로 이들을 치료하지 않는 것은 비인도적이고 이해할 수 없을 뿐만 아니라 어리석기까지 한 일이다.

하지만 희망이 있다. 정신분열병이 주목받기 시작한 시대가 온 것이다. 환자들, 가족들, 그리고 일반 대중은 정신과적 치료체계의 과오를 더 이상 용납할 수 없는 한계에 이르렀다. 그들은 이 질환에 대한 치료뿐만 아니라 포괄적인 보호를 요구할 것이며 결국은 얻어내게 될 것이다. 제프리 리버만, 로빈 머레이, 그리고 그들의 동료들이 미래로 향한 길을 인도하고 있다.

풀러 이 토레이
미국, 메릴랜드, 베데스다

머리말

정신분열병의 최적치료와 대부분의 환자들이 받는 현실적 치료 사이의 간격 줄이기

정신분열병 환자들은 양질의 표준 치료를 받을 권리가 있다. 또한 천식이나 고혈압이나 당뇨병 같은 기타 재발성 만성질환을 지닌 사람들처럼 좋은 삶의 질을 누릴 권리가 있다. 하지만 슬프게도, 이들은 양질의 치료를 받지 못하고 좋은 삶을 누리지 못하는 경우가 허다하다. 역사적으로 보면, 전 세계적으로 대부분의 보건체계 안에서 정신분열병의 우선순위는 뒷전으로 밀려나 있었다. 그리하여, 치료시설이 부적절하고, 직원 교육이 엉성하며, 제공되는 치료는 최선의 치료에 전혀 못 미치곤 하였다. 우리는 그런 이유로 수많은 이들의 인생이 파괴되는 것을, 우리의 전문성과 기술에 만족할 수 없을 만큼, 목격해왔다.

우리가 전문가로서 일해왔던 시기에 포괄적이고 효과적인 정신병 치료가 크게 발달했기에, 우리의 목격담은 더 더욱 불행하게 느껴진다. 특히, 지금은 증거에 기초한 광범위한 약물학적 치료와 정신사회적 치료를, 치료하는 임상의의 신념체계에 따라 처방하거나 중단하는 것이 아니라, 환자의 정확한 요구에 맞추어 사용할 수 있게 되었다. 우리가 정신과 수련을 받을 때만 해도 과학적으로 도출된 그러한 임상치료는 극히 제한적이었다. 1970년대 미국에서는 정신병을 비롯한 대부분의 정신장애의 치료에 정신분석학적 이론이 우세했다. 한편, 런던의 모슬리 병원에서는 항정신병약물의 효과에 상당한 회의가 있었고 리튬은 거의 무가치하다고 여겨졌던 것이다. 따라서, 우리 중 한 명은 증거가 거의 없는 치료를 수련받았고, 나머지 한 명은 약물을 잘 사용하는 방법이 아닌 약물의 부당성을 배웠던 셈이다.

이 낡은 이념이 현대적 방법으로 바뀌는 데에는 오랜 시간이 걸렸지만, 우리가 기억하고자 하는 것보다 정신과를 시작했던 것은 훨씬 더 오래 전의 일이며, 그동안 실로 많은 발전이 이루어졌다. 신경과학, 약리학, 유전학, 그리고 의료 영상학의 눈부신 발전은 정신분열병을 이해할 수 있는 탄탄한 기반이 되었고, 역학과 사회과학을 통해 정신분열병의 발병과 임상적 경과에 영향을 미치는 요인들에 관한 지식을 축적할 수 있었다. 가장 중요한 것은 새로운 치료가 가능해졌다는 점이다. 지금은 고유한 장점과 부작용을 지닌 많은 종류의 항정신병약물과 기타 정신과 약물이 있다. 게다가, 더 효과적인 심리적 치료법이 도입되었고, 보건서비스 연구방법론의 발달은 혁신적 치료전달체계를 새로운 약물처럼 검증할 수 있게 되었다는 것을 의미한다.

그럼에도 불구하고, 정신병 환자의 최적 치료와 대부분의 환자들이 실제로 받고 있는 치료 현실 사이에는 깊은 골이 존재한다. 심한 정신질환자의 치료에는, 최선의 치료방법을 찾아내고 환자의 상태를 개선시키고자 끊임없이 노력해야함에도 불구하고, '그냥 혼자 내버려 두라' 는 식의 생각이 팽배해 있다. 임상의, 보호자, 그리고 소비자들은 너무

나 작은 것에 만족해버리고, 치료의 표준은 너무나 낮게 설정되어 있다. 더 다양하고 좋은 책들은 정신분열병의 치료보다 그 신경생물학적 기전에 관한 연구 내용들을 담고 있다는 사실이 이러한 실상을 반영한다. 정신분열병에 관한 많은 저서들이 있음에도 불구하고, 모든 질병 단계에서 그리고 모든 임상상황에서 정신분열병 환자들을 치료하기 위해 알아야 할 내용에 한 권의 분량을 할애한 책은 찾아볼 수 없다.

그러므로, 환자들이 받는 치료와 그들이 받을 수 있는 치료 사이의 간격을 줄이는 데에 이 책이 도움이 되었으면 하는 것이 우리의 소망이다. 그 목적을 위해, 우리는 다양하고도 출중한 학자들을 소집했다. 대서양의 양쪽 대륙 및 일부 기타 지역 출신인 이 저자들은 정신분열병 정신보건치료의 연구자이자 치료자로서, 그리고 수요자로서, 최상의 치료를 기술하는 데에 가장 적임자임을 믿어 의심치 않는다. 우리의 공동의 노력이 정신분열병 환자와 그 가족들의 최대의 이익과 복지에 기여할 수 있기를 바라는 마음 간절하다.

제프리 에이 리버만
미국, 노스 캐롤라이나, 채플 힐

로빈 엠 머레이
영국, 런던

contents

contents

1 정신분열병의 진단

Richard Jed Wyatt

내용 · 정의 · 역사적 관점 · 환자 평가 · 결론 · 감사의 말

정신분열병이라는 용어의 의미가 명확하지 않다면, 정신분열병을 토론하려는 시도는 불합리한 것이 되고 만다.

HS Sullivan, 1928[1]

수년 간 만성적인 정신질환을 앓아온 많은 환자들은 흔히 황폐화(荒廢化)되기도 한다. 하지만, 과거에 그렇게도 자주 관찰되던 '소진된(burn-out)' 환자들은 최근에는 거의 보이지 않는다. 이러한 향상은 확실히 지난 45년에 걸쳐 이루어진 치료의 발전 덕분이라 할 수 있다. 지금의 발전된 치료는 진단에 따라 특화되어 있기에, 진단의 정확도가 더욱 중요해지고 있다. 예를 들면, 기분장애의 진단이 정확하다면 항우울제나 기분안정제로서 그 환자를 치료하는 것이 옳은 치료법임을 뜻한다. 이 두 계통의 약물은 정신분열병의 일차적 치료제가 될 수 없다. 이 장에서는 진단적 개념의 변화와 관련하여 정신분열병의 역사를 고찰하고, 현재 정신분열병을 진단하는 데에 이용되는 진단기준들을 살펴보고자 한다. 이에 앞서, 진단을 논할 때 의학계와 정신과 영역에서 광범위하게 사용하고 있는 몇 가지 용어들을 검토할 것이다. 이 용어들은 때로는 동의어로 사용되고 때로는 혼란을 야기하기도 한다. 즉, 증상(symptoms), 징후(signs), 증후군(syndrome), 질환(illness), 장애(disorder), 질병(disease), 그리고 진단(diagnosis) 등의 용어이다.

정의

증상은 환자가 주관적으로 경험하는 것이다. 징후는 의학적 진찰이나 실험실 검사를 통해 관찰되는 것이다. 환자가 증상을 묘사할 수 없는 경우 우리는 징후를 통하여 환자의 증상을 추측할 수 있다(예를 들어, 붉어지고 열이 나고 부어있는 무릎은 환자가 통증이라는 증상을 경험하리라는 것을 강력히 시사한다). 정신분열병의 증상과 징후 평가에는 흔히 특별한 문제를 고려해야 한다. 환자가 증상을 묘사하지 못할 수도 있고 미묘한 증상은 간접적으로 해석되어야 하는 경우도 있기 때문이다. 예를 들어, 환자가 대화 도중 갑자기 주의를 잃는다든지 허공을 쳐다본다든지 혹은 환각에 의해 영향받는 듯한 다른 행동을 보일 때에 우리는 환자가 환각을 경험하고 있다고 추정할 수 있다. 마찬가지로, 비록 환자가 자신의 망상을 직접적으로 이야기하지 않더라도 그 행동으로부터 망상이 있는가를 추측해내야 한다.

*증후군*은 몇가지 증상과 징후들의 조합을 일컫는 말이다. 한 증후군이 몇 개의 장애들로 이루어진 경우도 있다(아래에 토의될 것이다). 증후군은 한 시점에서 나타나는 양상이므로 경과(經過)의 특성이 꼭 포함되어 있는 것은 아니다. 정신분열병을 일컬을 때 이 '증후군' 이란 용어가 자주 사용되어 왔다. 그 예로 Leopold Bellak은 자신의 정신분열병 종설 10년 개정판의 제목을 다음과 같이 달았다. 정신분열병 : 증후군 종설(1948), 정신분열병 증후군(1968), 그리고 정신분열병 증후군의 장애들(1979)이 그것이다.[2-4] 이를 통해 Bellak은 정신분열병이 다수의 장애들로 이루어져 있다는 관점을 강조했는데, 그것은 Eugen Bleuler가 조기치매 혹은 정신분열병질병군(Dementia Praecox or the Group of Schizophrenias(1950))에서 강조하는 요지이기도 하다.[5]

*질환*과 *장애*는 종종 동의어로서 사용되기도 하나, 질환은 임상적 발현 또는 환자가 경험하는 것(증상들)에 국한된다. 질환에는 장애의 무증상성(無症狀性) 측면이 포함되지 않는데, 이러한 측면이 타인에게 관찰된다면 그것은 징후에 해당한다. 예를 들어, 정신분열병 증상이 출현하기 수년 전에 일시적으로 보였던 미세한 운동 이상은, 대개 그 주체가 이를 인식하지 못하기에, 질환의 일부로 간주될 수는 없을 것이다. 그러나 그 운동이상을 정신분열병이라는 장애 혹은 질병의 일부로 볼 수는 있다.

*장애*라는 용어는 경과에 대한 의미를 담고 있지만 일반적으로 원인을 뜻하지는 않는다. 한 증후군이 여러 개의 장애로 이루어질 수 있는 것과 똑같이, 한 개의 장애도 여러 개의 증후군으로 이루어질 수 있다. 정신분열병이 최소한 몇 개의 증후군이나 유형(이를테면, 편집형과 긴장형)으로 이루어져 있다고 생각되는 것이 그 예이다. 정신장애의 진단 및 통계 편람 제 4판(The Diagnostic and Statistical Manual of Mental Disorder, fourth edition(DSM-IV[6]))과 그 이전의 DSM-III와 DSM-IIIR[7-8]에서는 정신장애를 '개인에게 일어나는 임상적으로 의미 있는 행태나 심리적인 증후군 또는 양식이며, 현재의 고통(예를 들면, 아픈 증상) 혹은 장해(즉, 한 가지 이상의 중요한 기능적 손상) 혹은 현저하게 증가된 죽음, 고통, 장해, 또는 중요한 자유의 상실 위험성과 관련되어 있는 것' 이라 정의하고 있다(xxi 쪽). 편람의 제목에 '장애' 라는 용어를 사용하고 대부분의 진단에 '장애' 라고 꼬리를 닮으로써(예를 들면, 정신분열병 장애, 양극성 장애), DSM은 정신과에서 장애를 다루고 있다는 점을 강조한다. 마찬가지로, 국제질병사인분류(Manual of the International Statistics Classification of Disease, Injuries and Cause of Death (ICD-10))[9]에서도 정신분열병은 질병이 아니라 장애임을 분명히 밝히고 있다. ICD-10은 그 제목에 '질병' 이라는 용어를 사용하고 있음에도 불구하고 '장애' 를 따로 둔 것이다. 역사적으로, 이러한 이례적 사항은 ICD 체계가 본래 사인(死因) 분류였기 때문일는지도 모른다.

*질병*은 신체적으로 관찰되는 것이 있음을 뜻한다. 구조적으로, 생화학적으로, 혹은 생리학적으로 신체나 신체의 일부에 이상이 있음을 말한다. 한 질병은 비록 그 원인이 알려져 있지 않다 하더라도 특이한 원인을 가진 구분되는 단위다. 과거 150년간 질병의 개념은 사후부검, 생검, 실험실 검사, 방사선학적 검사, 그리고 특이한 생화학적 유전적 결함의 발견 등에 크게 영향을 받아왔다. 하지만, 질

병으로 간주되기 위한 단위가 얼마나 명확해야 하는가에 관해서는 거의 명시된 바가 없다. 예를 들면, 몇 가지의 유전적 결함들이 페닐알라닌의 병적 상승을 초래한다고 알려진 시점에 페닐케톤뇨증(phenylketonuria)이란 단독 질병의 요건이 만족되는가? 실제 임상에서는 특이성이 매우 높을 필요는 없어 보인다. 예로서, '심장질병' 이라는 말은 병이 생긴 장기를 알려주지만, 심장에 어떤 문제가 있는지를 구체적으로 알려주진 않는다. '질병' 이라는 용어의 또 다른 측면은 그것이 때때로 진행을 의미한다는 점이다(Spitzer와 Endicott 1978; Klein 1978; McHugh와 Slavney 1986에 있는 토의를 보라).[10-12]

위에 기술된 용어들은 의학 연구에 반드시 필요한 요소다. 특히, *질병*과 *장애*라는 용어는 정상의 단순한 극단(極端)도 아니고, 정상적 삶의 과정중 일부도 아닌 상태를 생각케한다. 예로서 190센티미터의 신장을 가진 사람은 정상치의 한 극단을 차지하지만 질병을 지닌 것은 아니다. 그러나 그 신장이 뇌하수체 종양 때문이라면, 큰 키는 증후군의 일부로 여겨질 것이고 다른 증상과 징후들을 확인함에 따라 장애나 질병의 진단이 주어질 수 있다.

질병의 한 측면으로서 현대 정신의학이 간과하고 있는 점은 손상에 대한 뇌의 반응이라는 측면인데, 여기에는 19세기 의학이 중요하게 기여했다. 감염성 질병의 증상을 낳게 하는 것은 결국 다량의 미생물에 대한 신체의 반응(방어)이다. 하지만 정신분열병에 관한 대부분의 생각에서는 정신분열병을 낳는, 어떤 손상에 대한 생물학적 반응이라는 측면이 전통적으로 결여되어 있다. 그러나 아래 토의된 것처럼, Bleuler가 명명한 '부수적 증상들'과 양성증상 및 음성증상에 관해 논해지는 것들은 손상에 대한 뇌의 반응으로 설명할 수 있었는지도 모른다.

한때 심리학과 정신의학에서는 정신분열병이나 기타 정신과적 문제를 질병이나 장애라기보다는 정상의 변이로서 보는 관점이 팽배했던 적이 있다. '모든 사람이 조금은 미쳐있다' 는 생각을 따르다보면 진정한 광기마저도 단지 정상의 연장선상에 있어 보인다. 따라서 거기에는 정신병이라는 낙인이 덧붙여지지 않는다. 그러나 정신분열병을 질병으로 보자면, 조금 미친 것과 정신병적인 것 사이의 질적 차이를 인정해야 한다. 정신분열병의 '병태생물학적' 이상을 모르기에, DSM-IV와 ICD-10 위원들이 '질병' 대신에 '장애' 라는 용어를 사용했던 점은 현명했던 것 같다. 하지만 다른 한편으로는, 위원들이 소심했었다고 보여질 만큼, 정신분열병을 지닌 환자의 뇌 이상의 증거도 아마 충분히 있을 것이다. 이 조심성이 과학적으로는 현명한 것일 수 있겠으나, 많은 손실을 수반하기도 했다. 정신분열병이 질병으로 불리거나 질병으로 생각되지 않는다면, 치료적 측면에서 다른 질병들과 동일한 관심이 주어지지 않을 것이다.

바야흐로 *진단*은 의사소통, 분류, 예후, 그리고 치료에 있어서 중요한 의미를 지니는 부분이다. 진단은 개인병력, 가족력, 신체진찰 소견, 그리고 검사실이나 기타 진단적 검사를 세밀히 고려하여 한 환자를 특이한 군(群)의 위치에 두는 것이다. 정신분열병은 주로 다른 진단을 배제함으로서 진단을 내리기 때문에 현상학적으로는 다소 별스러운 구석이 있다. 실험실 검사로서 감별진단에 부분적인 도움을 얻을 수는 있겠으나, 아직은 정신분열병의 진단에 뒷받침이 될만한 검사는 없다. 더욱이 다른 전문의에 비해 정신과의사의 검사적 도구는 제한되어 있기 때문에 통상적으로 진단을 내릴 때에는 기준을 만족시키는 질병경과에 대한 정보가 필요하다.

*신뢰도*와 *타당도*는 진단과 결부되어 사용되는

두 개념이다. 신뢰도는 한 진단이 환자의 상태가 동일할 때에 같은 조건 하에서의 다시 그 진단으로 내려질 수 있는가에 관한 것이다. 1980년 DSM-III가 시작될 때, 정신과적 진단 범주에 관해 잘 정의된 기준을 사용하고 녹화된 면담 관람과 같은 교육 기술을 활용하면서, 대부분의 정신과 장애들은 상당히 높은 신뢰도를 얻을 수 있었다.

타당도는 한 진단이 그 장애와 얼마나 밀접하게 관련되는가를 일컫는다. 진단에 있어서 신뢰도 없는 타당도는 있을 수 없다. 하지만 신뢰도가 타당도를 보증하는 것은 아니다(예를 들어, 만약 여섯 사람이 튜울립을 장미로 본다면 신뢰도는 높겠지만 튜울립이 장미가 될 수는 없다). 비록 우리가 정신분열병의 원인을 아직 모르고 있고(일부는 유전적이기도 하고 뇌에 이상이 있다는 정도 외에), 따라서 정신분열병의 진단을 질병의 병태생리학적 발현에 결부시킬 수는 없지만, 예측타당도나 기준타당도는 얻을 수 있었다. 이는 우리가 정신분열병 진단을 내린다면, 치료에 대한 반응이 어떨지 그리고 어떤 경과를 보일지에 관해 알 수 있다는 것을 의미한다.

역사적 관점

역사를 통틀어 정신분열병의 현대 개념과 비슷한 기술이 있기는 하지만, 19세기에 이르러서야 서구 의학 문헌에서 광범위하게 정신분열병에 관해 논해진 것으로 보인다. 19세기와 20세기 초의 임상의들-그 중에서도 Philippe Pinel, Emil Kraepelin, 그리고 Eugen Bleuler은 이 질병을 세밀히 연구했고 정신분열병 진단에 관한 현대 사고방식에 영향을 끼쳤다. 1801년 Pinel은 '빠르고 ... 고립된 사고와 이유없고 부적절한 감정의 계속되는 반복, 이상한 움직임, 그리고 지속되는 과도한 행위들' 을 강조했다. 그는 이어 '판단력의 상실과 일종의 기계적인 존재' 를 논했다(222쪽).[13] 19세기 학자 중 John Haslam은 가장 명료하게 정신분열병의 양상을 기술했다. Haslam에 의하면, 현재 우리가 정신분열병이라고 부르는 것은 사춘기에 발병하여 진행성의 황폐화 경과를 가졌다고 하였다; '첫 발병은 거의 감지할 수 없다; 특별히 눈에 띄기까지 보통 수개월이 경과한다; 가까운 친지들은, 그것은 단지 지나친 활력의 감소일 뿐이며 신중히 준비할 줄 알게되고 성격이 안정화되어 가는 과정에 있다고 생각하지만 사실은 그렇지 않다'. Haslam은 환자들이 예전에 몰두했던 일들에 무심해지고, 감정이 둔마되고, 책을 읽고서도 읽은 것을 설명하지 못하는 데에 주목했다. 무관심이 증가할수록 환자들은 자신의 복장이나 개인 위생을 무시한다. 그리하여 사춘기와 성인기 사이의 기간에, Haslam은 '[그곳에] 절망적이고 파괴적인 변화가 있다' 고 기술했다.[13]

1896년 Emil Kraepelin은 정신의학 교과서 제 6판과 그 후속 판들에서 문자 그대로 생애 초기의 치매, 그 자신이 조기치매라고 불렀던 질병의 증상과 경과를 매우 자세히 기술했다.[14] 유사한 증상 기술에 이 용어가 사용된 적이 있었지만, 예전에 기술되었던 다양한 증상 복합체나 증후군들을 (특히 헤베프레니아(hebephrenia), 긴장증(catatonia), 그리고 편집증(paranoia)) 조기치매로 통합시키는 데에 지대한 공헌을 한 사람은 Kraepelin이었다. 그는 질환의 초기에는 외계(外界)가 제대로 지각(知覺)된다고 기술했다. 환자들은 주변 환경을 인식할 수 있었고 보통은 시간, 장소, 사람에 대한 지남력(指南力)이 보존된 상태였다. 물론, 급성기와 같은 흥분기간 동안은 얼마 정도의 지남력 상실이 발생하기도 했다. 나아가 환각과 망상때문에 환자가 주위환경을 파악하는 데도 어려움이 있었다. 시간이 경과하면 환각, 혹은 최소한 그 환각이 때로 야기하는 공포감은 감소했다. Kraepelin은 비록 입원 시에는 다채로운 증상을 가졌다 할지라도 성인 초기에 발병했다면 다수의 환자들이 황폐화 상태로 진행한다는 점을 관찰했다. 조기치매를 조울병과 감별하는 데에 예후(대개 불량함)를 사용한 사람도 또한 Kraepelin이었다.

1911년 Eugen Bleuler는, 조기치매라는 Kraepelin의 용어보다 더 정확하게 증후군의 특성을 반영한다고 믿어 '정신분열병' 이라는 용어를 도입했다. 이 용어는 마음(정신, phrenia)의 분열(splitting)이라는 의미에 중점이 주어지면서 종종 오해를 받아오기도 했다. Bleuler가 강조하고자 했던 것은, '환경에 대해 명료한 지남력이 유지되는 상태에서 여러 인격의 파편들이 나란히 존재한다는 의미에서의 ... 한정된 분열' 은 오직 정신분열병에서만 찾아볼 수 있다는 점이었다(298-9쪽). 새로운 사고(思考)를 만들어내는 비논리적 방식에 연결된 사고의 파편들을 통해 환자의 사고를 이해할 수 있다. 본질적으로 정신분열병 환자는 건강한 개인으로서의 전체성이 결핍되어 있었다. 하지만, 정신분열병이 한 개인 내부에 두 개 이상의 상대적으로 *전체적인* 자기를 가지고 있다는 것을 뜻하는 분열된 인격은 아닌 것이다.

Bleuler는 예전에는 건강했던 젊은 사람에게 나타나는 환각, 망상, 사고의 와해로 특징지워지는 장애 군(群)으로서 정신분열병을 기술했다.[5] Bleuler는 다음과 같이 적고 있다: '조기치매 혹은 정신분열병이라는 용어로서 우리가 지칭하는 정신병 군(群)은 그 경과가 때로는 만성적이고 때로는 간헐적으로 악화되는 특징을 보이면서 진행이 멈추거나 어떤 단계로 되돌아갈 수도 있지만, *온전한 전체성의 회복*은 불가하다' (9, 225쪽). Bleuler는 Kraepelin과 마찬가지로 많은 환자들이 완전한 황폐화 일로의 경과를 보이지는 않았다는 점을 주목했기에 '치매' 라는 용어를 수용하지 않았다. 그리고 황폐화가 나타나는 경우에도, 그 시기가 생애 후기에 해당했다. 이런 이유로 Bleuler는 예후의 중요성을 그다지 높게 생각하지 않았다.

Bleuler는 또한 정신분열병의 네 가지 일차 증상이라는 개념을 도입했다(이는 Bleuler's 4 A's라고도 알려졌다). 그것은 연상의 곤란(Association disturbance), 양가성(Ambivalence, 모순된 사고, 소망, 그리고 충동), 정동 곤란(Affective disturbance, 평탄하거나 부적절한 정동), 그리고 자폐성(Autism, 환상 속에 몰입하고 현실로부터 위축)이다. 질환의 어느 경과 중에서나 정상적 과정의 이러한 왜곡이 나타날 수 있다. 간헐적으로 출현한다는 이유로, Bleuler는 부수적 증상-환각, 망상, 인격의 장애, 말하기와 쓰기의 장애, 신체적 증상, 그리고 긴장증 증상-은 일차적 증상으로부터 비롯된다고 느꼈다.

나아가 Bleuler는 Kraepelin이 기술한 세 가지 유형 외에 정신분열병의 네 번째 유형을 추가했다: 단순 정신분열병(simple schizophrenia)이 그것이다. 단순 정신분열병은 환각과 망상, 혹은 사고장애와 무관했고, 그 진단에 이런 증상들이 요구되지 않았다. Bleuler는 Clouston을 인용한다: '환자들은 단순히 정동과 지력이 약화된다; 의지는 힘을 상실한 듯 보이고; 일하는 능력, 자신을 돌보는 능력이 감소한다. 환자들은 우둔해 보이고 결국 심한 치매의 양상을 보이게 된다' (235쪽).

Bleuler처럼, 20세기 중반에 활동한 Kurt Schneider 역시 특이한 증상들의 중요성을 강조했는데, 그는 이를 일급증상(first-rank symptoms)이라고 불렀고, 장애에 근본은 아니지만 특징적이며 진단적 증상이라고 간주했다.[15] 자신의 생각을 큰 소리로 말하는 목소리, 사고의 삽입, 외계의 힘에 의해 주입된 감정과 행동들을 포함한 11개의 일급 증상이 있다. 그러나 여러 후속 연구들에서[16] Schneider의 일급증상은 다른 종류의 정신병에서도 출현하기에 정신분열병에 진단적 증상은 아님이 확인되었다.

20세기를 통해 정신분열병에 관한 새로운 이해들이 많이 등장했다. 이 책의 다른 부분에서 많이 다루어지겠지만, 그 중에 일부는 정신분열병을 어떻게 진단할 것인가 하는 문제에 결정적인 것이며, 정신분열형장애, 분열정동장애, 그리고 정신분열병 연속선상의 장애 개념을 포함한다. 예를 들어, 정신분열형장애라는 용어는 1939년 Gabriel Langfeldt가 도입했는데, 정신분열병과 유사한 정신병을 가졌지만 일반적으로 좋은 예후를 보이는 환자들을 구분하기 위함이었다.[17] 정신분열형 정신병을 지닌 환자들은 감정적 둔마, 만성적 경과, 혹은 잠행성의 발병을 보이지 않았다. 한때 정신분열형장애 기준을 만족시키는 상당수의 환자들이 시간이 지나면서 정신분열병, 분열정동장애, 혹은 다른 정신병적 장애 기준을 만족시킬 것이기에,[18] 정신분열형장애는 많은 환자들에게 일시적인 진단이 된다. 그럼에도 불구하고 일부 환자들은 더 만성적인 정신병적 장애로 진행하지 않으며, 그들에겐 정신분열형장애가 정확한 진단이 된다.

1933년 정신분열병과 정동장애의 혼재된 양상을 지닌 정신병에 대한 용어로서 *분열정동장애*가 출현했다.[19] 분열정동장애의 정의는 그 도입 때부터 시시각각 변천되었지만, 일반적으로는 정신분열병 증상과 기분장애 증상이 공존한다는 의미이다. 아래에 언급되겠지만, 이 장애는 주요 진단분류체계 두 가지(DSM-IV와 ICD-10)에 약간 다르게 정의되어 있다.

추가로, 입양아 연구를[20] 통해 *정신분열병 연속선상의 장애(schizophrenia spectrum disorders(SSD))*라 불리는 질환들은 유전적으로 서로 연속성이 있음이 시사되었다. 정신병적 장애로부터 비(非)정신병적 장애에 이르기까지의 연속선상에는 정신분열병, 분열형 성격장애, 분열정동장애 정신분열 아형, 그리고 편집성 성격장애가 포함된다.

유럽의 대부분은 정신분열병에 관한 Kraepelin의 관점을 따랐지만, 미국에서는 Bleuler의 관점이 우세해졌다. 1970년대 초반, 미국과 기타 다른 나라간에 정신분열병 진단에 있어서 신뢰도가 매우 미약하다는 사실이 분명해졌다. 정신분열병 진단기준이 명확하지 않은 것에 대한 염려때문에 후속 연구들로 이어지게 되었다. 미-영 연구에서[21] 정신분열병과 기분장애의 상대적 비율이 뉴욕과 런던 간에 대단한 차이를 보였다. 그러나 수년 후에, 표준화된 기준을 사용한 결과,[22] 기분장애와 정신분열병의 상대적 비율은 양 대륙 간에 거의 일치했다. 그 동안 와싱턴 대학 기준이[23] 개발되어 발달하면서 미국정신의학회에 의해 DSM으로 점차 융화되었다. 특이하게도 이 기준은 정신분열병 진단이 내려지기 위해서는 최소한 6개월 간 증상이 존재해야 할 것을 요구했다. 증상을 지닌 기간이 6개월을 채우지 못하는 환자들을 배제시킴으로써, 상대적으로 온전한 회복이 거의 없는 정신분열병을 만성적 장애로서 재정의(再定義)한 것이다.

미국에서는 첫 두 판의 DSM이 정신분열병의 특이한 기준을 제공하지 못했다. 그러나 1980년 제 3판이 출판되었을 때부터 진단기준 이용이 정신과 임상실제의 한 부분을 차지하게 되었다. DSM-III와 DSM-IV(1994)에 이르기까지의 체계, 그리고 거기에 평행한 ICD-10 체계는 비록 전적으로 수용되지는 않았더라도 전세계적으로 채용되어 왔다. 이 기준들에 의하면, 어떤 시기에 망상이나 환각 혹은 사고장애를 보이지 않았다면 정신분열병 진단이 주어질 수 없다. 따라서 Bleuler가 정의한 정신분열병의 단순형과는 대조적인 것이다. 또한 DSM-III부터는 배제진단에 의한 것을 제외하고는 정신분열병의 원인에 관한 추론을 내리지 않고 있다. 이는 장애를 설명하거나/설명하고 치유하기 위해 이를 기술하고 명명하고 분류하거나 혹은 가설을 발전시키고자 꾀했던, 전후(戰後) 미국을 풍미하던 역동정신의학과의 실질적인 결별이었다. 더욱이 DSM에서의 다축(多軸)체계(multiaxial system) 이용은 환자의 기능 능력과 같은 삶의 다양한 측면을 담아내고자 한 시도다.

영상기술로써 생체 뇌 구조를 안전하게 연구할 수 있게 됨에 따라, 뇌 구조 이상과 증상의 *범주(categories)*와 *차원(dimensions)*간의 상관관계를 연구할 수 있게 되었다. 범주에 의해 환자들은 상호배제적인 두 집단으로 구분된다. 이는 Crow의(1980) 유형 I과 유형 II 정신분열병 구분에서 발견되는데, 유형 I 정신분열병은 양성증상과 도파민 2형 수용체 수의 증가로 특징 지워지며 유형 II 정신분열병은 음성증상, 확대된 뇌실, 대뇌 피질의 감소로 특징 지워진다.[24] 양성증상은 환각과 망상을 포함하고 음성증상은 정동의 평탄화, 말(言)의 빈곤, 무욕(無慾), 무감작(無感作)을 포함한다. 어떤 연구에서는 세 번째의 증상 모음인 와해증상이 가정되는데, 이는 때에 따라 양성증상의 아형으로 간주되기도 한다. 여기에는 와해된 말(이탈, 지리멸렬, 그리고 차단)과 괴이한 행동이 포함된다.

반면 차원은 요인분석 같은 통계적 처리과정에 기초하며, 상호배제적이지 않다. 질병의 한 유형이 다른 유형에 비해 어떤 차원에 더 강한 상관관계를 보일 수 있다.[25] 예를 들어, 편집형 정신분열병 환자가 어떤 사고장애를 지니고 있을 수 있지만, 그것이 환자 질환의 두드러진 양상은 아니다. 영상기술을 통한 이러한 문제에 관한 연구는[26] 양성증상과 음성증상에 관한 새로운 관심을 초래했고, 이 관심은 진단에 간접적인 영향을 미쳤다. 예로서, 음성증상에 관한 재인식이 DSM-IV에 반영된 점을 들 수 있다. 음성증상의 중요성과 정신분열병 연속선상의 장애와 같은 관련 증후군의 중요성이 인식되기 시작했음에도 불구하고, 오늘날의 정신분열병 진단은 양성증상의 여부에 달려있다.

정신분열병의 현재 진단 변화를 보면, DSM-IV와 DSM-III의 주요 차이점은 분열정동장애를 정신분열병 장애와 함께 분류하고 있다는 점이다. 1933년 Bleuler는 정신분열병 증상 중 정동증상은 특징적인 증상이 아니라고 했다. 따라서 Bleuler에 의하면, 정동 증상은 환자들이 흔히 지니고 있음에도 불구하고 진단에서 중요하게 고려되지는 않았던 것이다. 따라서 어떤 의미에서는, 분열정동장애를 정신분열병 장애에 포함시킨 것은 Bleuler의 생각으로의 회귀가 된다.

환자 평가

첫 평가

환자를 보는 첫 몇 시간이 어쩌면 가장 중요하다 할 수 있겠다. 이 초기 시간동안 약물남용을 비롯하여, 정신분열병을 닮은 증상을 야기할만한 다른 정신과적 상태와 의학적 상태가 평가되고 처치된다. 표 1.1은 정신분열병의 감별진단에 고려해야 할 의학적 장애와 정신과적 장애 일부의 목록이다. 첫 평가에서 치료계획이 수립되고 환자와 가족들은 미래에 기대할 수 있는 것들을 깨닫기 시작한다. 정신분열병의 조기치료가 장기적인 예후를 좋게 한다는 증거가 있으므로, 이 단계에서의 의사결정은 결정적으로 중요하다.[27]

표 1.2는 진단 과정의 핵심적 요소를 잘 보여준다. 환자의 일반적인 건강상태를 확인함과 아울러

표 1.1 정신분열병의 감별진단에 고려해야 할 장애들

	정신병적 장애
정신병적 장애	
제 1형 양극성 장애	제 1형 양극성 장애(조울병으로도 알려져 있음)는 1회 이상의 조증 혹은 혼재형 삽화로 특징지어지며, 이는 통상 정상적인 기분상태 및 우울 삽화와 교대로 나타난다. 장애의 초기 경과 중에는 환자의 병력이 불분명해 양극성 장애와 정신분열병의 구별이 어려울 수 있다. 진단적인 것은 아니나, 조울병의 가족력은 양극성 장애를 시사한다. 정신분열병의 급성기에 조증과 유사한 증상이 나타날 수 있지만, 조증 삽화에서 보이는 것과 같은 기분의 전염성은 드물다. 하지만, 조울병 환자의 혼재형 삽화 상태는 정신분열병 환자들이 경험하는 다수의 불쾌한 상태와 구분하기가 무척 어려울 수 있다. 환자가 전기적인 에너지 혹은 흥분과도 같은 에너지 증강을 묘사한다면, 양극성 장애의 혼재형 삽화를 경험하고 있을 가능성이 크다.
단기 정신병적 장애	단기 정신병적 장애는 정신분열병의 급성 형태와 동일한 양성증상으로 특징지어진다. 증상은 급성으로 발생하고 1일에서 1개월간 지속되며, 병전 기능 수준이 완전히 회복된다.
정신병을 동반한 주요 우울장애	정신병적 삽화기간 중에는 주요 우울장애의 정신병적 형태와 정신분열병을 감별하기가 어려울 수 있다. 그러나, 정신병을 동반한 주요 우울장애 환자는 일반적으로 우울증상이 없는 정신병적 증상을 지니는 기간이 거의 없다. 우울증이 없는 2주 이상 정신병적 증상이 지속된다면, 정신분열병이나 분열정동장애일 가능성이 크다. 주요 우울장애 환자들은 경조증 또는 조증 삽화가 없다. 정상적인 기능 사이사이에 출현하는 반복적인 우울증 병력으로도, 정신분열병과 정신병적 주요 우울장애를 충분히 감별할 수 있는 경우가 흔하다.
분열정동장애	분열정동장애 환자들은 상당히 오랜 기간동안 기분장애 증상과 정신분열병 증상을 동시에 지니고 있다. DSM-IV는 이 환자들에게 주요 우울 삽화, 조증 삽화, 혹은 혼재형 삽화가 정신분열병의 활성기 증상과 동시에 나타날 수 있다고 가정한다.
정신분열형장애	정신분열형장애의 양성증상은 단기 정신병적 장애 및 급성기 정신분열병의 양성증상과 동일하다. 정신분열형장애에는 대개 유의한 음성증상이 나타나지 않는다. 음성증상은 정신분열병의 초기에 나타날 수도 있고 나타나지 않을 수도 있다. 단기 정신병적 장애, 정신분열형장애, 그리고 정신분열병의 주요 차이점은 전구기와 정신병적 증상 기간을 합친 기간이다. 정신분열형장애의 증상 기간은 최소 1개월 이상에서 6개월 미만이다. 시간 기준은 전구기, 정신병 활성기, 그리고 잔류증상기를 포함한다.

표 1.1 계속

인격장애	
분열형 인격장애	분열형 인격장애 환자들은 친밀한 관계가 거의 없고, 관계가 있다 하더라도 지속적인 결함과 급성 불안이 두드러진다. 게다가, 인지적 그리고/또는 지각적 왜곡이 있고 흔히 괴상한 행동을 보인다. 그러나, 지속적인 정신병적 증상은 없다.
분열성 인격장애	분열성 인격장애 환자들은 타인과의 관계로부터 계속 동떨어져 있고, 감정 표현 범위가 제한되어 있다. 그러나, 지속적인 정신병적 증상은 없다.
경계선 인격장애	경계선 인격장애는 지속적인, 불안정한 타인과의 관계, 불안정한 자아상, 그리고 불안정한 정동성으로 특징지어진다. 어떤 상황에서는 충동성이 나타나기도 한다. 편집증적 착각이나 편집사고가 나타날 수도 있지만, 이 증상은 일과성이고, 일반적으로 타인과의 상호작용과 관련된 경향이 있으며, 외부의 구조에 반응한다. 편집증적 착각이나 편집사고가 수개월 혹은 수년간 지속될 수도 있지만, 이는 망상에 비해 덜 고정되어 있다.
심리적 증상을 동반한 가장성(인위성) 장애, 그리고 꾀병	심리적 가장성 장애 혹은 꾀병 환자는 스스로 증상을 꾸며낸다. 가장성 장애에서는 이러한 증상의 유일한 목적이 병자로서 보이기 위한 것이다. 그러나, 꾀병은 특수한 목적을 염두에 둔 것으로서, 대개는 어려운 상황의 회피를 목적으로 한다. 정신분열병의 양태를 보이는 가장성 장애는 드물지만, 범죄행위를 저지른 데에 대한 대가를 회피하고자 기도하는 사람은 정신분열병과 유사한 질병을 꾀병으로 꾸며내는 경우가 드물지 않다. 꾀병에 성공한 경우와 정신분열병을 구별하는 것은 정신과적으로 현재 불가능하다.
전반적 발달장애	전반적 발달장애 환자는 발달의 한 영역 이상에서 심하고 지속적인 손상을 보인다. 타인과의 상호작용의 실패, 의사소통 기술의 손상, 상동적 행동, 그리고 제한된 관심과 활동 등이 여기에 속한다. 이러한 장애는 생후 초기 몇 년에 걸쳐 뚜렷해지며, 지적 능력의 감소를 동반하기도 한다. 소아기-발병 정신분열병은, 수년간의 정상적이거나 거의 정상적인 발달이 진행된 후 나중에서야 증상이 시작된다는 점에서 전반적 발달장애와는 다르다.
편집성 인격장애	편집성 인격장애는 대인관계에서의 냉담함, 다른 사람의 의도를 악의적인 것으로 간주하는, 타인에 대한 전반적인 불신과 의심으로 특징지어진다. 편집성 인격장애 환자들은 사소한 자극에도 분노로서 반응하는 경향이 있다. 그러나 정신분열병과는 달리 지속적인 정신병적 증상은 없다. 이 장애가 정신분열병 진단에 선행한다면, II축 진단에 이 장애를 기입하고 괄호 안에 '병전(病前)' 이라고 명시한다.

표 1.1 계속

고려해야 할 기타 정신과적 장애	
적응장애	적응장애는 우울한 기분, 불안, 불안과 우울한 기분의 혼재, 행동의 장애, 감정과 행동의 혼재형 장애, 그리고 불특정형태 중 어느 것을 동반하는가에 따라 구분되는 여러 유형들을 포함한다. 이 모든 형태는, 확인할 수 있는 스트레스에 대한 반응으로서의 상당한 감정 또는 행동의 곤란으로 특징지어진다. 정의상, 이 장애는 스트레스가 종료된 후 6개월 이내에 해소되어야 한다. 진단으로서 이 장애는, 통상 한 개인이 다른 정신과적 장애의 기준을 만족시키지 못할 때에 행정상의 이유로 흔히 내려지는 진단이다.
아스퍼거 증후군	그 일부가 나중에까지 불분명한 경우도 있지만, 아스퍼거 증후군의 증상은 소아기에 시작된다. 아스퍼거 증후군의 특징은 심하게 손상된 사회적 상호작용과 반복적인 행동, 관심, 활동이 나타난다. 언어나 인지적 발달에는 심한 지연이 없지만, 기능은 손상된다. 운동발달지연, 운동의 아둔함, 그리고 사회적 상호작용의 어려움은 통상 소아기에 출현하며, 정신병적 증상이 없기 때문에, 일반적으로 면밀한 병력 청취를 통해 정확한 진단이 가능하다.
망상장애	망상장애 환자는 적어도 1개월 이상 지속되는 괴이하지 않은 망상을 한 가지 이상 지니고 있으며, 현저하지 않은 환청이나 환시를, 혹은 현저하지만 망상과 관련된 환촉이나 환취를 경험하기도 한다. 관계사고가 흔하다. 망상으로 인해 사회적 문제, 부부문제, 직장문제가 발생할 수 있다. 그러나, 큰 기능손상이 없고, 언어가 와해되지 않았고, 음성증상이 없으며, 행동이 특이하거나 괴이하지 않다. 이 장애에는 일곱 가지의 아형이 있다: 색정형, 과대형, 질투형, 피해형, 신체형, 혼재형, 그리고 불특정형이다. 망상의 괴이함이 망상장애와 정신분열병을 감별하는 한 측면이 될 수 있다; 그러나, 망상이 괴이한 것인지의 여부를 판단하기 어려운 경우도 있는데, 특히 문화적 차이에 따라 더욱 그럴 수 있다. 있을 법하지 않음이 분명하거나 일상생활에서 비롯된 것이 아니라면, 그 망상은 괴이하다고 간주된다. 또한, 일반적으로 망상장애의 발병연령은 젊은 성인기가 아닌 중년기 이후이다.
해리성 정체감 장애	과거에는 다중인격장애로 알려져 있던 해리성 정체감 장애의 특징적인 양상은, 한 개인의 행동을 반복적으로 조종하는 둘 이상의 구분되는 정체감이나 인격상태, 그리고 중요한 신상정보의 기억불능이다. 삽화적이거나 지속적인 경과가 모두 기술되어 있다. 망상, 환각, 사고장애, 그리고 정신분열병의 기타 증상은 없지만, 한 가지 이상의 해리된 인격상태의 존재가 망상으로 오인될 수 있으므로, 진단을 내리기 위해서는 면밀한 병력조사가 요구된다.

표 1.1 계속

외상 후 스트레스 장애	한 개인이 극도로 외상적인 사건에 노출된 후 발생하는 외상 후 스트레스 장애는 지속적인 사건의 재(再)체험, 외상에 관련된 자극의 회피, 항진된 각성 증상을 특징으로 한다. 사회적 직업적 기능이 손상된다. 발병은 급성일 수 있고, 만성이거나 지연될 수도 있다. 동반될 수 있는 기능 손상과 갑작스러운 회상(flashback)으로 인해 이 진단은 정신분열병으로 오진되기도 한다. 그러나, 외상 후 스트레스 장애 또한 정신분열병에 흔히 동반될 수 있다.
남용 물질-유발성 독성 장애	
남용 물질-유발성 독성 정신병은 섬망(기복이 있는, 기억, 지각, 의식, 주의력의 전반적인 손상으로 특징지어짐)이 있다는 점에서 일반적으로 정신분열병과 감별될 수 있다. 소변이나 혈액검사를 통해 물질을 검출해 냄으로써 통상 진단을 확인할 수 있다. 대개는 물질남용 병력이 있지만, 가끔은 환자가 자신이 약물을 복용했다는 사실을 모를 때가 있으며, 자신이 한 행위의 의미를 헤아리지 못할 만큼 혼동되어 있을 때도 있다. 약물-유발성 독성 장애의 증상에는, 지남력 상실, 환시, 그리고 가끔은 환촉이 포함된다. 이들 중 다수는 지속적인 정신병으로 진행하기도 하는데, 이는 장기간의 약물사용 후에 발생하는 것이 보통이다. 약물사용의 시작보다 전구기 징후가 선행했다면, 일반적으로 정신분열병으로 진단한다. 그러나 전구기 증상이 없는 경우라면, 진단은 더 어려워진다. 아래에 열거된 약물 중 펜싸이클리딘(phencyclidine)과 메트암페타민(methamphetamine)을 제외하고는, 그 약물의 약리학적 작용시간보다 더 길게 정신병이 지속되는 경우는 드물다. 임상실제에서, 특히 급성상태에서는 정신병의 원인에 대한 충분한 정보가 얻어지기 전에 급성증상을 조절하기 위한 치료를 시작해야하는 경우가 있다.	
알코올-유발성 정신병적 장애 및 기타 알코올-관련 장애	진전섬망(delirium tremens(DTs))과 같은 심한 금단증상을 가진 알코올중독 환자들은 환시, 환촉, 혹은 환청을 흔히 동반한 혼동상태에 빠져든다. 주요 증상이 편집증일 수도 있다. 알코올-유발성 정신병적 장애는 일과성 정신병적 장애로서, 뚜렷한 금단 징후가 없는, 통상 명료한 지각상태에서의 환청 그리고/혹은 편집망상으로 특징지어진다. 환자가 부정하기도 하는, 과거의 알코올 사용 병력이 항상 있게 마련이다.
암페타민, 코카인, 메트암페타민(필로폰), 그리고 기타 각성제	암페타민, 코카인, 그리고 기타 각성제(의사의 처방이 필요 없는 일반의약품에 많이 들어 있는 페닐프로필아민을 포함한)는 편집성 정신병을 일으킬 수 있다. 대개는 가장 뚜렷한 증상이 편집증이지만, 정신분열병에서 보이는 사고장애, 정동의 평탄화, 그리고 환각은 그리 흔하지 않다. 암페타민 정신병을 가진 사람은 강박적인 상동적 행동을 보이기도 한다. 이 환자들에게서 각성제남용 병력을 확인할 수 있고, 소변에서 각성제를 검출할 수 있다. 환자가 그 약물 사용을 중단하면, 대부분의 각성제-유발 편집성 정신병은 몇 시간에서 며칠 이내에 사라진다. 그러나, 장기간의 코카인남용에 의해 알코올성 환각증과 유사한 편집사고와 환시 및 환청이 발생한 다수의 사례가 보고되어 있다.

표 1.1 계속

	메트암페타민(MAP)-유발성 정신병에는 관계사고, 피해망상, 그리고 환시와 환청이 나타날 수 있다. 환자의 행동에 간섭하는 목소리를 듣는 환청이 환시보다 흔하다. 정신병적 삽화가 지나면, 환자는 평탄화된 정동과 영구적인 인격변화를 보이는 경향이 있다. 단지 일회 내지 이회의 사용만으로도 MAP-유발성 정신병이 생기는 경우도 있지만, 수개월에서 수년간 MAP를 사용한 후에 정신병이 생기는 것이 보통이다. 약물에 의한 기분항진은 흔히 일찍부터 감소한다. 시간이 지남에 따라, 환자는 의심이 많아진다. 더 강력한 형태의 MAP가 사용 가능해진 최근까지는, MAP 정신병은 정맥주사 사용 후에만 발생했다. MAP는 3-5일이 지나면 소변에서 검출되지 않으나, MAP-유발성 정신병의 약 절반가량은 일주일이 경과해야 사라진다. 환자의 80%는 MAP 중단 후 한 달 이내에 회복되지만, 일부의 소수 환자들은 5년이 경과해야 증상이 사라지는 경우도 있다. 아주 적은 양의 MAP, 알코올, 그리고 때로는 심리적 스트레스에 노출되는 경우라 할지라도, 그 환자는 쉽게 재발하는 경향이 있다. MAP를 사용한 병력이 있거나, 팔에 주사자국이 있는 경우, 또는 소변에서 MAP가 검출될 때에는 MAP가 정신병의 원인임을 강력히 의심할 수 있다.
벨라돈나 알칼로이드를 포함한 항콜린제	고용량(혹은 민감한 사람에게는 상대적으로 적은 용량)의 항콜린제는 항콜린성 증후군을 일으킬 수 있다. 충분히 발현된 이 증후군의 특징은 초조, 운동실조, 혼돈에 주의집중력, 지남력, 즉각 회상력의 장애가 동반된 것이다. 무도무정위성 운동(choreoathetoid movement)이나 의미 없는 손동작(picking movement)을 보이기도 한다. 동공이 산대되고, 피부와 점막이 건조해지며, 심박동수의 증가, 혈압상승, 체온상승이 나타날 수 있다.
LSD와 메스칼린 및 유사한 환각제	LSD-유발성 정신병의 특징은 뚜렷한 시지각의 변화가 있고(정신분열병 환자에게는 환청이 보다 흔하다), 정동의 평탄화가 거의 없거나 전혀 없으며, 고정된 망상이 없다는 점이다. 정신분열병 환자는 사고장애를 지닌 데에 반해, LSD 정신병 환자들은 자신의 생각을 표현하지 못함을 염려하는 경향이 있다. LSD 경험 그 자체에는, 특히 초기에 현기증, 허약, 진전, 구역, 졸림, 이상감각, 그리고 시야몽롱이 흔하다. LSD-유사 약물과 관련된, 가장 흔한 급성 의학적 문제는 공황발작이다. 약물효과가 사라짐에 따라 LSD 정신병도 해소된다. LSD 사용에는 갑작스런 회상(flashback)이 흔히 동반되나, 이것이 정신분열병 증상과 혼동되는 경우는 별로 없다.
마리화나와 테트라하이드로칸나비놀	마리화나는 종종 관계사고, 공포, 편집증, 초조, 혼돈, 심지어는 이인증을 초래할 수 있다. 마리화나를 사용하는 사람은 심박동수의 증가와 안구충혈을 보일 수 있다. 마리화나를 사용 중인 사람의 소변에서는 THC가 검출된다.

표 1.1 계속

아편양제-유발성 장애	몰핀, 코데인, 그리고 헤로인과 같은 아편양 물질은 현실 검증력이 유지되는 상태에서의 환청, 환시, 환촉을 유발한다. 다행감, 무감동, 불쾌감, 그리고 사회적 직업적 기능 손상도 야기될 수 있는데, 특히 만성적인 사용자들에게 흔히 나타난다. 아편양 물질을 중단하면 일반적으로 증상이 사라지나, 불안, 불쾌감, 무쾌감증, 불면 등의 금단증상이 수주에서 수개월간 지속되기도 한다.
PCP(펜싸이클리딘)	PCP는 급성기에 기분의 동요, 기억 소실, 찌푸린 얼굴표정, 안구진탕, 그리고 운동실조를 동반한 정신병을 야기할 수 있다. 병력청취가 가능하다면 PCP 사용 병력과, 약물선별 소변검사가 진단에 도움이 된다. PCP 정신병의 급성형 및 만성형 양자 모두는 자신과 타인에게 예측할 수 없는 신체적 공격성을 보이는 것과 관련 있다.
	신경학적-의학적 장애
급성 간헐성 포르피린증(AIP)	AIP는 간 포르피린증으로서 주로 사춘기 이후에, 또는 정신분열병 발병과 비슷한 시기에 발생한다. 바비추래이트(barbiturates)와 설파제 항생제를 포함한 일부 약물에 노출됨으로써 유발될 수도 있다. 급성 발작기에는 환각과 편집증을 보일 수 있는데, 대개는 불안, 불면, 우울, 지남력 상실을 동반한다. 간질발작, 간헐적인 복통, 종종 나타나는 복부팽만과 설사는 진단에 도움이 된다. 급성 발작기에는 감마-아미노레불리닉 산 aminolevulinic acid(ALA)과 포르포빌리노겐porphobilinogen이 혈액과 소변에 증가되어 있다.
부신백질이영양증(ADL)	ADL은 남성에게 발생하는 성염색체 열성 유전질환이다. 무엇보다 특징적인 ADL의 증상은, 뇌 백질 수초myelin의 퇴행으로 인한 진행성 치매와 기타 지능 손상 및 신경학적 장애이다.
알쯔하이머 병, 조기	알쯔하이머 병의 조기 증상으로 환각, 초조, 의심이 나타날 수 있다. 그러나 대개, 알쯔하이머 병은 최근기억의 장애, 자발성과 동기의 결여, 그리고 판단력 장애를 동반한다. 시간이 경과하면 시간과 장소에 대한 지남력이 상실된다. CT나 MRI 검사에서 대뇌 위축이 발견되는 것이 일반적이다. 알쯔하이머 병이 중년 이전에 발병하는 경우도 있긴 하나, 보통은 정신분열병의 위험이 가장 높은 연령 이후에 발생한다.
선천성부신과형성증 및 쿠싱 증후군	쿠싱 증후군과 선천성부신과형성증의 증상은 부신피질의 코티졸 분비 증가와 관련 있다. 이러한 질환, 특히 쿠싱 증후군에서는 정신과적 문제가 흔히 나타난다. 하지만, 중심성 비만, 월상안(月狀顔), 여드름, 복부팽만선, 고혈압, 탄수화물 내인성 감소, 그리고 여성에게서 나타나는 무월경과 다모증(多毛症)과도 관련 있다.
간질, 복합부분발작	복합부분발작을 일으키는 간질에서 보이는 정신병은 편집형 정신분열병과 유사하다. 그러나, 정신분열병 환자들은 동떨어져 있고 둔마된 정동

표 1.1 계속

	을 보이고 사회적으로 어색한 데 반해, 간질 환자들은 정감이 있고 더 상냥하며 더 협조적이다. 의식소실이 있다는 점에서 복합부분발작은 정신분열병과 쉽게 감별되는 것이 보통이다. 시간이 경과하면서, 복합부분발작은 점점 더 기질성 장애처럼 보일 수 있다.
간질, 단순부분발작	간질에는 환각이 동반될 수 있다. 특히, 단순부분발작에 동반되는 환각은 구조화되어 있고, 어떠한 감각기관을 통해서든 나타날 수 있으며, 자세히 설명되기도 한다. 왜소시(矮小視)와 거대시(巨大視) 같은 크기에 대한 착각이 나타난다. 말의 빈곤함이나 보속적인 동작이 나타날 수 있다. 단순부분발작 환자는 의식을 소실하지 않는다(의식소실이 있으면, 그 발작은 복합부분발작으로 분류된다). 간대성 경련(clonus)이나 기타 운동증상이 있으면, 진단은 꽤 쉬워진다. 그러나 전기적 활성도가 작은 경우가 많기 때문에 두피에서 측정한 뇌파에는 이상소견이 나타나지 않을 수도 있다. 단순부분발작은 측두엽과 전두엽에서 가장 많이 발생하지만, 다른 부위에서도 생길 수 있으므로, '측두엽성 간질' 이라는 용어는 더 이상 사용되지 않고 있다.
프리드라이히 운동실조	프리드라이히 및 기타 유전성 운동실조증에서는 이상운동보다 정신병이 먼저 출현하기도 한다. 프리드라이히 운동실조는 25세 이전에 발병하여, 구음장애 및 진행성의 절뚝거림보행, 쓰러짐, 비틀거림 증상을 통상 나타낸다. 이학적 검사를 통해, 안구진탕, 구음장애, 그리고 몸통과 사지 모두의 운동실조를 확인할 수 있다. 중등도의 정신지체와 심장비대가 동반되는 경우도 있다.
헌팅턴 병	헌팅턴 병은 조기 경과 중에 정신분열병으로 종종 진단되기도 하는데, 특히 젊은 환자들이 그렇다. 20세 미만의 환자에게는 보통 경직과 간질이 나타난다. 이상운동, 헌팅턴 병의 가족력, 그리고 흔히 CT나 MRI 검사결과는 헌팅턴 병을 더욱 의심케 한다. 확진을 위해 진단적 혈액검사를 시행할 수 있다.
허혈성 뇌졸중	뇌졸중에 정신병적 증상이 동반될 수도 있지만, 대개는 국소적인 증상과 징후가 있어 진단이 가능하다. 그러나, 다발성의 작은 허혈성 삽화가 있었다면, 국소적인 증상 없이 정신병적 증상이 나타날 수 있다. 연령을 포함하여 허혈성 질환의 기타 징후들이 진단에 도움이 된다.
이염성 백질이영양증 (Metachromaic leukodystrophy, MLD)	10대와 20대, 혹은 정신분열병의 발병위험이 가장 높은 시기에 발생하는 MLD 환자들은 흔히 정신분열병의 양성증상을 지니고 있으며, 사고장애까지도 나타낼 수 있다. 건망증이 초기 증상으로 출현할 수 있다. 발병이 매우 느리고 가장 초기 단계에서는 정신분열병과 혼동될 수 있지만, 이 질환은 진행성이다. 이상운동이 나타나고서야 MLD를 의심하게

표 1.1 계속

	되는 경우도 있다. 이상운동에는 경한 소뇌 징후, 가면안(假面顔), 이상한 자세 등이 포함된다. 백혈구에서의 아릴설파타제의 감소, 소변에서의 설파타이드 분비 증가를 확인함으로써 진단할 수 있다.
다발성 경화증 (MS)	MS에서 나타나는 일반적인 정신과적 증상은 다행감과 감정적 불안정성이지만, 때로는 관계사고, 망상, 환각이 나타날 수 있으며, 여기에 지남력의 손상이 동반될 수도 있고 그렇지 않을 수도 있다. 정신분열병과 같이 증상이 무리지어 존재하는 경우는 드물지만, 초기에 정신병적 증상이 출현한다면, 정신장애와 MS를 감별하기는 어려울 수 있다.
기면병	탈력발작(cataplexy)뿐만 아니라, 입면환각(hypnogogic)과 각면환각(hypnopompic hallucinations) 모두가 기면병의 증상이다. 이 병에 관해 잘 알려져 있지 않았던 시대에는 기면병이 정신분열병과 혼동되곤 했다. 조절되지 않는 반복적인 수면발작과 수면마비는 수면다원검사 소견과 아울러 진단에 도움이 된다.
니만-픽 병	이 질환에는 세 가지 유형이 있다: 소아기 발병형, 초기 소아기에 발병하지만 천천히 진행하는 지연 발병형, 그리고 청소년기나 초기 성인기에 발병하여 훨씬 더 느리게 진행하는 후기 발병형이다. 이중 세 번째 유형은 정신운동지연, 소뇌 운동실조, 그리고 추체외로증상 발현으로 특징지어지나, 일부 사례에서는 수년간 정신병만이 유일한 질병의 단서인 경우도 있다.
페닐케톤뇨증	페닐케톤뇨증이 처음으로 기술되었던 일부 사례들은 정신분열병 발병빈도가 높은 가계(家系)의 환자들이었다. 따라서, 먼 과거에는 정신분열병이 페닐케톤뇨증과 관련 있다고 생각되었다. 지금은 출생 시부터 페닐케톤뇨증의 진단과 치료가 시작되므로, 정신분열병 증상을 가진 환자가 진단받지 않은 페닐케톤뇨증을 가지고 있을 확률은 거의 없다.
수면무호흡증	드물게, 수면무호흡증이 편집성 정신병을 일으킨 경우가 있었다. 코골음과 주간수면과다증에 대한 문진을 포함한 상세한 병력청취가 진단에 도움이 된다. 수면무호흡증의 증상이 의심되면, 수면다원검사를 통해 진단이 가능하다.
지주막하 출혈 및 경막하 혈종	공간점유성 병변(space-occupying lesion)을 지닌 환자는 망상과 환각을 포함한 정신병적 증상을 보일 수 있다. 그러나, 대개는 지남력을 상실하고 혼란되어 있으며, 국소적 신경학적 징후를 보인다. 세밀한 병력청취, 그리고 안저검사를 포함한 이학적 검사가 진단에 도움이 된다.
전신성 홍반성 루푸스 (SLE)	SLE 정신병 환자는 일반적으로 지남력을 상실하고 기억력 손상을 보인다. SLE에는 적혈구침강속도 증가와 자가항체를 포함한 기타 징후 및 증상이 출현하는 것이 보통이다.
두부외상	부두외상에서는 망상과 환각이 자극과민성과 혼돈상태에 비해 적기는

표 1.1 계속

	하나, 광범위한 정신과적 증상이 초래될 수 있다. 대개는 외상의 병력이 있고, 전반적인 증상(예를 들면, 의식의 변화) 또는 국소적 신경학적 증상과 징후를 보인다. 짧은 의식소실을 포함한 과거의 두부외상 병력이 외상성 손상을 시사할 수 있다.
뇌종양 및 전이 종양	뇌종양의 가장 흔한 증상과 징후는 국소적인 것이다. 두개내압상승에 관련된 증상과 경련발작은 후기 경과까지 나타나지 않을 수도 있다. 후두부 종양은 단순한 환시와 관련 있다. 측두부 종양은 환시와 환청이 복합적으로 출현하는 환각과 관련 있다. 환취와 환미도 나타날 수 있다. 두정엽의 종양은 환촉과 운동환각이 특징적이다. 뇌종양, 특히 뇌수막종에는 성격변화도 동반될 수 있지만, 시각 변화, 특히 시야결손 또한 자주 동반된다. 두통, 구토, 졸림 같은 기타 증상도 흔하다.
터너 증후군(XO 핵형; 성선이발생증)	터너 증후군에는 정신병적 증상이 동반될 수 있지만, 전형적인 양상을 보인다면 진단이 어렵지는 않다. 후기 청소년기 혹은 성인기에 볼 수 있는 전형적인 양상에는 미발달한 여성 외성기, 성긴 체모, 유방 미숙, 원발성 무월경증 등이 있다. 터너 증후군 환자는 단신(短身)이며, 익상경(翼狀頸), 낮은 두발선, 유두의 간격이 넓어진 방패모양 가슴 등 다수의 선천성 기형을 지니고 있다. 표현형 여성에게는 양측의 삭상성선(streak gonad, 난소가 발생하지 못하고 흔적만 남아 있는 것)이 있다. 전형적인 경우는 한 개의 X 염색체만을 가지고 있지만, 일부 환자는 모자이크 현상을 보이거나, 구조적 이상을 지닌 X 염색체를 지니고 있다.
반문상 포르피린증(VP)	VP의 정신과적 증상 및 신경학적 증상은 AIP의 증상과 매우 유사하다. 많은 다른 유형의 포르피린증과 마찬가지로, VP 환자는 광민감성과 관련된 피부 발현증상을 보인다. AIP를 유발할 수 있는 약물들이 VP 또한 유발할 수 있다. 급성증상기에는 대변과 소변의 프로토포르피린과 코프로포르피린이 증가되어 있다.
윌슨 병(간렌즈핵변성)	윌슨이 처음에 보고한 12명의 환자들 중 8명은 뚜렷한 정신병을 보였다. 그러나, 대부분은 괴이한 행동 외에도, 안정시 진전과 의도 진전, 강직, 경직, 무도증, 침흘림, 연하곤란, 구음장애 등의 신경학적 증상을 보인다. 또한 대개의 경우 '날갯짓'과 비슷하다고 기술되는 상지의 특징적인 이상운동을 보인다. 증상은 12세에서 15세 사이에 발생하는 것이 보통이다. 통상적으로 일부 형태의 간 질환이 신경학적 증상과 정신과적 증상이 나타난 후에 발생하며, 간은 비대해진다. 카이져-플라이셔 환 Kayser-Fleischer rings(각막의 Descemet's membrane에 구리가 침착된 것)과 혈청 세룰로플라즈민 농도의 감소로 진단할 수 있다. 소변의 구리 농도 상승도 흔하다.

표 1.1 계속

정신분열병 유사 증상을 가끔씩 보이는 기타 신경학적 장애 및 의학적 장애		
18q- (18번 염색체 장완의 일부가 떨어져 나간 것)	백색증	간성뇌병증
5,q11-q13(5번 염색체의 이 부위가 삼중복된 것)	수도관 협착	호모시스틴뇨증
22, q11.2 결손 증후군	뇌 색전	저혈당증
XXX 핵형	선천성 요오드 결핍증	편두통
XXY 클라인펠터 핵형	가족성 기저핵 석회화	요독증
XYY 핵형	G-6-PD 결핍(잠두중독증favism)	혈관성 치매
		혈관염

감염병	
세균성 감염 및 기타 감염	뇌를 직접 침범하지 않는 세균성 감염이라도 치매-유사 증상이나 섬망 증상을 일으키고 우울증이 뒤따라 올 수 있다. 이러한 증상은 감염성 원인물질에 대한 독성 반응 또는 신체적 반응에 의한 것으로 생각된다. 고체온이 섬망상태를 유발하기도 한다. 세밀한 병력청취와 철저한 이학적 검사를 통해 진단할 수 있다.
크로이츠펠프-야콥 병(CJD)	CJD는 산발성으로 발병하지만, 오염된 이식조직, 외과적 수술 도구, 불순한 인간 성장호르몬을 통해 사람 대 사람으로 전파되기도 한다. 일반적으로 간대성근경련을 동반한 치매가 빠른 속도로 진행한다. 조기증상으로, 기분 변화를 흔히 동반한 환각과 사고지연이 나타날 수 있다. 주의집중력, 판단력, 기억력이 손상된다. 질병의 후기에는 파킨슨증 증상이 흔하다. 뇌파검사에서는 서파(徐波)를 배경으로 특징적 소견인 주기적인 단예파(短銳波)를 보일 수 있다. 예파에는 근간대성 수축이 동반되기도 하는데, 이는 외부의 자극에 의해 유발되기도 한다. 뇌척수액의 단백질이나 세포 수는 일반적으로 증가되어 있지 않다. 그러나, 이차원적 등전집속 전기영동법에서는 비정상적인 단백질이 검출될 수 있다.
기면성 뇌염	1918-1926년 사이의 인플루엔자 대유행 시기에, 정신분열병-유사 상태가 뇌염의 급성기에 관찰되었다. 하지만, 뇌염 후 후유증으로 정신병이 발생하는 경우도 있었고, 파킨슨증이 종종 동반되기도 했다.
단순 포진 바이러스(HSV)	HSV는 급성 정신병 양상을 초래할 수 있는 뇌염을 일으킨다. HSV 뇌염의 급성 발병기에는 고열과 국소적 측두엽 증상이 나타난다. 감염된 측두엽에 국한된 국소적인 극서파(棘徐波)가 특징적인 뇌파소견으로서 진단에 도움이 된다. 또한, 뇌척수액에서 열흘 후에 나타나는 HSV DNA을 검출하는 방법인 중합효소연쇄반응으로도 진단이 가능하다. 뇌척수액의 단백질과 세포 수는 증가되어 있다.

표 1.1 계속

인체 면역결핍 바이러스 질환	HIV-관련 복합 인지/운동장애라고도 불리는 HIV-복합치매의 초기단계에는 주의집중력의 곤란, 기억소실, 사고지연, 인격변화, 우울증, 무감동 등이 나타난다. 많은 환자들은 운동장애도 지니고 있다. CT나 MRI에서는 광범위한 뇌 위축이 관찰된다. 환자는 HIV 감염에 대한 혈청검사에 양성반응을 나타낸다.
신경낭미충증	낭미충증이 정신병적 증상으로 시작되는 경우도 있지만, 대개는 경련발작으로 시작된다. 두개내압상승에 의한 증상이 흔하다. 미국, 캐나다, 서구 유럽에서는 드문 질환이지만, 유구조충(Taenia solium) 유충(larvae, 돼지촌충으로도 알려져 있음)에 오염된 음식물(흔히, 덜 익은 돼지고기)을 섭취하면 감염될 수 있다. 신경낭미충증은 CT나 MRI에서 석회화를 확인함으로써 진단할 수 있다. 일부 환자들은 망막에 포낭cysts이 관찰되기도 한다.
류마티스성 뇌염과 시덴함 무도병	과거에 사용했던 '광무도병(狂舞蹈病)' 이라는 용어는, 의식이 명료하지만 종종 환각과 이상운동을 경험하는 급성 류마티스열 환자들을 기술하는 용어였다. 류마티스열에서의 환각과 무도형 운동은 질환의 급성기가 지나고 수주에서 수개월 후에 발생하기도 한다. 기타 행동증상에는 퇴축, 자극과민성, 감정적 불안정성 등이 있다. 행동증상은 무도형 운동보다 더 오래 지속될 수 있다.
아급성 경화성 범뇌염(SSPE)	SSPE는 통상 15세 이전에 발생한다. 홍역 감염이 SSPE 발생 6-8년 전에 선행한다. SSPE의 증상은 학업 성적의 저하, 정동과 인격의 변화로서 시작되기도 한다. 시간이 지나면서, 지력감퇴, 경련발작, 근간대성경련, 운동실조, 시작장애 등이 나타난다. 뇌척수액의 단백질은 일반적으로 정상이거나 약간 증가된 소견을 보이지만, 감마 글로불린이 극적으로 상승되어 있다. 뇌파에서는 3-8초마다 고-진폭의 예서파(銳徐波) 다발이 나타나고 평탄한 배경이 뒤따르는 것이 특징적 소견이다.
매독; 진행마비	임상적 증상을 낳는 제 3기 실질성 매독(트레포네마 감염)은 진행마비와 척수로(tabes dorsalis)를 일으킨다. 진행마비는 아르길로버트슨 홍채(조절에는 반응하지만 대광반사가 없는 홍채)와 관련 있고, 정동과 인격의 변화, 과활성 반사, 착각, 망상 및 환각, 최근기억의 장애, 지남력 상실, 계산력 장애, 판단력과 병식의 결여, 구음장애 등의 증상을 나타낸다. 뇌척수액의 매독침강반응 검사는 중추신경계 매독 발견의 표준적 검사가 될 수 있다.
결핵성 수막염	HIV에 감염되지 않은 성인의 중추신경계 결핵성 수막염은 흔하지 않다. 과거 폐결핵 병변의 증거 혹은 속립성 병변이 흉부 단순영상촬영에 나타나는 경우가 많다. 두통이나 정신상태의 변화 증상이 천천히 출현하거나, 혼돈, 기면, 감각의 변성, 목의 경직이 갑자기 출현하기도 한다. 전

표 1.1 계속

	형적인 경우라면, 1-2주에 걸쳐 질병이 진행한다. 안구신경의 마비가 흔하다. 뇌척수액의 백혈구 수가 증가되어 있고, 포도당은 감소되어 있다. 대부분의 경우에 뇌척수액 배양이 진단적 검사가 된다.
	영양장애
엽산(테로일모노글루탐산) 결핍	엽산 결핍에는 자극과민성, 무감동, 졸림, 의심, 정신병, 지력감퇴 등이 나타날 수 있고, 빈혈이 동반될 수도 그렇지 않을 수도 있다. 빈혈이 있는 경우라면, 거대적아구성 빈혈이 나타나며, 피로감, 심박동수 증가, 호흡곤란, 그리고 더 심한 기타 심혈관계 증상을 포함한 일반적인 빈혈의 징후를 보인다. 엽산 결핍 환자들은 통상적으로 영양실조 상태에 있기 때문에, 허약해 보이는 외견을 갖기 쉽다. 때로는 설사, 구순증(口脣症), 설염(舌炎)이 나타나기도 한다. 엽산 결핍 단독으로 어느 정도의 신경학적 증상이 생길 수 있는가는 아직 의문이다.
펠라그라 또는 나이아신 결핍	펠라그라의 '3D'-피부염, 치매, 설사는 나이아신이 풍부한 곡물의 공급으로 인해 현재 선진국에서는 거의 자취를 감추었다. 그러나, 세계 각국의 난민들의 다수는 영양관리가 불량하여 종종 나이아신 결핍 증상을 보인다. 경미한 경우에 나타나는 심리적 증상에는 피로감, 불면, 무감동 등이 있다. 보다 심해지면, 혼돈, 지남력 상실, 환각, 기억소실이 나타나며, 결국 치매에 이르게 된다. 영양실조가 암시되는 허약한 외견을 보이고 일광에 노출된 부위에 광과민성 피부염이 있다면 펠라그라를 의심해 볼만하다.
비타민 B12(코발아민) 결핍	혈액학적 이상이 없는(적혈구용적률과 혈색소가 정상) 비타민 B12 결핍은 꽤 흔한 편인데, 특히 노인에게서 많이 찾아볼 수 있다. 경한 경우에는 자극과민성과 건망증 등을 보이고, 보다 심한 경우에는 망상과 환청이 나타날 수 있으며, 치매를 보이기도 한다. 증상이 심하면, 말초성 신경병증과 보행장애 등의 신경학적 증상도 나타나는 것이 보통이다. 기타의 증상 및 징후에는 사지의 무감각와 이상감각, 허약, 운동실조 등이 있으며, 심지어는 괄약근 조절능력을 상실하기도 한다. 바빈스키 징후가 나타날 수 있고, 위치감각과 진동감각이 감소하는 것이 보통이다. 빈혈이 있는 경우라면, 거대적아구성 빈혈이 나타나며, 피로감, 심박동수 증가, 호흡곤란, 그리고 더 심한 기타 심혈관계 증상을 포함한 일반적인 빈혈의 징후를 보인다. 대개의 경우, 엽산 결핍과 비타민 B12 결핍이 공존한다. 메틸말론산의 혈청 농도가 거의 항상 증가되어 있다.
	중금속
중금속중독은 정신분열병 증상과 혼동되기 쉬운 증상을 가끔 일으킨다. 그러나, 이러한 증상이 중금속중독에 일반적인 것은 아니다.	

표 1.1 계속

납	납중독은 환각, 초조, 악몽을 증상으로 하는 정신병을 일으킬 수 있다. 납의 농도가 높은 환자는 섬망과 경련발작을 보일 수 있고, 심지어는 혼수상태에 이르기도 한다. 성인의 유기납 중독은 두 가지 경로를 통한다: 유연휘발유의 흡입 또는 산업재해이다. 정신병과 유사한 상태를 유발하는 유기납의 효과에는 환시, 환청, 환촉, 그리고 색감과 형태감각의 변성 등이 있다. 무기납중독은 훨씬 더 흔해 보이며, 직업과 관련된 경우가 많다. 이를테면, 자동차 냉각장치 수선공에게서 무기납 중독이 발생하는 경우이다. 일반적인 증상은 복통, 변비, 빈혈, 팔목 신전근과 감각의 장애를 포함한 말초신경계의 장애 등이다. 진단에는 보다 복잡한 검사가 요구되지만, 급성기에는 납에 노출된 병력과 혈액 납농도 검사가 도움이 된다.
수은	일반적으로 수은중독은 자극과민성, 회피행동, 우울증, 피로감, 권태감, 그리고 진전을 일으킨다. 수은을 함유한 제품, 즉, 수은등, 온도계와 기압계, 치과용 아말감 등을 제조하는 사람들이 수은중독에 걸릴 위험이 높다. 사진사, 사진현상소에서 일하는 사람, 펠트 제조자, 배터리 제조자, 가죽제품 제조자, 방부제를 다루는 사람들도 다소의 위험이 있다. 수은에 노출된 병력과 혈액 수은농도 검사를 통해 진단할 수 있다.

약물

환각, 망상, 사고장애 등의 정신분열병과 유사한 증상을 일으킬 수 있는 약물들은 무수히 많다. 아래에 열거한 목록은 그 무수한 약물들 중 일부이다. 그러나 대부분의 경우에, 약물에 의해 유발된 증상은 우울증, 치매, 그리고 섬망에 보다 가깝다. 약물에 대한 반응으로 정신상태 변화가 초래되는 경우가 흔하므로, 임상의는 매우 많은 약물들이 중대한 정신적 영향을 끼칠 수 있음을 잘 알고 있어야 하며, 그런 증상이 나타났을 때에 환자가 복용하는 약물이 증상의 원인이 아닌가를 고려할 수 있어야 한다. 다행히도 대부분의 증상은 가역적이며 약물을 중단하면 사라진다.

아씨클로버
아만타딘
암페타민
아토바스타틴
아지트로마이신
베클로메타존
비소프롤롤
브로모크립틴
부스피론
카비도파
세팔렉신
시프로플록사신
클라리토마이신
클로미프라민

알프라졸람
암로디핀
아테놀롤
아트로핀
바클로펜
벤조나테이트
브로마이드
부프로피온
카바마제핀
세파클로
시메티딘
시탈로프람
클로베타졸
클로나제팜

표 1.1 계속

클로니딘	콜티코스테로이드와 부신피질자극호르몬
크로몰린 소티움	싸이클로벤자프린
덱스펜플루라민	덱스트로암페타민
디아제팜	디싸이클로민
디지털리스	딜티아젬
디펜하이드라민	디설피람
디발프로엑스	도나페질
독세핀	에파비렌
에리트로마이신	파모티딘
플루코나졸	플루옥세틴
플루티카손	플루복사민
구아이페네신과 슈토에페드린 또는 하이드로코돈	할로페리돌
하이드로클로로티아자이드	하이드로모르폰
하이오사이아민	이부프로펜
이미프라민	인도메파신
인터페론 베타	이소카르복사지드
이소소르바이드	케토프로펜
케토롤락	라모트리진
란소프라졸	류프롤라이드
레보도파	레보플록사신
리도케인	리튬
로라타딘	메페리돈
메살아민	메틸페니데이트
메토프롤롤	머르타자핀
미소프로스톨	모르핀
날록손	네파조돈
노어트립틸린	오플록사신
올란자핀	오메프라졸
오르페나딘	옥시부티린
파록세틴	페몰린
펜타조신	펜테르민
피록시캄	프로메타진
프로프라놀롤	프로폭시펜
슈도에페드린	라니티딘
리만타딘	셀레질린
사도 요한의 풀	설파메톡사졸
설파살라진	수마트립탄
테마제팜	테라조신
티자니딘	트라마돌
트리아졸람	트리메토프림
트로바플록사신	벤라팍신
졸피뎀	

표 1.2 정신분열병의 진단적 평가에 포함되는 구성 요소

검사	검사의 적응증인가?
의학적 정신과적 병력청취	예
이학적 검사(신경학적 검사 포함)	예
정신상태검사	예
일반혈액검사(CBC); 혈액 전해질검사; 혈당검사; 간기능, 신장기능, 갑상선기능검사	예
HIV 및 매독검사	가능함
전산화단층촬영(CT)	가능함
자기공명영상촬영(MRI)	가능함
혈청과 뇌척수액의 혈청학적 검사	가능함
혈액/소변 약물 또는 알코올 선별검사	가능함
임신반응검사	가능함

다른 의학적 상태를 배제하기 위해서, 의학적 병력청취와 신경학적 검사를 포함한 신체적 진찰이 이루어진다. 환자가 초조 상태에 있거나 저항을 보인다면, 일회 평가 중에 모든 항목을 다 평가하긴 어렵다. 하지만 막연하게 '보류' 라는 용어가 사용되어서는 안 된다. '보류' 라고 기입할 때에는 평가를 다시 시도할 구체적인 시간이 명시되어야 한다. 때로는 재정적인 문제로 인해 평가를 마칠 수 없는 불행한 경우가 있다. 그런 상황이라면 평가를 마치고자 했지만 어떤 문제로 인해 불가했다는 내용을 한 차례 이상 기록해두어야 한다. 환자나 가족들이 평가의 중요성을 이해한다면 평가의 중요성을 상기시켜주고 마칠 수 있도록 권고해야 한다.

환자의 상태에 따라 그 세밀한 정도가 달라질 수는 있겠으나, 모든 환자들은 정신상태검사를 받아야 한다. 정규 실험실 검사에는 일반혈액검사(전혈구수), 혈액 전해질검사, 혈당검사, 간기능검사, 신기능검사, 갑상선기능검사가 포함된다. 후천성면역결핍증검사(HIV)와 매독검사도 적응이 되고 허락된다면 시행한다. 지역적 특성에 따라 기타의 검사가 추가될 수 있다(예를 들어, 남미에서는 유구낭미충증(有鉤囊尾蟲症)이 흔하므로, 전산화단층촬영(CT, computed tomography)이나 자기공명영상(MRI, magnetic resonance imaging) 또는 혈장과 뇌척수액의 혈청학적 검사를 할 수 있다). 약물남용이 의심되는 경우에는 혈액검사를 통해 알콜 사용여부를 알 수 있고, 약물에 대한 소변 선별검사를 할 수 있다. 임신이 의심되는 여자 환자의 경우에 임신검사를 시행하기도 한다.

현재의 대부분의 지침에 의하면,[28,29] 병력이나 신경학적 평가에서 기질적 질환이 의심되지 않는 경우, 이를 배제하기 위한 뇌파검사(EEG, electroencephalogram), CT나 MRI는 적응이 되지 않는다[역주1]. 뇌 영상을 통해 정신분열병 환자의 병

역주
1 최근 뇌영상술의 발전으로 정신분열병환자의 뇌구조-기능의 이상을 평가하거나, 정신병적 증상을 야기하는 다른 원인을 배제하기 위해, 적어도 초발 정신분열병 환자인 경우에는 MRI 검사가 필요하다.

리적 이상소견이 자주 발견되고 있긴 하지만(예를 들면, 뇌 용적의 감소), 병력이나 신경학적 검사에서 시사되지 않는, 임상적으로 의미 있는 이상은 드물다. 여기서 주목할만한 점은 상당 비율의 정신분열병 환자에게서 미세한 신경학적 징후들(frontial cortex release signs)이 발견된다는 사실이다. 상동증, 틱, 근긴장성 움직임, 미세조절능력의 저하, 그리고 전두엽 해제 징후들이 그것이다. 발행된 지침서에는 CT나 MRI 검사가 추천되고 있지는 않으나, 여건이 허락한다면 가능한 한 질환의 초기 단계에 이러한 검사를 시행하는 것이 현명할 수도 있다. 이를 통해서 기타 다른 방법으로는 발견될 수 없었던 신경학적 병변에 의해 야기된 정신분열병의 드문 경우를 배제할 수 있겠다.

통상 진단 과정에 필요하지는 않으나, 환자의 능력을 평가함으로써 치료목표를 수립하는 데에 신경심리학적 검사가 도움이 된다. 많은 정신분열병 환자들은 광범위한 인지적 결함을 드러내는데, 이 결함들은 표준적인 정신상태검사를 통해서도 알 수 있으며, 진단적인 가치는 거의 없다[역주2].

진단

정신과적 진단을 내리는 데에는 위에서 언급된 바와 같이 DSM-IV와 ICD-10의 두 가지 진단체계가 널리 수용되고 있다. 두 체계는 상당히 유사함에도 불구하고 정신분열병 진단에 있어서는 유의하게 다르다. DSM-IV에서 미국정신의학회는 정신과 진단을 하기 위해서 충족되어야만 하는 특이한 기준들을 제시하고 있다. DSM-IV의 정신분열병 진단은 세계보건기구의 ICD-10 진단과 기본적으로 세 가지 방식에서 차이가 난다.

1. ICD-10은 1개월만을 요구하는 데에 비해 DSM-IV에서는 6개월의 기간을 요구한다. 이 차이 때문에 ICD-10은 정신분열형장애 기준을 두지 않았으며, 대신에 '기타 정신분열병; 달리 분류되지 아니한, 정신분열형장애, NOS(not otherwise stated)'라는 기준을 두고 있다.
2. DSM-IV는 사회적 기능의 악화를 요구하지만, ICD-10은 그렇지 않다.
3. 양 체계는 또한 분열정동장애 진단 기준에서도 차이를 보인다. ICD-10에서는 기분장애 증상의 출현이 정신병적 증상의 출현에 앞선다면 분열정동장애 진단이 주어진다. 반면 DSM-IV에서는 정신분열병과 분열정동장애 진단은 기분장애 증상이 나타나는 시간의 길이에 따라 결정된다. 기분장애 증상이 정신병적 증상에 앞선다 할지라도 그 기간이 짧다면 DSM-IV 진단은 정신분열병이다. 현장 연구에 의하면, 양 진단기준이 다르기에, DSM-IV에서 정신분열병 진단을 받은 모든 환자들이 ICD-10으로도 같은 진단을 받는 것은 아니며, 그 역도 마찬가지다. 그러나, 양 체계를 이용했을 때 대략 비슷한 수의 환자들이 정신분열병 진단을 받을 것이다.[30]

진단적 차이는 아니지만 행정적 차이의 하나는 양 체계의 숫자표기가 다르다는 점이다. ICD-10은 정신분열병을 F20.xx(여기서 xx는 아형을 표기함)로 표기하고, DSM-IV는 295.xx(역시 xx는 아형을 표기함)로 표기한다.

역주 2 신경심리검사는 치료 전후 환자의 인지기능이상을 평가할 수 있는 좋은 방법이 되므로 환자에게 필요한 검사이다. 또한 뉴욕대학의 R. John이 개발한 QEEG의 일종인 Neurometrics는 감별진단에 도움이 된다.

감별진단

1. 의학적 상태/약물 배제

정신분열병 진단의 첫 단계는 환자가 현재 정신병적 상태인가 혹은 과거에 한 번이라도 정신병적 상태였던 적이 있는가를 결정하는 일이다. 그렇지 않다면 정신분열병은 고려되지 않는다. 정신병적 상태이거나 그랬던 적이 있다면, 임상의는 정신병적 증상이 의학적 상태나 약물남용으로 야기된 것이 아닌가를 따져보아야 한다(이는 DSM-IV의 **기준 Criterion E**에 해당함). 이 부분이 얼마나 광범위하게 평가되는가는 경험, 판단, 그리고 사용할 수 있는 자원의 문제다.

2. DSM-IV 기준

DSM-IV에 제시된 정신분열병 진단 기준을 개정하여 아래에 열거한다. 기준 A로부터 F까지를 충족시켜야 정신분열병 진단이 가능하다.

기준 A는 특징적인 증상으로 정신분열병의 활성기를 나타낸다. 환자가 1개월의 '의미 있는' (정의되지 않음) 기간동안 아래의 한 가지 이상을 경험한다면 기준 A는 만족된다(환자의 치료가 성공적이라면 더 짧을 수도 있다):

1. 괴이한 망상(괴이한 망상이란 환자가 속한 문화권에서 받아들여지기 어려운 것을 말한다. 예를 들어, FBI의 추적을 받고 있다는 믿음은 미국에서 괴이하지 않은 망상일 수도 있다. 그럴 것 같지는 않으나 가능할 수 있기 때문이다. 괴이한 망상은 FBI가 자신의 머릿속에 생각을 읽는 장치를 삽입했다는 믿음 같이, 불가능해 보이는 것을 일컫는다).
2. 환자의 행동이나 생각에 관해 계속 언급하는 목소리를 듣는 환청.
3. 둘 이상이 서로 대화하는 목소리를 듣는 환청.
4. 그리고/또는 아래의 정신병적 증상 둘 이상을 가질 것
   a. 망상;
   b. 환각(며칠 간 내내 경험하거나 수주간 일주일에 몇 차례씩 경험하는데, 각 환각의 경험은 짧은 순간에만 국한되지 않음);
   c. 와해된 말(예를 들어, 이탈, 지리멸렬, 차단);
   d. 전반적으로 와해된 행동이나 긴장증적 행동;
   e. 음성증상(즉, 정동의 평탄화, 무언, 무욕, 또는 무감작).

정신병적 증상이 1개월 이내라면, 정신분열병 진단을 내릴 수 없다. 이때 고려될 수 있는 다른 진단으로는 정신분열병의 전구 증상, 망상장애, 달리 분류되지 아니한 정신병적 장애, 정신병적 양상을 동반한 기분장애, 그리고 단기 반응성 정신병적 장애가 있다.

기준 B는 아래에 제시된 것 중 한가지로 나타나는 유의한 정도의 사회적/직업적 기능 저하가 있어야 만족된다:

1. 장애가 발생한 이후로 직업, 대인관계, 또는 자기-관리와 같은 주요 영역의 기능이 한 군데 이상에서 장애의 발생 이전 수준보다 현저히 저하됨.
2. 환자가 너무 어려 자신의 잠재력을 아직 충분히 발휘하지 못한 경우라면, 대인관계, 학업, 직업에서 그 문화와 연령에 기대되는 수준을 성취하지 못함.

기준 C는 일시적인 현상이 아니라는 점이 명확해질만큼 충분한 기간동안 장애가 지속되어야 만족된다. 환자는 장애의 증상 혹은 증상이나 징후를 최소 6개월 이상 지속적으로 보여야 한다. 이 6개월에는 기준 A를 만족시키는 최소 1개월을(즉, 활성기 증상) 포함해야 하며, 전구 증상이나 잔류

증상을 보이는 기간을 포함할 수 있다. 전구 혹은 잔류 기간 동안에는 단지 음성증상만을 보이거나, 기준 A에 열거된 한 가지 이상의 증상이 약화된 형태를(예를 들면, 망상 대신 기묘한 신념, 그리고 환각 대신 유별난 지각 체험) 보일 수 있다.

기준 D는 분열정동장애나 기분장애를 지닌 환자를 배제하는 것이다. 정신분열병 진단이 주어지기 위해서는 분열정동장애나 정신병적 양상을 동반한 기분장애가 아니어야 한다.

기준 A에 기술된 활성기 혹은 정신병적 양상 경과 중에 기분장애가 나타난다면, 기분장애의 기간은 활성기와 잔류기 전체 기간에 비해 짧아야 한다. 주요 우울삽화, 조증 삽화, 또는 혼합형 삽화는 활성기 증상과 공존할 수 없다.

기준 E는 약물남용, 투약, 또는 일반적 의학적 상태에 의한 증상을 가진 환자를 배제시키는 것이다.

기준 F는 두드러진 망상이나 환각이 1개월 이상 지속되지 않는다면(또는 성공적으로 치료되었을 경우에는 그 이하의 기간), 전반적 발달장애는 배제되어야 한다는 것이다.

DSM-IV는 현 진단 시점까지의 경과를 기술할 수 있게 한다. 정신분열병의 활성기가 발병한 시점으로부터 1년이 경과하지 않았다면 그 경과를 분류하지 않도록 하고 있다. 따라서, 1년 후에 환자가 단일 삽화를 가졌었고 완전 관해 상태에 있는지, 또는 부분적 관해 상태에 있는지를 기술할 수 있다. 환자가 부분적 관해 상태에 있다면, 두드러진 음성증상이 있을 수도 있고 없을 수도 있다. 혹은, 환자의 질환이 잔류 증상(이는 음성증상일 수도 있고 아닐 수도 있다) 가운데에 활성기 증상이 산재해있는 양상의 삽화적 경과를 보일 수도 있다. 다수의 다른 경과 기술이 가능하다.

DSM-IV와 ICD-10에서는 다섯 개의 아형을 두고 있다. 각각에 관련된 두드러진 양상에 기초하여 편집형, 와해형, 긴장형, 미분화형, 그리고 잔류형으로 나눈다(표 1.3). 아형에 따른 치료에 큰 차이가 없으므로 어떤 아형의 가치가 항상 명확한 것은 아니다. 치료적 목적을 위해서라면 우울, 불안, 그리고 강박과 같은 관련 증상을 고려하는 편이 훨씬 유용하다.

결론

정신과에서의 진단의 중요성에 관한 언급으로 이 책을 시작했다. 과거에는 예후를 이해하는 데에 중요했던 진단이, 20세기를 거치면서 효과적인 치료를 선택하는 데에 특히 중요한 역할을 차지하게 되었다. 정신과적 질병의 병태생리에 관한 이해가 깊어짐에 따라, 향후 괄목할 치료법의 발전이 거듭될 것이다. 더욱 중요한 것은, 원인론적 정보는 질환의 예방에, 혹은 적어도 질환의 중증도를 감소시키는 데에 유용하게 이용될 수 있다는 점이다.

오늘날, 비록 적절한 치료를 하기 위해 정확한 정신분열병 진단이 여전히 중요하다고 볼 수 있지만, 아직 치료는 비특이적이다. 예를 들면, 대부분 형태의 정신병에 항정신병약물은 효과적이나, 이 약물들은 모든 정신병에 공통인 증상-일차적으로 양성증상과 만개(滿開)한 증상-만을 치료하는 것으로 보인다. 결함 증상 혹은 인지 증상은 항정신병약물에 뚜렷한 치료효과를 보이지 않는데, 어떤 이들은 이러한 증상이 정신분열병의 핵심이라고 생각하는 것이다. 이러한 증상은 경과를 좌우하기도 하지만, 정신분열병을 다른 정신병과 구별시켜 주는 주요 증상에 해당한다. 정신분열병에 관한 우리의 이해는 100년 전에 비해 방대해졌고 치료는 훨씬 개선되었다. 그러나 다음 세기에 부과된 우리의 과제는 그 증상들이 아닌 정신분열병 자체

표 1.3 정신분열병의 아형 코드

아형	특징적인 양상	DSM-IV 코드	ICD-10 코드
편집형	뚜렷한 망상이나 환각이 있고, 와해된 언어나 행동, 긴장증적 행동, 평탄하거나 부적절한 정동은 분명하지 않아야 한다.	295.30	F20.0x[a]
파과형	긴장증적 행동이 없고, 와해된 언어나 행동 또는 부적절한 정동이 뚜렷해야 한다.	295.10	F20.1x[a]
긴장형	강경증이나 혼미를 나타낼 수 있는 부동증, 또는 분명한 목표가 없는 활동 과다, 극도의 부정증이나 함구증, 기이한 자세, 상동적 행동, 현기증(衒奇症)이나 찡그린 얼굴표정, 반향언어와 반향행동	295.20	F20.2x[a]
미분화형	편집형, 파과형, 혹은 긴장형의 뚜렷한 증상이 없는 활성기	295.50	F20.3x[a]
잔류형	활성기 증상이 없고, 전반적인 와해증상이나 긴장증이 없다. 음성증상이나 약한 정도의 활성기 증상이 있을 수 있다.	295.60	F20.5x[a]

a: 다섯 번째 특성 'x'는 정신분열병의 경과를 기술한다: 2=삽화 사이에 잔류증상이 있는 삽화성 경과(뚜렷한 음성증상이 있으면 기술한다); 3=삽화사이에 잔류증상이 없는 삽화성 경과; 0=지속적 경과(뚜렷한 음성증상이 있으면 기술한다); 4=단일 삽화의 부분적 관해상태(뚜렷한 음성증상이 있으면 기술한다); 5=단일 삽화의 완전 관해상태; 8=기타, 또는 달리 분류되지 않는 양상; 9=첫 활성기 증상이 나타난지 1년 이내

를 구성하는 질병을 발견하고 이해하는 일이다. 이를 위해서 오늘날 사용하는 것보다 훨씬 더 정확한 진단 도구가 요구된다. 궁극적으로 정신분열병 진단의 진보는 정신분열병의 유전적 원인과 비유전적 원인에 관한 이해로 이어질 것이다. 이는 더 객관적인 진단, 그리고 더 중요하게는 예방적 치료와 향상된 치료로 거듭 이어질 것이다.

감사의 말

나는 이 초고를 사려 깊게 검토해주신 Dr Nicole van de Laar와 Ken Morel에게, 그리고 연구와 조직 및 편집에 한없는 도움을 아끼지 않은 Ioline Henter에게 감사한다.

참고문헌

1. Sullivan H, Tentative criteria of malignancy in schizophrenia, *Am J Psychiatry* (1928) **7**:659–782.
2. Bellak L, ed, *Schizophrenia: A Review of the Syndrome* (Logos: New York, 1958).
3. Bellak L, Loeb L, eds, *The Schizophrenia Syndrome* (Grune & Stratton: New York, 1969).
4. Bellak L, ed, *Disorders of the Schizophrenia Syndrome* (Basic Books: New York, 1969).
5. Bleuler E, *Dementia Praecox or the Group of Schizophrenias*, J Zinkin (International Universities Press: New York, 1950).
6. American Psychiatric Association, *The Diagnostic and Statistical Manual of Mental Disorders-IV*, 4th edn (The American Psychiatric Association: Washington DC, 1994).
7. American Psychiatric Association, *The Diagnostic and Statistical Manual of Mental Disorders-III*, 3rd edn (The American Psychiatric Association: Washington DC, 1980).
8. American Psychiatric Association, *The Diagnostic and Statistical Manual of Mental Disorders-IIIR*, 3rd edn revised (The American Psychiatric Associ-

ation: Washington DC, 1987).

9. World Health Organization, *The ICD-10 Classification of Mental and Behavioral Disorders: Clinical Descriptions and Diagnostic Guidelines* (World Health Organization: Geneva, 1992).
10. Spitzer R, Endicott J, Medical and mental disorder: Proposed definition and criteria. In: Spitzer R, Klein D, eds, *Critical Issues in Psychiatric Diagnosis* (Raven Press: New York, 1978) 15–39.
11. McHugh P, Slavney P, *The Perspectives of Psychiatry* (Johns Hopkins University Press: Baltimore, 1986).
12. Klein D, A proposed definition of mental illness. In: Spitzer RL, Klein DF, eds, *Critical Issues in Psychiatric Diagnosis* (Raven Press: New York, 1978) 41–72.
13. Altschule M, *The Development of Traditional Psychopathology* (John Wiley & Sons: New York, 1976).
14. Kraepelin E, *Dementia Praecox and Paraphrenia* (1919), RM Barclay (Robert E. Krieger: Huntington, NY, 1971).
15. Schneider K, *Clinical Psychopathology,* MW Hamilton (Grune & Stratton: New York, 1959).
16. Carpenter WTJ, Strauss JS, Cross-cultural evalu-
17. Langfeldt G, *Schizophrenic States* (Munksgaard: Copenhagen, 1939).
18. Strakowski SM, Diagnostic validity of schizophreniform disorder, *Am J Psychiatry* (1994) **151:**815–24.
19. Kasanin J, The acute schizoaffective psychoses, *Am J Psychiatry* (1933) **13:**97–123.
20. Kety SS, Wender PH, Jacobsen B et al, Mental illness in the biological and adoptive relatives of schizophrenic adoptees. Replication of the Copenhagen Study in the rest of Denmark, *Arch Gen Psychiatry* (1994) **51:**442–55.

hagen Study in the rest of Denmark, *Arch Gen Psychiatry* (1994) **51:**442–55.

21. Cooper JE, Kendell RE, Gurland BJ et al, *Psychiatric Diagnosis in New York and London* (Oxford University Press: London, 1972).
22. Wing JK, Cooper JE, Sartorius N, *Measurement and Classification of Psychiatric Symptoms: An Instructional Manual for the PSE and Catego Program* (Cambridge University Press: London, 1974).
23. Feighner JP, Robins E, Guze SB et al, Diagnostic criteria for use in psychiatric research, *Arch Gen Psychiatry* (1972) **26:**57–63.
24. Crow TJ, Molecular pathology of schizophrenia: more than one disease process? *BMJ* (1980) **280:**66–8.
25. Andreasen N, Positive and negative schizophrenia: a critical evaluation, *Schizophr Bull* (1985) **11:**380–9.
26. Buchanan RW, Breier A, Kirkpatrick B et al, Structural abnormalities in deficit and nondeficit schizophrenia, *Am J Psychiatry* (1993) **150:**59–65.
27. Wyatt RJ, Neuroleptics and the natural course of schizophrenia, *Schizophr Bull* (1991) **17:**325–51.
28. Herz MI, Liberman RP, Lieberman JA et al, Practice guidelines for the treatment of patients with schizophrenia, *Am J Psychiatry* (1997) **154:** Suppl.
29. Frances A, Docherty J, Kahn D, Treatment of schizophrenia, *J Clin Psychiatry* (1996) **27**, [Supplement 12B]:1–58.
30. Flaum M, Amador X, Gorman J et al, DSM-IV Field Trial for Schizophrenia and Other Psychotic Disorders. In: Widiger T, Frances A, Pincus H, eds, *DSM-IV Sourcebook* (American Psychiatric Association: Washington DC, 1998) 687–713.

2 정신분열병의 병태생물학 : 임상적 처치와 치료에서 갖는 의미

John L Waddington과 Maria M Morgan

내용 · 도입 · 구조적 뇌 병리의 특성 · 기능적 뇌 이상의 특성 · 신경망 기능 이상 · 대뇌 이상의 기원 · 대뇌의 비대칭성 · 동종성 혹은 이종성? · 평생 경과, 임상적 처치와 치료 · 감사의 말

도입

현재 사용 중인 기준에 의하면 정신분열병은 뇌 구조와 기능의 이상을 보이는 장애라고 어느 정도 확실하게 말할 수 있겠다. 하지만, 신경계의 기능 장애의 밑바탕을 이루는 병태생물학적 특성은 그에 비해 꽤나 불분명하다. 이 장애는 단일 '병변'에 의한 것이라기보다는 한 개 이상의 신경망(神經罔)의 구조적 기능적 이상을 지니고 있어 보이는데, 그 특성이 작금에 밝혀지기 시작하고 있으며 그 원인은 아직 추측의 수준이긴 하나 점차 밝혀지고 있다.[1-3] 특히 불분명한 부분은, 어떻게 그런 신경 이상이 증상으로 전환되고 그 증상이 어떻게 항정신병약물(기존의 약물들과 새로운 세대의 약물들)요법과 정신사회적 치료/인지-행동 치료 양자를 포함한 임상적 처치와 치료에 반응하는가 하는 점이다. 이 장에서는 우선 정신분열병의 뇌 구조와 기능 이상의 증거와 그 특성을 요약하고자 한다. 이어서 이러한 이상의 기원과 발달과정을 고찰하고, 정신분열병은 여러가지 임상 증후군을 발생시키는 다양한 기원과 병태생물학에 의해 특징지어지는 이질적인 장애인지 아니면 다양한 임상 양상으로 표현되는 공통된 병태생리를 지닌 더욱 동질적인 장애인지의 여부를 살펴볼 것이다. 마지막으로 병태생물학, 임상적 처치와 치료 사이의 교차점을 생각해보기로 한다.

구조적 뇌 병리의 특성

방사선 전산화 단층촬영(CT)

현재의 표준으로는 제한된 해부학적 해상도에 머무르고 있지만, 정신분열병의 첫 구조적 영상술(映像術)에 도입된 CT는 새로운 세대의 영상술이 출현한 이후에도 지속되는 일련의 기념비적인 연구결과들을[4] 낳았다. 그 핵심적인 소견은 대뇌 뇌실들이 커져 있고('뇌실 확장') 대뇌 피질 고랑이 넓어져 있다는('피질 위축') 점이었다. 이러한 소견들은 특이성이 거의 없음에도 불구하고 정신분열병의 구조적 뇌 병리의 첫 번째 '확고한' 증거인 것이다. 더욱이 그 중요성을 이제야 온전하게 이해할 수 있는 내용들이 있었다: 메타-분석(meta-analysis)을 통해 보니, 피질 고랑의 확장은 뒷쪽

Schizophrenia

(두정후두부)보다는 다소 앞쪽(전두측두부)에서 두드러진 반면, 뇌실 확장은 측뇌실보다 인체 중심선상의 제 3 뇌실에서 두드러졌다.[5]

자기공명영상(MRI)

높은 해부학적 해상도를 지닌 MRI 연구는 CT를 이용한 연구결과들을 재차 확인했고, 보다 정교한 결과를 낳아 병리 부위를 더욱 국소화시키기에 이르렀다. 그 핵심 내용은 약간의 뇌 용적 감소이다; 측두엽과 내측두 구조물들, 특히 해마 용적의 감소; 뇌량 부위의 감소; 그리고 뇌실계 용적의 증가이다. 최근의 연구에서는 시상의 용적 감소도 지적되었고, 장기간의 항정신병약물요법에 의해 복구되는 듯이 보이는 선조체(미상핵)의 용적 감소도 있었다. 두정후두부보다는 전두측두부에서 더 두드러져 보이는 회질 용적 감소도 있는 반면, 확산텐서 영상술(diffusion tensor imaging)로 알려진 응용기술에서는 백질의 경우에는 그 용적이 아닌 통합성에 감소가 있었다.[6-12]

신경병리학

비록 자체의 방법론상의 문제를 지니고 있긴 하나, 정신분열병의 뇌 구조 이상을 밝혀내는 가장 직접적인 접근법은 신경병리학적 연구이다. 위의 신경영상술이 진행되던 같은 시기에 신경병리학적 연구의 새로운 물결은 다음과 같다: 형태측정학적 구조연구를 통해 뇌실의 확장, 내측두엽 구조물들의 용적 감소, 그리고 해마주변피질의 두께 감소와 같은 신경영상술 결과들이 일반적으로 확인된다: 형태측정학적 현미경 연구에서는 변연계, 측두부, 전두부 그리고 시상 부위에서 신경세포 밀도의 변화와 신경세포 수의 감소가 관찰된다. 현미경 연구에서는 나아가 변연계, 측두부와 전두부(특히 띠이랑, cingulate)에서 세포구조 이상을 동반한 수상돌기 밀도와 내인성 신경연결 이상이 관찰되었다. 이러한 이상 소견들은 다른 신경퇴행성 질병의 전형적인 지표가 관찰되지 않는 상태에서 발견된다.[13-15]

개요

이러한 소견들은 정신분열병의 구조적 뇌 병리를 보여준다는 점에서 일관성이 있다. 특히, 뒤쪽보다 앞쪽에서 그 비율이 높은 회질 감소와 뇌실 확장의 전반적인 배경 하에 측두엽과 전두엽 부위에 두드러진 병리가 있다. 시상과 선조체의 이상 증거도 있다. 하지만 그러한 구조적 이상이 어느 정도로 기능적 지장을 초래하는지, 그리고 구조적 뇌 병리가 명백히 없는 상황에서도 기능 이상이 발생할 수 있는지에 관해서는 이 연구들이 잘 알려주지 못한다. 그것은 기능적 영상술의 영역인 것이다.

기능적 뇌 이상의 특성

양전자방출단층촬영(PET)

이 기술은 관련 시술인 단일광자방출단층촬영(SPECT)과 더불어 혈류와 당 대사 수준에서의 국소적 뇌 활성도를 가시화(可視化), 정량화할 수 있게 해준다. 정신분열병에서 가장 일관된 PET 소견은 전두부와 측두부 영역의 활성도가 감소되어있다는 점이다. 물론 시상, 선조체 그리고 소뇌의 이상 증거도 몇몇 있다.

자기공명분광술(MRS)

MRS는 국소적 신경화학 과정을 정량화할 수 있게 해주는데, 특히 세포막 인지질, 세포 에너지 대사와 신경세포의 통합성에 초점을 둔다. 가장 일관된 소견으로는 전두엽 인지질 대사의 변화와 측두엽에서의 신경세포 통합성 감소를 들 수 있는데, 특히 배외측 전전두(dorsolateral prefrontal)와 전반부 띠피질(anterior cingulate cortices)과 해마에 주목하고 있다.[18,19]

기능적 자기공명영상(fMRI)

가장 최근의 기능적 영상기술은 신경세포의 활성도에 관련된 국소 혈류 산소화 변화를 정량화한다. 아직 초보적인 단계이기는 하나, fMRI는 정신병리와 인지기능의 측면에 관련된 피질 연구에 특히 그 잠재력이 대단하다고 볼 수 있다. 예를 들어, 정신분열병 환자는 말하는 중에, 그리고 환청을 듣는 중에 비정상적 측두엽 기능을 보인다.[20]

개요

기능적 영상연구로부터의 결과들은 구조적 영상연구의 결과들과 어느 정도 일치하는 것으로 보인다. 여기에는 시상, 선조체 그리고 소뇌의 일부 이상을 포함하여, 전두엽과 측두엽 특히 배외측 전전두와 전반부 띠피질에 신경 기능이상이 있다고 시사된다.

신경망(神經罔) 기능 이상

구조와 기능상의 국소적 이상 소견이 피상적으로는 다양한 뇌 영역을 지칭하는 듯이 보일는지는 모르나, 실제 이 이상은 잘 알려져 있는 신경 회로의 중요한 구성요소들이다. 신경 회로를 통해서 정보가 교환되고 걸러지고 처리되고 저장되고 회상되고 조화를 이루며 반응으로 이어지는 통합적 기능이 수행된다. 바로 이 기능이 사고와 지각에 사용되고 인격과 자기-감독성을 낳게 되는데, 정신분열병에서는 현상학적 수준과 신경심리학적 수준 모두에서 이 기능에 곤란이 있어 보인다. 기능적 영상술의 최대 장점의 하나는, 휴식 상태에서뿐만 아니라 증상을 경험하거나 특이한 신경심리학적 기능과 그 해당 대뇌 기질을 요구하는 인지과제 수행 중에도 생물학적 이상을 정신병리와 인지기능에 관련시킬 수 있다는 점이다. 일 예를 들어보자.[21] 정신운동성 빈곤(음성증상)은 배외측 전전두와 전반부 띠피질, 선조체, 그리고 후반부 연합 피질에서 나타나는 이상 활동성과 관련 있어 보이고; 와해(사고장애)는 전전두와 전반부 띠피질, 그리고 배내측 시상의 이상 활성도와 관련 있어 보이며; 현실 왜곡(환각과 망상)은 해마주변 영역과 시상의 이상 활성도와 관련 있어 보인다. 좀더 특이하게는 현재까지의 소견을 종합해보면, 전두-선조-담창-시상-피질(frontostriatopallidothalamocortical), 전두측두(frontotemporal), 그리고 전두-소뇌-시상(frontocerebellar-thalamic) 신경망의 접속에 장애가 있음을 시사한다.[21-23]

대뇌 이상의 기원

정신분열병의 뇌의 구조와 기능의 신경망 이상을 염두에 둔다면, 기본적인 의문이 떠오르게 된다. 이러한 이상은 한때 정상이었으나 추후에 병적 과정을 겪게된 뇌 상태를 반영하는 것인가, 아니면 초기 발달과정에서 훼손되어 정상적인 대뇌 구조와 기능을 이룰 수 없었던 뇌의 상태를 반영하는가? 이 두 가지 질문은 확립된 질병 양상을 지닌 성인 환자에게 대개 결정되어 있는 현재의 대뇌 이상에 근본적으로 다른 경로를 형성한다는 점이 밝혀질 것이다. 나아가, 두 가지 질문은 원인론과 질환의 일평생 경과에 근본적으로 다른 의미를 지닌다.

'역으로 읽기' 식 분석

'역으로 읽기' 방식으로 보자면, 질환의 첫 삽화를 경험하는 환자에게서도 통상 확인되는 뇌 이상의 전부는 아닐지라도 거의 대부분이 정신병적 증상의 발병 시점에 이미 분명하게 존재한다는 것이다.[24-26] 이는 소아기의 정신사회적 장해를 거슬러 올라가 유아기의 신경통합 결함에 다다르며, 자궁 내 태아기에서 끝난다.[27-30] 신경병리학적 연구에서 발견되는 구조적 뇌 병리는 전형적인 신경퇴행성 과정의 이상이 없이도, 두드러진 음성(결함)증상과 상당한 인지기능 장애를 보인다고 한다; 오히려 구조적 이상은 태아기의 뇌 발달의 지장을 더욱 시사하는 세포구조 양상을 시사한다.[13-15,23] 비록 최근의 연구에서는 내측두엽 구조물들에서 처음에 보고되었던 특징적인 세포구조 이상이 재확인되지는 않았으나, 다른 소견들, 특히 전반부 띠피질의 이상은 확고해졌다.[21,22,28] MRI를 통해서는 세포구조를 확인하지 못하지만, 태아기에 기원을 둔 해부학적 이상을 드러내기도 하는데 투명중격결손(cavum septum pellucidum)같은 것이 거기에 해당한다. 이 이상은 뇌의 중앙 구조물들의 초기 성장에 장해가 있었음을 시사하며 해마의 용적 감소와 관련되어 나타난다.[31,32]

주요 두개안면부 형태이상

역학적 자료와 생물학적 소견은 모두 정신분열병은 신경발달학적 장애라는 초기의 가정을 뒷받침하며,[33,34] 질병의 기원이 태아기 뇌 발달의 장해에 있음을 말해주고 있다.[28] 하지만, 여기에 관한 보다 확실하고 직접적인 증거가 필요해왔다. 초기 태아기 동안은 대뇌 형태발생이 두개안면부 형태발생과 밀접하게 관련되어 있으며, 전통적인 신경발달학적 장애들(다운 증후군과 같은)은 일반적인 신체와 특히 두개안면부에 형태이상을 보인다고 알려져 있다. 이러한 이상들은 그 심각성에 있어서 주요한 선천적 기형으로부터 경미한 신체기형(MPAs)에까지 이르며, 늦은 임신 초기/이른 중기에 발생한 형태이상의 생물학적 지표가 된다.[27]

몇몇 연구에서는 현재 정신분열병 환자에게서 MPAs가 과도하게 발생하고, 특히 두개안면부의 미세한 형태이상이 많다고 지적한다. 구개(palate)가 높다는 것이 가장 일관된 소견의 하나이지만, 정신분열병에서의 MPAs의 국소 해부에 관해서는 잘 알려져 있지 않다. 그렇지만 이러한 정보는 형태이상의 발생 시기나 특성을 이해하는 데에 기본이다.[27,28] 최근에는 인체측정학적 접근법을 적용하여 정신분열병 환자들이 두개안면부와 다른 구조물에 다수의 경미한 이상을 보인다는 점이 발견되었다.[35]

대뇌의 비대칭성

정신분열병에서는 대뇌의 좌-우 구조적 기능적 뇌 비대칭성에 장애가 있고, 그 장애는 성별과 아마도 발병 연령과 상호작용하는 방식으로 그 비대칭성을 감소시키는 쪽으로 작용한다는 상당량의 증거가 있다; 좌측 후상부 측두엽(planum temporale; 베르니케 영역)과 좌측 전두엽(브로카 영역)에서의 비대칭성 소실과 그것이 언어처리 및 생성과정에 관련 있으리라는 추정이 특별히 주목받고 있다.[36,37] 현재의 증거들이 시사하는 바에 의하면, 배측 중앙선을 따라 분포하는 세포들이 좌-우 발달의 발생학에 기본적인 역할을 하며, 이러한 중앙선에서의 발달과정은 전-후 수준(anterior-posterior level)에 의존한다.[38] 이에 아울러, 인간 태아의 편측성 행동이 임신 10-12주에 나타나기 시작해서 15-18주에 최고조에 이른다는 점을 주목할 필요가 있겠다.[39] 여기에 기초한다면, 9/10주에서 14/15주 사이에[27,28] 특히 뇌의 전반부와 중앙선 부위의 구조물들에 영향을 끼치는 대뇌 이상형태 발생이 대뇌 비대칭성의 장애를 야기한다고 추정할 수 있겠다.

동종성(同種性) 혹은 이종성(異種性)?

정신분열병은 질병에 특이적인 심리학적 또는 생물학적 지표 없이, 현상학과 그 결과의 다양성으로 특징지어진다는 점은 분명하다. 이 같은 관점으로부터 정신분열병은 다양한 원인론과 병태생리가 어떤 기능장애와 정신병리의 공통성에 의해 엮여진 이종성의 증후군적 장애일 가능성이 크다. 하지만 현재는, 정신분열병의 가장 굳건한 생물학적 소견인 뇌실 확장이 모든 환자가 아닌 일부 환자에게서만 보인다는 가정을 반박할만한 상당량의 증거가 있다. 오히려 반대로, 정상군 범위에 속한다 할지라도, 정신분열병 환자 개개인은 정신분열병을 지니고 있지 않았더라면 가졌을 뇌실보다 큰 뇌실을 가진다는 사실이다.[40]

다시 위에 요약된 '역으로 읽기' 식 분석을 진행해본다면, 정신분열병을 가지게 된 사람들의 병전 지능지수(IQ)와 아동기 시험 성적 모두는, 그렇지 않은 사람에 비해 상대적으로 좌측으로의 단방향성 분포 이동한(불량한 학업성취) 특징을 보이는 듯 하다.[41,42] 따라서, 정신분열병의 결과적 양상은 이종적인 것이 아니라, 효과의 동종성에 의한 것이다.[27,28]

일평생 경과, 임상적 처치와 치료

정신분열병의 기원에 관한 발달학적 논쟁이 본격화되면서, 어떻게 그러한 초기 발달학적 이상이 약 20년이 경과한 후에서야 정신병적 증상으로 나타나는가, 그리고 그 이후에 장애가 얼마나 진행하는가에 대한 많은 논란이 있어왔다.[1-3,27,28] 중요한 것은 초기의 대뇌두개안면부의 이상형태발생의 의미를 잘못 해석하여, 질환의 전체적인 경과나 뒤이은 진행성 과정을 결정하는 후기 사건의 역할을 등한시 해서는 안 된다는 점이다. 태아기에 이미 문제를 지니게 된 뇌일지라도 발달, 성숙, 퇴행의 정상적인 내인성 프로그램을 따르게 되는데, 여기에 다양한 외인성 생물학적 손상과 정신사회적 스트레스가 악영향을 미쳐 유아와 소아기에서 성숙을 이루어가고 노년에 이르기까지의 과정을 통해 뇌의 구조와 (역)기능을 빚어내는 것이다. 그러한 내인성 프로그램과 외인성 손상이 뇌에 미치는 효과는 초기 발달과정에 문제를 지닌 경우와 태아기에 근본적인 손상이 없는 경우가 다를 것이다.[27,28]

이러한 토대 위에서 정신분열병의 일평생 경과는 다음과 같이 그려질 수 있겠다:[27,28] 대뇌의 이상형태발생, 특히 뇌 중앙에 분포하는 부위와 전>후 경사를 갖는 이상형태발생이 신경망 기능장애를 초래한다. 이 초기의 뇌 이상은 유아기의 (역)발달학적 경과를 통해 드러나는 신경통합성의 결함과 관련 있고, 그리고 이어서, 소아기의 (역)발달학적 경과를 통해 드러나는 정신사회적 장해와 관련 있다.[27-30] 초기 성인기를 향한 (역)발달학적 경과를 거치면서 신경통합성의 결함과 정신사회적 결함은 두드러지게 나타나 인지기능의 장애, 그리고 특히, 정신병의 발병에 선행하는 징조로 보이는 음성증상으로 발현된다.[27,43] 정신병은 그 기저의 신경망 기능이상이 표현될 수 있도록 충분한 대뇌 체계나 과정이 기능적 성숙을 이룬 후에야 발생하는데,[27,34] 여기에서 발병은 외인성 생물학적 요소와 정신사회적 스트레스에 의해서도 조절된다. 정신병의 발병은 어떤 활동성 병적 과정의 시작을 반영하는 것으로 보이는데, 최소한 부분적으로는, 긴 발병기간이 불량한 예후와 관련이 있다.[44-46] 이후의 질환경과는, 정신병 발병 후에 진행하는 과정을 개선시키려는 항정신병약물치료, 그리고 기능의 회복, 보존, 촉진을 위한 정신사회적 치료가 결정적인 단계에 주어지는가 하는 적시성(適時性)과 그 효과에 따라 달라질 수 있다.[27,47,48] 이 단계와 그 이후에는 초기 태아기에 결정된 것 이상의 구조적 뇌 병리가 일부 진행한다는 증거가 있고, 이는 대부분의 환자에서 나타난다.[49-51] 음성증상과 인지기능 장애를 보일 경우, 장기적으로 예후가 불량할 것으로 추정할 수 있는데, 이 후기의 경과는 성숙과 퇴행 과정의 상호작용을 배경 삼아 항정신병약물 치료와 정신사회적 치료의 장기 효과에 의해 계속 영향을 받게 될 것이다.[27]

일평생 경과에 관한 이러한 관점들은,[27,28,48,52-54] '신경발달학적' 혹은 '신경진행성' 실체에[55] 관한 가설적 구분을 넘어서 정신분열병의 병태생물학을 개념화하는 데에 더욱 손쉬운 방법을 제공한다. 그러나 그런 병태생물학이 치료의 효과를 어떻게 더 특이하게 설명할 수 있을까? 비록 새로운 2세대 약물을 포함해서 현재까지 사용되고 있는 모든 종류의 항정신병약물이 뇌의 도파민 수용체, 일차적으로 D_2-계열 수용체를 차단하는 일부 특성을 공유하기는 하지만, 도파민성 신경세포나 도파민 수용체에서의 병태생리를 확인하기는 어렵다. 그러나 최근에는 시험적인 스트레스 하에서 그리고 정신병적 증상이 심해지는 것과 관련해서 정신분열병 환자의 피질하 도파민 분비가 증가한다는 증거들이 제시되고 있다.[56] 또한 정신분열병 환자와 내측두엽에 발달학적 병변을 지닌 영장류를 대상으로 한 최근의 연구에서는,[56] MRS에서 보이는 배외측 전전두 피질의 병리가 심할수록, SPECT 상에서 피질하 도파민 활성이 기저상태에서는 감소되어 있고 시험적인 스트레스를 준 후에는 정신병적 증상의 심화와 더불어 도파민 활성이 증가한다고 밝히고 있다.

이 같은 소견들이 시사하는 바는, 정신분열병에서 측두-전두엽 회로의 발달학적 병리가 평상시에는 도파민 활성의 긴장도를 감소시켰다가 정신병리가 발현할 때에는 피질하 도파민 활성을 증가시키리라는 점이다. 나아가서는, 증상이 지속되거나 재발성인 경우, 병적 상태가 호전되지 않고, 치료에 반응이 없거나 임상적 악화로 진행하는 정신병의 발현에, 그런 도파민 기능 조절부전이 '신경화학적 감작화' 과정을 통해 기여할는지 모른다;[58] 도파민은 유도된 세포사(細胞死), 즉 실제 염증이나 신경교증(神經膠症) 반응이 없이도 세포 응축, 단편형성(斷片形成), 그리고 식작용(食作用)을 통한 세포편(細胞片) 제거로 이어지는, 온전했던 세포의 자살 프로그램을 유발할 수 있다는 점을 주목할 필요가 있겠다.[27] 결국 자명한 것은, 도파민 세포는 단독으로 기능하지 않는다는 사실이다. 특히 현재에 상당한 관심이 주어지는 부분은 도파민과 글루타메이트가 서로의 기능에 영향을 주고받는 상호작용이다. 이 양자의 신경전달물질간의 밀접한 관련성은, 글루타메이트 계(系)의 병리 및 글루타메이트성 물질의 임상적 약리작용(藥理作用)에 관한 상당한 증거와[59] 아울러, 정신분열병의 병리와 치료를 탐구하는 길을 넓혀줄 것이다.

감사의 말

연구를 지원해주는 스탠리 재단에 감사한다.

참고문헌

1. Waddington JL, Schizophrenia: developmental neuroscience and pathobiology, *Lancet* (1993) **341:** 531–6.
2. Weinberger DR, Schizophrenia: from neuropathology to neurodevelopment, *Lancet* (1995) **346:** 552–7.
3. Schultz K, Andreasen NC, Schizophrenia, *Lancet* (1999) **353:**1425–30.
4. Johnstone EC, Crow TJ, Frith CD et al, Cerebral ventricular size and cognitive impairment in chronic schizophrenia, *Lancet* (1976) **ii:**924–6.
5. Raz S, Raz N, Structural brain abnormalities in the major psychoses: a quantitative review of the evid-

ence from computerized imaging, *Psychol Bull* (1990) **108:**93–108.

6. Woodruff PWR, McManus IC, David AS, Meta-analysis of corpus callosum size in schizophrenia, *J Neurol Neurosurg Psychiatry* (1995) **58:**457–61.
7. Ward EK, Friedman L, Wise A, Schulz SC, Meta-analysis of brain and cranial size in schizophrenia, *Schizophr Res* (1996) **22:**197–213.
8. Lawrie SM, Abukmeil SS, Brain abnormality in schizophrenia: a systematic and quantitative review of volumetric magnetic resonance imaging studies, *Br J Psychiatry* (1998) **172:**110–20.
9. Nelson MD, Saykin AJ, Flashman LA, Riordan HF, Hippocampal volume reduction in schizophrenia as assessed by magnetic resonance imaging, *Arch Gen Psychiatry* (1998) **55:**433–40.
10. Sullivan EV, Lim KO, Mathalon D et al, A profile of cortical gray matter volume deficits characteristic of schizophrenia, *Cereb Cortex* (1998) **8:**117–24.
11. Keshavan MS, Rosenberg D, Sweeney JA, Pettegrew JW, Decreased caudate volume in neuroleptic-naive psychotic patients, *Am J Psychiatry* (1998) **155:**774–8.
12. Lim KO, Hedehus M, Moseley M et al, Compromised white matter tract integrity in schizophrenia inferred from diffusion tensor imaging, *Arch Gen Psychiatry* (1999) **56:**367–74.
13. Arnold SE, Trojanowski JQ, Recent advances in defining the neuropathology of schizophrenia, *Acta Neuropathol* (1996) **92:**217–31.
14. Dwork AJ, Postmortem studies of the hippocampal formation in schizophrenia, *Schizophr Bull* (1997) **23:** 385–402.
15. Heckers S, Neuropathology of schizophrenia: cortex, thalamus, basal ganglia and neurotransmitter-specific projection systems, *Schizophr Bull* (1997) **23:**403–21.
16. Andreasen NC, O'Leary DS, Cizadlo T et al, Schizophrenia and cognitive dysmetria: a positron-emission tomography study of dysfunctional prefrontal-thalamic-cerebellar circuitry, *Proc Natl Acad Sci USA* (1996) **93:**9985–90.
17. Buchsbaum MS, Hazlett EA, Positron emission tomography studies of abnormal glucose metabolism in schizophrenia, *Schizophr Bull* (1998) **24:**343–64.
18. Bertolino A, Nawroz S, Mattay VS et al, Regionally specific pattern of neurochemical pathology in schizophrenia as assessed by multislice proton magnetic resonance spectroscopic imaging, *Am J Psychiatry* (1996) **153:**1554–63.
19. Kegeles LS, Humaran TJ, Mann JJ, In vivo neurochemistry of the brain in schizophrenia as revealed by magnetic resonance spectroscopy, *Biol Psychiatry* (1998) **44:**382–98.
20. Woodruff PWR, Wright IC, Bullmore ET et al, Auditory hallucinations and the temporal cortical response to speech in schizophrenia: a functional magnetic resonance imaging study, *Am J Psychiatry* (1997) **154:**1676–82.
21. Liddle PF, Friston J, Frith CD et al, Patterns of cerebral blood flow in schizophrenia, *Br J Psychiatry* (1992) **160:**179–86.
22. Benes FM, What an archaeological dig can tell us about macro- and microcircuitry in brains of schizophrenia subjects, *Schizophr Bull* (1997) **23:**503–7.
23. Andreasen NC, Paradiso S, O'Leary DS, 'Cognitive dysmetria' as an integrative theory of schizophrenia: a dysfunction in cortical-subcortical-cerebellar circuitry? *Schizophr Bull* (1998) **24:**203–18.
24. Andreasen NC, O'Leary DS, Flaum M et al, Hypofrontality in schizophrenia: distributed dysfunctional circuits in neuroleptic-naive patients, *Lancet* (1997) **349:**1730–4.
25. Velakoulis D, Pantelis C, McGorry PD et al, Hippocampal volume in first-episode psychoses and chronic schizophrenia: a high-resolution magnetic resonance imaging study, *Arch Gen Psychiatry* (1999) **56:**133–40.
26. Cecil KM, Lenkinski RE, Gur RE, Gur RC, Proton magnetic resonance spectroscopy in the frontal and temporal lobes of neuroleptic naive patients with schizophrenia, *Neuropsychopharmacology* (1999) **20:** 131–40.
27. Waddington JL, Lane A, Scully PJ et al, Neurodevelopmental and neuroprogressive processes in schizophrenia, *Psychiatr Clin North Am* (1998) **21:**123–49.
28. Waddington JL, Lane A, Larkin C, O'Callaghan E, The neurodevelopmental basis of schizophrenia: clinical clues from cerebro-craniofacial dysmorphogenesis, and the roots of a lifetime trajectory of disease, *Biol Psychiatry* (1999) **46:**31–39.
29. Hultman CM, Sparen P, Takei N et al, Prenatal and perinatal risk factors for schizophrenia, affective psychosis, and reactive psychosis of early onset, *BMJ* (1999) **318:**421–6.
30. Mortensen PB, Pedersen CB, Westergaard T et al, Effects of family history and place and season of birth on the risk of schizophrenia, *N Engl J Med* (1999) **340:**603–8.
31. Nopoulos P, Swayze V, Flaum M et al, Cavum septi pellucidi in normals and patients with schizophrenia as detected by magnetic resonance imaging, *Biol Psychiatry* (1997) **41:**1102–8.
32. Kwon JS, Shenton ME, Hirayasu Y et al, MRI study of

cavum septi pellucidi in schizophrenia, affective disorder and schizotypal personality disorder, *Am J Psychiatry* (1998) **155:**509–15.

33. Murray RM, Lewis SW, Is schizophrenia a neurodevelopmental disorder? *BMJ* (1987) **295:**681–2.
34. Weinberger DR, Implications of normal brain development for the pathogenesis of schizophrenia, *Arch Gen Psychiatry* (1987) **44:**660–9.
35. Lane A, Kinsella A, Murphy P et al, The anthropometric assessment of dysmorphic features in schizophrenia as an index of its developmental origins, *Psychol Med* (1997) **27:**1155–64.
36. DeLisi LE, Sakuma M, Kushner M et al, Anomalous cerebral asymmetry and language processing in schizophrenia, *Schizophr Bull* (1997) **23:**255–271.
37. Petty RG, Structural asymmetries of the human brain and their disturbance in schizophrenia, *Schizophr Bull* (1999) **25:**121–39.
38. Yost HJ, Left–right development from embryos to brains, *Dev Genet* (1998) **23:**159–63.
39. McCartney G, Hepper P, Development of lateralized behaviour in the human fetus from 12 to 27 weeks gestation, *Dev Med Child Neurol* (1999) **41:**83–6.
40. Daniel DG, Goldberg TE, Gibbons RD, Weinberger DR, Lack of a bimodal distribution of ventricular size in schizophrenia: a Gaussian mixture analysis of 1056 cases and controls, *Biol Psychiatry* (1991) **30:**887–903.
41. Davis AS, Malmberg A, Brandt L et al, IQ and risk for schizophrenia: a population-based cohort study, *Psychol Med* (1997) **27:**1311–23.
42. Jones PB, Rogers B, Murray R, Marmot M, Child developmental risk factors for adult schizophrenia in the British 1946 birth cohort, *Lancet* (1994) **344:** 1398–1402.
43. Hafner H, an der Heiden W, Behrens S et al, Causes and consequences of the gender difference in age at onset of schizophrenia, *Schizophr Bull* (1998) **24:** 99–113.
44. Wyatt RJ, Neuroleptics and the natural course of schizophrenia, *Schizophr Bull* (1991) **17:**325–51.
45. Loebel AD, Lieberman JA, Alvir JMJ et al, Duration of psychosis and outcome in first-episode schizophrenia, *Am J Psychiatry* (1992) **149:**1183–8.
46. Scully PJ, Coakley G, Kinsella A, Waddington JL, Psychopathology, executive (frontal) and general cognitive impairment in relation to duration of initially untreated vs subsequently treated psychosis in chronic schizophrenia, *Psychol Med* (1997) **27:** 1303–10.
47. Birchwood M, McGorry P, Jackson H, Early intervention in schizophrenia, *Br J Psychiatry* (1997) **170:**2–5.
48. Waddington JL, Buckley PF, Scully PJ et al, Course of psychopathology, cognition and neurobiological abnormality in schizophrenia: developmental origins and amelioration by antipsychotics? *J Psychiatr Res* (1998) **32:**179–89.
49. DeLisi LE, Sakuma M, Tew W et al, Schizophrenia as a chronic active brain process: a study of progressive brain structural change subsequent to the onset of schizophrenia, *Psychiatry Res: Neuroimaging* (1997) **74:**129–40.
50. Grimson R, Hoff Al, DeLisi LE, Schizophrenia as a chronic active brain process, *Psychiatry Res: Neuroimaging* (1997) **76:**135–8.
51. Davis KL, Buchsbaum MS, Shihabuddin L et al, Ventricular enlargement in poor-outcome schizophrenia, *Biol Psychiatry* (1998) **43:**783–93.
52. DeLisi LE, Is schizophrenia a lifetime disorder of brain plasticity, growth and aging? *Schizophr Res* (1997) **23:**119–29.
53. Waddington JL, Scully PJ, Youssef HA, Developmental trajectory and disease progression in schizophrenia: the conundrum, and insights from a 12-year prospective study in the Monaghan 101, *Schizophr Res* (1997) **23:**107–18.
54. Woods BT, Is schizophrenia a progressive neurodevelopmental disorder? Toward a unitary pathogenetic mechanism, *Am J Psychiatry* (1998) **155:** 1661–70.
55. Knoll JL, Garver DL, Ramberg JE et al, Heterogeneity of the psychoses: is there a neurodegenerative psychosis? *Schizophr Bull* (1998) **24:**365–79.
56. Abi-Dargham A, Gil R, Krystal J et al, Increased striatal dopamine transmission in schizophrenia: confirmation in a second cohort, *Am J Psychiatry* (1998) **155:**761–7.
57. Bertolino A, Knable MB, Saunders RC et al, The relationship between dorsolateral prefrontal *n*-acetylaspartate measures and striatal dopamine activity in schizophrenia, *Biol Psychiatry* (1999) **45:**660–7.
58. Lieberman JA, Sheitman BB, Kinon BJ, Neurochemical sensitization in the pathophysiology of schizophrenia: deficits and dysfunction in neuronal regulation and plasticity, *Neuropsychopharmacology* (1997) **17:**205–29.
59. Tamminga CA, Schizophrenia and glutamatergic transmission, *Crit Rev Neurobiol* (1998) **12:**21–36.

3 정신질환의 예후

Jane Kelly, Robin M Murray와 Jim van Os

내용 · 도입 · 예후 요인 · 정신병의 예후, 증상 차원 그리고 위험요인에 관한 경험적 모형 · 치료적 의미 · 결론

도입

'우리 아들이 어떻게 될까요? 정상적인 생활을 할 수 있나요? 다시 아플까요? 수용시설에서 인생을 마치게 될까요?' 모든 정신과 의사들은 정신병의 첫 발병을 겪는 환자들의 친족과 배우자들이 묻는 이러한 질문에 익숙할 것이다. 또한, 솔직하면서도 안심시켜주는 답변을 하기가, 혹은 그 예후에 관해 짐작하기가 쉽지 않다는 점에도 익숙하리라. 우리가 대답하는 데에 도움이 될만한 지식은 무엇일까?

초기의 예후연구들의 공헌

초기의 연구였던 미국과 유럽의 장기 추적연구를 통해 처음으로 정신분열병과 관련 정신병들의 다양한 예후를 정량화할 수 있었다. 추적 기간이 연구에 따라 다르고 '회복', '재발', 그리고 '호전 없음' 따위의 용어 정의에 차이가 있으므로 단순한 요약이 어렵기는 하지만,[1,2] 정신질환의 경과와 예후는 극도로 다양하다는 데에는 이론의 여지가 없다.[3,4] 진단 당시 혹은 첫 입원 당시의 환자들을 대상으로 했던 주요한 연구들의 자료를 표 3.1에 요약했다. 대부분의 연구에서 단기 그리고 장기 예후에 있어서 임상적 예후의 차이는 세 개 내지 네 개의 중증도(重症度) 범주로 정확하게 분류될 수 있었다. 더 세부적인 구분이 제시되기도 했지만, 불량, 중간, 양호 예후의 각각이 약 30% 정도 비율이라는 일반적인 규칙은 발표된 자료와 잘 들어맞는다.

초기 연구들의 또 다른 주요 소견은, 기능성 정신병 집단 내에서 정신분열병으로 진단된 환자들이 가장 불량한 예후를 보였고, 분열정동장애 환자가 정신분열병과 정동성 정신병의 중간 정도의 예후를 보였다는 점이다. 예를 들어, Tsuang과 Dempsey는[5] Freighner와 동료들에 의한 기준으로[6] 선별된 환자들을 30, 40년 이상 추적한 연구에서, 정동 양상과 정신분열병적 양상을 모두 지닌 85명의 환자군의 예후가 정동 장애 325명 환자군에 비해 유의하게 불량했고 정신분열병 200명의 환자들에 비해서는 유의하게 양호했음을 보여주었다. Coryell과 동료들은[7,8] 정동성 정신장애가 분열정동장애보다 장해가 경미한 경과를 보인다고 했다.

표 3.1 진단 당시 또는 첫 입원 당시의 환자들을 대상으로 한 고전적인 추적 연구들

참고문헌	추적기간	임상적 예후의 수준(같은 행의 백분율의 합이 항상 100%는 아님)		
		불량	중간	양호
Muller(1951)[15]	30	41%가 잠행성의 만성 경과를 보임	17%가 만성화되지 않는 재발성 경과	33%가 회복되거나 상당히 호전, 16%가 추적기간동안 회복
Stephens(1978)[2]	5-16	30%가 호전 없음	46%가 호전	24%가 회복
Bland와 Orn (1978)[16]	14	25%가 사회적, 정신과적, 직업적 장해를 보임	25%가 중등도에서 뚜렷한 정도의 장해	절반가량이 장해가 없거나 거의 없는 상태로 지냄
Ciompi(1980)[17]	37	18%가 심한 만성화	46%가 경도에서 중등도의 잔류상태	27%가 완전회복
Salokangas (1983)[18]	7.5-8	24%가 지속적인 정신병 증상을 보임	29%가 간헐적인 경미한 정신병 증상, 21%가 신경증적 증상	
Sartorius 등 (1986)[19]	2	40%가 낫지 않는 정신병 증상을 보임	21%가 주기적 재발	40%가 일회의 삽화 후에 추적기간 동안 증상이 없거나 미미함
Rabiner 등 (1986)[20]	1	22%가 추적기간동안 지속적인 증상을 보임	22%가 재발	56%가 관해
SSRG(1989)[21]	2	38%가 추적기간동안 정신분열병 증상을 보임	47%가 2년 추적기간 중 다시 입원함	37%가 잘 지냄
Shepherd 등 (1989)[22]	5	43%가 추적기간동안 장해상태	35%가 재발성 삽화를 보이며 점점 손상됨	22%가 재발 없음

Grossman과 공동연구자들은 전체적으로 정신분열병이 가장 불량한 예후를 보이며, 다음은 분열정동장애 환자, 양극성 조증 환자, 단극성 우울증 환자임을 보여주었다.[9] 유사한 소견이 Brockington과 동료들,[10,11] Marneros와 동료들,[12,13] 그리고 Maj와 Perris에[14] 의해서도 보고되었다. 따라서 예후의 분명한 차이라기보다는 정동 증상의 정도와 예후 사이에 '용량-반응' 관계가 존재하는 듯이 보인다. Kendell과 Brockington은[25] 특히 그러한 선형적 관계의 존재를 부정하려 시도했으나 실패했다.

전면적으로 제기된 또 한 가지 측면은, 예후는 단일한 척도로써 측정될 수 없다는 점이다. 오히려 그것은 다차원적 개념으로서, 질환 경과와 예후의 임상적 영역과 사회적 영역을 포함한다.[26] 예를 들어, 근본적인 예후를 밝혀내려는 목적으로, 최근 발병한 정신병 환자를 대상으로 했던 큰 연구로부터 산출된 예후 측정치 21가지를 요인 분석한 한 연구에서는 여섯 가지의 요인들이 확인되었다: (1) 추적 기간동안의 정신병적 증상의 심한정도, (2) 음성증상과 사회적 기능, (3) 고용, (4) 독립적으로 생활한 시간, (5) 부랑(浮浪)생활과 감금(監禁), (6) 우울과 자해가 그것이다.[27] 더욱 최근에는 보호의 필요성, 주관적인 삶의 질, 그리고 환자의 관점에서 본 서비스에 대한 만족도가 예후연구에 점점 더 포함되는 추세이다.[28]

예후의 예측은 추적기간에 따라 차이가 있다. 1년 혹은 2년간 추적한 연구가 있는가하면,[29-31] 20년 혹은 그 이상 추적한 연구가 있다.[17,31-35] 연구들에 의하면, 경과중 가장 큰 변화는 질환의 첫 5-10년 안에 있고,[36,37] 물론 아주 후기의 경과 중에 실질적인 변화가 나타나는 경우가 드물지 않을 수도 있으나 5-10년이 지난 이후에는 경과에 변동이 적을 것으로 예상된다.[32,38,39] 더욱이 시간이 지남에 따라, 상당수의 환자들은 삽화가 반복될수록 점차 장해

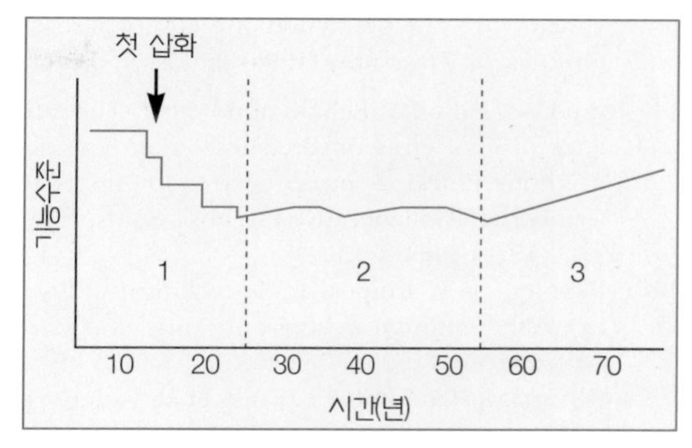

그림 3.1 가설화된 '통상적인' 질환의 경과궤적으로서, 초기에는 각 삽화가 있을 때마다 단계적으로 기능이 저하되고(1), '평탄' 기가 뒤따르며(2), 후기에는 호전되는 양상을 보여준다(3). (Breier 등의 개념을[40] 도입함)

가 심해진다. 49명의 대표적인 정신분열병 사례들을 면밀히 조사했던 한 연구에서는 삼분의 일 이상의 환자들이 질환의 첫 5년 이내에 장해가 심해지는 상태로 진행했다.[22] 장기 추적 연구들은 이 비율이 다음 10년 동안 더 커질 것임을 시사하지만, McGlashan은[3] 상태의 악화는 '최저치를 거치는' 경향이 있음을 지적했고, 실제로 질환의 후기에 호전되는 경우가 드물지 않게 있다.[32,38,39,41,42] Breier와 동료들의[40] 개념을 본 따 이러한 경과적 특성을 그림 3.1에 묘사했다. 예후 추정에는 질환의 단계가 결정적으로 중요하다. 예를 들어, '평탄(平坦)' 기(期) 중에는 향후 5년간 경과에 별 변동이 없을 것이라고 추정할 수 있겠다. 질환의 아주 후기에는 실제 약간의 호전을 기대할 수 있다. 추정하기가 가장 어려운 시기는 질환의 초기 경과인데, 이는 '결정적 시기' 로 일컬어지기도 한다.[43] 단기 경과를 조절함으로써, 이를테면 재발의 빈도를 감소시킴으로써 전체적인 악화 수준이 줄어들 것임을 기대할 수 있는 시기이기도 하다.

끝으로, 예후를 추정함에 있어서 시대에 따라 변화해온 일부 요소들이 있다. 한 예는 소위 정신병원으로부터의 퇴원인데, 분명한 것은 호전되는 방

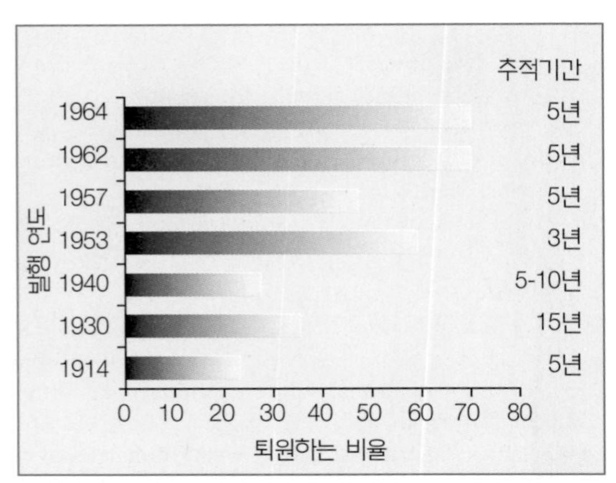

그림 3.2 시대의 변천에 따라 추적기간 중에 퇴원하는 비율[44-50]

향이라는 것이다 (그림 3.2). 또 다른 중요한 역사적 경향은 진단 경향과 관련되어 있다. 1895년에서 1992년 사이의 320개 추적 연구를 조사한 한 문헌 종설에서는 협의의 진단 기준을 사용한 경우보다(27.3%가 호전) 개략적인 기준이나 정의되지 않은 기준을 사용한 경우에(각각 46.5%, 41.0%가 호전) 예후가 유의하게 양호하다는 사실이 발견되었다. 지난 십 년간 양호한 예후가 보고되는 비율이 감소한 것도 진단 기준의 변화에서 기인한다고 주장되고 있다.[51] 이 연구는 모든 정신분열병 추적 연구의 결과는 사용된 진단적 기준에 매우 의존적임을 알 수있다. 예를 들어, ICD-9 혹은 DSM-II의 과거의 '개략적인' 개념에 따라 '직관적으로' 진단된 정신분열병을 추적한 연구는, 이후의 DSM 연속판에 명시된 더 제한적인 진단기준을 사용한 경우에 비해 평균적으로 더 좋은 예후를 보인다.[32]

최근 연구들의 공헌

최근의 연구들은 상당히 세부적으로 그리고 엄격한 방법론을 적용해서 인구통계학적, 사회적, 심리학적, 그리고 생물학적 예후 요인들을 조사해왔다(아래를 보라). 더욱 최근의 연구들은 정신병의 첫 삽화 후의 몇 년에, 그리고 단일범주에 속하지 않는 혼재된 정동장애, 분열정동장애, 단일 진단 범주에 해당하지 않는 비전형적 증후군 환자들에 초점을 맞추고 있다. 실제로, 미국의 한 연구자는 장기 추적 예후 문헌에 관한 종설에서, '정신분열병이 서로 다른 종류의 집합체라는 확실한 연구결과가 나오기 전까지 진단기준은 질환을 골라내는 방향에 오류를 지니게 마련이다' 라고 결론지었다.[3] 예를 들어, 최근의 한 연구에서는 증상이 부분적이거나 일시적이었으므로 기능성 정신병 연구에 포함되기에 부적합했던 정신장애 75 사례들을 보고했다. 이 환자들은 정신분열병, 정동 장애 또는 분열정동 정신병의 조작적 진단기준을 만족시킨 환자들과 추적 비교되었다. '부분적 정신병' 사례들과 특이한 진단기준을 만족시킨 환자들간에는 차이가 거의 없었으나, 일시적인 증상을 보였던 경우들은 더 양호한 결과를 보였다. 일시적인 질환들은, 비록 재발하긴 했지만, 2.5년 추적을 통해 본 결과 사회적 예후 및 정신병리학적 예후가 좋아 보였다.[53]

많은 예후연구들이 정동성, 비-정동성, 일시적 정신질환간에 예후에 차이가 있음을 밝혀냈지만, 예후 추정에 진단이 기여하는 바는 제한적이다. 예를 들어, Johnstone 과 동료들은[54] 기능성 정신병의 예후를 추정하는 데에 진단분류는 단지 제한적인 가치만 있을 뿐임을 확인했고, 이와 유사한 결과들이 최근 미국 연구에서 보고되고 있다.[55,56] 정신병 진단의 예측 타당도가 불량한 탓에, 최근 연구들은 다른 접근법을 취한다. 즉, *진단* 군집(群集)이 예후 변이에 어떻게 작용하는가를 검토하지 않고, 그것보다는 *증상* 군집이 경과와 예후에 어떻게 관계되는가를 연구한다. 증상 군집은 증상 차원이라고 일컬어지는데, 정동성과 비-정동성 정신병에는 네다섯 개의 주요 차원이 있다고 확인되었다(표 3.2). 그리하여, 차원 연구에서는 각 환자들

표 3.2 정신병의 차원 – 최근의 대규모 연구들의 결과

Kitamura 등(1955)[57]	van Os 등(1996)[27]	McGorry 등(1998)[58]	van Os 등(1999)[28]
양성증상	양성증상	양성증상	양성증상
조증증상	조증증상	조증증상	조증증상
우울증상	우울증상	우울증상	우울증상
음성증상	음성증상	음성/	음성증상
긴장증	긴장증/	긴장증/	
	와해증상	와해증상	
(n=584)	(n=166)	(n=509)	(n=708)

의 양성, 음성, 우울 그리고 조증 점수가 할당되고 증상 점수들간의 상관관계와 예후가 검증된다. 최근의 연구들은 예후 추정에 있어서 이러한 방법이 효과적인 접근법임을 보여주고 있다. 166명의 최근-발병한 정신질환 환자를 대상으로 했던 한 연구에서는, 4년 후의 사회적 예후와 임상적 예후를 추정하는 데에, 전통적인 범주적 DSM과 ICD 분류보다 정신병리의 차원적 표현이 더 많은 정보를 담은 예측자임이 확인되었다.[27] 증상 차원이 우월한 예측력(豫測力)을 지닌 한 가지 이유는, 기저 수준에서 필요한 치료에 관한 정보를 더 많이 담고 있기 때문이다. 708명의 정신질환 환자를 대상으로 했던 한 연구에서 임상의에게 환자의 치료 필요성에 관한 정보를 더 제공할 수 있었던 것은, 정동성 정신병, 분열정동 정신병, 비특이적 정신병, 정신분열양 정신병, 그리고 정신분열병과 같은 정신병적 질환의 DSM, RDC 또는 ICD 범주보다는 정신병리의 차원적 표현이었다.[28] 이 708명 표본을 2년간 추적한 결과, 이러한 정신병리학적 차원의 감소는 임상적 치료와 정신사회적 치료의 필요성 범위를 유의하게 감소시켰다.[59]

이 장의 범위

아래 부분에서는 초기 및 현대 추적 연구들의 결과를, 정신병의 가장 중요한 차원들을 결정하는 예후 위험요인들에 기초한 예측 모형과 결합시키고자 하는 시도가 있을 것이다. 현대 연구들이 정신질환의 초기 경과의 이러한 문제들에 몰두하고 있음을 고려하여 이 장에서는 질환 경과의 첫 5-10년에 주목하고자 한다.

예후 요인

정신병의 발병 위험을 높인다고 알려진 변수들이 예후에 미치는 의미

가족 병력

정신분열병의 위험요인으로 아마도 가장 잘 확립되어 있는 것이 일차 직계가족의 정신질환의 유무 여부이겠으나,[60] 정신분열병 환자의 친족이 우울 장애를 가질 위험 또한 높다.[61] 가족력과 예후간의 관계에는 상당히 흥미로운 점이 있다. 많은 연구에서 정동성 정신병의 가족력은 정신분열병의 좋은 예후와 관련 있음이 확인되었다. Fowler와 동료들은[62] 28명의 예후가 양호한 정신분열병 환자와 25명의 예후가 불량한 정신분열병 환자들을 비교했고, 환자의 예후 상태를 거의 모르는 환자의 친족들을 면담했다. 불량한 예후 집단의 일차 직계친족 126명 중 13명이 정신분열병을 지니고 있었다. 좋은 예후

집단의 친족들은 훨씬 낮은 정신분열병 유병률을 보였다(137명 중 5명; 상대위험도 [RR]=0.6; 95% CI=0.5-0.9). 정동 장애(양극성 장애 및 단극성 우울 장애)의 위험은 불량한 예후 집단에서 더 낮았지만, 통계적 유의도에 도달할 정도는 아니었다(RR=0.4; 95% CI 0.2-1.1 - 제공된 정보로부터 계산한 것임). 현재까지 가장 규모가 큰 연구는 253명의 DSM-III 정신분열병 환자 및 723명의 일차 직계 친족 표본에서 예후와 가족 정신병리를 조사한 Kendler와 Tsuang의 연구이다.[63] 비-정동성 정신장애의 위험은 불량한 예후 환자들의 친족들에게서 높았고, 이러한 경향은 단기적인 예후에서 장기적인 예후보다 더욱 그러했다. 하지만, 단기, 장기 모두 통계적 유의도에 이르지는 않았다. 정동성 질환의 위험은 단기 장기 모두에서 양호한 예후 환자들의 친족들에게서 유의미하게 높았다.

Verdoux와 동료들은 잘 설계된 연구를 통해,[64] 최근 발병한 150명의 기능성 정신장애 환자들의 4년 예후와 가족 부하력(負荷力)(연령, 성, 친족 수를 고려한)간의 연관성을 조사했다. 연구자들이 밝혀낸 바는, 정신장애의 가족 부하력은 지속적인 음성증상을 예측하며, 긴 입원기간과 더 심한 사회적 장해와 관련 있다는 것이었다. 정신병의 가족 부하력 효과는 정신분열병이 아닌 정신병보다 정신분열병 진단을 가진 환자 집단에서 더 강했다. 따라서, 고도의 음성증상을 동반한 불량한 예후를 보이는 장애는 혈통에 의한 것임을 시사하는 일부 증거가 있는 셈이다.[65]

산과적(産科的) 합병증

일부 정신분열병이 산전 및 산후 합병증으로 간주될 수 있다는 좋은 증거가 있기는 하다.[66,67] 하지만, 산과적 합병증과 정신병의 예후간의 상관관계에 관해서는 알려진 바가 별로 없다. 한 연구는 산과적 합병증과 불량한 치료 반응간의 연관 경향을 찾긴 했으나 그 연관성을 입증하지는 못했다.[68] 첫 발병한 정신분열병과 분열정동장애 59명 환자를 대상으로 치료반응과 산과적 합병증의 상관관계를 조사한 5년 추적 연구가 있다. 44%의 사례에서는 어머니의 기억에 의해 산과력이 조사되었고 나머지는 출산기록을 근거로 했다. 오분의 일에서 조기 출혈, 매우 긴 분만시간과 질식(窒息) 상태 따위의 '명백한 위해(危害)의 잠재성'이 있었다. 이 집단은 추적기간동안(평균 225주) 치료반응 비율이 낮았다.[56,69] 하지만, 산과적 합병증이 재발을 예측하지는 못했다.[55] 치료 반응에 대한 산과적 합병증의 효과는 측뇌실의 확장 및 와해증상과는 통계적으로 독립적이었다. 산과적 합병증, 질환의 조기 발병과 불량한 예후 사이에 연결고리가 있을지도 모른다는 점을 시사했던 두 연구가 있다. 한 연구에서는[70,71] 발병한 환자들이 산과적 합병증을 더욱 많이 지니는 듯 했고, 다른 한 연구에서는 이 환자들이 항정신병약물에 불량한 반응을 보였다.[71] 현재까지 가장 큰 연구에서는, 정신분열병으로 입원한 511명의 환자군을 대상으로 의학적 병력을 검토하여 주산기 문제 발생률이 조사되었다. 40년 추적의 맥락 속에 만성적 질환 경과를 보인 200명의 정신분열병 환자들이 좋은 예후의 환자 311명과 비교되었다. 주산기 문제 병력은 좋은 예후 집단보다 불량한 예후 집단에서 많았다.[72] 상기 연구 결과들을 종합해보면, 태아 저산소증은 치료 무(無)-반응성과 관련되어 있음이 강력하게 시사되는데, 이는 아마도 영구적인 수용체 혹은 신경전달로 손상으로 매개되는지도 모른다.

불량한 병전(病前) 적응

정신질환을 지니게 될 아동들은 대조군에 비해,

그리고 정동장애를 지니게 될 아동에 비해 사회적 결함을 많이 지니고 있다.[73-75] 후향적 연구에서 비롯된 상당한 증거에 의하면, 병전 기능장애는 불량한 예후와 좋지 않은 경과의 가장 중요한 위험요인들 중의 하나이다. 대부분의 초기 연구들이 사용했던 병전 적응에 관한 평가는 구조화된 방식으로 이루어지지 않았고, 신뢰도 수준이 다양한 재원으로부터 얻은 정보였으며, 그리고 언제나 후향적이었다. 최근 연구들은 병전적응척도(PAS)와[69] 같은 보다 나은 도구를 사용했다. 이를 통하여 소아기, 초기 청소년기, 후기 청소년기, 성인기의 병전 사회적 기능과 역할 기능을 보다 구조적인 방법으로 평가할 수 있지만, 이 또한 여전히 후향적이라는 단점을 지닌다. 더 잘 설계된 전향적 연구에서도 병전 기능장애와 사회적, 임상적 예후의 연관성을 보고했다.[20,55,80] 추적시에 증상 차원을 살펴본 결과, 음성증상과의 연관성이 가장 강하게 나타났다.[40,81-85] 이러한 소견은 항상 일치된 결과를 보이지는 않지만, 불량한 병전 적응이 (분열)정동성 정신병의 예후에도 영향을 끼친다는 점에서[86-89] 정신분열병에만 국한되는 것은 아니다. Werry 등은[90] 청소년기에 발병한 정신병(정신분열병과 양극성 장애)의 대표적인 사례에 관해 연구했다. 부모들로부터 직접 정보를 얻었기에 이 연구에서의 병전 기능 평가는 특별히 정확했다. 연구자들은 병전 적응 이상(4점 중증도 척도로 DSM-III-R 성격장애 주요 분류를 사용)이 정신분열병과 양극성 장애 모두에서, 그러나 정신분열병에서 더욱, 5년 예후가 불량할 가장 훌륭한 예측자임을 발견했다.

인지기능 이상

낮은 아동기 지능지수는 나중에 정신분열병으로 발병하게 될 위험요인으로 잘 확립되어 있고,[74] 그 정도가 정신분열병에 비해 덜하기는 하나 정동 장애를 지닐 위험요인이기도 하다.[15] 강력한 증거에 의하면, 인지기능 또한 예후와 관련되어 있다. 인지기능이 떨어질수록 그리고 지능이 낮을수록 임상적 예후 그리고 재활 예후가 좋지 않다.[91-94] 언어성 기억력과 경계력(警戒力)이 온전하면 지역사회에서의 기능과 사회적 문제-해결에 있어서 양호한 결과를 보인다고 시사되어 왔다.[95] 이와 유사하게 음성증상이 정신분열병의 일차적 인지결함과 밀접하게 연관되어 있음을 시사하는 자료가 있다.[42,63,96-98] 첫-삽화 환자 54명을 5년 추적한 연구에서, 음성증상의 변화는 언어성 지능지수 및 전체 지능지수의 변화와 상관관계를 보였다. 이는 동작성 지능지수의 변화와는 무관했다. 음성증상이 개선되면 언어성 인지능력이 향상되는 것으로 관찰되었다.[99] 그러나, 인지기능의 일부 측면들, 예를 들어 반응 시간은 정신병의 양성증상과 관련되어 있는 경우도 있다.[97,100,101]

구조적 뇌 변화

대뇌 뇌실의 확장은 정신분열병의 위험요인이고, 정도가 덜하기는 하나 정동 장애의 위험요인이기도 하다.[102,103] 전향적 연구로서 구조적 대뇌 측정치와 예후를 조사한 것은 지금까지 4 편이 발표되었다.[30,104-106] 이 연구들의 결과는 기저 시점에 측정된 뇌척수액 공간이 클수록 예후가 불량하다는 일반적 소견에 부합한다. 예를 들어, 가장 규모가 컸던 연구에서는,[105] 최근 발병한 기능성 정신병 환자 140명의 코호트 집단을 전산화단층촬영(CT)을 했던 기저 시점으로부터 4년 후에 면담하여 질환의 경과 및 예후에 관한 여섯 개 차원을 평가했다. 연령, 성별, 진단, 인종, 사회적 계층, 두부 크기, 발병연령 그리고 질병이환기간에 의한 잠재적 교란을 통계분석기법으로 보정했다. 그 결과로서 좌측과 우측의 실비안 열구(sylvian fissure) 용적과,

이보다는 약한 정도로 제 3 뇌실 용적이 추적 기간동안의 경과에 걸친 음성증상과 실직(失職) 상태를 예측했는데, 후자와의 관련은 불량한 인지기능이 매개했다. 전반적인 질환의 중증도, 입원기간, 노숙(露宿)이나 정동 증상과는 관련성이 없었다. 이 결과는 진정한 예후 소견이었으며, 기저의 연구 출발 시점의 관련성을 단순히 반복하는 내용이 아니었다. DSM-III-R의 정신분열병 범주에 특이한 소견은 아니었지만, 이는 정신분열병에서 보다 강력히 드러나는 소견이었다.

최근의 한 구조적 자기공명영상(MRI) 연구에서는,[107] 첫-발병 정신분열병, 분열정동장애와 분열형장애, 그리고 대조군에 비해 27명의 만성 정신분열병(회복된 적이 없는) 환자는 해마주변 이랑과 해마 용적이 감소했음을 보고했다. 이것이 시사하는 바는 용적의 감소가, 만성화의 원인인 활동성 퇴행성 과정의 지표라는 점이다. 혹은, 용적 감소는 만성적으로 앓은 결과일 수도 있다. 이를테면, 약물의 효과 또는 식이 섭취 불량 때문일 수도 있겠다. 최근의 한 전향적 연구에서는 53명의 DSM-III-R 만성 정신분열병 환자를 종단적 기준에 따라 '크래펠린형(形)'과 '비-크래펠린형'의 두 아형으로 구분했다. 크래펠린형에서는 4년 기간에 걸쳐 양측성 대뇌 뇌실의 확장이 관찰되었다. 이와 대조적으로 비-크래펠린형이나 정상 대조군에서는 의미있는 CT 변화가 없었다.[108] 20명의 환자와 5명의 대조군을 대상으로 4년에 걸쳐 일련의 MRI로서 대뇌 구조를 측정한 또 다른 연구가 있다. 대조군에 비해 환자군에서 양쪽 반구에 걸쳐 상당한 정도의 전체 용적 감소가 관찰되었다. 전체 뇌 크기로 보정해본 결과, 시간이 경과함에 따라 대조군에서는 나타나지 않은 좌측 측뇌실 확장이 환자군에서 나타났다.[109] 대뇌의 퇴행성 과정을 시사하는 이러한 연구결과와는 달리, 인지기능의 감소 또는 대뇌 구조의 용적 감소가 없다고 보고한 다른 연구들도 있다.[110]

남성

정신분열병의 평생 위험도는 남녀가 같다고 한다. 그러나 60세 이전에는 남성의 정신분열병 비율이 높다. 정신분열병 증상을 지닌 고령의 여자들이 이를 보상하기 때문에 평생 위험도에서 남녀 차이가 사라지는 것이다.[111] 만약, 고령에서 보이는 정신질환이 조기에 발병한 증후군에 연속적이지 않을 수도 있다는 사실을 인정한다면,[112] 정신분열병의 발생률은 남성이 더 높아 보인다.[113,114] 1년에서 8년 사이의 기간에 걸쳐 추적한 첫-발병 또는 최근-발병 정신병 연구들의 다수가 여성들이 예후가 더 좋다고 보고했다.[115] 이는 각 문화에 따라서도 동일하게 나타난다.[116] 남성들은 불량한 질병 경과를 가질 확률이 여성에 비해 3배나 높아 보이는 반면, 여성들은 더 독립적으로 생활하는 경향이 있고, 입원 횟수가 적고, 나은 상태에서 보내는 시간이 많으며, 사회적 장해를 덜 겪는다.[117-121] 하지만, 만성 정신분열병에서는 성별 차이가 덜 나타난다.[115,122]

예후에 대한 성별의 효과는, 예후에 교란 효과를 미치는 제 3의 변수에 의해 설명될 수 있다고 시사된 바 있다. 유력한 교란변수는 뇌 이상인데, 남성의 뇌가 산전기, 주산기, 산후기 손상에 더 취약하며 남성 정신분열병 환자들이 여성에 비해 구조적 뇌 이상을 더 많이 지니고 있다는 일부 증거가 있다.[111] 그렇지만, Navarro 등은[119] 대뇌 뇌실 크기(대뇌 손상에서 자주 발견되는 소견)와 산과적 합병증을 보정하더라도 예후의 남녀 차이가 줄어들지 않았음을 발견했다. 비슷하게, 가족력을 보정해보아도 미미한 영향을 미칠 뿐이었다. 발병연령, 발병의 유형, 그리고 진단 변수를 보정했을 때에는 여성과 양호한 예후간의 연관성이 감소했으나, 그 차이를 없앨 정도는 아니었다. 어쩌면 여성은 정신병의 덜 심한 형태를 갖거나 혹은 정신병의 효과로부터 보호받고 있는지도 모른다. 에스트로젠이 그런 보호효과를 지녔고 폐경 이후에 정신분열병 증상이 발생한 여성들은 예후가 좋지 않다는 일부 주장도 있다.[123,124]

여성과 비교해서 남성에게 음성증상이 더 많고 더 심하다는 일관된 보고가 있어왔지만,[125-129] 모든 연구들이 일치된 결과를 보이지는 않았다.[130] 음성증상을 가져오는 병리적 과정이, 남성과 불량한 예후간의 연관성을 일부 매개하는지도 모른다.

어린 나이

망상적 사고를 전개할 가능성은 사춘기 이후로부터 급격하게 증가해서 초기 성인기에 절정을 이룬다.[131-133] 그래서 정신분열병이 대개 젊은 사람들의 병이라는 사실은 크게 놀랄만한 일이 못된다.[134] 정신분열병 진단 집단 *내에서*는, 더 어린 나이가 임상적으로 그리고 예후적으로 중요하다. 남자라는 성별과 유사하게, 어린 발병연령은 고도의 음성증상과 관련 있다.[83,135-137] 또한 발병연령이 어릴수록 정신분열병은 더욱 악화되는 경과를 거치는데, 특히 18세 이전에 정신병이 뚜렷해지는 경우가 그러하다.[29,68,138] 나이가 어릴수록 예후가 좋지 않은 것은 분열정동장애와[86,87] 정동장애에서도[138,139] 나타난다. 질환의 충격력(衝擊力)은 사회적 그리고 신체적 성숙 과제를 완수하지 못한 개인에게는 훨씬 더 치명적이며, 특히 정신장애와 같이 흔히 만성화되는 질환의 경우에는 더욱 그러한 까닭에, 발병연령과 예후의 연관성은 안면 타당도(face validity)를 갖는다. 18세 이전에 발병하는 경우에는 진단이 쉽지 않지만, 성인-발병한 DSM-III-R 정신분열병과 질적으로 똑같은 질환을 지닌 환자들을 식별하는 것은 가능하다. Werry는 어린 발병과 성인 발병 정신분열병의 양적 차이를 다음과 같이 열거했다: (1) 남성 우세 (2) 잠행성(潛行性) 발병 비율이 높음 (3) 신경발달학적 이상이 더 많음 (4) 더 비적응적으로 '기이(奇異)한' 병전 성격들 (5) 항정신병약물에 대해 더욱 저항성임 (6) 잘 형성된 망상 같은 미분화된 증상 (7) 정신분열병의 가족력이 높음. 이 요인들이 이 집단에서 보이는 불량한 예후를 매개하는 것 같다. Werry는 30명의 조기-발병 정신분열병 환자들을 추적해(진단 후 평균 4.3년) 17%만이 양호한 상태였음을 확인했다.[90,140]

정신사회적 스트레스

정신분열병의 발병과 재발에 앞선 몇 개월에 걸쳐 인생사적 사건(事件)이 많이 벌어진다고 한다.[141,142] 기능성 정신병의 어떠한 진단범주에서도 인생사적 사건이 질환에 특이한 관계를 보이지는 않으나, 정신분열병에 비해 정동장애에서 더 관련성이 많다.[141-144] 전통적으로, 스트레스성 인생사에 뒤이은 정신병은 예후가 더 좋다는 관점이 있어왔고,[145,146] 이를 뒷받침하는 증거들을 찾아볼 수 있다. 캠버웰 합동 정신병 연구에서, 질환의 발병 시기를 알 수 있는 59명의 최근-발병 정신병 환자들은 그 절반에서 삽화에 앞선 인생사적 사건을 경험했다(LE+, life event+). 환자들은 Brown과 Harris가 개발한 '위협 평가 기술'로써 평가되었고, 4년 후에 맹검법(盲檢法)으로 추적되었다. 성별과 진단을 포함한 가능한 교란변수들이 보정되었다. LE+ 환자들은 추적기간동안 증상이 약하거나 회복된 환자들이 무려 10배이상 되었고, 따라서 입원한 기간이 짧았다. 예후는 진단과의 상호작용을 보였는데, 정신분열병에 비해 정동성 정신병에서 그 연관성이 더 강했다(그러나 정동성 정신병에 국한된 것은 아니었다).[147] 다른 형태의 정신사회적 스트레스, 즉 '표출감정(表

出感情)' 의 수준 등도 정신병적 질환의 재발을 예측하기는 하나,[148] 친족들의 표출감정은 환자의 상태가 더 심하다는 것을 부분적으로 반영하는 것이기도 하다.[149,150] 우울 증상과 관련된 다른 형태의 역경(逆境)에는 정신병을 경험하는 데에 대한 주관적 반응이 포함된다. 시사되어 온 바에 의하면, 정신분열병의 첫 삽화 시에 보이는 고도의 우울 증상은 급성 질환 상태의 핵심 부분을 반영하는 것일 뿐만이 아니라, 부분적으로는 정신병이 발병한데 대한 주관적 반응이기도 하다.[151]

사회적 지위 그리고 소수인종

정신장애의 예후는 개발도상국에서 더 좋아 보인다. 1379명의 발병 사례를 80%까지 추적한 국제 WHO-DOS 연구는 발병 유형이 예후에 기여하지 않는다는 점을 발견함으로써 개발도상국에서 보이는 좋은 예후에 발병연령이 교란변수로서 작용하지 않는다는 증거를 제공했다.[29] WHO-DOS 자료를 이용해서, Susser와 Wandering은 개발도상국에서의 회복되는 비-정동성 정신병의 발생률이 산업화된 국가의 10배 정도임을 확인했다.[120]

또한 개발도상국에서 서구 사회로 이주한 이주민에게서 발생한 정신분열병이 같은 진단의 다른 환자들에 비해서 좋은 예후를 보인다는 사실이 발견되었다.[152-154] 예를 들어, 남부 런던에서 최근-발병한 정신병의 연속 입원 사례를 4년 추적한 연구에서는 53명의 아프리칸-카리브인(人)들과 60명의 영국 태생 백인들을 비교했다.[154] 추적 기간에 걸쳐 아프리칸-카리브인들이 비자발적인 입원이 많았고 더 많이 수감되었다. 이들은 백인에 비해 항우울제나 정신치료를 덜 받았다. 그러나 임상적 예후에서 보자면, 카리브인들이 증상이 호전되지 않고 지속되는 경과를 보이는 환자들, 즉 지속되는 비관해성(非貫解性) 질환 경과가 적었다(보정된 OR=3). 인종 집단의 효과는 비-정신분열병성, 정동성 정신병 집단에서 더 강해지는 경향이었다.[4] 이는 백인과 아프리칸-카리브인의 증상을 비교한 최근 연구를 통해 더욱 흥미로워진다. 양 인종 집단 간에 유일한 차이는 아프리칸-카리브인 집단이 혼재성 조증-긴장증 차원에서 높은 점수를 보였다는 것이다.[155] 유사한 소견으로, 영국에 거주하는 아프리칸-카리브인들의 분열조증성(schizomanic) 질환 발생률은 백인 표본집단에 비해 월등히 높다.[156] 이 결과는 아프리칸-카리브인 인종 집단의 덜 악화되는 질환경과와 맞물려 있음을 시사한다. 사회적 환경의 유해에 과다하게 노출됨으로써, 정동 증상을 지닌 '반응성' 질환, 즉 좋은 예후의 질환을 갖게 된다는 것이 하나의 설명이 될 수도 있겠다.[27] 아프리칸-카리브인과 영국 백인 집단 정신병의 예후 비교에 관한 보다 최근의 연구들은, 아프리칸-카리브인들에게서 증상을 지속적으로 나타내는 경과를 덜 보인다는 것과 같은 맥락의 결과를 보고하고 있으나, 양 인종 집단 간의 차이는 효과 크기 2 이하였다.[158,159]

미국에서는 정신병을 가진 아프리카-미국인들의 비자발적 입원의 증가가 잘 기술되어 왔다.[159,160] 역학적 표집 지역 프로그램(Epidemiological Catchment Area Program)의 표본 1년 추적에서는 아프리카-미국인, 라틴계와 다른 소수 인종들이 백인에 비해 정신보건 부문의 전문가 자문을 덜 받는 것으로 나타났다. 성별이나 진단 등의 다른 요인들을 보정했을 때, 아프리카-미국인들의 자문을 받을 확률은 백인의 사분의 일이 채 못 되었다.[161] 미국 인종 집단 내의 차이는 동일한 보험 보상에서도 물론 분명히 드러난다.[162] 이러한 결과는 소수 인종에게는 정신보건 치료를 향한 통로가 좁아져 있고 따라서 서비스 이용 수준이 낮다는 사실을 시사한다. 다른 모든 인종들과는 대조적으로 아프리카-미국인들은 정규적인 정신과 치료를 위해 응급실을 더 많이 사용한다.[163,164] 많은 소수 인종은 치료를 받을 기회가 적음에도 불구하고, 아프리카-미국인들은 병원에 근거한 정신과적 서비스 이용률이 높으며, 이는 증가 추세인 듯 하다.[165] 이러한 요인들이 미국 내 다른 인종 집단들 간의 임상적 예후와 서비스-관련 예후에 어떻게 영향을 미치는가에 대해서는 더 많은 연구가 필요하다.[166]

위험-중립적 변수들이 예후에서 지니는 의미

사회경제적 상태

낮은 사회경제적 상태가 정신병적 장애의 발병 위험을 높이는지에 관해서는 여전히 불분명하다.[167] 그러나, 사회경제적 상태는 많은 의학적 상태의 예후를 결정하는 데에 중요하며, 정신질환 또한 예외는 아니다. 낮은 사회 계층의 환자들은 정신질환의 예후가 불량하다. 한 연구에서, 한정된 지역 내의 219명의 첫 입원 환자를 대상으로 사회적 계층에 따른 몇 가지 경과 및 예후 측정치가 조사되었다. 질환의 첫 2년과 5년 경과 시점에서 사회적 계층과 재원기간 사이의 관련성에는 일차 함수관계의 경향이 있었다. 낮은 사회 계층의 환자들은 회복률이 낮았고, 재활요법에 반응이 적었으며, 재입원하기가 쉬웠다.[168] 미국의 대규모 연구에서도 유사한 결과가 나왔고,[169] 이 결과들은 재차 확인되었다.[170,171] 캠버웰 합동 정신병 연구는 최근-발병 정신병 환자 166명의 예후를 조사했다. 사회경제적 상태를 세 단계로 구분하여 조사했는데, 사회적 계층이 한 단계씩 낮아짐에 따라 4년 추적 기간동안 비-관해성 질환의 위험은 2.4배씩 증가되었고, 비-회복성 질환은 2배씩 증가되었다.[154] 이 연구에서 사회 계층과 예후의 관련성은 기능성 정신병 내에서 진단에 따라 특이적이지는 않았다. 사실, 248명의 양극성 환자 표본에서도 유사한 결과가 보고된 바 있다.[172]

치료받지 않은 질환의 기간

치료가 시작되기에 앞서, 정신질환을 가진 환자들은 이미 대략 12개월가량 정신병적 증상을 드러내 보이는 기간을 갖는다.[173,174] 정신분열병 환자가 치료를 받지 않은 경우 그 정신병의 잠재적인 역효과는, 특히 질환의 초기 경과에 있어서, 상당한 주목을 받고 있다. 몇몇 연구에서 치료받지 않은 정신병의 기간(duration of untreated psychosis, DUP)과, 재발과 관해 수준으로 대별되는 불량한 예후간에 상관성이 있음이 입증되었다. Crow 등은[175] 120명의 첫-입원 정신분열병 환자를 추적 조사했다. 그들 모두는 항정신병약물 치료를 받았고 항정신병약물 유지요법 무작위(無作爲) 대조군 연구에 포함되었다. 항정신병약물 사용을 시작하기 이전의 질환 기간이 재발을 결정하는 데에 가장 중요했다. Jablensky와 동료들은[29] 발병에서 첫 검사까지의 질환 기간이 WHO-DOS 연구에서의 7개 예후 변수 중 4개와 관련되어 있음을 발견했다. 이는 환경과 발병유형을 보정한 후에도 여전히 유효했다. Loebel 등은[176] 정신분열병과 분열정동장애 첫-입원 환자 70명을 3년간 추적했다. 성별과 진단을 보정한 후에도 치료에 앞선 질환 기간은, 관해에 걸리는 시간 및 관해 정도와 유의하게 관련되어 있었다.[176] 또 다른 연구에서, 항정신병약물 치료에 앞선 질환 기간이 1년을 넘는 환자들은 입퇴원 시에 더 심한 빈곤 증후군(poverty syndrome)을 보였고, 첫 퇴원 시에 더 심한 현실왜곡 증후군(reality distortion syndrome)을 보였다. 이 결과는 연령, 병전 기능, 질환 기간, 또는 첫-삽화 대(對) 다발성-삽화 상태와는 무관했다.[177]

위의 모든 연구들은 DUP와 예후의 관련성을 보

여주었다. 하지만 이러한 결과가 인과성을 입증하는 것은 아니다. 거기에는 인종 집단, 사회경제적 상태, 고도의 음성증상, 이상 성격, 또는 잠행성 발병과 불량한 예후를 지닌 형태의 질환 등과 같은 교란변수들이 있을는지도 모른다. 예를 들면, Verdoux와 동료들은[178] 첫-삽화 환자 표본에서의 치료받지 않은 정신병 기간이, 낮은 교육 수준, 지난해의 불량한 적응, 입원 시에 더 심한 질환의 중증도와 관련되어 있음을 발견했다. 이들은 모두 불량한 예후와 관련되어 있다고 알려진 요인들이다. 또 다른 연구에서는 DUP가 남성 및 실직(失職)에 관련성을 보였는데, 이 또한 예후에 부정적 영향을 미치는 것으로 알려져 있다.[179] 알려진 교란변수와 미지의 교란변수를 통제하기 위해 무작위 연구들이 설계된다. May와 동료들은[180] 228명의 첫 입원 정신분열병 환자들을 무작위로 5개 치료군으로 할당했다. 처음부터 항정신병약물 치료를 받은 환자군은 3년 후에, 초기에 항정신병약물 치료를 받지 않은 환자군에 비해 좋은 예후를 보였다. 이는 치료 지연이 예후를 불량케 한다는 좋은 증거로 보이나, 작은 집단을 무작위로 나누는 것이 연구방법상에서 옳은 지 하는 점과, 미미한 가능성이나마 애초에는 항정신병약물 치료를 받지 않은 환자가 정신치료를 받아서 예후가 나빠졌을 가능성도 있다. 105명 환자를 대상으로 한 최근의 무작위 임상시험에서는, 기능성 정신병 환자의 적극적 치료 시작이 4주 지연된다고 해서 2.5년 기간의 장기간에 역효과를 낳지는 않는다는 점이 발견되었다.[181]

약물 사용

약물 사용과 정신병에서의 병인론 사이의 관계는 극도로 복잡하며 많은 연구가 진행 중에 있다. 이는 부분적으로는 현재까지, 약물 사용을 정확하게 평가하기가 어렵기 때문이기도 하다. 발병이 없을 뻔했던, 취약성만을 가진 사람이 약물 사용으로 인해 정신분열병을 지니게 될 가능성이 있기는 하나,[182,183] 약물 사용 그 자체가 뒤이은 정신병적 질환의 위험요인인지의 여부에 관해서는 아직 결론적인 근거가 없다. 그러나, 약물 사용이 예후에 악영향을 미친다는 사실에는 의심의 여지가 없다. 정신병과 약물 사용을 다 지닌 환자들은 시간이 지나도 계속 같은 상태인 경향이 있고, 정신과적 서비스를 더 많이 이용하며 입원해서 보내는 시간이 길다.[184,185] Linzsen과 동료들은[186] 마리화나 사용과 정신분열병의 예후에 관해 연구했다. 이 연구는 마리화나 사용에 법적 제약이 없고 낙인을 받지 않는 국가에서 행해졌다. 성별, 알코올이나 다른 약물 사용 따위의 다양한 교란변수를 고려했다. 마리화나 사용은, 최근-발병 정신분열병에서의 더 잦고 빠른 재발과 관련되어 있었다. 더군다나 마리화나 사용 강도와의 상호작용이 있어서, 중증 사용자는 3.4배의 재발 위험도(유사한 자료가 Grech와 동료들에 의해 영국에서 보고된 바 있음)를 보였다.[187] 약물 사용과 정신분열병을 관련짓는 두 개의 주요 가설은 '자가-투약 가설'과 '공존이환 중독 취약성 가설'이며,[188] 여기에 관한 논점을 밝혀내기 위한 더 많은 연구가 필요한 실정이다. 약물 사용이 정신분열병에 공존하면 심각한 결과를 낳으리라는 점은 분명한데, 재입원, 노숙, 다른 의학적 질환의 위험, 사회적 직업적 기능의 장해, 증상의 악화, 자살, 그리고 보건비용의 증가 등의 측면에서 그러하다.[189]

정신병의 예후, 증상 차원 그리고 위험요인에 관한 경험적 모형

위에 검토된 자료들은, 정신병 발병의 위험요인

에 부분적으로 기초하고, 유력한 증상 차원에 부분적으로 기초한 정신병 예후 모형에 부합된다. 다음과 같은 사항이 관찰되었다:

- 정신병적 장애를 *발병시킬* 위험을 증가시키는 위험요인 중 일부는, 또한 정신질환의 *경과와 예후*를 변화시킬 수 있다는 증거가 있다. 정신분열병의 가족 병리, 대뇌 뇌실 확장, 인지기능 장애, 병전 사회적 기능부전, 산과적 합병증, 정신사회적 스트레스 그리고 인종(人種)의 소수성(小數性)은 질환의 발병 위험에 영향을 미칠 뿐만 아니라 예후에도 관련된다.
- 인생사적 사건(事件)과 인종의 소수성 따위의 *정신사회적 스트레스* 지표는 정동증상이 많은 경우에 좋은 예후를 보이는 반면, 그 역(逆)은 *신경발달학적 장해*와 관련된 위험요인이 된다. 따라서, 대뇌 뇌실 확장, 더 어린 나이, 남성, 병전 인지기능 장애와 사회적 기능부전, 정신분열병의 가족 병리, 그리고 산과적 합병증은 더 불량한 예후와 관련됨과 동시에 아래의 성격을 지닌다.
  - 정신질환에서 정동증상이 적은 경우, 그리고/또는
  - 특히 음성증상과 강한 관련성을 보인다.
- 낮은 사회 계층, 치료받지 않은 정신병 기간이 길, 약물 사용 따위의 다른 변수들은 정신병 발병의 위험요인으로 잘 확립되어 있지 않고 특별한 증상 차원과 관련되어 있지도 않다. 하지만, 이 변수들은 정동성 그리고 비-정동성 정신병의 경과 및 예후에 영향을 미친다는 근거가 있다.

이 논점들을 그림 3.3에 요약했다. 우리는 정신병리적 연속선을 제시하고자 한다. 이 연속선의 양극단에서는 (a) 정신사회적 위험요인들, (b) 발달학적/가족적 위험요인들이라는 두 가지 군집이, 비록 상호 배타적이지는 않으나, 구별되는 효과를 나타낸다. 양 범주에 서로 다른 질적 특성이 있다기보다는, 연속선을 따라 중증도/예후와 위험요인 등이 존재한다고 제안하는 바이다. 발달학적 가족적 위험요인들, 예를 들면, 저하된 아동기 인지지능, 대뇌 뇌실 크기 증가, 정신분열병의 가족 병리 위험 등은 음성증상과 불량한 예후가 우세한 특징을 갖는 정신병리적 연속선상의 한쪽 끝에서, 특이하지는 *않으나마* 우월하게 작동한다. 반면 역경스런 인생 사건은, 정동 증상 특성과 양호한 예후가 우세한 반대쪽 극단에 더 큰 영향을 끼친다. 정신병의 발병과 지속에 대한 위험요인에 기초한 이 차원적 모형은, Robins와 Guze가[190] 예전에 제안했던 가장 영향력 있는 모형인 양호한-예후 그리고 불량한-예후 정신분열병 모형의 확장판으로도 볼 수 있다.

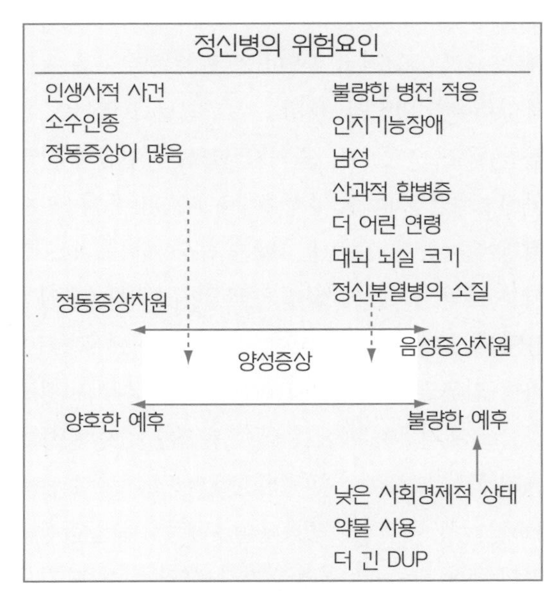

그림 3.3 정신병의 예후, 정신병리, 그리고 원인론적 이종성 모형. 상호배타적이지는 않으나 위험요인 군집과 예후변이 군집에 각기 다르게 연관되는 여러 가지 증상 차원들이 정신병에 나타난다.

치료적 의미

증거에 기초한 의학의 도래로 말미암아, 환자 치료에 관한 의문점들을 답하기 위해 더 많은 연구들이 이루어질 전망이다. 병전 사회 적응이 불량했고 뇌실 확장 소견을 보이는 첫-발병 환자는 그렇지 않은 환자보다 더 오래 치료받아야 하는가? 정신질환을 가진 소수 인종의 환경을 개선시키기 위해 재원이 집중되어야 하는가? 신경발달학적 장애의 징후를 보이는 환자들은 음성증상과 인지증상을 줄이기 위해 특별히 고안된 치료를 받아야 하는가? 치료받지 않는 정신병 기간을 줄이기 위해서 부족한 재원마저 정신병의 조기발견에 투자되어야 하는가?

많은 의문들은 아직 해답이 내려지지 않은 상태이나, 특별한 위험요인을 지닌 사람에게 특별한 치료를 제공하는 것이 가능하다는 일부 지침이 이미 내려져 있다. 예를 들면, 집중 사례관리 같은 어떤 형태의 치료는 인지장애 정도가 가장 심한 환자에게 특별히 효과적이었으며,[191] 환자-치료자 인종이 짝맞추어진다면 정신과적 치료 전달의 경제적 효과를 낳을 수 있다는 증거가 있다.[192] 전통적인 항정신병약물은 종종 양성증상은 조절해주나, 일단 질병이 확립된 후의 장기적인 진행을 바꾼다는 증거는 거의 없다. 그것이 제한적인 효과 때문인지 불량한 순응도 때문인지는 불분명하다. 새로운 비전형 약물들은 정신병과 관련된 음성증상과 인지증상을 조절하는 데에는 더 효과적일수 있다.[193-195] 그러나 이 약물들이 질병의 경과에 효과가 있는지는 여전히 아직 잘 모르고 있다[역주3]. 음성증상은 인지-행동 활동 스케줄 기법으로 감소될 수 있으며, 신경심리학적 기능장애의 경우는 인지개선 치료가 효과적일 수 있다.[196,197] 조기 개입 모형은 치료받지 않은 정신병 기간을 줄임으로써 예후를 향상시킬 수 있다고 두 연구에서 시사된 바 있으나, 이러한 전-후(前-後) 비교에서 비롯된 증거는 아직 정황적(情況的)이라 여겨진다.[198,199] 정신사회적 역경과 관련된 고도의 정동증상은 기분안정제나 항우울제 치료의 근거가 될 수 있다. 비록 아(亞)증후군성 우울증 치료는 일관되지 않은 결과로 보고되고 있지만, 급성 정신병이 관해된 후 주요 우울증후군으로 진행하는 정신분열병과 분열정동장애 환자들의 부가적 항우울제 치료를 뒷받침하는 증거가 있다.[200] 아마도 새로운 비전형 항정신병약물들은 정동증상 치료에 더욱 효과적일 것이라는 일부 증거들도 수집되고 있다.[201]

결론

정신병 증후군들을, 위험요인에 따라 연관되는 기저에 깔려있는 증상차원으로 분류하는 것은 예후를 예측하는 유용한 모형이 만들어질 수 있다. 새로운 치료법들은 점차 특이한 증상차원과 위험요인을 지닌 개인을 목표로 하여 개발되는 추세이므로, 그러한 모형은 전통적인 크래펠린식 이분법보다 더 좋은 치료 기회를 환자들에게 제공할 것이다.

참고문헌

1. Falloon IR, Relapse: a reappraisal of assessment of outcome in schizophrenia, *Schizophr Bull* (1984) **10:**293–9.
2. Stephens JH, Long-term prognosis and followup in schizophrenia, *Schizophr Bull* (1978) **4:**25–47.
3. McGlashan TH, A selective review of recent

역주 3 최근의 많은 연구에 의하면, 새로운 비전형항정신병약물은 음성증상, 인지기능 등에 효과가 뛰어 날 뿐 아니라, 질병의 경과에도 더 효과가 있다는 것이 일반적으로 인정된다.

North American long-term followup studies of schizophrenia, *Schizophr Bull* (1988) **14:**515–42.

4. van Os J, Wright P, Murray RM, Risk factors for the emergence and persistence of psychosis. In: Weller M, Kammen Dv, eds, *Progress in Clinical Psychiatry* (Saunders: London, 1997) 152–206.
5. Tsuang MT, Dempsey GM, Long-term outcome of major psychoses. II. Schizoaffective disorder compared with schizophrenia, affective disorders, and a surgical control group, *Arch Gen Psychiatry* (1979) **36:**1302–4.
6. Feighner JP, Robins E, Guze SB et al, Diagnostic criteria for use in psychiatric research, *Arch Gen Psychiatry* (1972) **26:**57–63.
7. Coryell W, Keller M, Lavori P, Endicott J, Affective syndromes, psychotic features, and prognosis. I. Depression, *Arch Gen Psychiatry* (1990) **47:**651–7.
8. Coryell W, Keller M Lavori P, Endicott J, Affective syndromes, psychotic features, and prognosis. II. Mania, *Arch Gen Psychiatry* (1990) **47:**658–62.
9. Grossman LS, Harrow M, Goldberg JF, Fichtner CG, Outcome of schizoaffective disorder at two long-term follow-ups: comparisons with outcome of schizophrenia and affective disorders, *Am J Psychiatry* (1991) **148:**1359–65.
10. Brockington IF, Kendell RE, Wainwright S, Depressed patients with schizophrenic or paranoid symptoms, *Psychol Med* (1980) **10:**665–75.
11. Brockington IF, Wainwright S, Kendell RE, Manic patients with schizophrenic or paranoid symptoms, *Psychol Med* (1980) **10:**73–83.
12. Marneros A, Deister A, Rohde A et al, Long-term outcome of schizoaffective and schizophrenic disorders: a comparative study. I. Definitions, methods, psychopathological and social outcome, *Eur Arch Psychiatry Neurol Sci* (1989) **238:**118–25.
13. Marneros A, Deister A, Rohde A, Psychopathological and social status of patients with affective, schizophrenic and schizoaffective disorders after long-term course, *Acta Psychiatr Scand* (1990) **82:**352–8.
14. Maj M, Perris C, Patterns of course in patients with a cross-sectional diagnosis of schizoaffective disorder, *J Affect Disord* (1990) **20:**71–7.
15. Müller V, Katamnestische Errhebungen Uber der Spontanverlauf der Schizophrenie, *Monatsschrift fur Psychiatrie-Neurologie* (1951) **122:**257–76.
16. Bland RC, Orn H, 14-year outcome in early schizophrenia, *Acta Psychiatr Scand* (1978) **58:**327–58.
17. Ciompi L, The natural history of schizophrenia in the long term, *Br J Psychiatry* (1980) **136:** 413–20.
18. Salokangas RK, Prognostic implications of the sex of schizophrenic patients, *Br J Psychiatry* (1983) **142:**145–51.
19. Sartorius N, Jablensky A, Korten A et al, Early manifestations and first-contact incidence of schizophrenia in different cultures. A preliminary report on the initial evaluation phase of the WHO Collaborative Study on determinants of outcome of severe mental disorders, *Psychol Med* (1986) **16:**909–28.
20. Rabiner CJ, Wegner JT, Kane JM, Outcome study of first-episode psychosis. I. Relapse rates after 1 year, *Am J Psychiatry* (1986) **143:**1155–8.
21. McCreadie RG, Wiles D, Grant S et al, The Scottish first episode schizophrenia study VII. Two-year follow-up. Scottish Schizophrenia Research Group. *Acta Psychiatrica Scandinavia* (1989) **80:**597–602.
22. Shepherd M, Watt D, Falloon I, Smeeton N, The natural history of schizophrenia: a five-year follow-up study of outcome and prediction in a representative sample of schizophrenics, *Psychol Med Monogr Suppl* (1989) **15:**1–46.
23. Harrow M, Grossman LS, Outcome in schizoaffective disorders: a critical review and reevaluation of the literature, *Schizophr Bull* (1984) **10:** 87–108.
24. Samson JA, Simpson JC, Tsuang MT, Outcome studies of schizoaffective disorders, *Schizophr Bull* (1988) **14:**543–54.
25. Kendell RE, Brockington IF, The identification of disease entities and the relationship between schizophrenic and affective psychoses, *Br J Psychiatry* (1980) **137:**324–31.
26. Strauss JS, Carpenter WT Jr, The prognosis of schizophrenia: rationale for a multidimensional concept, *Schizophr Bull* (1978) **4:**56–67.
27. van Os J, Fahy TA, Jones P et al, Psychopathological syndromes in the functional psychoses: associations with course and outcome, *Psychol Med* (1996) **26:**161–76.
28. van Os J, Gilvarry C, Bale R et al, A comparison of the utility of dimensional and categorical representations of psychosis. UK700 Group, *Psychol Med* (1999) **29:**595–606.
29. Jablensky A, Sartorius N, Ernberg G et al, Schizophrenia: manifestations, incidence and course in different cultures, A World Health Organization ten-country study [published erratum appears in *Psychol Med Monogr Suppl* (1992) **22:**following 1092], *Psychol Med Monogr Suppl* (1992) **20:**1–97.
30. Lieberman J, Jody D, Geisler S et al, Time course and biologic correlates of treatment response in first-episode schizophrenia, *Arch Gen Psychiatry* (1993) **50:**369–76.
31. Johnstone EC, Macmillan JF, Frith CD et al, Further investigation of the predictors of

outcome following first schizophrenic episodes, *Br J Psychiatry* (1990) **157:**182–9.

32. Ciompi L, Muller C, [Lifestyle and age of schizophrenics, A catamnestic long-term study into old age], *Monogr Gesamtgeb Psychiatr Psychiatry Ser* (1976) **12:**1–242.
33. Harding CM, Brooks GW, Ashikaga T et al, The Vermont longitudinal study of persons with severe mental illness. II. Long-term outcome of subjects who retrospectively met DSM-III criteria for schizophrenia, *Am J Psychiatry* (1987) **144:**727–35.
34. Huber G, Gross G, Schuttler R, Linz M, Longitudinal studies of schizophrenic patients, *Schizophr Bull* (1980) **6:**592–605.
35. McGlashan TH, The Chestnut Lodge follow-up study. II. Long-term outcome of schizophrenia and the affective disorders, *Arch Gen Psychiatry* (1984) **41:**586–601.
36. Bleuler M, The long-term course of the schizophrenic psychoses, *Psychol Med* (1974) **4:**244–54.
37. Strauss JS, Carpenter WT Jr, Prediction of outcome in schizophrenia. III. Five-year outcome and its predictors, *Arch Gen Psychiatry* (1977) **34:** 159–63.
38. Bleuler M, *The Schizophrenic Disorders: Long Term Patient and Family Studies* (Yale University: New Haven, 1978).
39. Harding CM, Brooks GW, Ashikaga T et al, The Vermont longitudinal study of persons with severe mental illness. I. Methodology, study sample, and overall status 32 years later, *Am J Psychiatry* (1987) **144:**718–26.
40. Breier A, Schreiber JL, Dyer J, Pickar D, Course of illness and predictors of outcome in chronic schizophrenia: implications for pathophysiology, *Br J Psychiatry Suppl* (1992) **18:**38–43.
41. Engelhardt DM, Rosen B, Feldman J et al, A 15-year followup of 646 schizophrenic outpatients, *Schizophr Bull* (1982) **8:**493–503.
42. Vaillant GE, Prognosis and the course of schizophrenia, *Schizophr Bull* (1978) **4:**20–4.
43. Birchwood M, Todd P, Jackson C, Early intervention in psychosis, The critical period hypothesis, *Br J Psychiatry Suppl* (1998) **172:**53–9.
44. Rosanoff AJ, A statistical study of prognosis in insanity, *J Am Med Associ* (1914) **62:**3–6.
45. Fuller RG, Expectation of hospital life and outcome for mental patients on first admission, *Psychiatr Q* (1930) **4:**295–323.
46. Rupp C, Fletcher EK, A five to ten year follow up study of 641 schizophrenic cases, *Am J Psychiatry* (1940) **96:**877–88.
47. Malzberg B, Rates of discharge and rates of mortality among first admissions to the New York civil state hospitals (3rd paper), *Mental Hygiene* (1953) **37:**619–54.
48. Shepherd M, *A Study of the Major Psychoses in an English County* (Oxford University Press: London, 1957).
49. Locke BZ, Outcome of first hospitalisation of patients with schizophrenia, *Publ Health Rep* (1962) **77:**801–5.
50. Peterson DB, Olsen GW, First admitted schizophrenics in drug era, *Arch Gen Psychiatry* (1964) **11:**137–44.
51. Hegarty JD, Baldessarini RJ, Tohen M et al, One hundred years of schizophrenia: a meta-analysis of the outcome literature, *Am J Psychiatry* (1994) **151:**1409–16.
52. Westermeyer JF, Harrow M, Prognosis and outcome using broad (DSM-II) and narrow (DSM-III) concepts of schizophrenia, *Schizophr Bull* (1984) **10:**624–37.
53. Johnstone EC, Connelly J, Frith CD et al, The nature of 'transient' and 'partial' psychoses: findings from the Northwick Park 'Functional' Psychosis Study, *Psychol Med* (1996) **26:**361–9.
54. Johnstone EC, Frith CD, Crow TJ et al, The Northwick Park 'Functional' Psychosis Study: diagnosis and outcome, *Psychol Med* (1992) **22:**331–46.
55. Robinson D, Woerner MG, Alvir JM et al, Predictors of relapse following response from a first episode of schizophrenia or schizoaffective disorder, *Arch Gen Psychiatry* (1999) **56:**241–7.
56. Robinson DG, Woerner MG, Alvir JM et al, Predictors of treatment response from a first episode of schizophrenia or schizoaffective disorder, *Am J Psychiatry* (1999) **156:**544–9.
57. Kitamura T, Okazaki Y, Fujinawa A et al, Symptoms of psychoses, A factor-analytic study, *Br J Psychiatry* (1995) **166:**236–40.
58. McGorry PD, Bell RC, Dudgeon PL, Jackson HJ, The dimensional structure of first episode psychosis: an exploratory factor analysis, *Psychol Med* (1998) **28:**935–47.
59. van Os J, Gilvarry C, Bale R et al, To what extent does symptomatic improvement result in better outcomes in psychotic illness? *Psychol Med* (1999).
60. Kendler KS, McGuire M, Gruenberg AM et al, The Roscommon Family Study. I. Methods, diagnosis of probands, and risk of schizophrenia in relatives, *Arch Gen Psychiatry* (1993) **50:**527–40.
61. Maier W, Lichtermann D, Minges J et al, Continuity and discontinuity of affective disorders and schizophrenia. Results of a controlled family study, *Arch Gen Psychiatry* (1993) **50:**871–83.
62. Fowler RC, McCabe MS, Cadoret, RJ, Winokur G, The validity of good prognosis schizophrenia,

Arch Gen Psychiatry (1972) **26:**182–5.
63. Kendler KS, Tsuang MT, Outcome and familial psychopathology in schizophrenia, *Arch Gen Psychiatry* (1988) **45:**338–46.
64. Verdoux H, van Os J, Sham P et al, Does familiality predispose to both emergence and persistence of psychosis? A follow-up study [published erratum appears in *Br J Psychiatry* (1996) **169:**116], *Br J Psychiatry* (1996) **168:**620–6.
65. Kay SR, Opler LA, Fiszbein A, Significance of positive and negative syndromes in chronic schizophrenia, *Br J Psychiatry* (1986) **149:**439–48.
66. Jones PB, Rantakallio P, Hartikainen AL et al, Schizophrenia as a long-term outcome of pregnancy, delivery, and perinatal complications: a 28-year follow-up of the 1966 north Finland general population birth cohort, *Am J Psychiatry* (1999) **155:**355–64.
67. Verdoux H, Geddes JR, Takei N et al, Obstetric complications and age at onset in schizophrenia: an international collaborative meta-analysis of individual patient data, *Am J Psychiatry* (1997) **154:**1220–7.
68. Nimgaonkar VL, Wessely S, Tune LE, Murray RM, Response to drugs in schizophrenia: the influence of family history, obstetric complications and ventricular enlargement, *Psychol Med* (1988) **18:**583–92.
69. Alvir JM, Woerner MG, Gunduz H et al, Obstetric complications predict treatment response in first-episode schizophrenia, *Psychol Med* (1999) **29:** 621–7.
70. Kirov G, Jones PB, Harvey I et al, Do obstetric complications cause the earlier age at onset in male than female schizophrenics? *Schizophr Res* (1996) **20:**117–24.
71. Smith GN, Kopala LC, Lapointe JS et al, Obstetric complications, treatment response and brain morphology in adult-onset and early-onset males with schizophrenia, *Psychol Med* (1998) **28:**645–53.
72. Wilcox JA, Nasrallah HA, Perinatal distress and prognosis of psychotic illness, *Neuropsychobiology* (1987) **17:**173–5.
73. Done DJ, Crow TJ, Johnstone EC, Sacker A, Childhood antecedents of schizophrenia and affective illness: social adjustment at ages 7 and 11, *BMJ* (1994) **309:**699–703.
74. Jones P, Rodgers B, Murray R, Marmot M, Child developmental risk factors for adult schizophrenia in the British 1946 birth cohort, *Lancet* (1994) **344:**1398–402.
75. van Os J, Jones P, Lewis G et al, Developmental precursors of affective illness in a general population birth cohort, *Arch Gen Psychiatry* (1997) **54:**625–31.
76. Bromet E, Harrow M, Kasl S, Premorbid functioning and outcome in schizophrenics and nonschizophrenics, *Arch Gen Psychiatry* (1974) **30:** 203–7.
77. Ciompi L, Catamnestic long-term study on the course of life and aging of schizophrenics, *Schizophr Bull* (1980) **6:**606–18.
78. Gittelman-Klein R, Klein DF, Premorbid asocial adjustment and prognosis in schizophrenia, *J Psychiatr Res* (1969) **7:**35–53.
79. Cannon Spoor HE, Potkin SG, Wyatt RJ, Measurement of premorbid adjustment in chronic schizophrenia, *Schizophr Bull* (1982) **8:**470–84.
80. Bailer J, Brauer W, Rey ER, Premorbid adjustment as predictor of outcome in schizophrenia: results of a prospective study, *Acta Psychiatr Scand* (1996) **93:**368–77.
81. Fennig S, Putnam K, Bromet EJ, Galambos N, Gender, premorbid characteristics and negative symptoms in schizophrenia, *Acta Psychiatr Scand* (1995) **92:**173–7.
82. Fenton WS, McGlashan TH, Natural history of schizophrenia subtypes. II. Positive and negative symptoms and long-term course, *Arch Gen Psychiatry* (1991) **48:**978–86.
83 Gupta S, Rajaprabhakaran R, Arndt S et al, Premorbid adjustment as a predictor of phenomenological and neurobiological indices in schizophrenia, *Schizophr Res* (1995) **16:**189–97.
84. Larsen TK, Johannessen JO, Opjordsmoen S, First-episode schizophrenia with long duration of untreated psychosis. Pathways to care, *Br J Psychiatry Suppl* (1998) **172:**45–52.
85. Peralta V, Cuesta MJ, de Leon J, Positive and negative symptoms/syndromes in schizophrenia: reliability and validity of different diagnostic systems, *Psychol Med* (1995) **25:**43–50.
86. del Rio Vega JM, Ayuso-Gutierrez JL, Course of schizoaffective psychosis: a retrospective study, *Acta Psychiatr Scand* (1990) **81:**534–7.
87. Marneros A, Deister A, Rohde A et al, Long-term course of schizoaffective disorders. Part I. Definitions, methods, frequency of episodes and cycles, *Eur Arch Psychiatry Neurol Sci* (1988) **237:**264–75.
88. McGlashan TH, Williams PV, Predicting outcome in schizoaffective psychosis, *J Nerv Ment Dis* (1990) **178:**518–20.
89. Opjordsmoen S, Long-term course and outcome in unipolar affective and schizoaffective psychoses, *Acta Psychiatr Scand* (1989) **79:**317–26.
90. Werry JS, McClellan JM, Chard L, Childhood and adolescent schizophrenic, bipolar, and schizoaf-

fective disorders: a clinical and outcome study, *J Am Acad Child Adolesc Psychiatry* (1991) **30:**457–65.
91. Aylward E, Walker E, Bettes B, Intelligence in schizophrenia: meta-analysis of the research, *Schizophr Bull* (1984) **10:**430–59.
92. Goldman RS, Axelrod BN, Tandon R et al, Neuropsychological prediction of treatment efficacy and one-year outcome in schizophrenia, *Psychopathology* (1993) **26:**122–6.
93. Harvey PD, Howanitz E, Parrella M et al, Symptoms, cognitive functioning, and adaptive skills in geriatric patients with lifelong schizophrenia: a comparison across treatment sites, *Am J Psychiatry* (1998) **155:**1080–6.
94. Silverstein ML, Harrow M, Mavrolefteros G, Close D, Neuropsychological dysfunction and clinical outcome in psychiatric disorders: a two-year follow-up study, *J Nerv Ment Dis* (1997) **185:**722–9.
95. Green MF, What are the functional consequences of neurocognitive deficits in schizophrenia? *Am J Psychiatry* (1996) **153:**321–30.
96. Addington J, Addington D, Premorbid functioning, cognitive functioning, symptoms and outcome in schizophrenia, *J Psychiatry Neurosci* (1993) **18:**18–23.
97. Addington J, Addington D, Maticka-Tyndale E, Cognitive functioning and positive and negative symptoms in schizophrenia, *Schizophr Res* (1991) **5(2):**123–34.
98. Wong AH, Voruganti LN, Heslegrave RJ, Awad AG, Neurocognitive deficits and neurological signs in schizophrenia, *Schizophr Res* (1997) **23:**139–46.
99. Gold S, Arndt S, Nopoulos P et al, Longitudinal study of cognitive function in first-episode and recent-onset schizophrenia, *Am J Psychiatry* (1999) **156:**1342–8.
100. Hoff AL, Sakuma M, Wieneke M et al, Longitudinal neuropsychological follow-up study of patients with first-episode schizophrenia, *Am J Psychiatry* (1999) **156:**1336–41.
101. Lieh-Mak F, Lee PW, Cognitive deficit measures in schizophrenia: factor structure and clinical correlates, *Am J Psychiatry* (1997) **154(Suppl 6):**39–46.
102. Elkis H, Friedman L, Wise A, Meltzer HY, Meta-analyses of studies of ventricular enlargement and cortical sulcal prominence in mood disorders, Comparisons with controls or patients with schizophrenia, *Arch Gen Psychiatry* (1995) **52:** 735–46.
103. Jones PB, Harvey I, Lewis SW et al, Cerebral ventricle dimensions as risk factors for schizophrenia and affective psychosis: an epidemiological approach to analysis, *Psychol Med* (1994) **24:**995–1011.
104. DeLisi LE, Stritzke P, Riordan H et al, The timing of brain morphological changes in schizophrenia and their relationship to clinical outcome [published erratum appears in *Biol Psychiatry* (1992) **31:**1172], *Biol Psychiatry* (1992) **31:**241–54.
105. van Os J, Fahy TA, Jones P et al, Increased intracerebral cerebrospinal fluid spaces predict unemployment and negative symptoms in psychotic illness, A prospective study, *Br J Psychiatry* (1995) **166:**750–8.
106. Vita A, Dieci M, Giobbio GM et al, CT scan abnormalities and outcome of chronic schizophrenia, *Am J Psychiatry* (1991) **148:**1577–9.
107. Razi K, Greene KP, Sakuma M et al, Reduction of the parahippocampal gyrus and the hippocampus in patients with chronic schizophrenia *Br J Psychiatry* (1999) **174:**512–19.
108. Davis KL, Buchsbaum MS, Shihabuddin L et al, Ventricular enlargement in poor-outcome schizophrenia, *Biol Psychiatry* (1998) **43:**783–93.
109. DeLisi LE, Tew W, Xie S, et al, A prospective follow-up study of brain morphology and cognition in first-episode schizophrenic patients: preliminary findings, *Biol Psychiatry* (1995) **38:** 349–60.
110. Goldberg TE, Hyde TM, Kleinman JE, Weinberger DR, Course of schizophrenia: neuropsychological evidence for a static encephalopathy, *Schizophr Bull* (1993) **19:**797–804.
111. Castle DJ, Murray RM, The neurodevelopmental basis of sex differences in schizophrenia [editorial], *Psychol Med* (1991) **21:**565–75.
112. Van Os J, Howard R, Tokei N, Murray R, Increasing age is a risk factor for psychosis in the elderly. *Soc Psychiatry Psychiatr Epidemiol* (1995) **30:**161–4.
113. Castle DJ, Wessely S, Murray RM, Sex and schizophrenia: effects of diagnostic stringency, and associations with and premorbid variables, *Br J Psychiatry* (1993) **162:**658–64.
114. Iacono WG, Beiser M, Are males more likely than females to develop schizophrenia? *Am J Psychiatry* (1992) **149:**1070–4.
115. Bardenstein KK, McGlashan TH, Gender differences in affective, schizoaffective, and schizophrenic disorders. A review, *Schizophr Res* (1990) **3:**159–72.
116. Hambrecht M, Maurer K, Hafner H, Sartorius N, Transnational stability of gender differences in schizophrenia? An analysis based on the WHO study on determinants of outcome of severe mental disorders, *Eur Arch Psychiatry Clin Neurosci* (1992) **242:**6–12.
117. Angermeyer MC, Kuhn L, Goldstein JM, Gender

and the course of schizophrenia: differences in treated outcomes, *Schizophr Bull* (1990) **16:** 293–307.

118. Goldstein JM, Gender differences in the course of schizophrenia, *Am J Psychiatry* (1988) **145:** 684–9.

119. Navarro F, van Os J, Jones P, Murray R, Explaining sex differences in course and outcome in the functional psychoses, *Schizophr Res* (1996) **21:** 161–70.

120. Susser E, Wanderling J, Epidemiology of nonaffective acute remitting psychosis vs schizophrenia. Sex and sociocultural setting, *Arch Gen Psychiatry* (1994) **51:**294–301.

121. Szymanski S, Lieberman JA, Alvir JM et al, Gender differences in onset of illness, treatment response, course, and biologic indexes in first-episode schizophrenic patients, *Am J Psychiatry* (1995) **152:**698–703.

122. Kendler KS, Walsh D, Gender and schizophrenia, Results of an epidemiologically-based family study, *Br J Psychiatry* (1995) **167:**184–92.

123. Hafner H, Behrens S, De Vry J, Gattaz WF, Oestradiol enhances the vulnerability threshold for schizophrenia in women by an early effect on dopaminergic neurotransmission, Evidence from an epidemiological study and from animal experiments, *Eur Arch Psychiatry Clin Neurosci* (1991) **241:**65–8.

124. Seeman MV, Current outcome in schizophrenia: women vs men, *Acta Psychiatr Scand* (1986) **73:** 609–17.

125. Johnstone EC, Frith CD, Lang FH, Owens DG, Determinants of the extremes of outcome in schizophrenia, *Br J Psychiatry* (1995) **167:**604–9.

126. Larsen TK, McGlashan TH, Johannessen JO, Vibe Hansen L, First-episode schizophrenia. II. Premorbid patterns by gender, *Schizophr Bull* (1996) **22:**257–69.

127. Ring N, Tantam D, Montague L et al, Gender differences in the incidence of definite schizophrenia and atypical psychosis—focus on negative symptoms of schizophrenia, *Acta Psychiatr Scand* (1991) **84:**489–96.

128. Schultz SK, Miller DD, Oliver SE et al, The life course of schizophrenia: age and symptom dimensions, *Schizophr Res* (1997) **23:**15–23.

129. Shtasel DL, Gur RE, Gallacher F et al, Gender differences in the clinical expression of schizophrenia, *Schizophr Res* (1992) **7:**225–31.

130. Hafner H, Loffler W, Maurer K et al, Depression, negative symptoms, social stagnation and social decline in the early course of schizophrenia, *Acta Psychiatr Scand* (1999) **100:**105–18.

131. Galdos P, van Os J, Gender, psychopathology, and development: from puberty to early adulthood, *Schizophr Res* (1995) **14:**105–12.

132. Peters ER, Joseph SA, Garety PA, The measurement of delusional ideation in the normal population: introducing the PDI (Peters et al Delusions Inventory), *Schizophr Bull* (1999) **25:** 553–76.

133. Verdoux H, van Os J, MauriceTison S et al, Is early adulthood a critical developmental stage for psychosis proneness? A survey of delusional ideation in normal subjects, *Schizophr Res* (1999) **29:**247–54.

134. Galdos PM, van Os JJ, Murray RM, Puberty and the onset of psychosis, *Schizophr Res* (1993) **10:**7–14.

135. Andreasen NC, Flaum M, Swayze VWd et al, Positive and negative symptoms in schizophrenia. A critical reappraisal, *Arch Gen Psychiatry* (1990) **47:**615–21.

136. Hoff AL, Harris D, Faustman WO et al, A neuropsychological study of early onset schizophrenia, *Schizophr Res* (1996) **20:**21–8.

137. Yang PC, Liu CY, Chiang SQ et al, Comparison of adult manifestations of schizophrenia with onset before and after 15 years of age, *Acta Psychiatr Scand* (1995) **91:**209–12.

138. Johnstone EC, Owens DG, Bydder GM et al, The spectrum of structural brain changes in schizophrenia: age of onset as a predictor of cognitive and clinical impairments and their cerebral correlates, *Psychol Med* (1989) **19:**91–103.

139. Winokur G, Coryell W, Keller M et al, A prospective follow-up of patients with bipolar and primary unipolar affective disorder, *Arch Gen Psychiatry* (1993) **50:**457–65.

140. Werry JS, Child and adolescent (early onset) schizophrenia: a review in light of DSM-III-R, *J Autism Dev Disord* (1992) **22:**601–24.

141. Bebbington P, Wilkins S, Jones P et al, Life events and psychosis. Initial results from the Camberwell Collaborative Psychosis Study, *Br J Psychiatry* (1993) **162:**72–9.

142. Ventura J, Nuechterlein KH, Lukoff D, Hardesty JP, A prospective study of stressful life events and schizophrenic relapse, *J Abnorm Psychol* (1989) **98:**407–11.

143. Paykel ES, Contribution of life events to causation of psychiatric illness, *Psychol Med* (1978) **8:**245–53.

144. Dohrenwend BP, A psychosocial perspective on the past and future of psychiatric epidemiology, *Am J Epidemiol* (1998) **147:**222–31.

145. Stephens JH, Astrup C, Mangrum JC, Prognostic factors in recovered and deteriorated schizophrenics, *Am J Psychiatry* (1996) **122:**1116–21.

146. Vaillant GE, The prediction of recovery in schizophrenia, *Int J Psychiatry* (1966) **2:**617–27.
147. van Os J, Fahy TA, Bebbington P et al, The influence of life events on the subsequent course of psychotic illness, A prospective follow-up of the Camberwell Collaborative Psychosis Study, *Psychol Med* (1994) **24:**503–13.
148. Bebbington P, Kuipers L, The clinical utility of expressed emotion in schizophrenia, *Acta Psychiatr Scand Suppl* (1994) **382:**46–53.
149. Glynn SM, Randolph ET, Eth S et al, Patient psychopathology and expressed emotion in schizophrenia, *Br J Psychiatry* (1990) **157:**877–80.
150. Schreiber JL, Breier A, Pickar D, Expressed emotion. Trait or state? *Br J Psychiatry* (1995) **166:**647–9.
151. Koreen AR, Siris SG, Chakos M et al, Depression in first-episode schizophrenia, *Am J Psychiatry* (1993) **150:**1643–8.
152. Callan AF, Schizophrenia in Afro-Caribbean immigrants, *J R Soc Med* (1999) **89:**253–6.
153. Holloway J, Carson J, Intensive case management: does it work? *European Psychiatry* (1996) **11:**263–4.
154. McKenzie K, van Os J, Fahy T et al, Psychosis with good prognosis in Afro-Caribbean people now living in the United Kingdom, *BMJ* (1995) **311:**1325–8.
155. Hutchinson G, Takei N, Sham P et al, Factor analysis of symptoms in schizophrenia: differences between White and Caribbean patients in Camberwell, *Psychol Med* (1999) **29:**607–12.
156. van Os J, Takei N, Castle DJ et al, The incidence of mania: time trends in relation to gender and ethnicity, *Soc Psychiatry Psychiatr Epidemiol* (1996) **31:**129–36.
157. Harrison G, Outcome of psychosis in people of African-Caribbean family origin, *Br J Psychiatry* (1999) **175:**43–9.
158. McKenzie K, Samele C, Van Horn E et al, A comparison of the outcome and treatment of psychosis in people of Caribbean origin living in the UK and British Whites, submitted.
159. Sanguineti VR, Samuel SE, Schwartz SL, Robeson MR, Retrospective study of 2,200 involuntary psychiatric admissions and readmissions, *Am J Psychiatry* (1999) **153:**392–6.
160. Tomelleri CJ, Lakshminarayanan N, Herjanic M, Who are the 'committed'? *J Nerv Ment Dis* (1977) **165:**288–93.
161. Gallo JJ, Marino S, Ford D, Anthony JC, Filters on the pathway to mental health care. II. Sociodemographic factors, *Psychol Med* (1995) **25:** 1149–60.
162. Scheffler RM, Miller AB, Demand analysis of mental health service use among ethnic subpopulations, *Inquiry* (1989) **26:**202–15.
163. Hu TW, Snowden LR, Jerrell JM, Nguyen TD, Ethnic populations in public mental health: services choice and level of use, *Am J Public Health* (1991) **81:**1429–34.
164. Klinkenberg WD, Calsyn RJ, The moderating effects of race on return visits to the psychiatric emergency room, *Psychiatr Serv* (1997) **48:**942–5.
165. Thompson JW, Belcher JR, DeForge BR et al, Changing characteristics of schizophrenic patients admitted to state hospitals, *Hosp Community Psychiatry* (1993) **44:**231–5.
166. Dassori AM, Miller AL, Saldana D, Schizophrenia among Hispanics: epidemiology, phenomenology, course, and outcome, *Schizophr Bull* (1995) **21:**303–12.
167. van Os J, McKenzie K, Jones P, Cultural differences in pathways to care, service use and treated outcomes, *Current Opinion in Psychiatry* (1997) **10:**178–82.
168. Cooper B, Social class and prognosis in schizophrenia, *Br J Prevent Soc Med* (1961) **15:**17–41.
169. Myers JK, Bean LL, *A Decade Later: A Follow-up of Social Class and Mental Illness* (Wiley: New York, 1968).
170. Eaton WW, Social class and chronicity of schizophrenia, *J Chronic Dis* (1975) **28:**191–8.
171. Gift TE, Harder DW, The severity of psychiatric disorder: a replication, *Psychiatry Res* (1985) **14:** 163–73.
172. O'Connell RA, Mayo JA, Flatow L et al, Outcome of bipolar disorder on long-term treatment with lithium, *Br J Psychiatry* (1991) **159:**123–9.
173. Hafner H, Maurer K, Loffler W et al, The epidemiology of early schizophrenia. Influence of age and gender on onset and early course, *Br J Psychiatry Suppl* (1994) **23:**29–38.
174. Larsen TK, Johannessen JO, Opjordsmoen S, First-episode schizophrenia with long duration of untreated psychosis. Pathways to care, *Br J Psychiatry Suppl* (1998) **172:**45–52.
175. Crow TJ, MacMillan JF, Johnson AL, Johnstone EC, A randomised controlled trial of prophylactic neuroleptic treatment, *Br J Psychiatry* (1986) **148:**120–7.
176. Loebel AD, Lieberman JA, Alvir JM et al, Duration of psychosis and outcome in first-episode schizophrenia, *Am J Psychiatry* (1992) **149:**1183–8.
177. Haas GL, Garratt LS, Sweeney JA, Delay to first antipsychotic medication in schizophrenia: impact on symptomatology and clinical course of illness, *J Psychiatr Res* (1998) **32:**151–9.

178. Verdoux H, Bergey C, Assens F et al, Prediction of duration of psychosis before admission, *European Psychiatry* (1998) **13:**346–52.
179. Johannessen JO, Larsen TK, McGlashan T, Duration of untreated psychosis: an important target for intervention in schizophrenia? *Nordic Journal of Psychiatry* (1999) **53:**275–283.
180. May PR, Tuma AH, Dixon WJ et al, Schizophrenia. A follow-up study of the results of five forms of treatment, *Arch Gen Psychiatry* (1981) **38:** 776–84.
181. Johnstone EC, Owens DG, Crow TJ, Davis JM, Does a four-week delay in the introduction of medication alter the course of functional psychosis? *J Psychopharmacol* (1999) **13:**238–44.
182. Andreasson S, Allebeck P, Engstrom A, Rydberg U, Cannabis and schizophrenia. A longitudinal study of Swedish conscripts, *Lancet* (1987) **2:** 1483–6.
183. McGuire PK, Jones P, Harvey I et al, Cannabis and acute psychosis, *Schizophr Res* (1994) **13:**161–7.
184. Bartels SJ, Drake RE, Wallach MA, Long-term course of substance use disorders among patients with severe mental illness, *Psychiatr Serv* (1995) **46:**248–51.
185. Regier DA, Farmer ME, Rae DS et al, Comorbidity of mental disorders with alcohol and other drug abuse, Results from the Epidemiologic Catchment Area (ECA) Study, *JAMA* (1990) **264:**2511–18.
186. Linszen DH, Dingemans PM, Lenior ME, Cannabis abuse and the course of recent-onset schizophrenic disorders, *Arch Gen Psychiatry* (1994) **51:**273–9.
187. Grech A, van Os J, Murray RM, Influence of cannabis on the outcome of psychosis, *Schizophr Res* (1999) **36:**41.
188. Krystal JH, D'Souza DC, Madonick S, Petrakis IL, Toward a rational pharmacotherapy of comorbid substance abuse in schizophrenic patients, *Schizophr Res* (1999) **35(Suppl):**S35–49.
189. Turner WM, Tsuang MT, Impact of substance abuse on the course and outcome of schizophrenia, *Schizophr Bull* (1990) **16:**87–95.
190. Robins E, Guze SB, Establishment of diagnostic validity in psychiatric illness: its applications to schizophrenia, *Am J Psychiatry* (1970) **126:**983–7.
191. Tyrer P, Hassiotis A, Ukoumunne O et al, Intensive case management for psychotic patients with borderline intelligence. UK 700 Group [letter], *Lancet* (1999) **354:**999–1000.
192. Snowden LR, Hu TW, Jerrell JM, Emergency care avoidance: ethnic matching and participation in minority-serving programs, *Community Ment Health J* (1995) **31:**463–73.
193. Moller HJ, Muller H, Borison RL et al, A path-analytical approach to differentiate between direct and indirect drug effects on negative symptoms in schizophrenic patients, A re-evaluation of the North American risperidone study, *Eur Arch Psychiatry Clin Neurosci* (1995) **245:**45–9.
194. Purdon SE, Cognitive improvement in schizophrenia with novel antipsychotic medications, *Schizophr Res* (1999) **35(Suppl):**S51–60.
195. Tollefson GD, Sanger TM, Negative symptoms: a path analytic approach to a double-blind, placebo- and haloperidol-controlled clinical trial with olanzapine, *Am J Psychiatry* (1997) **154:** 466–74.
196. Rund BR, Borg NE, Cognitive deficits and cognitive training in schizophrenic patients: a review, *Acta Psychiatr Scand* (1999) **100:**85–95.
197. Wykes T, Reeder C, Corner J et al, The effects of neurocognitive remediation on executive processing in patients with schizophrenia, *Schizophr Bull* (1999) **25:**291–307.
198. Carbone S, Harrigan S, McGorry PD et al, Duration of untreated psychosis and 12-month outcome in first-episode psychosis: the impact of treatment approach, *Acta Psychiatr Scand* (1999) **100:**96–104.
199. Johannessen JO, Early intervention and prevention in schizophrenia – experiences from a study in Stavanger, Norway, *Seishin Shinkeigaku Zasshi* (1998) **100:**511–22.
200. Levinson DF, Umapathy C, Musthaq M, Treatment of schizoaffective disorder and schizophrenia with mood symptoms, *Am J Psychiatry* (1999) **156:**1138–48.
201. Tollefson GD, Sanger TM, Lu Y, Thieme ME, Depressive signs and symptoms in schizophrenia: a prospective blinded trial of olanzapine and haloperidol, *Arch Gen Psychiatry* (1998) **55:**250–8.

4 정신분열병의 약물 치료

Susan L Siegfreid, Wolfgang Fleischhacker와 Jeffrey A Lieberman

내용 · 도입 · 역사 · 분류와 용어 · 화학 · 약역학(藥力學) · 약동학(藥動學) · 항정신병약물 사용의 적응증 · 항정신병약물의 선택과 용량 · 병합(竝合) 항정신병약물 치료 · 부가적 치료 · 항정신병약물의 교체 · 전기경련요법 · 부작용 · 결론

도입

정신분열병에 관한 정신약물학의 현시대(現時代)는 1950년대 초 클로르프로마진의 독특한 성질이 밝혀지면서부터 시작되었다. 클로르프로마진 및 동질(同質)의 약물들은 정신병 증상 치료에 효과적이었고, 입원해있던 많은 환자들이 지역사회로 돌아가 살면서 치료받을 수 있게 했다. 클로르프로마진의 도입으로 정신분열병의 병리기전과 치료에 관한 관심이 다시금 주목을 받게 되었다. 20세기 후반을 거치면서, 항정신병약물은 정신병적 증상 치료에 심대한 영향을 끼쳤고, 현재에는 정신분열병 치료에 중추적 역할을 맡게 되었다는 사실은 분명하다. 또한 항정신병약물들은, 정신분열병의 잔류증상이나 공존(共存)증상들을 치료하는 데에 있어 약물학적으로나 정신사회적으로 보조적인 요법을 사용할 수 있는 밑거름을 제공했다. 이 장에서는 항정신병약물의 약리, 사용, 그리고 부작용에 관해 검토하고, 함께 사용하는 다른 약물들을 기술하고자 한다.

역사

페노싸이아진계(系) 약물들은 19세기 후반에 처음으로 개발되었고 처음에는 비뇨기계 항생제로 사용되었다. Charpentier는 1950년 마취보조제 용도인 항히스타민제를 염두에 두고 클로르프로마진을 합성했다. 마취제의 강도를 강화시키기 위해 사용하던 중, 프랑스 외과의(外科醫) Henri Laborit는 주위환경에 대한 특정한 무관심(*desinteressement*)과 '인위적인 숙면'을 유발하는 클로르프로마진의 독특한 성질을 발견했다.[1] Laborit는 클로르프로마진을 사용한 경험을 보고하면서 다음과 같이 예상했다: '이러한 발견은, 이 화학물질이 정신과 영역의 어떤 적응증에 사용될 수 있으리라고 기대케 한다'.[1] 곧 이어 Delay와 Deniker가 정신과 환자들에게 클로르프로마진을 사용한 경험을 보고했다.[2] 이 약물은 정신분열병 환자들에게 극적인 호전을 낳는 항정신병 성질을 지니고 있음이 이내 확인되었다. 클로르프로마진은, 정신분열병 및 관련 정신병의 증상들을 효과적으로 치료하는 정신과의 첫 약물이었던 것이다. 따라서, 클로르프로마진은 항정

신병약물의 원형이 되었다.

클로르프로마진과 뒤따른 항정신병약물들은 정신과 영역에서의 약물학적 혁명에 불을 지폈다. 이 화합물들은 정신질환을 치료하는 능력을 획기적으로 향상시켰고 정신과 임상실제에 극적인 변화를 초래했다. 클로르프로마진의 도입은 현대 정신약물학의 태동에 일획을 그었다.

분류와 용어

초조와 불안에 대해 관찰된 효과로 인해서 항정신병약물은 역사적으로 '주요 진정제(major trnaquilizer)' 라 불렸다. 이 용어는 약물의 치료적 효과가 아닌 부작용을 일컫는 말이므로 잘못된 용어로서 더 이상 사용되지는 않는다.

'신경용해제(neuroleptic)' 라는 용어는 원래, 구(舊)세대 항정신병약물의 특징인 정신운동지연과 다른 신경학적 부작용(추체외로 증후군, 혹은 EPS)을 기술하기 위해 사용되었다. 아니면, 실험적으로나 임상적으로 도파민 수용체에 유의한 길항작용을 보이는 약물들을 기술하는 데에도 '신경용해제' 라는 용어가 적용되기도 했다. 클로자핀과 다른 새로운 약물들, 즉 EPS가 적고 항정신병 효과를 가진 약물들이 도입되면서 '신경용해제' 라는 용어 사용은 이 약물들을 기술하는 데에 더 이상 적합하지 못하다. 이는 좀 더 광의의 '항정신병약물' 이라는 용어로 대체되어 오고 있다.

'비전형(atypical)' 이라는 용어는 클로자핀을 기술하는 데에 처음으로 사용되었는데, 그 약물학적 성질이 구세대의, 기존의 '신경용해제들' 이나 '전형' 항정신병약물들과는 매우 다르다는 점이 발견되었기 때문이었다. 클로자핀의 여러 가지 성질은 '비전형' 항정신병약물을 정의 내리는 데에 사용되었다. 시간이 지남에 따라 다른 종류의 새로운 항정신병약물들이 도입되었고 '비전형' 이라는 용어의 의미는 상당히 많은 논란을 야기했다. 현재에는 어떤 항정신병약물을 '비전형' 이라고 정의하는, 일치된 의견의 기준은 없다. 여기에는 전(前)임상적 그리고 임상적 자료 양자에 기초한 특성들이 흔히 사용되어 왔다.[3-5] 일반적으로 '비전형' 항정신병약물은 다음의 기준으로 특징지어질 수 있다: (a) 급성 EPS나 지연성 운동장애(tardive dyskinesia)를 일으키는 경향이 적다. (b) 우월하고도 넓은 범위의 항정신병 효능을 지닌다. (c) 프롤락틴 증가가 최소화되어야 한다. (d) 전(前)임상 동물 연구에서 강직증(catalepsy)를 일으키는 가능성이 적어야 한다. (e) 더 낮은 도파민(D_2) 수용체 친화력과 더 높은 세로토닌(5-HT) 수용체 친화력을 가져야 한다.[3-5] 이 기준이 현재 사용 가능한 모든 항정신병약물들에 적용된다면, 뚜렷이 구분되는 별개의 집단이 아닌, '전형' 약물과 '비전형' 약물 사이에는 연속성이 있다는 점이 분명해진다. 이 용어를 사용해서는 의미 있는 구분이 불가능하므로, '제 2세대' 혹은 '새로운' 항정신병약물이라고 기술하는 것이 더 옳을 수 있겠다. 이 장에서는 신형(新型) 항정신병약물들을 새로운, 혹은 비전형 항정신병약물이라고 부르기로 한다.

화학

항정신병약물들을 화학구조에 의해서 분류할 수도 있겠으나, 이는 지나치게 단순하며 약물들 간에 의미 있는 구분이 어려운 분류법이다. 구조적으로 상이함에도 불구하고 이 화합물들은 많은 약리학적 성격을 공유한다.

모든 페노싸이아진계는 삼환(三環) 구조를 가지며, 측 사슬(side chain)의 성질에 따라 세 군(群)으로 나눌 수 있다: (a) aliphatic (클로르프로마진 등);

(b) piperazine (플루페나진 등); 그리고 (c) piperidine (티오리다진 등)이다. 티옥잔틴계(系) (티오틱센, 플루펜틱졸 등)는 페노싸이아진계와 구조적으로 유사한 또 다른 항정신병약물군(群)이다.

디벤제핀계(dibenzepines) 또한 페노싸이아진의 환(環) 구조에 기초한 삼환구조의 항정신병약물 군으로서, 중심 고리(環)는 일곱-원소로 이루어져 있다. 디벤제핀 유도물에는 록사핀 (디벤족사제핀)과 클로자핀 (디벤조디아제핀)이 포함된다. 올란자핀 (티에노벤조디아제핀)과 쿠에티아핀(벤조티아제핀)은 구조적으로 클로자핀과 관련이 깊다.

복소환식 화합물(heterocyclic compound)은 몇 가지 화학적 종(種)을 포함한다: (a) 부티로페논계(할로페리돌 등) 및 구조적으로 유사한 디페닐부틸피페리딘계(피모자이드 등) (b) 디하이드로인돌 유도체계 (몰린돈 등) (c) 벤지족사졸 유도체계(리스페리돈 등) (d) 벤지조티아졸 유도체계 (지프라시돈 등) 그리고 (e) 벤자마이드계 (아미설프라이드와 설피라이드 등)이다. 항정신병약물의 구조-활성도 관계는 이 장의 범위를 벗어나는 것으로 다른 곳에 개괄되어 있다.[6]

약역학(藥力學)

상대적 강도

항정신병 작용과 추체외로 부작용이 모두 도파민 수용체 길항작용의 결과라는 믿음 하에, 구세대 항정신병약물들은 약물 강도에 의해 분류되었다. 강도는 항정신병 효과를 내는, 약물의 최소량을 밀리그램으로 나타낸 것이라고 정의할 수 있다. 항정신병약물의 강도는 도파민 D_2 수용체에 대한 결합 친화력과 상관관계를 보인다.[7] 강도는 또한 클로르프로마진 등가(等價) 용량으로 표현될 수도 있는데, 클로르프로마진 표준 용량에 대한 항정신병약물의 강도 비율로 표현된다. 일반적으로 고-강도 약물(할로페리돌 등)은 5mg 이하의 클로르프로마진 등가 용량을 지니며 EPS를 야기하는 경향이 크다. 저-강도 약물(티오리다진 등)은 40mg 이상의 클로르프로마진 등가 용량을 지니며 진정, 저혈압, 항콜린성 부작용을 더 많이 야기하는 경향이 있다.

수용체 약물학

지난 수십 년간에 걸친 분자 약물학 분야의 연구는 항정신병약물의 치료적 이득 및 부작용의 작용기전에 관한 새로운 통찰을 가져왔다. 또한 이 새로운 정보는 정신분열병의 병태생리에 관한 새로운 가설의 토대가 되었다. 특정 신경전달물질계와 수용체를 확인함으로써 더욱 특이한 약리학적 성질을 지닌 새로운 화합물을 개발시킬 이론적 근거가 마련된다.

시험관 연구와, 더욱 최근에는 양전자방출단층촬영(PET)을 이용한 생체내 방사성 리간드(radioligand) 수용체 결합 연구 모두가 항정신병약물은 여러 가지 신경전달물질 수용체들에 결합한다는 사실을 보여주었다. 일반적으로, 항정신병약물들은 이 수용체들에 대한 길항작용을 한다. 임상에서 사용되는 다양한 항정신병약물들의 수용체 결합 친화력이 표 4.1에 열거되어 있다.

항정신병약물이 도파민 수용체를 차단한다는 첫 증거는 Carlsson과 Lindquist의 연구에서 비롯되었는데, 이들은 실험쥐에게 클로르프로마진이나 할로페리돌을 투여하면 도파민성 뇌 영역에 도파민 대사물이 축적됨을 보고했다.[8] Seeman 등과 Creese 등이 보고한 바와 같이, 전통적인 항정신병약물의 D_2 수용체 결합 친화력과 효과적 임상 용량 사이에 관찰되는 상관관계는, D_2 수용체 차단이 전형 항정신병약물의 작용기전에 포함된다는 강력한 증거가 된다.[9-11] PET 방사성 리간드 결합

표 4.1 항정신병약물들: 시험관 내에서의 수용체 결합능(친화가 Ki는 nmol)

	Haloperidol	Clozapine	Risperidone	Olanzapine	Quetiapine	Ziprasidone
D_1	210	85	430	31	460	525
D_2	1	160	2	44	580	4
D_3	2	170	10	50	940	7
D_4	3	50	10	50	1900	32
$5HT_{1A}$	1100	200	210	〉10000	720	3
$5HT_{1D}$	〉10000	1900	170	800	6200	2
$5HT_{2A}$	45	16	0.5	5	300	0.4
$5HT_{2C}$	〉10000	10	25	11	5100	1
$5HT_6$	9600	14	2200	10	33	130
$5HT_7$	1200	100	2	150	130	23
5HT reuptake	1700	5000	1300	-	-	50
NE reuptake	4700	500	〉10000	-	-	50
$NE_{\alpha 1}$	6	7	1	19	7	10
$NE_{\alpha 2}$	360	8	1	230	90	200
H_1	440	1	20	3	11	50
Muscarinic	5500	2	〉1000	2	〉1000	〉1000

수치가 낮을수록 특이 신경전달물질 수용체에 대한 결합능이 강함
Ki는 억제 상수; NE는 노어에피네프린

연구는 항정신병 반응과 부작용의 예측자로서 도파민 수용체 점유율의 중요성을 더욱 명확하게 했다. 전향적 연구들이 시사한 바에 의하면, 항정신병 효과는 대략 60%의 D_2 수용체 길항작용과 관련되고 80% 이상의 점유율은 EPS 위험을 유의하게 증가시킨다.[11-13] 이 연구들을 통해, 대부분의 전통적인 항정신병약물들은 좁은 치료-독성 범위를 가짐을 알 수 있다.[14]

선조체에서의 도파민-매개 신경전달 길항작용은 항정신병약물 투여 수 시간 내에 일어나지만, 임상적 효과가 발현되기까지는 수주가 걸릴 수도 있다.[11-13] 항정신병약물은 우선 후(後)신경연접 도파민 수용체를 차단할 것이라고 생각되었다.[15] 여기에 이어지는, 도파민성 신경세포의 대사와 점화율증가에 의한 전(前)신경연접 도파민 활성도의 증가를 '탈분극 활성화' 라고 부른다.[15] 이 초기의 반응은 나중에 전(前)신경연접 도파민 활성도의 감소로 대체되는데, 이것이 임상 반응의 시간경과와 일치하는 듯이 보이며, '탈분극 비활성화' 로서 기술된다.[15]

도파민 수용체 길항작용은 직접 효과를 가질 수 있고, 이차 신호전달 체계에 의존할 수도 있으며, 혹은 '하향(下向)흐름' 수용체 활성의 연속적 반응을 시작시키는 것일지도 모른다. 장기적인 도파민성 기능 감소는 뇌의 주요 도파민성 전달로에 효과를 미침으로써 분명해질 수 있다. 이 효과에는 중변연계 전달로(mesolimbic pathway)에 의해 매개된다고 생각되는 정신분열병의 양성증상의 감소와, 흑색선조체 전달로(nigrostriatal pathway)를 통

한 EPS 출현이 포함된다. 다른 유형의 도파민 수용체(D_1, D_3, D_4, 그리고 D_5) 길항작용의 임상적 중요성은 아직 불분명하다.

어느 정도의 D_2 수용체 점유율은 항정신병약물의 치료적 효과를 위해서 반드시 필요한 듯 하나, 항상 충분한 것은 아니다. 많은 환자들은 적당한 D_2 점유율에도 불구하고 약물에 반응을 보이지 않는다.[11] D_2 수용체에 대한 더 낮은 친화력과 함께 더 높은 세로토닌(5-HT_2) 수용체 길항작용을 지닌 비전형 항정신병약물들의 보다 넓은 약리학적 범위는 항정신병약물의 작용기전을 설명하던 예전의 가설을 수정했다. '비전형 항정신병약물'의 전형인 클로자핀은 D_2 수용체에 낮은 친화력을 보여 연구에 따라 그 점유율이 20-67%의 범위로 보고되고 있다.[12,13,16] 하지만 5-HT_2 수용체 길항작용은 85-90% 사이의 점유율을 보인다.[16] 세로토닌은 정신분열병의 병태생리에 더 직접적인 관련이 있지만, 또한 도파민 활성도를 조절하는 것으로 생각된다.[17]

정신분열병의 양성증상과 음성증상을 치료하는 비전형 항정신병약물의 뚜렷한 효능은 세로토닌 차단효과가 그 밑바탕 기전을 형성할 수가 있다.[12,13] 세로토닌 긴장도의 감소는 흑색선조체 전달로의 도파민을 증가시키고, 이는 EPS를 일으킬 확률을 감소시킬 수 있겠다.[17] 중피질 전달로(mesocortical pathway)의 5-HT_2 수용체 길항작용은 특히 전전두 피질의 도파민 활성도를 증가시킬 수 있겠는데, 이는 정신분열병의 음성 징후와 증상 일부가 매개된다고 생각되는 부분이기도 하다.[17] D_2 수용체에 대한 5-HT_2 수용체의 상대적 친화력 비율이 또한 항정신병약물을 비전형으로 분류하는 데에 기준이 되기도 한다.[4,5] 비전형이라 추정되는 다른 항정신병약물들도 상당한 5-HT_2 수용체 길항작용(대개 80% 이상의 수용체 점유율)을 지니고 있고, 이 길항작용이 더 낮은 D_2 수용체 친화력(대개 80% 이하의 점유율)과 결합하여 작용한다.[13]

기타의 신경전달물질 길항작용, 이를테면 무스카린 콜린성, 히스타민성(H_1), 그리고 알파-아드레날린성 수용체들에 대한 길항작용도 항정신병약물의 치료적 효과와 부작용 모두에 기여할는지 모른다.[14] 이러한 신경전달물질 수용체들에 대한 항정신병약물들의 결합 친화력이 그림 4.1에 기술되어 있다.

약역학에 미치는 연령의 효과

노화에 의해 변화된 약역학적 효과로 인해 항정신병약물을 복용 중인 노인환자는 부작용이 더 많음을 시사하는 증거가 있다.[18] 노인들은 감소한 뇌 도파민과 아세틸콜린은 각각 EPS의 위험과 항콜린성 활성도를 지닌 약물의 중추효과에 취약성을 지니게 한다.[18] 그러나, 이러한 약역학적 변화가 항정신병약물의 치료적 효능에 임상적으로 유의한 영향을 미치는지에 관해서는 아직 분명하지 않다.

약동학(藥動學)

흡수와 분포

항정신병약물은 위장관계에서 빠르게 흡수되어 다양한 정도로 혈액순환 이전 단계 혹은 일차-관문 간 대사(first-pass hepatic metabolism)를 거치는 경향이 있다.[6] 높은 지용성(脂溶性)과 단백-결합능으로 인해, 항정신병약물은 빠르게 분포되며 혈액-뇌 장벽을 쉽게 투과한다.[6] 더욱이 이 약물의 상당량은 혈액공급이 원활한 조직에 저장된다. 결과적으로, 조직농도가 혈장농도보다 종종 높게 되며, 이는 상대적으로 큰 분포용적으로 반영된다.[6]

경구 복용하는 대부분의 항정신병약물의 평균 반감기는 20시간을 넘어, 하루 1회 복용을 가능케 한다.[6] 신형 비전형 약물 중에서 리스페리돈, 클로

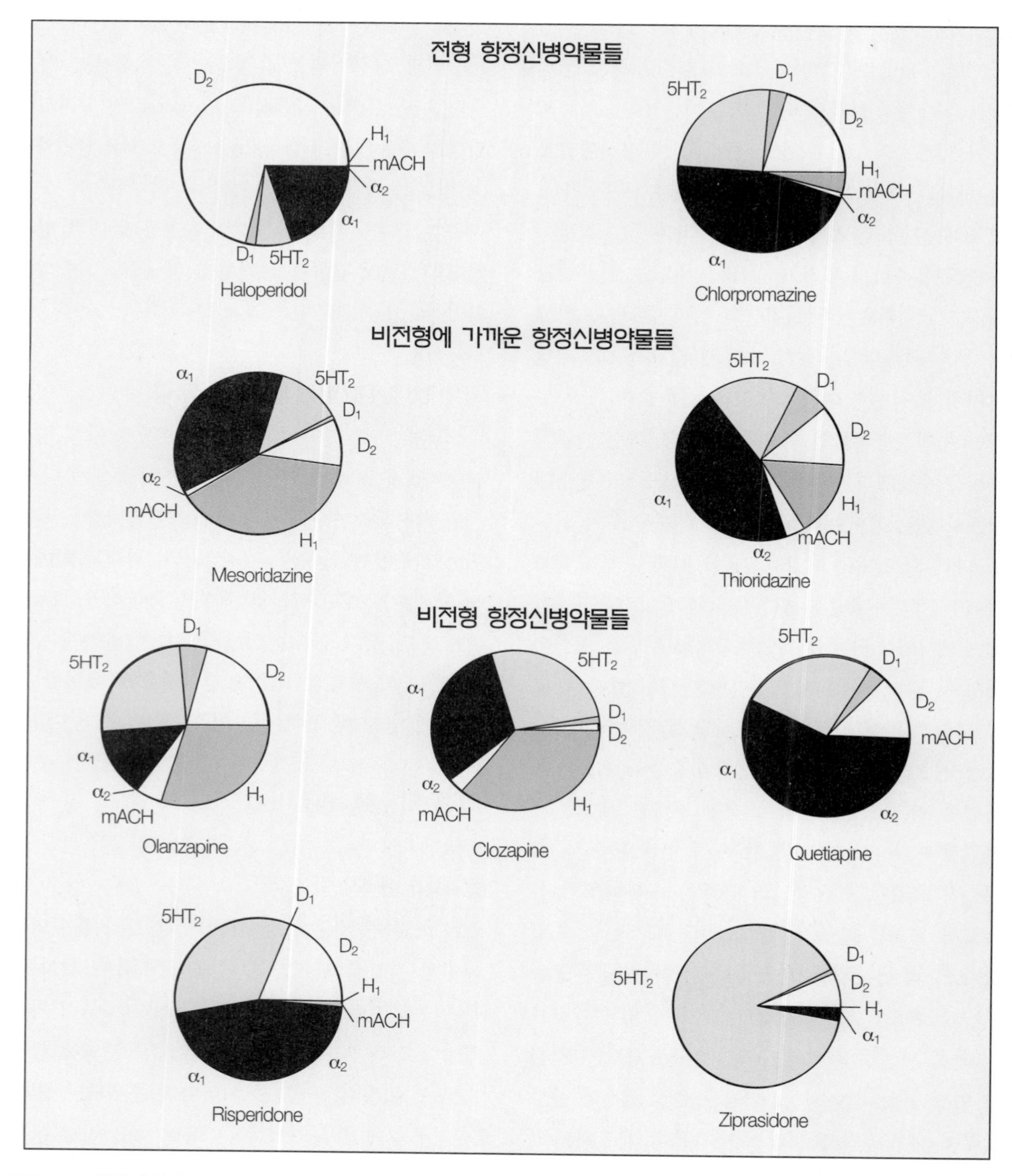

그림 4.1 항정신병약물들의 상대적 신경수용체 결합친화력. mACH는 무스카린성 아세틸콜린. Psychiatric Drugs, Lieberman, Tasman 편집자의 동의 하에 게재함. (Saunders: Philadelphia, 2000).

자핀, 그리고 쿠에티아핀은 상대적으로 짧은 반감기를 가져 통상 분복한다. 그러나 투약이 반복되거나 활성 대사물이 존재할 때에는 그 치료적 효과가 반감기로 예측한 기간을 초월할 수도 있다.[19] 경구 복용하는 대부분의 항정신병약물이 안정 상태 농도에 도달하는 데에는 대개 3-7일 또는 개별 약물

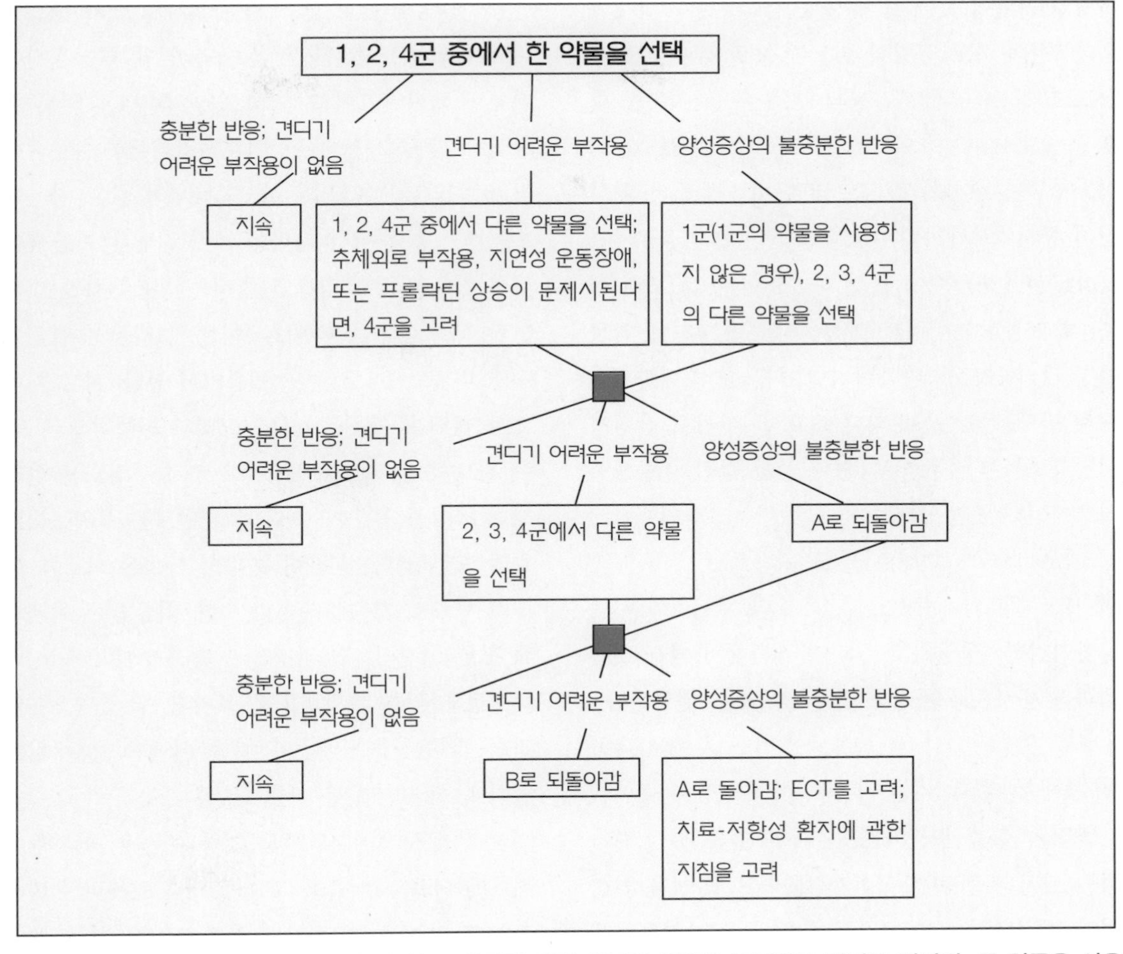

그림 4.2 급성기 정신분열병의 약물학적 치료. 환자가 어떤 약물에 특이한 금기증을 가지고 있다면, 그 약물은 사용 후보 약제에서 제외시킨다. 이 흐름도의 어느 시점에서건 (1) 과거의 치료반응, (2) 부작용, (3) 환자의 선호도, (4) 투약 경로에 근거하여 약물을 선택한다. 1군: 전통적인 항정신병약물. 2군: 리스페리돈. 3군: 클로자핀. 4군: 새로운 항정신병약물: 올란자핀, 지프라시돈, 쿠에티아핀. (정신분열병 치료의 실용지침Practical Guidelines for the Treatment of Patients with Schizophrenia, 미국정신의학회, 1997에서 인용함.)

의 반감기의 4-5배 정도의 시간이 걸린다.[19] 고령, 다른 약물을 함께 복용하는 경우, 간 질환 혹은 흡수가 느린 경우에는 항정신병약물의 반감기와 안정 상태 농도에 도달하는 시간이 길어질 수 있다.[6]

간 대사

항정신병약물이 간에서 대사되는 정도는 다양하다. 이 다양성은 종종 생체이용률과 약물 대사의 이종성(異種性)에서 비롯되는 것으로 생각된다. 다양성의 또 다른 요인으로는 약물-약물 상호작용, 흡연, 그리고 공존하는 내과적 상태 등이 있다.[19] 안정된 용량의 약물을 복용 중인 환자일지라도 다른 약물 투약이 시작되거나 혹은 중단될 때에는 용량 조절이 필요할 수 있다. 덧붙여, 두 가지 이상의 항정신병약물들을 병용하는 임상적 상황이나 보조적 약물이 부가될 때에는 약물 상호작용이 반드시 고려되어야 한다.

대부분의 항정신병약물은 간 미소체 산화효소(시토크롬 P450 계)에 의해 대사된다. 관여하는 주요 동종효소 계는 CYP1A2, CYP2C19, CYP2D6, 그리고 CYP3A4이다.[19] 몇몇 항정신병약물들은 대사되어 활성 대사물이 된다(예를 들면, 노어클로자핀 norclozapine).[20] 이 활성 대사물들은 그 모체(母體) 화합물과는 무관하게 자체의 반감기에 의한 안정 상태 농도에 다다를 수 있다.[6] 활성 대사물은 모체 화합물에 동등하거나 그보다 더 강력한 항정신병약물로서 작용할 수 있다(예를 들면, 9-수산화 리스페리돈).[20]

제거

항정신병약물들과 그 대사물들은 종국에는 결합이나 글루쿠론화 과정을 거쳐 소변으로 배설된다.

비경구투약의 약동학

몇몇의 항정신병약물들은 물론 짧은 시간 작용하는 단기-작용 비경구형(非經口形)으로 사용 가능하다. 항정신병약물 비경구 투약의 주요 적응증은 심한 초조를 보이는 환자를 치료하는 위급한 상황이다. 이러한 약물의 생체이용률은 경구 투약 시에 나타나는 일차-관문 대사를 우회할 수 있으므로 상당히 증가하게 된다.[6,21] 비경구투약은 진정작용의 측면에서 작용시작이 빠르고 30분에서 1시간 이내에 최고 혈장농도에 다다를 수 있다.[6] 비경구 투여 항정신병약물의 생체이용률은 10배까지 증가할 수 있으므로, 첫 용량은 통상의 경구 용량과 비교해 3-4배 정도로 줄여야 한다.[6] 현재까지 비경구형으로 상품화된 비전형 항정신병약물은 없다[역주4].

항정신병약물의 장기-작용 저장형(long-acting repository), 또는 '저장형(depot)' 제재는 유기용매에 용해시킨 에스터 형태로 투약한다.[21] 몇몇 항정신병약물들(예를 들면, 할로페리돌이나 플루페나진)은 이러한 장기-작용 또는 ' 저장형 '으로 사용할 수 있다. 유럽 여러 나라와 세계 다른 국가들에서 사용 가능한 장기-작용 약물에는 플루펜틱졸 디카노에이트, 퍼페나진 에난테이트, 그리고 주클로펜틱졸 디카노에이트 등도 포함되어 있다.

이러한 약물들은 천천히, 그리고 전형적으로 2-4주 정도의 간격으로 지속적으로 흡수되도록 설계되어 있다.[22] 흡수의 속도-결정 단계는 주위조직으로의 확산이다. 일단 흡수되면, 약물은 빠르게 원래의 형태로 가수분해된다.[21] 이 약물들은 혈액순환 도달 이전의 대사과정을 우회하기 때문에, 상대적으로 일정한 혈장농도를 유지할 수 있다.[6,21] 안정 상태 혈장농도에 도달하는 데에는 3-6개월이 걸릴 수 있고 배출은 매우 느리다.[6]

장기-작용 제재는 정신분열병의 유지 치료에 흔히 사용되고, 경구복용 약물에 대해 반복적인 비순응을 보이는 환자 치료에 특히 장점을 지닌다.[21] '저장형' 항정신병약물 사용 지침은 기타 다른 곳에서 찾아볼 수 있다.[23] 현재 장기-작용 비경구 제재로 사용할 수 있는 신형의 비전형 항정신병약물은 리스페리돈 미소포 제재이다.

약동학에 영향을 미치는 변수들

항정신병약물의 대사에 영향을 미칠 수 있는, 임상적으로 유의한 몇몇 요인은 다음과 같다: (a) 연령 (b) 물질 사용, 특히 알코올과 니코틴 (c) 간 질환 그리고 (d) 간 미소체 효소를 유도 혹은 억제하

역주 4 최근 비전형 항정신병약물인 리스페리돈의 '저장형' 인 콘스타Consta가 상품화되어 사용할 수 있게 되었다.

는 다른 약물을 함께 복용하는 경우이다. 어떤 임상 상황에서 의미 있는 다른 변수들에는, 유전적 다형성, 미소체 효소의 인종적 차이, 성별, 그리고 결합 단백질의 변화 등이 있다.[6,19]

소아에게 사용할 때의 약동학적 고려사항들

소아의 약물 대사는 훨씬 빠르며, 정신과적 약물의 약동학 또한 성인과 다르다. 소아가 성장하면서 대사도 달라지기에, 소아기와 청소년기에 용량 조절이 요구된다.[22] 소아는 더 많은 체지방을 지니고 있으므로 지용성 약물을 더 많이 저장할 수 있는데, 이는 항정신병약물의 반감기를 지연시킬 수 있다.[22] 사춘기 이전의 소아는 성인과 비교해 체중 대비 간 청소율이 높다.[24] 때문에 치료적 혈중농도에 도달하기 위해서는 더 많은 용량이나 더 잦은 투약이 필요한 경우가 많다.[24] 일반적으로 어린 환자일수록 약물의 약리학적 효과에 더 민감한 경향이 있다.

노인에게 사용할 때의 약동학적 고려사항들

노인에게 정신과적 약물을 사용할 때에는 노령 인구집단의 약동학적 차이를 반드시 고려해야 한다. 일반적으로 노화는 관련된 어떠한 약동학적 요인에도 영향을 미칠 수 있다. 노화와 함께 근육질이 감소하고 체지방이 증가하는데, 이는 지용성 약물의 분포와 반감기에 영향을 미칠 수 있다. 약물 분포 용적이 증가하면, 안정 상태 농도에 도달키 위해 시간이 더 걸린다.[18] 미소체 효소 구조와 활성의 변화에 의해 간 대사도 영향을 받아 약물 청소율은 감소하게 된다.[18]

약물-약물 상호작용

효소 유도

흡연은 CYP1A2를 유도하고 많은 항정신병약물의 청소율을 증가시키는 것으로 알려졌다. 흡입된 연기는 고-강도 전형 항정신병약물의 혈중농도를 10-50% 줄일 수 있다.[20] 클로자핀과 올란자핀의 청소율은 비슷하게 20-50% 증가한다.[19] 또 다른 효소 유도체에는 항경련제 (카바마제핀, 페노바비탈 그리고 페니토인)와 음주가 있다. 전형 항정신병약물과 함께 항경련제를 사용할 경우, 그 청소율은 두 배 이상 증가할 수 있다.[25] 올란자핀이나 리스페리돈의 대사는 항경련제에 의해 별 영향을 받지 않을 수 있다.[19]

효소 억제

많은 약물들이 미소체 효소를 억제하고 항정신병약물의 청소율을 감소시켜, 종국에는 독성을 나타낼 수 있게 한다. 항우울제, 베타-차단제, 일부 항생제/항진균제, 그리고 시메티딘을 함께 사용하는 경우, 전통적인 항정신병약물의 청소율은 50% 정도 감소할 수 있다.[19,25] 플루복사민을 함께 복용했던 사례에서 클로자핀의 농도가 상승하여 독성이 출현한 경우가 보고된 바 있다.[26] 특이한 시토크롬 P450 동종효소들과의 임상적으로 유의한 상호작용이 표 4.2에 기술되어 있다.

혈장농도

혈액농도를 측정하여 항정신병약물의 용량을 조절하고 반응 부족을 결정하는 일은 임상 상황에서는 흔치 않으며 논란거리로 남아 있다. 혈중농도에는 상당한 개인차가 존재하고, 치료적 효능과 부작용 위험 사이의 용량 범위는 좁다.[27,28] 전형 항정신병약물들 중 몇몇에 대해서는 혈중농도가 확립되었으나, 이나마도 이 농도와 임상적 반응 사이에는 기껏해야 중간 정도의 상관관계가 있을 뿐이다.[28,29] 할로페리돌과 퍼페나진의 농도가 각각 15ng/ml, 1.5-2ng/ml인 경우가 최적일 것으로 시사

표 4.2 항정신병약물들: 시토크롬 P450 동종효소의 기질, 억제제, 유도제

동종효소	기질	억제제	유도제
CYP1A2	클로자핀		
	올란자핀		
CYP2C9	(없음)	(없음)	
CYP2C19	클로자핀		
CYP2E1	(없음)	(없음)	
CYP2D6	클로자핀	할로페리돌	
	플루페나진	티오리다진	
	할로페리돌		
	올란자핀		
	퍼페나진		
	리스페리돈		
	티오리다진		
CYP3A4	클로자핀	플루옥세틴	
	할로페리돌		
	피모자이드		
	쿠에티아핀		
	지프라시돈		

미국 식품의약청(FDA)의 신약 출원(New Drug Application)에 대사효소를 밝혀야 했던 첫 항정신병약물이 클로자핀이었으므로, 구세대 약물 중 일부를 대사하는 특정 시토크롬 P450 효소는 알려지지 않았다.

되었다.[30]

어떤 상황에서는 전통적 항정신병약물의 혈장농도를 측정하는 것이 도움이 될 수도 있겠다. 충분한 용량으로 적절히 시도했음에도 불구하고 항정신병약물이 비효과적이라고 판단하기에 앞서, 혹시 약물 약동학의 변화 때문은 아닐는지 고려해보는 것이 중요하다.[27] 혈장농도가 낮다면, 용량을 올리거나 순응도의 문제를 강조해야 할 필요가 있을 수도 있다. 너무 높은 혈장농도라면 부작용이 치료적 효과를 가릴 수 있으므로 용량을 줄여야 할 수도 있다. 혈장농도 감시가 필요한 기타의 적응증은 다음과 같다. (a) 특별한 환자 집단(소아나 노인) (b) 다른 정신과적 약물과 병용할 때 약동학적 상호작용이 의심되는 경우, 그리고 (c) 유지 치료 중 용량을 줄일 때 ; 낮은 혈장농도는 재발의 위험 증가를 의미할 수도 있기 때문이다.

어떤 연구자들은 클로자핀의 용량 적정의 지침으로서 혈장농도를 이용하자고 제안했다. 평균 용량으로 보자면 미국과 유럽 국가들 간에 두 배까지 차이가 나는데, 미국에서는 더 높은 혈장농도가 추천되었다.[31] 많은 환자들은 더 낮은 혈장농도에서 반응을 보일 테지만, Vander Zwaag 등은 목표 혈장농도는 200에서 250ng/ml 사이가 되어야 한다고 제안했다.[32] 어떤 이들은 100ng/ml 아래의 농도는 너무 낮다고 보며, 거꾸로 500ng/ml 위의 농도는 너무 높다고 여긴다.[33] 그렇지만, 클로자핀의 혈장

농도가 치료적 효능과 상관관계를 갖는지의 여부는 아직 불투명하다.[34] 클로자핀의 혈장농도는 뇌파(EEG) 변화, 경련, 그리고 혼란을 포함한 부작용의 일부와 오히려 상관관계가 있다.[31,35]

항정신병약물 사용의 적응증

항정신병약물은 정신병적 증상을 치료하는 데에 효과적이다. 급성 정신병적 삽화를 치료하고 정신분열병 환자의 증상 관해 상태를 유지하는 데에 주요 역할을 한다. 치료의 방법과 목표는 질환의 중증도와 결과에 따라 다양하다.

급성 치료

급성 정신병적 삽화 또는 재발은, 환각, 망상, 그리고 와해된 언어와 사고를 포함하는 심한 정신병적 증상으로 특징지어진다. 이러한 급성 정신병적 증상을 줄이거나 해소시키는 것이 치료 목표에 포함된다. 모든 항정신병약물은 정신분열병의 양성증상을 치료하는 효과가 입증되어 있다. 모든 항정신병약물은 첫-삽화 정신병과 만성 정신분열병의 재발을 포함한, 대부분의 모든 급성 삽화에 적응이 된다.[36] 조기 개입이 치료적 반응을 향상시키고 장기 경과를 좋게 한다고 알려져 있으므로, 항정신병약물은 부적절한 지연없이 시작되어야 한다.[37-39]

전통적인 항정신병약물들은 급성 정신병과 관련된 양성증상에 효과적임이 밝혀져 있다. 전형 항정신병약물들은 정신분열병의 음성증상, 인지손상, 혹은 기분증상에는 그다지 효과적이지 못하다. 비전형 항정신병약물이 도입됨에 따라, 이들 약물은 정신분열병의 다른 증상 차원뿐만 아니라 음성증상에 대한 효과를 포함한 더 넓은 효능을 갖고 있음이 시사되었다. 현재까지는, 오직 아미설프라이드만이 일차적 음성증상/결핍 상태에 효능이 있음이 확인되었다.[40] Sharif는 정신분열병의 급성 악화 상태의 처치에 대하여 임상적 문제점과 일반적 목표를 개괄했다.[41]

유지 치료

이 단계는 급성 정신병적 증상의 중증도는 줄었으나 환자는 재발의 위험을 지닌 기간이다. 재발의 위험요인에는 정신사회적 스트레스, 물질 남용, 때 이른 항정신병약물의 감량이나 중단, 혹은 질환 그 자체의 성격 등이 있다. 유지 치료의 목표는 증상 관해 상태를 유지시키거나 개선하고, 삶의 질을 향상시키고, 정신사회적 재건을 달성하며 재발을 방지하는 것이다.

이 기간에 증상이 존재한다면, 급성 삽화 동안에 비해서 상대적으로 안정적이고 덜 심한 경향이 있다. 임상 양상은 거의 음성증상이거나 약화된 양성증상과 음성증상일 것이다. 재발을 예방하기 위한 장기 유지 치료의 가치는 현재 상당히 많은 연구결과를 통해서 입증되어 있다.[42] 더욱이 약물을 복용 중에 재발하는 환자들은 항정신병약물을 중단한 환자에 비해 더 증상이 약하고 더 좋은 호전률을 보이는 듯 하다.[43]

정신분열병의 재발 예방을 위해 개발된 지침에 의하면, 정신병의 첫 삽화 후에는 1-2년간의 유지치료를, 그리고 질환의 다발성 삽화를 가졌던 만성 환자는 최소 5년 이상의 유지 치료를 받도록 권장되고 있다.[33,44-47]

첫-삽화 정신분열병

일반적으로 첫-삽화의 환자들은 만성 환자에 비해 치료에 반응이 더 좋으며 필요한 약물의 용량이 더 낮다.[38,48] 이 환자 군은 급성 정신병적 삽화로부터 회복될 확률이 더 크고, 유지 치료 중에 더 낮은 재발률을 보이는 경향이 있다.[38] 첫-삽화 정신병의 유지 치료는 임상적 딜레마가 될 수 있다. 이 환자들 중 소수는 정신질환이 재발하지 않을 것이다.[44] 그러나 대부분의 첫-삽화 환자들은 뒤이은 3년 내에 정신병증상의 재발을 경험할 것이다.[48] 재발이 없을 소수의 집단을 우선적으로 가려낼 수 없기 때문에, 한시적(限時的)인 유지 치료가 필요하다는 점이 일반적으로 받아들여지고 있다.

치료-저항성 정신분열병

치료 저항성의 정의는 시간이 지나면서 거듭 발전하는데, 현재 그 기준에 관한 의견일치는 없다. 넓은 의미로 보아, 치료-저항성을 보이는 환자들은 다음의 특성을 지닌다: (a) 이전에 두 가지의 항정신병약물에 반응이 없었음. (b) 심한 EPS나 지연성 운동장애와 같은 견딜 수 없는 부작용을 보임. (c) 치료에도 불구하고 지속되는 정신병적 증상을 지님. 또는 (d) 항정신병약물에 반응이 없는 난폭한 행동이 있음이다.[33] 발병한 정신분열병의 대략 10-15%가 치료 저항성을 보인다. 질환의 경과 중에는 30-60%의 환자가 치료에 부분적인 반응만을 보이거나 전적으로 반응을 보이지 않게 된다.[48,49] 심각한 약물-유발성 부작용이 거의 절반의 환자에게서 나타날 수 있다.[50] 현재에는 클로자핀이 난치성 환자에게 정선(精選)된 치료로 간주되고 있다. 하지만 최근의 연구들에 의하면, 다른 비전형 약물들(이를테면, 올란자핀, 리스페리돈, 쿠에티아핀) 또한 난치성 환자에게 효과가 있어 보여, 이 환자 군에게 효과가 입증된 유일한 약물인 클로자핀의 필요성과 거기에 따르는 혈액학적 감시를 줄일 수 있으리라 생각된다.[50a,b] 다른 새로운 항정신병약물들 또한 치료-저항성 환자들에게 유용할 가능성이 있다.

지연성 운동장애를 지닌 환자들

항정신병약물에 노출된 결과 지연성 운동장애(TD)를 지니게 된 환자나 기존의 TD를 가지고 있는 환자로서 여전히 치료를 요하는 경우는 임상적 딜레마가 된다. TD에 관한 미국정신의학회의 임무추진위원회 추천에는 치료에 반응하는 환자에게 최소한의 효과적인 용량의 항정신병약물을 사용할 것을 포함하고 있다.[51] 몇몇 연구에서는 클로자핀이 TD 증상을 개선시킨다고 했다.[52,53] 클로자핀이 TD를 경감시키거나 역전시키는 기전은 모른다. 다른 새로운 항정신병약물들이 TD에 어떤 효과를 갖는지에 관해서는 체계적인 평가가 이루어지지 않았으나, 클로자핀을 시도하기에 앞서 이러한 약물들을 사용함은 합당한 일이다.[54]

소아기-발병 정신분열병

소아와 청소년을 대상으로 한 항정신병약물에 관한 연구는 드물지만, 대부분은 소아기-발병 정신분열병에 항정신병약물을 사용하는 것을 지지한다.[55,56] 소아와 청소년 정신병의 일차-선택 치료로는 전형 항정신병약물, 올란자핀과 리스페리돈이 추천된다.[55-58] 두 가지의 적절한 항정신병약물 시도가 실패한다면 클로자핀 치료의 적응증이 된다.[56] 더 많은 정보를 원하는 독자에겐 미국소아청소년정신의학회에서 발행한 '소아 및 청소년 정신분열병의 평가와 치료를 위한 임상실제'를 권한다.

후기-발병 정신분열병

대략 10% 정도에서 정신분열병 첫-발병은 45세 이상에서 발생한다.[60] 양성증상, 만성적인 경과, 항정신병약물에 대한 반응, 그리고 가족력에 관한 한, 후기-발병 정신분열병은 후기 청소년기나 초기 성인기의 정신분열병과 많은 측면에서 유사하다. 반면, 후기-정신분열병은 음성증상이 더 드물고, 여성이 많고, 인지적 장해가 덜 심하며, 저용량의 항정신병약물에 반응한다.[61] 또한 EPS에 더 민감한 경향이 있고, 특히 여성은 전형 항정신병약물을 사용할 때 지연성 운동장애에 더 취약해 보인다.[62] 소아와 마찬가지로, 고령 인구집단을 대상으로 한 항정신병약물의 효능에 관한 연구는 별로 없다. 노인에게 항정신병약물을 사용하는 것과 관련된 임상적 문제들은 다른 곳에 개괄되어 있다.[62]

임신과 수유

대다수 항정신병약물들은 높은 지용성 때문에 태반을 쉽게 통과하며 모유로도 분비된다.[6] Altshuler 등이 임신 첫 3개월 동안의 저역가 전형 항정신병약물의 효과를 메타-분석한 결과, 선천성 기형의 상대적 위험도가 아주 조금 증가했다.[63] 기존의 고역가 항정신병약물이 태아의 위험을 증가시킨다는 증거는 현재까지 없다.[63] 임신 중에 태아가 항정신병약물에 노출된다면 도파민 계 발달에 영향을 미칠지도 모른다는 점이 시사되긴 했다. 산모/태아의 위험이 항정신병약물 사용의 위험보다 높지 않다면, 가급적 임신 첫 3개월 동안은 항정신병약물 사용을 피해야 한다.[33] 임신 중기와 말기에는 항정신병약물 사용이 상대적으로 안전할 것이다. 전형적 약물을 사용하는 경우에는 기립성 저혈압을 일으키는 경향이 적은 고역가 화합물이 선호된다.[33] 저용량으로 복용토록 하며 출산에 5-10일 앞서 중단해야 한다.[33] 임신 중에는 가능한 한 항콜린성 제재를 피해야 한다.[33] 산후에 엄마가 항정신병약물 치료를 재개한다면, 영아는 모유를 수유하지 않아야 한다.[64,65]

항정신병약물의 선택과 용량

치료 전 평가

약물학적 치료를 선택하기에 앞서 환자는 철저한 초기 평가를 거쳐야 한다. 이 평가로써 임상의는 증상의 기저수준을 정할 수 있고 정신병 증상의 의학적 혹은 신경학적 원인을 배제할 수 있다. 평가에는 면밀한 정신과적 내과적 병력, 이학적 검사, 그리고 이상 불수의운동 척도(Abnormal Involuntary Movement Scale, AIMS) 같은 도구를 이용한 기존의 운동장애에 대한 측정이 포함되어야 한다.[33,66] 기초적인 실험실 검사로서 일반혈액검사, 혈액화학검사, 소변 약물 선별검사, 간기능검사, 신기능검사, 그리고 갑상선기능검사가 시행되어야 한다.[33] 치료에 사용되는 항정신병약물의 종류에 따라, 주기적인 심전도 이상 감시가 추가적으로 필요할 수도 있다. 첫 검사에서 적응이 된다면, 뇌파(EEG)나 뇌 자기공명영상(MRI) 또는 신경심리학적 검사 등과 같은 기타 진단적 검사가 적응될 수도 있다.

첫 평가에서 동등하게 중요한 요소에는 환자와 그 가족들의 교육이 포함되는데, 질환의 특성, 경과, 예후, 그리고 치료에 대해 교육한다.

첫 약물 선택

적합한 항정신병약물의 선택은 예전 치료 반응, 내약력(耐藥力), 부작용, 투여 경로, 그리고 장기간의 치료 계획에 근거해야 한다. 처음으로 치료받는 환자를 포함한 다수의 환자들에게 비전형 항정신병약물이 일차-선택제로서 고려될 수 있다. 적합한 항정신병약물을 선택하는 데에 미국정신의학회의 *정신분열병 치료에 대한 실제적인 지침*이 제시한 치료 흐름도를 참고할 수 있겠다(그림 4.2).[33] [역주5]

역주 5 한국에서도 정신분열병 약물치료 알고리듬이 개발되어 있다. 이 알고리듬에 의하면 비정형 항정신병약물이 1차약제로 추천하고 있다.

치료 시작과 용량 적정

항정신병약물 치료를 시작할 때에는 부작용을 최소화하고 치료적 이득을 최대화하는 목표용량을 결정하는 것이 중요하다. 모든 전형 항정신병약물은 강도 및 부작용이 각각 다름에도 불구하고, 그 효능은 동등하다. 전형 항정신병약물들에 관한 연구를 메타-분석한 결과에 의하면, 효과적인 일일 용량은 일반적으로 클로르프로마진 등가용량으로 100mg (혹은 할로페리돌 등가용량 5mg)에서 700mg (혹은 할로페리돌 등가용량 20mg) 사이이다.[67]

저역가의 전형 항정신병약물을 사용할 때에는 낮은 첫 용량(일일 2회 25-50mg 복용)으로 시작해서 며칠에 걸쳐 용량을 적정함으로써 기립성 저혈압이나 진정 같은 부작용을 최소화시켜야 한다. 할로페리돌과 같은 고역가의 전형적 항정신병약물을 시작할 때에는 느린 적정이 반드시 필요하지는 않다.

비전형 항정신병약물 중 리스페리돈은 하루에 1-2mg의 용량으로 시작할 수 있다. 이 첫 용량은 3-7일에 걸쳐 목표일일용량인 하루 3-4mg으로 증량된다. 다음 2주간 치료 반응이 없을 경우, 리스페리돈 용량을 최소 6mg 이상으로 증량시킬 수 있다. Kopala 등은 저용량의 리스페리돈이, 특히 첫-삽화 환자에게서, 운동계 부작용 위험을 줄일 수 있을 것이라고 했다.[68] 올란자핀은 진정작용을 최소화하기 위해서 취침 전 5-10mg으로 시작한다. 일반적인 올란자핀의 용량 범위는 10-20mg 사이이다. 쿠에티아핀은 일일 2회 25mg 복용으로 시작할 수 있다. 견딜 수 있는 정도에서 하루 25-50mg씩 증량하여 목표용량인 일일용량 400-500mg에 도달한다. 쿠에티아핀은 일일용량 300-750mg에서 효과적인 것으로 밝혀졌다. 비전형 항정신병약물은 진정작용이 더 적을 수 있는데, 급성기 치료 중에 초조와 불면을 조절하기 위해서 진정-수면제의 추가를 필요로 하기도 한다.

환자가 임상적 범위에 해당하는 용량의 약물을 견딜 수 있다면, 최소 3주 이상 유지되어야 한다. 반응이 서서히 나타날 수 있다.

치료 평가

적당한 용량의 항정신병약물로 3주간 시도했으나 반응하지 않았다면, 몇 가지 요인에 대해 검토해야 한다. 반응이 없는 원인이 약동학적 요인이나 비순응으로 설명될 수 있는가를 확인하기 위해서 혈장농도 측정이 도움이 될 수 있다. 어떤 환자에게서는 낮은 혈장농도가 뚜렷한 호전이 없는 원인이 될 수도 있다. 치료적 혈장농도에 도달하도록 용량을 조절해서 치료적 반응을 보일 수도 있다.[27]

환자가 약물치료에 순응한다면, 약물 시도에 대해 부분적인 반응인가 무반응인가를 평가하여 다음 단계의 치료를 고려한다.

환자가 전형 항정신병약물에 부분적인 반응을 보였다면, 통상의 치료법은 용량을 더 올리는 것인데, 이는 종종 부가적인 이득을 가져오기보다는 부작용만 더 많이 초래하기도 한다. 새로운 비전형 약물의 용량-반응 관계는 자세히 연구되어 있지 않지만, 용량을 올림으로써 부분적인 반응에서 충분한 반응으로 바뀔 수도 있다. 거꾸로, 약물의 부작용이 항정신병 효과를 가릴 수 있고 용량 감량이 합당한 경우도 있다. 부분적인 반응을 보이는 환자들에게서 항정신병 효능을 증대시키기 위해 아래에 기술될, 부가적 제재가 사용되어 왔다.

한 가지 항정신병약물에 반응을 보이지 않거나 매우 미미한 반응을 보인 경우는 항정신병약물의 2차 선택의 적응이 될 수 있다. 다른 약물로의 교체에 관해서는 아직 논란이 있다.[69-71] 반응이 불량했던 첫 시도 약물이 전형 항정신병약물이었다면, 다른 전형 약물에 대해서도 반응이 별로 좋지 않을 것 같다.[72] 두 번째 약물 시도에서는 새로운 비전형 항정신병약물들 중에 하나가 선택되어야 한다.

치료에 대한 반응이 적은 이유가 순응도 불량에 있다면, 저장형(貯藏形) 항정신병약물 시도가 고려되어야 한다. 최적의 용량과 투약 간격은 개별적인 환자에게 맞추어진다. 얼마나 용량이 필요한가와 약물을 얼마나 견딜 수 있는가를 결정하기 위해서 우선은 경구형의 항정신병약물로 치료해야 한다. 플루페나진과 할로페리돌의 일반적인 용량 전환은 두 약물의 10mg 일일용량에 근거한다. 이와 비슷한 등가 경구용량은 대략 12.5-25mg의 플루테나진 데카노에이트를 2주마다 근주하는 것 혹은 100-200mg의 할로페리돌을 4주마다 근주하는 것과 동등하다. 합리적인 시작 용량은 플루페나진 데카노에이트 12.5mg 혹은 할로페리돌 25mg이다. 쥬클로펜틱졸 데카노에이트는 100-400mg씩 4주마다, 플루펜틱졸 데카노에이트는 100-400mg씩 한 달에 한번 투약한다. 이상적으로, 환자들은 경구형에서 저장형으로 전환되어야 한다. 치료적 용량이 정해지기 이전의 처음 수개월 동안은 증상 조절을 위해 경구약이 보충되어야 할 수도 있다.

유지 치료

특정한 항정신병약물로써 급성 증상 완화를 경험한 환자들은 재발 예방을 위해 그 약물로 최소 1년 이상 유지되어야 한다. 유지 치료동안에는, 지속적인 위험-이득 평가와 함께, 최적의 치료를 보장하기 위한 모든 치료적 노력에 환자에게 중요한 타인들이 참여토록 강조되어야 한다.

유지 치료의 일반적 원칙은 급성 치료에 효능이 있었던 항정신병약물을 동일용량으로 사용하는 것이다. 용량을 줄이고자 한다면, 안정된 환자에게서 예전 유지 용량의 20% 이내씩 천천히 감량하도록 추천된다. 재발하는 데에는 상당한 시간 지연이 있을 수 있기 때문에, 용량 감량에는 3개월에서 6개월 정도의 시간 간격이 있어야만 한다.[73]

Carpenter 등이 최근 연구에서 시사한 바에 의하면, 장기-작용형 제재를 사용하는 환자들의 경우에는 플루페나진 데카노에이트 표준 용량의 투약 간격을 길게 함으로써 약물 노출 그 자체를 줄일 수 있다.[74] 이 연구는 매 2주 간격의 유지치료에 반(反)해, 부작용이나 재발 위험의 증가 없이 매 6주 간격의 유지치료가 가능했음을 보여줬다.[74]

지속적인 치료와 대별되는, 간헐적 혹은 표적형(標的形) 치료는 대부분의 연구에서 재발 위험을 최소 2배 이상 증가시키는 것으로 밝혀졌고 대부분의 환자에게 대체 방법으로서 알맞지 않다.[75] 따라서, 항정신병약물의 지속적인 치료가 추천된다.[33]

치료-저항성 환자들의 치료

치료-저항성 정신분열병에 효능이 입증된 약은 클로자핀 뿐이다.[76] 이 약물의 사용에 관한 현 미국 지침에서는, 최소한 두 가지의 다른 표준적인 항정신병약물을 적당한 용량으로 적당한 기간동안 시도했으나 임상적 반응을 보이지 않는 심한 정신분열병 환자들에게만 이 약물을 사용하도록 하고 있다. 클로자핀은 제조에 앞서 적절한 백혈구 수치 실험실 감시가 보장되는 중앙 분배 체계를 통해서만 사용 가능하다.

클로자핀 치료를 위해서는 백혈구 수치와 분별 세포수 검사의 기저치 및 매주 측정치가 필요한데, 일부 유럽 국가에서는 18주 동안 미국에서는 24주 동안 검사한다. 이러한 혈액 감시의 초기 단계 후에도, 미국에서는 격주로, 많은 유럽 국가에서는 매달, 환자들은 백혈구 수치와 분별 세포수 검사를 받아야 한다.

클로자핀의 용량 조절도 미국과 유럽이 꽤나 다르다. 미국에서는 통상 첫 용량을 12.5mg으로 하고 환자가 견디는 정도에 따라 이틀마다 25mg 씩 적정된다. 이와는 대조적으로 유럽 국가들에서는 취침전 25 혹은 50mg의 시험 용량 방법이 흔히 사용된다. 환자가 시험 용량을 잘 견뎌내면, 미국에서 권장하는 방법보다 훨씬 빠르게 적정한다.

미국에서의 목표 용량 혹은 평균 용량은(400-600mg 일일용량) 유럽 국가의 거의 두 배이다.[77] 따라서, 용량 적정에 유용하게 사용될 수 있는 모체(母體) 화합물의 권장되는 혈장농도 또한 미국에서 상당히 더 높다.[30] VanderZwaag 등에 의한 가장 최근의 미국의 혈장농도 반응 연구에서는 200에서 250ng/ml 사이를 최적으로 권장한다.[32] 클로자핀의 많은 부작용들은 용량과 혈장농도에 좌우되므로, 국가간의 이러한 차이는 임상적 의의를 지닌다.[78]

장기간의(1년까지) 클로자핀 치료 시도에서는 그 기간 중에 클로자핀에 반응하는 환자 비율이 계속적으로 증가하는 것으로 나타났다.[79,80] 이 결과는 치료-저항성 환자군에서 클로자핀에 반응하는 시간이 예전에 생각했던 것보다 길 수 있다는 점을 시사한다. 클로자핀 시도는 최소 12주 이상 지속되어야 하며, 수개월에서 수년에 걸쳐 호전이 이어질 수도 있다.

병합 항정신병약물 치료

병합 치료란 두 가지 이상의 항정신병약물을 동시에 사용하는 경우를 일컫는다. 이러한 대안적 치료 전략의 적응증과 효능에 관한 임상 연구 자료는 부족한 실정이다. 경험에 의거한 몇 가지 적응증이 있을 뿐이다. 병합 치료는 특히 약물-약물 상호작용과 부작용을 강화시킨다는 측면에서 오히려 불리할 수가 있다.

일반적으로, 항정신병약물의 병합은 소수의 예외를 제외하고는 단독 항정신병약물에 비해 이득이 많다고 볼 수 없다. 클로자핀이나 장기-작용 저장형 약물에 부분적인 반응을 보이는 환자들은 상이한 계통의 약물을 추가함으로써 이득을 얻을 수 있다.[81,82] 클로자핀에 반응을 보이나 그 부작용을 견디지 못했던 환자들이 설피라이드를 병합함으로써 효능의 증가를 얻을 수 있었다는 이중-맹검 시험이 보고되었다.[83] 모든 종류의 비전형 항정신병약물에 순차적인 치료 실패를 보였고 클로자핀을 거부하는 경우라면, 물론 여기에도 병합 치료가 합리적인 전략이 될 수 있겠다.

부가적 치료

한 가지 항정신병약물에 부분적인 반응을 보일 때, 혹은 잔류증상이나 비(非)정신병적 증상을 치료할 때, 치료적 효능을 강화시키고자 또 다른 계통의 정신과적 약물이 추가될 수 있다. 여기에 사용되는 대부분의 약물들은 제한적으로 이득이 된다고 밝혀져 있으나 더 연구가 필요한 실정이다.

벤조다이아제핀

정신분열병의 부가적 치료에 벤조다이아제핀이 흔히 사용되어 왔다. 단독 치료로서 비교하자면, 벤조다이아제핀은 전형 항정신병약물에 비해 경한 효능을 가지고 있을 뿐이다.[33] 정신분열병 치료에 있어서의 벤조다이아제핀 사용에 관한 Wolkowitz과 Pikar의 종설에 의하면, 벤조다이아제핀이 항정신병약물에 추가된 경우 33-50%의 반응률을 보였다고 한다.[84] 부가적 치료로서, 벤조다이아제핀은 불안과 정신병적 초조 증상에 가장 효과적인 것으로 밝혀졌으며, 치료 초기 단계에 흔히 사용되고 있다.[33] 좌불안석증이나 긴장증 등의 운동장애를 가진 환자들은 벤조다이아제핀이 도움이 될 수 있다. 항정신병약물에 벤조다이아제핀을 추가하는 기타 적응증으로는, 일반적인 강화요법, 불안의 치료, 정신병적 초조 또는 불면의 단기 치료 등이 있다.[84] 벤조다이아제핀 사이에는 뚜렷한 효능의 차이가 없지만, 가장 흔히 사용되는 약물은 로라제팜, 다이아제팜, 그리고 클로나제팜이다. 이 약물들은 비경구 제재를 사용할 수 있고 강도를 강화시킬 수 있기에 선호되는 듯 하다. Wassef 등은 벤조다이아제핀과 발프로익 산을 포함한 GABA성 약물들이 정신분열병 치료에 어떤 역할을 하는가에 관해 방대하게 개괄했다.[85]

리튬

리튬은 정신분열병의 단독 치료제로서와 부가적 치료제로서의 역할이 모두 연구되어 있다. 정신병적 증상에 리튬이 단독으로 사용된다면, 그 효능은 제한적인 것으로 보이며 어떤 환자들에게는 증상 악화를 야기할 수도 있다.[33] 치료-저항성 환자들에게 부가적으로 리튬을 사용한 몇 연구에 의하면, 리튬은 항정신병약물의 효능을 강화시킬 수 있다고 한다.[33] 게다가, 정동증상, 충동성, 또는 난폭한 행동에도 도움이 될 수 있다.[33,81] 대개 리튬은 항정신병약물약물 치료 진행 중에 추가되며, 치료적 혈액 농도(0.8-1.2mEq/L)에 도달하는 용량까지 적정된다. 리튬 사용과 관련된, 치료가 절박한 문제들로는 리튬의 일반적 부작용 외에도, 기존 추체외로 증후군의 악화, 추가적인 인지기능 악화, 신경 독성 위험의 잠재적 증가 등이 있다.[86]

항경련제

양극성 기분장애와는 달리, 항경련제는 정신분열병의 단독 치료에 적응이 되지 못한다. 항경련제는 일부 연구에서 항정신병약물의 효능을 강화시키는 것으로 알려져 있다.[87] 특정한 환자 집단에게 유용할 수 있다.[88] 조증성 행동, 충동적 행동, 또는 난폭한 행동을 보이는 경우에 카바마제핀이나 발프로익 산을 추가하면 잘 반응할 수 있다.[33,89,90] 항경련제를 추가해서 이득을 얻을 수 있는 또 다른 경우는 공존 경련성 질환을 가졌거나 클로자핀-관련 경련 등이 있다.[50] 카바마제핀은 대사성 상호작용이 많고 혈액질환과 관련되어 있기에 발프로익 산이 흔히 선호된다. 치료적 혈액 농도에 이를 수 있는 용량 적정이 추천된다.

항우울제

우울증은 정신분열병에 흔하다. 우울 증상이 있는 경우라면 항우울제의 적응증이 된다. 정신분열병 환자의 우울증을 치료하는 데에는 선택적 세로토닌 재흡수 차단제(selective serotonin reuptake inhibitors, SSRIs)와 삼환계 항우울제(TCAs)가 사용되어 왔다.[33,91,92] 잔류 음성증상, 강박증상, 그리고 기타 불안 증상 등도 SSRIs에 반응할 수 있다.[93] 항정신병약물과 동시에 SSRIs나 TCAs를 사용할 경우 약물-약물 상호작용이 발생할 수 있다. 약동학적 상호작용으로 말미암아 항우울제나 항정신병약물의 혈장농도가 상승할 수 있다.[19] 특히, CYP1A2 계를 통해 대사되는 플루복사민은 클로자핀의 농도를 상승시킬 수 있다.[19,26]

베타-차단제

고용량의 프로프라놀롤(일일 1200mg 용량까지)은 치료-저항성 정신분열병에서 항정신병 효능을 강화시키는 것으로 알려졌다.[88] 프로프라놀롤이 이득이 될 수 있는 경로로는, 추체외로증후군(좌불안석증)을 치료하는 효과, 항정신병약물의 혈액농도를 상승시키는 효과, 불안증상을 경감시키는 효과, 또는 잠재적인 항경련 효과 등이 있다.[88]

글라이신과 D-싸이클로세린

최근에는, 정신분열병의 음성증상을 치료하는 데에 글라이신을 사용하거나 N-메틸-D-아스파테이트(NMDA) 수용체의 글라이신 접합부를 통해 작용하는 부분적 효현제(效現劑)(예를 들면, D-싸이클로세린)를 사용하는 것을 둘러싼 관심이 증대되고 있다. 저용량의 글라이신을 사용한 초기 시험에서는 혼합된 양상의 결과가 얻어졌다. 더욱 최근의 연구들은 더 높은 용량의 글라이신(일일 30-60mg)을 항정신병약물에 추가로 사용하여 음성증상이 개선되었음을 보고했다.[94,95] D-싸이클로세린을 전형 항정신병약물 치료 중에 추가했을 때에도 음성증상의 개선이 보고되어 있다.[95,96] 이 약물들은 향후 더 연구되어야 할 것이나, 음성증상의 부가적 치료에 글라이신이나 부분적 글라이신 효현제가 어느 정도 이득이 될 것이라는 데에는 현재 의견일치를 보고 있다.

항정신병약물의 교체

새로운 항정신병약물들이 도입됨에 따라, 임상의는 적절한 약물 교체 시기를 결정해야 할 문제에 직면케 될 것이다. 환자가 약물을 중단한 경우라면, 앞에 기술한 바와 같이 새로운 치료를 시작할 수 있다. 환자가 현재 항정신병약물을 복용 중이고 다른 약물로 교체하기로 결정을 내린 경우, 가장 효과적인 교체 방법에 관해 합의된 바는 거의 없다. 약물 교체의 가장 흔한 방법은, 끊을 약물과 새 약물의 교차-감량이다. 끊을 약물의 용량을 유지하면서 새 약물이 추가된다. 일정 시간 간격동안, 끊을 약물의 용량은 줄여나가고 새 약물의 용량은 점차 늘려나간다. 교차-감량의 속도는 약물의 종류에 따라 다르다. 전형 항정신병약물에서 비전형 약물로 교체할 때에 함께 사용하던 항파킨슨제는 당분간 계속 유지되어야 한다. 클로자핀은 내인성 항콜린 성질을 지니고 있으므로, 클로자핀에서 다른 항정신병약물로 교체할 때에 콜린성 반동증상이 발생할 수 있다. 항정신병약물 교체의 임상적 문제점들과 처치는 이 장의 범위를 벗어나는 것으로 다른 곳에 개괄되어 있다.[97,98]

전기경련요법

전기경련요법(ECT)이 정신분열병 치료에서 차지하는 역할은 논쟁의 여지가 있다. 벤조다이아제핀 시도에 반응하지 않는, 급성 정신병적 삽화의 긴장증 환자라면 ECT 시도의 근거가 된다.[33] 난치성 양성증상을 포함한 치료-저항성 환자를 대상으로 한 몇몇 개방 시험연구들을 보면, ECT를 추가함으로써 항정신병 효능이 강화되었다고 한다.[99] 클로자핀에 부분적인 반응만을 보이는 치료-저항성 환자들 또한 클로자핀과 ECT를 병용함으로써 양호한 반응을 보였다.[100] 클로자핀을 견디어낼 수 없거나 클로자핀에 반응을 보이지 않는 난치성 증상을 지닌 환자들도 ECT의 적응증이 될 수 있겠다.[101] ECT가 유지요법으로서 혹은 재발을 방지하는 데에 효과적인가를 조사한 대조군 연구는 없다. 그러나, 약물치료를 견디지 못하거나 약물치료에 반응이 없지만 ECT에는 반응하는 사람들에게는 유용할 것이다. Krueger와 Sacheim은 정신분열병에서의 ECT의 역할에 관한 문헌들을 방대하게 고찰했다.[102]

부작용

일반적으로 항정신병약물은 광범위한 부작용을 지니고 있다. 전통적인 항정신병약물과 비전형 약물간에는 부작용 목록에서 상당한 차이를 보이는데, 이는 서로 다른 약리학적 성질을 반영한다. 임상에서 가장 흔히 볼 수 있는 부작용과 그 처치에 관해 살펴보았다.

중추신경계 작용

약물-유발성 운동장애

정신과 영역에서 가장 흔한 약물-유발성 운동장애는 항정신병약물과 관련된 것이다. 이러한 증상들은 급성으로 발생하기도 하고 항정신병약물에 장기간 노출된 후에 발생하기도 한다.

급성 추체외로증후군(EPS)에는 파킨슨증, 근긴장증, 좌불안석증, 그리고 급성 운동장애가 포함되는데, 이 증상들은 치료의 초기에 발생한다.[103] 이 장애들은 가역적(可逆的)이며 약물의 용량에 좌우된다.[103] EPS의 지연형 혹은 잠재형, 특히 지연성 운동장애는 항정신병약물에 만성적으로 노출된 후에 발생한다.[103]

전통적인 항정신병약물 치료를 받는 환자의 약 50-90%는 급성으로 추체외로 부작용을 겪는 것으로 추산된다.[33,103,104] Chakos 등이 전형 항정신병약물로 치료받는 첫-삽화 정신분열병 환자들을 대상으로 수행한 전향적 연구에 의하면, 치료 첫 2개월 내에 62%의 환자에게서 EPS가 발생했다.[105] 이 연구에서는 환자의 36%에서 급성 근긴장증이, 34%에서 파킨슨증이, 그리고 18%에서 좌불안석증이 발생했다.[108] 모든 종류의 항정신병약물이 이러한 부작용을 야기할 수 있다; 그러나, 클로자핀과 다른 새로운 항정신병약물들은 EPS를 적게 유발하는 것 같다. 추체외로부작용은 항정신병약물 복용 중단의 주요 이유이다.[104]

여기에 대한 처치의 첫 단계는 항정신병약물의 감량 또는 중단이다. 이것이 임상적으로 어렵다면, 아래에 검토된 다른 선택사항을 고려해야 한다.

근긴장증

근긴장증은 지속적인 근육 경직, 몇몇 근육 다발의 경련성 수축, 또는 비정상적인 자세로 나타난다.[106] 근긴장성 반응은 항정신병약물 투약을 시작한 직후 혹은 용량을 빠르게 올린 직후에 출현한다.[106] 대략 90% 가량이 치료 3일 이내에 발생한다. 근긴장성 반응은 대개 갑자기 발생하므로 외견 상 흔히 극적으로 보이고 환자에게는 극심한 고통이 된다. 신체 여러 부위에 발생할 수 있으나, 가장 흔하게는 눈, 목, 그리고 몸통에 발생한다.[107] 인후부(咽喉部) 경련은 환자의 기도(氣道)를 폐색할 수 있기에 가장 심각하고 잠재적으로 치명적인 근긴장성 반응이다. 대부분은 일과적이고 통상 수 시간 정도 지속된다.

급성 근긴장성 반응의 위험요인은 다음과 같다: 예전에 근긴장성 반응을 보였던 병력, 젊은 나이, 남성, 고-강도 항정신병약물의 사용, 고용량의 약물, 그리고 비경구 투약 등이다.[33]

급성 근긴장성 반응은 항콜린성 또는 항히스타민 제재의 혈관 주사 또는 근육 주사에 잘 반응한다. 처치는 통상 벤즈트로핀 2mg 또는 디펜하이드라민 50mg 근주 또는 정주로 시작한다. 10-15분이 경과해도 반응이 없으면, 같은 용량을 반복한다. 근긴장증이 풀리고 나면, 경구 항파킨슨제를 최소 2주 이상 유지해야 한다.[108]

지연성 근긴장증는 항정신병약물 치료를 받는 환자의 평균 3%에서 출현하는데, 지연성 운동장애 등의 다른 불수의 운동장애로 흔히 오진된다.[109] 대략 절반 정도의 사례가 항정신병약물에 노출된 5년 이내에 발생하고 오분의 일 정도는 첫 해에 발생한다.[110] 여성에게 많지 않으며, 발생 연령이 더 어리고, 항콜린성 제재에 의해 경감된다는 점에서 지연성 근긴장증은 지연성 운동장애와는 구별된다.[109] 신체 어느 부위에건 발생할 수 있지만, 가장 흔한 부위는 안면부와 목이다.[111,112]

지연성 근긴장증은 치료하기가 어렵다. 항정신

병약물이 유지되어야만 한다면, 최소 용량을 사용하거나 새로운 항정신병약물로의 교체를 고려해야 한다. 근긴장성 동작을 개선시킨다고 보고된 비전형 항정신병약물은 클로자핀 뿐이다.[109] 벤조다이아제핀, 도파민-박탈 제재, 그리고 항콜린성 약물이 이 운동이상의 치료에 사용되어왔다.[50,109] 국소적인 근긴장증의 경우에는, 보튤리눔 독소가 대체 치료로서 고려될 만하다.[33,109] 근긴장증이 관해되지 않는다면, 클로자핀이나 기타 새로운 항정신병약물로의 교체를 고려해야 한다.[33]

파킨슨증

이 형태의 EPS가 이렇게 불려진 이유는, 현상학적으로 파킨슨씨병과 유사한 증상, 즉 강직, 진전, 무운동, 느린 동작 등을 보이기 때문이다. 기저핵에서의 도파민과 아세틸콜린 사이의 균형 변화가 여기에 관련된 병태생리로 생각되고 있다. 도파민 길항작용은 최소한 부분적으로나마 치료적 효능을 낳는다고 생각되는 탓에, 파킨슨증 치료는 대개 아세틸콜린을 목표로 한다. 아세틸콜린을 줄임으로써 두 가지 신경전달물질 사이에 균형이 회복된다고 생각하는 것이다.

약물-유발성 파킨슨증은 항정신병약물 치료를 받는 환자의 최소 50% 이상에서 출현하며 치료 첫 10주 이내에 발생하는 경우가 환자 90%에까지 달한다고 추산되고 있다.[113] 나이가 높을수록 파킨슨증의 위험이 증가하는 것으로 보인다.[114] 때로는 파킨슨증과 우울증 혹은 음성증상을 분간하기가 어려울 수도 있다.[114] 세심한 임상적 평가와 아울러, 항정신병약물을 감량하거나 항파킨슨약물을 추가한 데에 대한 반응을 살펴봄으로써, 우울증이나 음성증상으로부터 파킨슨증을 구분할 수 있겠다. 하지만 우울증은 무운동증(無運動症)의 절반 이상에서 발생할 수 있고, 따라서 파킨슨증과 공존할 수도 있다.[114,33] 일부 사례에서는 파킨슨증과 긴장증이 구분되어야 한다.[33,113]

첫 단계의 치료 전략으로 용량을 감량하고, 비전형 혹은 저-강도 전형 항정신병약물로의 교체를 고려한다..[106] 보존적 방법이 효과적이지 못하다면, 항파킨슨약물이 정선(精選) 치료가 된다.[33,108] 가장 흔히 사용되는 약물은 항콜린성 제재이다. 이 약물들은 아트로핀의 삼차 아민 동류체(同類體)로서 지용성을 띠고 혈관-뇌 장벽을 투과한다. 모든 종류의 항콜린성 제재가 똑같이 효과적이나, 강도, 작용기간, 그리고 투여 경로에는 차이가 있다. 일반적으로, 벤즈트로핀이 가장 강도가 높은 약물 중 하나이고, 또한 비경구적 항콜린제로서도 가장 많이 사용되는 경향이 있다. 강도가 덜 하지만 똑같이 효과적인 약물에는, 트리헥시페니딜, 비페리덴, 그리고 프로싸이클리딘 등이 있다. 만약 환자가 항콜린성 제재를 견뎌내지 못하거나 증상이 계속된다면, 아만타딘이나 디펜하이드라민 등의 약물로 대체할 수 있다.[33] 아만타딘은 약한 도파민 효현제(效現劑)인데, 일일용량 100-300mg 범위에서 사용될 수 있다.[33,50] 디펜하이드라민의 전형적인 일일용량은 25-100mg이다.[50]

좌불안석증

좌불안석증은 안절부절, 내적 긴장, 그리고 불편감의 주관적 체험이다. 특징적인 동작 양상으로서, 계속 걸어다니거나, 발을 동동 구르거나, 차분하게 앉아있지 못하는 등의 정신운동성 초조를 보인다.[33,115] 좌불안석증은 통상 항정신병약물 투약 시작 또는 증량 후 수일 내에서 수주 내에 발생한다.[33,115,116] 물론, 다른 종류의 EPS를 치료하고자 사용했던 항콜린성 제재를 감량한 후에 나타날 수도 있다. 이 부작용은 환자의 20-25% 정도까지 발생하며 대단한 고통을 자주 안겨준다.[33] 환자들의 약물 순응도를 불량케 하는 흔한 이유이기도 하다.

극단적인 경우에는 좌불안석증의 고통으로 말미암아, 환자가 불쾌감, 공격성을 보이기도 하고 심지어는 자살을 기도하기도 한다.[33] 항정신병약물의 용량감량으로 증상이 호전되지 않는다면, 프로프라놀롤 같은 베타-차단제가 정선 치료이다.[33,116] 프로프라놀롤은 전형적으로 일일용량 30에서 90mg 범위를 분복한다.[33,116] 다른 EPS 증상도 공존한다면, 항콜린성 제재가 선호된다.[33] 로라제팜과 클로나제팜 같은 벤조다이아제핀은 이차-선택제로서 고려된다.[33]

일부 환자군에서는 좌불안석증이 지속적인 부작용이 될 수 있다.[117] 만성 정신분열병 환자들을 대상으로 한 두 연구에서는 지연성 좌불안석증의 유병률이 35%로 추산되었다.[50] 다양한 제재들이 시험되었던 치료 연구들의 결과는 일치되지 않는다. 지연성 좌불안석증은 급성 좌불안석증을 치료하는 데에 사용되는 동일한 약물에 반응할 수 있다. 레서핀이 일부 성공적으로 사용되기도 했다.[118]

운동장애

운동장애성 동작은 네 가지 유형으로 나뉠 수 있다: 자발성, 중단성, 급성, 그리고 지연성이다. 자발성 운동장애는 약물을 복용한 적이 없는 환자의 20% 이상에서 발생하는 것으로 관찰되었다.[119] 중단성 운동장애는 항정신병약물의 중단이나 용량감량에 따라 발생하며, 통상 1-2개월 내에 해소되고 일반적으로 치료를 요하지는 않는다.[33]

토끼 증후군(rabbit syndrome)은 토끼가 저작하는 동작과 유사한, 미세하고 빠른 입주변의 움직임 때문에 붙여진 명칭으로서, 흔히 운동장애의 한 형태로 간주된다.[120] 이는 오랫동안 치료받은 경우에 발생하는 경향이 있고, 항콜린성 제재를 함께 사용하지 않는 환자의 4%까지 나타날 수 있다.[121] 치료는 항콜린성 약물이다.

지연성 운동장애는 항정신병약물에 지속적으로 노출됨으로써 뒤늦게-발생하는, 반복적이고, 불수의적 무도무정위성의(choreoathetoid), 협설저작부위(頰舌咀嚼部位, buccolinguomasticatory)나 사지(四肢) 또는 몸통의 이상 동작이다.[51]

지연성 운동장애의 정확한 기전은 알려져 있지 않다. 이 이상 운동을 설명하기 위해 몇 가지 가설들이 제안되었다. 가장 흔히 거론되는 가설은, 오랫동안의 도파민 수용체 차단이 후연접 도파민 수용체 과민성을 야기한다는 것이다.[122] 정신분열병의 병태생리의 일부로서 지연성 운동장애를 이해할 수 있지 않겠는가 하는 또 다른 관점도 있다.[52]

추정되는 지연성 운동장애(TD)의 유병률은 부분적으로 연령과 함수관계를 갖는데, 40세 이하에서는 5-10%에 이른다.[52] 성인에게서 추정되는 TD 유병률은 고-위험군일 경우 50%를 넘을 수도 있다.[52,123] TD의 많은 위험요인들이 제안되어왔다. TD가 발생할 예측자로서 가장 일관된 것들은 다음과 같다: (a) 연령 (b) 성별 (c) EPS의 존재 (d) 정동장애의 존재 (e) 항정신병약물의 용량과 기간 (f) 당뇨병이다.[52,124,125] TD 발생의 위험요인에 관한 종설은 Casey의 보고에서 살펴 볼 수 있다.[52]

TD에 관한 미국정신의학회의 임무추진위원회는 지연성 운동장애의 진단기준을 요약했다.[51] 이 기준은 이완이나 수면 시에는 운동이 감소하며 의지적으로도 억제시킬 수 있다는 사항을 포함하고 있다.[51] 장애가 발생하지 않은 다른 부위의 신체를 움직이거나 감정적으로 각성될 때에는 이상 운동이 증가한다.[51] 한 신체 부위에서는 이상 운동이 중등도이거나 적어도 두 부위 이상에서는 경하다.[51] 이상 운동은 적어도 4주 이상 존재해야 하며 축적된 항정신병약물 노출이 합계 최소 3개월 이상이어야 한다.[51] 이상 운동의 잠재적 특발성 원인을 배제하는 것이 중요하다. 심한 운동장애를 지닌 경우에는 섭식 및 일상생활의 기타 활동에 어려움이 클 수 있는 반면, 경한 경우에는 환자가 운동 이상을 자각하지 못할 수도 있다.

대부분의 환자들의 경우, TD는 더 이상 진행하지는 않는다.[51] TD는 잠행성의 발생과 변동하는 경과를 갖는 경향이 있다.[51] 시간이 지나면서 지속되는 항정신병약물 치료에도 불구하고, 안정화되거나 호전된다.[126] 항정신병약물을 증량하면 일시적으로 이상 운동이 가려지는 경우도 있으나, 흔히 더 심한 증상이 뒤이어 나타난다. 항정신병약물을 중단하고 18개월 이내에 대다수의 환자들은 중증도 50% 이상의 호전을 보인다.[127] 항정신병약물을 중단하면 상당 비율의 환자들이 TD 증상의 소실을 보일텐데, 특히 최근에 TD가 발생했거나 젊은 환자들의 경우라면 더욱 그렇다.

지연성 운동장애의 뚜렷한 치료법은 없다. 용량감량은 일시적인 악화를 거쳐 이상 운동을 호전시킨다. 항정신병약물 중단은 단지 환자가 완전 관해 상태에서 매우 안정된 경과에 있거나 환자가 요청하는 경우에만 고려한다.[33,52] 고령의 환자에게 발생한 지연성 운동장애는 항정신병약물을 중단하더라도 잘 소실되지 않는다.[51] 약물이 중단될 수 없는 경우라면, 임상의는 가장 낮은 효과적 용량으로 감량해야 한다.[33,52] 용량감량이나 투약 중단 후 3-6개월이 경과해도 운동장애에 호전이 없다면 다른 개입법이 시도되어야 한다. Casey와 Egan 등은 지연성 운동장애를 치료하는 데에 사용할 수 있는 약물들에 관해 잘 기술된 종설을 제공했다.[52,128]

몇몇 연구들은 비전형 항정신병약물들이 EPS를 야기할 가능성이 적을 수 있고, 따라서 지연성 운동장애도 적을 것임을 시사했다. 클로자핀은 TD의 중증도를 감소시키고 심지어 일부 환자에서는 TD를 소실시키기도 한다고 밝혀졌다.[53,128] Casey는 TD를 가진 환자 또는 위험이 높은 환자들에게 일차-선택 치료제로서 비전형 항정신병약물을 사용하자고 주장한다.[52] 환자가 심한 이상 운동을 보이거나 상당한 고통을 받고 있다면, 클로자핀으로 교체하는 것이 선호되는 방법이다.[33]

EPS 예방

과거에는 EPS를 예방하기 위해, 고-강도의 전형 항정신병약물을 사용할 때에는 일반적으로 항콜린성 제재를 병용하곤 했다. 최근에는 항콜린성 제재의 예방적 사용이 논란이 되고 있다. Miller는 더 낮은 용량과 느린 적정으로 EPS 발생을 예방할 수 있을 것임을 시사했다.[115] 새로운 항정신병약물 사용이 가장 중요한 EPS 예방법 중 하나가 될 수 있겠다.

항파킨슨약물의 예방적 사용은 임상 및 환자 요인을 고려하여 결정해야 한다.[33] EPS/급성 근긴장증의 이전 병력, EPS의 기타 위험, 그리고 환자의 선호도는, 항콜린성 부작용에도 불구하고 이러한 약물을 사용하게끔 한다. 항콜린성 예방에 관한 국제보건기구의 합의는, 파킨슨증이 발생할 때에만 이 약물들을 사용할 것을 시사하고 있다.[129] 치료 경과 중 나중에 항콜린성 제재를 일단 중단해봄으로써 계속 사용해야 할 근거가 있는지를 결정해야 한다.[129]

체온조절 부작용

신경이완 악성 증후군(NMS)

심한 약물-유발성 운동장애에 해당하는 이 증상은 발생이 급작스럽고, 통상 항정신병약물 치료 초기에 나타나며, 치료받지 않으면 5-20%에서는 치명적일 수 있다.[33] DSM-IV 진단기준에는 항정신병약물 사용과 관련된 근육 강직과 고체온증(101-104 °F)이 있어야 한다고 명시하고 있다.[112] NMS에 가장 흔히 관련된 다른 증상에는 자율신경 불안정성, 백혈구 증가(15,000/mm^3 이상), 의식 수준의 변화,

크레아틴 인산화효소의 증가(300U/mm³ 이상) 등이 있다.[112]

NMS는 비전형 항정신병약물을 포함한 어떠한 종류의 항정신병약물에서도 발생할 수 있다.[130,131] 항정신병약물 치료 중 어느 시점에서건 발생 가능하다. NMS 발생률은 기준의 차이에 따라 0.02%에서 3.23%에 이른다.[132] 유병률은 알려져 있지 않지만, 항정신병약물 치료를 받는 환자의 0.001%에서 1%에 이를 것으로 추산된다.[133] 위험요인으로는: (a) NMS의 이전 병력 (b) 어린 연령 (c) 고-강도 항정신병약물 사용 (d) 빠른 용량 적정 (e) 비경구(근주) 제재 (f) 탈수 (g) 초조 (h) 리튬 같은 약물을 동시에 사용하는 경우 그리고 (i) 기존의 신경학적 장애 혹은 기분장애를 가진 경우 등이다.[33,132]

NMS가 의심되면, 증상의 다른 원인을 배제하기 위해 완전한 의학적 정밀검진을 받아야 한다. 신경이완 악성 증후군의 치료는 주로 보존적 요법이다.[134] 상태를 악화시킬 수 있는 약물은 즉각 중단하고, 급성 신부전과 같은 이차적 합병증에 주의해야 한다. 단트롤렌, 그리고 브로모크립틴 등의 도파민 효현제(效現劑)가 모두 NMS 치료에 사용되어 왔다.[132,135] 그러나, 이 약물들은 보존적 치료에 비해 우월한 효능이 입증되진 않았다.[132,136] 일부 증거들은 초기의 전기경련요법(ECT) 시행이 유용하다고 시사하는데, 특히 진단이 불확실하고 긴장증을 배제할 수 없을 때에 도움이 될 수 있다.[132,137] 혈역학적 변화를 야기할 수 있기 때문에, ECT는 일반적으로 NMS의 이차 치료로서만 사용된다.[33]

보통의 치료 경과는 5-10일이다. 장기-작용 저장형 제재는 회복 시간을 지연시킨다. 수 주 동안의 회복시기를 거치면, 다른 계통의 항정신병약물을 주의 깊게 재시도한다.

고체온증

양성 고체온증은 클로자핀 투약 첫 수 주 내에 약 5%의 환자에게서 발생한다.[138] 물론 다른 항정신병약물을 사용하는 경우에도 발생한다. 이는 통상 일시적인 현상으로 체온은 100 °F(38 °C)를 넘지 않는다.[138]

여름철의 고체온증은 열사병, 긴장증, 신경이완 악성 증후군에 걸리기 쉽게 한다. 열사병은 고온다습한 조건 하에서 발생할 수 있다. 항정신병약물의 항콜린성 또는 항히스타민성 작용이 또한 열소실 기능을 방해할 수 있다.[50]

다른 동반 증상 없이, 지속적으로 100 °F(38 °C)를 웃도는 체온 상승이라면, 감염, 혈액질환, 신경이완 악성 증후군이 감별되어야 한다.[50] 별 다른 원인이 없는 고체온증은 해열제로 치료될 수 있다.

저체온증

저체온증은 중심 체온이 95 °F(35 °C) 이하인 것으로 정의된다. 페노싸이아진계 항정신병약물로 치료받는 환자는 경미한 저체온증을 보일 수 있다.[139] 이것의 임상적 의미는 알려져 있지 않지만, 항정신병약물에 의한 원인미상의 돌연사(突然死)에 관련된 경우가 있었다.[139,140]

뇌파 변화와 경련

모든 종류의 항정신병약물은 경련 역치를 어느 정도 낮춘다.[50] 경련 위험이 가장 높은 약물은 저-강도의 전형적 항정신병약물과 클로자핀이다.[33] 다른 위험요인으로는 다음과 같은 것들이 있다: (a) 경련성 질환의 개인력 또는 가족력 (b) 고용량의 약물 (c) 급속한 용량 조정 (d) 비경구투약 (e) 경련 역치를 낮추는 다른 약물과 병용 (f) 최근에 벤조다이아제핀을 중단한 경우 (g) 공존 알콜 사용장애 그리고 (h) 과거 두부 외상이다.[141] 전형 항정신병약물의 경우, 치료적 용량에서의 경련 발생률은 1% 미만이고 경련의 빈도는 용량에 관련된 것으로 보인다.[142] 클로자핀의 경련 위험은 용량 및 혈장농도와 관계가 있다.[31,35] 그 위험은 일일용량 300mg 이하에서의 2%로부터 일일용량 600mg 이상에서의 4-6%에까지 이른다.[138]

항정신병약물 복용 중인 환자가 경련을 보일 경우, 뇌파검사와 신경과적 자문의뢰를 고려해야 한다. 전형 항정신병약물이라면, 약물을 중단하거나 경련 발생 이전 용량의 최소 절반 이하로 감량하도록 추천된다.[33] 클로자핀-유발성 경련이 발생한 경우에는, 며칠동안만 투약을 중단하고, 경련 발생 이전 용량의 대략 절반 정도 용량으로 다시 시작한다.[143] 클로자핀 중단이 며칠보다 길어져야 하는 상황이라면, 첫 용량으로 다시 시작해서 가장 낮은 효과적 용량으로 천천히 적정하는 것이 현명하다.

클로자핀-유발성 경련은 이 약물을 계속 사용하는 데에 절대적 금기가 되지 않는다. 한 연구에서는, 클로자핀을 복용하던 중에 경련을 보였던 환자들의 사분의 삼 이상이 용량을 줄이거나, 용량 적정을 조절하거나, 또는 항경련제를 추가함으로써 치료를 지속할 수 있었다.[138]

경련 위험이 클로자핀 혈액 농도의 최고치와 관련 있을 수 있고 따라서 용량을 분복하는 것이 예방적 효과가 있다고 시사되었다.[138] 예방을 위해서는 항경련제 투약도 고려되어야 한다.[138] 페니토인이나 카바마제핀보다는 발프로익 산이 항정신병약물의 대사를 덜 훼손시키는 경향이 있다. 카바마제핀을 클로자핀과 병용하는 것은 상대적 금기로 여겨지는데, 두 약물 모두 혈액질환의 가능성을 지니고 있기 때문이다.[138]

중추성 항콜린 독성

중추성 항콜린 독성은 기억장애, 혼돈, 괴이한 행동, 환각, 졸림, 또는 섬망 등의 정신상태 변화로서 나타날 수 있다.[33,114] 신체적 증상과 징후에는 건조한 피부 및 점액성 막, 빈맥, 홍조, 고체온증 등이 포함된다.[114] 치료는 대증적(對症的)이다. 항콜린성 작용을 지닌 약물은 중단되어야 한다.

응급실 상황에서 진단이 불분명하거나 증상이 심한 경우, 피소스티그민을 정주함으로써 진단 확인과 항콜린성 증상 치료 두 가지를 동시에 얻을 수 있다.[33,114] 피소스티그민은 그 자체로서 잠재적으로 콜린유사성 독성을 유발할 수 있는데, 이는 아트로핀으로 치료될 수 있다.[114] 자율신경 불안정성, 천식, 심장이상의 병력이 있는 환자라면, 피소스티그민 투약을 피해야 한다.

진정

진정은 흔한 부작용이다.[33,138] 이는 무운동성이나 저혈압과는 구분되어야 한다. 이 부작용은 치료 초기에 발생하고, 통상 대부분의 환자들이 4-6주에 걸쳐 내성을 지니게 된다. 초조가 심한 환자에게 처음에는 유용할 수도 있지만, 시간이 지난 후에는 기능에 지장을 초래할 수 있다. 지속되는 진정에 대한 보존적 처치에는, 용량 대부분을 저녁으로 옮기기, 용량감량, 진정작용이 덜한 약물로의 교체 등이 있다.[33,145]

심혈관계 부작용

기립성 저혈압

기립성 저혈압은 가장 흔한, 항정신병약물의 심혈관계 부작용이다. 전통적인 항정신병약물, 리스페리돈, 쿠에티아핀, 조테핀, 올란자핀, 그리고 클로자핀을 사용하는 경우에 흔히 볼 수 있다. 가장 흔히 발생하는 시점은 투약을 시작한 며칠 이내 혹은 용량을 올릴 때이다. 대부분의 환자들은 뒤이은 4-6주에 걸쳐 내성을 지니게 된다.[138] 기립성 저혈압은 고령의 환자들을 위험하게 할 수도 있는데, 이를테면, 쓰러져서 손상을 입게 할 수 있다.[33] 항정신병약물이 기립성 저혈압 및 보상성 빈맥을 일으키는 기전은 알파-아드레날린성 길항작용때문이다.

누워 있거나 앉아 있다가 일어설 때에, 특히 기상 시에, 천천히 움직이도록 환자들을 교육해야 한다. 기타 처치 전략에는, 수분과 염분 섭취를 늘이기, 보조 스타킹의 사용 등이 있다.

보존적 방법이 성공적이지 않다면, 지속적인 기립성 저혈압에 효과적이라고 밝혀진 몇 가지 약물요법을 사용할 수 있다. 플로드로코티손, 에페드린, 그리고 디하이드로에고타민이 기립성 저혈압 치료에 사용되어 왔다.[146-148] 에피네프린은 베타-아드레날린성 수용체 자극을 통해 역설적으로 기립성 저혈압을 악화시키므로 금기가 된다.[113]

빈맥

빈맥은 미주성 억제에 대한 항콜린성 작용이거나 기립성 저혈압에 대한 이차적 반응 때문일 수 있다. 클로자핀을 사용할 경우, 대략 25%의 환자들이 분당 10-15회 정도 증가하는 동빈맥을 보인다.[145] 시간이 지나면서 대부분의 환자들은 내성을 지니게 된다.

빈맥이 지속되거나 임상증상이 발생하면 심전도 검사를 실시해야 한다. 추가적인 보존적 처치로서 용량을 줄이거나 적정을 느리게 한다. 프로프라놀롤이나 아테놀롤 같은 베타-차단제가 약물-유발성 빈맥을 치료하는 데에 사용되어 왔다.[138,145] 프로프라놀롤에서 종종 보이는 중추신경계 작용이 없기 때문에 아테놀롤이 흔히 선호된다.[138]

심전도 변화

많은 항정신병약물들이 심전도 변화를 야기한다. 고-강도 및 저-강도 전형 항정신병약물 모두가 Q-T 간격 변화와 관련되어 있다.[14] Q-T 간격 변화는 잠재적으로 치명적인 부정맥, '토르사드 드 뽀엔(지속성 심실빈맥)'와 관련 있다.[113] 병태생리학적 기전은 심근 이온 통로의 변화에 의해 매개되는 것으로 생각되고 있다.[149] 설틴돌은 미국식품의약품의 공인을 얻은 비전형 항정신병약물이지만, Q-T 간격을 연장시키는 경우가 더 잦아 미국에서는 시판되지 않고 있다. 더욱이, 약물을 복용하던 환자들의 소수 돌연사 사례에 이 작용이 관련 있었을 것이라는 두려움으로 인해 세계적으로 그 사용이 철회되고 있다. 지프라시돈은 최근 미국과 유럽 일부에서 공인된 약물로서, 이 또한 Q-T 간격을 연장시킨다. 그 정도는 다른 비전형 항정신병약물들보다는(설틴돌은 제외) 크지만, 티오리다진보다는 작다.[149a] 하지만, 심전도 변화의 임상적 의미는 아직 불분명하다. Q-T 매개변수에 미치는 약물 효과에 관심이 커지면서 수행된 연구들에 의해 티오리다진이 다른 전통적 및 비전형 항정신병약물들에 비해 상대적으로 증가된 Q-T 연장을 보인다고 밝혀졌고, 이로 인해 미국에서는 티오리다진 사용이 더욱 제한되었다.[149a] 기타의 심전도 변화에는 P-R 간격의 연장, ST 저하, T파의 둔마 등이 있다. 이러한 변화들은 환자 개개인의 임상적 병력의 맥락에 따라 평가되어야 한다.

돌연사 및 심독성

원인불명의 돌연사는 항정신병약물의 희귀한 부작용일 수도 있겠는데, 다른 원인을 찾을 수 없었던 경우에 심부정맥 때문이 아니었겠는가 하고 생각되어 왔다.[150] 항정신병약물이 돌연사에 인과적으로 관련되어 있다는 증거는 현재 없다. 이 주제는 다른 곳에 심도 있게 다루어져 있다.[151]

혈액학적 부작용

혈액질환, 그 중에서도 특히 호중구감소증, 백혈구감소증, 그리고 무과립구혈증이 많은 전형적 항정신병약물 및 클로자핀과 관련 있다. 이 중에서 가장 심각한 무과립구혈증은, 또한 클로자핀 사용에서 가장 주목되는 측면이다.

호중구감소증

페노싸이아진 및 클로자핀 사용에 관련된 양성 혹은 일과성 호중구감소증이 기술되어 있다.[152] 클로자핀 치료를 받는 환자의 22%까지 발생한다.[152] 특별한 치료 없이 시간이 지나면서 통상 해소된다.

백혈구감소증

항정신병약물은 백혈구감소증과 무과립구혈증을 포함한 혈액질환을 야기할 수 있다. 두 가지 중에서 백혈구감소증이 더 흔하다. 대개는 일과성이고 저절로 해소된다. 백혈구감소증에 가장 흔히 관련된 약물은 클로르프로마진으로 환자의 10%까지 발생한다.[33,50] 물론, 백혈구감소증이 곧 닥쳐올 무과립구혈증의 전조가 될 수도 있다.

무과립구혈증

무과립구혈증(과립구 수가 500/mm^3 미만)은 생명을 위협하는, 항정신병약물의 부작용이다. 전통적인 항정신병약물과 비전형 항정신병약물 모두에서 발생할 수 있다. 클로르프로마진으로 치료받는 환자의 대략 0.32%에서, 그리고 클로자핀으로 치료받는 환자의 1%에서 무과립구혈증이 발생한다.[33,50,152,153] 이 장애의 사망률은 대략 3%에 이른다.[154] 여성, 고령, 그리고 어린 환자(21세 미만)에게서 약간 더 자주 발생하는 경향이 있다.[152,153] 클로자핀의 경우, 무과립구혈증의 위험은 치료 첫 5개월 이내에 가장 높다.[152,153]

클로자핀 치료를 시작하기에 앞서, 환자는 국가적으로 등록되어야 한다. 치료 첫 6개월 동안 백혈구수치(WBC counts)검사를 매주 받아야 한다. 6개월이 경과한 후에는 환자가 클로자핀을 복용하는 한, 미국에서는 격주로 검사한다. 백혈구수치검사의 일정은 국가에 따라 다르다.

백혈구수치가 3000/mm^3 이하로 떨어지거나 절대호중구수치(ANC)가 1500/mm^3 이하로 떨어지면, 클로자핀을 즉각 중단하고, 백혈구수치 및 감별계산 검사를 매일 시행하면서, 감염의 증상이나 징후가 나타나는지 환자를 면밀히 감시해야 한다.[153]

백혈구수치가 2000/mm^3 이하로 떨어지거나 ANC가 1000/mm^3 이하로 떨어지면, 클로자핀을 즉각 중단하고, 백혈구수치 및 감별계산 검사를 매일 시행하면서, 혈액학자에게 자문의뢰해야 한다.

무과립구혈증은 의학적 응급이며, 입원, 격리, 그리고 예방적 항생제 투여 등의 처치를 요한다. 과립구 집락자극인자 또는 과립구-대식세포 집락자극인자가 필요할 수 있다.[145] 이러한 약제를 사용함으로써 사망률을 줄이고 질환의 경과를 단축시킬 수 있다.[138] 일단 환자가 클로자핀-유발성 무과립구혈증을 나타낸 경우라면, 향후 혈액질환을 야기할 가능성이 있는 약물은 피해야 한다.[152,155]

위장관계 부작용

구강건조

구강건조는 환자들의 흔한 불평이며, 구강 감염, 충치, 또는 다음증(多飮症)으로 이어질 수 있다.[113] 입을 자주 헹구고, 무설탕껌이나 사탕을 씹고, 정규적으로 치과 진료를 받도록 환자들에게 권해야 한다.[113]

침흘림증

클로자핀 치료를 받는 거의 모든 환자들에게 발

생하는 부작용이다.[138,156] 침흘림증은 일반적으로 양성이지만, 환자에게는 상당한 고통을 안겨줄 수 있다. 침흘림은 수면 중에 가장 심하다. 타액 생성에는 콜린성 및 아드레날린성 기전이 모두 관여하므로, 이 부작용의 병태생리는 불분명하다.

베개에 수건을 감고 수면하면 도움이 된다. 항콜린성 제재와 아드레날린성 효현제가 약물학적 치료에 이용되어 왔다. 저용량의 아미트립틸린이나 벤즈트로핀은 침흘림증을 조절하기는 하나, 클로자핀 자체가 지니고 있는 항콜린성 작용을 덧붙이는 격이므로 일반적으로 추천되지는 않는다.[20] 피렌제핀은 선택적인 무스카린성 I형 수용체 길항제로서, 클로니딘과 더불어 침흘림증의 치료에 성공적으로 이용되었다.[138]

변비

저-강도 항정신병약물 및 클로자핀을 사용할 때에 자주 나타나는 부작용이므로, 무스카린성 수용체 길항작용 때문임이 시사된다. 경한 변비에는, 식품 섬유질을 늘이기, 운동하기, 음료 섭취 등의 보존적 방법이 도움이 된다.[50] 더 심한 증상에는 변연화제나 완화제를 사용할 수 있다. 심한 변비에는 단기간 자극성 하제를 사용할 수도 있다. 드문 경우에 변비가 장폐색로 이어질 수도 있다.

간독성

간효소의 상승

모든 항정신병약물에 일시적인 간효소 증가는 흔하다.[14] 경도에서 중등도의 아미노기전이효소치 상승은 항정신병약물 치료를 받는 환자의 70%까지 발생할 수 있다.[157] 이는 약물이 간에 직접 작용한 결과로 보인다. 시간이 지나면서 간기능검사수치는 정상화된다. 클로자핀과 리스페리돈의 경우에 드문 간독성 사례가 보고되어 있다.[157,158]

담즙정체성 황달

전형 항정신병약물, 특히 페노싸이아진을 사용할 경우, 드물게 폐색성 혹은 정체성 황달이 발생하는 수가 있다. 클로르프로마진을 복용하는 환자의 대략 0.1-0.5%에서, 통상 치료 첫 1개월 이내에 정체성 황달이 발생한다.[113] 이 때에 황달을 야기한 약물을 중단해야 한다. 2개월 이내에 75%까지의 환자들이 회복하고, 1년 이내에 90%의 환자들이 회복한다.[50]

구역, 열, 복통, 발진 등의 증상을 보이는 환자들은 간독성을 배제하기 위한 간기능검사를 받아야 한다. 정체성 황달의 대부분의 경우는, 직접형 빌리루빈, 알칼리성 인산분해효소, 아미노기전이효소의 상승을 포함한 폐색성 소견에 부합한다.[113] 말초혈액도말에서는 호산구증가증이 관찰된다.[113]

안과계 부작용

항콜린성 작용

모양근 마비와 축동 장애로 인해 시야몽롱이 나타난다. 협각녹내장을 지닌 환자들은 항콜린성 부작용을 지닌 항정신병약물 사용을 피해야 한다.

약물-특이 작용

페노싸이아진, 특히 고용량의 티오리다진 혹은 클로르프로마진 치료를 장기간 받은 경우에 각막, 수정체, 그리고 망막에 변화가 초래될 수 있다.

클로르프로마진은 수정체의 양성 색소 침착과 더불어, 수정체 전반부 혹은 각막 후반부에 과립 침착을 야기할 수 있다.[113] 이런 상태는 통상 약물을 중단하면 역전된다.

티오리다진은 통상 일일용량 800mg을 넘는 경우에, 망막색소변성에 관련 있다. 이는 시각 소실로 이어지고 약물을 중단해도 역전되지 않을 수도 있다.[113]

쿠아티아핀은 동물 실험에서 백내장 발생과 관련 있었다.[159] 쿠아티아핀을 복용하는 환자는 매 6개월마다 안과적 검진을 받도록 추천한다.[159]

이러한 상태들은 예방 가능하고 초기에 발견하면 가역적이므로, 미국정신의학회의 *정신분열병 치료에 대한 실제적인 지침*(1997)에서는 페노싸이아진계 약물을 복용하는 환자는 정기적으로 안과적 검진을 받도록(대략 2년마다) 추천하고 있다.[33]

신경내분비계 부작용

고프롤락틴혈증

클로자핀이 도입되기 전에는, 고프롤락틴혈증이 전형 항정신병약물 치료의 결과라고 생각되었다. 고프롤락틴혈증은 프롤락틴치가 20 ㎍/ml을 초과하는 상태로 정의된다. 전통적인 항정신병약물을 사용하는 경우라 하더라도, 프롤락틴종(腫)과 같은, 프롤락틴 과다 분비는 흔히 나타나지 않는다. '비전형' 항정신병약물을 정의하는 데에는 비록 프롤락틴 상승이 없거나 거의 없어야 한다는 기준이 사용되지만, 리스페리돈과 아미설프라이드는 모두 전통적인 항정신병약물에 필적할 만큼 프롤락틴 농도를 상승시킨다.[160,161]

불임과 생리불순

고프롤락틴혈증은 무월경을 비롯하여 월경과다와 무배란 주기 등의 불규칙적인 생리를 야기할 수 있다. 한 대규모 연구에서 여성의 15-91%가 무월경을 가진 것으로 추산되었다.[162] 남성에게는 고프롤락틴혈증이 무정자증을 초래할 수 있다.[158]

유즙분비

여성에게 흔하긴 하나, 고프롤락틴혈증과 관련된 부적절한 유즙분비가 남성 여성 모두에게 나타날 수 있다.[163] Windgassen 등은 여러 가지 종류의 항정신병약물을 복용하는 정신분열병 환자 150명 중 14%에서 유즙분비가 나타난다고 보고했다.[163]

여성형유방

항정신병약물 치료 중 여성의 3%, 남성의 6%에서 여성형유방이 발생한다고 보고되었다.[158,162] 남성의 비지방성 유방조직의 증가는 고프롤락틴혈증과 직접적인 상관관계를 보이지는 않는다.[162] 비정상적으로 높은 프롤락틴 농도는 테스토스테론을 감소시킬 수 있고, 남성의 에스트로젠-대-안드로젠 비율 증가와 유방 확대 사이에 상관관계가 있어 보인다.[164] 민망한 탓에 환자들은 유즙분비나 여성형유방을 자발적으로 보고하지 않을 수도 있으므로, 임상의는 이러한 부작용에 관해 환자들에게 물어보아야 한다.

기타 부작용

고프롤락틴혈증의 기타 임상증상이 몇 가지 더 있다. 과다한 프롤락틴 분비에 따르는 에스트로젠 결핍은 인지기능에 부정적 영향을 끼칠 수 있고 정신병적 질환을 악화시키는 데에 기여할 수 있다.[165]

고프롤락틴혈증은 아직 확립되지는 않았으나, 유방암, 골밀도 감소, 골다공증, 심혈관계 질환의 위험요인으로 주목받고 있다.[165] 고프롤락틴혈증과 관련된 두 가지 다른 부작용, 성기능장애와 체중 증가는 이 장의 다른 곳에 논의되어 있다.

프롤락틴 농도 상승으로 야기된 증상은 항정신병약물의 용량을 줄임으로써 치료할 수 있다.[33] 항정신병약물의 농도는 프롤락틴의 농도가 50mg/ml 이하로 유지될 정도에서 조절하도록 시사되었다.[165] 고프롤락틴혈증을 치료하는 다른 방법은 항정신병약물의 교체이다. 용량 조절이나 항정신병약물의 교체가 불가능한 상황이라면, 프롤락틴 분

비를 억제하기 위해 도파민성 제재를 사용할 수 있겠다.[33]

성기능장애

성기능을 매개하는 몇 가지 신경전달물질계가 항정신병약물에 의해 영향을 받는다. 프롤락틴치, 콜린성 자극, 그리고 교감신경계의 활성화를 포함한 항정신병약물-유발성 성기능장애에 각기 다른 기전들이 기여할 수 있다.[162,166]

항정신병약물 치료 중에 나타나는 성기능장애에 관해 활발히 연구된 바는 별로 없다. 따라서 항정신병약물 치료를 시작하기에 앞서, 임상의가 기저의 성 병력을 얻어두는 것이 중요하다. 성기능 부작용의 빈도를 조사한 소수의 연구들은 남성의 60%, 여성의 30%까지 유병률이 나타난다고 보고했다.[166-168]

전통적인 항정신병약물은 프롤락틴치를 상승시키는 경향이 있으므로, 성기능장애 발생률이 더 높으리라고 생각되었다. 그러나, 최근의 두 연구에서 이 가정은 확인되지 못했다. Hummer 등은 클로자핀으로 치료받은 환자들과 할로페리돌로 치료받은 환자들 사이에 성기능 부작용에 차이가 없음을 확인했다.[166] 리스페리돈으로 치료받은 남성과 여성을 대상으로 연구한 Kleinberg 등은 프롤락틴치와 프롤락틴-관련 부작용 사이에 상관관계가 없음을 발견했다.[160] 이러한 부작용들은 물론 용량-의존적이고 일시적인 장애일 수도 있다.[160,168]

발기장애

발기불능으로부터 지속발기에 이르기까지 일련의 장애들은 남성의 23-54% 정도로 보고되어왔고 전형 항정신병약물을 사용할 때에 가장 흔하다.[33] 지속발기는 모든 항정신병약물에서 발생 가능하지만, 저-강도 항정신병약물 클로르프로마진과 티오리다진과 관련되어 가장 많이 보고되어 있다.[162] 지속발기는 용량-의존적이지 않으며 치료 중의 어느 시점에서건 발생할 수 있다. 30세에서 50세 사이의 남성에게 가장 흔히 발생하는 것으로 보인다.[162] 발기장애를 야기하는 항정신병약물의 기전은 불분명하지만, 콜린성 수용체의 길항작용이나 교감신경계의 자극이 관여할 수 있겠다.[158]

약물용량을 조절하거나 약물을 교체하는 방법 외에 발기기능장애의 치료에는, 요힘빈, 벤즈트로핀, 디펜하이드라민, 또는 싸이프로헵타딘 등을 사용하는 방법이 포함된다.[33,50] 실데나필(비아그라)은 다양한 원인론을 갖는 발기기능장애를 치료하는 데에 성공적이었다고 보고되어 있다. 항정신병약물-유발성 발기불능에 이 약물을 사용한 보고는 없으나, 플루복사민-유발성 발기기능장애를 실데나필로 치료한 사례는 보고되어 있다.[169] 정신과적 약물과 관련된 발기기능장애를 치료하는 데에 있어서의 이 약물의 역할은 좀더 연구를 필요로 한다.

사정장애

페노싸이아진을 사용했을 때에 발생한 사정장애는 잘 기술되어 있고, 어느 정도는 모든 항정신병약물에서 발생하는 하는 것 같다.[162] 지연사정 혹은 역행사정에 가장 흔히 관련된 약물은 티오리다진이다.[113] 남자 환자의 사정이상 발생률은 18.7%에서 58%까지의 범위에 이르는 것으로 보고되어 있다.[162] 병태생리에 관한 이론으로 제안된 것들에는, 콜린성 수용체 차단, 알파-1-아드레날린성 길항작용, 혹은 칼슘통로 차단 등이 있다.[162] 치료의 첫 단계는 용량을 조절하거나 약물을 교체하는 것이다. 이 부작용에 대한 약물학적 처치로는, 저용량의 아미트립틸린(25-50mg), 요힘빈, 교감신경유사작용제, 또는 싸이플로헵타딘이나 브롬페니라민과 같은 항히스타민제 등이 있다.[33,170]

극치감장애 및 리비도 상실

항정신병약물을 복용 중인 20세에서 60세까지의 환자의 약 36%에서 성적 욕구의 감소가 발생하는 것으로 추산된다.[162] 60세 이상에서는 환자의 50%까지 발생률이 증가한다.[162] 리비도의 감소는 남녀 모두에게 똑같이 흔하다. 극치감장애는 환자의 대략 28.5%에서 발생하는데, 여성이 무극치감을 좀 더 많이 보고한다.[162] 한 개방 연구에서는 항우울제-유발성 무극치감 또는 극치감의 지연을 지닌 여성 환자들이 실데나필로 성공적으로 치료되었다고 보고했다.[171] 이 약물은 항정신병약물-유발성 극치감장애의 치료에 대해서는 평가되지 않았으므로, 치료의 한 방법으로 권유되기에 앞서 더 연구가 필요하다.

가임능력

항정신병약물 사용에 이차적으로 발생하는 고프롤락틴혈증은 가임능력에 영향을 미친다고 알려져 있지만, 이는 가역적이다.[161] 소위 '프롤락틴을 방출시키지 않는' 항정신병약물로 교체함으로써 프롤락틴이 정상화되면, 원치 않았던 임신이 발생할 수 있다.[161] 남녀 환자 모두 '프롤락틴을 방출시키지 않는' 비전형 항정신병약물로 교체하기에 앞서, 가족계획과 피임법에 관한 상담이 이루어져야 한다.[161,162]

체중증가

이 부작용은 대부분의 항정신병약물에 흔한 문제다. 약물-유발성 체중증가는 유의한 의학적 정신사회적 중요성을 지니므로 환자 처치의 중요한 문제점이 된다.

체중을 증가시키는 정도는 약물에 따라 달라 보인다. Allison 등의 최근의 메타-분석에 의하면, 전형 혹은 비전형 항정신병약물 모두가 체중증가와 관련 있었다.[172] 새로운 비전형 약물들을 살펴보면, 클로자핀과 올란자핀이 체중증가를 가장 많이 일으키는 경향이 있어 보였고, 지프라시돈은 체중증가가 없거나 거의 없었다.[172] 체중증가가 발생하는 내분비 기전은 밝혀지지 않았으나, 세로토닌과 히스타민을 비롯한 몇몇 신경전달물질계가 주목받고 있다.[158]

체중증가는 당뇨병이나 심혈관계 질환 같은 의학적 질환에 걸리기 쉬운 상태가 되게 한다. 동시에 비순응의 유력한 요인이 될 수도 있다.

현재의 처치법은: (a) 치료시작하기 전에 환자 교육하기 (b) 항정신병약물 용량감량 (c) 체중증가를 야기할 수 있는 병용 약물의 중단이다. 항정신병약물을 복용하는 모든 환자들에게 식이 교육이 주어져야 하고 규칙적인 운동이 권장되어야 한다.

당 및 지질 대사

비전형 항정신병약물과 관련된, 혈당, 콜레스테롤, 그리고 트리글리세리드의 증가가 관찰되었다. 또한 몇몇 연구결과는 항정신병약물 치료가 내당력(耐糖力) 장애 및 인슐린 저항성과 관련 있음을 시사했다.[173] 최근 몇 년 동안, 비-인슐린 의존형(제 II형) 당뇨병의 발병에 클로자핀과 올란자핀이 관여한다는 사례보고들이 있었다.[174] 명확한 작용기전은 밝혀지지 않았다. 유의한 정도의 체중증가 혹은 특이 세로토닌 수용체 아형에 대한 길항작용 등이 이러한 이상소견 발생에 관여할 수도 있겠다.[174]

비전형 항정신병약물이 위험요인을 지닌 환자들의 당뇨병 발병을 촉진시킬지도 모른다는 점이 시사되었다.[174] 새로 발병한 제 II형 당뇨병의 처치는, 조기 진단, 식이 조절, 그리고 필요할 경우에 경구혈당강하제 투약 등이다.[174]

최근의 한 후향적 연구에서는 할로페리돌을 복용하는 환자에 비해 클로자핀을 복용하는 환자들이 혈장 트리글리세리드가 더 높다고 보고했다.[175]

이 보고는 다른 연구 단체들의 결과를 반복 검증한 것이다.[175]

비뇨기계 부작용

요실금

페노싸이아진과 클로자핀은 요실금을 일으킬 수 있다.[176,177] 클로자핀-유발성 유뇨증의 병태생리학적 기전은 아직 잘 밝혀지지 않았지만, 알파-아드레날린성 길항작용 혹은 항콜린-유발성 요폐와 거기에 수반된 일출성 요실금과 관련된 것으로 추정되고 있다.[145,178]

처치 전략으로는, 저녁시간에 음료섭취 피하기, 야간동안 시간 맞추어 배뇨하기 등이 있다. 약물학적 개입법은: (a) 에페드린, 25mg으로 시작해서 최대 150mg까지 적정 (b) 데스모프레신(DDAVP) 비강흡입제, 취침전 20-40㎍ 분무 (c) 옥시뷰티닌 일일용량 5-15mg 등이다.[140,178,179]

항콜린성 작용

항콜린성 작용이 강한 항정신병약물은, 배뇨지연에서 요폐에 이르기까지 일련의 배뇨장애를 야기할 수 있다. 양성 전립선비대증이나 요폐에 쉽게 걸릴 수 있는 기타 상태를 지닌 환자들에게는 이러한 약물들을 사용하지 않아야 한다. 일부 반복성 요폐 환자들에게 베타네콜이 치료제로서 사용되어왔다.[180]

피부계 부작용

알레르기 반응

모든 약물들과 마찬가지로, 항정신병약물도 알레르기성 발진을 야기할 수 있다. 박리성 피부염은 드물다. 치료는 원인 약물을 중단하고, 증상완화를 위해 항히스타민제를 투여하는 것이다.

광과민성 반응

저-강도의 전형적 항정신병약물은 일광화상(日光火傷)이나 발진과 유사한 광과민성 반응을 일으킬 수 있다. 지나친 일광 노출을 피하고, 노출부위에는 일광보호크림을 바르도록 환자들을 교육해야 한다.[33] 페노싸이아진계, 특히 클로르프로마진은 일광에 노출된 부위, 특히 머리와 목 부위에 청-회색의 변색을 드물게 일으키기도 한다.[113]

결론

1952년 클로르프로마진이 도입된 이후로 정신분열병의 치료에 상당한 진보가 이루어져왔다. 정신사회적 치료법들과 더불어, 약물학적 치료는 재발 예방, 삶의 질, 그리고 사회로의 복귀라는 측면에서 정신분열병 환자들의 생애에 중요한 영향을 끼칠 수 있게 되었다. 비록 약물들이 정신분열병의 치료를 진보시키긴 했으나, 새롭고 더 효과적인 화합물들을 개발하기 위한 많은 노력이 더 요구된다. 또한, 최적의 치료는, 약물학적 치료가 제공하는 기반 위에서 적합한 정신사회적 치료를 포함하는 것이어야 한다.

참고문헌

1. Laborit H, Hugenard P, Alluaume R, Un nouveau stabilisateur végétatif (le 4560 RP), *Presse Médicale* 1952; **60:**206–8.
2. Delay J, Deniker P, Harl J-M, Utilisation en thérapeutique psychiatrique d'une phénothiazine d'action centrale elective (4560 RP), *Ann Med Psychol (Paris)* (1952) **110:**112–17.
3. Kinon BJ, Lieberman JA, Mechanisms of action of atypical antipsychotic drugs: a critical analysis, *Neuropsychopharmacology* (1996) **124:**2–34.
4. Meltzer HY, Matsubara S, Lee JC, Classification of typical and atypical antipsychotic drugs on the basis of dopamine D-1, D-2 and serotonin$_2$ pKi values, *J Pharmacol Exp Ther* (1989) **251:**238–46.
5. Meltzer HY, Matsubara S, Lee JC, The ratio of

serotonin-2 and dopamine-2 affinities differentiate atypical and typical antipsychotic drugs, *Psychopharmacol Bull* (1989) **25:**390–2.
6. Baldessarini RJ, Drugs and the treatment of psychiatric disorders: psychosis and anxiety. In: Hardman JG, Limbird LE, Molinoff PB et al, eds, *Goodman & Gilman's The Pharmacological Basis of Therapeutics* (McGraw-Hill: New York, 1996) 399–420.
7. Hirsch SR, Barnes TRE, The clinical treatment of schizophrenia with antipsychotic medication. In: Hirsch SR, Weinberger DR, eds, *Schizophrenia* (Blackwell Science: Oxford, 1995, 443–68).
8. Carlsson A, Lindquist M, Effect of chlorpromazine or haloperidol on the formation of 3-methoxytyramine and normetanephrine in mouse brain, *Acta Pharmacol Toxicol* (1963) **20:**140–4.
9. Seeman P, Lee T, Chau-Wong M et al, Antipsychotic drug doses and neuroleptic/dopamine receptors, *Nature* (1976) **261:**717–19.
10. Creese I, Burt DR, Snyder SH, Dopamine receptor binding predicts clinical and pharmacologic potencies of antischizophrenic drugs, *Science* (1976) **192:**481–3.
11. Nordström AL, Farde L, Wiesel FA et al, Central D2–dopamine receptor occupancy in relation to antipsychotic drug effects: a double blind PET study of schizophrenic patients, *Biol Psychiatry* (1993) **33:**227–35.
12. Farde L, Nordström AL, Wiesel FA et al, Positron emission tomographic analysis of central D1 and D2 dopamine receptor occupancy in patients treated with classical neuroleptics and clozapine: relation to extrapyramidal side effects, *Arch Gen Psychiatry* (1992) **49:**538–44.
13. Kapur S, Zipursky RB, Remington G, Clinical and theoretical implications of 5-HT2 and D2 receptor occupancy of clozapine, risperidone and olanzapine in schizophrenia, *Am J Psychiatry* (1999) **156:**286–93.
14. Casey DE, The relationship of pharmacology to side effects, *J Clin Psychiatry* (1997) **58(Suppl 10):**55–62.
15. Chiodo LA, Bunney BS, Population response of midbrain dopaminergic neurons to neuroleptics: further studies on time course and nondopaminergic neuronal influences, *J Neurosci* (1987) **7:**629–33.
16. Nordström A-L, Farde L, Nyberg S et al, D_1, D_2 and 5-HT_2 receptor occupancy in relation to clozapine serum concentration: a PET study of schizophrenic patients, *Am J Psychiatry* (1995) **152:**1444–9.
17. Lieberman JA, Mailman RB, Duncan G et al, Serotonergic basis of antipsychotic drug effects in schizophrenia, *Biol Psychiatry* (1998) **44:**1099–117.
18. Satlin A, Wasserman C, Overview of geriatric psychopharmacology. In: McElroy S, ed. *Psychopharmacology Across the Life Span* (American Psychiatric Press: Washington, DC, 1997) IV-143–6.
19. Ereshefsky L, Drug interactions: update for new antipsychotics, *J Clin Psychiatry* (1996) **57(Suppl 11):**12–25.
20. Lieberman JA, Kane JM, Johns CA, Clozapine: guidelines for clinical management, *J Clin Psychiatry* (1989) **50:**329–38.
21. Marder SR, Hubbard JW, Van Putten T, Midha KK, The pharmacokinetics of long-acting injectable neuroleptic drugs: clinical implications, *Psychopharmacology* (1989) **98:**433–9.
22. Hughes CW, Preskorn SH, Pharmacokinetics in child/adolescent psychotic disorders, *Psychiatr Annals* (1994) **24:**76–82.
23. Kane JM, Aguglia E, Altamura AC et al, Guidelines for depot antipsychotic treatment in schizophrenia. European Neuropsychopharmacology Consensus Conference in Siena, Italy, *Eur Neuropsychopharmacol* (1998) **8:**55–66.
24. Briant RH, An introduction to clinical pharmacology. In: Werry JS, ed. *Pediatric Psychopharmacology: The Use of Behavior Modifying Drugs in Children* (Brunner/Mazel: New York, 1978) 3–28.
25. Ciraulo DA, Shader RI, Greenblatt DJ, Creelman WL, eds, *Drug Interactions in Psychiatry* (Williams & Wilkins: Baltimore, 1995) 129–74.
26. Hiemke C, Weigmann H, Hartter S et al, Elevated serum levels of clozapine after addition of fluvoxamine, *J Clin Psychopharmacol* (1994) **14:**279–81.
27. Van Putten T, Marder SR, Wirshing WC et al, Neuroleptic plasma levels, *Schizophr Bull* (1991) **17:**197–216.
28. Kane JM, Marder SR, Psychopharmacologic treatment of schizophrenia, *Schizophr Bull* (1993) **19:**287–302.
29. Shriqui CL, Neuroleptic dosing and neuroleptic plasma levels in schizophrenia: determining the optimal regimen, *Can J Psychiatry* (1995) **40(suppl 2):**S38–48.
30. Fleischhacker WW, Pharmacological treatment of schizophrenia: a review. In: Maj M, Sartorius N, eds, *WPA Series Evidence and Experience in Psychiatry*, vol 2, *Schizophrenia* (John Wiley & Sons: Chichester, 1999) 75–107.
31. Fleischhacker WW, Hummer M, Kurz M et al, Clozapine dose in the United States and Europe: implications for therapeutic and adverse effects, *J*

Clin Psychiatry (1994) **55(Suppl B):**78–81.
32. VanderZwaag C, McGee M, McEvoy JP et al, Response of patients with treatment refractory schizophrenia to clozapine within three serum level ranges, *Am J Psychiatry* (1996) **153:**1579–84.
33. American Psychiatric Association, Practice Guidelines for the Treatment of Schizophrenia, (American Psychiatric Press: Washington, DC, 1997).
34. Zarin DA, Pincus HA: Diagnostic tests with multiple possible thresholds: the case of plasma clozapine levels, *J Prac Psychiatry Behav Health* (1996) **2:**183–5.
35. Haring C, Neudorfer C, Schwitzer J et al, EEG alterations in patients treated with clozapine in relation to plasma levels, *Psychopharmacology* (1994) **114:**97–100.
36. Dixon LB, Lehman AF, Levine J, Conventional antipsychotic medications for schizophrenia, *Schizophr Bull* (1995) **21:**567–77.
37. Wyatt RJ, Neuroleptics and the natural course of schizophrenia, *Schizophr Bull* (1991) **17:**325–51.
38. Lieberman JA, Koreen AR, Chakos M et al, Factors influencing treatment response and outcome in first-episode schizophrenia: implications for understanding the pathophysiology of schizophrenia, *J Clin Psychiatry* (1996) **57(suppl 9):**5–9.
39. Loebel AD, Lieberman JA, Alvir JMJ et al, Duration of psychosis and outcome in first-episode schizophrenia, *Am J Psychiatry* (1992) **149:**1183–8.
40. Loo H, Poirier-Littre M-F, Theron M et al, Amisulpride versus placebo in the medium-term treatment of the negative symptoms of schizophrenia, *Br J Psychiatry* (1997) **170:**18–22.
41. Sharif ZA, Common treatment goals of antipsychotics: acute treatment, *J Clin Psychiatry* (1998) **59(Suppl 19):**5–8.
42. Davis JM, Overview: maintenance therapy in psychiatry I: schizophrenia, *Am J Psychiatry* (1975) **132:**1237–45.
43. Bartko G, Maylath E, Herczeg I, Comparative study of schizophrenic patients relapsed on and off medication, *Psychiatry Res* (1987) **22:**221–7.
44. Kissling W, Kane JM, Barnes TRE et al, Guidelines for neuroleptic relapse prevention in schizophrenia: towards a consensus view. In: Kissling W, ed, *Guidelines for Neuroleptic Relapse Prevention in Schizophrenia* (Springer-Verlag: Berlin, 1991) 155–63.
45. Lehman AF, Steinwachs DM, and the Survey Co-Investigators of the PORT Project: Patterns of usual care for schizophrenia: initial results from the Schizophrenia Patient Outcomes Research Team (PORT) client survey, *Schizophr Bull* (1998) **24:**11–20.
46. Gaebel W, Falkai P: *Praxisleitlinien in Psychiatrie und Psychotherapie*, Band 1. *Behandlungsleitlinie Schizophrenie* (Steinkopff Darmstadt, 1998).
47. McEvoy JP, Scheifler PL, Frances A et al, The Expert Consensus Guideline Series. Treatment of schizophrenia, *J Clin Psychiatry* (1999) **60(Suppl 11):**1–80.
48. Lieberman J, Jody D, Geisler S et al, Time course and biological correlates of treatment response in first-episode schizophrenia, *Arch Gen Psychiatry* (1993) **50:**369–76.
49. Lieberman JA, Pathophysiologic mechanisms in the pathogenesis and clinical course of schizophrenia, *J Clin Psychiatry* (1999) **60(Suppl 12):**9–12.
50. Kane JM, Lieberman JA, eds, *Adverse Effects of Psychotropic Drugs* (Guilford: New York, 1992).
50a. Breier A, Hamilton S, Comparative efficacy of olanzapine and haloperidol for patients with resistant schizophrenia. *Biol Psych* (1999) **45:**403–11.
50b. Bondolfi G, Dufour H, Patris M et al: Risperidone versus clozapine in treatment resistant schizophrenia. *Am J Psychiatry* (1998) **155:**499–504.
51. Kane JM, Jeste DV, Barnes TRE et al, *Tardive Dyskinesia: A Task Force Report of the American Psychiatric Association.* (American Psychiatric Association: Washington, DC, 1992).
52. Casey DE, Tardive dyskinesia and atypical antipsychotic drugs, *Schizophr Res* (1999) **35(Suppl):**S61– 6.
53. Lieberman JA, Saltz BL, Johns CA et al, The effect of clozapine on tardive dyskinesia, *Br J Psychiatry* (1991) **158:**503–10.
54. Beasley CM, Dellva MA, Tamura RN et al, Randomised double-blind comparison of the incidence of tardive dyskinesia in patients with schizophrenia during long-term treatment with olanzapine or haloperidol, *Br J Psychiatry* (1999) **174:**23–30.
55. Schultz SC, Findling RL, Friedman L, Treatment and outcomes in adolescents with schizophrenia, *J Clin Psychiatry* (1998) **(Suppl 1):**50–4.
56. Kumra S, Children and adolescent psychotic disorders. In: Walsh BT, ed. *Child Psychopharmacology* (American Psychiatric Press: Washington, DC, 1998) 65–89.
57. Mandoki MW, Risperidone treatment of children and adolescents: increased risk of extrapyramidal side effects? *J Child Adolesc Psychopharmacol* (1995) **5:**49–67.
58. Sternlicht HC, Wells SR, Risperidone in childhood schizophrenia, *J Am Acad Child Adolesc Psychiatry* (1995) **34:**5.
59. McClellan J, Werry JS, Practice parameters for the assessment and treatment of children and

adolescents with schizophrenia, *J Am Acad Child Adolesc Psychiatry* (1997) **36(Suppl):**177S-193S.

60. Larco JP, Jeste DV, Geriatric psychosis, *Psychiatr Q* (1997) **68:**247–60.
61. Woerner MG, Alvir JMJ, Saltz BL et al, Prospective study of tardive dyskinesia in the elderly: rates and risk factors, *Am J Psychiatry* (1998) **155:**1521–8.
62. Maixner SM, Mellow AM, Tandon R, The efficacy, safety, and tolerability of antipsychotics in the elderly, *J Clin Psychiatry* (1999) **60(Suppl 8):**29–41.
63. Altshuler LL, Cohen L, Szuba MP et al, Pharmacologic management of psychiatric illness during pregnancy: dilemmas and guidelines, *Am J Psychiatry* (1996) **153:**592–606.
64. Barnas C, Bergant A, Hummer M et al, Clozapine concentrations in maternal and fetal plasma, amniotic fluid, and breast milk [letter], *Am J Psychiatry* (1994) **151:**945.
65. Buist A, Norman TR, Dennerstein L, Breastfeeding and the use of psychotropic medication: a review, *J Affect Disord* (1990) **19:**197–206.
66. Guy W, ed, *ECDEU Assessment Manual for Psychopharmacology: Publication ADM 76–338* (US Department of Health, Education, and Welfare: Washington, DC, 1976) 534–7.
67. Baldessarini RJ, Cohen BM, Teicher MH, Significance of neuroleptic dose and plasma level in the pharmacological treatment of psychoses, *Arch Gen Psychiatry* (1988) **45:**79–91.
68. Kopala LC, Fredrikson D, Good KP et al, Symptoms in neuroleptic-naïve, first-episode schizophrenia: response to risperidone, *Biol Psychiatry* (1996) **39:**296–8.
69. Kinon BJ, Kane JM, Johns C et al, Treatment of neuroleptic-resistant schizophrenic relapse, *Psychopharmacol Bull* (1993) **29:**309–14.
70. Shalev A, Hermesh H, Rothberg J, Munitz H, Poor neuroleptic response in acutely exacerbated schizophrenic patients, *Acta Psychiatr Scand* (1993) **87:**86–91.
71. Kolakowska T, Williams AO, Ardern M et al, Schizophrenia with good and poor outcome. I: early clinical features, response to neuroleptics and signs of organic dysfunction, *Br J Psychiatry* (1985) **146:**229–39.
72. Kane JM, Lieberman JA, Maintenance pharmacotherapy in schizophrenia. In: Meltzer HY, ed, *Psychopharmacology: The Third Generation of Progress* (Raven: New York, 1987) 1103–9.
73. Johnson DAW, Further observations on the duration of depot neuroleptic maintenance therapy in schizophrenia, *Br J Psychiatry* (1979) **135:**524–30.
74. Carpenter WT, Buchanan RW, Kirkpatrick B et al, Comparative effectiveness of fluphenazine decanoate injections every 2 weeks versus every 6 weeks, *Am J Psychiatry* (1999) **156:**412–18.
75. Kane JM, Management strategies for the treatment of schizophrenia, *J Clin Psychiatry* (1999) **60(suppl 12):**13–17.
76. Kane JM, Honigfel G, Singer J, Meltzer HY, The Clozaril Collaborative Study Group: Clozapine for the treatment-resistant schizophrenic, *Arch Gen Psychiatry* (1988) **45:**789–96.
77. Fleischhacker WW, Hummer M, Kurz M et al, Clozapine dose in the United States and Europe: implications for therapeutic and adverse effects, *J Clin Psychiatry* (1994) **55(Suppl B):**78–81.
78. Haring C, Neudorfer C, Schwitzer J et al, EEG alterations in patients treated with clozapine in relation to plasma levels, *Psychopharmacology* (1994) **114:**97–100.
79. Rosenheck R, Cramer J, Xu W et al, A comparison of clozapine and haloperidol in hospitalized patients with refractory schizophrenia, *N Engl J Med* (1997) **337:**809–15.
80. Kane JM, Marder SR, Schooler NR et al, Clozapine and haloperidol in moderately refractory schizophrenia: a six month double-blind comparison, *Arch Gen Psychiatry*, submitted.
81. Marder SR, Management of treatment-resistant patients with schizophrenia, *J Clin Psychiatry* (1996) **57(suppl 11):**26–30.
82. Naber D, Optimizing clozapine treatment, *J Clin Psychiatry* (1999) **60(Suppl 12):**35–8.
83. Shiloh R, Zemishlany Z, Aizenberg D et al, Sulpiride augmentation in people with schizophrenia partially responsive to clozapine: a double-blind, placebo-controlled study, *Br J Psychiatry* (1997) **171:**569–73.
84. Wolkowitz DM, Pickar D, Benzodiazepines in the treatment of schizophrenia: a review and reappraisal, *Am J Psychiatry* (1991) **148:**714–26.
85. Wassef AA, Dott SG, Harris A et al, Critical review of GABA-ergic drugs in the treatment of schizophrenia, *J Clin Psychopharmacol* (1999) **19:**222–32.
86. Freeman M, Stoll A, Mood stabilizer combinations: a review of safety and efficacy, *Am J Psychiatry* (1998) **155:**12–21.
87. Fein S, Treatment of drug-refractory schizophrenia, *Psychiatr Annals* (1998) **28:**215–19.
88. Johns C, Thompson J, Adjunctive treatments in schizophrenia: pharmacotherapies and electroconvulsive therapy, *Schizophr Bull* (1995) **21:**607–619.
89. Okuma T, Yamashitu I, Tahaharhi R et al, A double blind study of adjunctive carbamazepine versus placebo on excited states of schizophrenia and schizoaffective disorders, *Acta Psychiatr Scand*

(1989) **80:**250–9.
90. Luchin DJ, Carbamazepine in violent nonepileptic schizophrenia, *Psychopharmacol Bull* (1984) **20:**569–71.
91. Siris SG, Depression in schizophrenia. In: Hirsch SR, Weinberger DR, eds, *Schizophrenia* (Blackwell Science: Oxford, 1995) 128–45.
92. Goff DC, Kamal KM, Sarid-Segal O et al, A placebo-controlled trial of fluoxetine added to neuroleptics in patients with schizophrenia, *Psychopharmacol* (1995) **117:**417–23.
93. Sussman N, Augmentation of antipsychotic drugs with selective serotonin reuptake inhibitors, *Primary Psychiatry* (1997) **4:**24–31.
94. Heresco-Levy U, Javitt DC, Ermilov M et al, Efficacy of high-dose glycine in the treatment of enduring negative symptoms of schizophrenia, *Arch Gen Psychiatry* (1999) **56:**29–36.
95. Farber NB, Newcomer JW, Olney W, Glycine agonists: what can they teach us about schizophrenia? *Arch Gen Psychiatry* (1999) **56:**13–17.
96. Goff DC, Guochuan T, Levitt J et al, A placebo-controlled trial of D-cycloserine added to conventional neuroleptics in patients with schizophrenia, *Arch Gen Psychiatry* (1999) **56:**21–7.
97. Weiden PJ, Aquila R, Dalheim L, Standard JM, Switching antipsychotic medications, *J Clin Psychiatry* (1997) **58(Suppl 10):**63–72.
98. Weiden PJ, Aquila R, Emanuel M, Zygmunt A, Long-term considerations after switching antipsychotics, *J Clin Psychiatry* (1998) **59(Suppl 19):**36–49.
99. Friedel RO, The combined use of neuroleptics and ECT in drug resistant schizophrenic patients, *Psychopharmacol Bull* (1986) **22:**928–30.
100. Safferman AZ, Munne R, Combining clozapine with ECT, *Convulsive Ther* (1992) **8:**141–3.
101. Meltzer HY, Treatment of the neuroleptic-nonresponsive schizophrenic patient, *Schizophr Bull* (1992) **18:**515–42.
102. Krueger RB, Sackeim HA, Electroconvulsive therapy and schizophrenia. In: Hirsch SR, Weinberger DR, eds, *Schizophrenia* (Blackwell Science: Oxford, 1995) 503–45.
103. Casey DE, Neuroleptic drug-induced extrapyramidal syndromes and tardive dyskinesia, *Schizophr Res* (1991) **4:**109–20.
104. Casey DE, Tardive dyskinesia and atypical antipsychotic drugs, *Schizophr Res* (1999) **35(Suppl):**S61–6.
105. Chakos MH, Mayerhoff DI, Loebel AD et al, Incidence and correlates of acute extrapyramidal symptoms in first episode of schizophrenia, *Psychopharmacol Bull* (1992) **28:**81–6.
106. Casey DE, Extrapyramidal syndromes: epidemiology, pathophysiology and the diagnostic dilemma, *CNS Drugs* (1996) **5(Suppl 1):**1–12.
107. Rupniak NM, Jenner P, Marsden CD, Acute dystonia induced by neuroleptic drugs, *Psychopharmacology (Berl)* (1986) **88:**403–19.
108. Casey DE, Keepers GA, Neuroleptic side effects: acute extrapyramidal syndromes and tardive dyskinesia. In: Casey DE, Christensen AV, eds, *Psychopharmacology: Current Trends* (Springer-Verlag: Berlin, 1988).
109. VanHarten PN, Kahn RS, Tardive dystonia, *Schizophr Bull* (1999) **25:**741–8.
110. Kang UJ, Burke RE, Fahn S, Tardive dystonia. In: Fahn S, Marsden CD, Calne DB, eds, *Advances in Neurology*, vol 50. *Dystonia 2* (Raven: New York, 1988) 415–29.
111. Burke RE, Fahn S, Jankovic J et al, Tardive dystonia: late-onset and persistent dystonia caused by antipsychotic drugs, *Neurology* (1982) **32:**1335–46.
112. American Psychiatric Association, *Diagnostic and Statistical Manual of Mental Disorders*, 4th edn (DSM-IV) (American Psychiatric Association: Washington, DC, 1994).
113. Janicak PG, Davis JM, Preskorn SH, Ayd FJ Jr, *Principles and Practice of Psychopharmacotherapy*, 2nd edn (Williams & Wilkins: Baltimore, 1997).
114. Van Putten T, May PRA, Akinetic depression in schizophrenia, *Arch Gen Psychiatry* (1978) **35:**1101–7.
115. Miller CH, Hummer M, Oberbauer et al, Risk factors for the development of neuroleptic-induced akathisia, *Eur Neuropsychopharmacol* (1997) **7:**51–5.
116. Fleischhacker WW, Roth SD, Kane JM, The pharmacologic treatment of neuroleptic-induced akathisia, *J Clin Psychopharmacol* (1990) **10:**12–21.
117. Burke RE, Kang UJ, Jankovic J et al, Tardive akathisia: an analysis of clinical features and response to open therapeutic trials, *Mov Disord* (1989) **4:**157–75.
118. Yassa R, Nair V, Iskandar H, A comparison of severe tardive dystonia and severe tardive akathisia, *Acta Psychiatr Scand* (1989) **80:**155–9.
119. Fenton WS, Wyatt RJ, McGlashan TH, Risk factors for spontaneous dyskinesias in schizophrenia, *Arch Gen Psychiatry* (1994) **51:**643–50.
120. Casey DE, The rabbit syndrome. In: Joseph AB, Young R, eds, *Movement Disorders in Neurology and Neuropsychiatry* (Blackwell: Boston, 1992) 139–42.
121. Yassa R, Lal S, Prevalence of the rabbit syndrome, *Am J Psychiatry* (1986) **143:**656–7.
122. Tarsy D, Baldessarini RJ, Behavioral supersensitivity to apomorphine following chronic treatment with drugs which interfere with the synaptic func-

tion of catecholamines, *Neuropsychopharmacology* (1974) **13:**927–40.
123. Jeste DV, Caligiuri MP, Paulsen JS, et al, Risk of tardive dyskinesia in older patients, *Arch Gen Psychiatry* (1995) **52:**756–65.
124. Kane JM, Woerner M, Lieberman J, Tardive dyskinesia: prevalence, incidence, and risk factors, *J Clin Psychopharmacol* (1988) **8:**525–65.
125. Jeste DV, Caligiuri MP, Tardive dyskinesia, *Schizophr Bull* (1993) **19:**303–15.
126. Gardos G, Casey DE, Cole JO et al, Ten-year outcome of tardive dyskinesia, *Am J Psychiatry* (1994) **151:**836–41.
127. Glazer WM, Moore DC, Schooler NR et al, Tardive dyskinesia: a discontinuation study, *Arch Gen Psychiatry* (1984) **41:**623–7.
128. Egan MF, Apud J, Wyatt RJ, Treatment of tardive dyskinesia, *Schizophr Bull* (1997) **23:**583–609.
129. World Health Organization, Prophylactic use of anticholinergics in patients on long-term neuroleptic treatment, *Br J Psychiatry* (1990) **156:**412–14.
130. Hasan S, Buckley P, Novel antipsychotics and the neuroleptic malignant syndrome: a review and critique, *Am J Psychiatry* (1998) **155:**1113–16.
131. Filice GA, McDougall BC, Ercan-Fang N, Billington CJ, Neuroleptic malignant syndrome associated with olanzapine, *Ann Pharmacother* (1998) **32:**1158–9.
132. Caroff SN, Mann SC, Neuroleptic malignant syndrome, *Med Clin North Am* (1993) **77:**185–202.
133. Keck PE Jr, Pope HG Jr, McElroy SL, Frequency and presentation of neuroleptic malignant syndrome: a prospective study, *Am J Psychiatry* (1987) **144:**1344–6.
134. Kusumi I, Koyana T, Algorithms for the treatment of acute side effects induced by neuroleptics, *Psychiatry Clin Neurosci* (1999) **53:**19–22.
135. Tsutsumi Y, Yamamoto K, Matsura S et al, The treatment of neuroleptic malignant syndrome using dantrolene sodium, *Psychiatry Clin Neurosci* (1998) **52:**433–8.
136. Levenson JL, Neuroleptic malignant syndrome, *Am J Psychiatry* (1985) **142:**1137–45.
137. Hermesch H, Aizenberg D, Weizman A, A successful electroconvulsive treatment of neuroleptic malignant syndrome, *Acta Psychiatr Scand* (1987) **75:**237–9.
138. Young CR, Bowers MB Jr, Mazure CM, Management of the adverse effects of clozapine, *Schizophr Bull* (1998) **24:**381–90.
139. Young DM, Risk factors for hypothermia in psychiatric patients, *Ann Clin Psychiatry* (1996) **8:**93–7.
140. Maier U, Aigner JM, Klein HE, Hypothermia caused by neuroleptics: 2 case reports and review of the literature, *Nervenarzt* (1994) **65:**488–91.
141. Buckley PF, Meltzer HY, Treatment of schizophrenia. In: Schatzberg AF, Nemeroff CB, eds, *The American Psychiatric Press Textbook of Psychopharmacology* (American Psychiatric Press: Washington, DC, 1995) 615–39.
142. Devinsky O, Pacia SV, Seizures during clozapine therapy, *J Clin Psychiatry* (1994) **55(Suppl B):**153–6.
143. Pacia SV, Devinsky O, Clozapine-related seizures: experience with 5,629 patients, *Neurology* (1994) **44:**2247–9.
144. Arana GW, Santos AB, Anticholinergics and amantadine. In: Kaplan HI, Sadock BJ, eds, *Comprehensive Textbook of Psychiatry/VI* (Williams & Wilkins: Baltimore, 1995) 1919–23.
145. Lieberman JA, Maximizing clozapine therapy: managing side effects, *J Clin Psychiatry* (1998) **59(Suppl 3):**38–43.
146. Patterson T, Sedation. In: Yesavage J, ed. *Clozapine: A Compendium of Selected Readings* (Sandoz Pharmaceuticals Corporation: Stanford, CA, 1992) 136–8.
147. Davies IB, Barrister PS, Wilcox CS, Fludrocortisone in the treatment of postural hypotension, *Br J Clin Pharmacol* (1978) **6:**444–5.
148. Whitworth AB, Fleishhacker WW, Adverse effects of antipsychotic drugs, *Int Clin Psychopharmacol* (1995); **9:**21–7.
149. Casey DE, Side effect profiles of new antipsychotic agents, *J Clin Psychiatry* (1996) **57(Suppl 11):**40–5.
149a. Schneider L, A funny thing happened on the way to the FDA Forum, *Primary Psychiatry* (2000) **79:**24–25.
150. Brown RP, Kocsis JH, Sudden death and antipsychotic drugs, *Hosp Community Psychiatry* (1984) **35:**486–91.
151. American Psychiatric Association Task Force Report 27, Sudden Death in Psychiatric Patients: The Role of Neuroleptic Drugs (American Psychiatric Association: Washington, DC, 1987).
152. Hummer M, Kurz M, Barnas C et al, Clozapine-induced transient white blood count disorders, *J Clin Psychiatry* (1994) **55:**429–32.
153. Alvir JMJ, Lieberman, JA, Safferman AZ et al, Clozapine-induced agranulocytosis: incidence and risk factors in the United States, *N Engl J Med* (1993) **329:**162–7.
154. Honigfeld G, The Clozaril National Registry System: forty years of risk management, *J Clin Psychiatry* (1996) **14:**29–32.
155. Honigfeld G, Arellano F, Sethi J et al, Reducing

clozapine-related morbidity and mortality: 5 years of experience with the clozaril national registry, *J Clin Psychiatry* (1998) **59(Suppl 3):**3–7.
156. Lieberman JA, Safferman AZ, Clinical profile of clozapine: adverse reactions and agranulocytosis, *Psychiatr Q* (1992) **63:**51–70.
157. Hummer M, Kurz M, Kurzthaler I et al, Hepatotoxicity of clozapine, *J Clin Psychopharmacol* (1997) **17:**314–17.
158. Hummer M, Fleischhacker WW: Non-motor side effects of novel antipsychotics, *Arch Gen Psychiatry*, in press.
159. Seroquel. In: Abramowicz M, ed. *The Medical Letter On Drugs and Therapeutics* (Medical Letter Inc: New Rochelle, NY, 1997) **39:**117.
160. Kleinberg DL, Davis JM, DeCoster R et al, Prolactin levels and adverse events in patients treated with risperidone, *J Clin Psychopharmacol* (1999) **19:**57–61.
161. Grunder G, Wetzel H, Schlosser R et al, Neuroendocrine response to antipsychotics: effects of drug type and gender, *Biol Psychiatry* (1999) **45:**89–97.
162. Crenshaw TL, Goldberg JP, *Sexual Pharmacology: Drugs that Affect Sexual Function* (W.W. Norton: New York, 1996) 307–16.
163. Windgassen K, Wesselmann U, Schulze-Mönking H, Galactorrhea and hyperprolactinemia in schizophrenic patients on neuroleptics: frequency and etiology, *Neuropsychobiology* (1996) **33:**142–6.
164. Bartke A, Suare BB, Doherty MS et al, Effects of hyperprolactinemia on male reproductive functions. In: Negro-Vilar A, ed. *Reproduction and Andrology* (Raven: New York, 1983) 1–11.
165. Dickson RA, Glazer WM, Neuroleptic-induced hyperprolactinemia, *Schizophr Res* (1999) **35(Suppl):**S75–86.
166. Hummer M, Kemmler G, Kurz M et al, Sexual disturbances during clozapine and haloperidol treatment for schizophrenia, *Am J Psychiatry* (1999) **156:**631–3.
167. Mitchell JE, Popkin MK, Antipsychotic drug therapy and sexual dysfunction in men, *Am J Psychiatry* (1982) **139:**633–7.
168. Ghadirian A, Chouinard G, Annable L, Sexual dysfunction and plasma prolactin levels in neuroleptic-treated outpatients, *J Nerv Ment Dis* (1982) **170:**463–7.
169. Balon R, Fluvoxamine-induced erectile dysfunction responding to sildenafil, *J Sex Marital Ther* (1998) **24:**313–17.
170. Aizenberg D, Shiloh R, Zemishlany Z, Weizman A, Low-dose imipramine for thioridazine-induced male orgasmic disorder, *J Sex Marital Ther* (1996) **22:**225–9.
171. Nurnberg HG, Hensley PL, Lauriello J et al, Sildenafil for women patients with antidepressant-induced sexual dysfunction, *Psychiatr Serv* (1999) **50:**1076–8.
172. Allison DB, Mentore JL, Moonseong H, Antipsychotic-induced weight gain: a comprehensive research synthesis, *Am J Psychiatry* (1999) **156:**1686–96.
173. Schultz SK, Arndt S, Ho B-C et al, Impaired glucose tolerance and abnormal movements in patients with schizophrenia, *Am J Psychiatry* (1999) **156:**640–2.
174. Wirshing DA, Spellberg BJ, Erhart SM et al, Novel antipsychotics and new onset diabetes, *Biol Psychiatry* (1998) **44:**778–83.
175. Gaulin BD, Markowitz JS, Caley CF, Clozapine-associated elevation in serum triglycerides, *Am J Psychiatry* (1999) **156:**1270–2.
176. Fuller MA, Borovicka MC, Jaskiw GE et al, Clozapine-induced urinary incontinence: incidence and treatment with ephedrine, *J Clin Psychiatry* (1996) **57:**514–18.
177. Van Putten T, Malkin MD, Weiss MS, Phenothiazine-induced stress incontinence, *J Urol* (1973) **109:**625–6.
178. Aronowitz JS, Safferman AZ, Lieberman JA, Management of clozapine-induced enuresis [letter], *Am J Psychiatry* (1995) **152:**472.
179. Steingard S, Use of desmopressin to treat clozapine-induced nocturnal enuresis [letter], *J Clin Psychiatry* (1994) **55:**325–6.
180. Tueth MJ, DeVane CL, Evans DL, Treatment of psychiatric emergencies. In: Schatzberg AF, Nemeroff CB, eds, *The American Psychiatric Press Textbook of Psychopharmacology* (American Psychiatric Press: Washington, DC, 1995) 917–29.

5 인지-행동 치료

Philippa A Garety, David Fowler와 Elizabeth Kuipers

도입

최근 들어 특히 영국에서는, 항정신병약물 치료에도 불구하고 정신병적 증상을 계속 경험하는 정신병 환자들을 위한 인지-행동 치료의 개발에 관심이 높아지고 있다. 정신분열병 진단을 가진 사람의 약 1/4에서 절반 가량이 망상이나 환각 같은, 약물치료에 저항을 보이며 지속되는 증상을 경험하는 것으로 추산되는데, 이 증상들은 고통을 초래하며 기능에 지장을 준다.[1] 정신병적 증상에 대한 효과적인 심리학적 개입의 필요성이 제기되는 또 다른 이유는, 환자들이 불쾌감과 무력감을 느끼게 하는 약물의 장기 복용을 꺼린다는 점과 약물치료를 지속적으로 받는 환자조차도 드물지 않게 재발한다는 점이다.[2] 최근에 인지-행동적 접근을 적용했던 훌륭한 연구로서는, 첫-삽화 정신병을 가진 젊은 환자들을 대상으로 한 연구와[3] 급성 상태를 대상으로 한 연구가 있다.[4] 여기서의 초점은 증상 관해와 급성 삽화로부터의 회복을 증진시키고, 병식과 기분, 사회적 기능을 향상시키며, 재발을 방지하는 데에 주어진다. 이 장에서는 정신병의 인지-행동 치료의 이론과 실제를 개괄하고, 예후와 관련된 자료를 간략히 살펴본 후, 이 접근법을 임상 상황에 적용하는 것에 관해서 생각해보기로 한다.

정신병의 인지-행동 치료란 무엇인가?

사회기술훈련이나 인지 교정법과 같은, 정신분열병 연속선 장애(이하 정신병으로 함) 환자들에 대한 기타의 다른 심리학적 개입과는 달리, 인지-행동 치료는 정신병의 경험(증상들)과 그것을 이해하고자 하는 개인의 시도에 그 초점을 둔다. 정신병의 인지-행동 치료에 대해 상세히 설명한 3 권의 책이 최근 몇 년 사이 출판되었다.[1,5,6] 비록 그 강조점에 다소의 차이가 있긴 하나, 치료의 목표와 주된 방법론에 대해서는 의견이 일치한다. 실제로 많은 이론들이 교환되면서 각각의 이론들은 더욱 풍요로워졌다. 정신병의 인지-행동 치료의 주된 목표는 정신병적 증상으로 인한 고통과 기능장애를 감소시키는 것이다. 환자들이 경험하는 사고, 신념, 그리고 이미지가 인지-행동 치료자가 다루는 핵심적인 재료가 된다. 그 접근법은 Beck과 그의 동료들의 인지 치료에 크게 기반을 두고 있다.[7] 치료적 형식과 내용 모두에서 그러하다. 형식의 측면에서 보면, 치료자는 합의 사항을 정하고 치료적 목표에 부합하여 협력하여 작업하며, 환자의 경험에 대해 적극적으로 질문하며 탐구하는 입장을 견지한다. 치료의 내용에는 사고와 신념을 확인해내고, 거기에 관한 증거를 관찰하고, 사고를 스스로 선별하고, 사고를 기분과 행동에 관련지으며, 사고의 오류를 찾아내는 것이 포함된다. 하지만, 표준적인 인지 치료적 접근법은 정신병의 특별한 문제에 효과적으로 적용되기 위해 수정을 거쳐야만 한다. 여기에는 치료적 관계 확립의 어려움; 제시된 문제의 복잡성과 심각성; 신경인지결함의 고려; 그리고 정신병의 주관적 이해에 관한 중요성 등이 포함된다.

이론적 배경

수많은 이론적 모형과 가설들이 정신병의 인지-행동 치료의 이론적 토대를 제공한다. 일반적으로 정신병은 이종적(異種的)이고 다원인적(多原因的)이며, 생물정신사회적 틀 안에서 가장 잘 이해된다고 생각되고 있다. 생물학적 취약성, 심리학적 작용 그리고 사회적 환경이 한 개인의 정신병의 발병에 각기 다른 정도로 기여한다고 생각된다.[1,8] 이는 널리 수용되고 있는 '스트레스-취약성' 모형에 부합된다.[9,10] 이 모형은 한 개인이 지속적인 정신병의 취약성을 지니고 있다고 가정하는데, 필수적이지는 않지만, 아마도 유전적 혹은 신경발달학적 기원을 갖는 취약성이 사회적, 심리학적 혹은 생물학적 유년기 체험을 통해 강화될 수 있다고 본다. 뒤에 따르는 일련의 부가적인 스트레스, 이것은 역경적 환경이나 주요 인생사의 전환점 혹은 약물 오용과 같은 사회적, 심리학적, 생물학적 스트레스일텐데, 여기에 노출되면서 정신병이 발현되는 것이다. 장기적으로 질환이 유지됨에 있어서는 또 다른 요인들이 중요할 수 있다(정신병적 경험에 부과된 의미, 사회적 역할의 상실, 약물 사용 등). 인지-행동 치료의 맥락 속에 스트레스-취약성 모형을 적용하는 핵심적 의미는, 각각의 사례와 각각의 시기에 따라 상이한 요인들이 영향력을 발휘하고 있다는 점에 있다. 치료자의 목표는 개인의 취약성, 스트레스 그리고 반응에 대한 개별적인 평가를 내리고, 여기에 따라서 그 개인이 인지와 행동을 수정하도록 돕는 것이다.[11] Hogarty와 동료들에 의해서 미국에서 개발된 '개인 치료' 또한 스트레스-취약성 모형에 근간을 두고 있으며, 어떤 면에서는 영국에서 발달한 인지-행동적 접근법과 유사하다.[12,13] 개인 치료는 개인적, 사회적 적응 증진과 재발 예방에 명확한 초점을 두면서, 스트레스 경험을 확인해내고 이를 수정하는 작업을 강조한다. 이는 인지-행동 치료와 공통된 부분이다. 그러나, 개인 치료에서는 정신병의 증상에 대한 직접적인 접근이 덜 강조되는 반면, 인지-행동 치료에서는 이 점이 핵심적 특징을 이룬다. 인지-행동 치료의 이러한 측면은 정신병적 증상의 인지 모형에 기초하고 있다.

정신병의 핵심 증상과 경험은 인지장애에서 비롯되는데, 지각의 이상과 자기 경험의 이상(예를 들면, 환각)을 가져오는, 정보-처리에 관련된 기본 인지과정의 장애와 망상을 이끌어내는 의식적 사정(査定)과 판단의 장애라는 두 가지 영역 모두에서 비롯되는 것이다. 일반인의 인지 과정에 관한 이해를 연구하는 인지 심리학은, 정신병적 증상의 발생과 유지에 기여한다고 여겨지는 인지 과정의 붕괴와 편향을 발견했다(Garety와 Freeman의[14] 종설을 참고하라).

정신병적 증상을 설명하는 인지 이론으로는 몇 가지가 유력하다.[15] Hemsley와[16] Frith[17] 같은 이론가들은 망상과 관련된 일차적 왜곡 경험의 일부는 인지 신경심리학적 결함과 아마도 뇌 기능 장애의 결과일 것임을 시사했다. 예를 들어, Frith는[17] 사고의 자기-감시와 행동 하고자 하는 의도(이 인지적 과정은 의식적 인식의 영역 밖에서 일어난다)의 결함이 사고 주입과 조종 망상을 낳는다고 생각했다. 다른 이론가들은 혼란스러운 왜곡 경험을 설명하려는 합리적인 시도로서 망상이 생겨날 수 있음을 시사한 반면,[18] Garety와 Hemsley는[8] '결론으로 비약하는' 형태의 추론이 망상의 형성과 유지에 기여하는 방식으로 연관되어 있다고 밝혔다. 그래도 다른 많은 이론가들이 시사했던 바에 의하면, 망상은 그 기원에 동기(動機)를 지니고 있어 자존감에 대한 위협으로부터 자신을 방어하려는 기능을 한다.[19,20] 망상 혹은 다른 정신병적 증상에 이르는 단일 경로는 없는 듯 하다. 어떤 경우를 면밀히 살펴보면 증상의 존재를 설명하는 데에 한 유형의 인지 과정이 관련되기도 하며, 다른 경우에는 생물학적, 심리학적, 혹은 사회적인 몇 가지 상호작용하는 과정들의 산물이나 최종 공통 경로로서 증상이 출현하는 듯이 보이기도 한다.

정신병적 증상이 어떻게 발생했건 간에 개개인이 그 정신병적 경험을 얼마나 부정적으로 여기는가가 또한 인지 평가에 고려된다. 예를 들어, 피해망상적 신념이나 욕설을 해대는 환청의 경험은 감정을 교란시켜 우울이나 불안 혹은 자기에 대한 부정적 평가를 낳을 수 있을 것이다. 이러한 감정의 교란이 나아가서 증상과 고통을 심화시키고 유지시키는 데에 기여한다.[21,22] 정신병의 발생과 유지에 있어서의 우울과 불안 같은 감정적 과정의 역할때문에, 이러한 문제를 대상으로 한 인지 치료 기술을 직접 가능하게 한다.[23,24]

인지-행동 치료의 중심적인 가정은, 우리 모두와 마찬가지로 정신병을 가진 사람들 역시 세상과 자신의 경험을 이해하려고 하고 있다는 점이다. 그들의 경험에 부과된 의미들과 경험을 처리하는 과정은 초기의 인격 발달이 어떠했는가와 더불어 증상의 표현과 발달, 감정적 반응과 행동에 영향을 미칠 것이다. 따라서 환자들이 사고와 감정에 영향을 주는 과정을 인식하게끔, 그리고 자신과 정신병에 대한 관점을 재조명하게끔 돕는 것이 치료의 중심이다. 인지-행동 치료는 이러한 인지 모형에 기초한 접근법과 스트레스-취약성 모형에 근거한 개입법을 결합시키는 것이다.

하지만, 더 넓은 스트레스-취약성 모형 안에 정신병의 인지 평가를 이해한다면, 정신병 환자들에게 적용되는 다양한 다른 개입들도 제 역할을 지닌다는 점이 분명해진다. 개인 인지 치료는 잠재적으로 유용한 치료와 지지 방법들 중 하나의 접근일 뿐이다. 여기에는 상당한 범위의 정신사회적 개입법들은 물론, 생물학적 치료, 즉 항정신병약물 치료가 포함된다. 이들에 관해서는 이 책의 다른 부분에 서술되어 있다.

치료적 접근

정신병 환자들의 인지-행동 치료의 넓은 목표는 다음과 같은 세 가지 측면을 지닌다:[1]

1. 정신병적 증상이 야기한 고통과 장해를 경감시키기 위함.
2. 감정적 교란을 경감시키기 위함.
3. 재발의 위험과 사회적 장해 수준을 줄이는 데에 적극적인 참여를 유도하기 위해서 정신병을 이해할 수 있도록 도움.

일반적인 접근은 교육을 하거나 해석하거나 직면시키는 형태가 아니라, 이해하고, 뜻이 통하게 하고, 정신병 환자와 치료자 사이에 협동을 이루어 내는 데에 관심을 둔다. 인지-행동 치료는 정신역동적 치료와는 그 목표와 방법에서 다르다는 점에 유념하는 것이 중요하다. 정신역동적 치료는 잘 통제된 임상시험에서 정신분열병을 지닌 사람들에게 효과가 없다고 밝혀졌다. 여기에 관해 설명 가능한 한 가지 이유는, 전통적인 정신역동적 접근이 최소한 어떤 환자들에게는 너무나도 감정적으로 강렬하다는 점일 것이다.[25,26]

우리는 일련의 여섯 단계로서 치료를 개념화했는데, 이를 고정된 직선적 배열로 보아야 한다는 의도는 아니다.[11] 실제에서는, 결속의 문제(첫 '단계')가 필요한 다른 시기에 다시 다루어질 수도 있고, 마지막 '단계'에 기술된 작업이 더 이른 시기에 고려될 수도 있다. 따라서 여섯 개의 단계는 유동적으로 적용될 수 있는 지침의 틀 정도로 보아야 한다. 치료적 기법을 기술할 때에는 이 환자 집단에 적용하는 데에 필요한 인지-행동 치료의 특별한 변용(變容)을 부각시키고자 한다.

치료적 관계를 형성하고 유지하기 : 결속과 평가

환자가 이해받고 있다는 느낌을 가지게 하고, 협력적인 치료적 관계를 형성하고 성립시키는 기간으로써 인지-행동 치료가 시작된다. 치료적 동맹 형성은 치료성공의 일반적인 예측인자이지만,[27] 정신병 환자와의 치료에 있어서는 특별히 더욱 그러하다. 치료의 첫 단계에서 정신병 환자는 의심스러워하고, 정신보건 서비스에 대해 화를 내기도 하며, 자신의 문제의 치료 필요성을 부정하기도 한다. 이러한 문제들을 주목하지 않는다면, 환자는 조기에 탈락되기 쉽다. 우리의 해법은, 환자의 신념과 감정을 수용하고 환자의 관점으로써 작업하기 시작하는, 치료에 대한 융통성 있는 접근이다. 특히 이 단계에서 우리가 강조하는 것은, 환자가 치료시간을 어떻게 경험하고 치료자의 역할을 어떻게 생각하는지를 환자와 주의 깊게 토의하고 점검하는 일이다. 만약 환자가 치료시간에 자극을 받고 불안해한다면, 치료시간을 줄이고 덜 힘든 주제로 바꾸기를 권장한다. 일차적 목표는 견뎌낼 만한 치료시간을 유지하는 것이며, 언제나 이 점이 환자와 분명하게 토의될 수 있어야 한다. 치료시간 중에 발생한 환청이나 편집사고 등의 정신병적 증상을 알고 있음을 표시하고 매우 부드럽게 토의되어야 한다. 점차적으로 치료자는 공감적 청취로부터 좀 더 구조화된 평가 면담으로 옮겨가서, 정신병 발병의 맥락을 형성하는 특별한 삶의 상황, 사건들, 그리고 체험들을 밝혀내고자 시도하고, 특이한 고통스런 증상과 다른 문제점들을 상세히 분석한다. 대략 여섯번의 치료시간 동안(이는 더 길어지거나 짧아질 수 있다) 치료자는 과거력과 현 상황을 포함한 상세한 평가를 수행하는 한편, 신뢰관계를 형성하기 위해 노력한다. 이 기간이 끝날 때에는 서로 공유되는 예비적 치료 목표가 생겨나야 한다. 이는 환자에게 적절하고, 환자의 말로써 표현되어야 하는 한편, 치료가 성취되리라고 희망할 수 있는 것이어야 한다. 예를 들면, 다음과 같은 목표들이다: '집 밖에서 편집증을 덜 느끼기', '낮병원에 있을 때에 경험하는 환청에 더 잘 대처하기', 혹은 '힘든 날이더라도 덜 당황하고 자신에게 화내지 않기' 등이다. 이렇게 제한적인 목표는 치료가 진행됨에 따라 다듬어지고 수정될 수 있다. 뒤에 이어지는 개입은 환자에 따라 개별화될 것이며 환자와의 협동을 통해 확인된 문제들에 초점을 둘 것이다.

인지-행동 대처 전략

평가 후에 바로 대처 전략에 관한 작업이 이어진다. 평가에서는 환청을 듣는 경우라든지 밖에 나가면 불안해지고 의심스러워진다는 등의 현재의 고통스런 증상과 경험을 확인한다. 이런 문제의 발생이나 기간을 줄인다고 밝혀진 몇가지 인지-행동적 전략에는 활동 예정표, 불안 감소 혹은 주의력 조절 기술 등이 포함된다(Tarrier 1992을[28] 보라). Yusupoff와 Tarrier는[29] 이 방법들이 본질적으로 실용적이라고 기술하면서, 기존의 전략과 현 증상의 전후 과정을 상세히 평가함으로써 각 개별적 사례에서 작동하는 기전을 밝혀낼 것을 강조한다. 여기에서의 목표는 증상의 유지에 기여하는 어떤 요인을 다루는 것이다. 유용한 접근을 찾아내는 데에는 시행착오가 필요하다. 효과적인 대처 전략의 개발은 증상이 압도적이고 통제불능이라고 경험되어 이를테면 자해(自害)나 이상 행동을 낳게 되는 경우에 환자를 특별히 안심시켜 주는데 도움을 준다. 조절할 수 있다는 느낌과 희망을 길러주고, 치료 초기에 실제적인 도움을 주는 것이 목표이다.

새로운 대처 전략의 이행 중에는, 환자에게 목표 증상의 발생 기록 같은 과제를 시킬 수 있다. 여기에는 표준적인 인지-행동 치료의 수정이 필요할 수 있다. 낮은 지능, 문자해독 문제, 또는 특이한 신경인지 결함(기억이나 계획 능력의 결함 등)을 지닌 정신병 환자들이 있는데, 이들에게는 과제 수행이 어려울 수 있다. 우리의 접근법은 환자의 인지 능력을 고려하여 거기에 맞추어 과제를 다듬는 것이다. 예를 들어, 자가-감시 일기에 개별화된 선다형(選多型) 문항지를 사용함으로써 문자해독 능력의 요구를 최소화할 수 있고, 즉석 카드를 이용해서 자가-지시 전략에 필요한 기억력을 보조할 수 있다.

정신병 경험에 관한 새로운 이해를 발달시키기

정신병의 경험과 그 의미에 관한 토론은 인지-행동 치료의 중요한 요소이다. 비록 많은 사람들이 이 단계에서는 자신의 망상에 대한 강한 확신을 유지하고 병식이 결여된 상태지만, 우리의 경험에 비추어 보면 대부분이 정신병을, 그 원인이 무엇이든 상관없이, 일종의 개인적인 기능장애로서 체험하고 있다. 사람들이 자신의 신념을 재평가하도록 돕는 첫 단계의 핵심은, 환자에게 받아들여질 만하고 이해 가능한, 발생했던 사건의 새 모형을 구성하는 일이다. 이는 뒤이어 좀더 특이한 사고내용들과 신념들을 재평가할 토대를 제공해줄 수 있다. 이 작업은 가족 작업(Penn과 Mueser의 개설[30])과 같은, 정신병에 대한 기타의 다른 정신사회적 접근법의 '정신교육적' 요소와 유사하다. 하지만, 인지-행동 치료에서는 '정신분열병에 관한 교육' 보다는, 환자의 특별한 개인력과 관점을 이해하도록 도울 목적으로, 정신병에 관한 지식에 근거한 개별화된 설명을 발달시키는 데에 주안점을 둔다. 따라서, 정신병의 새로운 모형을 구성하는 일은, 환자가 자신의 곤경을 어떻게 이해하고 있는가 그리고 불확실하더라도 개인적 기능장애의 체험임을 얼마나 인정하고 있는가를 탐색하는 데에서 시작한다. 우리는 환자가 자신을 아프다고 보는가, 스트레스를 받는다고 보는가, 혹은 정신분열병을 앓는다고 보는가 하는 질문으로 탐색한다. 우리는 무엇이 그들의 문제를 야기했고 무엇이 도움이 되고 있는가에 대한 그들의 관점을 토의한다. 그리고 그들에게 미래를 어떻게 전망하는지 질문한다. 환자의 관점과 평가를 통해 얻은 정보에 근거하여, 넓은 스트레스-취약성 틀에 기초했지만 정신병에 대한 개인의 주관적 체험 설명을 강조하는, 개별화된 공식(公式)을 시험적으로 제공하는 것이 치료자의 목표이다. 이 공식은 개인의 인생사(人生史), 확인된 취약성 요인, 정신병 발병을 촉진했던 스트레스적 사건, 그리고 증상을 지속시키는 과정들 간에 연결을 맺어줄 것이다. 특정 스트레스 상황(감각박탈이나 수면박탈

등) 하에서는 정상인도 정신병적 증상을 경험 한다는 증거가 정신병을 '정상화' 시키는 데에 이용되곤 한다.[5] 환자의 능력과 관심에 의존하여, 우리는 정신병의 생물정신사회적 이론 및 증상의 인지모형을 토의한다. 항정신병약물의 작용기전이 종종 유용하게 논의되고 더 넓은 스트레스-취약성 틀 안에서 마련되기도 한다. 정신병 체험을 새로이 혹은 더 온전하게 이해하도록 촉진시키는 데에 있어서 치료자의 목표는, 죄책감 또는 그에 연관된 부정(否定)을 줄이고, 재발 위험을 감소시키고 기능을 증진시키는 행동을 취할 수 있도록 환자에게 그 근거를 제공하는 것이다.

망상과 환각에 대한 작업

단순히 공식(公式)을 토론한다고 해서 망상적 신념에 변화가 오리라고 기대할 수는 없다. 망상과 환청의 신념에 관한 잘 입증된 연구에 의하면, 특정한 사건에 대한 반복적인 잘못된 해석, 지속되는 왜곡 경험, 그리고 기존의 신념에 대한 확증을 선택적으로 취하고 그 부당성은 거부하는 인지 행동적 양상이 그러한 신념을 전형적으로 유지시킨다.[8] 예를 들면, 망상을 가진 일부 사람들은 희박한 증거를 토대로 '결론으로 비약하고', 부정적인 사건은 다른 사람의 탓으로 돌리는 편향된 경향을 지니고 있다는 강력한 증거가 있다.[14] 그 신념은 또한 자존감을 보호하는 기능을 하기도 하는데, 결국 괴롭고 혼란스러운 체험이라는 주관적 느낌을 낳게 될 것이다. 그러므로, 강력하게 고집되던 신념의 변화가 초래할 감정적 결과를 탐색할 필요가 있다. 인지적 편향의 결과로서 사건이 어떻게 잘못 해석될 수 있는지 그리고 내적 체험(사고나 심상)이 어떻게 외계로 돌려질 수 있는지를 일반적 용어로 토론한 뒤에, 일상의 경험과 판단들을 상세히 분석한다. 수주 혹은 수개월에 걸쳐 치료시간마다 이러한 사항이 검토되고 대안(代案)이 만들어진다. Chadwick 등은[6] 망상적 신념에 대한 이 작업을 방대하게 설명했고, Chadwick과 Birchwood는[21] 환청에 귀착된 신념(예를 들면, 목소리의 정체감이나 그 힘)을 변화시켜 고통을 줄일 수 있다는 환청에 대한 접근법을 발달시켰다.

증거를 검토하고 대안을 창출하는 체계적인 작업을 통해 고통스럽고 장해를 초래하는 망상과 환각을 확인하고 변화시키는 이러한 중심적인 작업은 표준적인 인지적 접근에 근거를 둔다. 그러나 방법에는 몇 가지 차이가 있다. 첫째로, 언급되었던 바와 같이, 이러한 작업은 치료적 관계가 공고히 확립된 이후라야 가능하다. 종종 치료의 후반부에 이르러서야 망상과 환각을 상세히 토론하게 될 수도 있다. 둘째로, 부드러우면서 직면시키지 않는 접근법이다. 치료자는 환자의 해석에 문제를 제기할 것인가, 그리고 제기한다면 어느 정도로 할 것인가를 주의 깊게 판단해야 한다. 또한 표준적인 인지 치료에서보다 더 흔히, 환자가 대안을 만들어내도록 항상 추구하기보다는 치료자가 대안적 해석을 직접 공급해주기도 한다. 이점이 어떤 환자가 가진 인지적 불변성이나 장애를 보상하는 데에 도움이 된다. 셋째로, 최선을 다했음에도 불구하고, 어떤 환자들은 자신들이 지닌 신념의 재평가에 완강히 저항한다. 이 경우라면, 우리는 망상 '안에서 작업하는' 목표를 갖고, 신념이 지속되더라도 고통과 장해를 줄일 수 있는 가능한 방법을 찾아내고자 한다. 예를 들면, 어떤 치료자가 하느님의 목소리가 창 밖으로 뛰어내리라고 명령한다고 믿는 환자와 작업했다. 환자는 실제로 한번 이상 이층 창문에서 뛰어내렸고 심한 부상을 입었다. 하지만 환자는 자신이 하느님과 특별한 관계를 맺고 있으며 그 목소리를 듣는다는 신념에 대한 증거를 재평가하려고도 하지 않았고 할 수도 없었다. 대신에, 하느님이 이렇게 환자에게 말한다는 신념을 유지하는 한편, 인자한 하느님이 환자에게 스스로 해를 입히길 바랄지의 여부를 토론하는 것은 가능했다. 환청이 들릴 때에 경험하는 고도의 각성을 다룰 수 있는 불안 경감 전략과 아울러, 그러한 명령에 따라 행동하는 경우와 행동하지 않는 경우의 결과를 탐색하게 되었다.

부정적인 자가-평가, 불안과 우울 다루기

약물-저항성 정신병 증상을 지닌 환자들에게는 자존감이 저하된 경우가 흔하다.[31] 더욱이 망상이나 환각의 내용과 인생 초기의 위협적이고 외상적이었던 사건의 특성 사이에 관계가 있다는 것이 평가와 공식(公式) 단계에서 확인되었을 수도 있다. 이는 오랫동안 지속되어오며 해결되지 못한 어려움과, 거기에 관련된 부정적인 자가-평가(예를 들면, 자신이 사악하다고 믿거나 가치가 없다고 믿는 따위)가 있음을 가리키는 것일 수 있다. 그러한 자가-평가는 망상과 환청을 유지하는 요인이 되기 쉬운데, 이를테면 욕설을 해대는 목소리가 자가-평가의 내용과 일치하므로 그 환청의 정확성을 확신하는 식이다.[22] 부정적인 자가-평가를 확인했다면, 인생주기에 걸친 이러한 생각의 발달사(發達史)를 검토하고 그 증거를 재평가하는 표준적인 인지 치료적 접근이 흔히 적용 가능하다. 많은 정신병 환자들은 정신병 그 자체와 정신병의 결과를 포함한, 매우 역경적인 인생 사건과 상황을 경험해왔다. 그런 경우라면 재평가를 통해서, 환자가 자신을 '완전한 실패작' 혹은 '가치 없는 사람'으로 보지 않고, 역경에 맞서 영웅적으로 투쟁해온 사람으로 볼 수 있도록 도와줄 수 있을 것이다.

정신병 경험의 영향력은 특정 평가뿐만 아니라, 좀더 일반적으로 우울과 불안에도 미친다. Birchwood 등은[32] 정신병 발병 결과로서 사람들이 어떻게 혼란감과 통제 상실감을 경험하는 가를 기록했고, McGorry 등은[33] 발병에 대한 외상적 체험을 확인했다. 정신병 환자들에게 심한 불안은 드물지 않으나, 이는 종종 간과되기도 한다.[24] 자동적 사고와 역기능적 가정을 확인하고 대안적 평가를 탐색하는 표준적인 인지적 접근이 여기에 추천된다.

재발 위험과 사회적 장해 다루기

행해진 작업을 검토하고 미래를 살펴보는 일은 치료의 마지막 단계에 속한다. 환자가 자신이 정신병을 지니고 있다고 이해하는 것은 서비스와 지지에 대한 그들의 참여도와 약물치료에 대한 그들의 태도에 영향을 미친다. 이 점이 계속적으로 적절히 검토되고 논의되어야 한다. 비록 사회적 기능의 측면이 치료 전체를 통해 논의되겠으나(예를 들면, 사회적 가족적 관계, 직업, 혹은 기타의 활동에서의 어려움), 치료를 통해 배운 점에 비추어서 단기 및 중기-계획이 심화 토의된다. 접근법이 교육적이지는 않으나, 환자가 상이한 전략과 계획에 따르는 이익과 불이익을 평가할 수 있게 도와주는 것을 목표로 한다. 이 단계에서 만약 환자가 증상 악화 또는 재발에 취약하다면, 재발의 특이한 개인적인 전조에 대해 배웠던 것을 검토하고 재발 위험을 줄이는 전략을 다시 토의하는 것이 도움이 된다.[34]

예후 연구

지난 10년에 걸쳐 약물-저항성 증상을 가진 환자들의 인지-행동 치료를 평가 보고한 논문의 수가 점차 증가해왔다. 어떤 연구들은 망상이나[35,36] 환각[37,38] 같은 특별한 증상에 대한 작업에 집중했다. Tarrier와 동료들의[39] 초기 대처 전략 증진 작업 같이 어떤 연구는 위에 기술된 것 보다 더 제

표 5.1 약물치료-저항성 정신병의 인지-행동치료 대조군 시험들

연구	진단(대상수) 질환의 이환기간	설계	치료조건	치료기간(평균치료 횟수) 및 추적기간	치료결과
1. Kuipers 등 (1997, 1998)[42,44]	정신분열병-연속선 정신병(60) 기간 13.1년 (범위 1-33년)	RCT	1. CBT + 표준치료 2. 표준치료	9개월(18회) 9개월 추적	1. 표준치료보다 CBT 집단이 유의한 호전 - 전체증상에서(BPRS) - 망상(고통)에서 - 환각(빈도)에서 2. 경제성 평가 결과, CBT 비용은 서비스 이용 비용, 특히 입원비용 감소로 상쇄됨
2. Tarrier 등 (1998, 1999)[43,45]	정신분열병(87) 기간 14.2년 (표준편차 9.9)	RCT	1. CBT + 표준치료 2. 지지적 상담 + 표준치료 3. 표준치료	10주(20회) 12개월 추적	1. 표준치료보다 CBT 집단과 지지적 상담 집단이 유의한 호전 - 양성증상에서 - 음성증상에서 2. 양성증상은 12개월 추적동안 유의한 개선효과가 유지됨 3. 지지적 상담에 비해 CBT가 치료종결 시점에서 약간의 이득이 있었지만, 추적시점에서는 그렇지 않았음
3. Garety 등 (1994)[41]	정신분열병과 분열정동장애(20) i. CBT 집단-16.5년 (범위 6-30년) ii. 대조군-10.9년 (범위 5-20년)	대기목록 무작위 할당이 아님	1. CBT + 표준치료 2. 표준치료 대기목록	6개월(15회) 추적 없음	CBT 집단이 유의한 호전 - 전체증상(BPRS)에서 - 망상(확신과 영향력)에서 - 우울증상에서 - 문제의 주관적인 평가에서
4. Tarrier 등 (1993)[39]	정신분열병(27) 기간 12.2년 (표준편차 9.2)	대조군 시험 (무작위 할당이 아님)	1. 인지-행동 대처전략 증강 + 표준치료 2. 문제해결 + 표준치료 3. 표준치료 대기목록	5주(?회) 6개월 추적	1. 표준적 치료에 비해 양 치료 집단에서 유의한 호전 2. 인지-행동 대처전략의 호전이 더 큼 - 망상에서 - 불안에서

CBT는 인지행동치료; RCT는 무작위 대조군 시험; BPRS는 간이정신과평가척도

한적인 치료적 기술을 사용하기도 했다. 일반적으로 이러한 더 특이적인 접근법들은, 위에 기술된 치료의 방향에 따라, 더 포괄적인 치료적 접근으로 점점 통합되어 가고 있다. Bouchard 등은[40] 정신분열병 치료에 있어서의 '인지적 재구성' 에 관한 논문 15개를 검토했는데, 대부분이 약물-저항성 망상이나 환각에 대한 인지-행동적 접근을 사용한 개별적인 사례 연구였다. 이 중에서 방법론적으로 엄격했고 정신분열병 환자를 대상으로 한, 작은 대조군 시험 1개를[41] 포함하여 5개 연구를 선별했다. Bouchard 등은[40] 예후의 주요 측정치로서 양성증상의 변화에 초점을 두었다. 그들은 이 연구들이 정신분열병 환자의 망상과 환청을 줄이거나 제거하는 데에 인지적 접근법이 효과적일 것이라고 결론지었다. 이를 좀더 세부적으로 조사해보니, 환각에서보다 망상에서 그 효과가 더 컸는데, 망상은 신뢰도 있는 실질적인 변화를 보였다.

제한점을 지니고 있음에도 불구하고(연구 결과를 임상에 일반화시키는 데에 따르는), 무작위 대조군 연구는 사례 보고나 사례 연속물에 비해 여러 형태의 치료 효능에 관한 타당성 있는 검사로서는 결정적인 자료가 된다. 약물-저항성 정신병 환자들을 대상으로 한, 두 개의 무작위 대조군 연구가 최근에 완료되었다.[42,43]

이 연구들에 관한 상세한 내용이 같은 연구팀들이 예전에 수행했던 두 개의 대조군 연구와 아울러 표 5.1에 기술되어 있다. 가장 일관된 결과는 증상 감소, 특히 양성증상 감소의 측면에서 인지-행동 치료는 유의한 효과가 있다는 점이다. 이는 표준적인 치료만을 받은 대조군과 비교되는, 표준적인 치료에 인지-행동 치료를 추가한 모든 사례에서 발견되었다. 치료 후 1년까지 추적한 기간 동안 이러한 효과는 유지되고 있었다. 한 연구에서는[44] 치료 후 대조군은 기저상태로 역전된 반면, 인지-행동 치료군은 더욱 호전을 보였다는 일부 증거가 있었다. 인지-행동 치료가 재원 일수를 줄일 수 있다는 예비적 단계의 연구도 있다. 비록 일치된 결과는 아니지만, 양성증상에만 효과가 분명한 것은 아니다. Tarrier 등이[45] 음성증상의 감소를 보고한 한편, Garety 등은[41] 우울 척도 점수의 감소도 보고했다. 따라서 전반적으로, 인지-행동 치료는 정신병적 증상 감소에 효과적이라는 대조군 연구 결과의 좋은 증거가 있으며, 재발 감소에도 기여할 수 있다는 예비적 단계의 증거도 있다. 정신분열병의 인지-행동 치료에 관한 체계적 종설을 통해 Jones 등도[46] 같은 결론을 내놓았는데, 여기에도 급성 삽화를 대상으로 한 두 개의 시험 연구가 포함되어 있었다. 그렇지만, 사회적 기능은, 그것이 치료의 목표임에도 불구하고, 호전되는 것으로 밝혀지지 않았다. 게다가, 지지적 상담이라는 다른 정신사회적 개입법과 인지-행동 치료를 비교한 연구에서는,[45] 인지-행동 치료의 이점이 특히 추적관찰 시에 아주 미미했다.

통계적 유의성이 임상적 의미와 동등하지 않다는 점은 당연한 사실임에도 불구하고 주목할만하다. Kuipers 등과[42] Tarrier 등은[43] 모두 임상적으로 유의한 변화를 조사했다. Kuipers 등은 간이 정신과적 평가 척도(BPRS) 상 5점 이상의 변화를 유의한 임상적 변화로 정의했다(이는 전체 척도 점수에서 최소 20% 이상의 호전과 동일하다). 치료 후 9개월이 경과한 시점에서, 인지-행동 치료군은 15/23명이 유의한 임상적 호전을 보인데 비해, 대조군은 4/24명만이 호전을 보였다.[44] Tarrier 등은[43] 치료가 종결되는 시점에서 50% 이상의 양성증상 호전을 보인 비율을 조사해서 인지-행동 치료군이 다른 두 치료군(지지적 상담과 표준적인 치료)에 비해 유의한 이득을 얻는다는 점을 밝혔는데, 지지적 상담군은 그 중간에 해당했다.

급성 정신병과 초기 정신병의 인지-행동 치료

비록 정신병의 인지-행동 치료 대부분이 약물-저항성 양성 증상을 대상으로 해왔으나, 정신병의 급성 삽화에 이 접근법을 적용한 새로운 시도도 있었다.[4] 이의 목표는 양성증상의 관해를 빠르게 하고, 완전한 회복을 촉진하며, 잔류증상의 중증도를 감소시키는 것이다. 또한 정신병적 삽화 그 자체에 관련된 고통을 줄임으로써 거기에 따르는 외상적 반응이나 우울증을 경감시킬 수도 있을 것으로 기대된다. Drury 등은[4] 급성 삽화로 입원한 환자를 대상으로 대략 12주 동안, 인지 집단치료와 단기 가족개입에 아울러 개별적인 인지-행동 치료를 적용하는 집중적인 정신사회적 개입에 대해 무작위 대조군 연구를 시행했다. 환자의 약 삼분의 일은 정신병 첫-삽화를 경험하고 있었다. 그 결과는 상당히 인상적이다. 인지 치료 조건에 놓인 환자들은 유의하게 빠르고 완전한 회복을 보였다. 9개월 추적 시점에서 인지 치료군 95%와 대조군 44%가 환각이나 망상이 소실되거나 극히 미미한 정도만을 보였다. 인지 치료군은 또한 유의하게 짧은 입원기간을 가졌다. 이는 집중적인 다차원적 인지-행동 치료가 급성 삽화를 겪는 사람들에게 유익하고 비용-효과적일 수 있음을 지적해주는 흥미로운 연구이다. 후속의 연구가 현재 진행중이며, 특히 초기 정신병을 겪는 사람들을 대상으로 하고 있다.[3]

인지-행동 치료의 임상 적용

보편적인 임상 상황에서 어떻게 인지-행동 치료를 할 것인가를 고려하면 상당한 의문점이 생긴다. 적합한 환자의 선택, 치료의 빈도와 기간, 다른 개입들과의 통합과 치료의 어떤 요소가 중요한가를 결정하는 일 등이다.

인지-행동 치료의 주된 적응증으로서 가장 효과적인 경우는 약물-저항성 정신병이라는 점은 분명하다. 즉, 지속되는 양성증상이다. 환자를 치료에 결속시키기 위해서 우리가 유용하다고 발견한 방법은, 증상이 얼마나 고통스럽고 자신의 목적을 이루는 데에 어떻게 방해가 되는지를 환자와 함께 확인해 나가는 것이다. 따라서, 우리는 임상 상황에서 양성증상의 경험 때문에 겪는 고통과 목적을 이루는 데에 방해를 받는다고 보고하는 환자들에게 우리의 재원을 집중해야 한다. 고통이나 개인적 어려움을 보고하지 않는 환자들은 치료에 잘 결속되지 않을 수 있다. 그런 환자들의 예로서, 주로 과대한 내용의 망상을 지닌 환자들, 특히 자신의 신념이나 경험으로부터 비롯되는 어떠한 문제도 부정하는 경우가 그러하다. 임상적으로 치료가 제공되기에 좋은 시점은 환자가 더 도움을 받고 싶다는 관심을 표현하는 때일 것이다. 이는 인지-행동 치료에 좋은 반응을 보이는 예측자를 확인하고자 했던 연구 결과와도 일치한다.[47] 우리는, 자신의 망상에 대한 인지적인 융통성, 우리가 '통찰의 구멍' 라고 불렀던 그런 융통성을 지닌 사람들이 더 잘 치료된다는 점을 발견했다. 그러나 강조하건대, 이것이 자신의 망상을 완전히 확신하고 있는 사람들이나 이전에 불량한 병식을 지니고 있었던 사람들에게는 치료가 효과적이지 않다는 것을 의미하지는 않는다. 덧붙여 우리는, 지능지수나 인지적 장해는 치료 예후를 예측하지 못했다는 점도 발견했다. 정신병 환자에게서 때로 발견되는 계획능력이나 기억 등의 인지기능 장애를 지닌 환자들을 포함하여 광범위한 지능지수를 가진 환자들이 성공적으로 치료받는 것은 전적으로 가능해 보인다. 하지만, 그러한 경우에는 위에 기술된 대로, 환자의 능력에 맞추어 치료를 다듬어 수정해 주어야 한다.

치료의 기간과 빈도에 대해서는 연구마다 다르지만, 대부분이 평균 20회 정도를 시행했다. 임상에서의 우리 경험은 6개월에서 1년 사이의 기간에 걸친 치료가 가장 좋았다. 매주 치료로 시작해서 대부분의 기간동안은 격주로 하는 빈도가 선호되었다. 그렇지만, 한 달에 한 번 치료받는 것도 가능하며, 재원이 허용한다면 일부 선택된 환자들에겐 더 길게 치료가 이어질 수도 있다. 비록 뒷받침할만한 연구는 없으나, 재발에 취약한 환자나 매우 불안정한 신념 체계를 가진 환자는 그러한 연장된 치료를 통해 도움을 얻을 수 있을 것이다. 또 다른 방안으로서, 환자를 정규적으로 볼 수 있고 인지적 정보를 담은 지지를 제공할 수 있는 다른 정신보건 전문가에게 조심스럽게 그리고 전적으로 이행(移行)하는 것도 실용적일 듯 하다.

이미 언급했듯이, 인지-행동 치료는 통상 약물치료, 낮병원이나 직업 재활 서비스, 사례 관리 등의 다른 치료들과 더불어 제공된다. 진정으로 최적의 치료는 그런 개입들의 통합을 필요로 한다.[48] 하지만, 환자들이 여러 서비스에 결속되는 정도는 다양하다. 인지-행동 치료는 다른 서비스에 결속되지 않는 환자나 약물을 복용하지 않는 환자들에게 적용될 수 있다. 그러나 많은 환자들은 치료와 동시에 항정신병약물을 복용한다. 인지-행동 치료가 약물 치료나 다른 형태의 정신사회적 치료와 어떻게 상호작용하는가 하는 부분은 아직 연구되어야 할 영역이다. 실제에서는, 인지-행동 치료가 직업 프로그램이나 사회적 프로그램 등의 기타 서비스에의 결속을 촉진하는 데에 도움이 되는 것으로 보인다. 또한 각 개별적인 사례에서 약물이나 다른 치료에의 결속을 증가시킬 수 있다(비록 입증되지는 않았으나). 가족들과 함께 거주하는 환자들에게 가족 개입과 아울러 인지-행동 치료가 주어진다면 예후가 향상될 것인가 하는 문제는 특별한 관심거리인데, 예전에 이득이 있다고 보여진 적이 있었다.[30] 하지만 이는 아직 체계적으로 연구되지는 않았다. 특히 최근에 발병한 젊은 정신병 환자에게는 개인 인지-행동 치료와 가족적 접근법이 이득이 될 수 있다.

우리가 강조한 바와 같이, 정신병을 지닌 사람들에게서 제시되는 문제가 이종적(異種的)이라는 가정하에, 인지-행동 치료는 상세한 평가, 개별화된 공식, 그리고 개별적으로 선별된 치료 목표를 포함한다. 거기에 이어, 개인에 따라 위에 열거된 여섯 '단계' 중의 특이한 요소에 집중한다. 치료적 관계를 발달시키는 첫 단계는 모두에게 공통된다는 점이 분명하지만, 특정한 사례에 있어서 다른 요소들 중에 무엇이 필수적이고 가장 효과적인가에 관해서는 알려져 있지 않다. 임상 실제에서 우리가 발견하는 점은, 약물-저항성 증상일 경우에는 정신병에 관한 이해를 발달시키는 단계와 망상과 환각에 대해 작업하는 단계가 핵심을 이루는 반면, 대처 전략 발달시키기 및 부정적 자가-평가와 감정 교란 다루기는 어떤 환자에게 덜 적절할 수도 있다는 것이다. 역시, 우울증을 감소시키는 데에는 분명한 이득이 없었다는 실망스런 연구 결과가 말해주듯이, 치료적 접근을 향상시켜 이를 달성하기 위해서는 더 많은 작업이 필요할 것이다. 약물에 대한 반응은 양호하나 재발하는 경과를 거치는 환자들은 위의 여섯 번째 단계에 기술된 특이한 문제에 강조점을 두어야 할 것이다: 재발 예방에 대한 작업과 사회적 기능 증진시키기에 해당한다.

결론

인지-행동 치료는, 항정신병약물로 최적의 도움을 얻을 수 없는 증상을 완화시키는 효과적인 접근법으로서 부상하고 있다. 인지-행동 치료는 양성증상을 줄이는 것으로 밝혀졌고, 재발 감소에도 기여할 수 있다는 증거가 있다.[46] 한 연구는 추적관찰

시에 호전이 유지되었거나 심지어 증가하기도 했다고 보고하면서, 이 접근법이 자가-관리 기술을 전달할 수 있음을 시사했다.[44] 비용 효과도 입증될 것으로 보이는데, 특히 재발을 지연시킨다는 증거가 굳어진다면 더욱 확실해질 것이다. 마지막으로, 인지적 접근법이 급성 및 초기 정신병 환자들에게 도움이 될 수 있다는 일부 증거가 있다. 실제로, 정신병 경험의 맥락 속에서 환자가 발달시킨 신념과 이해에 초점을 둔 개입은 일찍 제공될수록 더 유용할 것 같다. 그러나 정신병의 복잡성과 이종성을 고려한다면 최적의 치료에는, 환자와 보호자가 원하는 바에 따라, 그리고 필요하다고 적절히 판단되는 경우에, 이 책에 기술되어 있는 일부의 개입법들이 요구될 것이다. 인지-행동 치료는 포괄적인 치료 계획 속에 하나의 가능한 요소로 간주되어야 한다.

참고문헌

1. Fowler D, Garety P, Kuipers E, *Cognitive Behaviour Therapy for People with Psychosis* (John Wiley & Sons: Chichester, 1995).
2. Roth A, Fonagy P, Schizophrenia. In: Roth A, Fonagy P, eds, *What Works for Whom? A Critical Review of Psychotherapy Research* (Guildford Press: New York, 1996).
3. McGorry P, ed, *Verging on Reality.* Vol 172 Suppl. 33rd edn. (Royal College of Psychiatrists: Dorchester, 1998, 1–136).
4. Drury V, Birchwood M, Cochrane R, MacMillan F, Cognitive therapy and recovery from acute psychosis: a controlled trial. I. Impact on psychotic symptoms, *Br J Psychiatry* (1996) **169:**593–601.
5. Kingdon D, Turkington D, *Cognitive-Behavioural Therapy for Schizophrenia* (Lawrence Erlbaum Associates: Hove, 1994).
6. Chadwick PDJ, Birchwood M, Trower P, *Cognitive Therapy for Delusions, Voices and Paranoia* (John Wiley & Sons: Chichester, 1996).
7. Beck AT, Rush AJ, Shaw BF, Emery G, *Cognitive Therapy of Depression* (Guilford: New York, 1979).
8. Garety PA, Hemsley DR, *Delusions: Investigations into the Psychology of Delusional Reasoning.* Maudsley Monograph (Oxford University Press: Oxford, 1994).
9. Zubin J, Spring B, Vulnerability – a new view on schizophrenia, *J Abnorm Psychol* (1977) **86:**103–26.
10. Strauss JS, Carpenter WT, *Schizophrenia* (Plenum: New York, 1981).
11. Garety PA, Fowler D, Kuipers E, Cognitive-behavioural therapy for medication-resistant symptoms *Schizophr Bull* in press.
12. Hogarty GE, Kornblith SJ, Greenwald D et al, Personal therapy: a disorder-relevant psychotherapy for schizophrenia, *Schizophr Bull* (1995) **21:**379–93.
13. Hogarty GE, Kornblith SJ, Greenwald D et al, Three-year trials of personal therapy among schizophrenic patients living with or independent of family, I: Description of study and effects on relapse rates, *Am J Psychiatry* (1997) **154:**1504–13.
14. Garety PA, Freeman D, Cognitive approaches to delusions: a critical review of theories and evidence, *Br J Clin Psychol* (1999) **38:**113–54.
15. Nuechterlein KH, Subotnik KL, The cognitive origins of schizophrenia and prospects for intervention. In: Wykes T, Tarrier N, Lewis S, eds, *Outcome and Innovation in Psychological Treatment of Schizophrenia* (John Wiley & Sons: Chichester, 1998) 17–43.
16. Hemsley DR. Perceptual and cognitive abnormalities as the bases for schizophrenic symptoms. In: David AS, Cutting JC, eds, *The Neuropsychology of Schizophrenia* (Lawrence Erlbaum: Hove, 1994) 97–116.
17. Frith CD, *The Cognitive Neuropsychology of Schizophrenia* (Lawrence Erlbaum: Hove, 1992).
18. Maher BA, Anomalous experience and delusional thinking: the logic of explanations. In: Oltmanns TF, Maher BA, eds, *Delusional Beliefs* (Wiley & Sons: New York, 1988).
19. Freud S, *A Case of Paranoia Running Counter to the Psychoanalytic Theory of Disease* (Hogarth: London, 1915/1956).
20. Bentall R, Kinderman P, Kaney S, The self, attributional processes and abnormal beliefs: towards a model of persecutory delusions, *Behav Res Ther* (1994) **32:**331–41.
21. Chadwick P, Birchwood M, The omnipotence of voices: a cognitive approach to auditory hallucinations, *Br J Psychiatry* (1994) **164:**190–201.
22. Close H, Garety PA, Cognitive assessment of voices: further developments in understanding the emotional impact of voices, *Br J Clin Psychol* (1998) **37:**173–88.
23. Birchwood M, Iqbal Z, Depression and suicidal thinking in psychosis: a cognitive approach. In: Wykes T, Tarrier N, Lewis S, eds, *Outcome and Innovation in Psychological Treatment of Schizophrenia* (John Wiley & Sons: Chichester, 1998).
24. Freeman D, Garety PA, Worry, worry processes and

dimensions of delusions: an exploratory investigation of a role for anxiety processes in the maintenance of delusional distress *Behavioural and Cognitive Psychotherapy* (1999) **27**:47–62.
25. Mueser KT, Berenbaum H, Psychodynamic treatment of schizophrenia: is there a future? *Psychol Med* (1990) **20**:253–62.
26. Gunderson JG, Frank AF, Katz HM et al, Effects of psychotherapy in schizophrenia. II. Comparative outcome of two forms of treatment, *Schizophr Bull* (1984) **10**:564–98.
27. Horvath AO, Symonds BD, Relationship between working alliance and outcome in psychotherapy: a meta-analysis, *J Consult Clin Psychol* (1991) **38**: 139–49.
28. Tarrier N, Management and modification of residual positive psychotic symptoms. In: Birchwood M, Tarrier N, eds, *Innovations in the Psychological Management of Schizophrenia* (John Wiley & Sons: Chichester, 1992).
29. Yusupoff L, Tarrier N, Coping strategy enhancement for persistent hallucinations and delusions. In: Haddock G, Slade PD, eds, *Cognitive-Behavioural Interventions with Psychotic Disorders* (London: Routledge, 1996).
30. Penn DL, Mueser KT, Research update on the psychosocial treatment of schizophrenia, *Am J Psychiatry* (1996) **153**:607–17.
31. Freeman D, Garety PA, Fowler D et al, The London–East Anglia randomized controlled trial of cognitive-behavioural therapy for psychosis IV: Self esteem and persecutory delusions, *Br J Clin Psychol* (1998) **37**:415–30.
32. Birchwood M, Mason R, MacMillan F, Healy J, Depression, demoralisation and control over psychotic illness: a comparison of depressed and non-depressed patients with a chronic psychosis, *Psychol Med* (1998) **23**:387–95.
33. McGorry PD, Chanen A, McCarthy E. Post-traumatic stress disorder following recent onset psychosis. An unrecognised postpsychotic syndrome, *J Nerv Ment Dis* (1991) **179**:253–8.
34. Birchwood M. Early interventions in psychotic relapse: cognitive approaches to detection and management. In: Haddock G, Slade P, eds, *Cognitive-Behavioural Interventions with Psychotic Disorders* (Routledge: London, 1996).
35. Chadwick PDJ, Lowe CF, Measurement and modification of delusional beliefs, *J Consult Clin Psychol* (1990) **58**:225–32.
36. Alford BA, Beck AT, Cognitive therapy of delusional beliefs, *Behav Res Ther* (1994) **32**:369–80.
37. Morrison AP, Cognitive behaviour therapy for auditory hallucinations without concurrent medication: a single case, *Behavioural and Cognitive Psychotherapy* (1994) **22**:259–64.
38. Haddock G, Bentall RP, Slade PD, Psychological treatment of auditory hallucinations: focusing or distraction? In: Haddock G, Slade PD, eds, *Cognitive-Behavioural Interventions with Psychotic Disorders* (Routledge: London, 1996) 45–70.
39. Tarrier N, Beckett R, Harwood S et al, A trial of two cognitive-behavioural methods of treating drug-resistant residual symptoms in schizophrenic patients. I. Outcome, *Br J Psychiatry* (1993) **162**: 524–32.
40. Bouchard S, Vallières A, Roy M-A, Maziade M, Cognitive restructuring in the treatment of psychotic symptoms in schizophrenia: a critical analysis, *Behavior Therapy* (1996) **27**:257–77.
41. Garety PA, Kuipers E, Fowler D et al, Cognitive behavioural therapy for drug-resistant psychosis, *Br J Med Psychol* (1994) **67**:259–71.
42. Kuipers E, Garety P, Fowler D et al, London–East Anglia Randomised Controlled Trial of Cognitive-Behavioural Therapy for Psychosis. I: Effects of the treatment phase, *Br J Psychiatry* (1997) **171**:319–27.
43. Tarrier N, Yusupoff L, Kinney C et al. Randomised controlled trial of intensive cognitive behaviour therapy for chronic schizophrenia, *BMJ* (1998) **317**:303–7.
44. Kuipers E, Fowler D, Garety P et al, London–East Anglia Randomised Controlled Trial of Cognitive-Behavioural Therapy for Psychosis. III: Follow-up and Economic Evaluation at 18 Months, *Br J Psychiatry* (1998) **173**:61–8.
45. Tarrier N, Wittowski A, Kinney C et al, The durability of the effects of cognitive-behaviour therapy in the treatment of chronic schizophrenia: twelve months follow-up, *Br J Psychiatry* (1999) **174**:500–4.
46. Jones C, Cormac I, Mota J, Campbell C, Cognitive behaviour therapy for schizophrenia (Cochrane Review). In: The Cochrane Library (Update Software: Oxford, 1999).
47. Garety P, Fowler D, Kuipers E et al, London–East Anglia Randomised Controlled Trial of Cognitive - Behavioural Therapy for Psychosis. II: Predictors of Outcome, *Br J Psychiatry* (1997) **171**:420–6.
48. Fenton W, McGlashan TH, We can talk: individual psychotherapy for schizophrenia, *Am J Psychiatry* (1997) **154**:1493–5

6 정신분열병의 재활 치료

Alan S Bellack

내용 · 정신사회적 개입법 설계의 문제점 · 재활 전략 · 요약 및 결론

지난 수십 년 간 축적되어 온 증거들로부터, 정신분열병이 유전 그리고 태아기와 주산기 손상에 의해 야기된 뇌 질환(혹은 질환군(群))이라는 일반적 합의가 도출되었다.[1,2] 비록 정신분열병에 특이한 생물학적 표지자(標識者)는 발견되지 않았지만, 이러한 합의는 정신분열병의 치료는 효과적인 생물학적/의학적 개입에 일반적으로 기초해야 한다는 결론에 부합한다. 그러나, 정신사회적 요인들이 질환의 경과와 예후에 중대한 영향을 미친다는 점에는 의문의 여지가 없고, 정신사회적 치료가 다차원적 치료에 필수적이고 유익한 요소가 되는 사례도 있다. 1990년대 후반에 개발된 일련의 치료지침 합의서는 이러한 결론을 뒷받침한다.[3-5]

정신사회적 치료를 고려할 때에는 목표를 분명히 하는 것이 중요하다. 만약 그 목표가 일차적 정신병리(예를 들면, 양성증상과 음성증상)의 감소 또는 재발 예방 따위로 협소하게 정해진다면, 사용 가능한 치료 기법으로는 효과가 떨어지며, 결국 정신사회적 치료의 효과를 의심하게 될 것이다. 이 책의 제 5장과 8장은 양성증상과 재발을 다루는 몇 가지 혁신적인 정신사회적 접근법의 유용성을 입증하고 있지만, 가장 유력한 연구에서조차 이 영역의 효과는 중간 정도에 불과했다. 핵심증상 및 증상악화의 재발은 질환의 신경생물학과 단단히 얽혀있는 것으로 보이며, 그렇기에 약물학적 치료보다 정신사회적 개입에 덜 반응하는 경향이 있다.

예후에 관해 더 넓은 관점으로, 복합적이고, 만성적이며, 다양한 장해를 낳는 정신분열병의 특성을 고려한다면, 정신사회적 치료의 역할을 더 낙관할 수 있다. 이 질환은 불량한 사회적 역할 수행, 만성적인 실업(혹은 불완전고용), 과도한 신체질환과 높은 사망률, 수명의 단축(현저히 높은 자살 위험을 포함하여), 고빈도의 약물남용, 그리고 범죄 희생자가 될 위험의 증가 등의 특징을 지니고 있다. 새로운 비전형 약물을 포함한 항정신병약물이 낳는 극적인 효과에도 불구하고, 약물치료 단독으로는 대부분의 경우에, 병전 기능 수준을 회복하지 못하거나, 정상적인 역할 수행에 도달하지 못하고, 결과적으로 삶의 질을 향상시키지 못한다. 오히려 이러한 결과는 거의 불가능하다고도 볼 수 있다. 정신분열병은 후기 사춘기나 초기 성

인기에 발병하므로, 사회화 과정과 성인 인생기술(예를 들면, 연애와 성(性), 직업 기술) 획득의 결정적 시기를 망쳐놓는다. 이어지는 질환의 결과는, 사회적 고립이 증가되고, 요구되는 사회적 역할 수행의 시도에 실패와 좌절을 겪고, 사기가 저하되고, 불안해지며, 비적응적 방식으로 증상에 대처하게 되는 것이다(물질사용, 회피, 그리고 사회적 고립 등). 이러한 다양한 문제들은 질환의 기간이 길어질수록 더 심해지고 강화될 것으로 추정할 수 있겠다. 약물치료가 핵심 증상을 없애는 데에 100% 성공적이라 할지라도, 완전히 사람을 바꿀 수 있는 효과(Rip van Winkle effect)는 거의 나타나지 않을 것이다. 대부분의 환자에게는 여전히 정신사회적 증상의 후유증 및 사회기술 부족이 남아 있을 것이다. *효과적인* 약물치료에도 불구하고 지속되는 증상을 경험하는 환자들의 다수는 기능장해의 정도와 폭이 확대된다. 따라서, 정신분열병의 장기간 처치에는 다차원적 접근이 필요한데,[3,6] 여기에 정신사회적 접근이 포함되지 않고서도 전반적인 기능 수준의 유의한 향상이 가능할지는 의문이다.

정신사회적 개입법 설계의 문제점

정신분열병 환자들의 특수한 요구와 취약성에 대한 이해 부족으로 인해, 지역사회 내에서 정신사회적 치료의 잠재적 이득을 얻지 못하는 경우가 흔하다. 정신치료적 개입을 수행하고 그 결과를 평가함에 있어서는 다음의 다섯 가지 요인들을 고려할 필요가 있다: (1) 보상적 모형에 기초한 개입의 필요성; (2) 장기 치료의 필요성; (3) 치료적 요구의 개인별 차이; (4) 치료에서의 환자의 역할; (5) 정보-처리과정의 장해로 인한 제한점들이다.

보상적 모형의 채택

위에 지적되었듯이, 정신분열병은 다양한 장해를 갖는 장애이다. 그것은 일상생활을 수행하는 능력 및 직장인, 주부, 학생, 부모, 그리고 배우자로서의 역할 등의 사회적 역할을 수행하는 능력에 영향을 미친다; 물질남용 및 후천성면역결핍증을 포함한 질병의 위험을 증가시킨다; 그리고 의학적 정신과적 치료 모두에 대한 순응도를 포함한 적절한 보건행위 실행에 지장을 초래한다. 또한 다수의 환자들이 정신병적 잔류 증상을 가지고 있고 주기적으로 악화되어, 고도의 우울과 불안을 경험하게 된다. 결국 총체적으로 환자들의 삶의 질이 저하된다. 이러한 일련의 장해들을 고려하면, 한 가지 종류의 치료가 충분하고도 광범위한 효과를 낼 것 같지는 않다. 이런 사정은, 보다 덜 심한 질환들, 즉 단극성 우울증, 공황장애, 섭식장애 등과 같이 한 가지 개입으로 병적 상태를 개선시킬 수 있으리라 기대되는 질환들과 극명한 대조를 이룬다. 그럼에도 불구하고, 정신사회적 치료에는 이와 똑같은 표준이 흔히 적용됨으로써, 정신사회적 치료는 정신분열병에 효과가 없다는 결론을 낳게 했다.

이 장에서는 재활 모형에 일차적으로 주목하고자 하는데, 재활 모형은 다음과 같은 측면에서 표준적인 치료 모형보다 더 적절하다: (a) 특이한 기술과 행동에 더 국한하여 생각하며 (b) 전체적인 병적 상태를 개선시키거나 *치유하기*보다는 특이한 영역의 기능을 향상시킬 목적을 지닌다. 정신분열병에 특히 적절하다고 할 수 있는 재활 접근법의 또 다른 공통된 속성은, 이 치료에 전형적인 *회복적* 모형이나 *교정적* 모형보다는 *보상적* 모형을 사용한다는 점이다. 예를 들면, 시각 장해를 가진 사람들의 재활에는 다른 감각에 더 의존하기, 맹인용 자판 같은 특수한 기구를 이용하기, 지팡이나 맹인

안내견 같은 보조구를 이용하기, 그리고 시각의 필요성을 최소화하도록 체계적으로 환경을 정리하기 등을 가르치는 것이 포함된다. 재활의 성공은 시각의 회복에 의해서가 아니라, 독립성, 역할 기능 그리고 삶의 질을 향상시킴으로써 달성된다. 유사한 재활 프로그램이 뇌졸중 환자들, 마비 환자들, 그리고 절단 환자들에게 제공된다. Robert P. Liberman은 정신분열병을 이렇게 신체 장해에 비유하는 것을 너무나 비관적인 태도라고 비판한다. 우리가 정신분열병을 치유할 수 없다고 가정한다는 정도까지는 비관적일는지도 모르나, 정신분열병 환자들이 경험하는 몇몇의 특이한 기능장애를 극복할 수 있는 발달된 기술력을 지니게 되었다는 점에서는 사실 매우 낙관적인 셈이다. 더욱이, 정신분열병 밑바탕에 깔린 신경발달학적 손상을 역전시키고 정상적 기능을 회복시킬 수 있게 될 가능성보다는, 다른 문제점에 대해 효과적인 기술을 발달시킬 가능성이 훨씬 커 보인다.

장기 치료의 필요성

정신분열병이 반드시 악화되는 경과를 거친다는 가정에 이의를 제기하는 종적 연구가 있기는 하나,[7,8] 이 질환은 특징적으로 일평생을 겪어야하고 심각하다. 최종 결과는, 일상생활사를 다루는 법을 학습하는 것에서부터 정신병적 증상을 다루기에 이르기까지 환자들은 상당히 다양한 요구사항에 접했을 때 자주 도움을 필요로 하고 꽤 오랜 기간에 걸친 도움을 요한다는 것이다.[9,10] 그럼에도 불구하고, 정신사회적 개입에 관한 많은 연구들은 단기간의 한시적 전략에 초점을 두어왔다. 3개월 내지 6개월 정도의 사회기술훈련 같은 단기 치료는 스트레스를 줄이고 환자에게 특정한 문제에 대처하는 법(예를 들면, 의사와 약물 부작용에 대해서 토론하기)을 가르치는 데에는 유용할 수 있다. 연구 결과에 의하면, 단기 치료에서 얻어진 이득은 시간이 지나도 유지된다고 한다.[11,12] 그러나, 어떠한 단기 치료도 전반적인 기능의 광범위한 향상을 가져오거나, 증상악화와 재발의 취약성에 영구적인 변화를 낳을 것 같지는 않다. 게다가, 대부분의 환자들은 제한된 범위의 기술훈련 프로그램에서도 간헐적인 효능촉진 치료(booster treatment)를 필요로 할 것이고, 일부 환자들은 평생에 걸친 지속적인 지지를 필요로 할 것이다.

치료적 요구의 개인별 차이

정신분열병은 때로는 복수형으로 불리기도 하는 이종적(異種的) 장애로서, 증상 발현, 중증도, 경과, 그리고 치료반응이 매우 다양하다. 이 이종성은, 원인이 다양하거나 질환의 실체가 여러 가지임을 반영하는 것으로 해석되어 왔다.[13,14] 여기에는 또한 핵심 질환 자체와는 무관한, 다양한 환경 요인의 유입과 개인별 차이가 반영되어 있을 수도 있다(예를 들면, 우울증이나 물질남용이 공존할 취약성).

정신분열병에서 통상 추정되는 영역의 이종성을 고려한다면 치료계획의 개인별 차이가 중요하다는 것을 알 수 있다. 예를 들어, Mueser와 동료들은[15] 50%의 환자들이 1년에 걸쳐 지속적인 사회기술의 결핍을 보인 반면, 11%는 비 환자 대조군과 다르지 않았고, 나머지는 다양한 수행 수준을 보였다고 했다. 따라서, 정신분열병 환자는 사회기술이 결핍되어 있다는 통상적인 가정은 많은 환자들에게는 사실이지만, 모두에게 해당하는 이야기는 아닌 것이다. 신경심리학적 결핍에도 유사한 이종성의 증거가 존재한다. 정신분열병 환자들은 전전두 피질 기능을 측정하는 위스콘신 카드 선별 검사(WCST)에서[16] 정상 대조군에 비해 수행이 불량하다는 사실이 거듭 확인되어 왔다.[17,18] 하지만, 많은 환자들의(20%정도까지) 수행은 정상범위에 해당한다.[19,20] 환자들이 수행을 향상시키도록 교육되는 정도와,[21] 향상된 수행이 다른 과제에 일반화될 수 있는 정도는[22] 꽤나 다양하다.

환자 개인별로 차이가 존재하기도 하지만, 개인 또한 시간이 지남에 따라 치료적 요구에 관련된 유의한 변화를 보이기도 한다. 젊은 환자의 경우에는, 자살이나 물질남용에 매우 취약해질 수 있는 문제점으로서, 개인적 인생 목표 달성과 독립성 획득 능력에 지장을 초래하는 심각한 질환을 가졌다는 사실을 다루는 데에 특별한 도움을 필요로 한다.[23,24] 더 나이가 든 환자는 위축이나 긍정적 대처 전략으로써 질환의 어려움에 적응할 수 있지만,[10,25] 그들만의 고유한 문제에 직면한다. 예를 들면, 정신분열병을 가진 자녀를 둔 부모는 늙어감에 따라 그 자녀를 더 이상 돌볼 수 없게 되고, 형제자매[26] 혹은 정신보건체계에 보호책임을 넘겨야 한다. 가족들과 정규적으로 접촉하는 정신분열병 환자들의 요구를 조사한 바에 의하면, 부모가 사망하면 어떻게 되는가 하는 염려가 45개의 주제 중에서 4위를 차지했다(부모들에게는 5위였다).[27]

잘 알려진 이종성에도 불구하고, 정신사회적 치료 프로그램은 상대적으로 비슷한 특성을 지닌다. 대부분의 기관들은 일차적인 환자 사이의 다양성이 특히 환자의 비순응과 임상의의 특성에서 비롯된다고 보고 '모두에게 맞는 크기' 형의 접근법을 사용한다. 이 접근법은 심각한 임상적 한계를 지니며, 또한 정신사회적 프로그램의 잠재적인 효과에 대한 비관적 시각을 갖게 한다. 새로운 개입법에 관한 경험적 시험 연구들은, 특별한 접근법에 대한 환자의 요구나 동기보다는 진단기준에 의거해서 대상을 동원하는 경향이 있다. 그 결과 높은 탈락률과 효과의 감소를 보였다.

정신사회적 개입법이 환자의 실제 요구에 부응하기 위해서는, 환자별 특성과 시간에 따른 변화가 고려되어야 한다. 환자-치료 짝짓기 문제에 관한 연구가 절실히 요구된다 하겠다. 일례로서, 저자는 정신분열병 환자의 물질사용 치료를 개발 중에 있다. 이 개입법은 재활 모형에 뿌리를 둔다.[28] 예비적 결과 자료에서는 쌍봉(雙峰) 분포가 나타났다: 대상의 절반은 치료가 잘 되어 90.79%에서 소변검사 음성반응을 보였다. 나머지 절반은 치료가 잘 되지 않아, 탈락되거나 약물을 계속 사용했다(소변 음성반응의 평균비율 22.33%). 주목할만한 것은, 초이론적 변화 모형(Transtheoretical Model of Change)의[29] 두 가지 측정치에서 나타났듯이, 치료 이전부터 변화하고자 하는 준비 정도에 상당한 차이가 있었다는 점이다. 로드 아일랜드 변화 측정(URICA)과[30] 결단력 균형(decisional balance)에서의[30] 차이였다. 좋은 치료 결과를 보인 환자들은 URICA에서 평균 준비 점수 11.72(SD=1.65)를 받았음에 비해, 치료 수행이 저조했던 환자들은 평균 7.47(SD=3.25)를 받았다. 이 차이는 매우 유의했다. 결단력 균형 척도 상의 약물 사용의 병폐 인식도(약물을 사용해선 안 되는 이유)에서도 비슷한 효과가 있었다: 좋은 결과 집단과 불량한 결과 집단이 각각 평균 점수 3.95(SD=0.61)과 2.57(SD=1.19)을 보였다. 이 자료는 치료 대상이 약물 사용을 줄이려고 *준비되었을* 때에(예를 들면, 동기를 가진 경우) 치료가 가장 잘 시작될 수 있다는 사실을 시사하며, 환자-치료 짝짓기의 중요성을 강조하는 것이다.

환자의 역할

사고장애와 음성증상(무감동, 무쾌감 따위의)이 복합되어 있다면, 환자가 치료에 적극적으로 참여할 수 없으리라고 잘못 가정하는 경우가 흔하다. 정말로 많은 환자들은 동기가 없어 보이고 순응하지 않는다. 하지만, 그러한 분명한 무관심과 수동성이 불변의 성질이라고 해석해서는 안 된다. 음성증상은 항상 안정되어 있는 것이 아니라, 사기저하, 정신병적 증상, 약물 부작용, 그리고 시간에 따라 달라지는 요인들에 의한 이차적인 것일 수 있다.[32,33] Paul과 Lentz는[34] 극심하게 위축된 만성 정신분열병 환자라도 체계적인 동기부여 프로그램을 통해 달라질 수 있다는 사실을 확인했다.

Strauss가 피력한 바에 의하면,[25] 정신분열병 환자들도 적극적 *의지*가 있다. 환자의 많은 행동들이 목표-지향적이며 최선을 다해 질환에 대처하고자 시도한다. 따라서, 환자를 잠재적인 능동적·협력자로 보고 목표-설정과 치료-계획 속에 참여시키는 것이 대단히 중요하다. 환자 자신의 희망을 고려하지 않은 채 치료팀이나 가족들에 의해 일방적으로 치료가 적용되는 경우가 너무나 많다. 그런 상황이라면 환자가 치료적 권유에 잘 순응하지 못하고, 재발 위험이 커지면서, 가족들이나 치료진과의 관계에 갈등이 빚어지기도 한다는 점은 그리 놀랄만한 일이 못된다. 치료계획 수립에 환자를 결속시킨다는 것은 길고도 어려운 일임에는 틀림없지만, 그렇게 하지 않는다면 바로 치료적 개입의 목적 자체를 훼손할 수 있는 더 큰 위험을 초래하는 것이다.

정보처리과정의 장해

정보처리과정의 장해가 정신분열병에서 가장 중요한 기능장애 영역의 하나라는 사실은 잘 정립되어 있다. 이 질환은 기억력(특히 작동기억력), 주의집중력, 정보처리속도, 추상적 연역, 그리고 감각운동 통합을 포함한 많은 영역에서의 신경심리적 결함이 뚜렷하다.[35,36] Michael Green이[37] 세미나 논문에서 요약했듯이, 다수의 연구들이 이러한 장해와, 사회적 기능 및 기술훈련 프로그램에서의 수행과의 관계를 증명하고 있다. 예를 들면, Mueser와 동료들은[38] 불량한 기억은 사회기술훈련에서 학습에 악영향을 미쳤으나, 치료전(前) 증상은 사회기술 습득과는 무관하다는 점을 발견했다. Kern과 동료들[39] 또한 불량한 주의집중 유지(연속 수행력 검사로 측정)와 더불어 기억력 장해가 사회기술훈련에서의 학습 저하와 연관된다는 사실을 발견했다.

관련된 문제로서, 치료 효과가 다른 영역에 일반화되는 데에 신경인지결함이 어떤 영향을 미치는가에 관한 것이 있다. 치료시간 중에 획득한 기술은 환자의 실제 상황으로 옮겨지거나 일반화되어야 한다는 것은 모든 정신치료의 기본적인 가정이다. 하지만, 그러한 일반화 과정은, 정신분열병에서 흔히 장해를 보이는 인지기능, 특히 배외측 전전두 피질이 매개하는 실행기능을[1] 포함한 인지기능에 영향을 받는다. 비슷한 몇몇 연구에서 가시적으로 프로그램화되더라도 획득한 기술을 일상생활에 일반화시키는 데에는 한계가 있음이 시사되었다.[22,40]

불행하게도, 이 영역에서는 임상적 재활 프로그램이 실험적 문헌에 뒤쳐져왔고, 체계적인 방식으로 신경인지결함이 다루어지지 않았다. 확실히, 대부분의 정교한 재활 프로그램은 정보제공 속도와 세부사항이나 미묘한 양적 차이를 조절한다. 할당량은 일반적으로 반복과 정기적 검토의 필요성에 따라 결정된다. 그러나 이러한 조절이 작업기억력과 고도의 실행과정의 결함을 반드시 보상하지는 않는다. 예를 들면, 시간의 흐름 속에서 경험의 연속성을 인지하고 거기에 따라 행동을 계획하는 능력에 장해가 있다. 즉, 과거의 경험이 현재 상황에 어떻게 관련되는지, 혹은 현재 이야기되고 있는 것이 미래에 어떻게 적용되는지를 아는 능력의 장해이다.[41] 이 문제는 새로이 획득한 기술을 적시(適時)에 적용하는 능력, 체계적인 방식으로 목표를 지향하는 능력, 또는 문제 해결에 과거 경험을 이용하는 능력에 지장을 초래할 것이다. 재활 프로그램이 새로운 행위를 학습시키는 데에는 효과적임을 강력히 증명하는 자료는 있지만,[42] 획득된 기술이 지역사회 생활 속에 적용되고 있음을 증명하는 문헌은 없다. 이 개입법으로 임상적 예후가 호전되었다는 보고에서조차도, 그 변화가 새로운 학습 때문이라는 가정을 뒷받침하지는 못한다. 이점은 정신분열병의 치료 전략 프로젝트에서 충분히 증명되었는데, 가족치료는 그 기전이라고 알려진 의사소통양식의 변화 없이도 재발률을 감소시켰던 것이다.[43] 지역사회에서의 행위 변화를 매개하는 기전을 결정하는 일은, 아마도 더욱 효과적인 치료를 발달시키기 위해 향후 10년 간 직면해야 할 가장 큰 과업이 될 것이다.

재활 전략

앞으로 1990년대에 이 분야에서 가장 큰 임상적 교육적 영향을 미쳤고 새 천년의 10년 동안 역시 비슷한 역할을 할 것으로 기대되는 두 가지 형태의 재활 프로그램을 간략히 기술하고 평가하고자 한다: 사회기술훈련과 인지 재활이 그것이다.

사회기술훈련

사회적 기능장애는 정신분열병을 규정하는 특징으로서, 이 질환의 다른 측면들과는 일부 독립적인 요소이다.[44,45] 사회적 기능은 또한 질환의 경과와 예후의 예측인자이기도 하다.[46,47] 사회적 기능과 질환에서 보이는 사회적 기능장애를 이해하는 데에 가장 유용한 관점은 *사회기술모형*이다.[48,49] 사회기술은 효과적인 수행에 필수적인 특정 반응 능력이다. 여기에 포함되는 것에는, 언어적 반응 기술(예를 들면, 대화를 시작할 수 있는 능력 또는 필요할 때 '아니오' 라고 말할 수 있는 능력), 준(準)언어적 기술(예를 들면, 적절한 성량과 억양), 그리고 비언어적 기술(눈짓, 손짓, 얼굴 표정의 적절한 이용 등)이 있다. 이 기술들은 시간이 흘러도 안정적인 경향이 있으며 사회적 역할 수행과 삶의 질에 독특하게 기여한다.[15,50] 과거 25년간에 걸쳐 사회적 능력을 배양하고 사회적 역할 기능을 향상시키는 데에 재활 노력의 초점이 주어져왔고, 사회기술을 교육하는 잘 개발된 기법이 발달되어 임상적으로 시험되어 왔다. 이것이 바로 사회기술훈련(SST)이다.[51]

사회기술을 훈련하는 기본 기법은 1970년대에 발달했고 현재에 이르기까지 본질적인 변화는 없다. 이는 일반적으로 소규모 집단에서 행해지는, 고도로 구조화된 교육 과정이다. 훈련담당자는 전통적인 치료자보다는 교사에 가깝다. 훈련담당자는 우선 적합한 행위의 모형을 환자에게 보여준 다음, 새로운 기술을 연습하는 수단으로서 역할-연기(演技)의 사회적 상황을 마련해준다. 각자의 역할-연기가 끝나면 사회적 강화를 제공하고 더 나은 수행의 틀을 잡아준다. 친구 사귀기나 데이트하기 등의 복잡한 사회기술은, 눈맞춤 유지하기, 질문하기 따위의 더 세분화된 구성 요소로 나뉘어 진다. 환자들은 우선 개별적인 요소들을 수행하도록 배운 다음 점차 이들을 부드럽게 결합할 수 있게 배운다.

다수의 단독 사례 연구 및 소규모 집단 연구에서, 대화 기술, 자기주장, 그리고 투약 관리 등을 포함한 광범위한 기술 교육에 사회기술훈련이 효과적이었다고 입증되었다.[52,53] 지난 10년간, 여섯 개의 대규모 집단 연구가 있었다.[11,12,54-57] 결과는 소규모 시험들과 일치했으며, 사회기술훈련의 효과는 최소 6-12개월 간 유지된다고 한다.

6개 중 4개의 연구는 사회기술훈련이 증상, 재발, 사회적응에 미치는 영향을 조사하여 상충된 결과를 보고했다. Bellack 등은[11] 낮병원에서 3개월간 사회기술훈련을 시행한 집단과 낮병원 치료만을 받은 집단을 비교했는데, 6개월 추적 시점에서 사회기술훈련을 받았던 환자들이 증상이 적었고 사회적 적응이 좋았으나, 1년 추적 시점에서의 재발률에는 차이가 없었다. Lieberman 등은[56] 퇴원을 기다리고 있는 주립병원 장기입원 환자를 대상으로, 2개월간의 집중적인 사회기술훈련을 받은 경우와 '전인적 건강' 치료만을 받은 경우를 비교했다. 2년 추적 시점에서 사회기술훈련을 받았던 환자들이 증상 측정치 및 사회적응이 좋았으나, 재발률은 유의하게 다르지 않았다. Eckman 등은[12,58] 1년간의 집중적인 사회기술훈련 집단과 지지적 집단을 비교했다. 2년 추적 시점에서 사회기술훈련을 받았던 환자들은 재발률에서는 대조군과 다르지 않았으나 사회적응이 더 좋았다.

한편, 개인 사회기술훈련을 조사한 유일한 연구에서 Hogarty 등은[57,59] 사회기술훈련 집단, 가족 정신교육 집단, 사회기술훈련과 가족 정신교육 병용 집단, 그리고 약물 단독 치료 집단을 비교했다. 모든 환자들은 표출감정(expressed emotion)이 많은 가족 구성원들과 함께 거주하거나 접촉하고 있었다. 연구 첫 21개월 동안 사회기술훈련 단독 혹은 사회기술훈련과 가족 치료를 병용한 집단이 재발률의 감소와 연관을 보였다. 그러나 24개월 째에는 사회기술훈련의 효과가 더 이상 유의미하지 않았는데, 그 이유는 마지막 3개월 동안의 몇몇 재발 사례 때문이었다. 사회적응에 관한 자료는 재발하지 않은 환자들에게서만 수집되었기에, 사회기술훈련이 사회적응에 미친 영향은 이 연구에서는 불분명하였다.

이들 연구로부터 몇 가지 경향이 도출된다. 분명히 사회기술훈련은 치료의 일차적 주안점이었던 특정 행위(눈짓 등)의 이용을 증가시키며 특정 영역의 기능을 향상시킨다. 하지만, 사회적 기능의 다른 차원이 영향을 받는지, 혹은 치료를 통해 학습된 것이 어느 정도로 지역사회 기능 향상으로 이어지는지에 관해서는 불분명하다. 재발률과 증상에 미치는 사회기술훈련의 효과는 무시할만한 정도인데, 이 개입법의 협소한 초점을 감안한다면 놀랄만한 일은 아니다. 사회기술훈련은 임상 상황에서 널리 응용되고 있고 정신분열병의 가장 효과적인 정신사회적 치료에 속한다고 흔히 간주된다. 그러나 사회기술훈련의 임상 이용에 관해서는 많은 의문이 남아있다. 경험적으로 지지되는 치료에 대한 최근의 몇몇 논평에서는 25년간의 연구 후 다소 실망스러운 평가로서 사회기술훈련을 기대수준 정도에 불과하다고 했다. 사회기술훈련은 환자와 모두에게 잘 수용되는, 분명히 효과적인 교육기법이다. 사회기술훈련은 정신분열병을 대상으로 하는 다른 재활 프로그램의 수행에 훌륭한 본보기를 제시한다. 시간 제약이 없고, 구획화되고, 외래를 토대로 시행되는 치료는 더 넓은 효과를 낳을 수 있을는지 모른다. 이 장의 앞부분에 언급했듯이, 지역사회 안으로 확장되는 더 장기간의 치료가 다양한 치료 전략들과 통합되어야 할 필요가 있는지도 모른다.

인지재활

신경인지결함의 중요성에 대한 인식은 인지교정의 전망에 관심을 촉발했다. 이 주제에 대한 관심을 역사적으로 기술하기는 어려우나, 적어도 1970년대 초반 Meichenbaum의 작업에서부터 시작된 듯하다.[60] 그는 한 쌍의 고무적인 연구에서 문제해결을 인도하기 위해 환자들에게 독백(獨白)을 사용하도록 가르치는 교육의 가능성에 대해 상당한 관심을 유발시켰다. 같은 기간동안 Platt와 Spivack는[61,62] 문제-해결에 관해 생각케 하였는데, 이 또한 인지재활의 역할을 지적하는 것이었다. 그러나 다소 이례적인 이 연구들의 결과는 반복 검증되지 않았고, 정신사회적 치료의 중요성이 점점 정교해지고 있던 정신분열병의 신경생물학적 모형에 부합하는 더 유망한 치료로 옮겨가자, 인지훈련에 관한 관심은 시들고 말았다.

1980년대 후반에 들어서야 두 연구로부터 인지재활의 가능성에 대한 관심이 부활하게 되었다. Brenner와 동료들은[63] 통합심리치료(IPT)를 기술했는데, 일차적으로 기본인지기술을 증진시킴으로써 사회적 능력을 개선시키는 포괄적인 프로그램이었다. Brenner의 결과가 특별히 확실한 것은 아니었으나, 그의 작업은 대단한 가치를 지녔고 현재까지 인지재활의 실행가능성을 가장 체계적으로 검증한 것이었다. (미국)국립보건원의 Goldberg와 동료들은[21] 가시적 교육법과 전전두 기능의 표지자로 추정되는 위스콘신 카드 선별검사(WCST) 상의 훈련으로부터 정신분열병 환자들이 이득을 얻을 수 없다고 보고했다. 이 훈련으로부터 이득을 얻지 못한다는 사실은, 혈류 감소 자료와 함께 배외측 전전두 피질의 개선될 수 없는 이상소견으로 해석되었다. 공교롭게도, 이러한 보고들은 첫 부분에서 효과적인 인지재활을 전망했다가도, 뒤에서는 그런 재활을 불가능하게 하는 근본적인 신경생리학적 장해를 암시했다. 미국립보건원 연구로 인하여, WCST 수행 결함이 흔함에도 불구하고 질환의 속성은 아니며 불변(不變)의 성질도 아니라는 사실을 성공적으로 증명한 많은 연구결과들이 수행될 수 있었다.

이 비관적인 결론에 이의를 제기했던 첫 연구 중의 하나에서 동료들과 저자는 WCST 상의 수행이 강화 및 특수한 교육법으로 개선될 수 있음을 증명했다.[19] 다른 연구실들도 우리의 훈련전략과[64,65] 다소 변형된 전략을 사용하여 수주에서[39,66] 1개월까지[67] 지속되는 비슷한 효과를 낳을 수 있었다.

다른 영역의 정보처리과정 수행을 개선시키기 위해 인지훈련전략을 이용했던 소수의 연구들 또한 발표되었다. Benedict와 동료들은[68] 컴퓨터를 도구로 한 훈련 프로그램을 사용했는데, 이는 뇌손상 환자들의 주의집중력을 향상시키고자 개발된 것이었다. 환자들은 전산화된 과제 수행의 향상을 보이긴 했으나, Asarnow와 Nuechterlein의 이해 기간 검사 또는 소멸자극 연속 수행력 검사에서의 향상은 보이지 않았다. Wexler 등의 최근의 한 연구에서는[69] 환자들이 정밀 운동 검사에 아울러 시각적 읽기 검사나 점 공간적 기억 검사 중의 하나를 집중적으로 연습하게 했다. 10주에 걸쳐 점차 수행이 향상되어 갔다. 환자들의 다수는 읽기 과제와 점 과제에서 정상 수준에 도달했으며, 대부분은 정밀 운동 과제에서도 향상을 보였다. 이 결과는, 연습 단독으로 혹은 동기부여가 주어진 연습으로 다양한 과제 수행에서 어느 정도의 향상을 가져올 수 있다는 다른 연구결과들과 일치하는 것이었다.[70,71]

연습, 교육, 그리고 동기부여를 통해서 다양한 인지과제 수행의 향상을 가져오는 것이 가능하다는 명백한 증거 소견들이 축적되고 있다. 하지만, 이렇게 연습시킴으로써 얻어진 변화는 전형적으로 완전한 정상화에 미치지 못하며, 오래 지속되지 않을 수도 있다. 그러한 결과들이 시사하는 바는, 형식적인 검사에서 드러나는 결함은 고정된 요소와 좀더 가소성(可塑性)이 있는 요소(사기저하나 동기결여 등)의 결합을 반영하는 듯 하다는 점이다. 그러나 더 중요한 문제는, 이 연구들에서 얻어진 이득이 다른 측면의 기능들에는 별 효과를 미치지 않는다는 점이다.

불행히도, 인지재활전략을 임상적으로 적용한 새로운 자료는 부족하다. 인지재활의 가장 포괄적인 프로그램은 통합심리치료(IPT)이다.[63] 이 프로그램은 문제-해결과 사회기술을 훈련시키기에 앞서 우선 기본 인지능력(예를 들면, 개념형성, 기억)의 교정에 주안점을 둔다. 인지훈련은 신경심리학적 검사(예를 들면, 카드선별검사)에서 차용해온 과제나 단어게임(예를 들면, 동의어와 반의어 찾기)으로써 진행된다. Brenner와 동료들은[72] IPT에 관한 몇 가지 소규모 연구를 시행했다. 1980년대 후반 과학 회의에서 처음으로 발표된, 이 정교하고도 다면적인 프로그램은 '최고 기술의 수준' 이었고, 현재까지 가장 야심에 찬 역작으로 남아있다. 이 프로그램은 상당한 안면 타당도를 지녔고, 대단한 교육적 가치를 가지고 있다. 하지만, 그 결과는 기껏해야 약간 좋은 정도에 불과했다. 위에 언급된 몇 가지 아날로그 연구들이 보고했던 연습 효과와 유사하게, 훈련 목표였던 몇 개의 신경심리학적 과제 수행의 향상은 있었지만, 광범위한 인지기능 개선의 증거나 더 높은 수준의 영역(사회기술과 같은)으로 일반화 할 수 있는 증거는 없었다.

Sprаulding과 동료들은[73,74] Brenner의 재료를 영어로 번역했고, 네브라스카의 만성 환자들을 위한 장기입원 병원에서 시험을 반복했다. 예비적인 결과는 Brenner의 시험 결과와 별반 차이가 없어 보인다. 통합 신경심리 평가의 소수의 검사 항목에서 약간의 호전이 있었지만, 이 결과는 시행된 통계검증의 수를 고려한다면 우연 때문일 수도 있었다. Spaulding 등은[74] 여기에서 보인 약간의 변화는 일반인들이 낯선 과제를 수행할 때 관찰되는 바와 차이가 별로 없으며, '그러한 변화가 개인적 혹은 사회적 기능에 생태학적으로 유의한 이득을 가져온다' 는 증거는 없다고 결론짓고 있다.

영국의 Wykes와 동료들에[75] 의해 다소 상이한 방식의 인지재활 접근법이 발달되었다. 그들의 개입법은 집단 형식을 취하는 IPT와는 달리 개인치료 형식이다. 이는 오로지 실행기능(예를 들면, 인지적 유연성, 작업기억력, 그리고 계획능력)을 포함한 신경인지과정에만 초점을 둔다. 신경심리학적 검사를 집중적으로 연습시키는 것 외에 다른 방법을 제공하지 못하던 다수의 연구들과는 달리, 이 접근법은 무오류 학습의 원칙, 목표화된 강화, 그리고 집중 연습에 근거한, 정교한 훈련모형을 사용한다. 예비단계 시험에서는 몇몇 신경심리 측정치에서 좋은 결과를 보였다. 이 접근법은 좀더 연구가 진행될 것이다.

앞서도 지적했듯이, 기존의 시험결과(아날로그 시험 또는 임상 시험)에 근거해서 인지재활의 잠재적 역량을 판단하는 것은 제 II형 오류를 범하기 쉽다. 특별한 전략이 효과적이지 못하다고 결론짓는 것은 안전할지는 모르나, 한 개 또는 소수의 시험결과에 의거해서 더 넓은 영역에서의 결과를 추정할 수는 없다. 예를 들어, 10회 훈련으로 효과를 낼 수 없었던 특정 기법은 50회를 반복하면 효과가 날 수도 있다. 전산화 기억력 과제를 10회 훈련해서는 정보처리능력의 향상이 일반화될 만큼 충분하지 않을 수 있으나, 100회 훈련 이후부터 의미있는 변화가 시작될지도 모른다. 또는, 색다른 개념적 모형에 근거한 혁신적인 프로그램을 통해서 새로운 결과, 현재 유행하고 있는 단순한 연습/리허설 전략을 통해서는 얻지 못했던 결과를 얻을 수 있을지도 모른다. 그럼에도 불구하고, 현재의 문헌들은 낙관적인 강력한 근거를 제공하지 못하고 있다.

인지재활에 관한 작업의 제한점은, 정신분열병의 기능장애에 정보처리능력의 결함이 어떤 역할을 하는지 모른다는 점이다. 환자들은 다양한 일련의 인지결함들을 갖기 쉬운데, 재활의 목표로서 어떤 결함을 선택할 것인가는 다소 임의적이다. 게다가, 수행을 향상시키기 위해 도입된 일차적인 방법들은 반복적 인지기술 연습과 복잡한 기억력 증진법의 이용에 우선적으로 의존하고 있는데, 이는 모두 뇌손상 환자들에게 별로 효과적이지 못했던 방법들이다.[76-78] 정신분열병 환자들의 불량한 역할 수행의 근간이 되는 요인들을 더 잘 이해할 수 있기까지, 인지결함에 대한 처치를 탐구하는 더 유익한 길은, 환경변화, 보상적 전략, 그리고 대처기술에 집중하는 것일 수 있다.

요약 및 결론

이 장에서는 정신분열병 환자들에게 효과적인 재활 프로그램을 제공하는 데에 따르는 문제점들을 개괄했다. 재활을 포함한 정신사회적 치료를 향한 관심은 지난 수십 년 간 성쇠를 반복했다. 정신사회적 치료는 가장 최적의 목표를 달성하지 못했지만, 이는 약물치료도 마찬가지다. 새로운 비전형 약물들조차 환자들에게 상당한 잔류 결함을 남겨주는데, 특히 정보처리과정과 사회적 역할수행 능력의 문제를 포함하고 있다. 따라서, 최소한 정신의학의 현시대 이전과 마찬가지로 지금도 효과적인 정신사회적 치료에 대한 요구가 있는 셈이다. 그런 까닭에 우리가 논했던 정신사회적 치료가 효과적이기 위해서 강조되어야 할 결정적인 요인들은 다음과 같다: (1) 개입법이 보상적 모형에 근거할 필요성; (2) 장기간 치료의 필요성; (3) 개개인에 따른 치료 요구의 차이; (4) 치료에서의 환자의 역할; 그리고 (5) 정보처리결함에 부과된 제한점이다. 그리하여 우리는 상당히 주목을 받아왔던 두 가지 재활전략을 검토했다: 사회기술훈련과 인지재활이 그것이다. 양자의 접근법은 일정 기간 동안 광범위한 연구의 주제가 되어왔으나, 임상적 이용에 관해서는 의문을 남기고 있다. 사회기술훈련은 효과적인 교육/훈련 프로그램이지만, 포괄적이고 지역사회-지향적인 개입 프로그램에 포함되지 않고서도 지역사회에서의 역할 수행에 의미 있는 변화를 낳을지는 불분명하다. 인지재활의 잠재력은 더욱 명확하지 않다. 현재의 접근법은 지나치게 단순한 신경인지기능 모형에 기초한 듯이 보이며, 반복된 실습으로 뇌 기능을 변화시키고자 시도하는 고지식한 연습에 일차적으로 의존하고 있다. 이런 접근법은 기존의 문헌들에 의해 뒷받침되지 못하는데, 이들은 신경인지능력의 회복 혹은 기능의 복구 잠재력에 관해 너무나 낙관적일는지도 모른다. 환경을 구조화하고 행동의 틀을 잡아줌으로써 고위 수준의 인지과정 요구를 최소화시킬 수 있는 보상적 모형이 궁극적으로 더욱 효과적일 수도 있다.

참고문헌

1. Weinberger DR, Implications of normal brain development for the pathogenesis of schizophrenia, *Arch Gen Psychiatry* (1987) **44:**660–9.
2. Roberts GW, Schizophrenia: a neuropathological perspective, *Br J Psychiatry* (1991) **158:**8–17.
3. American Psychiatric Association, *Practice Guideline for the Treatment of Patients with Schizophrenia* (American Psychiatric Association: Washington, DC, 1997).
4. Lehman AF, Steinwachs DM, Translating research into practice: the schizophrenia patient outcomes research team (PORT) treatment recommendations, *Schizophr Bull* (1998) **24:**1–10.
5. McEvoy JP, Scheifler PL, Frances A, Treatment of schizophrenia 1999, *J Clin Psychiatry* (1999) **60(Suppl. 11)**.
6. Bellack AS, A comprehensive model for the treatment of schizophrenia, In: Bellack AS, ed, *A Clinical Guide for the Treatment of Schizophrenia* (Plenum: New York, 1989) 1–22.
7. Harding CM, Brooks GW, Ashikaga T et al, The Vermont longitudinal study of persons with severe mental illness. I: Methodology, study sample, and overall status 32 years later, *Am J Psychiatry* (1987) **144:**718–26.
8. Harding CM, Brooks GW, Ashikaga T et al, The Vermont longitudinal study of persons with severe mental illness. II: Long-term outcome of subjects who retrospectively met DSM-III criteria for schizophrenia, *Am J Psychiatry* (1987) **144:**727–35.
9. Ciompi L, Toward a coherent multidimensional

understanding and therapy of schizophrenia: converging new concepts. In: Strauss JS, Boker W, Brenner HD, eds, *Psychosocial Treatment of Schizophrenia: Multidimensional Concepts, Psychological, Family, and Self-help Perspectives* (Hans Huber: Toronto, 1987) 48–62.

10. Wing JK, Psychosocial factors affecting the long-term course of schizophrenia. In: Strauss JS, Boker W, Brenner HD, eds, *Psychosocial Treatment of Schizophrenia* (Hans Huber: Toronto, Canada, 1987) 13–29.
11. Bellack AS, Turner SM, Hersen M, Luber RF, An examination of the efficacy of social skills training for chronic schizophrenic patients, *Hosp Community Psychiatry* (1984) **35:**1023–8.
12. Eckman TA, Wirshing WC, Marder SR, Technology for training schizophrenics in illness self-management: a controlled trial, *Am J Psychiatry* (1992) **149:**1549–55.
13. Tsuang MT, Lyons MJ, Faraone SV, Heterogeneity of schizophrenia: conceptual models and analytic strategies, *Br J Psychiatry* (1990) **156:**17–26.
14. Carpenter WT, Buchanan RW, Kirkpatrick B et al, Strong interence, theory testing, and the neuroanatomy of schizophrenia, *Arch Gen Psychiatry* (1993) **50:**825–31.
15. Mueser KT, Bellack AS, Douglas MS, Morrison RL, Prevalence and stability of social skill deficits in schizophrenia, *Schizophr Res* (1991) **5:**167–76.
16. Heaton RK, *Wisconsin Card Sorting Test Manual* (Psychological Assessment Resources: Odessa, FL, 1981).
17. Berman KF, Zec RF, Weinberger DR, Physiologic dysfunction of dorsolateralprefrontal cortex in schizophrenia. II. Role of neuroleptic treatment, attention, and mental effort, *Arch Gen Psychiatry* (1986) **43:**126–35.
18. Weinberger DR, Berman KF, Zec RF, Physiologic dysfunction of dorsolateral prefrontal cortex in schizophrenia. I. Regional cerebral blood flow evidence, *Arch Gen Psychiatry* (1986) **43:**114–24.
19. Bellack AS, Mueser KT, Morrison RL et al, Remediation of cognitive deficits in schizophrenia, *Am J Psychiatry* (1990) **147:**1650–5.
20. Braff DL, Heaton R, Kuck J et al, The generalized pattern of neuropsychological deficits in outpatients with chronic schizophrenia with heterogeneous Wisconsin Card Sorting Test results, *Arch Gen Psychiatry* (1991) **48:**891–8.
21. Goldberg TE, Weinberger DR, Berman KF et al, Further evidence for dementia of the prefrontal type in schizophrenia? *Arch Gen Psychiatry* (1987) **44:**1008–14.
22. Bellack AS, Weinhardt LS, Gold JM, Gearon JS, *Generalization of Training Effects in Schizophrenia* submitted.
23. Test MA, Wallisch LS, Allness DJ, Ripp K, Substance use in young adults with schizophrenic disorders, *Schizophr Bull* (1989) **15:**465–476.
24. Caldwell CB, Gottesman II, Schizophrenics kill themselves too: a review of risk factors for suicide, *Schizophr Bull* (1990) **16:**571–89.
25. Strauss JS, Subjective experiences of schizophrenia: toward a new dynamic psychiatry. II, *Schizophr Bull* (1989) **15:**179–87.
26. Horwitz AV, Tessler RC, Fisher GA, Gamache GM, The role of adult siblings in providing social support to the severely mentally impaired, *Journal of Marriage and the Family* (1992) **54:**233–41.
27. Mueser KT, Bellack AS, Wade JH et al, An assessment of the educational needs of chronic psychiatric patients and their relatives, *Br J Psychiatry* (1992) **160:**674–80.
28. Bellack AS, DiClemente CC, Treating substance abuse among patients with schizophrenia, *Psychiatr Serv* (1999) **50:**75–80.
29. Prochaska JO, DiClemente CC, *The Transtheoretical Approach: Crossing the Traditional Boundaries of Therapy* (Krieger: Malabar, FL, 1984).
30. DiClemente CC, Hughes SO, Stages of change profiles in outpatient alcoholism treatment, *J Subst Abuse* (1990) **2:**217–35.
31. Carbonari JP, DiClemente CC, Aweben A, A readiness to change scale: its development, validation and usefulness. Discussion symposium: assessing critical dimensions for alcoholism treatment. Presented at the annual meeting of the AABT, San Diego, CA.
32. Carpenter WT, Heinrichs DW, Wagman AMI, Deficit and nondeficit forms of schizophrenia: the concept, *Am J Psychiatry* (1988) **145:**578–83.
33. McGlashan TH, Fenton WS, The positive–negative distinction in schizophrenia: review of natural history validators, *Arch Gen Psychiatry* (1992) **49:** 63–72.
34. Paul GL, Lentz RJ, *Psychosocial Treatment of Chronic Mental Patients: Milieu Versus Social-Learning Programs* (Harvard University Press: Cambridge, MA, 1997).
35. Braff DL, Information processing and attentional abnormalities in the schizophrenia disorders. In: Magaro PA, ed, *Cognitive Bases of Mental Disorders* (Sage: Newbury Park, CA, 1991) 262–307.
36. Green MF, Nuechterlein KH, Should schizophrenia be treated as a neurocognitive disorder? *Schizophr Bull* (1999) **25:**309–18.
37. Green MF, What are the functional consequences of neurocognitive deficits in schizophrenia? *Am J Psychiatry* (1996) **154:**321–30.
38. Mueser KT, Bellack AS, Douglas MS, Wade JH, Prediction of social skill acquisition in schizophrenic and major affective disorder patients from

memory and symptomatology, *Psychiatry Res* (1991) **37:** 281–96.

39. Kern RS, Green MF, Satz P, Neuropsychological predictors of skills training for chronic psychiatric patients, *Psychiatry Research* (1992) **43:**223–30.
40. Bellack AS, Blanchard JJ, Murphy P, Podell K, Generalization effects of training on the Wisconsin Card Sorting Test for schizophrenia patients, *Schizophr Res* (1996) **19:**189–94
41. Hemsley DR, A cognitive model and its implications for psychological intervention, *Behavior Modification* (1996) **20:**139–69.
42. Smith TE, Bellack AS, Liberman RP, Social skills training for schizophrenia: review and future directions, *Clin Psychol Rev* (1996) **16:**599–617.
43. Bellack AS, Haas GL, Schooler NR, Flory JD, *The effects of behavioral family treatment on family communication and patient outcomes in schizophrenia,* submitted.
44. Strauss JS, Carpenter WT Jr, Bartko JJ, The diagnosis and understanding of schizophrenia. Part III. Speculations on the processes that underlie schizophrenic symptoms and signs, *Schizophr Bull* (1974) **11:**61–9.
45. Lenzenweger MF, Dworkin RH, Wethington E, Examining the underlying structure of schizophrenic phenomenology: evidence for a three-process model, *Schizophr Bull* (1991) **17:**515–24.
46. McGlashan TH, The prediction of outcome in chronic schizophrenia, IV. The Chestnut Lodge follow-up study, *Arch Gen Psychiatry* (1986) **43:**167–75.
47. Johnstone EC, Macmillan JF, Frith CD et al, Further investigation of the predictors of outcome following first schizophrenic episodes, *Br J Psychiatry* (1990) **157:**182–9.
48. Meir VJ, Hope DA, Assessment of social skills. In: Bellack AS, Hersen M, eds, *Behavioral Assessment,* 4th edn (Allyn & Bacon: Needham Heights, MA 1998) 232–55.
49. Morrison RL, Bellack AS, Social skills training. In: Bellack AS, ed, *Schizophrenia: Treatment, Management, and Rehabilitation* (Grune & Stratton: Orlando, FL, 1984) 247–79.
50. Bellack AS, Morrison RL, Wixted JT, Mueser KT, An analysis of social competence in schizophrenia, *Br J Psychiatry* (1990) **156:**809–18.
51. Bellack AS, Mueser KT, Gingerich S, Agresta J, *Social Skills Training for Schizophrenia: A Step-by-Step Guide* (The Guilford Press: New York, 1997).
52. Benton MK, Schroeder HE, Social skills training with schizophrenics: a meta-analytic evaluation, *J Consult Clin Psychol* (1990) **58:**741–7.
53. Halford WK, Hayes R, Psychological rehabilitation of chronic schizophrenic patients: recent findings on social skills training and family psychoeducation, *Clin Psychol Rev* (1991) **11:**23–44.
54. Brown MA, Munford AM, Life skills training for chronic schizophrenics, *J Nerv Ment Dis* (1983) **17:**466–70.
55. Spencer PG, Gillespie CR, Ekisa EG, A controlled comparison of the effects of social skills training and remedial drama on the conversational skills of chronic schizophrenic inpatients, *Br J Psychiatry* (1983) **143:**165–72.
56. Liberman RP, Mueser KT, Wallace CJ, Social skills training for schizophrenic individuals at risk for relapse, *Am J Psychiatry* (1986) **143:**523–6.
57. Hogarty GE, Anderson CM, Reiss DJ et al, Family psychoeducation, social skills training, and maintenance chemotherapy in the aftercare treatment of schizophrenia. I. One-year effects of a controlled study on relapse and expressed emotion, *Arch Gen Psychiatry* (1986) **43:**633–42.
58. Marder SR, Wirshing WC, Eckman T et al, Psychosocial and pharmacological strategies for maintenance therapy: effects on two-year outcome, *Schizophr Res* (1993) **9:**260.
59. Hogarty GE, Anderson CM, Reiss DJ et al, Family psychoeducation, social skills training, and maintenance chemotherapy in the aftercare treatment of schizophrenia. II. Two-year effects of a controlled study on relapse and adjustment, *Arch Gen Psychiatry* (1991) **48:**340–7.
60. Meichenbaum DH, Cameron R, Training schizophrenics to talk to themselves: a means of developing attentional controls, *Behavior Therapy* (1973) **4:** 515–34.
61. Platt JJ, Spivack G, Problem-solving thinking of psychiatric patients, *J Consult Clin Psychol* (1972) **39:** 148–51.
62. Platt JJ, Spivack G, Social competence and effective problem-solving thinking in psychiatric patients, *J Clin Psychol* (1972) **28:**3–5.
63. Brenner HD, Kraemer S, Hermanutz M, Hodel B, Cognitive treatment in schizophrenia. In: Straube E, Hahlweg K, eds, *Schizophrenia: Models and Interventions* (Springer Verlag: New York, 1990) 161–91.
64. Nisbet H, Siegert R, Hunt M, Fairley N, Improving Wisconsin card-sorting performance, *Br J Clin Psychol* (1996) **35:**631–3.
65. Vollema MG, Geurtsen GJ, van Voorst AJP, Durable improvements in Wisconsin Card Sorting Test performance in schizophrenic patients, *Schizophr Res* (1994) **16:**209–15.
66. Metz JT, Johnson MD, Pliskin NH, Luchins DJ, Maintenance of training effects on the Wisconsin Card Sorting Test by patients with schizophrenia or affective disorders, *Am J Psychiatry* (1994) **151:**120–2.
67. Young DA, Freyslinger MG, Scaffolded instruction and the remediation of Wisconsin Card Sorting Test

deficits in chronic schizophrenia, *Schizophr Res* (1995) **16:**199–207.
68. Benedict RHB, Harris AE, Markow T et al, Effects of attention training on information processing in schizophrenia, *Schizophr Bull* (1994) **20:**537–46.
69. Wexler BE, Hawkins KA, Rounsaville B et al, Normal neurocognitive performance after extended practice in patients with schizophrenia, *Schizophr Res* (1997) **26:**173–80.
70. Goldman RS, Axelrod BN, Tompkins LM, Effect of instructional cues on schizophrenic patients' performance on the Wisconsin Card Sorting Test, *Am J Psychiatry* (1992) **149:**1718–22.
71. Stratta P, Mancini F, Mattei P et al, Information processing strategy to remediate Wisconsin Card Sorting Test performance in schizophrenia: a pilot study, *Am J Psychiatry* (1994) **151:**915–18.
72. Brenner HD, Roder V, Hodel B et al, *Integrated Psychological Therapy for Schizophrenia Patients* (Hogrefe & Hogrefe: Toronto, 1994).
73. Spaulding W, Reed D, Elting D et al, Cognitive changes in the course of rehabilitation. In: Brenner HD, Boker W, Genner R, eds, *Towards a Comprehensive Therapy for Schizophrenia* (Hogrefe & Huber: Seattle, WA, 1997) 106–17.
74. Spaulding WD, Fleming SK, Reed D et al, Cognitive functioning in schizophrenia: implications for psychiatric rehabilitation, *Schizophr Bull* (1999) **25:**275–89.
75. Wykes T, Reeder C, Corner J et al, The effects of neurocognitive remediation on executive processing in patients with schizophrenia, *Schizophr Bull* (1999) **25:**291–307.
76. Schacter DL, Glisky EL, Memory remediation: restoration, alleviation, and the acquisition of domain-specific knowledge. In: Uzzell BP, Gross Y, eds, *Clinical Neuropsychology of Intervention* (Martinus Nijhoff: Boston, MA, 1986) 257–82.
77. Butler RW, Namerow NS, Cognitive retraining in brain-injury rehabilitation: a critical review, *J Neuropsychology and Rehabilitation* (1988) **2:**97–101.
78. Benedict RH, The effectiveness of cognitive remediation strategies for victims of traumatic head-injury: a review of the literature, *Clin Psychol Rev* (1989) **9:**605–26.

7 의사와 환자 및 가족과의 상호작용

Diana O Perkins, Jennifer Nieri와 Janet Kazmer

도입

정신분열병 환자의 포괄적 진료에는 다양한 치료 양식이 필요하다. 가능한 부작용을 줄이면서 증상을 최소화시키는 데에 사용되는 항정신병약물 치료가 정신분열병 치료의 근간을 이룬다. 그러나, 최대한의 증상적, 기능적 회복을 얻고 유지하는 데에는 다른 형태의 개입법들이 필요한데, 개인정신치료와 집단정신치료, 가족치료, 사례관리, 입원치료, 지도감독 하의 주거생활, 사회적 직업적 재활 서비스 등이 여기에 속한다. 최적의 치료적 개입법을 결정할 때에는 환자의 요구에 기초해야 한다. 이러한 요구는 질환의 단계와 중증도 및 환자 개인의 목표에 따라 달라질 것이다. 거기에 환자들에게 이용 가능한 재원이 치료 선택에 반드시 영향을 미치게 된다. 따라서 치료는 고도로 개별화되고, 환자의 상태와 재원 변동에 따라 달라질 것이다.

정신분열병은 병전기, 전구기, 첫-삽화기, 악화기, 그리고 만성 잔류기를 거친다고 볼 수 있는데, 질환의 각 단계에 따라 치료적 개입은 상당히 달라진다.[1] 병전에는 사고와 행동에 미묘한 변화가 있을 수도 있지만, 정신분열병을 지니게 될 대부분의 경우 소아기에 다른 또래와의 구별은 가능하지 않다. 전구기에는 사고, 지각, 기분, 그리고 행동의 변화가 나타난다. 망상적 사고내용이나 환각 등과 같은 명백한 정신병이 출현하기까지 증상의 중증도는 점점 심해진다. 치료를 하면 첫 번째 정신병적 삽화는 종종 회복된다. 하지만 재발이 매우 흔해, 첫 삽화에서 회복한 환자의 80%가 재발하며 이는 통상 약물 중단과 관련되어 있다.[2] 재발이 반복되면서 증상악화와 기능저하의 한정된 기간이 있고, 질환이 5-10년 경과한 후에는 질환의 중증도와 장해는 통상 안정화된다. 이 장에서는 정신분열병 치료에 있어서의 임상가-환자 상호작용의 일반적 원칙을 논의하고자 한다. 그 뒤에 질환의 병전기, 전구기, 첫-삽화기, 그리고 만성 잔류기 각각에 특이한 원칙들을 논의하고자 한다.

일반적 원칙

정신분열병의 각 단계는 독특한 중요성을 지닌

반면, 질환의 단계 또는 질환을 얼마나 수용하는가의 여부와 무관하게, 환자 및 가족과의 상호작용에 적용될 수 있고 상호작용을 촉진시킬 수 있는 일반적 원칙이 있다. 우선, 치료는 임상의와 환자가 동반자로서 작업하고 공통의 치료적 목표를 공유할 때에 최적화된다.[3] 병식이 부족하여 환자가 치료에 결속되지 못하고 있다면, 환자가 질환에 대하여 어떻게 생각하고 있는지 그리고 치료의 득실을 어떻게 느끼는지를 임상의가 이해하는 것이 도움이 된다.[4] 한 개 이상의, 합의된 치료적 목표가 있다면, 치료적 동맹이 훨씬 강화된다. 예를 들어, 감시당하고 있다는 자신의 사고가 망상적이라는 점을 깨닫지 못한다 하더라도, 환자는 '불안' 이나 '불면' 이 적절한 치료적 목표라는 데에는 동의할 수 있다.

환자의 비밀과 가족의 치료-계획에의 참여는 정신분열병의 전 단계에 걸쳐 결정되고 다루어져야 하는 중요한 임상적 문제이다. 가족들은 흔히 치료 또는 치료-계획에 참여하기를 진정 원하는 반면, 환자들은 임상의가 가족들에게 정보를 제공하고 임상적 의사-결정에 가족들을 참여시키는 데에 동의하지 않을 수도 있다. 따라서, 의사, 참여한 가족들, 그리고 환자 사이에 비밀유지가 논쟁의 원인이 될 수도 있다. 가족이 환자의 치료에 관여하거나 환자의 임상적 상태에 관한 정보를 원하지만 환자는 가족들을 관여시키는 데에 동의하지 않을 때에는, 기밀의 3 Rs, '존중(respect), 위탁(refer), 그리고 다시 다룸(revisit)' 이 유용한 임상적 지침을 제공한다. 우선, 환자의 기밀을 *존중하는* 것이 결정적인 반면, 특별한 임상적 정보를 노출시키지 않고 가족을 치료에 참여시키는 것이 가능하다. 예를 들면, 의사는 의사-환자 기밀유지를 깨뜨리지 않으면서, 환자의 행동에 관한 가족들의 염려와 보고를 청취하고 일반적 교육을 제공할 수 있다.[5] 또한, 의사는 가족 구성원들을, 지지와 더 나은 교육을 위하여 다른 치료 공급자나 조직에 *위탁할* 수도 있다. 치료적 관계가 강화될수록, 그리고 환자의 병식 및 임상적 상태가 호전될수록, 기밀유지의 문제는 *다시 다루어질(revisited)* 수 있다. 환자들은 어떤 특정 정보를 가족들에게 제공하는 데에 결국 동의할 것이다. 환자로 하여금 치료는 자신의 것이라는 느낌을 갖게 함으로써 중요한 정보를 가족들과 공유하는 방법을 토론하고, 특히 환자 자신이 직접 가족들에게 정보를 제공하는 과정을 통해서, 환자는 이득을 얻을 수 있다.

환자 및 가족들과의 의사소통을 방해할 수 있는 몇 가지 요인들이 있다. 정신분열병이 인지기능에 미치는 영향, 그리고 많은 의사-환자의 상호작용이 위기의 시간에 일어난다는 사실 등이 여기에 해당된다. 정보를 전달하는 데에 있어서의 핵심적인 개념은, 환자/가족의 증상묘사 방법을 알고 사용하기(예를 들면, 환자는 환청을 두고 '영혼' 이라고 칭할 수 있다), 객관적이고 명료한 용어를 사용하기, 환자/가족을 그들이 맞서고 있는 질환에 관한 '전문가' 로서 존중하기 등이다. 정보는 단계적이고 간결한 방법으로 가장 잘 전달된다. 한 번에 너무 많은 정보를 줌으로써 환자와 가족들이 압도당하지 않도록 진료해야 한다. 환자와 가족들은 정보를 듣고 통합하는 것이 쉽지 않으므로 자주 반복이 필요한데, 특히 위기 중에는 더욱 그렇다. 환자/가족이 치료와 회복의 어떠한 과정 중에 있는가에 대해 민감한 것도 물론 중요하다. 예를 들면, 첫 정신병 삽화를 보였던 딸을 가진, 치료를 처음 받는 한 가족은 병원 사회사업가로부터 '예전에 알던 딸의 모습을 더 이상 볼 수 없을 것이기 때문에 마음의 준비를 해야 한다', 그리고 '그녀는 앞으로 직업을 얻거나 학교로 돌아갈 수 없을 것이다' 라는 얘기를 들었다고 했다. 이러한 선부르고 부정확한 설명으로 인해, 이 가족들은 불필요하게 겁을 먹고 희망을 잃었으며, 정신보건 의사를 신뢰하지 못하게 되었다. 현실적인 정보를 제공하면 희망을 안겨주는 것이 균형을 맞추는 결정적인 의사의 역할이다.

정신분열병의 진단은 환자와 가족들 모두에게 영향을 미치는 상당한 낙인이 되고, 이는 기능회복을 방해할 수도 있다.[6] 의사는 자기-낙인(self-stigma)과 타인으로부터의 낙인을 직접적으로 다루는 것이 흔히 유용하다. 자기-낙인은 환자의 자신감과 자존감에 영향을 끼치고 재활노력을 방해할 것이다. 자기-낙인을 만들어내는 생각들에 맞서는 데에는 인지-행동 기법이 유용할 수 있다. 또한, 친구들, 가족들, 그리고 사회로부터의 낙인을 환자가 어떻게 체험하고 있는지를 상의하면 도움이 될 수 있다. 임상적 개입은 미신과 낙인에 맞서는 데에 집중해야 한다. 아울러, 정신분열병 치료에 관여한 의사들은 낙인에 맞서 더 큰 역할을 맡길 바라기도 하는데, 예를 들면, 정신질환의 실체에 관한 대중 교육과 사회적 정치적 변화를 주창하기도 한다.[7]

병전기에서의 환자-의사 상호작용

정신분열병의 개인력이나 가족력을 지닌 사람은 자신이나 가족들에게 질환이 발생할 위험을 염려하고, 정신보건전문가에게 자신의 염려와 가족계획에 관한 정보와 상담을 구하기도 한다. 흔히 '유전상담(genetic counseling)' 이라고 불리는 임상적 개입법은 개별화되어 있지만, 정신분열병의 유병률과, 경과에 관한 일반적 정보와 가족 구성원에게 정신병적 질환이 발생할 위험에 관한 토의를 포함하고 있다. 정신분열병의 유전, 그리고 위험에 영향을 끼치는 잠재적인 환경요인에 관한 정보가 또한 때때로 유용하다.[8]

예를 들어, 그러한 상담을 구하는 사람에게 일반인구에서는 대략 1/100명이 정신분열병에 걸리게 될 것이라고 정보를 주는 것은 도움이 된다. 일차 직계가족(부모, 형제자매, 또는 자녀) 중에 정신분열병을 지닌 사람이 있다면, 발병 위험은 열 배나 증가해 1/10이 된다. 양쪽 부모가 모두 정신분열병이거나 일란성 쌍생아가 정신분열병이라면, 발병 위험은 4-5/10까지 증가한다. 이차-직계가족(예를 들면, 고모/이모, 삼촌/외삼촌, 조부모/외조부모) 중에 정신분열병이 있다면, 그 위험은 일반인구의 위험에 비해 단지 약간만 높다(2-3/100).[9]

유전상담을 찾는 사람들은, 유전요인이 발병 위험에 기여하는 한편, 질환의 유전은 대단히 복잡하며 환경요인 또한 질환의 위험에 한 역할을 담당한다는 점을 이해하면 도움이 된다. 유전자, 그리고 환경요인들은 개별적으로 질환을 일으키는 것이 아니라, 특정한 군집으로서 공동으로 정신분열병을 일으키는 것 같다. 어떤 환경요인들은 질환의 발병 위험 증가와 관련 있다고 밝혀졌다. 가족계획의 일환으로 유전상담을 찾는 사람들은, 모성 감염성 질환, 모성 기아(飢餓), 그리고 주산기 합병증 등 태아에게 스트레스가 되는 환경이 정신분열병과 관련되어 있다는 사실을 알면 도움이 되겠다.[10] 따라서, 가족계획을 염려하는 사람들에게는, 건강한 아이가 보장되는 것은 아니지만, 좋은 산전관리가 질환의 위험에 영향을 미친다고 충고해줄 수 있다. 자신이나 가족들의 발병 위험을 염려하는 이들에게는, 대조군에 비해 정신분열병을 가진 사람들이 병전에 마리화나나 기타 약물 사용이 더 흔하다는 사실을 알려주면 도움이 될 수 있다. 따라서, 좋은 건강이 보장되는 것은 아니지만, 마리화나, 암페타민, 기타 불법 약물들을 끊으면 질환의 위험이 줄어들 수도 있겠다.

끝으로, 자신의 위험이나 가까운 가족의 위험을 염려하는 이들은, 정신병의 조기 경고징후를 토의하고 증상이 발생할 경우에 도움을 청하는 계획을 만드는 것이 도움이 될 것이다. 정신분열병의 증상은 흔히 치료 가능하며, 조기 개입이 질환의 중증도와 경과에 영향을 미치고 증상 관해에 이르는 경우가 많다는 점을 지적해주는 것이 또한 유익하다.

전구기에서의 환자-의사 상호작용

후향적 연구들에 의하면 대부분의 정신분열병 환자들은 정신병적 증상의 발생 시점보다 평균 1-2년 전부터 사고, 기분, 지각의 전구적 변화를 경험한다고 한다.[11] 전구기 증상은 지각이상, 사고의 왜곡(이를테면, 관계사고, 의심), 음성증상(이를테면, 욕동과 동기의 감소), 주관적인 인지적 곤란(주의산만 등), 정동적 어려움(정동적 불안정성; 우울, 흥분, 또는 불안한 기분) 등이다. 이러한 증상들은 흔히 행동장애를 동반하는데, 학업이나 직장에서의 기능저하, 사회적 위축, 불량한 위생관리, 공격적인 행동, 또는 자살사고 등의 문제를 보인다.

정신분열병의 전구기 증상들은 비특이적이며, 정신분열병 외의 다른 장애에서 보이는 증상들일 수 있다. 예비적 자료에 의하면 뚜렷한 전구증상을 보인 사람의 40-60% 사이에서 정신장애가 발병한다고 한다.[12,13] 이러한 초기의 연구 노력은 정신질환의 발병으로 이어질 고위험의 임상상태를 기술하는 기준이 개발될 수 있음을 시사하지만, 전구증상을 지닌 많은 이들이 정신병의 발병 위험에 있는 것이 아니다. 정신장애의 조기단계 외에도, 전구증상을 경험하는 환자들에게 고려되어야 할 진단에는 기분장애(양극성 장애, 주요 우울증, 혹은 불안장애), 압도적으로 스트레스가 되는 생활사적 사건에 대한 반응, 드물지만 정상적인 청소년, 물질사용장애, 혹은 뇌기능에 영향을 미치는 대사성 장애나 기타 장애(이를테면, 갑상선 질환, 경련성 질환)등이 있다. 유감스럽게도 현재까지는 정신병적 장애의 전구기에 있는 사람을 일시적인 증상을 경험하거나 다른 임상 증후군으로 인한 증상을 가진 사람과 구분하는 요인에 관해 알려진 바가 거의 없다.

환자나 가족들이 도움을 찾는 이유는 전구증상으로 야기된 감정적 고통 때문이거나, 사회적, 직업적, 또는 학업 기능저하 때문이다. 환자들은 지각이상이나 사고장애와 같은 더 특이한 증상들을 자발적으로 말하지 않을 수도 있다. 정신장애 발생 이전의 치료를 후향적으로 기술한 바에 의하면, 정신병이 아닌 다수의 기타 진단들이 흔히 내려지는 것으로 보인다.[14] 따라서, 환자가 전구증상을 보일 때 의사는 정신장애의 조기단계를 감별진단의 하나로 고려하지 않는 듯이 보이며, 다른 전구증상에 관한 특정 의문을 임상적 평가에 포함하는 것 같다. 또한, 낙인이 찍힐 것을 염려하여 전구증상의 감별진단에 정신장애를 포함시키기 주저하는 의사들도 있다. 하지만, 정신장애를 간과한 결과는 심각한 것이어서, 부적절한 치료를 지속하거나(이를테면, 주의력결핍장애로 오진하여 정신자극제로 치료하는 예), 분명한 정신병이 출현하는 것을 감지해내지 못하여 공격적인 행동, 자살, 또는 강제 입원 등의 위험을 안게 된다.

환자가 기분, 인지, 지각의 모호한 장애나 기능저하를 보이지만 정신과적 증후군(주요 우울증이나 외상후 스트레스 증후군 등)의 기준을 명확히 만족시키지 못한다면, 정신장애의 전구기가 감별진단에 고려되어야 한다. 이 때의 환자 평가에는 지각이상, 사고장애, 인지장해, 기분증상을 포함한 정신과적 증상에 관한 철저한 검토가 포함되어야 한다. 많은 경우에, 환자들은 최근에 있었던 자신의 이상 경험을 내비치기를 두려워하고 불안해한다. 의사가 세심하게 질문하면서 공감적 반응을 보인다면 환자가 불안과 고립감을 더는 데에 도움이 된다.

환자와 가족들은 증상에 관한 정보를 받아들이며, 불확실한 예후를 대개는 이해할 수 있다. 예를 들어, 이러한 증상은 흔히 일과성이지만, 악화되어 양극성 장애나 정신분열병 같은 더 심각한 정신질환이 발생할 위험도 있다는 식으로 의사가 설명해 주면 도움이 된다. 게다가, 이러한 증상들을 명명할 때 '전구증상' 보다는 '기본증상' 이라고[15] 부르는 것이 유용할 수 있겠는데, 그렇게 함으로써 정신장애의 조기 '전구기' 가 아닐 수도 있다는 점을 분명히 하고, 따라서 불필요한 낙인이 찍히는 것을 최소화할 수 있겠다. 끝으로, 물론 치료계획에는 정신병적 증상이 출현하는 것을 알아차리고 적절히 개입하도록 교육하는 것을 포함해야 한다.

전구증상의 치료에 관한 확립된 지침은 없다. 증상양상과 가족력에 의존해서 의사와 환자는 '지켜보며 기다리기' 를 선택하거나, 정신치료적으로 개입하거나(예를 들면, 지지요법, 스트레스-관리, 또는 인지-행동 요법), 약물 시도를 시작할 수 있다(항정신병약물, 항우울제, 항불안제, 또는 기분안정제). 임상적 개입의 지침이 될만한 경험적 자료는 별로 없는 실정이며, 치료를 결정함에 있어서 환자는 전구증상치료에 관한 확립된 지침이 부족하다는 것을 알 필요가 있을 것이다. 예비적 단계의 연구는 저-용량의 항정신병약물이 전구증상을 개선시키고 정신장애의 발생 위험을 줄인다는 것을 시사한다.[16] 하지만 이 시험적 연구에서 항우울제는 정신장애의 발생 위험을 변화시키지 못했다는 점이 흥미로웠다. 다수의 환자와 가족들은 약물 복용을 꺼릴 수 있는데, 특히 약물학적 치료의 효능이 입증된 바가 부족하여 더욱 그럴 수 있다. 그 외에 인지-행동 개입이 유용할 수 있다. 예를 들면, 관계사고를 보이는 환자와 의사는, 모든 사람들이, 특히 스트레스를 받거나 피곤할 때, 지나치게 과민해지고 일상적인 사건이나 관계를 잘못 해석할 수 있다는 점을 토의할 수 있겠다. 만약 이 환자가 인사를 하지 않고 지나친 친구에게 의심과 위협을 느꼈다고 표현한다면, 치료자는 대안적 설명(이를테면, 친구가 환자를 보지 못했을 수도 있었다 또는 마음속에 딴 생각에 빠져 있었을 수도 있었다는)과, 타인의 행동에 대한 자신의 해석을 떨칠 수 있는 전략을 논할 수 있겠다.

정신분열병의 전구기에 있는 사람을 찾아내고 치료하는 전략을 개발하는 데에 새로운 관심이 일고 있다.[17] 이러한 노력은 더 개선된 결과를 이끌어낼 수 있고, 아마도 고-위험을 지닌 사람의 정신분열병 예방까지도 가능하게 할는지 모른다.

첫 삽화기에서의 환자-의사 상호작용

환각, 망상, 와해된 사고나 행동 등의 양성증상으로 특징지어지는 정신분열병의 첫 삽화는 질환을 지니게 된 개인에게는 막대한 위기가 아닐 수 없다. 그러한 증상들은 통상 환자와 가족들에게 엄청난 고통을 주며, 첫 치료적 접촉에 앞서 흔히 위기를 겪게 한다.

후향적 연구들에 의하면, 정신분열병이나 관련 정신질환을 가진 많은 환자들이 적절한 치료를 받기 전에 상당한 기간동안 활성 증상을 경험했고, 때문에 치료반응이 불량해지기 쉽고 더 심각한 질환 경과를 보일 수 있다.[18] 항정신병약물 치료가 시작되기 전에 환자들은 정신병적 증상을 평균 1년간 경험해왔고, 어떤 증상은 2-3년간 경험하기도

했다.[19] 연구들이 시사한 바에 의하면, 환자와 가족들은 환자의 기분, 사고 및 행동의 유의한 변화를 알아차리지만, 질환의 일부임을 알지는 못하고 적절한 임상적 진료를 받는 데에 어려움이 있다. 치료지연은 일차적으로 환자, 가족, 법 집행기관, 그리고 정신보건 공급자가 활성 증상의 존재 및/또는 심각성을 알아차리지 못하는 데에서 비롯된다.[14,20] 예비적 단계의 자료는 의사와 일반인을 대상으로 한 교육적 노력이 치료지연을 줄일 수 있음을 시사한다.[21,22]

정신질환의 조기단계에 있는 환자들의 경우 만성적인 질환을 가진 환자들에게 사용되는 전통적인 치료법과는 다른 고려사항이 있다. 의사-환자의 첫 상호작용은 흔히 응급실과 입원 병실에서 이루어지고, 통상 약물학적 처치와 환자 안전 유지에 집중되어 있다. 첫 삽화 동안 환자는 전형적으로 고도의 혼란과 심리적 고통을 경험하며, 첫 삽화를 외상적 삶의 사건으로 경험하는 수도 있다. 가능한 한 조기단계에서는 환자를 안심시키는 것이어야 하고 환자의 급성 고통의 경감을 목표로 해야 한다. 강제 치료, 억제, 그리고 격리는 가능하다면 피하는 것이 좋다.

만성 정신분열병의 경우와는 달리, 정신분열병 첫 삽화의 적절한 약물학적 치료는 전형적으로 완전하거나 거의 완전한 증상 관해를 낳는다.[23,24] 따라서 전통적인 치료 환경, 즉 낮병원 프로그램, 클럽회관, 또는 기타 정신사회적 재활 프로그램 등은 적절하지 않을 수도 있다. 마찬가지로, 가족들도 심각하고 지속적인 정신질환에 초점이 주어진 전통적인 가족 지지모임에서는 자신들의 요구가 충족되지 않는다고 흔히들 보고한다.

정신병의 첫 삽화는 임상적 상호작용이 질환과 치료에 관한 환자의 태도와 신념에 영향을 끼치는 결정적 시기이다. 첫 삽화로부터 회복된 환자들은 여전히 재발 위험이 높으므로,[25] 환자가 치료적 결속을 강화시킬 수 있는 태도와 신념을 개발하는 것이 중요한 목표가 된다. 정신병 재발은 위험하고 많은 비용을 소모시킬 수 있으며, 타인을 향한 공격적 행동이나 재산을 파괴하는 행동 및 삽화 후 첫 수년 동안 5-25%의 자살기도, 5-10%의 자살사망과 관련된다.[25-27] 환자들은 또한 최근에 획득한 정신사회적 회복을 상실하고, 학업, 직업, 친구관계, 독립적으로 살 수 있는 능력 등에 지장이 초래된다. 재발에 의해 소요되는 정신보건 비용은 흔히 비싼데, 특히 입원이 필요하다면 더욱 그렇다.[28] 반복된 정신병 재발은 항정신병약물에 반응이 나타나는 시간을 길게 만들고, 만성화될 위험, 장해가 발생할 위험, 치료-저항성 증상의 출현 위험을 높인다고 최근에 알려졌다.[29] 첫-삽화 환자들의 특별한 요구를 충족시킬 수 있는 새로운 치료 전략들이 개발 중에 있다.[30,31] 우리는 첫-삽화 환자들의 치료 결속력과 적응적 대처기술을 향상시키고자 하는 목적으로 ACE 치료(결속-대처-교육, adherence-copying-education)를 개발했다. 정신분열병 환자의 치료 결속력과 자존감을 증진시키고, 기분을 향상시키고, 자기-낙인 및 망상의 중증도를 완화시키는 인지행동적 정신치료적 개입법을 변형한 것이 ACE 치료다.[32,33] 교육적 요소는 질환의 생물정신사회적인 설명을 촉진시키는 것으로, 질환은 생물학적 기초를 지니고 스트레스에 취약하며 약물은 재발을 막아준다라고 강조하는 것이 그 예가 된다. 재발을 예방하는 약물의 보호 역할을 강조하며, 환자들에게 항정신병약물 투약을 중단한 첫-삽화 정신병 환자의 80%가 증상 재발을 경험한다는 연구결과를 보여준다.[2] 또한 중요한 것은, 치료에 장벽이 되는 요소를 찾아내고 확인하여 환자가 치료에 결속할 수 있는 전략을 개발하도록 돕는 일이다. 예를 들면, 건망증 때문에 약속을 몇 차례 잊어버린 환자에게는, 매주 예약이 있는 아침에 약속을 상기시켜주는 전화접촉을 하는 전략, 또는 미리 일정이 적힌 달력을 제공하는 전략 등이 유용할 수 있겠다.

치료의 두 번째 요소는 질환에 건강하게 적응하도록 도모하기 위해 설계되었다. 환자들이 첫 삽화 동안 경험하는 상실(예를 들면, 학기의 상실, 친구의 상실, 낙인)을 수용하고, 거기에 적응하며, 향후 정신병적 삽화에 대한 만성적인 취약성을 지닐 가능성을 받아들이도록 돕는 데에는 인지-행동기법이 사용된다. 그 외에도 정신병의 진단은 자신의 유능함, 안전, 정체감, 그리고 삶을 통제할 수 있는 능력에 대한 한 개인의 신념을 손상시킬 수 있다. 치료는 이러한 애도과정을 다루고 정신병적 경험을 이겨내는 방법을 개발시켜, 환자가 자기-능력과 통제를 다시 획득하고 증진시킬 수 있게 한다. 예를 들어, 첫 삽화 발병 이후로 지녀왔던, 자신의 인생에 대한 '통제의 상실' 느낌을 말하던 환자가 있었다. 그는 통제력을 다시 회복하는 유일한 길은 약물복용을 중단하는 것이며, 그것이 병들기 이전으로 자신의 삶을 돌려놓을 수 있을 것이라 믿었다. 그는 약물을 중단하면 친구들이 다시 연락해오고, 성적이 오르고, 일상의 활동에 대한 즐거움과 욕망이 회복되는지를 알고 싶어했다. 여기에서 치료자는 '과거의 자기'를 되찾고 싶은 환자의 소망을 받아들이고, 환자의 상실에 관련된 느낌(분노, 죄책감, 수치심, 당혹감, 슬픔 등)을 확인하고 탐색했다. 재구성과 정상화 기법을 이용하여 통제력을 회복할 수 있는 대체 전략이 개발되었다. 예를 들어 치료자와 환자는, 질환을 이해하게 되고 환자가 치료에 적극적으로 참여함으로써 '통제력'을 회복할 수 있다는 생각을 개발했다. 약을 복용하는 환자의 결정은 재발을 막는 적극적 전략으로서 재구성되었다. 친구들이 연락해오지 않는 이유를 탐색했고 그럴 듯한 부분들을 정상화시켰으며(이를테면, 오랫동안 그들을 만나지 않았다), 친목을 다시 만들 수 있는 전략을 개발했다.

우리는 환자들과의 개인적인 작업 이외에도, 집단 치료가 매우 치료적임을 알게 되었다. 집단 상호작용은 첫 삽화로부터의 회복에 흔히 동반된, 고립감, 수치심, 죄책감, 당혹감을 줄여준다. 더욱이 환자들은 정신보건전문가보다 동료들이 주는 정보와 충고에 더 잘 반응하는 경우가 종종 있다. 예를 들어, 치료자가 아닌 다른 환자가 물질사용을 직면시킨다면, 환자는 덜 방어적인 태도를 취하고 그 문제를 최소화시킬 수 있다. 집단 형태는 정신병 첫 삽화의 체험과 의미, 자기-개념에 질환이 끼친 영향, 회복을 증진시키는 대처전략의 문제들을 다루는 또 다른 장이 될 수 있다. 치료자는 집단의 토론을 이끄는 것이 아니라, 집단 구성원들이 서로에게 반응하도록 격려함으로써 집단의 지지적 측면을 극대화시킬 수 있다. 잘 회복된 첫 삽화 환자들은 흔히 집단 내에서 적극적인 역할을 할 것이다. 치료자는 소극적인 구성원들을 결속시키고, 타인의 관점과 감정에 민감하고, 또 그것들을 존중하는 태도를 취하는 등의 지지적 행동의 모형을 제시할 수 있다.

가능한 시점에서, 첫-삽화 환자의 치료에는 가족참여와 가족교육이 개인 및 집단치료를 통해 아울러져야 한다. 이를 통해 질환의 첫 삽화동안 가족들 또한 질환과 그 질환이 사랑하는 사람의 미래에 가지는 의미를 이해하고자 노력한다. 가족들은 환자의 진단이 내려지면 깊은 상실감을 느낄 수 있고, 여기에는 동료감의 상실, 가족역할 수행의 상실, 직업이나 인생의 성취감의 상실 등이 포함된다.[34] 환자와 마찬가지로, 가족들도 흔히 분노, 두려움, 당혹감, 죄책감을 체험한다. 가족들을 대상으로 다루어져야 할 일련의 문제들이 있는데, 중요한 것은 가족들이 결정적인 치료적 문제를 확인하고 그들이 사용해온 강점과 적응적 대처전략을 아는 것이다. 만약 치료자가 가족들의 기술이 부족하다고 추정하거나 치료적 목표를 일방적으로 지정한다면, 이는 별로 도움이 되지 못할 때가 많고 오만해 보일 수도 있다.

가족들과의 개인적 작업은 미래에 대한 희망적이지만 현실적인 기대를 심어주는 일과 교육에 초점을 두게 될 것이다. 가족들이 흔히 제기하는 문제들은, 병적 행동과 연령에 적합한 정상적인 행동을 어떻게 구분하는가, 집에서는 어려운 행동들을 어떻게 다루는가 등이다. 가족들이 환자가 가진 망상을 다루기 위해서는 정보와 지지가 필요하기도 하다. 또한, 가족들은 환자를 지나치게 경계하고 유아로 취급하지 않으면서 증상을 감시하는 방법을 배울 필요가 있을 수도 있다.

흔히 가족들은 환자와 마찬가지로 똑같은 사회적인 낙인에 희생물이 된 느낌뿐만 아니라, 심한 고립감과 고독감을 체험한다. 타인들의 부정적 안목을 염려하여 가족들은 환자를 지지하는데 소극적일 것이고, 지지를 한다 하더라도 친구들, 친족들, 성직자들, 그리고 동료들은 공감적 반응보다는 부정적 반응을 보인다는 점을 발견할 지도 모른다. 가족들을 위한 집단은 고립감을 최소화하고 가족 질환을 토의할 수 있는 지지적 장을 제공하는 한 방법이다. 치료자의 역할은 일차적으로 정보를 제공하고 구성원들이 문제와 고민을 공유하도록 격려하는 일이 될 것이다.

정신병의 첫 삽화는 흔히 위협적이고 예기치 않았던 사건이지만, 조기에 발견되고 치료된다면 희망적으로 볼 수 있다. 첫-삽화 환자들에게 최선의 치료적 전략이 무엇인지를 결정하기 위해서는 연구가 필요하겠으나, 우리의 임상적 관찰에 의하면, 약물학적 처치와 개인, 가족, 집단 개입법을 포함한 조기 단계에서의 포괄적인 치료가 회복을 증진시킬 수 있다. 이 환자군 및 가족들과 함께 작업하며 많은 첫-삽화 환자들의 증상적 기능적 회복을 목격하는 것은 직업적으로 가치 있는 일이었다.

만성 정신분열병기에서의 환자-의사 상호작용

약물학적 치료의 발전에도 불구하고, 만성 정신분열병은 여전히 많은 환자들을 병약하게 만드는 장애이다. 만성증상을 지닌 대부분의 환자들은 반복적인 재발을 경험했고 개인적 직업적 기술 결함을 야기한 지속적인 잔류증상을 갖고 있다. 환자들은 종종 재발성 삽화의 긴 병력과 약물 비순응, 치료-저항성 증상, 그리고 스트레스성 인생사적 사건으로 인한 반복적인 입원력을 지니게 될 것이다.

대부분의 만성 질환자의 치료는 증상을 감소시키고 사회적 직업적 기능을 극대화시키는 것을 목표로 외래와 거주시설 환경 하에서 이루어진다. 능력을 상실한 환자들을 제외하고는 입원치료는 급성 악화의 경우로 한정된다. 입원치료는 질환에 대해서 교육할 수 있고, 물질사용, 약물 순응도, 스트레스성 환경 등의 재발 위험요인들을 다룰 수 있는 기회를 제공한다. 단기 입원의 경우에는 종종 결정적 치료문제를 확인할 시간만이 주어져, 대부분의 개입이 외래에서 이루어지기도 한다. 따라서, 입원치료와 외래 치료자 사이의 의사소통이 흔히 치료의 결정적 요소가 된다.

만성적이고 오래된 질환을 지닌 환자들은 자신의 질환과 치료에 관해 잘 발달된 신념과 태도를 갖는다. 환자들은 신뢰하는 치료적 관계형성을 방해할 수 있는, 과거의 부정적 치료 경험, 즉, 약물 부작용, 강제 입원, 강제 투약, 격리와 억제, 병원이나 지역사회 치료 공급자와의 부정적인 관계 등의 경험들을 '묶음으로' 지니고 있을 수 있다. 이와는 대조적으로, 환자가 치료자에게 지나치게 의존적으로 될 수도 있겠는데, 이 경우에는 자율성을 격려할 필요가 있다. 그 예로서, 한 번에 몇 개월씩의 약속을 어기는 환자로부터 담당 의사를 우선 만나지 않고서는 어떠한 쉬운 결정조차도 내리지 못하는 환자에 이르기까지 다양하다.

유연한 치료적 관계와 공통의 치료적 목표를 만드는 것이 치료적 동맹형성에 결정적이다. 예를 들어, 병식이 불량한 환자 또는 약물에 저항성인 환자와 작업할 때에는 치료적 목표로서 주택문제, 은행계좌개설, 교통수단결정 등과 같은 요구의 영역을 찾아내는 것이 도움이 된다. 확인된 환자의 요구를 도와주는 것이 치료적 동맹의 기초를 마련해줄 수 있다. 신뢰와 관계가 형성되면, 치료자는 약물과 기타 치료의 중요성에 대한 언급으로 진행할 수 있다. 구체적이고 실제적인 문제들에 집중하는 것은 환자를 유지치료에 결속시키는 도구가 될 수 있다. 예를 들어, 한 환자의 어머니가 몇 주 된 임신 평가를 위해서 환자를 데려온 경우가 있었다. 환자는 약물을 중단했고 재발의 전구증상을 보이고 있었다. 그녀는 남자친구와 길거리에서 살고 있었고, 영양상태가 불량했으며, 산전관리를 받지 않고 있었다. 임신에 매우 몰두해 있었기에, 우리는 우선 이 문제에 환자를 결속시켰다. 우리는 재정과 거주 재원을 평가함과 동시에 산전관리시설 방문을 위한 조화와 교통을 도왔다. 우리는 또한 가족들과 밀접히 작업하여 환자의 임신에 대한 가족들의 지지망이 형성되도록 도왔다. 환자 및 가족들과의 치료적 동맹이 형성되자, 환자가 동의할 수 있는 정도의 저용량의 항정신병약물을 투약하기 시작하는 데에 관해 토의할 수 있게 되었다.

정신치료적 개입법은 사례관리, 사회기술훈련, 인지교정, 인지행동치료, 정신사회적 재활요법, 그리고 약물학적 유지요법을 통해서 환자들이 지속되는 증상에 대처하도록 돕는 것을 목표로 한다. 특정 종류의 잔류증상과 치료에의 결속이 치료 목표가 될 수도 있다. 특히, 약물에 저항성인 만성 잔류 양성증상은 인지행동치료(CBT)에 반응할 수도 있다.[35-39] 보조적 치료로서 인지행동치료는 망상과 환각의 의미를 탐색하고 정신병 체험에 대처하는 법을 향상시킴으로써 망상과 환각의 중증도 및 기능적 영향력을 줄이는 데에 사용된다. 환자들 또한 자신의 증상을 다루는 창조적 기술을 흔히 개발할 것이다(예를 들면, 음악청취나 산책 등의 방법을 통한 주의전환 기술). 인지행동치료는 환자의 대처행동 목록을 늘여주고 지속되는 양성증상을 다루는 기타 특이 기술을 개발하도록 돕는다. 인지행동치료는 또한 환자가 약물에 대해 지니고 있는 신념을 탐색하고 치료적 결속을 극대화시키는 데에 사용될 수도 있다.[32]

인지교정과 직업 및 사회기술훈련은 일차적으로 기능적 결함, 지속적인 음성증상, 그리고 인지결함을 다루는 데에 사용된다. 이 서비스는 흔히 정신사회적 재활 프로그램과 클럽회관을 통해 접할 수 있는데, 여기에서는 직업재활, 작업치료, 오락치료, 그리고 지역사회로의 복귀 등의 프로그램을 제공한다. 이 프로그램들은 일상생활기술과 지역사회 생활기술(식사하기, 개인위생, 요리, 집안일, 쇼핑, 예산 짜기 등)을 가르치기도 한다. 만성증상을 가진 환자들은 다양한 서비스와 지지로부터 이득을 얻을 수 있으므로, 서비스 이용에의 접근, 조정, 촉진, 그리고 감시를 돕는 데에는 사례관리가 유용한 도구가 될 수 있다. 때로는 사회복지, 사회보장, 법률보장, 법집행, 치료 공급자, 집주인, 친구들과 가족들과의 접촉이 필요하다.

치료적 목표가 증상관리 개선이든 기능적 기술 개선이든, 환자 가족들을 결속시키고 그들과 협력하는 것이 유용하다. 환자와 마찬가지로, 가족들 또한 질환과 치료자에 대한 신념과 태도를 발달시켜왔다. 오랜기간동안 질환에 대한 교육이 이루어지지 않고[40] 환자가 수년동안 질환을 앓아왔다면, 가족들은 보건공급자로부터 환자의 질병에 대한 비난을 받아왔을 수 있다. 예를 들면, Fromm-Reichman은 '정신분열병유발형 어머니' 라는 용어를 만들어, 지배적이고 과보호하는 어머니가 자식의 정신분열병을 유발한다는 것을 이론화했다.[41] 1970년대에 들어서야, 정신교육을 제공하고 가족들을 비난하지 않고 치료적 과정에 참여시키는 것을 정신분열병의 포괄적 치료의 효과적인 한 요소로서 보게되었다. 가족들의 높은 표출감정이 정신분열병 환자의 재발위험을 높인다는 점을 이해하면서 가족개입의 중요성은 더욱 증가했다. 게다가, 환자를 돌보는 데에 가족들에게 부과된 짐은 가족들에게는 압도적인 것일 수 있고 치료의 주안점이 될 수도 있다.[42,43] 예를 들어, 일련의 가족 조사에 의하면, 아픈 친척을 돌보는 가족들은 자신의 심리적 육체적 건강을 해칠 위험이 높은 것으로 알려졌다. 가족들은 흔히 혼란감, 치료에서 소외된 느낌, 전문가들에게 무시 받는 느낌을 보고했다.[44]

'치료팀' 의 구성원으로서 가족들을 결속시킬 때에는, 자신들의 역할에 대한 기대 정도를 결정하고, 그들이 지녔던 과거 보건 공급자들과의 부정적 경험을 이해하고 공감하는 것이 흔히 도움이 된다. 가족개입의 흔한 목표 중 하나는 장애에 대해 교육하고 문제 행동을 다룰 수 있게 돕는 전략을 개발하는 한편, 가족들의 질환에 대한 경험과 관점을 타당하게 만드는 것이다. 가족들은 환자들의 파괴적인 행동, 만성증상, 그리고 반복적인 재발에 대처하기 위해 수년에 걸쳐 다양한 전략을 사용해왔었을 것이다. 따라서 의사는 가족들이 환자를 돌보는 데에 있어서 설정한 어떠한 한계에 대해서도 존중해야 하며 비판해서는 안 된다.

정신질환에 관한 입법, 정책, 그리고 지역사회 교육에 초점을 둔 지지활동은 가족들이 체제와 정신질환에 대한 사회의 고정관념으로부터 겪는 좌절에 길을 여는 수단이 될 수 있다. 지역의 정신보건연합뿐만 아니라 미국의 정신장애가족협회(NAMI), 영국의 정신분열병 협회(NSF)와 같은 조직에 관한 정보를 가족들에게 제공하고 가족들을 그 기관에 위탁함으로써 지지활동의 기회와 지지적 서비스의 통로를 제공할 수 있다.

만성 질환 경과를 보이는 환자를 둔 다수의 가족들 모임의 이점에는 재발률의 감소가 포함된다.[45-49] 정신교육이 개인적으로 주어졌는가 혹은 집단적으로 주어졌는가와 무관하게, 의사는 가족들이 질환의 증상에 관해 다양한 정도의 이해를 지니고 있다는 점과 그들의 지식과 대처기술에 관해 쉽게 가정하지 말아야 한다는 점을 기억해야 한다. 기존의 적응적 대처기술(예를 들면, 유머감각, 낮은 표출감정, 직접적인 의사소통)과 그 힘에 긍정적 강화를 제공할 기회를 찾는다면, 가족들이 환자를 돌보는 책임감에서 기인하는 매일의 스트레스를 관리하는 데에 자신감과 통제감을 느낄 수 있을 것이다. 집단 치료자는 가족 구성원들의 자기-관리의 중요성을 강조하고, 구성원들간의 상호 지지를 격려하고, 환자 보호와는 별도의 사회적 활동 및 오락활동에 참여하도록 허락할 필요가 있을 수 있다. 정신교육 외에도 우리 집단의 가족들은 재정 계획(이를테면, 유언, 사회보장수익), 법적 문제(후견인, 대리위임권, 계약관계법 등), 주거 문제(집단주거, 가족이 보살피는 가정, 요양소, 지지 아파트, 보호소 등) 등과 같은 실제적인 문제들을 토론함으로써 흔히 도움을 받는다. 치료자는 가족들이 자신들이 처한 상황에서의 '전문가'로서 인정받고, 각자의 개별적인 지식과 기술을 공유할 수 있도록 허용하는 분위기를 촉진해야 한다.

만성 정신분열병 환자와 가족들은 잔류증상과 관련된 고통을 경감시키는 데에 초점을 둔 다양한 서비스와 지지를 통해 혜택을 받을 수 있다. 포괄적인 치료는 개인 인지행동치료, 사례관리, 정신사회적 재활, 또는 직업재활 등의 다양한 서비스 중에서 각 환자에게 적합한 개입법을 선택한, 개별화된 접근법을 담고 있어야 한다.

참고문헌

1. Lieberman JA, Pathophysiologic mechanisms in the pathogenesis and clinical course of schizophrenia, *J Clin Psychiatry* (1999) **60(Suppl 12):**9–12.
2. Robinson D, Woerner MG, Alvir JM et al, Predictors of relapse following response from a first episode of schizophrenia or schizoaffective disorder, *Arch Gen Pyschiatry* (1999) **56:**241–7.
3. Frank AD, Gunderson JG, The role of the therapeutic alliance in the treatment of schizophrenia. Relationship to course and outcome, *Arch Gen Psychiatry* (1990) **47:**228–36.
4. Perkins DO, Adherence to antipsychotic medications, *J Clin Psychiatry* (1999) **60(Suppl 21):**25–30.
5. Petrila JP, Sadoff RL, Confidentiality and the family as caregiver, *Hosp Community Psychiatry* (1992) **43:**136–9.
6. Wahl OF, Mental health consumers' experience of stigma, *Schizophr Bull* (1999) **25:**467–78.
7. Link BG, Phelan JC, Bresnahan M et al, Public conceptions of mental illness: labels, causes, dangerousness, and social distance, *Am J Public Health* (1999) **89:**1328–33.
8. Moldin SO, Gottesman II, At issue: genes, experience, and chance in schizophrenia – positioning for the 21st century, *Schizophr Bull* (1997) **23:**547–61.
9. Kendler KS, Diehl SR, The genetics of schizophrenia: a current, genetic-epidemiologic perspective, *Schizophr Bull* (1993) **19:**261–85.
10. Waddington JL, Lane A, Larkin C, O'Callaghan E, The neurodevelopmental basis of schizophrenia: clinical clues from cerebro-craniofacial dysmorphogenesis, and the roots of a lifetime trajectory of disease, *Biol Psychiatry* (1999) **46:**31–9.
11. Yung AR, McGorry PD, The initial prodrome in psychosis: descriptive and qualitative aspects, *Aus N Z J Psychiatry* (1996) **30:**587–99.
12. Yung AR, Phillips LJ, McGorry PD et al, Prediction of psychosis. A step towards indicated prevention of schizophrenia, *Br J Psychiatry Suppl* (1998) **172:**14–20.
13. Gross G, The onset of schizophrenia, *Schizophr Res* (1997) **28:**187–98.
14. Perkins DO, Nieri JM, Bell K, Lieberman J, Factors that contribute to delay in the initial treatment of psychosis. Presented at International Congress on Schizophrenia Research, Santa Fe, New Mexico, 1999 [abstract].
15. Huber G, Gross G, The concept of basic symptoms in schizophrenic and schizoaffective psychoses, *Recenti Prog Med* (1989) **80:**646–52.
16. Phillips LJ, McGorry P, Yung AR et al, The development of preventative interventions for early psychosis: interim findings and directions for the future. International Congress on Schizophrenia Research, Santa Fe, New Mexico, USA, 1999 [abstract].
17. Tanouye E, New weapons in the war on schizophrenia, *Wall Street Journal* (1900) B1–B8. 8–23.
18. Wyatt RJ, Neuroleptics and the natural course of schizophrenia, *Schizophr Bull* (1992) **17:**325–51.
19. McGlashan TH, Duration of untreated psychosis in first-episode schizophrenia: marker or determinant of course? *Biol Psychiatry* (1999) **46:**899–907.
20. Johannessen JO, Early intervention and prevention in schizophrenia – experiences from a study in Stavanger, Norway, *Seishin Shinkeigaku Zasshi* (1998) **100:**511–22.
21. McGorry PD, Edwards J, Mihalopoulos C et al, EPPIC: an evolving system of early detection and optimal management, *Schizophr Bull* (1996) **22:**305–26.
22. Larsen JK, Johannessen JO, Guldberg CA et al, Early intervention programs in first-episode psychosis and reduction of duration of untreated psychosis, *Schizophr Res* (2000) **36:**344–5.
23. Lieberman JA, Koreen AR, Chakos M et al, Factors influencing treatment response and outcome of first-episode schizophrenia: implications for understanding the pathophysiology of schizophrenia, *J Clin Psychiatry* (1996) **57(Suppl 9):**5–9.
24. Robinson DG, Woerner MG, Alvir JM et al, Predictors of treatment response from a first episode of schizophrenia or schizoaffective disorder. *Am J Psychiatry* (1999) **156:**544–9.
25. Wiersma D, Nienhuis FJ, Slooff CJ, Giel R, Natural course of schizophrenic disorders: a 15-year fol-

lowup of a Dutch incidence cohort, *Schizophr Bull* (1998) **24:**75–85.

26. Robinson GL, Gilbertson AD, Litwack L, The effects of a psychiatric patient education to medication program on post-discharge compliance, *Psychiatr Q* (1986) **58:**113–18.
27. Torrey EF, Violent behavior by individuals with serious mental illness, *Hosp Community Psychiatry* (1994) **45:**653–62.
28. Weiden PJ, Olfson M, Cost of relapse in schizophrenia, *Schizophr Bull* (1995) **21:**419–29.
29. Lieberman JA, Sheitman B, Chakos M et al, The development of treatment resistance in patients with schizophrenia: a clinical and pathophysiologic perspective, *J Clin Psychopharmacol* (1998) **18:**20S–24S.
30. Jackson H, McGorry P, Edwards J et al, Cognitively-oriented psychotherapy for early psychosis (COPE). Preliminary results, *Br J Psychiatry Suppl* (1998) **172:**93–100.
31. Larsen TK, Johannessen JO, Opjordsmoen S, First-episode schizophrenia with long duration of untreated psychosis. Pathways to care, *Br J Pychiatry Suppl* (1998) **172:**45–52.
32. Kemo R, Kirov G, Everitt B et al, Randomised controlled trial of compliance therapy. 18-month follow-up, *Br J Psychiatry* (1998) **172:**413–19.
33. Norman RM, Townsend LA, Cognitive-behavioural therapy for psychosis: a status report, *Can J Psychiatry* (1999) **44:**245–52.
34. Solomon P, Draine J, Examination of grief among family members of individuals with serious and persistent mental illness, *Psychiatr Q* (1996) **67:**221–34.
35. Haddock G, Morrison AP, Hopkins R et al, Individual cognitive-behavioural interventions in early psychosis, *Br J Psychiatry Suppl* (1998) **172:**101–6.
36. Tarrier N, Sharpe L, Beckett R et al, A trial of two cognitive behavioural methods of treating drug-resistant residual psychotic symptoms in schizophrenic patients. II. Treatment-specific changes in coping and problem-solving skills, *Soc Psychiatry Psychiatr Epidemiol* (1993) **28:**5–10.
37. Chadwick P, Birchwood M, The omnipotence of voices. A cognitive approach to auditory hallucinations, *Br J Psychiatry* (1994) **164:**190–201.
38. Kingdon D, Turkington D, John C, Cognitive behaviour therapy of schizophrenia. The amenability of delusions and hallucinations to reasoning [editorial] *Br J Psychiatry* (1994) **164:**581–7.
39. Freeman D, Garety P, Fowler D et al, The London–East Anglia randomized controlled trial of cognitive-behaviour therapy for psychosis. IV: Self-esteem and persecutory delusions, *Br J Clin Psychol* (1998) **37:**415–30.
40. Tarrier N, Barrowclough C, Providing information to relatives about schizophrenia: some comments, *Br J Psychiatry* (1986) **149:**458–63.
41. Fromm-Reichman F, Notes on the development of treatment of schizophrenics by psychoanalytic psychotherapy, *Psychiatry* (2000) **11:**263–73.
42. Penn DL, Mueser KT, Research update on the psychosocial treatment of schizophrenia, *Am J Psychiatry* (1996) **153:**607–17.
43. Steinglass P, Psychoeducational family therapy for schizophrenia: a review essay, *Psychiatry* (1987) **50:**14–23.
44. Hatfield AB, Consumer issues in mental illness, *New Dir Ment Health Serv* (1987) **34:**35–42.
45. Goldstein MJ, Psychoeducational and family therapy in relapse prevention, *Acta Psychiatr Scand Suppl* (1994) **382:**54–7.
46. Leff J, Berkowitz R, Shavit N et al, A trial of family therapy v. a relatives group for schizophrenia, *Br J Psychiatry* (1989) **164:**58–66.
47. Hogarty GE, Anderson CM, Medication, family psychoeducation, and social skills training: first year relapse results of a controlled study, *Psychopharmacol Bull* (1986) **22:**860–2.
48. Falloon IR, McGill CW, Boyd JL, Pederson J, Family management in the prevention of morbidity of schizophrenia: social outcome of a two-year longitudinal study, *Psychol Med* (1987) **17:**59–66.
49. McFarlane WR, Lukens E, Link B et al, Multiple-family groups and psychoeducation in the treatment of schizophrenia, *Arch Gen Psychiatry* (1995) **52:**679–87.

8 정신분열병 환자의 사례관리

Chiara Samele와 Robin M Murray

내용 · 사례관리의 발달 · 사례관리의 모형 · 사례관리의 효과 · 예후에 영향을 미치는 요인들 · 사례관리는 얼마나 오래 진행되어야 하는가? · 사례관리 평가의 방법론적 문제점들 · 사례관리와 ACT의 재정적 비용 · 사례관리와 ACT는 실행 가치가 있는가?

이 장에서는 사례관리와 적극적 현장치료를 개괄하고자 한다. 사례관리의 발달과 실행, 사용된 모형, 그 효과, 평가의 방법론적 문제점들, 그리고 이득에 관해 살펴볼 것이다.

사례관리의 발달

정신질환자들이 수용시설을 벗어나 지역사회에서의 치료로 옮겨짐에 따라, 정신과적 치료의 분산에 대한 반응 및 서비스를 조정할 필요에 의해 사례관리가 생겨났다.[1] 치료요소를 모으는 방법은 지역사회 지지프로그램과[2] 같은 연방재원의 선도에 의해 미국에서, 그리고 영국에서 모두 발달했다. 후자는 주로 하원의 사회보장위원회의 지역사회치료에 관한 보고를[3] 따랐는데, 중심적인 사례관리자를 사용하고 퇴원한 환자들을 위한 명확한 치료 종합정책을 사용하도록 권장했다.

Intagliata는[4] 사례관리의 몇 가지 주요 요소들을 밝혔는데, 여기에는 요구의 평가, 포괄적 서비스 계획, 서비스 전달의 배치, 이 서비스들의 감시와 평가, 그리고 평가 및 추적이 포함된다; 주요 목적은 '치료의 연속성과 그 접근성, 책임성, 그리고 효율성을 증진시키는 것' 이었다. 목표가 이렇게 분명함에도 불구하고, 사례관리의 전달은 막대한 변화를 거치며 혼란과 모순된 접근으로 이어져갔다.[5]

Holloway는[6] 사례관리의 두 가지 주요 모형을 밝혔다-서비스중개 사례관리와 임상 사례관리이다. 중개모형에서 사례관리자는 흔히 보건 혹은 사회사업 배경이 없는 사무실 행정가로서, 조력자, 시스템 코디네이터, 그리고 서비스 중개인 역할을 한다. 중개모형은 심한 정신질환을 지닌 환자에게는 그 효과가 제한되어 보였다;[6] 이는 실제로 대조군 연구를 통해 확인되었다.[7,8] 반면, 임상 사례관리는 주거, 정신과적 치료, 일반적 건강보건, 복지 권리, 교통수단, 가족들 및 사회적 연결망을 포함하는 환자의 육체적 사회적 환경의 모든 측면을 다루었다.[9] 후자의 모형은 심한 정신질환을 지닌 모든 성인에게 사례관리를 제공하도록 모든 주에게 요구되고 있는 미국에서 선호하는 접근법이 되었다.[10]

사례관리의 모형

몇 가지 임상 사례관리 모형들이 출현했다. Stein과 Test에[11] 의해 처음으로 개발된 적극적 지역사회치료(ACT)는 적극적인 현장치료, 일상생활 기술의 교육과 보조, 일주일에 7일 24시간 대기, 구직(求職) 보조, 그리고 환자의 장점에 주목하기 등을 포함한다. 정신사회적 재활 모형은[12] 재활 평가 및 계획, 조정, 지역사회 서비스와 환자를 연결하기, 진행 감시, 그리고 옹호로 구성된다. 능력모형(strengths model)은[13] 환자의 장점과 자기 결단, 사례관리자/환자 관계, 활동적인 현장치료에 초점을 둔다. 이 모형은 질환의 치료를 제공한다기보다는 현실적이고 개인적인 목표를 확인하고 그것의 실현을 목적으로 하는 지지와 기술을 제공한다고 기술되어 왔다.[14] Thornicroft는[15] 사례관리가 실행되는 측면에서 그 정확한 특성을 정의하는 12개 목록을 열거했다: 개인/팀 사례관리, 직접치료/중개, 개입의 강도, 예산 통제의 정도, 보건/사회 서비스 기능, 사례관리자의 지위, 사례관리자의 전문화, 스태프 대 환자 비율, 환자의 참여, 접점, 개입의 수준, 그리고 목표 대상인구이다. 사례관리 팀은 흔히 인접전문가들로 구성되는데, 통상 자문정신과의사를 팀장으로 두고, 차이는 있을 수 있지만, 주로 정신과 간호사, 직업치료사, 심리학자, 그리고 정신과 사회사업가로 구성된다.

상이한 사례관리 모형들 간에는 어느 정도의 중복이 있다. 예를 들어, ACT와 사례관리는 동일한 목표를 공유한다: (a) 환자와의 접촉 유지, (b) 입원 횟수와 기간 단축, 그리고 (c) 임상적 사회적 예후 개선이다. 사례관리자의 과제는: (a) 환자의 요구 평가, (b) 치료 계획의 수립, (c) 적합한 치료의 배치, (d) 제공되는 치료의 질 감시, 그리고 (e) 환자와의 접촉 유지이다.[16] ACT는 한 단계 더 진행하여: (f) 치료를 배치하기보다는 치료를 제공하고, (g) 적극적인 현장치료를 적용하고, (h) 약물 순응도에 초점을 두고, (i) 응급대기를 제공한다.

사례관리의 효과

다수의 사례관리에 관한 연구는 도시에서 수행되었다. 이들 연구의 대부분은 환자들을 무작위로 두 치료군 중의 하나에 할당했는데, 예를 들면, 집중적인 사례관리 대 표준/일반 치료, 혹은 ACT 대 표준/일반 치료 등이다. 사례관리의 효과는 임상적 예후(즉, 증상 개선)와 사회적 예후(삶의 질)로서 평가되었다. 그러나 가장 흔한 예후 측정치는 병원이용-입원의 빈도와 기간-이다. 사례관리의 예후에 관한 몇몇 종설이 발표되었다;[17-19] 아마도 Marshall 등의[17] 발표가 가장 포괄적인 듯 하다. 결과를 인정받기 위해서 연구들은 무작위 대조군 연구이어야 했고, 사례관리(혹은 ACT가 아닌 치료관리)와 표준적 지역사회 치료를 비교했고, 18세에서 65세 사이의 심한 정신장애를 지닌 환자들을 대상으로 했다.

병원이용에 미친 영향

집중적인 사례관리를 이용한 몇몇 연구에서는 병원이용의 유의한 감소를 보였다.[8,20,21] 하지만, Marshall 등의 종설에서는[17] 사례관리군(群)에 속한 환자 중 정신과 병원에 입원한 환자 수가 대략 두 배에 이르렀다(승산비OR 1.84, 99% 신뢰구간 1.33-2.57, n=1300). 입원 횟수와 기간의 감소는 표준적 치료와 비교한 ACT에서 가장 극명하게 밝혀졌다.[11,22,23] 이는 Marshall 등의[17] 종설에서도 확인되었는데, ACT에 할당된 환자들이 덜 입원했고(승산비 0.59, 99% 신뢰구간 0.41-0.85) 재원 기간이 짧았다.

임상적 그리고 사회적 예후

모든 사례관리 연구들이 그 평가에 임상적, 사회적 예후를 포함시키는 것은 아니다. 임상증상을 평가한 사례관리 연구의 다수에서는 사례관리군과 대조군 간에 차이를 발견하지 못했다.[24-26] ACT의 경우더라도, 상대적으로 소수의 연구들만이 통계적으로 유의한 증상 감소를 보고하는 정도이다.[11,27] 마찬가지로, 사례관리나 ACT를 이용한 매우 소수의 연구들만이 전반적인 기능과 사회적 수행의 향상을 보고했을 뿐이다.[28-30] Marshall 등은[17] ACT가 표준적 치료에 비해 적응상태나 고용에서 유의한 이점을 보이기는 하지만, 사례관리가 임상적 혹은 사회적 예후의 실질적인 개선을 낳는 것 같지는 않다고 결론지었다.

삶의 질 및 환자 만족도

삶의 질에 관한 예후를 조사한 대다수의 사례관리 연구들은 양 집단간에 유의한 차이가 없다고 보고했다;[24,25,31] 그러나 몇몇 ACT 연구들은 유의한 삶의 질 향상을 보고했다.[11,32] Holloway와 Carson의 연구는[25] 환자들의 만족도는 표준적인 치료에 비해 집중적인 사례관리에서 더 높다고 보고했다. Marks 등의 연구는[22] ACT를 받은 이들이 비슷하게 유의한 만족도 차이를 보였다고 했다. 하지만, 이런 평가를 포함한 연구는 드물기에, 집중적인 사례관리와 ACT에 대한 환자 만족도를 일반화시키기는 어렵다.

서비스 결속 및 약물 순응도

사례관리는 서비스와 관계를 유지하는 사람의 수를 증가시키는 것으로 보인다.[17] 사례관리를 받는 15명당 대략 한 명 꼴로 더 많은 사람이 서비스와 관계를 유지했다. ACT를 받은 환자들도 표준적 치료를 받은 환자들에 비해 서비스와 관계를 유지하는 경우가 더 많았다. Holloway와 Carson의 연구에서는[25] 사례관리를 받은, '치료가 어렵다' 고 간주되는 환자들이 서비스 결속에서 유의한 이득을 얻은 것으로 나타났다. 많은 연구들이 보고하지는 않았지만, ACT를 받는 환자들은 약물 순응도가 증가한다고 보고되어 있다.[11,20]

예후에 영향을 미치는 요인들

담당사례의 수

임상 사례관리가 효과적이기 위해서는 사례관리자 1인당 담당사례가 적어야 한다. 사례관리자 1인당 10-15명의 환자들이 가장 적당한 비율로 생각된다.[33] 사례부하가 15명을 넘으면, 사례관리자는 환자 치료에 있어 사전 대처하기보다는 사후 반응하기(위기에 대해) 쉬워진다. 과중한 수의 환자 부담을 지닌 사례관리자는 환자의 요구를 충분히 평가할 수 없고, 환자들이 더 독립적일 수 있게 도와주기보다는 시간을 아끼기 위해 환자들의 일을 그냥 해주게 된다.[34,35] 작은 담당사례의 수가 핵심적인 요소였던, 영국에서 시행된 네 개의 주요한 사례관리 연구[24,34,36,37] 중 단지 한 연구에서만 병원이용의 감소를 보고했다.[36] 담당사례의 수가 적으면, 사례관리자는 조기 퇴원을 준비할 여유가 있고 따라서 비용이 감소된다.[36] 또한 세 연구에서는[34,36,37] 약물 순응도의 호전과 적은 담당사례의 수가 관련 있는 것으로 나타났다. 반면에 Burns 등은[24] 영국에서 대규모의 다-기관 연구를 시행했는데, 사례관리자의 담당사례의 수를 10명에서 15명 사이로 제한했음에도 불구하고, 재원일수를 포함한 임상적 혹은 사회적 예후에 유의한 차이를 발견하지 못했다.

사례관리 연구에 포함된 환자들

Clark와 Fox의 종설에서는[38] 어떤 환자들이 어떤 종류의 사례관리로부터 가장 이득을 얻을 것인가에 관해 알려진 것이 거의 없다고 결론지었다. 집중적인 사례관리에 반응할 환자들과 거기에 상관없는 예후를 지닐 환자들을 밝혀내야 할 필요가 남아있다.[34] 최근의 연구들이 이를 다루고자 했다. 예를 들어, UK700 연구에서는 아프리칸-카리브 출신 환자들에게서 집중적인 사례관리의 이득이 나타나지 않았다.[24] 하지만, 같은 연구에서 Tyrer 등은[39] 정신병적 장애와 경계선 학습 장해를 지닌 환자들의 집중적인 사례관리 결과를 조사했다. 이 공존병리를 지닌 환자들은 집중적인 사례관리를 받는 경우가 표준적 치료 처치를 받는 경우보다 재원일수가 짧았고(평균 47.2 대 104.8, p=0.003), 입원 횟수도 감소했다(평균 0.55 대 1.49, p=0.004). 따라서, 집중적인 사례관리는 학습 장해를 동반한 정신병 환자들(지역사회에 사는 데에 특별한 어려움을 가질 수 있는 환자들)에게 특히 유용할 수 있겠다.

Holloway와 Carson은[25] 집중적인 사례관리를 받는, '치료가 어렵다' 고 간주되는 환자들에게서 서비스에의 결속과 환자 만족도가 증가함을 발견했다. 점차로, 심한 공존 정신질환과 약물남용을 겪는 특정 환자 집단이나[40] 무주택 정신질환자들이[41] ACT를 받는 대상이 되어가고 있다. 하지만, 그 유용성은 아직 분명치 않다.

사례관리자와의 접촉 횟수

서비스와의 접촉 횟수는 사례관리 모형에 따라 대단히 다르다. 최소 접촉 횟수는 어떤 사례관리 모형에서는 주 1회 내지 2회로부터[28] 다른 모형에서는 매일에 이르기까지[42] 다양하다. 사례관리자와의 접촉 횟수가 예후에 어떤 영향을 미치는가? 이 질문은 사례관리 문헌 속에 상대적으로 덜 연구되어 있다. Dietzen과 Bond는[43] 빈번히 입원하는 환자들을 대상으로 ACT를 사용한 일곱 종류의 프로그램에서 서비스 이용 양상과 예후를 조사했다. 중등도에서 고도의 서비스 강도를 지닌 4 가지 프로그램은(환자 1인당 평균 월 11회 접촉) 재원일수를 줄이는 데에 중등도 혹은 실질적인 영향을 끼쳤다. 중등도에서 낮은 정도의 서비스 강도를 지닌 나머지 3 프로그램은(내담자 1인당 평균 월 6.3회 접촉) 병원이용에 미미한 영향을 미쳤다. 그러나, 혼합된 표본 내에서는(n= 환자 155명) 병원이용과, 전체 접촉 횟수 혹은 접촉의 형태에 따른 서비스 빈도 사이에 일차적 상관관계가 없었다. UK700 연구에서는 유의하게 많은 접촉 횟수에도 불구하고, 집중적인 사례관리를 받는 환자들의 병원이용 또는 임상적 사회적 예후에 유의한 영향이 없었다.[24]

적합한 지지 서비스

재원이 부족한 지역에서는 환자를 서비스와 연계시키는 사례관리자의 유용성이 심한 제한을 받는다.[44] 지역 재원을 사용할 수는 있지만 그 접근이 불충분할 때에, 사례관리자는 더욱 유용한 것 같다.[10] 지역 재원의 접근이 용이한 곳에서는 예후를 향상시키는 사례관리의 효과가 작을 수 있다. 성공적인 결과는 직업 서비스 이용 및 낮보호시설 이용과 관련이 있다.

사례관리는 얼마나 오래 진행되어야 하는가?

사례관리가 유익하다고 밝힌 내용들을 보면, 최소 1년이 경과해야만 그 효과가 분명히 드러남을 알 수 있다.[35] 많은 사례관리 연구와 ACT 연구들은 더 긴 기간, 흔히 2년 정도 기간동안 진행했고, 6개월 또는 1년 간격으로 다양한 단계에서의 추적 평가를 담고 있다. 사례관리/ACT의 이득은 시간이 경과해도 오래 유지되는가? 이 질문에 대한 종단연구는 드문데, 그 중의 하나인

Borland 등의[21] 연구에서는 집중적인 사례관리를 받는 정신분열병 또는 양극성 장애 환자 72명을 5년 간 조사했다. 재원일수는 75% 감소했고, 응급 서비스의 이용도 5년에 걸쳐 서서히 감소했다. 하지만, 이 효과는 지역사회의 구조화된 거주 보호에 머무르는 일수가 193% 증가함에 따라 상쇄되었다. 환자의 기능 수준은 5년 기간동안 변함이 없었다. 거꾸로, Marks 등은[22] 20개월 동안의 ACT 시행으로 재원일수의 감소, 증상 개선, 환자 및 가족들의 만족도 측면에서 유의한 호전을 발견했다. ACT 시행 30-45개월 추적 시점에서는 이러한 이득이 상실되었으나, 환자와 가족들의 만족도는 여전히 높은 상태였다.[45] 이득이 상실된 주요 원인 중의 하나는, 연구의 후반부에서 ACT가 질적으로 약화되고 ACT 팀이 경험한 사기저하였다.

사례관리 평가의 방법론적 문제점들

사례관리 연구에서 부닥치는 가장 흔한 방법론적 단점은 표본크기가 작다는 것이다: 어떤 경우에는 집단내 표본 수가 14명에 불과하기도 했다.[14] 대부분의 사례관리 연구들은 집단별로 30명에서 100명 사이의 환자를 포함해 통계적 검증력이 떨어진다.[25,28,32]

연구들 간의 비교는, 사례치료에 관한 정의상의 문제 및 적용된 사례관리 모형에 관한 설명 부족으로 인해 어렵다고 알려졌다.[46]

다양한 방법론적 문제들로 인하여 사례치료 연구들의 결과가 일관적이지 못하다. 따라서, 병원이용과 임상적 사회적 예후에 대한 사례관리의 잠재적 이득을 확정적으로 결론짓기는 어렵다. 성공적인 사례관리 실행의 구성요소를 가려내는 것도 또한 분명치 않다. 일부 시사된 바에 의하면: (a) 한 사람의 책임자(즉, 중심적인 사례관리자), (b) 사례관리자/환자 관계와 치료의 연속성, (c) 약물 순응도, (d) 좋은 인접전문가들 팀, (e) 정신과의사의 팀 참여, 그리고 (f) ACT 모형의 적용이다.[44]

사례관리와 ACT의 재정적 비용

사례관리와 ACT의 비용에 관해 명확한 결론을 내리는 데에도 물론 어려움이 있다. 이는 입원치료 비용, 보건비용 또는 총비용이 고려되었는가의 여부와 관련 있다. Grey 등은[47] 사례관리의 경제성 평가에서, 치료군에서의 비용이 더 낮았으나 유의한 정도는 아니라고 했다. 일부 연구들은 비용 증가를 보고하고, 다른 연구들은 비용 감소를 보고하는데, 이는 고용률의 증가에 의한 수입 증가를 고려했을 경우에만 해당된다.[11]

사례관리와 ACT는 실행 가치가 있는가?

사례관리의 이득 효과에 관한 증거는 혼재된 양상이다. 일부 전문가들은, 심한 정신질환을 앓는 환자들을 위한 지역사회 치료에 잘 구조화된 접근법으로서 사례관리를 선호한다. 사례관리, 특히 ACT가 서비스에의 결속과 약물 순응도를 격려하고 증진시킨다는 증거는 확실하다. 치료의 연속성 및 환자/보건전문가의 관계와 같은 요인들을 획득하는 것은 대단히 중요하다. 아무리 강도가 높다 하더라도, 서비스 개입 단독으로는 실제적인 장기간 효과를 낳기 어려울 수 있다.

비용 효과가 더 뛰어나거나 비용이 절감되리라는 이유를 근거로 사례관리나 ACT가 도입되어야 한다는 생각은 정당하다고 볼 수 없다. 비용은 더 높을 수도 있다. 재정적인 비용뿐만 아니라, 인력

활용 시간에서도 그러할 수 있는데, 일주일에 7일 24시간 대기를 제공하는 것이 그 예가 된다.

사례관리를 실행할 때에는 몇 가지 요소를 고려해야 한다. 가장 중요한 것은 사례관리 모형을 선택하는 일이다. 서비스 환경, 사용 가능한 재원, 서비스의 구조, 사례 관리자의 동기, 그리고 사례 관리자들이 받을 수 있는 훈련과 지지에 따라 사례관리 모형이 결정되어야 한다. 사례관리 서비스를 실행하려는 이유(예를 들면, 일차적 목적이 특정 환자군을 대상으로 하기 위함인가)와 얻고자 하는 결과를 고려하는 것도 중요하다. 사례관리자의 담당사례의 수를 줄이는 것은 유용한 첫 단계임에도 불구하고, 단순히 거기에만 의존한다면 개선을 가져오기에 불충분할 수가 있다. 특별한 훈련, 시간외 서비스와 같은 추가적인 전문가의 투입 등이 더 필요할 수도 있는 것이다. 이는 비용문제 또는 다른 응급 서비스의 유용성 때문에 실행되기 어려운 경우도 있다. 그러나, 환자가 사례관리 구조 외부에 있는 응급 서비스에 의존해야 한다면, 환자 치료의 연속성이 파손될 수 있다.

참고문헌

1. Rössler W, Löffler W, Fätkenheuer B et al, Case management for schizophrenic patients at risk for rehospitalization: a case control study, *Eur Arch Psychiatry Clin Neurosci* (1995) **246:**29–36.
2. Tessler R, Goldman H, *The Chronic Mentally Ill: Assessing The Community Support Program* (Ballinger: Cambridge, MA, 1982).
3. House of Commons Social Services Committee, Second report. Session 1984–85. Community care (HMSO: London, 1985).
4. Intagliata J, Improving the quality of community care for the chronically mentally disabled: the role of case management, *Schizophr Bull* (1982) **8:**655–74.
5. Bachrach L, Case management: towards a shared definition, *Hosp Community Psychiatry* (1989) **40:**883–4.
6. Holloway F, Case management for the mentally ill: looking at the evidence, *Int J Soc Psychiatry* (1991) **37:**2–13.
7. Franklin JL, Solovitz B, Mason M et al, An evaluation of care management, *Am J Public Health* (1987) **77:**674–8.
8. Curtis JL, Millman EJ, Struening E et al, Effect of case management on rehospitalization and utilization of ambulatory care services, *Hosp Community Psychiatry* (1992) **43:**895–9.
9. Kanter J, Clinical case management: definition, principles, components, *Hosp Community Psychiatry* (1989) **40:**361–8.
10. Solomon P, The efficacy of case management services for severely mentally disabled clients, *Community Health J* (1992) **28:**163–80.
11. Stein LI, Test MA, Alternative to mental hospital treatment. I. Conceptual model, treatment program, and clinical evaluation, *Arch Gen Psychiatry* (1980) **37:**392–7.
12. Goering PN, Wasylenki DA, Farkas M et al, What difference does case management make? *Hosp Community Psychiatry* (1988) **39:**272–6.
13. Modrcin M, Rapp CA, Poertner J, The evaluation of case management services for the chronically mentally ill, *Evaluation and Programme Planning* (1988) **11:**307–14.
14. Rapp CA, Wintersteen R, The strengths model of case management: results from 12 demonstrations, *Psychosoc Rehabil J* (1989) **13:**23–32.
15. Thornicroft G, The concept of case management for long term mental illness, *Int Rev Psychiatry* (1991) **3:**125–32.
16. Holloway F, Home treatment as an alternative to acute psychiatric inpatient admission: a discussion. In: *Community Psychiatry in Action: Analysis and Prospects* (Cambridge University Press: Cambridge, 1995) 85–96.
17. Marshall M, Gray A, Lockwood A et al, Case management for people with severe mental disorders (Cochrane Review). In: *The Cochrane Library, Issue 3* (Update Software: Oxford, 1998).
18. Burns BL, Santos AB, Assertive community treatment: an update of randomized trials, *Psychiatr Serv* (1995) **46:**669–75.
19. Holloway F, Oliver N, Collins E et al, Case management: a critical review of the outcome literature, *European Psychiatry* (1995) **10:**113–28.
20. Bush CT, Lanford MW, Rosen P et al, Operation Outreach: intensive case management for severely psychiatrically disabled adults, *Hosp Community Psychiatry* (1990) **41:**647–9.
21. Borland A, McRae J, Lycan C, Outcomes of 5 years of continuous intensive case management, *Hosp*

Community Psychiatry (1989) **40:**369–76.
22. Marks IM, Connolly J, Muijen M et al, Home-based versus hospital-based care for people with serious mental illness, *Br J Psychiatry* (1994) **165:**179–94.
23. Wright RG, Heiman JR, Shupe J *et al*, Defining and measuring stabilization of patients during 4 years of intensive community support, *Am J Psychiatry* (1989) **146:**1293–8.
24. Burns T, Creed F, Fahy T et al, Intensive versus standard case management for severe psychotic illness: a randomised trial, *Lancet* (1999) **353:**2185–9
25. Holloway F, Carson J, Intensive case management for the severely mentally ill. Controlled trial, *Br J Psychiatry* (1998) **172:**19–32.
26. McClary S, Lubin B, Evans C, Evaluation of a community treatment program for young adult schizophrenics, *J Clin Psychology* (1989) **45:**806–8.
27. Hoult J, Reynolds I, Charbonneay-Powis M et al, Psychiatric hospital *versus* community treatment: the results of a randomised trial, *Aust N Z J Psychiatry* (1983) **17:**160–7.
28. Issakidis C, Sanderson K, Teesson M et al, Intensive case management in Australia: a randomized controlled trial, *Acta Psychiatr Scand* (1999) **99:**360–7.
29. Dincin J, Wasmer D, Witheridge TF et al, Impact of assertive community treatment on the use of State Hospital inpatient bed-days, *Hosp Community Psychiatry* (1993) **44:**833–8.
30. Arana JD, Hastings B, Herron E, Continuous care teams in intensive outpatient treatment of chronic mentally ill patients, *Hosp Community Psychiatry* (1991) **42:**503–7.
31. Bond GR, Miller LD, Krumweid RD et al, Assertive case management in three CMHCs: a controlled study, *Hosp Community Psychiatry* (1988) **39:**411–18.
32. Lafave HG, de Souza HR, Gerber GJ, Assertive community treatment of severe mental illness: a Canadian experience, *Psychiatr Serv* (1996) **47:**757–9.
33. Rubin A, Is case management effective for people with serious mental illness? A research review, *Health Soc Work* (1992) **17:**138–50.
34. Muijen M, Cooney M, Strathdee G et al, Community psychiatric nurse teams: intensive support versus generic care, *Br J Psychiatry* (1994) **165:**211–17.
35. Baker F, Intagliata J, Case management. In: Liberman RP, ed, *Handbook of Psychiatric Rehabilitation* (Macmillan: London, 1992).
36. Muijen M, Marks I, Connolly J et al, Home based care and standard hospital care for patients with severe mental illness, *BMJ* (1992) **304:**749–54.
37. Ryan P, Ford R, Clifford P, *Case Management and Community Care* (Sainsbury Centre for Mental Health: London, 1991).
38. Clark RE, Fox T, A framework for evaluating the economic impact of case management, *Hosp Community Psychiatry* (1993) **44:**469–73.
39. Tyrer P, Hassiotis A, Ukoumunne O et al, Intensive case management for psychotic patients with borderline intelligence, *Lancet* (1999) **354:**999–1000.
40. Wingerson D, Ries RK, Assertive community treatment for patients with chronic and severe mental illness who abuse drugs, *J Psychoactive Drugs* (1999) **31:**13–18.
41. Calsyn RJ, Morse GA, Klinkenberg WD et al, The impact of assertive community treatment on the social relationships of people who are homeless and mentally ill, *Community Ment Health J* (1998) **34:**579–93.
42. Thornicroft G, Breakey WR, The COSTAR Programme. 1: Improving social networks of the long-term mentally ill, *Br J Psychiatry* (1991) **159:**245–9.
43. Dietzen LL, Bond GR, Relationship between case manager contact and outcome for frequently hospitalized psychiatric clients, *Hosp Community Psychiatry* (1993) **44:**839–43.
44. UK700 Group, Comparison of intensive and standard case management for patients with psychosis. Rationale of the trial, *Br J Psychiatry* (1999) **174:**74–8.
45. Audini B, Marks IM, Lawrence RE et al, Home-based versus outpatient/in-patient care for people with serious mental illness. Phase II of a controlled study, *Br J Psychiatry* (1994) **165:**204–10.
46. Burns T, Case management, care management and care programming, *Br J Psychiatry* (1997) **170:**393–5.
47. Gray AM, Marshall M, Lockwood A et al, Problems in conducting economic evaluations alongside clinical trials. Lessons from a study of case management for people with mental disorders, *Br J Psychiatry* (1997) **170:**47–52.

9 소아기 및 청소년기-발병 정신분열병

Marianne Wudarsky, Marge Lenane와 Judith L Rapoport

내용 · 도입 · 조기-발병 정신분열병의 약물학적 치료 · 비약물 치료

도입

소아기 발병 정신분열병(COS)은 드물지만, 임상적으로는 심한 형태의 정신분열병이다.[1] 기타의 조기-발병 형태의 다요인성(多要因性) 질환(예를 들면, 소아기 발병 당뇨병, 소아기 발병 류마티스성 관절염)과 마찬가지로, 소아기-발병 정신분열병은 성인기 발병 정신분열병에[2] 비해 더 심하고 더 유전적인 경향을 갖는다.[3]

최근의 연구들을 보면, 소아기 발병 정신분열병에서는 뚜렷한 정신병적 증상이 나타나기 전에 인지, 언어, 사회적 발달 장애가 나타나는 경향이 있다고 한다.[4] 게다가, 정신병의 발병 이후에는 지적 능력의 악화와 대뇌의 형태학적 변화가 진행할 수 있다.[5] 이 환자들이 보이는, 많은 발달학적 영역에서의 이러한 장애는 정신분열병의 유전적 가설 및 신경발달학적 가설을 검증하는 중요한 기회를 제공한다.

청소년기 발병은 좀더 흔하지만, 소아기 발병과 마찬가지로, 성인기 발병에 비해 치료에 관한 정보는 부족하다. 이 장에서는 소아기 및 청소년기 정신분열병의 치료에 관해 요약한다. 자료가 부족하기 때문에, 일부 개방 연구와 기술형 연구 자료도 포함했다.

조기-발병 정신분열병의 약물 치료

전형 항정신병약물

1976년 이래로 발표된, 소아기/청소년기 정신분열병의 항정신병약물 효과에 관한 이중맹검 약물 연구는 단지 세 개뿐이다.[6-9] 전형적 약물과 비전형 약물을 통틀어 이중맹검 연구의 대상 수는 모두 합해 120명이다. 표 9.1에 전형적 항정신병약물의 대조군 연구를 요약했다.

정신분열병 청소년을 대상으로 한, 첫 번째 위약-대조군 연구는 1976년 Pool 등이 시행한 것이다.[6] 이는 입원한 75명의 청소년 환자들에게 무작위, 위약-대조군, 이중맹검법으로 4주간 할로페리돌, 록사핀, 위약을 병렬식으로 투약하여 비교한 연구였다. 간이 정신과적 평가 척도(BPRS) 상으로는 4주 째에 세 군 모두 기저시점에 비해 호전된 결과를 보였으나, 치료 효과는 미약한 정도였다.

표 9.1 소아 및 청소년 정신분열병의 약물치료 연구: 전형 항정신병약물

저자/연도	환자 대상 수와 진단	연령 (평균과 범위)	용량 (평균 일일용량; 범위)	설계	결과
대조군 시험					
Pool 등 1976[6]	75; 정신분열병 지속성 또는 삽화성	15.65 13-18	할로페리돌 9.8mg/d 2-16mg/d 록사핀 87.5mg/d 10-200mg/d	무작위, 위약-대조군, 이중맹검 4주 병렬 집단	치료약물/위약 차이 없음. 치료군에서는 추체외로 증후군 75%; 진정 52%; 가장 증상이 심한 환자에서 가장 많이 호전됨
Realmuto 1984[6a]	21; 정신분열병	15.6 11.9-18.9	티오틱센 16.5mg/d 4.8-42.6mg/d 티오리다진 178mg/d 91-228mg/d	무작위, 단측맹검, 4-6주 병렬 집단; 위약 대조군 없음	성인보다 기저 BPRS 점수가 더 높음; 평균 BPRS 18점 감소; 임상적 전반적 인상(CGI)에서는 50%까지 호전; 양 치료군의 차이는 없음
Spencer 등 1992[7]과 1994[10] Spencer와 Campbell, 1994[8]	24; 정신분열병	8.78 5.5-11.75	할로페리돌 1.80mg/d 0.5-3.5mg/d	위약-대조군, 이중맹검, 교차시험; 4주 치료와 4주 위약 대조	유의한 BPRS-C와 CGI 변화; (각각 p=0.003, 0.001); 진정 75%; 추체외로 증후군 25%; 근긴장증 12.5%

할로페리돌 치료군은 위약 치료군에 비해 환각 행동이 호전되는 경향만을 보였다. 록사핀 치료군은 4주가 지난 시점에서야 위약 치료군에 비해 환각 행동에서 유의한 차이를 보였다. 하지만, 이 연구는 어린 환자들에 대한 항정신병약물의 효과를 보고하는 선도적인 위치를 차지하는 것으로, 소아군을 대상으로 한 별도의 연구의 중요성을 알려준다.

Pool의 연구와 대조를 이루는, 뉴욕대학교 연구가 보고한 할로페리돌의 극적인 효과는 주목할 만하다. Spencer 등과[7,10] Spencer와 Campbell은[8] 할로페리돌의 이중맹검법, 8주간, 위약-대조군, 교차 투약 연구를 시행했다. 일련의 보고에는 최종 24명의 정신분열병 소아들에 관해 기술되어 있다. 최적의 할로페리돌 용량은 낮았다(평균: 1.80 mg/day). 할로페리돌은 임상적 전체 인상(CGI) 질환의 중증도, CGI 전반적 호전, 그리고 소아 정신과적 평가 척도(CPRS) 8개 항목 중 4개 항목: 관계사고, 피해사고, 기타 사고장애 및 환각에서 위약에 비해 우수한 치료효과를 보였다. 위약을 투약한 환아는 아무도 호전되지 않았다. BPRS-C 전체 정신병리 점수로 측정된, 가장 좋은 반응을 보인 환자들은 발병연령이 늦고 지능지수가 높은 나이가 많은 이들이었다.[8,10] 일부 환자들이 경험하는 비전형 항정신병약물의 부작용인 체중증가를 감안한다면, 소아환자들에게 할로페리돌이 여전히 필요하리라는 점을 말해준다는 점에서 이 연구는 중요하다. 더욱이 매우 낮은 용량에서의 효능이 시사하는 바는, 임상실제에서는 필요이상으로 높은 용량을 사용해왔으리라는 점이다.

비전형 항정신병약물

개방 사례 시리즈

추체외로 부작용이 없는 클로자핀의 항정신병적 효과가 유럽에서 밝혀진지 20년 이상이 지나서야,[11] 이 약물이 실제 파킨슨증이나 근긴장증 부작용을 낳지 않고 만성 신경이완제 저항성 성인 환자들에게 성공적인 치료법으로 사용될 수 있음이 입증되었다(이 책의 제 4장 참조). 선택된 소아 환자들에게 클로자핀을 사용하는 데에 관한 관심은 자연스러운 것이었다. 성인 환자들에게 나타나는 과립구감소증(1.5%-2.0%[12]), 무과립구혈증(0.8%[13]), 그리고 용량-의존성 경련 발생(1-5%[14])의 위험에도 불구하고, 매우 중증의, 치료-저항성 소아 환자들이나 지연성 운동장애의 위험이 높은 환자들에게는 실제의 치료적 이득을 고려한 선택으로 어쩔 수 없이 클로자핀을 사용해야 했다.

클로자핀으로 효과를 본 청소년들의 의무기록 검토 보고에[15] 뒤이어, 일련의 사례보고들에서도[16-18] 유망한 결과를 보였다(표 9.2). 알려진 바와 같이, 뇌파 변화가 두드러졌으나, 일반적으로 부작용은 성인의 경우와 유사했다.

개방 시험들

클로자핀의 체계적인 개방 시험으로서, 소아기-발병한 치료-저항성 정신분열병 청소년 11명에 대해 예전의 할로페리돌 치료와 클로자핀 치료를 비교한 보고가 있다.[19] 할로페리돌에 비해 클로자핀 치료에서는 절반 이상이 호전을 보였다. 6주간의 클로자핀 치료기간 중 가장 두드러진 부작용은 체중증가였다(평균 15.4 파운드). 총 대상 환자 수가 모두 합해 64명에 이르는, 세 개의 다른 체계적 개방 시험과 소아 및 청소년의 클로자핀 치료를 후향적으로 검토한 한 개의 연구는 인상적인 치료효과를 보고했다.[18,20-22] 여전히 뇌파이상의 발생률이 두 연구에서 높게 나왔다.[18,22] 클로자핀으로 치료받는 성인에서의 뇌파이상의 발생률은 64%에서 83% 사이로 보고되어 왔다.[23-25] 또 다른 주요 부작용은 진정과 침흘림이었다.

표 9.2 소아 및 청소년 정신분열병의 약물치료 연구: 비전형 항정신병약물

저자/연도	환자 대상 수와 진단	연령 (평균과 범위)	용량 (평균 일일용량; 범위)	설계	결과
개방 사례 연속물					
Seifen과 Remschmidt 1986[15]	21; 정신분열병 무반응 환자	18.1 12-18	클로자핀 450mg 225-800mg	후향적 병록기록 검토	52% '뚜렷한 호전'; 33% 뇌파 변화; 50% 백혈구감소증; 피로, 어지럼증, 저혈압, 침흘림
Birmaher 등 1992[16]	3; 정신분열병 무반응 환자	17 17-18	클로자핀 333mg 100-400mg	사례 연구	모두가 양성증상과 음성증상 호전; 일시적인 백혈구감소 2명
Blanz와 Schmidt 1993[17]	53/57 정신분열병 무반응 환자	16.8 10-21	클로자핀 285mg 75-800mg	사례 연구	67% '뚜렷한 호전'; 16%에서 진전, 좌불안석, 추체외로증후군; 51%에서 진정; 35%에서 침흘림; 35%에서 저혈압; 55%에서 뇌파 변화
Remschmidt 등 1994[18]	36; 정신분열병 무반응 환자	14-22	클로자핀 330mg 50-800mg	후향적 병록기록 검토	75% 호전; 음성증상보다 양성증상이 더 호전; 44%에서 뇌파 변화; 5.5%에서 백혈구감소증으로 투약 중단
개방 시험					
Turetz 등 1997[22]	11; 정신분열병 무반응 환자들	11.3 9-13	클로자핀 227mg 193-262mg	개방 클로자핀 시험 16주	CGI, BPRS, PANSS에서 50% 이상 호전; 90%에서 침흘림과 진정; 82%에서 뇌파 변화; 27%에서 초조
Quintana와 Keshivan 등 1995[26]	4; 정신분열병 3 무반응 환자 1 치료력 없는 환자	14.5 12-17	리스페리돈 4.5mg 4-5mg	개방 리스페리돈 시험 6개월	3/4이 BPRS 40% 이상 감소; 양성증상보다 음성증상이 더 호전; 추체외로증후군이나 지연성 운동장애 발생하지 않음
Armenteros 등 1997[27]	10; 정신분열병 7 무반응 환자 3 치료력 없는 환자	15.1 12-18	리스페리돈 6.6mg 4-10mg	개방 리스페리돈 시험 6주	75%가 PANSS에서 적어도 20% 이상 호전; 50% 근긴장증, 추체외로증후군, 운동장애

표 9.2 소아 및 청소년 정신분열병의 약물치료 연구: 비전형 항정신병약물

저자/연도	환자 대상 수와 진단	연령 (평균과 범위)	용량 (평균 일일용량; 범위)	설계	결과
Kumra 등 1998[38]	23; 정신분열병 무반응 환자 8 올란자핀 치료 15 클로자핀 치료	 13.6 15.2	올란자핀 17.5mg 15-19mg 클로자핀 317mg 117-464mg	개방 올란자핀 시험 8주 개방 클로자핀 시험 6주	올란자핀 치료군의 25%가 '약물 반응성' ; 클로자핀 치료군의 50%가 '약물 반응성'
Frazier 등 1994[19]	11; 정신분열병 무반응 환자	14 12-17	클로자핀 370mg 125-825mg	클로자핀과 할로페리돌의 개방시험	할로페리돌 치료에 비해 클로자핀 치료에서는 56%가 BPRS 30% 호전; 클로자핀 치료시에는 82%가 BPRS 30% 이상 호전; 부작용: 진정, 침흘림, 6주간 평균 7Kg의 체중증가
Levkovitch 등 1994[20]	13; 정신분열병	16.6	클로자핀 240mg	개방 시험	77%가 2개월 치료 후 BPRS 50% 감소함으로써 유의한 호전; 부작용: 진정, 침흘림, 저혈압, 고열
Kowatch 등 1995[21]	4/10 정신분열병 무반응 환자 5/10 양극성 장애 1/10 기타 정신병적 장애	7.2 6-8	클로자핀 137.5mg 75-225mg	개방 시험	75%가 CGI상 뚜렷한 호전; 25%가 중등도의 호전; 0%에서 추체외로 증후군; 75%에서 침흘림; 100%에서 체중증가
이중맹검					
Kumra 등 1996[9]	21; 정신분열병 무반응 환자	14 12-16	클로자핀 240mg 25-525mg 할로페리돌 16mg 7-27mg	무작위, 이중맹검, 6주 병렬 비교	클로자핀이 할로페리돌이 비해 다음에서 우월한 효과를 보임: 음성증상 평가 척도(SANS)($p<0.01$), 양성증상 평가척도(SAPS) ($p<0.01$), BPRS ($p<0.05$); 3/21명이 경련발작; 3/21명이 뇌파변화; 5/21명이 절대호중구수치(ANC)<1500cc/mm^3

클로자핀의 독성으로 인해, 소아 환자군을 대상으로 한, 새로운 세로토닌/도파민 길항제 연구들은 특별히 중요하다. 최근까지, 리스페리돈의 체계적인 개방 시험은 두 개가 있는데,[26,27] 모두 정신분열병 청소년들을 대상으로 했고 이들은 전형 항정신병약물 치료를 받아왔었던 환자들이었다. Armenteros 등은[27] 연구를 마친 환자의 67%가 평균용량 6.6 mg/day에서 최소 20% 이상의 정신분열병 양성 및 음성증상 척도(PANSS) 전체 점수의 감소를 보였고, 일부 반응은 치료 첫 주에 나타났다고 보고했다. 이 결과는 성인의 연구 결과와 상통하지만,[28,29] 소아에서의 리스페리돈의 잠재적인 독특한 반응 역동을 검증하기 위해서는 추가적인 시험이 필요하다.

Armenteros의 연구에서는,[27] 80%의 청소년들이 일시적인 졸음을 경험했다. 전체적으로, 평균용량 6.6mg에서 60%의 환자들이 급성 근긴장증이나 지속적인 벤즈트로핀 치료를 요하는 추체외로증후군(ESP) 또는 구강안면부 이상운동증을 보였다. 게다가 10명 중 8명이 체중증가를 경험했는데, 실제 6주간 평균 4.85kg의 체중이 증가했다. Armenteros의 연구에서는 체중증가가 관찰되면 영양 상담을 시행했으나, 체중조절에 관한 추적 자료는 발표되지 않았다.

체중은 조절 가능하다는 일부 증거도 있다. 외상후 스트레스 증후군 소아를 대상으로 한 한 연구에서는, 16주 리스페리돈 치료 후에 체중증가가 2.2kg에 머물렀다.[30] 총 칼로리 섭취 제한과 아울러 저당성 탄수화물(인슐린 수준과 글리코겐 합성을 감소시키기 위해)로 구성된 식이를 사용했다. 비전형 항정신병약물을 복용하는 소아의 체중증가 기전은 알려져 있지 않다; 임상적으로 소아의 체중증가는 성인의 체중증가보다 더 심각한 문제로 보인다. 1997년 Kumra등은[31] 의무기록 검토를 통해 리스페리돈 투여 환자 13명 중 2명에게서 나타난 간독성을 보고했다. 이 환자들의 간 트랜스아미나제 상승과 간 지방 침착은 비만 발생에 이차적인 것으로 생각되었다. 저자들은 리스페리돈으로 치료하는 소아 환자들의 기저 간기능검사를 시행하고 트랜스아미나제를 추적하는 것이 중요하다고 강조했다. 전통적인 항정신병약물로 치료한 경우, 리스페리돈으로 치료한 경우, 그리고 투약을 하지 않은 경우의 체중증가를 비교한, 유일하게 알려진 연구에서 Kelly 등은[32] 리스페리돈-치료군이 전통적인 항정신병약물을 투약한 환자들에 비해 유의하게 체질량이 증가했음을 후향적으로 입증했다 ($p=0.001$).

치료-저항성 소아기-발병 정신분열병 환자를 대상으로 한, 초기의 이중맹검 클로자핀 연구는[9] 양성증상과 음성증상에 클로자핀이 할로페리돌보다 우월한 효과를 보인다고 보고했다. 하지만, 부작용이 문제였다. 24명 중 5명의 환자에게서(24%) 유의한 호중구감소증이 나타났다. 클로자핀을 재시도했을 때, 이들 중 두 명에게서 호중구감소증이 재발했고, 클로자핀 투약은 중단되어야 했다. 소아 환자들은 성인에 비해 클로자핀의 독성에 더 취약할는지도 모르겠는데, 아마도 조혈계(造血係) 독성을 일으키는 것으로 의심되는 클로자핀의 대사물인 N-desmethylclozapine의 농도가 더 높은 데에 따른 이차적 현상이 아닌가 생각된다.[33] 클로자핀에 내약력(耐藥力)이 없었던 환자들 중 일부 환자들은 수년 후에 클로자핀을 성공적으로 재시도할 수 있다.[34]

Kumra 등의 1996년 연구에서는,[9] 항경련제를 추가한 후에도 지속적으로 뇌파이상이나 경련을 보인 세 명의 환자에게서 또한 클로자핀이 중단되어야 했다. 결국 클로자핀을 중단하게 된 세 환자의 뇌파이상은, 약물대사의 개인차와 아울러 부분적

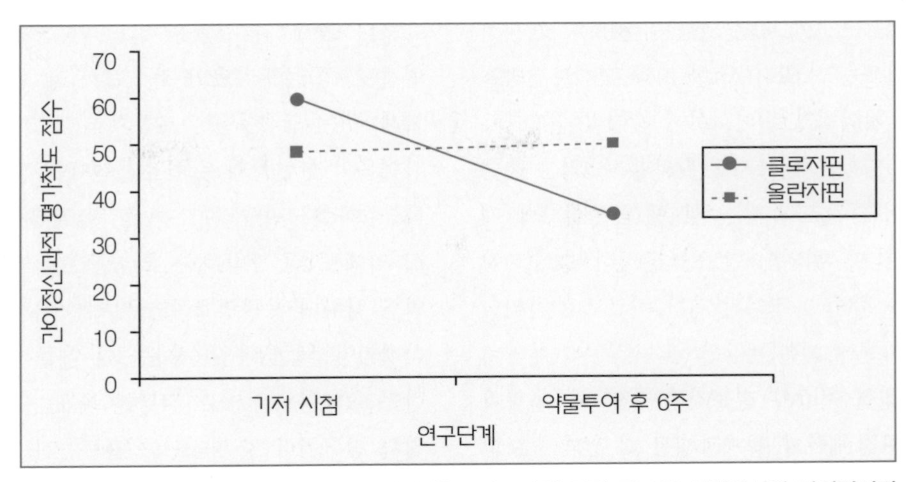

그림 9.1 올란자핀 치료군(n=6)과 클로자핀 치료군(n=7)의 기저 및 6주 시점에서의 간이정신과적 평가척도점수 ANCOVA(F=7.3; p=0.018).

으로는 발프로에이트 병용에 따른 이차적 클로자핀 농도상승으로[35] 설명될 수 있을 것이다. 이 대상군의 경련 발생률은 성인에 비해 높을 수 있는데, 이 작은 청소년 연구 집단에서의 경련 발생률은 14%로 성인과 청소년을 대상으로 한, 더 큰 규모의 연구들에서 보인 1.3-4%의 발생률을 훨씬 초과하는 것이다.[36,37]

지금은 21세가 된, 이 연구대상 중 한 명의 환자는 현재 미국 국립정신보건원(NIMH)에서 가바펜틴 1800mg/day 전처치 후에 클로자핀을 재투약하고 있다.[38] 이 글이 서술되는 지금, 그 환자는 300mg/day의 클로자핀과 1800mg/day의 가바펜틴을 병용하면서 경련이 없는 상태가 유지되고 있다. 이 사례는 클로자핀 치료에 '실패했던' 소아 환자가 나이가 들면, 클로자핀을 조심스레 재시도할 수 있다는 점을 뒷받침한다.

올란자핀은 구조적으로 클로자핀과 관련된 티에노벤조디아제핀으로서, 도파민 D_2 수용체에 보다 강력한 친화력을 지니는 약물이다. 올란자핀을 사용한 소아 사례에 관한 정보는 부족한 실정이다. 정신분열병 청소년 환자의 올란자핀 연구로 유일한 것은 Kumra 등의 개방 시험이다.[39] 올란자핀을 투약한 치료-저항성 환자 8명 중 2명이, 치료 8주 후에 최소 20%의 BPRS 전체점수 감소의 반응기준을[40] 만족했다. 불충분하기는 하나, 중증의 치료-저항성 환자군에게는 클로자핀이 더 월등한 효과를 갖는다는(8/15 반응자) 것이 전반적인 인상이다. 성인 연구로부터 예상되던 바와 같이, 올란자핀의 부작용은 식욕증가, 변비, 오심/구토, 두통, 졸림, 불면, 집중곤란, 빈맥, 트랜스아미나제의 일시적 상승, 그리고 초조 등이었다. 저자들은, 올란자핀의 상대적 안전성과 일부 환자들에서의 이득을 고려할 때, 올란자핀은 소아기-발병 정신분열병의 좋은 '일차 선택제'가 될 수 있으리라고 결론 지었다. 하지만 올란자핀으로 치료한 환자 수가 너무 적었고(8명), 이중맹검법과 개방 시험간의 자료비교라는 점이 이러한 피상적인 소견의 제한점이 된다. 이러한 개방/대조군 시험비교가 발표된 후로, 추가적인 자료들은 클로자핀의 독특한 역할을 계속 시사해오고 있다.

13명의 소아기 발병 정신분열병 환자들을 클로자핀이나(n=7) 올란자핀(n=6)으로 6주간 치료하여

BPRS 점수를 조사한 바에 의하면, 클로자핀이 우월한 치료효과를 보였다(Ancova F=7.3; p=0.018; 기저치로 보정함).

흥미로운 사실은, 클로자핀/할로페리돌의 이중맹검 연구에서 클로자핀 6주 치료에 반응을 보였던 4명의 환자들이 부작용으로 인해(1명은 호중구감소증, 2명은 경련) 올란자핀 개방 치료로 전환되었는데, 올란자핀에 대한 반응은 좋지 않았다는 점이다. BPRS 점수차이(6주 클로자핀 또는 6주 올란자핀 - 기저치)는 클로자핀 치료에서 더 컸다(t=2.67; p〈0.04).

끝으로, 6명의 치료 저항성 소아기 발병 정신분열병 환자들을 클로자핀이나(n=4) 올란자핀(n=2)으로 무작위 할당하여 BPRS 총점차이(8주 - 기저치)를 비교했을 때, 클로자핀을 투약한 네 명이(paired t=5.1, p=0.015) 올란자핀(paired t=4.4, p=0.14)에 비해 더 많은 호전을 보였다. 현 시점에서는, 클로자핀이 그 위험에도 불구하고 중증의 조기 발병 환자 치료의 '최적의 표준'으로 보인다.

쿠에티아핀은 보다 최근에 공인된 비전형 항정신병약물로서, 클로자핀과 구조적으로 관련있으나, 도파민 D_1과 D_2 수용체에 대한 작용은 약하다. 동물실험에서 쿠아티아핀에 장기간 노출된 경우 수정체 변화를 보였으므로, 치료 전과 치료 6개월 시점에서 세극등(slit lamp) 검사가 권장된다. 효과적인 소아의 정신병 조절에 필요한 쿠에티아핀의 일일용량은 500-700mg까지로 보고되어 있다.[41] Szigethy 등은[42] 쿠에티아핀 200 mg/day에서 좋은 반응을 보인, 8세에 정신병이 발병한 정신분열병 청소년 사례를 보고했다. 이 환자는 예전 치료였던 리스페리돈과 올란자핀에는 부분적인 반응만을 보였고 두 약물로 체중증가가 있었기 때문에 쿠에티아핀을 사용했던 것이다. 쿠아티아핀 치료 2개월 후에는 34점이었던 BPRS 점수가 21점으로 감소했다. 쿠에티아핀이나 지프라시돈 같은 새로운 비전형약물들의, 청소년을 대상으로 한 연구가 필요하다.

약물의 안전성과 효능에 관한 연구 지식과 아울러, 소아 환자들에게 '승인되지 않은 용도의(off-label)' 처방을 반대하는, 공공부문과 NIMH로부터의 압력이 증가해오고 있다.[43] 소아와 청소년 정신장애의 적절한 약물학적 연구를 위한 이런 성숙된 경향의 영향력은, 이미 위에 언급된 연구들 및 그러한 연구를 위한 NIMH의 연구협회 창립을 통해 나타나고 있다. 가장 진보된 형태에서는, 의학연구가 소아 정신과의사의 일상의 진료로 확대될 것이며, 이는 소아기에 발병하는 기타 질환과 분투하는 소아 전문가에게도 이어질 것이다.

비약물 치료

소아기-발병 정신분열병이 극히 드물고, 따라서 그 연구가 매우 제한적이라는 점으로 미루어 보아, 체계적인 가족개입, 거주개입, 또는 교육개입에 관한 연구가 거의 없다는 사실은 이해할만하다. 때문에, 우리는 가족들 및 지역사회 기관과 함께 해온 우리의 작업 일부를 간략히 기술하고자 한다.

가족 대처 및 지지 전략

어느 정도 행복한 삶을 영위해나가는 환아의 능력에 가족들은 많은 영향을 미칠 수 있다. 가족들이 환아와 환아의 질환을 수용하는 것이, 환아의 자질을 극대화시킬 수 있는 가장 중요한 비약물학적 요인이라고 생각된다. 가족들이 환아를 수용하는 좋은 방법 중의 하나는 환아를 옹호하는 것이며, 이것은 가족들이 스스로를 돕는 방법이기도 하다.

사례 연구들

사례 1.

소아기-발병 정신분열병 프로그램에 입원했을 때, 더그는 11세였다. 망상, 환청, 환각, 그리고 일부 자폐적 행동이 더그의 증상이었다. 더그는 클로자핀에 좋은 반응을 보였고, 지난 6년간 클로자핀을 유지하고 있었다.

더그의 아버지인 스미스씨는 정력적인 실업가로서 더그의 한계를 언제나 수용했다. 열정적인 웅변가지만, 스미스씨는 대화를 많이 하는 편은 아니다. 그는 더그에게 광범위한 주제의 이야기를 들려주곤 하는데, 아버지의 눈을 통해 더그가 세상을 볼 수 있게 해준다. 그가 더그에게 하는 말 안에는 흔히 작은 격려가 포함되어 있다: '더그야, 너는 낙엽을 잘 긁어모으니까, 지구온난화와 그것이 북미의 나무들에 미치는 영향에 대해 듣고 싶어할 것 같구나.' '너는 일요일에 팬케익 만드는 걸 좋아하니까, 우리가 지난주에 뉴욕에서 먹었던 종류의 음식을 뭘로 만들었는지 알거야. 우리가 먹었던 것은...'

아들의 정상상태를 끈질기게 기다리던 스미스씨의 노력은 결실을 맺었다. 더그가 12살이었을 때, 스미스씨는 지역 보이스카웃 위원회를 방문해 더그가 보이스카웃이 되도록 받아들여줄 임원을 만났다. 스미스씨는 또한 더그와 같은 단(團)이 될 소년들을 만나 더그의 자질과 더그가 기여할 수 있는 바를 강조했다. 그는 더그의 결함은 거의 제쳐두고 말했다. 더그가 보이스카웃에 소속한 몇 년 동안 스미스씨는 시간을 할애했고, 스카웃단의 활동에 재정적 지원을 자청했고, 운전을 해서 교통을 제공했으며, 임원들에게 그들이 얼마나 더그를 도와주고 있는지 피드백을 제공했다. 더그는 이제 뱃지를 두 개만 더 받으면 이글 스카웃이 된다!

더그가 살았던 지역에서는 고등학생들은 졸업하기 위해서 의무적으로 자원봉사를 해야 한다. 스미스씨는 지역의 우등생사교클럽을 찾아가 더그가 학생들의 '자원봉사 기회'를 받을 수 있도록 제안했다. 스미스씨와 학교 임원진은 사교클럽 학생들이 더그와 함께 비디오가게, 아이스크림가게, 음반가게, 그리고 쇼핑몰 가기 등의 자원봉사를 수행토록 배정했다. 이는 모두 고등학생들의 '정상적' 활동으로서, 더그에게는 사회적 기술을 향상시키는 방법이었다. 더그는 이 학생들과 중요한 관계를 형성했고, 아직도 일부 학생들은 대학 휴일 중에 더그에게 전화를 걸기도 하고 영화를 함께 보기 위해 들르기도 한다.

사례 2.

리씨 가족의 재정적 상태는 달랐지만, 미혼모이고 영어가 부족한 환태평양 이주민인 리 부인은 딸에게 똑같이 헌신하는 모습을 보였다. 그녀의 옹호로 인해, 킬라니는 얻을 수 없을 뻔했던 기술을 경험하고 습득할 수 있었다. 리 부인은 망설이는 교회 직원을 설득하여 킬라니에게 교회에서 하는 아이방에서 아이들을 돌볼 기회를 주도록 했다. 리 부인은 탁아 직원들이 킬라니와 함께 있는 것을 편하게 느낄 때까지, 아이방에 머무르면서 일방 유리를 통해 킬라니의 일을 지도하며 직원들이 자신을 활용할 수 있게 했다. 킬라니는 일을 훌륭히 해냈고 부모들은 그녀의 부드러운 방법을 좋아했다.

킬라니가 의사, 법률가, 또는 주지사가 될 수 없다는 점이 명확해지자, 리 부인은 예전의 원대한 포부를 포기하고, 학교에 부탁하여 인원이 부족한 직업훈련센터에서 직업교육을 제공해주도록 했다. 현재 킬라니는 대학 근처 식당에서 번 돈에 자부심을 느끼고, 어머니가 개설하도록 도와준 자신의

계좌에 급료를 저축하는 데에 즐거움을 느끼고 있다. 킬라니는 NIMH의 동물치료 프로그램을 너무나 좋아했기에, 그녀와 리 부인은 지역 동물학대방지협회의 공동 자원봉사를 맡아 일주일에 3시간씩 버림받은 동물들을 보살피고 있다. 그리하여, 이제 킬라니는 교회 아이방에서, 대학 식당에서, 그리고 동물 보호소에서 지역사회에 기여하는 한 구성원이다.

리 부인은 친척들에게도 가르쳤다. 킬라니를 단순히 수용하는 것만이 아니라, 그들의 건강한 자녀들에게 적절한 행동을 기대하는 것과 똑같은 기대를 킬라니에게도 가져주도록 부탁했다.

리 부인 덕분에, 킬라니 주변에는 그녀를 수용하고 사랑하는 사람들이 있다. 그녀의 정신분열병이 완치되지는 않았지만, 킬라니는 자신에 대한 만족감과 질환이 허용하는 한 독립적일 수 있다는 자신감을 느끼고 있다.

가족들과 작업하는 임상의라면 그러한 옹호와 지지기술을 터득하도록 도와야만 한다.

21명의 정신분열병 소아들의 연구에서 Asarnow 등은,[44] 이전에 성인에게서 보고된 바와 유사하게,[45,46] 불명확한 의사소통 방식 혹은 로르샤하 의사소통 왜곡(CD) 측정치 상의 의사소통 왜곡이 정신분열병과 정신분열병 연속선 장애를 가진 자녀의 부모에게서 흔히 나타나는 특성임을 발견했다. 아이가 할 일을 않고 빈둥거리는 것을 방지하고 혼란스럽거나 괴이한 생각을 표현할 때 이를 바람직한 방향으로 돌려주는 더욱 직접적인 방법을 훈련함으로써, 부모의 의사소통 범위를 확장시킨다면, 효과적인 방법이 될 것이다. 하지만, 그런 접근법의 효과는 검증을 요한다.

Asarnow 팀은[47] 또한 부모의 표출감정을 조사했는데, 이는 성인 정신분열병 환자의 부모에 비해 정신분열병 소아의 부모에게서 낮게 나타났다. 실제로 정상 대조군과의 차이가 없었다. 저자들은 부모 집단의 그러한 차이가 질환이 발병하는 발달단계의 차이와 관련된 것인지, 자녀의 연령과 발달의 수준에 따라 달라지는 부모의 대처방식의 차이와 관련된 것인지 의문을 제기한다. 이 소견은, 더 조기에 더 심한 질환을 겪는 가족들의 독특한 어려움에 특이한 효과를 낳을 수 있는 정신사회적 개입 및 가족개입을 개발해야 할 중요성을 부각시킨다.

성인기-발병 정신분열병의 가족개입 연구는 소아기 발병 정신분열병 가족치료에 도움이 될 것이다. 1995년 Dixon과 Lehman은[48](그리고 우리 자료가 시사하는 바와 함께) 높은-표출감정을 가진 가족뿐만이 아닌 광범위한 환자들에게 가족치료가 효과적이라고 보고했다. 결속, 지지, 정신교육, 그리고 적극적인 문제해결을 결합한 치료가 단기 정신교육을 단독으로 시행하는 경우보다 성인환자의 재발을 지연시키는 데에 효과적이다. 고도의 표출감정을 보이는 가족들을 지닌, 양성증상이 더 많은 백인환자에게는 개별 가족치료보다는 다(多)가족 집단치료가 더 효과적일 수 있다. 향후에는 소아기 발병 정신분열병에 가장 중요한 가족개입의 요소를 규명하기 위한 연구가 필요하다.

지역사회 재원

적절한 지역사회 재원의 가용성 역시 임상적 예후에 영향을 미친다. 물론 소아기 발병 정신분열병을 대상으로 한 체계적인 연구는 부족하나, 미국 전역의 지리적으로 상당히 다른 곳들로부터 동원된 우리의 임상적 경험에서는 배울 점이 있었다. 예를 들어, 한 환자는 중서부주(州)의 준도시 대학가 마을 출신인데, 그곳은 장애를 지닌 주민들을 질 높게 관리하는 곳이었다. 병원 관리자와 소아정신과 수간호사가 환자를 퇴원시키기에 앞서

NIMH에 연락을 취했다. 환자가 집으로 돌아가기에는 너무 중증이라(클로자핀에 부분적인 반응이 있었음에도 불구하고) 어디로 가는 것이 좋을 지에 대한 정보를 얻기 위해서였다. 그들은 입원, 거주치료시설, 그리고 치료적 양육의 방법을 제시했고, 결국은 재입원하도록 했다. NIMH에서 퇴원한 후 2년간 환자는 병원, 거주치료센터, 그리고 집에서 지냈다. 그의 거주치료시설은 가족들을 모든 의사결정에 참여시키는 가족지지집단을 제공했다. 환자가 집에서 지낼 준비가 된 듯이 보였을 때, 성공확률을 높이기 위해서 집으로의 이행을 점진적으로 시행했다. 환자가 집에서 잘 지내면, 방과후에는 어머니와 함께 지낼 수 있도록 지역정신보건기관에서 집안일을 보조해준다. 휴식보호(respite care)는 주말에 부모들이 몇 시간동안 자신들만의 시간을 갖도록 해준다. 재입원이 필요하다면, 치료자는 이를 효율적이고 인정 있게 처리하여, 어린 환자는 항상 가장 적절한 환경에 놓이게 된다.

푼돈을 아끼다가 큰 일을 그르치는 식의 프로그램을 지닌 남서부주(州)의 한 도시지역에서 온 다른 환자의 경우는 이와 대조적이다. 이 불행한 환아는 수 차례 반복해서 입원했었다. '기타 정신병적 장애 및 적대적 반항장애' 진단 하에 NIMH 연구에 의뢰되었을 당시, 환자는 약물반응이 꽤 좋았으나, 아직은 치료적 환경과 구조화된 교실을 제공해야 행동개선과 학업진전을 유지할 수 있는 상태였다(그는 NIHM에 입원한 3개월 동안 한 학기를 마쳤다). 그의 부모는 일관되고 적절한 외래치료를 받기 위해 주지사를 만나기까지 하면서 환자를 옹호했다. 주 교육심의위원회는 고도로 구조화되고 인원이 적은 주립 학교(지지적 환경에서 다수의 서비스가 제공되는)에 단지 3개월간의 입학만을 허락했는데, 그곳에서 환자는 잘 지냈고 처음으로 친구도 사귀었다. 3개월 후에 주 교육심의위원회는 부모, 정신과의사, 그리고 NIMH의 기한연장 요구를 거절했다. 그의 정규학교는 단지 휴게실만을 제공했고, 환자는 수개월 내에 자살사고로 다시 입원했다. 그가 3개월 동안 출석했던 특수학교 비용은 1년에 3만 불이었다. 하지만, 3개월 동안의 재입원으로 인한 재정적 감정적 비용은 그보다 훨씬 더 큰 것이었다.

옹호자로서의 가족, 교육자, 정신보건전문가의 효용은 정신보건체계에 대한 경험이 풍부한 미국정신장애가족협회(NAMI)에 의해 보강될 수 있다. 가족을 위한 NAMI의 '교육과정' 은 스태프와 가족들에 의해서 '교육' 되는데, 정신교육, 옹호기술을 증진시키는 '개인수업' , 그리고 장기간의 의존성을 가진 아이의 성숙과 자존감을 향상시킬 수 있도록 아이를 다루는 법을 위주로 한 동료자문 등을 담고 있다. 또한, 동료 가족들의 지지체계를 통해, 만성질환자 가족은 환자를 보호하는 고독감, 고립감, 그리고 스트레스를 줄이는 데에 도움을 얻을 수 있다. NAMI의 웹사이트는 방대한 네트웍에 용이하게 접근할 수 있도록 지역의 지부 주소를 제공한다. 거기에는 또한 'Youth' 페이지가 있어, 뇌질환을 지닌 소아와 청소년을 위한 특정 서비스 목록을 열거하고 있다.

요약하면, 소아기 발병 정신분열병에 관한 연구 관심이 증가하면서 이러한 사례들을 보다 더 많이 자각하게 되었다. 이 새로운 관심의 부산물로서 더 좋은 치료지침이 제공될 것이다.

참고문헌

1. Remschmidt HE, Schulz E, Martin M et al, Childhood-onset schizophrenia: history of the concept and recent studies, *Schizophr Bull* (1994) **20:** 727–45.
2. Gordon CT, Frazier J, McKenna K et al, Childhood-onset schizophrenia: an NIMH study in progress, *Schizophr Bull* (1994) **20:**697–712.

3. Childs B, Scriver CR, Age at onset and causes of disease, *Perspect Bio Med* (1986) **29:**437–60.
4. Alaghband-Rad J, McKenna K, Gordon CT et al, Childhood-onset schizophrenia: the severity of the premorbid course, *J Am Acad Child Adolesc Psychiatry* (1995) **34:**1273–83.
5. Rapoport JL, Giedd, J, Jacobsen LK et al, Childhood-onset schizophrenia; progressive ventricular enlargement during adolescence on MRI brain rescan, *Arch Gen Psychiatry* (1997) **54:**897–903.
6. Pool D, Bloom W, Mielke DH, et al, A controlled evaluation of loxitane in seventy-five adolescent schizophrenic patients, *Curr Ther Res* (1976) **19:** 99–104.
6a. Realmuto GM, Erickson WD, Yellin AM et al, Clinical comparison of thiothixene and thioridazine in schizophrenic adolescents, *Am J Psychiatry* (1984) **141:**440–2.
7. Spencer EK, Kafantaris V, Padron-Gayol MV et al, Haloperidol in schizophrenic children: early findings from a study in progress, *Psychopharmacol Bull* (1992) **28:**183–6.
8. Spencer EK Campbell M, Children with schizophrenia: diagnosis, phenomenology, and pharmacotherapy, *Schizophr Bull* (1994) **20:**713–25.
9. Kumra S, Frazier JA, Jacobsen LK et al, Childhood-onset schizophrenia: a double-blind clozapine-haloperidol comparison, *Arch Gen Psychiatry* (1996) **53:**1090–7.
10. Spencer EK, Alpert M, Pouget ER, Shell J, Baseline characteristics and side effect profile as predictors of haloperidol treatment outcome in schizophrenic children. Presented at the Thirty-fourth NCDEU/NIMH Annual Meeting, Marco Island, FL, 31 May–3 June 1994.
11. Hippius H, The history of clozapine, *Psychopharmacology* (1989) **99:**S3–S5.
12. Gerson SL, Clozapine: deciphering the risks, *N Engl J Med* (1993) **55:**94–7.
13. Alvir J, Lieberman JA, Safferman AZ et al, Clozapine-induced agranulocytosis, *N Eng J Med* (1993) **329:**162–7.
14. Safferman A, Lieberman JA, Kane JM et al, Update on the clinical efficacy and side effects of clozapine, *Schizophr Bull* (1991) **17:**247–61.
15. Seifen G, Remschmidt HG, Behandlungsergebnisse mit Clozapin bei schizophrenen jugendlichen, *Z Kinder Jugendpsychiat* (1986) **14:**245–57.
16. Birmaher B, Baker R, Kapur S et al, Clozapine for the treatment of adolescents with schizophrenia, *J Am Acad Child Adolesc Psychiatry* (1992) **31:**160 -4.
17. Blanz B, Schmidt MH, Clozapine for schizophrenia, *J Am Acad Child Adolesc Psychiatry* (1993) **32:**222–3.
18. Remschmidt H, Schulz E, Marti PD, An open trial of clozapine in thirty-six adolescents with schizophrenia, *J Child Adolesc Psychopharmacol* (1994) **4:** 31–41.
19. Frazier JA, Gordon CT, McKenna K et al, An open trial of clozapine in 11 adolescents with childhood-onset schizophrenia, *J Am Acad Child Adolesc Psychiatry* (1994) **33:**658–63.
20. Levkovitch Y, Kaysar N, Kronnenberg Y et al, Clozapine for schizophrenia, *J Am Acad Child Adolesc Psychiatry* (1994) **33:**431.
21. Kowatch RA, Suppes T, Gilfillan SK et al, Clozapine treatment of children and adolescents with bipolar disorder and schizophrenia: a clinical case series, *J Child Adolesc Psychopharmacol* (1995) **5:**241–53.
22. Turetz M, Mozes T, Toren P et al, An open trial of clozapine in neuroleptic-resistant childhood-onset schizophrenia, *Br J Psychiatry* (1997) **170:**507–10.
23. Treves IA, Neufeld MY, EEG abnormalities in clozapine-treated schizophrenia, *Eur Neuropsychopharmacol* (1996) **6:**93–4.
24. Tiihonen J, Nousiainen U, Hakola P, EEG abnormalities associated with clozapine treatment (letter), *J Clin Psychiatry* (1991) **148:**1406.
25. Olesen OV, Thomsen K, Jensen PN et al, Clozapine serum levels and side effects during steady state treatment of schizophrenic patients: a cross-sectional study, *Psychopharmacology (Berl)* (1994) **117:**371–8.
26. Quintana H, Keshivan M, Case study: risperidone in children and adolescents with schizophrenia, *J Am Acad Child Adolesc Psychiatry* (1995) **34:**1292–6.
27. Armenteros J, Whitaker AH, Welikson M et al, Risperidone in adolescents with schizophrenia: an open pilot study, *J Am Acad Child Adolesc Psychiatry* (1997) **36:**694–700.
28. Borison RL, Pathiraja AP, Diamond BI, Meibach RC, Risperidone: clinical safety and efficacy in schizophrenia, *Psychopharmacol Bull* (1992) **28:** 213–18.
29. Chouinard G, Jones B, Remington G et al, A Canadian multi-center placebo-controlled study of fixed doses of risperidone and haloperidol in the treatment of chronic schizophrenic patients, *J Clin Psychopharmacol* (1993) **13:**25–40.
30. Horrigan JP, Atypical neuroleptics and posttraumatic stress disorder in children. Talk presented at the Annual Meeting, American Academy of Child and Adolescent Psychiatry, Anaheim, CA, October 1998.
31. Kumra S, Herion D, Jacobsen LK et al, Case study: risperidone-induced hepatoxicity in pediatric patients, *J Am Acad Child Adolescent Psychiatry*

(1997) **36:**701–5.
32. Kelly DL, Conely RR, Love RC et al, Weight gain in adolescents treated with risperidone and conventional antipsychotics, *J Child Adolesc Psychopharmacol* (1998) **8:**151–9.
33. Gerson SL, Arce C, Meltzer HY, *N*-desmethylclozapine: a clozapine metabolite that suppresses hemapoiesis, *Br J Haematol* (1994) **86:**555–61.
34. Usiskin SI, Nicolson R, Lenane M, Rapoport J, Retreatment with clozapine after erythromycin-induced neutropenia. *Am J Psychiatry* (2000), **157:**1021.
35. Centorrino F, Baldessarini RJ, Kando J et al, Serum concentrations of clozapine and its major metabolites: effects of cotreatment with fluoxetine or valproate, *Am J Psychiatry* (1994) **151:**123–5.
36. Devinsky O, Pacia S, Seizures during clozapine therapy, *J Clin Psychiatry* (1994) **55:**153–6.
37. Freedman J, Wirshing W, Russell A et al, Absence status seizures during successful long-term clozapine treatment of an adolescent with schizophrenia, *J Child Adolesc Psychopharmacol* (1994) **4:**53–62.
38. Usiskin SI, Nicolson R, Lenane M, Rapoport JL, Gabapentin prophylaxis of clozapine-induced seizures in a patient with childhood-onset schizophrenia (letter), *Am J Psychiatry* (2000) **157:**482–3.
39. Kumra S, Jacobsen LK, Lenane MC et al, Childhood-onset schizophrenia: an open-label study of olanzapine in adolescents, *J Am Acad Child Adolesc Psychiatry* (1998) **37:**377–85.
40. Kane J, Honigfeld G, Singer, J, Meltzer H, Clozapine for the treatment-resistant schizophrenia: a double-blind comparison with chlorpromazine, *Arch Gen Psychiatry* (1988) **45:**789–96.
41. Sikich L, Atypical antipsychotics in the treatment of childhood and adolescent psychosis. Talk presented at the Annual Meeting of the American Academy of Child and Adolescent Psychiatry, Anaheim, CA, October 1998.
42. Szigethy E, Brent S, Findling RL, Quetiapine for refractory schizophrenia, *J Am Acad Child Adolesc Psychiatry* (1998) **37:**1127.
43. Vitiello B, Jensen PS, Psychopharmacology in children and adolescents: current problems, future prospects: summary notes on the 1995 NIMH–FDA conference, *J Child Adolesc Psychopharmacol* (1995) **5:**5–7.
44. Asarnow JR, Tompson MC, Goldstein MJ, Childhood-onset schizophrenia: a followup study, *Schizophr Bull* (1994) **20:**599–617.
45. Singer MT, Wynne LC, Thought disorder and family relations of schizophrenics: IV. Results and implications, *Arch Gen Psychiatry* (1965) **12:**201–9.
46. Jones JE, Patterns of transactional deviance in the TAT's of parents of schizophrenics, *Fam Process* (1977) **16:**327–37.
47. Asarnow JR, Tompson MC, Hamilton EB et al, Family-expressed emotion, childhood-onset depression, and childhood-onset schizophrenia spectrum disorders: is expressed emotion a nonspecific correlate of child psychopathology or a specific risk factor for depression? *J Abnorm Child Psychol* (1994) **22:**129–46.
48. Dixon L, Lehman AF, Family interventions for schizophrenia, *Schizophr Bull* (1995) **21:**631–43.

10 조기 정신병의 발견과 최적치료

Patrick D McGorry

내용 · 도입 · 정신분열병 및 관련 정신병의 조기개입의 틀 · 현실 속의 예방적 개입 · 결론

도입

> *최상의 진보적 사고는, 그 지지자들이 자신들의 독창성을 자랑스럽게 느끼게끔 만드는 힘을 지닌 것이며, 동시에 수많은 동조자들이 고립될 위험을 환호하는 군중들을 시끌벅적하게 함으로써 즉각 피해갈 수 있도록 주의를 끌어야 한다.*
>
> Milan Kundera[1]

최근 몇 년 동안 정신분열병 및 관련 정신병의 보다 좋은 예후를 전망하는 낙관론적 분위기가 증가하는, '진보적 사고'가 팽배했다. 이 낙관론의 일부는 더 좋은 효능과 더 적은 독성 부작용을 지닌, 새로운 세대의 항정신병약물의 발달에서 비롯된 것이기도 하나, 질병의 조기단계에 특별한 주안점을 둔다면 환자와 가족들의 이환률 감소와 삶의 질 향상을 낳을 것이라는 뒤늦은 인식이 그 두 번째 주요 요인이기도 하다. 이것은 새로운 개념이 아니며, 항정신병약물 이전 시대에 특히 Sullivan과[2] 그 후의 학자들에[3,4] 의해 이미 주창된 것이었다. 그러나, 수많은 심한 장해물로 인하여 이 생각은 수십 년간 동면에 접어들어 있다가, 1980년대와 특히 1990년대에 들어서 점차 부활하고 있는 것이다.

영국에서의 Crow와 동료들의 Northwick Park 연구[5], 그리고 Kane 등과[6] Liberman 등의[7,8] Hillside 첫-삽화 연구는 다발성 삽화를 가진 환자들이나 만성 환자들을 조사해서는 알 수 없었던 광범위한 연구 의문들을 밝혀내는 역량 있는 연구 전략으로서 첫-삽화 분야를 개척했다. 영국의 연구자들은 정신분열병이 아닌 첫-삽화에 초점을 둘만큼 융통성이 충분했다는 점이 중요한데, 이 점은 아래에서 다시 논하려 한다. 이 접근법의 명확한 이점 덕분에 현재까지 진행되는 첫-삽화 코호트 연구들이 생겨났다. 그러나, 첫-삽화 전략을 통해 드러난 임상적 문제와 주요 예방 기회는 처음부터 광범위하게 인정받지는 못했다. 하지만, 첫-삽화 및 최근-발병 환자들의 임상치료가 만성 환자들과는 구분되는 연구 조건이 형성되자, 이 환자들은 상당히 다른 임상적 요구를 지니고 있고 예방 기회가 명백히 내다보인다는 사실이 임상 연구가들에게 명확해지기 시작했다.[9-11]

Falloon의[12] 혁신적인 업적과 지역사회 속으로의 정신보건 이전 확대를 통해 제공된 추진력은 마치 정신병의 생물학적 심리학적 치료에 순수 부흥기를 가져다 주는 듯 했다. 정신분열병의 신경과학적 연구에 관한 관심이 기하급수적으로 증가하면서 새로운 세대의 임상 연구가들이 전면에 출현했고, 이 분야에 또 다른 낙관론을 불러일으켰다. 호주의 국가정신건강전략은 주요 개정을 촉진하고 지도했으며, 예방적 사고방식이 생겨나도록 힘써왔다. 전세계적으로 상당수의 임상의와 연구가들이 조기 정신병에 관한 임상 프로그램과 연구 주제를 확립했고, 이는 현재 활발한 임상치료 및 연구가 되고 있는 분야이다. 과학적일 뿐만 아니라 사회학적이기도 한 이 과정에 증거의 토대가 마련된다면, 정신병에 대한 임상적 접근에 괄목할 변화가 야기될 가능성이 있다.

많은 이유로 인해서, 이차적 예방과 조기개입은 일차적 예방이 이루어질 수 있는 단계 이전의 훌륭한 중개 단계가 될 수 있다. 사회 전반에 정신장애의 유병률과 그 영향력을 감소시키는 것이 주요한 성과가 될 것이다. 그러나, 이는 매우 효과적인 치료법의 발전에도 불구하고 아직 이루어지지 않았는데,[13] 무작위 대조군 시험의 범위를 벗어난 현실세계에서의 시행에 실패한 셈인 것이다. 하지만 현존하는 지식만으로도 사회가 그 비용을 지불할 준비가 되었다면, 실제로 환자들의 유병률 감소와 삶의 질 향상은 가능하다. 조기개입은 질환의 조기 단계에 집중함으로써 더욱 효과적인 치료 전망과 동시에 부가적으로 유병률 감소도 기대할 수 있는 전략이다. 이것이 비용면에서 효과적이라는 것이 검증된다면, 널리 시행되어 마땅하다.

현실세계 속에서의 태도 및 임상치료에 변화가 도래하려면, 그리고 이 분야의 역사의 미명에 더 이상 현혹되지 않으려면, 증거의 유무가 결정적이다. 하지만, 각각의 요소에 대해 치료변화가 보장되려면 얼마나 많은 증거가 요구되는가를 결정할 필요가 있다. 선진국에서조차 소비자와 보호자들이 증언하는 바는, 표준적 치료의 시기와 질이 상대적으로 불량해서 치료가 '너무 적고, 너무 늦은' 사례들이 매우 많다는 점이다. 개발도상국에서는 환자의 상당 비율이 치료를 전혀 받지 못하고 있기도 하다.[14] 우리에겐 증거가 필요한 반면, 현실에선 더욱 양질의, 더욱 시기적절하고 널리 보급된 치료에 대한 명백한 임상적, 상식적 요구가 존재하는 것이다.

정신분열병 및 관련 정신병의 조기 개입의 틀

증거뿐만이 아니라 조기개입 전략을 뒷받침해줄 개념적 틀 또한 필요하다. 일차, 이차, 삼차예방이라는 전통적 틀 안에서 조기 정신병의 예방적 임상처치를 논하는 것도 가능하겠으나, 지금은 대안이 존재한다. Gordon의[15] 생각을 토대로 삼아 Mrazek과 Haggerty는[16] 정신장애의 총괄적인 개입의 연속선 안에서 예방적 개입을 개념화하고 실행하고 평가하는, 더욱 정교한 틀을 발달시켰다(그림 10.1).

그들은 예방적 개입을 보편예방, 선택예방, 적응예방으로 분류했다. *보편예방적* 개입은 전체 인구집단을 대상으로 하는데, 예를 들어, 면역예방주사나 금연 등의 활동이다. *선택예방적* 방법은 질환이 발생할 위험이 평균 이상인 무증상성(無症狀性) 아(亞)인구집단을 목표대상으로 하는데, 유방암의 가족력이 있는 여자에게 매년 유방조영술을 시행하는 예가 해당된다. *적응예방*은 현재 다음과 같이 정의되어 있다:

정신장애의 적응예방적 개입은, 정신장애의 징조가 되는, 탐지 가능한 최소한의 증상이나 징후를 가졌거나, 또는 정신장애의 소질로 간주되는 생물학적 지표를 가졌지만, 현 시점에서의 DSM-III-R 진단기준을 만족시키지 못하는 개인을 대상으로 한다.

이 정의는 Gordon의 최초의 개념을 수정한 것으로, 조기 그리고/또는 아(亞)역치성 질병 양상(그리고 이로 인한 어느 정도의 고통과 장해)을 보이는 개인은 적응예방의 대상에 포함된다는 것을 의미한다. 이는 질환의 범주적 모형 맥락 속에서 아역치성 증상을 위험요인에 포함시키는 것인데, 적어도 정신장애의 역학연구 분야에서는 광범위하게 수용되고 있다. 이 아역치성 단계가 점차 중요해지고는 있지만, 본질적으로 후향적인 전구기 개념과 유사하다. 어떤 임상의들은 이를 조기개입으로 혹은 조기형태의 치료로 간주할 것이다. 하지만, 이 대상들의 상태가 그리 분명한 것은 아니다. 이 사례들의 일부는 정신 장애의 조기형태를 분명히 가질 것이나(이때에 아역치성 임상양상은 '전구기' 였음이 판명될 것이다), 다른 경우는 그렇지 않아 장애의 '위양성(僞陽性)' 에 해당할 것이다. 하지만, 잠재적으로 중증인 장애의 아역치에 놓인 많은 사람들은 덜 심한 기타 장애에 해당될 수 있으며, 치료를 필요로 하는 임상 역치를 넘었을 수도 있다. 이는 기타 공존 증후군의 진단 역치에 도달했기 때문이거나, 또는 추정되는 핵심 장애의 아역치성 증상이 장해나 고통을 유발하게 되었기 때문일 수도 있다. 그런 범주의 공존질환을 다루는 임상의는 잠재적으로 두 가지 목적을 지닌다. 첫째는 이미 존재하는 증상을 치료하는 것이며, 둘째는 기존의 증후군이 악화되거나 정신병과 같은 더 중증의 증후군으로 진행할 위험을 감소시키고자 노력하는 것이다. 어떤 경우든, 모든 임상의가 알고 있듯이 정신과에서 환자

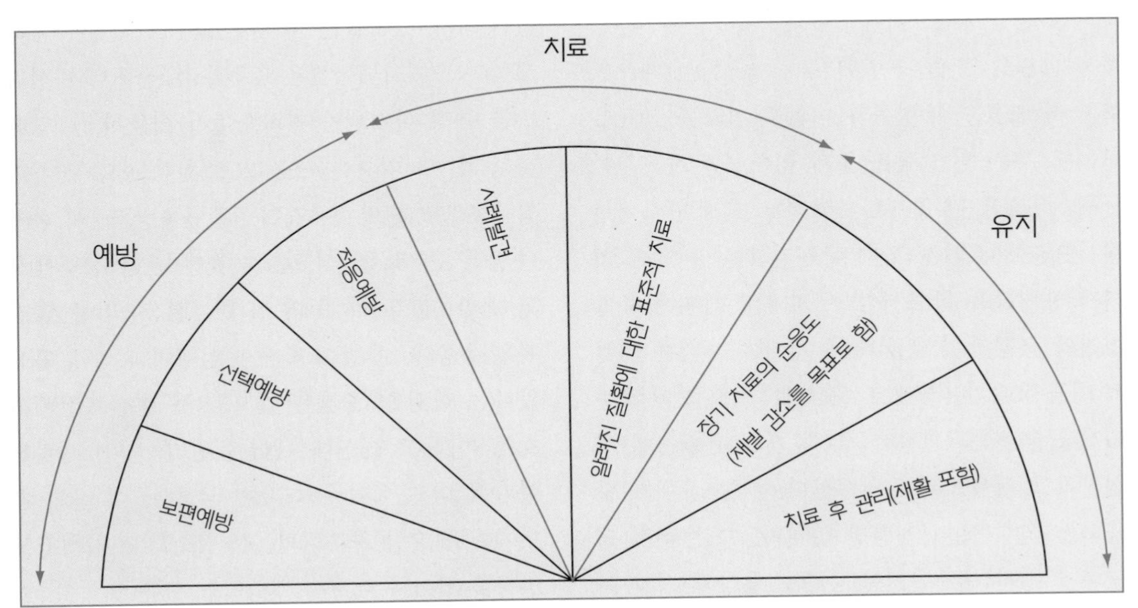

그림 10.1 정신장애에 대한 정신건강 개입의 연속선

표 10.1 두 가지의 분류 도해

· 일차 예방	· 보편예방 · 선택예방 · 적응예방
· 이차 예방	· 조기 사례발견 (+ 치료받는 비율을 증가시킴) · 첫 삽화와 결정적 시기의 최적/집중 치료 · 재발 예방 (완전관해 후)
· 삼차 예방	· 재발 예방 (부분관해 후) · 장해를 최소화하고 감소시키기 · 삶의 질 향상 (+ 정신건강 촉진)

가 찾는 도움과 필요한 치료는 진단적 역치와 완전히 일치하지는 않는다. 또한, 환자들도 진단 편람에 기록된 범주와 역치에 항상 합치되는 것은 아니다.[17-19]

아역치성 단계 혹은 전구기를 넘어 두 개의 추가적인 이차예방 초점은 다음과 같다. 첫째, 치료의 *시기* 문제다. 치료 시작까지의 시간적 지연 감소를 목표로 한 조기사례발견은 사용 가능하고 효과적인 형태의 치료가 있다면, 유병률과 이환률을 감소시킬 것이다. 치료받은 비율, 특히 고빈도 장애의 치료비율을 높이는 데에 관련된 과제 또한 유병률과 이환률 감소를 목표로 하는데, 유사한 전략을 통해 이루어질 수 있다. 둘째, 치료의 *질* 문제다. 장애를 조기 단계에서 최적으로 치료함으로써, 이환기간을 줄이고, 따라서 유병률을 감소시키며, 경과와 예후에 중장기적인 긍정적 효과를 낳게 한다는 생각은 매력적인 발상이다. 장애가 치료에 더 잘 반응하는 기간을 일컫는 '결정적 시기' 개념은 최근에 정신장애를 대상으로 발달해왔다. 이는 장애가 발생하는 인생발달단계뿐만 아니라, 최근 추적 연구에서 드러나는 질병의 중증도 양상과도 잘 들어맞는다.[11,20-24] 조기발견이 질병의 정신사회적 손상을 제한하는 한 가지 안전망으로서 작용한다면, 취약성이 최고조에 달해 있는 이 결정적 기간 동안의 최적치료 및 유지치료는 상당한 정도의 '손상 조절'을 통해 두 번째 안전망으로서 작용할 수 있다. 따라서, 조기단계 치료의 최적화와 강화는, 현재 지식상태로서도 정신보건서비스에서 실행하고 평가할 수 있는 이차예방의 세 번째 아형이다. 환자와 가족들의 선택을 고려한다면, 우리는 진정으로 이러한 예방이 안 될 이유가 있는가를 자문해보아야만 한다. 적응예방과 조기사례발견은 정신보건 전문가와 서비스를 통해 이차예방 전략으로서 이동될 수 있을 것이다. 이 세 가지 초점은 총체적으로 '조기개입'이라고 불릴 수 있다. 이차예방의 네 번째 아형인, 장애 삽화 사이의 완전 관해 상태에서의 재발예방은 이차예방의 범주와 정의에 딱 맞아떨어진다. 재발예방이 광범위하게 사용되고 있다는 상당한 증거가 있고 모든 정신보건서비스는 이를 그 핵심에 두어야 한다. 지면 사정상 여기에 더 자세히 논하지는 않겠다. 이 장의 나머지 부분은 위에 정의된(표 10.1) 조기개입에 한정할 것이다.

현실 속의 예방적 개입

정신분열병 및 관련 정신병의 전(前) 정신병 개입

정신분열병의 예방을 위한 최선의 희망은, 전구기 징후와 증상을 보이지만 아직은 진단기준을 충족시키지 못하는 개인들을 목표로 하는 적응이차 예방에 놓여 있다. 이 조기단계에 있는 환자들의 발견과 약물학적 치료 및 정신사회적 치료가 결합된다면, 심한 장애의 발생을 막을 수 있을는지 모른다.

Mrazek 과 Haggerty(154쪽)[16]

사회적 기능 결함이 전 정신병기 혹은 전구기에 일차적으로 확고해진다는 사실은 점점 분명해지고 있다. 정신병적 증상이 처음으로 출현하는 시기인 전구기 말에 달성된 사회적 발달 수준은 회복의 '상한선'이 됨으로 향후의 사회적 경과를 결정한다.[25,26] 사회적 기능 상실은 대부분의 사례에서 진단 역치에 근접하는 질병의 활성기 중에 거의 확실히 드러난다. 바꾸어 말하자면, 그것은 '병전' 변화가 아닌 '전구기적' 변화인 것이다. 대부분의 정신분열병 환자들도 소아기에는 또래들에 비해 차이가 있다 하더라도 아주 미세한 차이만을 보일 뿐이며, 정동장애를 지니게 될 사람들과는 더욱 차이가 적다.[27,28] 즉, 소아기에는 장애의 임상적 활성이 없고, 청소년기나 성인기의 정신병을 정확히 예측하기가 너무 이르다는 뜻이다. 일부 사례에서는 인생 초기부터 취약성이 존재하는 반면, 기타 환경적 위험인자,[29] 그리고 청소년기 뇌 발달과정에 있을 것으로 추정되는 문제들(신경퇴행성 혹은 신경독성이라고도 불리는 두 번째 단계 과정)은[30] 진단적으로 정의할 수 있는 정신병적 양상이 출현하기에 앞서 몇 개월 또는 몇 년에 걸쳐, 청소년기나 그 이후에 역할을 하기 시작한다.[25]

최근에 이르기까지 정신병으로 전이될 잠재적 위험이 높은 이들, 즉 질환의 전구기 중에서 후기에 해당되는 사람들을 체계적으로 발견하는 것은 불가능했다. 하지만, '근거리' 전략이라 불리는 새로운 접근법을 통해서, 정신병 첫 삽화의 초고도의 위험(UHR)에 놓여 있고, 이미 기능 저하와 고통을 겪고 있으며, 전문적인 도움을 기꺼이 수용하는 젊은 사람 집단에게의 임상적 접근이 가능하다는 것이 확인되었다.[32-36] 이 연구들을 통해 확인된 바에 의하면, 양질의 정신사회적 치료에도 불구하고, 조작적으로 정의된 UHR 환자들의 41%가 추적 12개월 내에 첫 삽화 정신병으로 전이되었다. 매우 다양한 임상양상이 나타나지만, 우울증과 여러 음성증상 및 양성증상 같은 몇몇 특징들이 이 집단 내에서의 정신병 전이를 예측하게 하였다.[37-39] 후기 전구단계 증상 기간이 길수록 보다 잘 예측할 수 있었지만, 예측이 보다 어려운 경우에는 전기 전구단계가 불특정하다는 것이 확실했다. 따라서, 다양한 범위의 장애 위험을 줄이는 데에 도움이 되는 비 특이적인 정신사회적 개입은 이렇게 미분화된 단계에서는 효과가 있을는지 모른다. 중요한 점은 이 환자들은 주관적인 체험의 변화를 최근 경험했고, 새로 발생한 장해를 지녔고, 도움을 요청하고 있었다는 사실이다. 이들은 장해나 점진적인 변화 없이 정신병적 증상만을 가졌고, 도움을 원치 않는 사람들의 집단과는 구별되어야 한다.[40]

이 임상집단을 대상으로 한 최근의 무작위 대조군 연구에서는 특이 치료-저용량의 리스페리돈(1-2mg/day)과 인지치료-를 받는 환자들이 비 특이적인 치료-지지적 정신치료와 대증치료-를 받는 환자보다 정신병으로 전이되는 비율이 유의하게 적었다.[41] 새로이 출현한 이 분야에는 윤리적이고 개념적인 문제점들의 고려가 요구되지만, 최종적인 진단이 무엇이든 간에, 이 젊은 사람들이 도움을 구하는 임상집단이고, 증상에 의해 장해와 고통을 받고 있다는 것은 분명한 사실이다. 이들은 또한 명백한 정신병으로, 항상은 아니지만 대개는 정신분열병으로 진행할 상당한 위험을 지니고 있다. 이들의 고통과 장해를 경감시키고 정신병으로 이어질 위험을 감소시킬 수 있는 치료 범위를 명확하게 하기 위한 더 많은 연구가 시급하다.

이 젊은 사람들은 증상을 경험하고 있으며, 자살, 물질남용, 그리고 직업적 실패의 위험이 높기 때문에, 당분간은 정신과의사, 지역사회 정신보건 서비스, 그리고 일차 진료에서 이들을 담당해야 할 필요가 있다. 고 위험에 처한 젊은이 혹은 그의 가족들이 찾아왔을 때 임상가는 무엇을 해야 하는가? 우선, 증상이 대단히 비 특이적이라면, 특히, 최근에 발생했고 정신병의 가족력이 없다면, 일반적이고 대증적인 접근을 해야 한다. 여기에는 우울증, 공황장애, 혹은 강박장애의 치료가 포함되며, 처음에는 정신사회적 접근이 필요하다. 증상이 심하고 지속된다면, 선택적 세로토닌 재흡수 차단제(SSRI)를 함께 사용할 수 있다.

위에 기술된 초고도의 위험(UHR) 기준을 만족시키는 환자에 대해서는, 증후군에 기초한 약물치료를 병용하든 병용하지 않든, 젊은이들의 그러한 고통과 장해를 경감시킬 목적으로, 적어도 새로운 인지치료를 포함한 정신사회적 치료가 우선 제공되는 것이 매우 타당해 보인다. 이는 청년을 대상으로한 정신보건의 한 요소이기도 하다. 향후 정신병의 위험 수준에 대해 환자나 가족들에게 어떻게 설명해야 하는가는 논란이 되고 있다. 하지만, 저자의 경험으로 볼 때, 환자와 가족들의 호기심에 따라 숨김없는 개방적 접근을 취하는 것이 효과적이었다. 처음에 환자와 가족들이 의사의 권고를 거부한다 하더라도, 이는 이 연령층에서는 흔히 있는 일이다. 이 때는 가족들과의 접촉을 포함한 적극적인 추적이 필요한데, 앞서 언급했듯이 정신병의 위험 이외에도, 약물남용, 계획된 자해 및 자살이 이러한 잠재적인 전 정신병 인구대상에서 높기 때문이다.[41]

드물지 않게, 부모가 자식의 직업적 실패와 사회적 위축을 염려하면서도 평가를 받지 않는 경우가 있다. 이는 부분적으로 낙인(烙印) 및 자기-치욕과 관련된 문제 때문이다. 이런 상황에서는 전통적인 임상적 접근보다는, 낙인을 씌우지 않는 방식으로 젊은 아이를 평가하고 도와줄 수 있는 방법이 있다는 것을 확인시키는 것이 더 합당하다. 이러한 평가와 도움은 가정의(家庭醫), 학교 상담가, 또는 전문적인 청년 보건서비스와 연계된 청년 정신보건 기동(機動) 팀의 가정방문을 통해 이루어진다. 이러한 평가를 돕고 낙인을 피하기 위해 조기개입팀이 지역사회의 주요기관에 위치할 수도 있다. 청소년과 젊은 성인 심리의 정상적 범위를 잘 이해하고, 적절한 면담기술과 서비스에 결속시킬 수 있는 전략은 당연히 매우 중요하다. 정신병의 조기개입에 수반되는 투쟁의 절반 이상이 결속에 관한 것이며, 여기에는 청년 정신보건 지향성이 결정적으로 작용한다. 이 지향성을 통해 위양성 문제를 효과적으로 다룰 수 있는데, 모든 공존이환을 포함한 청년 정신보건에 주안점이 주어진다면 위양성과 관련된 문제는 수그러들게 된다.

정신병이 나타나고 그 증상이 항정신병약물 치료의 역치를 넘는 경우가 발생하더라도, 전 정신병적 혹은 잠재적인 전구기 상태에 있는 사람들에게 초점을 두는 이 방법의 핵심적인 이점은, 치료적 관계가 보다 가능했던 시기에 이미 형성되어 있다는 점이다. 젊은 환자는 덜 병들어 있었기에 관계가 보다 용이하게 형성될 수 있었을 것이다. 이는 약물치료가 결정되면 그 권유를 환자와 가족들이 더 잘 수용한다는 것을 의미한다. 또한 저자의 경험으로 보아, 대부분의 경우에 입원을 피할 수 있었고, 결과적으로 첫 정신병 삽화와 관련된 비용과 상처를 감소시킬 수 있었다. 더욱이, 치료받지 않은 정신병 기간(DUP)은 절대적으로 최소화된다. 첫 삽화 환자의 소수만이라도 정신병 발병 전에 치료를 받을 수 있다면, 정신병으로의 전이를 예방할 수는 없을지라도 그 잠재적인 이점은 대단한 것이다. 두려움과 혼란이 아닌 신뢰의 분위기 속에서, 어려움을 덜 겪는 '좋은 형편에서' 치료가 시작될 수 있는 것이다.

명백한 정신병적 장애의 진단 역치에 아직 못 미치는 질환단계에서의 임상적 쟁점은, 이 단계에 항정신병약물의 역할이 있는가의 문제이다. 새로운 항정신병약물의 더 적은 부작용과 더 나은 효능에도 불구하고, 여기에는 주의가 요구된다. DSM-IV[42] 정신병적 장애에 반영되어 있는 명백한 정신병과 지속적인 정신병 이외의 경우에서의 항정신병약물의 사용 범위, 즉, 항정신병약물의 확대된 적응증이 매우 면밀히 결정되어 있거나 양질의 연구를 통해 뒷받침되지 않는다면, 항정신병약물의 사용은 오히려 많은 위해를 야기할 가능성이 있다. 연구를 통해 그런 지침이 개발되기를 기다리는 동안, 임상의는 다음과 같은 조치를 취하는 것이 합당할 것이다.

위에 요약된 결속 및 감시 전략을 사용할 수 있으며, 발현되는 양상으로서의 개별적인 특정 증후군, 이를테면, 우울증이 있다면, 청년 정신보건 모형에 입각한 약물학적 치료 및 정신사회적 치료를 제공할 수 있다. 항정신병약물 사용이 고려될 수 있는 경우는 다음과 같으며, 그 이외에는 피해야 할 것이다. UHR 기준을 만족하고 빠르게 악화되는 환자(그러나, 아직은 정신분열형장애 혹은 DSM-IV의[42] 기타 주요 정신병적 장애 기준을 만족시킬 정도로 명백히 정신병적 상태가 아닌)로서 자살이나 난폭성 위험이 높거나, 점점 와해되거나, 곤란한 행동문제를 보이는 경우에 저용량의 항정신병약물을 시도하여 6주 정도 지난 후에 재평가할 수 있겠다. 실질적인 호전이 있다면, 6-12개월간 약물치료를 지속한 다음(정신병 첫 삽화를 가졌던 환자처럼), 관해상태가 유지되는 경우에 천천히 조심스럽게 약물을 끊어볼 수 있다. 처음에 사용한 약물이 효과가 없을 때에, 특히 환자의 상태가 계속 나빠진다면 다른 항정신병약물을 시도해볼 수는 없겠으나, 상황은 다소 불명확해진다. 향후에는 다른 전략들이 시도될만하다고 밝혀질는지 모른다. 여기에는 인지교정, 인지행동치료, 리튬이나 필수 지방산 같은 신경보호제로 추정되는 약물 등이 포함된다. 이런 접근법은 분명히 개인적인 의견이나 한정된 경험을 통해 제안된 것이므로, 임상연구를 거쳐 그 타당도를 철저히 검증받아야 할 것이다. 환자의 예후에 이 질병단계가 결정적임을 고려한다면, 그런 연구의 가치는 매우 높은 것이다.

첫-삽화 정신병의 조기사례발견

현재 수용되고 있는 항정신병약물 치료는 정신병적 양상이 명백히 출현하여 지속되는 상태에 일단 도달한 경우에 대해서는 조기개입의 근거가 더 확고해진다. 이러한 근거 및 질병의 심각성에도 불구하고, 상당 비율의 환자들에게 치료는 놀랍도록 지연되고 있으며, 때로는 매우 오랜기간 동안 지연되기도 한다.[43,44] 전형적인 사례를 보자면, 위에 기술된 전 정신병 치료전략은 현실과 동떨어져 있다. 일부 환자들은, 특히, 개발도상국의 일부 환자들은[14] *전혀* 치료를 받지 못하는 경우도 있다. 치료받지 않은 정신병 기간(DUP)은 효과적인 치료가 얼마나 지연되었는가를 나타내는 지표로서,

첫-삽화 정신분열병의 예후, 더 넓게는 첫-삽화 정신병의 예후를 향상시키고자 하는 노력과 관련하여 잠재적으로 중요한 변수이다.[45] 실제로 정신병은 정신분열병에 비해 더 발견하기 쉽고 진단을 하는데 갈등이 적다.[46,47] 명백한 정신병적 양상의 일정기간이 진단에 요구되므로서 정신분열병을 진단하는 데에는 시간이 걸리며, 우리가 항정신병약물을 처방하는 일차적인 치료목표는 양성증상이다 (기타 영역의 증상에 대한 이 약물들의 효과에도 불구하고). DUP가 중요한 이유는 유전적 취약성, 성별과 발병연령 등의 기타 예후 변수와는 달리 가변적인 변수로서, 개입전략의 초점이 될 수 있기 때문이다.

비록 최근의 두 연구에서는 DUP와 예후의 관련성에 의심이 제기되었지만,[48,49] DUP가 단기 및 장기예후와 상관관계를 보인다는 강력하고도 방대한 문헌적 근거가 존재한다.[43,48] 그러나, 실제로 그 관련성이 확실하다 하더라도, 분명한 핵심적 의문이 한 가지 남는다. 그 관련성은 인과론적 관련인가? 즉, 치료의 지연(DUP의 연장)이 불량한 예후의 위험요인인가? 혹은 그 관련성이 기저의 공통요인, 즉 더 많은 음성증상, 더 많은 편집사고, 더 적은 변화의 조짐과 변화의 깨달음, 그리고 치료를 받고 수용하려는 태도 부족 등을 수반한, 더 잠행성(潛行性) 발병의 심한 질환이기 때문은 아닌가? 설사 그렇다 하더라도, DUP는 여전히 핵심적인 매개변수이다. 위의 임상 양상은 DUP를 통해서 예후에 영향을 미치므로, DUP를 줄이면 그 효과를 감소시킬 수 있을 것이다. 지면 사정상, 이 의문에 관한 증거들을 상세히 논하기는 어렵다. DUP를 감소시키면 예후가 향상된다는 것이 아직은 명확하게 입증되지 않았지만, 이를 분명히 확인시켜주는 사례가 있기에 임상의로서 우리는, 치료 지연은 이미 주요 공중보건 문제가 되었다는 의견과 '[연장된] DUP는 그 자체로서, 집중적이고 대규모적인 조기개입의 충분한 사유가 된다' (901쪽)고 말한 McGlashan의 의견에 동의할 수 있다.[43]

그러한 의견은 환자와 가족들로부터 직접 얻어지는 임상적 평가에 의해 정당화되는데, 환자와 가족들은 치료 지연의 파괴적 효과 및 치료받지 않은 정신병 기간동안 축적된 정신사회적 측면의 부정적인 결과를 직접 경험하는 사람들이다.[48,51] 직업적 실패, 자해, 위협적 행동, 가족의 곤경과 역기능, 공격성, 물질남용, 그리고 다른 사람들로부터의 낙인 등이 이들이 겪는 문제들이다.

지역사회와 협력하는 정신보건 서비스 및 일차진료와 각각의 의원들은 치료 시작의 지연을 줄이기 위한 전략을 채택해야 한다. 이는 실제로는 임상의 또는 임상서비스의 의무로 여겨지는 과정이 아닌, 자금조달체계에 달려 있는 문제이다. 해당 의료기관이 새로운 환자를 치료하는 데에는 자금조달체계가 제한요소로서 작용하는 경우가 더 흔하다. 재원 부족 때문에 서비스에의 접근을 확대시키는 것이 꺼려질 수 있고, 부적절한 자금조달 때문에 환자 의뢰가 쇄도하는 것을 감당하기가 어려울 수 있다. 이는 상당히 현실적인 문제인데, 지역사회 정신과 환경에서의 조기발견전략(예를 들면, 지역사회교육과 기동(機動) 발견 팀)의 효과는 최근 북유럽의 연구를[43] 통해 확인되었듯이, 틀림없이 거의 두 배에 달할 것이기 때문이다.

첫째, 일반적인 지역사회에서의 정신보건에 대한 무지의 극복, 수련과 자문-조정을 통한 일반의들의 정신병 발견 기술의 향상, 그리고 전문적인 정신보건 서비스의 접근성과 결속력의 강화를 위해 집중적으로 노력한다면, DUP는 상당히 감소할 것이다. 특히, 매우 긴 DUP를 지닌 상대적으로 작은 환자집단에서는 더욱 그러할 것이다. 이는 서비스 업무를 더욱 쉽게 해주고, 입원치료와 강제치료의 필요성을 감소시키는 결과로 이어질 것이다. 둘째, 경미하고 한시적(限時的)인 사례들이 여기에 많이 포함될 것이지만, 치료받는 환자 비율과 업무 부담은 40%까지 증가할 것이다. 그렇지만, 지역사회 내에서 드러나지 않은 정신질환의 유병률은 그 만큼 감소할 것이다. 이러한 효과를 측정하고 감시하는 일은 분명히 복잡한 것이다. 여기에는 서비스의 복잡성에 상호적인 영향을 주고받는 임상 문화의 변화가 우선 요구된다. 사전활동을 통해 서비스가 사례를 발견하는 역할과 추가적인 사례 부담을 감당해낼 수 있으려면, 더 많은 재원이 필요하다. 이 역할은 현대 지역사회 정신보건 서비스의 의무가 되어야 하며, 정신과의 지도력이 필요하기도 하나, 지역사회 및 일차 진료와의 협력을 통해 발전되어야 한다. 추가적인 재원은 직접적인 서비스 예산에 포함되는 것보다 지역적 단위를 기초로 하여 기존의 예산에 덧붙여 편성될 필요가 있다.

첫-삽화 정신병과 '결정적 시기'의 최적의 집중 치료

정신병의 첫-삽화 및 결정적 시기에서의 집중적인 단계-특이적 치료는 보다 이전 단계인 두 예방적 초점에 비해 더 많은 역할의 변화를 요구하지는 않으므로, 이차 예방에 관심이 있는 대부분의 임상의와 연구자들이 가장 실행할만한 과제이다. 여기에 관한 연구논문이 최근 몇 편 발표되었다.[24,52-54]

일부 증거에 의하면 일반적으로 이 질병단계에 있는 젊은 사람들에게 그런 집중적인 치료를 제공하면, 적어도 단기적으로는 현실적인 상황에서 효과적이며[24,48,54,55] 비용-효과도 볼 수 있다고 한다.[56] 물론, 장기적인 효과를 조사하고 가장 적합한 서비스 모형을 결정하려면 더 많은 연구가 필요하다. 장기적으로 치료의 강도를 줄이는 것이 가능한지, 혹은 그렇지 않은지는[21] 연구를 통해 밝혀져야 할, 또 하나의 중요한 이차적 질문이다.

첫-삽화 정신병

첫-삽화 정신병 치료의 핵심요소는 기타 문헌에 상술되어 있으며,[27,52-54,57] 다음과 같이 요약될 수 있다.

접근성과 결속력. 모두는 아닐지라도, 정신병이 나타나는 대부분의 사람들은 정신보건 서비스를 이용한 경험이 없는 젊은 사람들이다. 이들은 지식이 부족하고 정신질환에 대해서 지역사회의 나머지 사람들과 똑같은 두려움과 편견을 지니고 있으므로, 통상 도움을 구하고 받아들이는 데에 주저하게 된다. 이는 첫-삽화 정신병에 특이한 것이 아니라 청소년 정신과에 공통된 문제로서, 정상적인 청소년기에 가질 수 있는 불가침성의 느낌에 의해 더욱 강화되는 것이다. 정신병적 증상, 특히 망상이 있다면, 스스로를 자각하고 도움을 요청하는 데에 더욱 어려움을 지니게 된다. 서비스의 접근성과 결속력은 서비스의 설계 및 작동방식에 따라 크게 향상될 수 있는 과정이다. 개별적인 환자 및 가족에게 맞추어진 24시간대기 기동(機動) 평가는 치료의 접근성을 향상시키는 데에 핵심적인 역할을 한 사항이다. 이러한 평가는 위기 혹은 고위험 상황이 발생하기 전에 제공되어, 평가 및 우선처치의 과정이 차분하고 세심하게 진행되어야 이상적인 것이다. 젊은 환자와 가족들의 서비스 첫 이용 경험이 강제치료등의 좋지 않은 경험이라면, 서비스에의 결속은 더욱 어려워진다. 아직도 많은 서비스들은, 직접적인 평가가 제공되기 이전일지라도 적극적으로 자발적인 도움을 구하지 않거나 도움을 거부하는 환자, 특히, 첫-삽화 환자에게는 자살행동 또는 난폭한 행동이 있어야 강제적으로 개입할 수 있다고 규정한 지역 정신보건법을 구체적이고 자의적으로 해석하여 방어적 수단으로 사용하기도 한다. 위기를 항상 피할 수 있는 것은 아니겠지만, 기동 조기발견 및 평가 서비스에 재원이 투입된다면 위기의 빈도는 상당히 감소할 것이다.[58]

평가. 명백한 이유로 전문적인 정신보건치료가 시작되는 시점에서의 평가과정은 대단히 중요하다. 궁극적으로 이 평가는 종합적이어야 하며, 발달학적이고 가족적인 조망을 포함해야 한다. 그러나, 세밀한 평가의 목표는 고통받는 젊은 환자와 가족들의 치료에의 결속 및 첫 치료의 목표를 훼손하지 않아야 하므로, 평가는 단계적인 방식으로 진행되어야 한다. 첫 평가는 주요 진단적 쟁점 및 자해와 타해의 위험수준에 주목해야 한다. 나머지 평가는 시간이 지나면서 함께 이루어진다. 핵심적인 평가사항은, 환자가 정신병적 상태인가, 그렇다면 주요 기분증상도 동반되어 있는가를 판단하는 것이다. 물질남용과 의존성은 양성증상과 흔히 공존한다. 하지만, 각 장애가 서로에게 위험요인으로 작용한다는 사실에 머무르기보다는, 단순히 급성중독 상태로 인해 정신병적 증상을 보이는 소수의 사례를 찾아내는 것이 중요하다. 조기발견 전략이 작동하기 시작하면, 단독으로 정신병적 증상만을 보이는 사례를[40] 포함하여 아역치성 사례들이 보다 많이 평가받게 될 것이다. 이 환자들 중 일부는 교과서나 진단편람과는 다른 비전형적인 증상을 보임으로써 임상의를 헷갈리게 할 수 있다. 이 환자들의 다수는 치료를 요청하는데, 때로는 항정신병약물 치료가 필요하며, 기타 약물치료가 필요할 때도 흔하다. 하지만, 이들에게 타당한 치료의 범위를 면밀히 결정하기 위해서는 더 많은 연구가 필요하다. 명백하고 지속적인 양성증상의 출현은 어떤 환자에게든 치료의 분수령이 되나, 심한 급성사례, 또는 오랫동안 치료받지 않았고 상당한 장해가 있는 경우가 기존 치료전략의 가장 분명한 적응증이 된다. 비록 새로운 항정신병약물은 양성증상 외에도 더 광범위한 효과를 보이지만, 현재의 임상 상황에서는 명백하고 지속적인(적어도 1주일 이상) 양성증상이 있어야만 이 약물 사용을 고려할 수 있다. 그러므로, 적당한 목표는 *정신병*의 발견과 진단이다. 이차적인 목표는 조증, 우울증, 다양한 기타 공존 증후군, 그리고 DSM-IV 혹은 ICD-10의[59] 진단 그 자체가 아닌 증후군이 된다. 그 이유는 이들이 약물치료의 더 좋은 지침이 되기 때문이다.[45,50]

급성 치료. 첫 번째 판단은 입원치료가 필요한가의 여부이다. 이 판단은 환자 요인, 가족과 사회의 지지 정도, 그리고 사용 가능한 서비스의 범위 및 지역적 정책의 영향을 받게 된다. 가능하다면, 몇 가지 이유로 인해 집에서 급성치료를 받는 것이 선호되며, 사례의 50% 이상에서 고도로 조직화된 집중적인 치료가 가능하다.[61,62] 적어도 48시간 동안은 항정신병약물을 투약하지 않도록 추천되고 있다. 이 기간동안은 초조, 불안, 불면 증상을 줄이기 위해서 벤조디아제핀만이 처방된다. 지속적인 정신병임이 확인되면 항정신병약물 투약을 개시한다. 2세대 또는 새로운 항정신병약물은 효능이 월등하고 내약력(耐藥力)이 좋기 때문에, 일차, 이차, 그리고 삼차 선택치료제로서 사용된다. 첫 투약은 매우 낮은 용량으로 시작해서(예를 들면, 리스페리돈 0.5mg 또는 올란자핀 2.5mg), 한 '단계' 증량하고 그 효과를 평가할 때까지 고정시킨다(예를 들면, 리스페리돈 2mg 또는 올란자핀 7.5mg). 반응이 불량할 때에만 더 증량할 수 있고, 용량 변화의 효과가 명확해질 수 있도록 대략 3주 간격으로 증량한다. 과거에 너무나 익숙했던, 병동에서 매주 마다 용량을 두 배로 올리는 처방은 지양(止揚)해야 한다. 현재 우리는 적은 용량으로도 중추신경계 D_2 수용체를 충분히 차단해 임상반응을 얻을 수 있다는 것과, 비록 좁은 범위지만 임상반응의 역치는 신경학적 부작용이나 기타 부작용의 역치보다 낮다는 것을 알고 있다. 이 좁은 치료지수(therapeutic index)는 스웨덴의 Karolinska 연구소와 캐나다의 Clarke 연구소에서 수행한 전통적인 연구 덕분에 알려진 사실이다.[63,64] 낮은 용량의 항정신병약물은 급성기에 흔히 보이는 행동장애나 거기에 관련된 증상에 대해서 처방된 것이 아니며, 이 증상들을 다룰 수 있으리라고 기대되지도 않는다. 급성기의 이 증상들은 가능한 한 벤조디아제핀이나 정신사회적 치료로 처치되어야 한다. 진정작용을 목적으로 경구 혹은 비경구 전형적 항정신병약물을 사용하면, 곤욕스런 신경학적 부작용이 부득이하게 나타날 것이고, 안 그래도 미약한 치료에의 결속이 결국은 깨질 것이기 때문이다.

진정작용을 급히 요하는 대부분의 응급상황은 미다졸람이나 로라제팜과 같은 벤조디아제핀을 근주함으로써 처치될 수 있다. 이 방법에 효과를 보이지 않는 사례가 간혹 있는데, 그런 경우라면 다음 단계로서 선택할 수 있는 최선책은 진정효과가 있는 단기작용 신경이완제, 드로페리돌 5mg을 근주하는 것이다. 주클로펜틱졸 아세테이트 같은 장기작용 저장형 제재는 급성기에 반복적인 주사를 피할 수 있다는 이점 때문에 피상적으로는 괜찮아 보이지만, 작용시간이 늦고 거의 불가피하게 고통스런 신경학적 부작용을 초래하므로, 대부분의 첫-삽화 환자들에게는 이득보다 위험이 더 크다고 볼 수 있겠다. 간호가 양호하고, 지지적인 환경이 제공되며, 벤조디아제핀을 자유로이 사용할 수 있다면, 어떤 사례든 간에 급성기에 반복적인 주사가 필요한 경우는 드물다. 이 고도의 스트레스 기간 동안 환자와 가족들에게는 집중적인 정신사회적 지지가 마땅히 필요하다. 그러나, 그 지지의 결정적인 역할에 대한 자각과 인식이 부족할 뿐만 아니라, 자금이 불충분하고, 동기가 저하되어 있으며, 기술이 모자란 탓에, 서비스는 이를 잘 제공하지 못하고 있다. 시급한 개혁이 요구되는 결함이라 하지 않을 수 없다. 집에서의 치료는 특히 환자에게 덜 고통스럽고, 급성으로 투약되어야 할 약물의 필요성을 일반적으로 줄여준다. 주요 기분 증후군, 특히 조증의 발견과 치료는 첫-삽화 정신병 치료의 핵심적인 부분이다. 조증 증후군은 첫-삽화 정신병 사례의 20%까지 나타난다. 항정신병약물 용량을 최소화하면서 충분한 회복을 촉진시키기 위해서는 기분안정제, 이상적으로는 리튬으로 조증을 신속히 치료해야 한다. 우울증은 그것이 우세한 증상이 아니라면, 통상 양성증상과 아울러 해소되는 경향이 있다. 하지만, 우울증상이 지속되거나 정신병 후 기간동안 악화된다면, SSRI와 정신사회적 개입을 병합하여 적극적으로 치료해야 한다. 급성치료의 원칙과 실제에 관한 더 상세한 설명은 Kulkarni와 Power,[62] Aitchison 등,[54] 그리고 호주의 조기 정신병에 대한 임상적 지침에서[57] 찾아볼 수 있다.

회복기. 비록 반응을 보이는 환자들 중 일부는 치료에 결속되지 못하거나 재빨리 약물을 중단하기도 하겠지만, 첫-삽화 정신병 환자들의 85-90%까지가 치료개시 후 12개월 이내에 양성증상의 관해 또는 부분관해를 보일 것이다. 회복과정의 폭과 심도를 넓히고 강화시킬 수 있는 정신사회적 치료 전략에는 심리적 개입,[65-67] 가족 개입,[69] 그리고 집단 회복 프로그램[70] 등이 있다. 이 모든 전략은 음성증상, 사회적 기능, 그리고 삶의 질 향상을 목적으로 하는데, 일부는 양성증상 회복률을 증가시킬 것이다. 치료에 반응하는 급성 정신병 첫-삽화 환자를 빨리 퇴원시키는 것은 과실(過失)이다. 그것은 회복과 이차 예방을 최대화하고 강화시킬 수 있는 기회를 상실했음을 의미한다. 일반의와 기타 기관이 협조하는 통합 치료 모형이 보다 유용할 것이다.

결정적 시기

이 용어는 정신병 첫-삽화의 회복으로부터 5년까지의 기간을 일컫는 말로서, 이 기간이 최대의 취약성을 보이는 단계라는 생각에[23] 근거한 개념이다. 최근의 많은 연구들은 치료받은 조기 정신병의 경과에 주목해왔다. 이 연구들을 통해, 정신분열병과 정동성 정신병은 양자 모두가 불안정하고 재발하기 쉬운 조기경과를 거치며, 5년 이내에 재발하는 경우가 80%에까지 이른다는 것이 밝혀졌다. 첫 정신병 삽화의 회복 후에 12개월 이상 약물치료가 유지되어야 함을 시사하는 소견이다. 그러나, 적어도 20% 정도에 해당하는 일부집단은 결코 재발하지 않으며, 일부 환자들은 상당히 장기간 재발하지 않는다는 점을 기억할 필요가 있다. 또한, 재발예방은 치료의 유일한 고려사항이라기 보다는 목적을 위한 수단임을 기억해야 한다. 질환에의 적응은 하나의 도전으로서, 젊은 사람들에게는 흔히 압도적인 과제가 된다. 이들이 유지치료의 필요성을 수용할 수 있게 되기까지에는 시간과 특별한 도움이 통상 필요하다.[71]

협동적 노력을 통해, 발병 후 초기 수년간은 환자들 대부분의 임상적 치료에의 결속력이 유지되어야 한다. 또한, 약물치료를 받고 있건 그렇지 않건 간에, 증상이 재발하는 경우에 조치가 취해질 수 있게끔 재발에 대한 계획이 적소(適所)에 있어야 한다. 비록 선진국에서는 치료의 연속성이 공공 정신과에 치우쳐 있지만, 성공의 열쇠가 되는 환자 및 가족들과의 좋은 치료적 관계 및 개인적 관계는 발전되어야 한다. 이 부분이 결여되어, 사회적 관계 형성 및 신뢰감 형성에 상당한 어려움을 지닌 환자들을 안전망 없이 내버려 두는 것이 선진국 체계의 아킬레스건이다. 표준적 치료를 받았을지라도 13년 후의 예후가 기대했던 것보다 좋았다는 사실은 조기의 결정적 시기 개념을 지지한다. 이 시기에 보였던 불안정한 경과는 2-5년 후부터 수그러든다. 최적의 치료가 주어진다면 그런 예후는 보다 더 향상될 수 있을 것이다.

결론

정신분열병 및 정신병 치료에 보다 예방적인 관점을 취하는 입장이 점차 지지를 얻어가고 있다. 일차예방, 보다 자세히 말하자면, 보편예방과 선택예방적 개입은 현재의 지식수준으로는 불가능하다. 하지만, 아역치성 증상을 대상으로 한 적응예방은 정신분열병 예방의 개척분야로서 인정받고 있다.[16] 조기발견과 최적의 조기치료는 임상의 및 임상서비스의 분명한 의무에 해당하며, 학술적 회의론(懷疑論)이 제기되리라고 예상됨에도 불구하고 충분히 정당화될 수 있다. 이 회의론은 엄격한 임상연구를 통해 충분히 다루어져야 하겠지만, 완전히 종식되기 어려울 수도 있다. 환자의 예후를 향상시킬 수 있을 뿐만 아니라 서비스 내부의 사기도 진작시킬 수 있는 소중한 치료적 낙관론이 이 회의론으로 말미암아 꺼져버리는 일이 있어서는 안 될 것이다. 새로운 개척이 진행되면서 많은 임상적 윤리적 쟁점이 부각되고 있으므로, 중대한 지침으로 삼을 수 있는 근거의 확보가 중요하다.

또한, 과거에 흔히 그랬던 것처럼 흔들리는 기반이 아닌, 굳건한 기반에 의해 정신보건치료의 변혁을 이루어나가는 것도 역시 중요하다 할 수 있겠다. 정신분열병 환자들의 임상적 치료를 방해하고 낙인을 조장한 비관론적 분위기를 타파하는 것은 이미 오래된 과제이자 실현할만한 가치가 있는 노력이다. 이 장에 기술된 치료 목표와 접근방식은 최근 이 분야의 초기 단계를 설명하고 있으며, 빠른 시일 내에 더 많은 진보가 이루어지길 바라는 소망을 담고 있다.

참고문헌

1. Kundera M, *The Book of Laughter and Forgetting* (Faber & Faber: London, 1996) 273.
2. Sullivan HS, The onset of schizophrenia, *Am J Psychiatry* (1927) **151:**135–9. (1994: reprinted).
3. Cameron DE, Early schizophrenia, *Am J Psychiatry* (1938) **95:**567–78.
4. Meares A, The diagnosis of prepsychotic schizophrenia, *Lancet* (1959) **i:**55–9.
5. Crow T, Macmillan J, Johnson A, Johnstone E, A randomized controlled trial of prophylactic neuroleptic treatment, *Br J Psychiatry* (1986) **148:**120–7.
6. Kane JM, Oaks G, Rifkin A et al, Fluphenazine vs placebo in patients with remitted acute first-episode schizophrenia, *Arch Gen Psychiatry* (1982) **39:**70–3.
7. Lieberman JA, Matthews SM, Kirch DG, First-episode psychosis: Part II. Editors' introduction, *Schizophr Bull* (1992) **18:**349–50.
8. Lieberman JA, Jody D, Alvier JM et al, Brain morphology, dopamine, and eye-tracking abnormalities in first-episode schizophrenia. Prevalence and clinical correlates, *Arch Gen Psychiatry* (1993) **50:**357–68.
9. McGorry PD, The Aubrey Lewis Unit: the origins, development, and first year of operation of the clinical research unit at Royal Park Psychiatric Hospital. Dissertation submitted for Section 11 of MRANZCP examination, December 1985.
10. Copolov DL, McGorry PD, Singh BS et al, Origins and establishment of the Schizophrenia Research Programme at Royal Park Psychiatric Hospital, *Aust N Z J Psychiatry* (1989) **23:**443–51.
11. McGorry PD, The concept of recovery and secondary prevention in psychotic disorder, *Aust N Z J Psychiatry* (1992) **26:**3–17.
12. Falloon IRH, Early intervention for first episode of schizophrenia: a preliminary exploration, *Psychiatry* (1992) **55:**4–15.
13. Hegarty J, Baldessarini R, Tohen M et al, One hundred years of schizophrenia: a meta-analysis of the outcome literature, *Am J Psychiatry* (1994) **151:** 1409–16.
14. Padmavathi R, Rajkumar S, Srinivasan T, Schizophrenic patients who were never treated – a study in an Indian urban community, *Psychol Med* (1998) **28:**1113–17.
15. Gordon R, An operational classification of disease prevention, *Public Health Rep* (1983) **98:**107–9.
16. Mrazek PJ, Haggerty RJ, eds, *Reducing Risks for Mental Disorders: Frontiers for Preventive Intervention Research* (National Academy Press: Washington, DC, 1994).
17. Regier DA, Kaelber CT, Rae DS et al, Limitations of diagnostic criteria and assessment instruments for mental disorders, *Arch Gen Psychiatry* (1998) **55:**109–15.
18. Spitzer RL, Diagnosis and need for treatment are not the same, *Arch Gen Psychiatry* (1998) **55:**120.
19. Frances A, Problems in defining clinical significance in epidemiological studies, *Arch Gen Psychiatry* (1998) **55:**119.
20. Birchwood M, MacMillian F, Early intervention in schizophrenia, *Aust N Z J Psychiatry* (1993) **27:**374–8.
21. Birchwood M, Todd P, Jackson C, Early intervention in psychosis: the critical period hypothesis, *Br J Psychiatry* (1998) **172(Suppl 33):**53–9.
22. Loebel A, Lieberman JA, Alvir JM et al, Duration of psychosis and outcome in first-episode schizophrenia, *Am J Psychiatry* (1992) **149:**1183–8.
23. McGorry PD, Singh BS, Schizophrenia: risk and possibility. In: Raphael B, Burrows GD, eds, *Handbook of Studies on Preventive Psychiatry* (Elsevier Science Publishers: Amsterdam, 1995).
24. McGorry PD, Jackson HJ, eds, *The Recognition and Management of Early Psychosis: A Preventive Approach* (Cambridge University Press: Cambridge, 1999).
25. Häfner H, Nowotny B, Löffler W et al, When and how does schizophrenia produce social deficits? *Eur Arch Psychiatry Clin Neurosci* (1995) **246:**17–28.
26. Häfner H, Löffler W, Maurer K et al, Depression, negative symptoms, social stagnation and social decline in the early course of schizophrenia, *Acta Psychiatr Scand* (1999) **100:**105–18.
27. Jones P, Rodgers B, Murray R, Marmot M, Child development risk factors for adult schizophrenia in the British 1946 birth cohort, *Lancet* (1994) **344:**1398–402.
28. Van Os J, Jones P, Lewis G et al, Developmental

precursors of affective illness in a general population birth cohort, *Arch Gen Psychiatry* (1997) **54:**625–31.
29. Mahy G, Mallett R, Leff J, Bhugra D, First-contact incidence rate of schizophrenia on Barbados, *Br J Psychiatry* (1999) **175:**28–33.
30. Rapoport J, Giedd J, Blumenthal J et al, Progressive cortical change during adolescence in childhood-onset schizophrenia, *Arch Gen Psychiatry* (1999) **56:**649–54.
31. Bell RQ, Multiple-risk cohorts and segmenting risk as solutions to the problem of false positives in risk for the major psychoses, *Psychiatry* (1992) **55:**370–81.
32. McGorry P, Phillips L, Yung A, Recognition and treatment of the pre-psychotic phase of psychotic disorders: frontier or fantasy? In: Mednick S, McGlashan T, Libiger J, Johannessen J, eds, *Early Intervention in Psychiatric Disorders* (Kluwer: Netherlands, in press).
33. McGorry PD, Yung AR, Phillips LJ, 'Closing in': what features predict the onset of first episode psychosis within a high risk group? In: Zipursky RB, ed, *The Early Stages of Schizophrenia* (American Psychiatric Press: Washington, DC, in press).
34. Yung A, Phillips L, McGorry P et al, Prediction of psychosis, *Br J Psychiatry* (1998) **172(Suppl 33):**14–20.
35. Yung A, McGorry P, McFarlane C et al, Monitoring and care of young people at incipient risk of psychosis, *Schizophr Bull* (1996) **22:**283–303.
36. McGorry P, Jackson H, Edwards J et al, Preventively-oriented psychological interventions in early psychosis. In: *Psychological Treatments for Schizophrenia* (Institute of Psychiatry, University of Manchester: Oxford, 1999).
37. McGorry PD, Phillips LJ, Yung AR et al, The identification of predictors of psychosis in a high risk group, *Schizophr Res* (1999) **36:**49–50.
38. Schultze-Lütter F, Klosterkötter J, What tool should be used for generating predictive models? *Schizophr Res* (1999) **36:**10.
39. Phillips L, Yung A, Hearn N, McFarlane C et al, Preventive mental health care: accessing the target population, *Aust N Z J Psychiatry* (1999) **33:**912–17.
40. Van Os J, Bijl R, Ravelli A, Can the boundaries of psychosis be defined? *Schizophr Res* (2000) **41:**8.
41. Phillips L, McGorry P, Yung A et al, The development of preventive interventions for early psychosis: early findings and directions for the future, *Schizophr Res* (1999) **36:**331–2.
42. American Psychiatric Association: Diagnostic and Statistical Manual of Mental Disorders 4th ed (DSM-IV). American Psychiatric Association: Washington DC, 1994.
43. McGlashan T, Duration of untreated psychosis in first-episode schizophrenia: marker or determinant of course? *Biol Psychiatry* (1999) **46:**899–907.
44. Carbone S, Harrigan S, McGorry P et al, Duration of untreated psychosis and 12-month outcome in first-episode psychosis: the impact of treatment approach, *Acta Psychiatr Scand* (1999) **100:**96–104.
45. Harrigan SM, McGorry PD, Krstev H, Does treatment delay in first-episode psychosis really matter? *Schizophr Res* (2000) **41:**175.
46. McGorry P, A treatment-relevant classification of psychotic disorders, *Aust N Z J Psychiatry* (1995) **29:**555–8.
47. Driessen G, Gunther N, Bak M et al, Characteristics of early- and late-diagnosed schizophrenia: implications for first-episode studies, *Schizophr Res* (1998) **33:**27–34.
48. McGorry P, Edwards J, Mihalopoulos C et al, EPPIC: An evolving system of early detection and optimal management, *Schizophr Bull* (1996) **22:**305–26.
49. Ho BC, Andreasen NC, Duration of initial untreated psychosis – methods and meanings. Paper presented at the Second International Conference on Early Psychosis 'Future Possible', 31 March and 1–2 April 2000, New York.
50. Craig TJ, Bromet EJ, Fennig S et al, Is there an association between duration of untreated psychosis and 24-month clinical outcome in a first-admission series? *Am J Psychiatry* (2000) **157:**60–6.
51. Lincoln C, Harrigan S, McGorry P, Understanding the topography of the early psychosis pathways, *Br J Psychiatry* (1998) **172(Suppl 33):**21–5.
52. McGorry P, Edwards J, eds, *Early Psychosis Training Pack* (Gardiner-Caldwell Communications Ltd: Cheshire, 1997).
53. McGorry PD, ed, Preventive strategies in early psychosis: verging on reality, *Br J Psychiatry* (1998) **172(Suppl 33):**1–136.
54. Aitchison K, Meehan K, Murrary R, *First Episode Psychosis* (Martin Dunitz: London, 1999).
55. Power P, Elkins K, Adlard S et al, Analysis of the initial treatment phase in first-episode psychosis, *Br J Psychiatry* (1998) **172(Suppl 33):**71–6.
56. Mihalopoulos C, McGorry P, Carter R, Is phase-specific, community-oriented treatment of early psychosis an economically viable method of improving outcome? *Acta Psychiatr Scand* (1999) **100:**47–55.
57. National Early Psychosis Project Clinical Guidelines Working Party, Australian Clinical Guidelines for Early Psychosis. National Early Psychosis Project, University of Melbourne, Melbourne, 1998.

58. Yung AR, Jackson HJ, The onset of psychotic disorder: clinical and research aspects. In: McGorry PD, Jackson HJ, eds, *The Recognition and Management of Early Psychosis: A Preventive Approach* (Cambridge University Press: New York, 1999).
59. W.H.O. International Classification of Disease 10th Edition: ICD-10. Chapter V: Mental Behavioural and Developmental Disorders. WHO: Geneva, 1992.
60. Bermanzohn P, Hierarchical diagnosis in chronic schizophrenia: a clinical study of co-occurring syndromes, *Schizophr Res* (2000) **41:**43.
61. Fitzgerald P, Kulkarni J, Home-oriented management program for people with early psychosis, *Br J Psychiatry* (1998) **172(Suppl 33):**39–44.
62. Kulkarni J, Power P, Initial management of first-episode psychosis. In: McGorry PD, Jackson HJ, eds, *Recognition and Management of Early Psychosis: A Preventive Approach* (Cambridge University Press: New York, 1999) 184–205.
63. Kapur S, Zipursky R, Jones C et al, Relationship between dopamine D_2 occupancy, clinical response, and side effects: a double-blind PET study of first-episode schizophrenia, *Am J Psychiatry* (2000) **157:**514–20.
64. Nyberg S, Farde L, Halldin C et al, D_2 dopamine receptor occupancy during low-dose treatment with haloperidol decanoate, *Am J Psychiatry* (1995) **152:**173–8.
65. Edwards J, Maude D, McGorry PD et al, Prolonged recovery in first-episode psychosis, *Br J Psychiatry* (1998) **172(Suppl 33):**107–16.
66. Lewis SW, Tarrier N, Haddock G et al, The SOCRATES trial: a multicentre, randomised, controlled trial of cognitive-behaviour therapy in early schizophrenia, *Schizophr Res* (2000) **41:**9.
67. Power P, Bell R, Mills R et al, A randomised controlled trial of a suicide preventative cognitive oriented psychotherapy for suicidal young people with first episode psychosis, *Schizophr Res* (1999) **36:**332.
68. Edwards J, Cannabis and psychosis project: intervention and client group. Inaugural International Cannabis and Psychosis Conference, Melbourne, February 1999.
69. Gleeson J, Jackson HJ, Stavely H, Burnett P, Family intervention in early psychosis. In: McGorry PD, Jackson HJ, eds, *The Recognition and Management of Early Psychosis* (Cambridge University Press: New York, 1999) 376–406.
70. Albiston DJ, Francey SM, Harrigan SM, A group program for recovery from early psychosis, *Br J Psychiatry* (1998) **172(Suppl 33):**117–21.
71. Jackson H, McGorry PD, Edwards J et al, Cognitively-oriented psychotherapy for early psychosis (COPE). Preliminary results, *Br J Psychiatry* (1998) **172(Suppl 33):**93–100.

11 만성 정신분열병

Peter J McKenna

내용 · 도입 · 만성 정신분열병이란 무엇인가? · 만성 정신분열병의 임상양상 · 경과와 기복 · 만성 정신분열병 증상으로서의 인지장해 · 조발성 치매도 치매인가? · 결론

도입

정신분열병의 많은 수는 만성 정신분열병이다. 연구, 치료, 관리, 보건경제학, 그리고 심지어 정부의 정책적 관점에서도, 정신분열병 문제의 상당 부분은 만성 정신분열병에 관한 것들이다. 그러나, 몇 해 전 저자가 문헌검색을 통해 밝혔듯이, 만성 정신분열병 그 자체가 주제로서 다루어지고 있는 경우는 드물다. Kraepelin은[1] 만성 정신분열병을 임상적으로 기술했다. Bleuler는[2] 여러 가지 관점에서 그 양상을 언급했고, Jaspers는[3] 그 본질을 어느 정도 검토했다. 후세의 몇몇 저자들이 언급하기는 했으나, 통상 만성 정신분열병은 지나가는 내용으로 언급되거나, 어떤 이론적 설명 속에 묻혀서 혹은, 연구과제의 일부로서 언급되는 정도에 그쳐왔다. 본질적으로 이 정도를 벗어나는 저술은 없는 셈이다.

모든 정신과의사들이 만성 정신분열병을 알아볼 수 있다고 단언하겠지만, 그것을 정의하는 특성은 불분명하고 모호하다. 최근 들어 단순한 정의, 즉 질환이 2년 이상이 된 경우라는 정의가 주어졌지만, 여기에 동의하는 사람은 거의 없다. 대신에 상당수의 기타 용어들, 결함상태(defect state), 결손증후군(deficit syndrome), 잔류 정신분열병(residual schizophrenia), 또는 소진된 정신분열병(burnt-out schizophrenia) 등의 용어들이 만성 정신분열병과 다소 동의어로서 계속 사용되고 있다. 또한, 많은 사람들에게는, 만성 정신분열병이라 하면 가장 심각하고, 수용되어 있고, 장기간 입원한, '보호 하의' 환자들을 상상케 한다. 이러한 상투적인 생각이 타당한지 혹은 오해인지, 혹은 만성 정신분열병이 특별한 임상양상을 지닌 특이한 실체로서 어느 정도 인정받을 수 있는지는 불명확하다.

만성 정신분열병이란 무엇인가?

일반적으로 의학에서는 그 질환이 한시적(限時的)이지 않으며, 증상이 초기의 급성 증상과는 어느 정도 다를 때에 '만성' 이라는 용어를 적용한다. 여기에는 잠행성(潛行性) 병리과정이 진행하고 있으며 난치성이라는 의미가 아울러 함축되어 있다. 이런 의미가 정신분열병에 적용되어, Jaspers는[3] 급

성 정신병의 핵심 양상-치료가 가능한, 혹은 어느 정도의 개선이 가능한 상태에서의 심한 증상과 징후-과 만성 정신분열병의 핵심 양상-더 이상 낫지 않는 상태에서의 덜 분명한 증상-을 대조시켰다. '만성 상태는 분별능력을 보이고, 지남력이 유지되고, 차분하고, 정돈된 모습을 보이며, 상대적으로 그 기복이 적어... 서서히 진행하는 병리적 상태 혹은 격정의 급성 과정의 잔류 상태로 생각된다.' 의학의 다른 영역과는 달리, Jaspers는 질환의 기간을 중요하게 생각하지 않았다. 수년 간 지속된 어떤 정신병 사례는 여전히 급성으로 간주되는 것이 합당할 경우가 있었기 때문이었다.

오늘날의 접근법은 위 정의 중 한 두 가지에 초점을 맞추는 경향을 지녀왔다. 미국 정신의학에서 처음으로 DSM-III과 DSM-IIIR을 통해, 단지 전체 기간이 2년이 넘으면 만성 정신분열병으로 정의하는, 극히 단순한 접근법을 채택했다. 그러나, 이것은 DSM-IV에서는 급성, 아급성 등의 경과세부진단과 아울러 사라지게 된다. DSM-IV와 ICD-10은 모두 만성 정신분열병을 따로 분류하고 있지 않지만, 후자에서는 잔류형 정신분열병에 포함시키고 있다(만성 미분화형 정신분열병과 동의어로서). 이것은 장기간의 음성증상으로 특징지어지는, 장애의 발달과정 중의 만성 단계로 정의된다. 만개(滿開)한 증상이 최소이거나, 아니면 적어도 이전의 급성 삽화 때보다 상당히 감소한 상태이어야 한다. 아래에 논의되겠지만, 여기에는 상당한 오류가 있다.

만성 정신분열병의 임상양상

Kraepelin과[1] Bleuler는[2] 정신분열병의 말기에는 회복된 상태에서 중증 장해에 이르기까지 무수한 변화가 있다는 점을 인정하면서도, 편의상 경증과 중증으로 구분할 필요가 있다고 생각했다. Kraepelin은 경미한 형태를 '심리저능'이라 불렀고, Bleuler는 '결함이 남은 치유'라는 용어를 사용했다. 두 사람 모두는 더 중증의 말기 상태의 일부와 관련해서는 '치매'와 '치우(癡愚, imbecility)'와 같은 용어들로서 설명했다. 뒷부분에서는 좀더 시대에 걸맞고 편견이 덜한 용어 '경한 황폐'와 '심한 황폐'로서 대체되었다.

경한(혹은 더 정확하게는, 매우 심하지 않은) 만성 상태는 Kraepelin과 Bleuler의 분류에 의하면 *단순 황폐*(단순 심리저능, 단순 치매, 결함이 남은 치유)에 해당한다. 이것의 핵심 양상은 감정과 의욕의 결손, 또는 오늘날 음성증상이라 불리는 것들이었다. 그러한 환자들은 피상적으로는 이성적인 듯이 보이지만(그들의 '겉으로 드러나는 행동은... 일반적으로 적당해보인다'), 분명한 이상소견-경직되고 부자연스런 행동, 괴이한 행동, 독특한 말이나 걸음걸이나 동작, 특이한 옷차림, 또는 자기소홀-을 드러낸다. 기쁘거나, 우울하거나, 화가 나는 등이 우세한 기분상태일 수는 있지만, 어떠한 깊은 감정이 부족한 것이 두드러진 특징이다. 전반적인 무관심이 여기에 동반된다: 환자의 '하루 생활은 노력도 없고, 소망도 없고, 두려움도 없다'. 친척들과의 관계는 소원해지고, 때로는 적대적이기도 하며, 예전의 관심이 상실된다. 일하는 능력이 감소한다: 이전보다 쉬운 일을 할 수 있는 경우도 있지만, 많은 환자들은 전혀 일을 못한다. 사고가 병든다: 사고의 폭이 좁아지고 판단력이 약해진다-환자들은 더 이상 일반적인 관점을 취할 수 없고, 핵심적인 부분과 지엽적인 부분을 구분할 수 없고, 스스로 무엇인가를 계획할 수 없으며, 자신의 행위의 결과를 예견하지 못한다. 그러나, 만개한 증상은 더 이상 뚜렷하지 않다: 전형적으로 병식이 충분하지 않은 채 망상을 부정하거나 더 이상 말하지 않으려 한다. 환각도 경미하고 간헐적이다.

참조 11.1 단순 와해의 한 사례(Kraepelin 1905에서[4] 발췌).

수년 전부터 더욱 고립되어만 갔던 21세 남자 환자였다. 1년 전 대학시험에 낙방했고, 자신은 못났으며 파탄에 이르렀고 자위행위의 결과로서 척수를 못 쓰게 되었다는 믿음에 사로잡혀 있었다. 친구들이 이 사실을 알고 자신을 놀리고 있다고 믿었기에, 환자는 친구들도 만나지 않았다. 입원 직전에는 많이 울기 시작했고, 자위행위를 했고, 목적 없이 돌아 다녔고, 이따금씩 야간에 흥분과 동요를 보였고, 피아노를 아무렇게나 연주했으며, 삶에 관한 모호한 의견을 적기 시작했다.

입원 후 환자는 수일간 흥분상태에 있었다. 흥분상태에서 알 수 없는 말을 중얼거리고, 얼굴을 찡그리고, 배회하며, 의미 없는 장식체 문자들의 조합을 가로 세로로 수차례 겹치도록 쪽지에 적어댔다. 이 흥분이 가라앉고 고요한 상태가 찾아왔다. 환자는 수주간 또는 수개월간 침대에 누워있으려고만 했는데, 뭔가를 하려는 최소한의 욕구도 느끼지 못한 채 빈둥거리거나, 고작해야 책장을 몇 장 넘길 뿐이었다. 허공을 멍하니 응시하던 표정 없는 모습 위로 가끔은 공허한 웃음이 스치기도 했다. 방문객이 찾아와도 아무런 관심 없이 앉아 있고, 집안일을 묻지도 않고, 부모에게 인사를 건네지도 않았으며, 무관심하게 병동으로 돌아가곤 했다. 환자는 때로 어설프게 형성된, 모든 종류의 왜곡된 생각들을 표현한 편지를 썼다. 거기에는 알아보긴 쉽지만 연결되지 않는 내용의, 독특하면서도 어리석은 말장난 같은 문장들이 가득했다.

정신상태검사상, 환자는 자신의 과거 경험을 정확히 설명할 수 있었고, 교육수준에 적합한 지적 수준을 보였다. 자신이 어디에 있으며 얼마나 오랫동안 입원해 있었는지를 알고 있었지만, 주변 사람들의 이름은 정확히 알지 못했다; 환자는 주변 사람들에게 이름을 물어본 적이 없었다고 말했다. 지난해에 있었던 일들에 대해서는 어렴풋이 설명할 수 있을 뿐이었다. 무미건조한 목소리로 자신의 과거 증상을 기술했고, 주변상황에 대한 이해와 고민이 없었다. 이마에 주름을 만들거나 안면에 경련이 일어나는 것이 간혹 관찰되었고 입과 코 주위에 미세한 씰룩거림이 번갈아 나타났다. 환자는 단답형으로 느리게 이야기했고, 전혀 말하고 싶지 않은 듯이 보였다. 질문을 받으면 자신에게 일어난 일을 별 생각 없이 대답하는 듯이 보였고, 의지적인 노력이 전혀 관찰되지 않았다. 환자의 말에는 어떠한 감정적 색채도 담겨있지 않았다; 가끔씩 순간순간 웃을 뿐이었다. 모든 동작은 활력이 부족했지만, 어려움이 있지는 않았다. 그의 말투에서 예상될법한 우울증의 징후는 없었다.

환자는 변화가 없는 상태로 가족들의 보호 속으로 돌아갔다.

Kraepelin의[4] 그런 환자 사례가 참고 11.1에 기술되어 있다(이 환자는 또한 구개안면부의 운동장애가 두드러지는데, 신경이완제가 도입되기 오래 전이었다[5]).

황폐화의 정도는 상당히 다양하다. 어떤 환자들은 예전보다 좀 조용해지고, 고집과 변덕이 더하고, 더 멍한 정도로 보일 뿐이지만, 다른 환자들은 아무 것도 안하고 멍하니 앞을 응시하며 앉아있기만 하는 등의 양상을 보인다. 많은 환자들이 일을 할 수 없거나 '일하기를 절대적으로 거부하는' 반면, 일부 환자들은 많은 책임이 따르지 않는 일을 차분하고 꼼꼼하게 정확히 해내기도 한다. 질적인 편차도 관찰된다: 어떤 환자들은 말이 없고, 수줍음을 타고, 위축되고, 사람들을 피한다. 그러나, 일부 환자들은 고집이 세고, 완고하고, 지나치게 친밀감을 표현하는가 하면, 약간 흥분된 모습으로 말수가 많고, 모든 충동적인 행위에 개입하고, 문란해지기도 한다. Kaepelin의 환자 한 명은 본래 예의바른 소녀였는데, 5년 내에 3명의 사생아를 출산했고 그 중의 한 명을 부주의해서 질식시켰다.

*편집성 환각성 황폐화*의 경우에는, 위의 상태에 지속적이고 돌발적인 만개(滿開) 증상이 뒤섞인다. Bleuler에 의하면, '망상과 환각은 일정하고 안정된 방식으로 지속되고 종종 주기적인 악화를 거치지만, 사고와 행동에 더 이상의 영향을 끼치지는 않는다'. 급성기에서와 같은 빈도와 성격으로 환청이 지속되지만, 이를 향한 환자의 태도는 달라 보인다. 환자들은 자신의 환청을 더 이상 말하지 않으려 하거나 듣지 않는다. 더 이상 고통받지 않으며, 단지 환청을 귀찮게 느낄 뿐이다. 망상, 특히 피해망상은 단단히 고정된 채로 남아, 시간이 지나면서 더 환상적이고 터무니없는 성격을 띤다. 하지만, 단조로운 어조로 말하게 되고 실제적인 각색은 이루어지지 않는다. 가상의 피해상황에 대해 괴이하게도 정적이고 이치에 맞지 않는 태도를 취한다.

환자들은 전반적으로 정신이 맑은 상태가 유지되지만, 망상이 건드려지면 지리멸렬해질 수 있다. 기분이 우울해지는 경향이 있다. 사소한 메너리즘, 입맛 다시는 동작, 질문의 상동적(常同的)인 반복, 거드름피우는 말 등이 있을 수 있다.

Kraepelin과 Bleuler는 위와 같은 황폐화에 매우 두드러진 언어의 지리멸렬이 동반되는, 또 다른 형태의 경한 말기 상태를 구분했다(혼돈성 언어치매, 언어의 혼돈을 지닌 '치우'). 그러한 환자들은 이해 가능하고, 정신적으로 활동적이며, 자신의 주변에 생생한 관심을 지니고 있다. 그들의 행동은 이성적이고, 전형적으로 성실히 일하며, 업무성적도 높다. 망상과 환각이 통상 존재하나 저변에 깔려있을 뿐, 환자에게 영향을 끼치지 않고 환자도 이에 몰두하지 않는다. 반면, 그들의 언어는 곳곳에 신어조작증(neologism)이 많이 나타나며, 양이 많고 지리멸렬하다.

더 중증의 만성 상태는 각양각색의 양상을 보일 수 있겠다. Kraepelin은 다섯 가지 주요 유형을 구분했다: 철부지형(drivelling), 둔감형(dull), 저능형(silly), 현기형(manneristic), 그리고 반항형(negativistic)이다. Bleuler는 이를 편집형(paranoid), 저능형(silly), 무감동형(apathetic)으로 간소화시켰다. 매우 두드러진 정동의 평탄화와 의욕장애에 모든 정신적 활동의 빈곤화가 동반된 점이 이들의 공통분모였다. 이 환자들은 완전한 감정적 무관심 또는 견고한 접근 곤란을 보이는데, 이런 양상이 종종 이유 없는 우스꽝스러운 웃음, 눈물, 분노폭발 따위로 중단되기도 하는 것이다. 많은 환자들은 혼자 남겨질 경우, 아무 것도 하지 않으려 하고 하루 종일 침상에 누워있다. 일부 환자들은 순간적으로 각성되어 어떤 종류의 단순한 일을 수행하려고도 하나, 이내 무감동 상태로 다시 돌아가고 만다. 어떤 환자들은 함구(緘口)상태 혹은 준 함구상태에 머문다. Kraepelin의 생생한 기술에 의하면, 그들은 '어떠한 관심도 없이 아둔하게 살며, 가족들과의 관계로 괴로워하거나 자신의 위치에 관해 생각하는 일이 없고, 소망이나 희망이나 두려움을 입밖에 내는 일도 없다'. 처음부터 긴장증적 양상을 보였던 환자들뿐만 아니라, 이 환자들에게도 경한 상동증, 현기증, 모방현상(echophenomena) 등의 형태로 긴장증적 현상이, 혹은 종종 이보다 더 중증의 양상이 흔하게 출현한다. Bleuler는 수용된 환자의 약 절반 이상에서 일시적이거나 영구적인 긴장증 증상이 나타난다고 했다.

아마도 그런 환자들의 거의 모두가 어느 정도 망상과 환각을 여전히 경험하고 있을 것이다. *둔감형* 혹은 *무감동형* 상태에서는 망상, 환각, 그리

참조 11.2 심한 와해의 한 사례

환자는 51세 독신남으로서, 발병 전에는 사진사의 조수 일을 잠시 했었다. 그는 17세였을 때부터 수주에 걸쳐 망상과 환청을 암시하는 양상을 보이기 시작했다. 오랜 기간동안 급성 입원을 계속 반복하게 되었고, 이 기간 중의 환자는 사고장애가 매우 심하고 생생한 망상과 환각을 경험하고 있었던 것으로 기술되어 있다. 27세 이후로는 계속 입원한 상태이다.

입원 수년 후 면담했을 때, 이마에는 주름과 깊은 골이 패였고, 환자는 이따금씩 멍청한 웃음을 보일 뿐 보통은 표정 없는 얼굴에 흐트러진 모습이었다. 때로는 병원을 어슬렁거렸고, 때로는 벽의 갈라진 틈을 미동도 없이 뚫어져라 쳐다보는 등의 괴이한 자세를 취하기도 했다. 오랜 시간을 침대에 누워 있는가하면, 분명한 목적이 있는 듯이 병원 구내를 활보하고 다니기도 했다. 대부분의 기분상태는 철저히 냉담한 상태였지만, 간혹 분노와 적대감을 보이기도 했다. 이런 상태에서는 자신의 가슴을 세차게 두드리는 일이 잦았다. 정동은 대체로 둔마되었고 부적절했다. 스트레스 상황에서 또는 대화가 조금이라도 길어지면, 그의 말은 심하게 지리멸렬해졌는데, 이를테면, '내가 죽었다면 [약이] 공간을 없애버릴 수 있으니깐, 내가 죽은 후에도 공간은 정상적이지요. 입방체 공간과 자연. 하루에 서너 번 먹으면 그 시럽은 우리를 다 죽여요. 그게 우리를 죽여. 정말 그럴 거야. 어떤 것은 진짜이고 어떤 것은 가짜 병이고 어떤 것은. 그것은 나를 죽여요. 나는 약을 한꺼번에 먹으려고, 밤에도 낮에도, 온종일을 깨어있질 못해.' 와 같은 식이었다. 환자가 말을 할수록 계속적인 망상이 나타났는데, 다음과 같은 내용이 그 일부에 포함되어 있었다. 송신장치가 그의 생각을 조종하고, 녹음기가 그의 행동을 조종한다. 눈 뒤에 있는 피부가 사라져서 거기엔 아무 것도 없다. 소변을 볼 때면, 젓꼭지가 가슴을 끌어올려 머리에 올려놓는다. 젓꼭지가 교통을 조절한다. 그의 뇌는 위아래가 뒤집어져 있다; 그의 뇌 속에는 비닐봉지가 들어 있다; 뇌 안에 한 사람이 자전거를 타고 있다. 그는 병원을 건립했다. 그가 처음에 병원에 오게 된 이유는 비닐봉지에 들어 있던 다른 신체 조각들과 함께 자신이 강바닥에서 발견되었기 때문이다. 그는 500개의 신체를 가지고 있는데, 그 모두 또는 그 중에 일부는 죽은 몸이다. 환자는 자신이 환청을 경험하고 있음을 대개 알고 있었지만, 자세히 설명하지 못했다. 그것이 주요 양상은 아닌 듯 했다. 한번은 그가 탱크를 몰고 병원으로 올라오는 애벌레 군대를 보았다고 보고한 적도 있다.

고 사고장애가 배경에 깔려있기는 하나, 심한 무감동과 자기소홀이 우세한 임상양상에 큰 기여를 하지는 못한다. *편집형* 및 *철부지형* 상태에서는 망상과 환각 또는 사고장애가 각각 지속적으로 출현하며, 때로는 현저한 형태를 취하기도 한다. 그런 환자들은 갖가지의, 흔히 기상천외한 망상을 '연결도 없고, 중점도 없이' 표현하고, 목소리를 듣고 (흔히 경한 정도이긴 하나), 환청 이외의 환각을 더 경험하기도 하며, 고도의 지리멸렬을 보일 수 있다. 때로는 긴장증적 증상이 *현기형* 또는 *반항형* 황폐화의 주요 양상이 될 수도 있다. 하지만, 정신분열병에서 항상 그렇듯이 이점이 명확하게 결정될 문제는 될 수는 없다. 어떤 때에는 한 증상이 임상양상의 가장 전면에 존재하는가 하면, 다른 때에는 또 다른 증상이 그러하다. 모든 형태가 무수한 변천을 통해 서로서로 뒤섞이는 것이다. 만개 증상이 우세한 양상이었던, 심하게 황폐화된 환자의 사례를 참고 11.2에 기술했다.

끝으로, Kraepelin에 의하면, 망상과 환각이 전혀 없이 심하게 황폐화된 환자들이 존재하는데, 이들은 정신적 삶의 단조로움과 빈곤화 이외에는 음성 증상을 거의 보이지 않는다. 대신 판단과 행동의 테두리 내에서 이상을 보인다(*저능형 치매*). 이런 환자들은 가끔 기분이 우울해지거나 분노하는 시기를 거치지만 확신에 차있고 활달하며, 무엇인가에 몰두해 있다. 그들은 충동적이고, 쉽게 행동하고, 판단력이 부족하며, 무모한 행위를 낳는 부주의한 동기에 자주 휩쓸린다. 그들은 경솔하고, 섬세한 감정이 매우 부족하며, '사적인 문제를 아무 생각 없이 떠들어댄다'. 계획능력이나 독자적 사고능력을 요하는 과제가 할당되면, 매우 부진한 성과를 보인다.

도입부에서 언급했듯이, Kraepelin과 Bleuler이후로 만성 정신분열병에 관한 임상적 저술은 거의 없다. 유럽의 저자들, Kleist[6], Leonhard[7] 그리고 Astrup은[8] 만성 정신분열병을 분류하고자 시도했으나, 자신들의 저술 속에는 임상적 자료를 거의 담고 있지 않다. 정신분열병에 관해 방대하게 저술한, 영국 정신의학자 Fish[9] 또한 실망스럽다 할 수 있다. 만성 정신분열병에 관한 그의 저술은 만성적으로 입원해있는 환자들의 엄연한 현실에 관한 통찰을 밝혀냈다는 점에서는 가장 주목할 만하다. 예를 들어, 그는 자주 관찰되는, 망상과 행동간의 불일치를 기술했다. 자칭 하늘의 여왕이 바닥 청소에 만족하는 것이었다. 일부 환자들에게 관찰되는 이상행동의 공통된 양상은 끊임없는 편지 쓰기이다. 편지 자체는 잘 쓰여졌을 수도 있고 지리멸렬할 수도 있다. 편지지 아무 데나 마구 갈겨썼을 수도 있고, 바르게 쓰여졌으나 귀퉁이에 세로로 추가 내용을 적었을 수도 있다. 수집과 저장이 또 다른 흔한 이상행동 양상이 될 수 있다. 남자환자의 주머니와 여자환자의 손가방은 흔히 쓸데없는 물건들-상한 음식, 나무토막, 성냥개비, 잡초, 돌멩이, 죽은 벌레, 노끈, 화장실 휴지 및 비누조각-로 가득하다. 단순히 지난 신문들 따위에 국한된 경우도 있으나, 대개는 불쾌한 물건들이 많다. 한 환자는 고양이나 작은 동물들을 죽여 천에 싸서 자신의 방에 보관하기도 했다. 또 다른 환자는 새를 잡아 죽여 그 시체를 옷 속에 넣어 다니기도 했다. 모든 종류의 불쾌하고 반사회적인 행위가 발생할 수 있다. 다른 환자들의 음식이나 담배를 훔치거나, 앙심을 품고 속임수를 쓰기도 한다. 다른 사람을 넘어뜨리거나 밀고, 침을 뱉고, 의자를 잡아채는 따위의 행동을 한다. 황폐화된 환자들은 흔히 매우 타락한 방식으로 행동하기도 한다. 그들은 자신을 홀대하고 불결해진다. 어떤 환자들은 대소변이나 콧물을 주무르고, 대변을 자신이나 가구, 또는 다른 환자들에게 묻히기도 한다. Fish는 장기 입원 환자들이 흔히 행동조절이 안 된다는 점을 밝혀낸 몇사람 중의 한 명이다.

만성 정신분열병에 관한 미세하고 주관적인 최종 관찰은, 심하게 병든 환자에게서조차 내적 인격은 온전히 유지된다는 주장과 관련이 있다. 비록 Kraepelin은[1] '인격의 본질이 파괴된다'고 통명스레 말했지만, Bleuler와[2] 특히 그의 아들 M. Bleuler는[10,11] 가장 황폐화된 환자라 할지라도 감정의 모든 범위는 보존되어 있고, 대부분은 접근이 불가할 뿐이라고 믿었다. M. Bleuler는 인간적 감정이 남아있지 않게 소진되었고 황폐화되었다고 간주되는 환자들에게서 정상적이고 감동적인 감정, 진정한 기쁨과 동정을 보였던 예를 기술했다. 이것이 모든 정신분열병 환자들에게 적용될 수 있을는지는 논란의 여지가 있겠지만, 상당히 황폐화되었고/황폐화되었거나 정신병적인 많은 환자들이 인간적인 따뜻함(그리고 기타 감정들)을 놀랍도록 유지하고 있다는 사실은 확실하다-저자의 한 선배는 병원장으로 근무하며 병원에 거주했는데, 심한 망상을 지닌 장기 입원 여자환자에게 자신의 아이들을 정기

참조 11.3 양성증상이나 음성증상 없이 만성적으로 입원한 환자

55세 남자환자가 처음 발병한 것은 32세였는데, 당시에는 감시당하고 있다는 피해망상과 관계망상이 나타났고 자살을 명령하는 목소리를 들었었다. 치료를 받고 호전되었으며 운전기사로서의 직업에 복귀했다. 환자는 그 이후 13년간은 잘 지냈지만, 망상과 경미한 사고장애가 나타나는 일련의 재발을 겪게 되었다. 그는 경찰서 출입구를 차로 들이받는 사고를 일으킨 후에 다시 입원하게 되었다; 사고에 대해서는 보험으로 처리하고 싶다고 했다. 이로부터 얼마 지나지 않아, 환자는 사회보장금을 잃을 것이라는 두려움(근거 없는)에 시달린 나머지 '평안히 사라지고자' 결심하고 강물로 뛰어들었다. 정신병적 증상이나 지속적인 우울한 기분의 증거는 없었다. 환자의 퇴원은 기각되었는데, 이는 부분적으로는 또 다시 자살기도가 있었기 때문이었다. 그리하여 장기 입원환자가 된 것이다.

약 10년간 환자의 정신상태에는 별 변화가 없었다. 말쑥한 모습이었고, 때마다 다르긴 했지만 전반적으로 단정한 복장을 유지했다. 면담 중에는 완전히 정상적인 행동을 보였다. 기분상태는 부드러웠다가 간혹 울적해지거나 비협조적이 되기도 하는 등의 변화를 보였지만, 대부분의 시간은 중립적이고 우호적이었다. 정동은 다소 평탄화되어 있었다 - 한번은 전처가 면회왔던 것을 설명하는데, 전처는 울음을 터뜨렸던 일이었음에도 불구하고 환자는 동떨어진 즐거운 정동을 보였다: 말의 양은 정상적이고, 꽤나 대화를 잘 하는 편이며, 노골적인 농담을 좋아한다; 하지만, 같은 이야기를 자꾸자꾸 반복하는 경향이 있다. 과거에는 경한 정도로 언어의 빈곤을 보였지만, 수년에 걸쳐 언어의 빈곤은 사라졌다. 망상이나 환각이 있다는 증거는 없었다.

환자의 주된 특징적 양상은 충동적이고 분별없는 행동이었다. 2층 창문에서 뛰어내려 심각한 손상을 입은 적도 있다. 이 사고의 전후에도 우울증이나 정신병적 증상의 증거는 찾아볼 수 없었다. 여기에 관해 환자가 설명한 유일한 내용은 장기간 입원해있다는 생각에 우울해졌다는 것뿐이었다. 이후로 한동안 환자는 자기 자신을 '그들이 죽일 수 없는 자' 라고 일컬었다. 나중에 환자는 동료 환자(운전을 못하는)를 꼬드겨 차를 한 대 사게 했고, 그 차를 몰고 나가 한동안 도로의 반대방향으로 달리다가 몇 대의 다른 차들과 충돌했다. 분명히 브레이크 대신에 다른 차와 부딪히는 방법을 사용한 것이었다. 지루했으므로 병원을 잠깐 벗어나고 싶었다는 것이 그의 유일한 설명이었다. 병원을 나가 버려진 차 안에서 며칠간 생활한 적도 있었다. 또 한번은 방에 석유 깡통을 몇 개 지니고, 자기가 팔고 싶어 했던 구리선을 태우려다가 화재경보를 울리기도 했다. 환자는 끊임없이 신체 여기저기에 돈이 필요하다는 내용과 엉성하게 세운 돈 벌 계획을 적어 넣고 있는 모습이 관찰된다. 실제로 약간의 돈을 수중에 넣자 그는 운전이 금지되어 있음에도 불구하고 거의 폐차가 다 된 중고차를 한 대 구입했다.

적으로 돌보게 하면서 큰 기쁨을 느꼈었다!

위에 열거된 임상적 인상의 다수는 만성 정신분열병의 유일한 형식적 임상연구로 보이는 것에서 비롯된 소견들이다. Owens와 Johnstone은[12,13] 한 대형정신병원에 1년 이상 계속 입원한(평균 26 ± 13년), 정신분열병의 Feighner 기준을 만족하는 510명의 환자들을 평가했다. 환자들의 삼분의 일은 양성증상을 보이지 않았다(망상, 환각, 사고장애). 양성증상을 계속 지닌 대다수의 환자들에게도 지속적인 만개 증상은 흔하지 않았다-전체 대상의 20% 미만이 평가척도의 망상 및 환각 항목에 최대점수를 보였고, 비슷한 정도의 언어의 지리멸렬은 7%에서 나타났다. 또 다른 삼분의 일의 환자는 매우 두드러진 음성증상을 보이지 않았다(그러나, 저자들이 언급했듯이, 이는 대충 평가된 것이다). 행동의 장애와 와해는 매우 흔했고, 소수의 환자들이 '바람직한 행동의 기초원칙을 겨우 지킬 수 있을 뿐' 이었다. 놀라운 소견은, 장기간의 입원이 필요함에도 불구하고, 7%의 환자는 일체의 양성증상과 분명한 음성증상을 보이지 않았다는 점이다. 이러한 종류의 환자 사례가 참고 11.3에 기술되어 있다.

경과와 기복

만성 정신분열병은 정적(靜的)이고 안정된 상태라는 믿음이 일부 정신과의사들과 대부분으로 생각되는 정신보건서비스 입안자(立案者)들 사이에 만연해 있다. 환자들은 '소진되었고', 그들의 요구는 일정하며 질환이라기 보다는 장해에 가까운 문제를 지니고 있다고 보는 것이다. 하지만 현실은 언제나 이와 달랐다. Kraepelin은[1] 급성 악화에 항상 대비되어 있어야 한다고 했다. Bleuler는[2] 정신분열병의 모든 단계에서, 진행, 답보, 악화와 관해가 나타날 수 있다고 했으며, 중증의 정신분열병이라 할지라도 진행의 완전한 정지는 거의 없다고 했다. 몇몇의 후속연구들이 질환의 발병 수 년 후에 나타날 수 있는 임상변화를 입증했다.[14,15]

이 문제에 관한 결정적인 소견은 M. Bleuler가 제공한 것으로, 그는 한 병원에 입원했던 잘 진단된 208명의 정신분열병 환자들을 개인적으로 20년간 추적했다. 그는 '정신분열병 발병 후 수 년, 수십 년에 이르는 매우 긴 경과' 를 강조했다. 추적기간의 마지막 5년 동안에도 약 25%의 환자들은 여전히 심한 악화와 호전을 반복하고 있었다. 나머지 환자들은 최소 5년간 상대적으로 별 변화가 없이 임상상태가 지속되는 데에 이르렀다. 그러나 이 환자들도 완전히 안정된 것은 아니었다. 여전히 경한 기복을 보였고, 호전을 향한, 장기간의 경향 중에 있을 수도 있었다.

M. Bleuler는 정신분열병이 엄격히 진행성 장애는 아니라는 폭넓은 결론을 지었다. 오히려 복합성 경과를 따른다고 보는 편이 옳다. 개개인의 편차가 크지만, 정신분열병은 처음에 평균 5년 기간에 걸쳐 임상적으로 진행한다. 그 후에는 더 이상의 영구적인 황폐화가 발생하지는 않으며, 변화가 있다면 오히려 호전을 향한 경향이 생겨난다. 악화와 호전이 여전히 발생하지만, 질환의 초기 경과에 비해 전체적으로 덜 두드러진다. 궁극적으로, 많은 환자들은 어떠한 안정성을 얻게 된다. 그러나, 모든 환자들이 그런 것은 아니다.

만성 정신분열병의 증상으로서의 인지장해

Kraepelin은[1] 조발성 치매가 다른 형태의 치매와 많은 공통점을 갖는다고 보았지만, 감정과 의욕 영역에서의 손상이 주를 이루며 기억과 지남력은 상대적으로 온전하다고 느꼈다. '환자들은 그들이 원한다면 상세한 과거 인생사를 정확히 말할 수 있고, 흔히 자신이 얼마나 수용되어 있었는지를 정확히 알고 있다'. Bleuler가[2] 조발성 치매를 정신분열병이라 재명명했던 것도, 지능이 감소한다는 함축성에 오해의 소지가 있다고 믿었기 때문이었다. Bleuler는 그가 정신분열 치매, 정신분열 지능 황폐화, 지능의 정신분열장애라고 다양하게 칭했던 장애는 '기질성 정신병이라는 의미에서의 치매' 와는 근본적으로 다르다고 했다.

양가적이지 않다면 모호한 말임에도 불구하고, 만성 정신분열병의 결손은 지능의 영역으로는 확

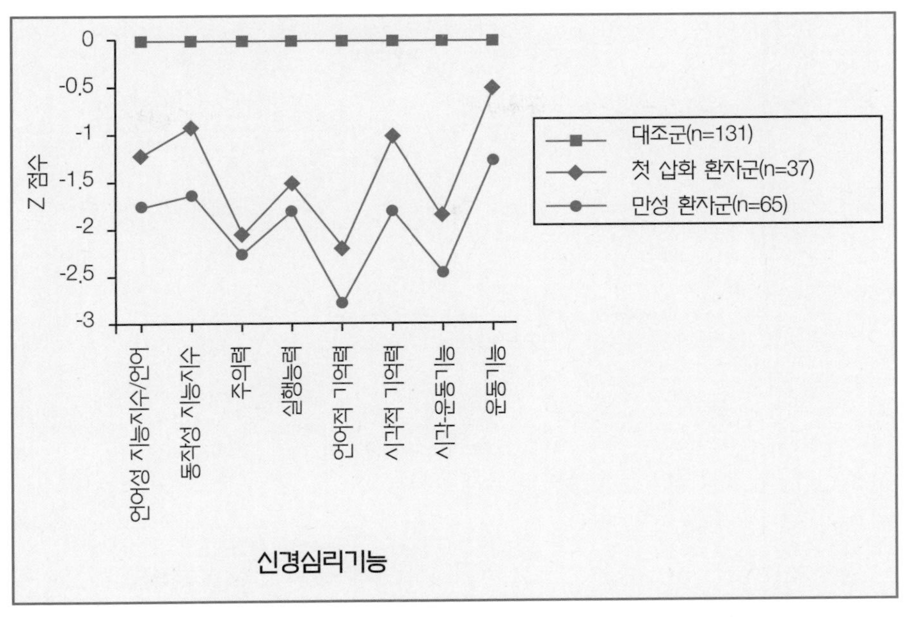

그림 11.1 첫-삽화 정신분열병 환자와 만성 정신분열병 환자의 인지손상의 정도(Syakin 등 1994[24])

장되지 않는다는 것이 정설이 되어 있었다. 그러나, 지난 세기 전반부에 걸쳐 심리학적 연구들이 수행됨에 따라, 집단으로서 정신분열병 환자들은 일반인구집단에 비해 유의하게 낮은 지능지수를 지녔고,[16] 주어진 어떠한 인지 과제 수행에 대해서도 정상인에 비해 불량한 수행을 보인다는 점이 밝혀졌다.[17] 변함없이, 가장 큰 결함은 만성 정신분열병 환자들-이는 통상 장기 입원 환자를 의미했다-에게서 나타났다. 이 분야의 연구가 최고조에 달해 1978년에는 세 편의 종설이 발표되었고,[18-20] 다양한 신경심리검사 과제 수행을 기초로 해서는 만성 정신분열병 환자와 기질성 뇌질환 환자를 구분하는 것이 불가능하다는 것이 공통된 결론이었다.

그 이후의 잘 통제된 대조군, 엄격한 진단, 정교한 신경심리학적 기술을 이용한, 많은 최근 연구들을[21,22] 통해, 현재에는 정신분열병의 인지장해가 잘 수용되고 있다. 신경심리학적 기능의 모든 영역에서 수행이 떨어지는 것으로 밝혀졌지만, 기억과 실행('전두엽') 기능의 결손이 특히 두드러진다고 받아들여지고 있다.[22,23] 전형적인 현대 연구의 예는 Saykin 등의 연구이다:[24] 저자들은 첫-삽화 정신분열병 37명, 만성 정신분열병 65명, 정상대조군 131명을 대상으로 종합적인 검사를 시행했다. 세 군이 연령과 교육에서 동일했고, 소수의 차이는 통계적인 방법으로 보정되었다. 결과는 그림 11.1에 도식되어 있는데, 환자의 수행은 z-점수로, 즉 대조군의 평균보다 아래 위치를 표준편차로서 표현했다. 정의상, 대조군의 평균은 상부 영점선으로 표현된다. 양 환자군의 수행은 정상대조군에 비해 유의하게 불량했고, 만성 환자들은 첫-삽화 환자들보다 유의하게 더 불량했다.

만성 정신분열병의 인지장해는 사소하지 않다는 점을 주목해야 한다. 위 연구에서의 만성 환자들의 평균 수행 수준은 대조군 수준보다 2-3배 표준편차 이하로 저하되어 있는데, 이는 정상인구집단

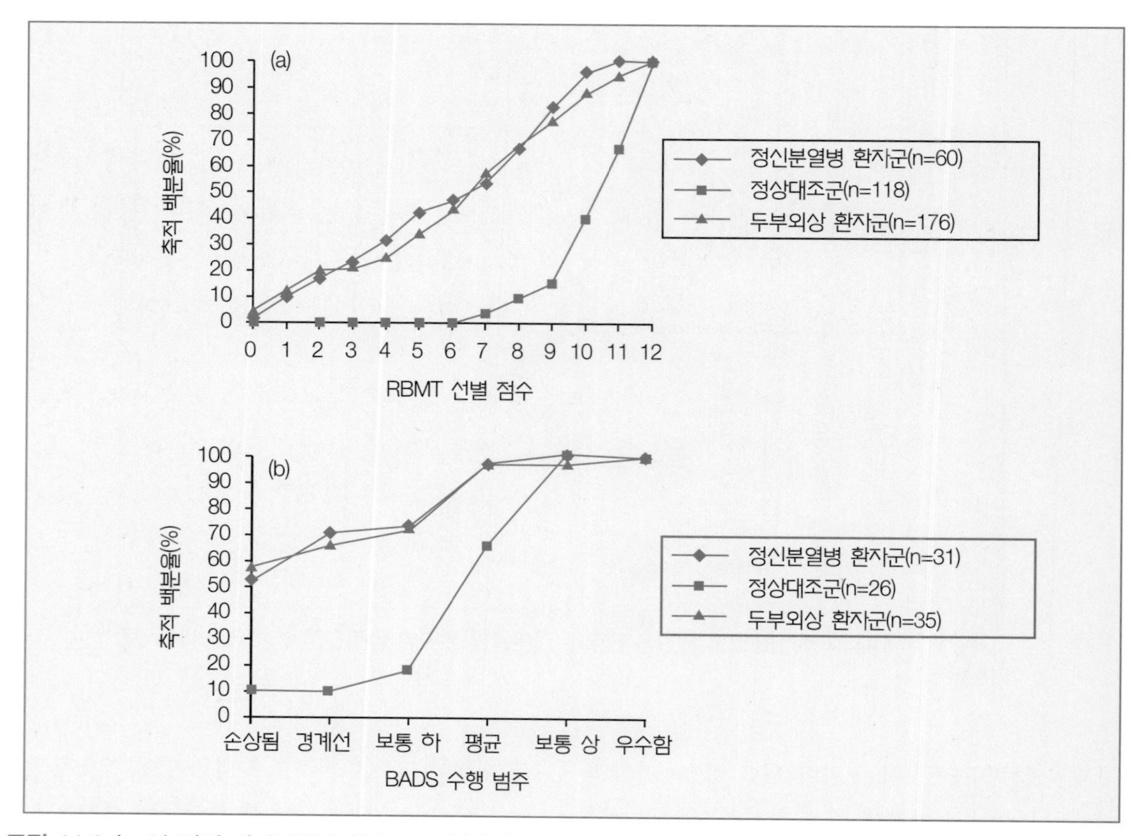

그림 11.2 (a, b) 만성 정신분열병 환자, 두부외상 환자, 정상 대조군의 '일상적인' 기억력과 실행기능 평가 누적 점수. RBMT는 리버미드 행동기억검사 BADS는 실행불능 증후군의 행동평가(McKenna 등 1990, Evans 등 1997으로부터)[25,26]

의 5% 이내에서 기대되는 낮은 수준이다. 최근의 두 연구에서 또한 만성 정신분열병 환자들과, 중등도에서 고도의 두부외상 환자들의 기억장해와[25] 실행장해를[26] 비교했다. 양 연구는 일상생활에서의 기억 및 실행 기능곤란을 평가하기 위해 설계된 방법을 사용했다. 그 결과는 그림 11.2에 도식되어 있다. 더 초기의 연구결과들과 마찬가지로, 양 연구에서의 만성 정신분열병 환자들은 모든 정도의 중증도를 나타냈다는 사실에도 불구하고(환자들은 단순히 장기 입원한 환자들이 아니었다), 그들의 누적비율곡선은 뇌손상 환자들의 곡선과 차이가 없었다.

Saykin 등의[24] 연구에 동원된 만성 환자들이 투약을 받지 않았다는 사실은(첫-삽화 환자들 또한 치료받은 적이 없었다), 정신분열병의 인지장해가 신경이완제 치료로 인한 것이 아니라는 점을 보여준다. 많은 연구들의 공통된 결론은, 약물치료가 정상인이나 정신분열병 환자들의 대부분의 인지기능에 별 영향이 없다는 것이다.[27-29] 정신분열병의 인지장해를 설명하는 또 다른 시도는 그것을 증상으로부터 기인된 것으로, 즉 음성증상으로 인한 동기와 인내의 부족 때문이거나, 환각, 불안, 사고장애 등으로 인한 일반적 비협조 내지는 산만성 때문으로 설명하고자 하는 것이었다. 그러나, 실제로 환자의 동기, 주의력 및 협조도를 평가한 연구들은 이러한 변수들이 수행성적을 결정한다는 증거를

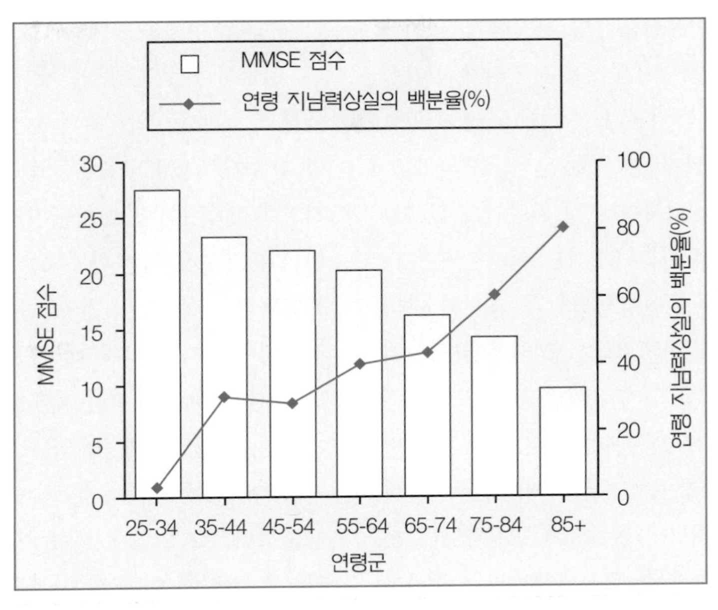

그림 11.3 다양한 연령층의 만성 입원환자들의 간이정신상태검사(MMSE) 점수 및 연령 지남력상실(Davidson 등 1995, Harvey 등 1995로부터)[35,36]

찾지 못했다.[25,30,31] 정신분열병의 증상이 주의를 산만시키고 따라서 인지수행을 저해한다는 논란은, 만성 및 치료-저항성 환자들에게도 증상의 개선을 일으킬 수 있는 약물들이 개발되면서 그 신빙성을 상실해갔다. Goldberg 등은[32] 15명의 정신분열병 환자들의 증상과 인지기능의 범위를 비전형 약물인 클로자핀으로 치료하기 전후에 평가했다. 증상 평가는 약 40% 감소했다. 하지만, 어떠한 인지기능 평가 점수도 달라지지 않았다. 비슷하게, 두 명의 환자는 클로자핀으로 치료받으면서 양성증상(그리고 음성증상)이 모두 사라졌고 모든 면에서 정상적으로 보였지만, 회복된 후에도 전형적인 기억과 실행 양상 및 기타 결손들을 계속 보였다.[33]

조발성 치매도 치매인가?

Owens와 Johnstone의[12] 장기 입원 환자 조사에 의하면, 지남력, 회상, 일반적 지식 등을 평가하는 간단한 검사에서 약 40%의 환자들이 불량한 수행을 보였다. 이와 유사한 다른 연구들에서도 분명한 인지장해가 관찰되었다.[34-36] 만성적으로 입원한 정신분열병 환자들의 16%(진단기준을 만족하는)에서 25%(임상적으로 진단이 주어진)가 전형적으로 자신의 나이를 5년이나 그 이상 낮게 평가하며 정확한 나이를 대지 못하는, 연령 지남력상실을 보였다.[37,38] 이는 공존하는 학습장해, 이전의 물리적 치료, 또는 수용화와 함수관계가 없으며, 인지장해의 넓은 양상의 일부를 형성하는 것으로 밝혀졌다.[38,39] 정신분열병 환자들의 연령이 높을수록 일반적 지능장해와 연령 지남력상실의 유병률이 증가한다. 그림 11.3은 광범위하게 사용되는 임상 치매 척도인 간이정신상태검사(MMSE) 상의 평균점수가 낮아지면서 연령 지남력상실을 보이는 환자수가 꾸준히 증가하고 있음을 보여준다. 65세 이상에서는 입원한 정신분열병 환자의 약 삼분의 이가 치매 범위의 MMSE 점수를 나타낸다.[35,41]

이 결과는 소수의 정신분열병 환자에게는 치매와 실질적으로 구별되지 않는 어떤 병리가 병발한다는 것으로 명확히 해석된다. 이러한 관점이 일부에선 받아들여지고 있지만,[42,43] 논란거리가 되고 있다. 향후 정신분열병을 지니게 될 환자들은 일생동안 5-10점의 지능지수 저하를 겪는다는 증거가 있고,[44] 발병 시점에서도 신경심리학적 결손이 나타날 수 있기에,[24] 많은 연구자들은 정신분열병의 인지장해가 '신경발달학적' 현상이라고 믿고 있다.[45] 어쨌든 이러한 사실이 발병 후에 인지기능이 더 저하된다는 점을 배제시키는 것은 아니지만, 첫 삽화 정신분열병 환자들을 2년 후에까지 조사했던 모든 연구들은 신경심리학적 결손이 진행한다는 증거를 찾지 못했다.[46] 최근의 한 연구도 장기간에 걸친 지적 감소를 확인하는 데에 실패했다.

Russell 등은[47] 소아기나 청소년기에 소아정신과 서비스를 찾아 지능검사를 받았다가 정신분열병을 지니게 된 34명의 환자를 추적했다(소수의 환자들은 첫 평가 시에 이미 정신병적 상태였다). 만성적으로 입원해 있는 일부 환자를 포함한 이 환자들은 평균 19년 후에 지능검사를 다시 받았다. 첫 검사 시의 평균 지능지수는 84.2였고, 추적 시에는 82.0였으며, 그 차이는 통계적으로 의미가 없었다.

결론

만성 정신분열병을 정의하기 어렵다는 점은 아마 당연한 일일 것이다. 이 장애는 의심의 여지없이, 경한 정도의 의욕 결여와 정동의 평탄화로부터 매우 심한 무감동, 감정적 빈곤 및 자기-보호 장해에 이르기까지 그 중증도가 다양한 음성증상만으로 특징지어질 수 있다. 그러나 똑같이, 양성증상만으로도 특징지어질 수 있다. 만성적으로 입원한 환자라 할지라도, 가장 미세한 음성증상만을 배경으로 나타나는 만개한 정신분열병 증상 양상을 보일 수 있다. 양성증상과 음성증상이 뚜렷이 구분됨에도 불구하고, 아마도 가장 전형적인 듯이 만성 정신분열병 환자가 두 쌍의 증상들을 모두 보인다면, 가장 기이한 망상, 가장 성가신 환각, 가장 지리멸렬한 언어를 지니기 쉬운 환자들이 가장 심한 정도의 황폐화를 보일 것이다. 끝으로, 소수의 일부 만성 정신분열병 환자들은 명확한 증상이 없음에도 불구하고, 행동과 판단에 심한 장애를 보이기도 한다.

정신분열병이 만성화되는 이유는 아직 잘 모르지만, 이 장애에 관한 흔한 오해를 바로잡는 것은 가능하다. 그 중의 하나는, 만성 정신분열병을 정적이고 변화가 없는 말기상태로 생각하는 것이다. 급성기에 비해 장기간 앓아온 정신분열병에서는 그 기복이 확실히 덜하다는 점에서 이 말도 어느 정도는 사실이다. 그러나, Owens 등이[13] 밝혔듯이, "소진된" 정신분열병의 개념은 더 이상 받아들여지지 않고 있는데, 확립된 장애의 현실이 그러할 뿐만 아니라 임상의의 관심으로 보아서는 더욱 그러하다. 또한, 정신분열병에서는 지적 기능이 손상되지 않는다는 오랜 관점도 더 이상 받아들여지지 않는다. 급성 환자들의 경우에는 세부적으로 평가했을 때에만 경미한 정도의 인지장해가 드러나지만, 만성 정신분열병에서는 다른 신경학적 장애와 마찬가지로 본질적인 진성(眞性) 인지장해를 보인다. 일반적으로 드물긴 하나, 고령의 장기 입원 환자들에게 꽤나 흔한 정신분열병의 인지장해는, 치매의 발병으로 볼 순 없다손 치더라도, 치매라고 불릴만한 정도로는 보인다.

참고문헌

1. Kraepelin E, *Dementia Praecox and Paraphrenia*, RM Barclay, 1919 (Livingstone: Edinburgh, 1913).
2. Bleuler E, *Dementia Praecox or the Group of Schizophrenias*, J Zinkin, 1950 (International Universities

Press: New York, 1911).
3. Jaspers K, *General Psychopathology*, J Hoenig, MW Hamilton, 1963 (Manchester University Press: Manchester, 1959).
4. Kraepelin E, *Lectures on Clinical Psychiatry*, 3rd English edn, T Johnstone, 1917 (W Wood: New York, 1905).
5. Owens DGC, *A Guide to the Extrapyramidal Side-effects of Antipsychotic Drugs* (Cambridge University Press: Cambridge, 1999).
6. Fish FJ, The classification of schizophrenia: the views of Kleist and his co-workers, *J Ment Sci* (1957) **103:**443–63.
7. Leonhard K, *The Classification of Endogenous Psychoses*, R Berman (Irvington: New York, 1959).
8. Astrup C, *The Chronic Schizophrenias* (Universitetsforlaget: Oslo, 1979).
9. Hamilton M, *Fish's Schizophrenia*, 3rd edn (Wright: Bristol, 1984).
10. Bleuler M, The long-term course of the schizophrenic psychoses, *Psychol Med* (1974) **4:**244–54.
11. Bleuler M, *The Schizophrenic Disorders: Long-Term Patient and Family Studies*, SM Clemens (Yale University Press: New Haven, 1978).
12. Owens DGC, Johnstone EC, The disabilities of chronic schizophrenia – their nature and the factors contributing to their development, *Br J Psychiatry* (1980) **136:**384–93.
13. Owens DGC, Johnstone EC, Frith CD, Chronic schizophrenia and the defect state – a case of terminological inexactitude. In: Schiff AA, Roth M, Freeman HL, eds, *Schizophrenia: New Pharmacological and Clinical Developments*, Royal Society of Medicine Services International Congress and Symposium Series, 94 (Royal Society of Medicine Services Ltd: London, 1985).
14. Ciompi L, The natural history of schizophrenia in the long term, *Br J Psychiatry* (1980) **136:**413–20.
15. Harding C, Course types in schizophrenia: an analysis of European and American studies, *Schizophr Bull* (1988) **14:**633–44.
16. Payne RW, Cognitive abnormalities. In: Eysenck HJ, ed, *Handbook of Abnormal Psychology* (Pitman: London, 1973).
17. Chapman LJ, Chapman JP, *Disordered Thought in Schizophrenia* (Appleton-Century-Crofts: New York, 1973).
18. Goldstein G, Cognitive and perceptual differences between schizophrenics and organics, *Schizophr Bull* (1978) **4:**160–85.
19. Heaton RK, Baade LE, Johnson KL, Neuropsychological test results associated with psychiatric disorders in adults, *Psychol Bull* (1978) **85:**141–62.
20. Malec J, Neuropsychological assessment of schizophrenia versus brain damage: a review, *J Nerv Ment Dis* (1978) **166:**507–16.
21. Elliott R, Sahakian BJ, The neuropsychology of schizophrenia: relations with clinical and neurobiological dimensions, *Psychol Med* (1995) **25:**581–94.
22. Goldberg TE, Gold JM, Neurocognitive deficits in schizophrenia. In: Hirsch SR, Weinberger DR, eds, *Schizophrenia* (Blackwell: Oxford, 1995).
23. McKenna PJ, *Schizophrenia and Related Syndromes* (Oxford University Press: Oxford, 1994).
24. Saykin AJ, Shtasel DL, Gur RE et al, Neuropsychological deficits in neuroleptic naive patients with first-episode schizophrenia, *Arch Gen Psychiatry* (1994) **51:**124–31.
25. McKenna PJ, Tamlyn D, Lund CE et al, Amnesic syndrome in schizophrenia, *Psychol Med* (1990) **20:**967–72.
26. Evans J, Chua SE, McKenna PJ, Wilson BA, Assessing the dysexecutive syndrome in schizophrenia, *Psychol Med* (1997) **27:**625–46.
27. King DJ, The effect of neuroleptics on cognitive and psychomotor function, *Br J Psychiatry* (1990) **157:**799–811.
28. Goldberg TE, Weinberger DR, Effects of neuroleptics on the cognition of patients with schizophrenia: a review of recent studies, *J Clin Psychiatry* (1996) **57**(supplement 9):62–5.
29. Mortimer AM, Cognitive function in schizophrenia: do neuroleptics make a difference? *Pharmacol Biochem Behav* (1997) **56:**789–95.
30. Goldberg TE, Weinberger DR, Berman KF et al, Further evidence for dementia of prefrontal type in schizophrenia? A controlled study of teaching the Wisconsin Card Sorting Test, *Arch Gen Psychiatry* (1987) **44:**1008–14.
31. Duffy L, O'Carroll R, Memory impairment in schizophrenia – a comparison with that observed in the alcoholic Korsakoff syndrome, *Psychol Med* (1994) **24:**155–66.
32. Goldberg TE, Greenberg R, Griffin S, The impact of clozapine on cognition and psychiatric symptoms in patients with schizophrenia, *Br J Psychiatry* (1993) **162:**43–8.
33. Laws K, McKenna PJ, Psychotic symptoms and cognitive deficits: what relationship? *Neurocase* (1997) **3:**41–50.
34. Waddington JL, Youssef HA, Dolphin C, Kinsella A, Cognitive dysfunction, negative symptoms and tardive dyskinesia in schizophrenia, *Arch Gen Psychiatry* (1987) **44:**907–12.
35. Davidson M, Harvey PD, Powchik P et al, Severity of symptoms in chronically hospitalised geriatric schizophrenic patients, *Am J Psychiatry* (1995) **152:**197–207.

36. Harvey PD, Lombardi J, Kincaid MM et al, Cognitive functioning in chronically hospitalized schizophrenic patients: age-related changes and age disorientation as a predictor of impairment, *Schizophr Res* (1995) **17:**14–24.
37. Stevens M, Crow TJ, Bowman MJ, Coles EC, Age disorientation in schizophrenia: a constant prevalence of 25 per cent in a chronic mental hospital population? *Br J Psychiatry* (1978) **133:**130–6.
38. Liddle PF, Crow TJ, Age disorientation in chronic schizophrenia is associated with global intellectual impairment, *Br J Psychiatry* (1984) **144:**193–9.
39. Buhrich N, Crow TJ, Johnstone EC, Owens DGC, Age disorientation in chronic schizophrenia is not associated with pre-morbid intellectual impairment or past physical treatments, *Br J Psychiatry* (1988) **152:**466–9.
40. Folstein MF, Folstein SE, McHugh PR, 'Mini-Mental State': a practical method for grading the cognitive state of patients for the clinician, *J Psychiatr Res* (1975) **12:**189–98.
41. Arnold SE, Gur RE, Shapiro RM et al, Prospective clinicopathological studies of schizophrenia: accrual and assessment, *Am J Psychiatry* (1995) **152:**731–7.
42. Johnstone EC, Crow TJ, Frith CD et al, The dementia of dementia praecox, *Acta Psychiatr Scand* (1978) **57:**305–24.
43. Harrison P, On the neuropathology of schizophrenia and its dementia: neurodevelopmental, neurodegenerative or both? *Neurodegeneration* (1995) **4:**1–12.
44. Jones P, Done DJ, From birth to onset: a developmental perspective of schizophrenia in two national birth cohorts. In: Keshevan MS, Murray RM, eds, *Neurodevelopment and Adult Psychopathology* (Cambridge University Press: Cambridge, 1997).
45. Keshevan MS, Murray RM, eds, *Neurodevelopmental and Adult Psychopathology* (Cambridge University Press: Cambridge, 1997).
46. Rund BR, A review of longitudinal studies of cognitive functions in schizophrenia, *Schizophr Bull* (1998) **24:**425–36.
47. Russell AJ, Munro JC, Jones PB et al, Schizophrenia and the myth of intellectual decline, *Am J Psychiatry* (1997) **154:**635–9.

12 치료-저항성 정신분열병

Herbert Y Meltzer와 Elif Kostakoglu

내용 · 도입 · 치료 저항성의 개념 발전에 클로자핀이 차지한 역할 · 치료-저항성 정신분열병의 개념 · 미국 클로자핀 효용 및 안전성 시험이 시행된 당시의 치료 저항성 · 미국 클로자핀 다기관 기준에 의한 치료-저항성 정신분열병의 유병률 · 치료 저항성에 관한 개정된 기준 · 비전형 항정신병약물에 대한 신경이완제-저항성 환자들의 반응 · 치료 저항성 여부의 결정 · 치료-저항성 정신분열병의 특성 · 치료 저항성의 발생: 첫-삽화 대(對) 치료경과 중 후발(後發)한 경우 · 치료 저항성의 경과 · 치료 저항성의 생물학적 기초 · 치료 저항성 정신분열병의 비전형 항정신병약물 치료 · 치료-저항성 정신분열병에서 클로자핀의 비용-효율성 · 부가적 치료 · 결론

도입

정신분열병의 진단기준과 치료반응의 표준은 가용(可用)한 치료의 효과에 의해 결정된다. 따라서, 치료-저항성 정신분열병이라는 개념은, 정신분열병의 진단기준, 치료 반응성과 저항성의 정의, 그리고 이들 기준에 따른 현재 치료법의 효과라는 맥락 속에서 가장 잘 이해될 수 있다. 즉, 치료-저항성 정신분열병은 움직이는 목표물인 셈이다. 하지만, 이 장을 기술하는 목적에 따라, 여기에서는 전형적 신경이완제에 대한 양성증상, 즉, 망상과 환각의 반응 부족에 주안점을 둔 정의를 사용할 것이며, 그 이유는 뒤에 논할 것이다. 치료-저항성 정신분열병의 정의의 가변성은 1906년 Bleuler가 하나의 증후군을 확인했던 당시에 정신분열병이라고 여겼던 것과 DSM-IV[1] 기준으로 본 정신분열병이 같지 않다는 사실을 상기하면 쉽게 알 수 있다. Bleuler의 개념에 비해 현재의 진단기준은 특이한 증상, 특히 양성증상, 증상의 기간, 그리고 양극성 장애 기준을 만족시키는 독립적인 기분 삽화가 없어야 한다는 점을 더욱 중요하게 여긴다.

치료-저항성 정신분열병의 개념은 과거 그 어느 때보다도 중요해졌는데, 그 이유는 (1) 적어도 약물학적 관점에서는 정신분열병의 치료 방법이 매우 풍부해진 현 시점에서 치료 선택의 지침을 제공해주기 때문이며, (2) 다양한 치료의 유사성과 차별성으로 인해, 많은 임상의들은 치료 선택에 특히 어려움을 느끼기 때문이다. 게다가, 현재의 치료가 일부 혹은 전체 환자들을 적절히 다루지 못하고 있는 정신분열병의 측면, 예를 들면, 음성증상과 인지기능에 대한 더 효과적인 치료개발에 박차를 가한다는 점에서도 치료-저항성 정신분열병의 개념은 중요한 것이다. 한 환자 또는 정신분열병 환자군에 대한 전반적 치료반응이 '적당하다'

는 믿음은 많은 환자들에게 더 효과적인 치료가 필요한 데도 불구하고, 비용-효율성이 크기 때문에 더 값비싼 치료 기회를 박탈하게 할 것이다. 더욱이, 치료반응이 적당하다는 생각은 정부와 기업이 더 효과적이고 안전한 치료를 개발하도록 최적의 동기를 부여하지 못한다. 끝으로, 치료-저항성 정신분열병이 중요한 또 하나의 이유는, 그것이 정신분열병 환자군 내에서 아마도 유전적 기초나 어떤 유전자-환경 상호작용 등과 같은 독특한 원인론을 지닌 아집단을 구분해내는 밑바탕이 될 수 있다는 데에 있다. 이는 효과적인 치료개발을 이끌 뿐만 아니라, 이종성을 감소시킴으로써 현재의 치료에 적당히 반응하는 환자들의 정신분열병의 원인론을 연구하는 능력을 향상시켜줄 수 있다.

치료 저항성의 개념 발전에 클로자핀이 차지한 역할

치료-저항성 정신분열병에 대한 현재의 관심은 클로자핀의 발달과 혼재되어 있다. 클로자핀은 원형적인 비전형 항정신병약물로서 할로페리돌이나 클로르프로마진 같은 전형적 신경이완제와 대비되는 역사, 효능 및 부작용을 지닌다. 앞으로 논의되겠지만, 일부 심한 부작용때문에 1986년 클로자핀을 시험하고 정신분열병의 치료로서 승인하는 데에 따르는 위험을 정당화할 수 있도록 전형적 신경이완제에 대한 일련의 반응기준이 마련되어야만 했다. 미국의 규제 당국은 충분한 용량으로(고용량) 충분한 기간동안(6주 이상) 적어도 세 가지 이상의 전형적 신경이완제를 시도했음에도 불구하고 지속되는 양성증상을, 대략 1% 환자에게서 발생하는 클로자핀의 무과립구혈증 위험에도 불구하고 사용할 수 있는 기준으로 여겼다. 클로자핀 사용을 정당화하는 데에는 일정 수준 이상의 지속적인 음성증상, 인지기능장애, 불량한 삶의 질, 지연성 운동장애 등의 기타 기준이 제시되었을 수도 있겠다. 하지만, 치료 저항성의 본래 개념을 유지하는 것이 중요했는데, 이는 다른 가용 약물치료가 아닌 클로자핀을 사용해야만 하는 환자군을 찾아내고자 하는 요구가 계속되었고, 전형적 신경이완제에 양성증상이 반응하지 않는 기전을 이해하는 것이 중요했기 때문이었다. 더욱이, 신경이완제 치료에 대한 반응기준을 논의하는 틀을 제공하므로, 그 개념은 중요하다.

치료-저항성 정신분열병의 개념

클로르프로마진은 1954년에 발견되었고, 정신분열병의 양성증상을 치료하는 작용을 토대로 이내 정신분열병의 첫 번째 효과적인 치료법으로서 인정받았다. 뒤이어 동일한 화학계열인 트리플루오페라진, 퍼페나진, 티오리다진과 다른 화학계열인 할로페리돌, 몰린돈, 티오틱센, 피모자이드 등이 현재 D_2 수용체라고 명명된 특이 도파민 수용체군을 차단하는 작용을 지녔다고 알려졌다. 이 수용체들은 선조체, 변연계, 그리고 뇌하수체에 풍부한데, 각각은 운동계 부작용, 항정신병 작용, 그리고 프롤락틴-자극 효과를 일으킨다. 이 약물들은 추체외로 운동계 기능에 악영향을 미쳐 동물에게 강경증(强硬症)을 야기하는 작용 때문에 신경이완제라고 명명되었다. 이 약물들이 도입된 후 약 10년간 행해진 대형 대조군 임상시험들에서는 정신분열병 환자의 대략 70%에서 양성증상이 완전히 관해되거나 거의 관해된 반면, 30%에서는 한 가지 이상의 전형적 신경이완제를 충분히 시도했음에도 불구하고 중등도에서 고도의 망상이나 환각이 지속되었다.[2] 후자의 환자군이 치료 저항성으로 생각되었다. 이 약제들이 정신분열병의 음성증상이나 기분증상 또는 인지기능장애를 개선시키지 못한다는 사실은 알려졌지만, 오늘날의 관점으로는 이해하기 어려워 보일 수도 있는 여러 가지 이유로 인해서, 신경이완제 반응성 또는 저항성으로 환자들을 구분하는 범주에는 포함되지 않았다. 아마도, 의욕, 정동, 즐거움을 느끼는 능력, 에너지 수준 등의 음성증상과 작업기억력, 관련기억력, 주의력, 실행기능 등의 인지기능의 개선을 보였던 환자들이 거의 없었기 때문에, 정신분열병의 이러한 측면에서의 반응은 질병을 분류하는 데 이용되지 못했던 것으로 생각된다. 따라서, 새로운 치료 개발을 위한 자극 같은 이러한 증상들은 다소 무시되었던 것이다.

미국 클로자핀 효용 및 안전성 시험이 시행된 당시의 치료 저항성

전형적 신경이완제가 개발되기 이전에는, 치료-저항성 정신분열병 환자들은 영구적인 수용이 필요했을 것 같다. 그러한 환자 수는 신경이완제와 지역사회정신보건센터가 개발된 후로 상당히 감소했다. 미국에서 클로자핀 승인 문제가 대두되기 전, 약물의 안전성과 함께 위약보다 우수한 항정신병적 효과는 항정신병약물로서 승인 받는 유일한 기준이었다. 클로자핀은 1970년에서 1975년 사이 몇몇 유럽 국가에서 승인되었고 미국에서는 시험을 거치는 중에, 핀란드에서 클로자핀을 다른 약물과 함께 복용하던 8명의 환자가 클로자핀-유발성 무과립구혈증으로 사망했다. 사망한 환자들은 다른 약제를 병용하고 있었고 핀란드의 작은 지역과 특정 병원이라는 특이한 사망 장소였기에 면밀한 역학 조사를 통해 환자의 사망과 클로자핀의 연관성이 결론 내려질 수 없었음에도 불구하고, 세계 각국은 클로자핀 사용을 금했다.[3] 그러나, 클로자핀의 위험과 이득을 계속 연구할 수 있는 강력한 근거를 제공한 네 가지 요인이 있었다. 첫째, 이미 클로자핀을 사용하고 있던 환자들은 다른 약물로 교체되었음에도 불구하고 다수가 재발했다. 제조회사 산도즈(지금은 노바티스)에 호소한 담당의사들의 청원은 받아들여졌고, 규제 기관은 감염이 발생하기에 앞서 치료를 중단할 수 있도록 매주 과립구감소증이나 무과립구혈증을 감시하는 혈액검사를 엄격히 시행하면서 클로자핀을 특별히 사용할 수 있게 했다. 둘째, 비록 공식적인 연구가 이루어지지는 않았지만, 클로자핀을 사용하는 임상의나 연구자들은 일부 환자들의 양성증상 치료에는 전형적 신경이완제보다 클로자핀이 더 효과적이라는 인상을 갖게 되었다. 셋째, 클로자핀은 그 어떤 다른 항정신병약물보다 추체외로부작용이 적다는 점이 명확히 밝혀졌다. 넷째, 1975년 이전의 5년간의 경험과 특별히 조건부로 사용해온 그 이후 10년간의 경험을 통해, 지연성 운동장애의 발생 보고가 전혀 없었다. 반면, 전형적 신경이완제의 경우에는 5-10년간 사용해온 젊은 성인의 약 25%에서 지연성 운동장애가 발생한다. 이러한 이유들로 인해서, 산도즈는 정신분열병에 사용을 승인 받기 위해 미국 식품의약국(FDA)에 신약 신청서를 제출했는데, 당시에는 우월한 효능보다 지연성 운동장애가 없다는 측면의 이점을 강조했다. FDA는 이 신청을 기각했고, 전형적 신경이완제에 충분한 반응을 보이지 않는 환자들의 정신병리 감소에 우월한 효과를 입증할 수 있는 이중맹검 효능 시험을 요구했다. 미국 공동 연구를 목적으로 개발된 기준은 참고 12.1에 제시되어 있다. 여기에는 다음의 내용이 포함되어 있다: 할로페리돌의 충분한 시도에 효과가 없다는 것을 전향적으로 입증함과 동시에, 서로 다른 두 가지 계통의 적어도 세 가지 이상의 신경이완제를 충분히 시도했었다는 의무기

참조 12.1 미국 다기관 시험에서 사용한 치료 저항성의 기준

1. 간이 정신과적 평가 척도 및 임상 전반적 인상에서, 지속적인 양성증상을 포함하여 매우 고도 수준의 정신병리를 현재 보이고 있어야 한다.
2. 선행한 5년 내에 사회적 기능 또는 직업적 기능이 양호했던 기간이 없어야 한다.
3. 적어도 두 가지 다른 계통의 전형적 신경이완제를 클로르프로마진 등가용량으로 1000mg/day 이상 6주 넘게 사용했던 기간이 최소 세 차례 이상임에도 불구하고 호전이 없어야 약물 저항성 상태로 정의되며, 10-60mg/day 용량의 할로페리돌 전향적 시험을 거쳐야 한다.

록 상의 증거에도 불구하고, 임상 전반적 인상(CGI)[4]으로 측정한 지속적인 양성증상과 불량한 전반적 기능 그리고 불량한 직업 사회적 기능을 보여야 한다. 이 기준이 치료 저항성의 정의의 표준점이었다. 6주간의 이중맹검 임상시험에는 300명의 환자가 동원되었고, 추체외로 부작용뿐만 아니라 양성증상 및 음성증상 모두에서 클로자핀의 우월한 효능이 실제로 입증되었다. 클로자핀 치료에 무작위로 배정된 환자의 30%가 미리 결정된 반응기준인, 간이 정신과적 평가 척도(BPRS)[5] 점수의 20% 이상의 감소 및 36점 이하의 총점을 보였다. 이 척도는 18개 항목을 1점부터 7점까지 평가한다. 결국, 이 임상시험을 토대로 치료-저항성 그리고 신경이완제-불내약성(不耐藥性) 환자들에게 클로자핀의 사용이 승인되었다.

미국 클로자핀 다기관 기준에 의한 치료-저항성 정신분열병의 유병률

이 기준이 치료-저항성 정신분열병의 최적의 정의인가를 논하기에 앞서 이 기준을 만족시키는 환자의 비율을 살펴보는 것이 옳겠다. 첫-삽화 환자들을 충분 기간 추적하여 얼마만큼의 비율이 이 기준을 만족하게 되는가를 조사한 체계적 연구는 없었다. 추후 논의되겠지만, 치료 저항성인 일부 환자들은 보건 공급자와 처음 접촉하는 순간부터 치료 저항성을 보인다. 다른 환자들은 수년이 경과해야 이 기준을 만족시키게 된다. 따라서, 전체 코호트에 관한 거의 완전한 자료를 토대로 한, 매우 긴 추적을 통해서만 치료 저항성 환자비율을 신빙성 있게 추산할 수 있다. 이러한 성격을 지닌 언급할만한 자료는 현재 없다.

지역사회 정신보건센터나 병원 등의 특정 환자군을 대상으로 치료-저항성 정신분열병의 비율을 조사한 연구들은 확인 방법에 있어 편향적일 수가 있다. 코네티컷 주의 만성 입원 환자들을 조사한 바에 의하면,[6] 정신분열병이나 분열정동장애 803명의 환자 중 60%가 Kane과 동료들의[7] 기준에 따른 클로자핀 치료에 적합한 것으로 판정되었다. 매우 큰 대상지역 연구는 보다 신뢰할 수 있긴 하나, 치료-저항성 환자들은 도시 내 빈민 지역 인구 중에 더 많아 보이므로, 이 또한 편향적일 수 있겠다. 캘리포니아 정신보건 대상지역의 정신분열병 환자 293명을 무작위로 추출한 표본에서는 동일한 기준을 사용했을 때, 클로자핀에 적합한 환자 비율이 30%로 나타났다.[8] 하지만, 보다 덜 엄격한 기준을 이용하면, 즉, 4주 이상 두 가지의 신경이완제 시도(클로르프로마진 600mg/day 이하), 지연성 운동장애의 출현, 전반적 기능평가(GAF)를 통해 조사하면,[8,10] 42.9%의 환자들이 클로자핀에 적합했다.[8] 이 후자의 기준은 보다 현실적으로 보이며, 여기에서 다루고 있는 치료 저항성을 보다 포괄적으로 반영한다.

전형적 신경이완제의 초기 연구에서 비롯된 저항성 환자 비율인 30%라는 수치는 너무 낮아 보인다. 1895년에서 1991년 사이 368개의 코호트 51,800명의 환자를 포함하는 전체 320개의 일차적 보고서를 재검토한 Hegarty와 동료들은[11] 정신병적 증상이 경한 수준 미만이고 실질적인 기능 수준이 회복된 경우를 '호전되었다' 고 판단했다. 후자의 기준은 유의한 결함 없이, 사회적으로 회복되었거나 독립적인 일이나 생활을 영위하는 내용을 포함했다. 신경이완제의 도입 전후의 10년 단위를 비교하기 위해, 추적기간이 10년 이하인 코호트들만 포함했다. 정신분열병의 기준을 만족하는 코호트의 평균 개수는 10년에 38.7개(표준편차=27.1)였고 평균 추적기간은 5.6년(표준편차=6.5)이었다. 1940년대와 1950년대에는 주된 생물학적 치료가 전기경련요법이었고, 그 이후에는 신경이완제 요법이었다. 전체 세기를 걸쳐 좋은 예후를 보인 환자 비율은 40.2%였다. 신경이완제가 도입되기 전에는 34.9%였다. 이는 신경이완제의 도입 후 48.5%로 증가했으나, 20세기의 마지막 10년에는 36.4%로 다시 떨어졌다. 따라서, 신경이완제 치료를 받은 대부분의 환자들은 지속적인 정신병적 증상이나 불량한 사회적 기능 혹은 양자 모두로 인해서 좋은 예후를 보이지 않았다. 1986년 이후 예후가 뚜렷이 불량해진 데에는, 더 심한 치료-저항성 사례가 증가했고 양극성 또는 정신분열양장애의 오진이 감소한 진단 실제의 변화, 혹은 치료 효율성이 감소하는 방향으로 이끈 보건전달체계의 변화 등이 반영된 듯 하다. 예후 연구의 한 예로서, Helgason은[12] 1966년에서 1967년 사이에 처음으로 아이슬란드의 정신과적 진료를 찾았던 107명의 정신분열병 역학표본을 조사했다. 증상반응과 사회적 기능 측면에서 좋은 예후를 보인 환자는 31%에 불과했다. 이 결과를 볼 때 기억해야 할 점은, 표본이 얻어진 지역은 모두에게 평등하게 제공되는 정신보건체계가 발달되어 있고, 상대적으로 부유하며, 잘 수련된 정신과의사들이 있다는 사실이다.

이 결과는 Hegarty와 동료들의[11] 연구결과와 일치하여, 정신분열병 환자의 단지 35-45%만이 전통적인 신경이완제 치료에 좋은 반응을 보인다는 관점을 지지한다. Hegarty와 동료들은[11] 인지기능수준, 삶의 질 평가, 추체외로 부작용이나 지연성 운동장애로 비롯된 문제들을 포함한 사망률과 이환률을 고려하지 않았다. 이러한 주요 기준이 포함되었더라면, 좋은 반응을 보인 비율은 훨씬 더 감소했을 것이다. 따라서, 적어도 양성증상의 조절 외에 다른 예후 기준이 고려된다면, 정신분열병에서는 불량한 예후가 예외가 아닌 표준일 것이다.

치료-저항성에 관한 개정된 기준

미국 다기관 클로자핀 임상시험에 사용된 치료저항성의 진단기준은 너무 협소하고 부정확하며 모호하다는 비판을 받아왔다.[13-16] 예를 들면, 클로자핀 시험에 들기 위해서는 5년간 불량한 기능을 보여야 한다는 기준이 포함되어 있다. 하지만, 환자들이 충분 기간동안 세 가지 신경이완제에 반응을 보이지 않는다는 점은 첫 4-6개월이면 확실해진다. 이 약물로 더 오래 치료한다고 해서 더 호전된다는 증거도 없다. 둘째로, 클로자핀 다기관 임상시험에서 사용된 기준은 인지기능장애와 음성증상의 손상 효과를 무시하고 지속적인 양성증상만을 강조했다. 불량한 기능이 포함되긴 했지만, 적절히 정의되진 않았다. 또한, 세 가지의 신경이완제 시도가 필요한가 하는 부분도 불분명한데, 길어야 4-12주가 대부분인 충분한 기간동안 충분한 용량을 사용했다면 한 가지의 전형적 신경이완제 사용으로도 치료 저항성을 진단할 수 있다는 것이 최근의 증거이다. 충분 용량은 정의하기 어려운 문제이다. 통상의 용량에는 반응하지 않는 일부 환자가 더 높은 용량에는 반응할 수 있다는, 당시 유행하던 관점에 기초하여, 미국 다기관 임상시험에서는 매우 높은 용량의 신경이완제 사용을 요구했다. 임상반응과 D_2 수용체 점유율간의 상관관계를 조사한 연구나 임상시험을 포함한 이후의 연구들은 효능 및 추체외로 부작용, 그리고 용량과 관련된 기타 부작용들 사이의 균형을 고려할 때 더 낮은 신경이완제 용량이 최적일 것으로 보고했다. 전형적 신경이완제 시도는 할로페리돌 등가용량으로 2mg/day 정도면 충분하고 여간해서는 10-15mg/day를 넘지 않는다고 시사되었다. 어찌되었건, 충분한 시도에 클로르프로마진 등가용량 1000mg/day(대략 할로페리돌 40mg/day에 해당함) 정도가 필요하다고 믿을 이유는 더 이상 없으며, 실제 고용량에서는 일부 환자들의 반응이 오히려 감소한다. 고용량이 내약성을 감소시킨다는 데에는 의심의 여지가 없다. 따라서, 참고 12.1에 열거된 기준이 발표되자마자, 상당한 비판이 있었고 대안이 모색되었다. 참고 12.2는 다차원적 모형에 기초하여 치료 저항성을 포괄적으로 개념화하고 있다.

항우울제, 기분안정제, 항불안제 등의 부가적 치료는 기분, 공격성, 충동성, 불안 등을 감소시키는 데에 종종 도움이 되며, 신경이완제에 반응하는 비율을 증가시키는 데에 사용될 수 있다. 하지만, 이러한 약물들이 전형적 신경이완제를 복용하고 있는 환자들의 양성증상과 인지기능에 영향을 미친다는 확증은 없다. 환자가 미미한 정신병적 증상, 음성증상 및 기분증상을 가졌지만 직업적 사회적 기능의 문제가 지속된다면, 신경이완제 저항성을 진단하기에 앞서 좀더 장기간의 치료가 필요할 수도 있다. 하지만, 이러한 기능 회복의 실패는 치료기간과는 무관하게 전형적 신경이완제에 반응하지 않는 인지기능장애와 관련된 듯이 보인다. 이 책의 다른 부분에 논의되어 있듯이 그런 증상들은 클로자핀이나 기타 비전형 항정신병약물에 반응한다.

정신분열병의 치료 저항성을 정의하기 위한 국제 연구 그룹은 정신병리(양성증상과 음성증상), 기능적 장해, 그리고 행동 양상을 포함하고 있는 다차원적 접근을 제안했다.[15] 그들은 참고 12.2에 담긴 차원을 통합하여 치료 반응성을 연속선상에서 측정하는 유용한 평가척도를 제시한다.

이 연속선상의 초기 경과 중에 치료 저항성을 찾아내는 일은 점점 중요해지고 있다. 전형적 신

참조 12.2 치료 저항성의 병리적 차원

1. 중등도 혹은 고도의 지속적인 양성증상, 음성증상, 와해증상
2. 직업적 사회적 기능에 지장을 초래하는, 다방면에서의 인지기능장애
3. 반복적인 기분의 동요와 자살 관련 증상
4. 불량한 직업적 사회적 기능
5. 불량한 (주관적인) 삶의 질
6. 괴이한 행동
7. 2-20mg/day의 할로페리돌 또는 그 등가용량으로 환자가 견딜 수 있는 한도 내에서 6-12주간 한 가지 전형적 신경이완제를 충분히 시도했음

경이완제 치료의 1기 또는 2기 후에 여전히 증상과 기능장애를 지니고 있는 새로 진단된 정신분열병 환자는, 가능한 한 빨리 적절한 정신사회적 치료와 함께 더 효과적인 약물치료가 제공된다면 직업이나 학교로 복귀할 가능성이 커진다. 또한, 질환의 초기 단계에 부적절한 항정신병약물 치료 때문에 정신병적 상태에 머무르는 기간이 길어진다면, 입원 및 사회적 장해의 가능성이 더 커진다는 증거가 축적되고 있다.[17-19]

정신분열병의 치료반응을 평가하는 데에 단일차원적 접근법을 사용했는가 또는 다차원적 접근법을 사용했는가와 무관하게, 무엇을 보고 전반적인 반응이나 예후가 양호, 보통, 불량하다고 여기는가 하는 점에는 차이가 있을 것이다. 예를 들어, 이 문제에 관한 환자, 가족, 정신보건인력, 그리고 재정 담당자의 의견은 매우 다를 수 있다. 지속적인 양성증상이나 음성증상 또는 불량한 직업적 기능에도 불구하고, 자신의 질환에 대한 병식이 없고 삶의 질이 저하된 환자는 치료에 만족감을 느낄 수 있다. 신경이완제를 복용하는 동안 뚜렷한 정신병리를 거의 보이지 않는 환자라도 중등도에서 고도의 파킨슨증 부작용이나 지연성 운동장애 때문에 치료를 견디기 어렵게 느낄 수도 있다. 어떤 환자들은 병전 수준의 지적, 사회적, 직업적 기능을 회복할 수 없어 의기가 꺾이고, 우울해하고, 심지어는 자살을 기도하기도 한다. 비슷하게, 정신분열병 환자의 부모, 형제, 자녀들은, 특히 질환의 초기 경과라면, 병전 수준의 기능 회복 이외의 어떠한 결과에도 불만족스러워할 수 있다. 반면, 질환의 후기 단계에서는 똑같은 사람이 작은 호전에도 고마워한다.

대부분의 정신보건 임상의들이 치료반응을 평가하는 데에 주목하는 것은 정신병적 증상(양성증상과 와해증상)과 음성증상, 공격성의 중증도, 그리고 사회적 기대에 합당한 일상 행동을 어느 정도로 하는가 하는 부분이다. 하지만, 재정적 압박을 받는 정신보건재원 관리자는 입원이나 비용이 많이 드는 응급실 방문이 없다면 치료반응이 양호하다고 간주하며 삶의 질이나 지속적인 정신병리를 덜 중요하게 여길 수 있다.

비전형 항정신병약물에 대한 신경이완제-저항성 환자들의 반응

많은 연구결과들은 신경이완제 저항성을 결정하기에 앞서 두 가지 이상의 전형적 신경이완제를 시도하는 것이 별 도움이 되지 않음을 시사했다. 이 약물들 모두는 D_2 수용체 차단제로서 작용한다. 알파-2 아드레날린성 수용체 차단 같은 기타 약물학적 특성이 효능을 더할 수도 있겠지만 이를 뒷받침하는 증거는 아직 없다. 따라서, 어떤 종류든 한 가지의 전형적 신경이완제에 반응을 보이지 않은 환자는 비전형 항정신병약물로 교체되어야 한다. 비전형 항정신병약물은 임상적으로 효과적인 용량에서 적은 추체외로 부작용을 야기하는 약물로 정의된다.[20] 이 책의 다른 부분에 논의되었듯이, 클로자핀 외의 다수의 비전형 항정신병약물, 예를 들면, 리스페리돈, 올란자핀, 쿠에티아핀이 현재 사용 가능하며, 이 약물들은 양성증상, 음성증상, 기분증상, 인지장애를 포함하여 참고 12.2에 열거된 일부 예후 차원에서 할로페리돌과 기타 전형적 신경이완제보다 우월한 효과를 보일 수 있다. 일로페리돈과 지프라시돈은 개발 후기 단계에 와있는 또 다른 두 가지 비전형 항정신병약물이다. 이 다섯 가지의 비전형 항정신병약물은 이 책의 다른 곳에 논의되어 있듯이 일부 약물학적 특성을 공유하고 있다. 이 약물들은 모두는 아니지만 대부분의 권위자들에게 전형적 신경이완제보다 등가용량에서의 추체외로 부작용이 적다고 받아들여지고 있다. 소수의 연구자들은 환자들이 2-5mg/day 정도의 저용량의 할로페리돌로 치료받았다면 클로자핀과 할로페리돌을 포함한 어떠한 약물이라 할지라도 효능이나 추체외로 부작용에 차이가 없었을 것이라 주장한다. 하지만 이러한 주장을 지지하는 자료는 빈약하다. 그래도 타당성이 있다고 친다면, 그것은 첫-삽화 환자들에게 해당될 것이다. 따라서, 한 가지의 전형적 신경이완제를 충분히 시도했으나 반응이 없는 환자들에게는 비전형 항정신병약물을 투여하게 될 듯하다. 많은 임상의들은 클로자핀 외의 비전형 약물을 일차-선택 치료제로서 사용한다. 어떤 임상의는 효과가 우월하고, 지연성 운동장애 발생위험이 없으며, 기분안정제 및 항우울제로서도 유용하기 때문에 클로자핀을 일차-선택제로 사용할 수도 있다.

치료 저항성 여부의 결정

정신분열병 환자를 치료 저항성이라고 결론을 짓기에 앞서 전형적 신경이완제에 대한 반응을 제약할 수 있는 요인들을 고려해야 한다.

순응도

우선, 저장형(depot) 항정신병약물을 사용하거나 혈장 신경이완제의 농도 또는 프로락틴(모든 전형적 신경이완제는 뇌하수체 전엽의 D_2 수용체를 차단하여 프롤락틴 치를 상승시킨다) 같은 생물학적 표지자를 측정하는 등의 방법을 통해 약물 순응도를 확인해야 한다. 장기간 저용량의 신경이완제로 치료받은 남자 환자는 정상 범위의 혈장 프롤락틴 농도를 보일 수도 있다. 프롤락틴 측정을 통해 리스페리돈의 순응도 또한 감시할 수 있다. 다른 비전형 항정신병약물의 순응도는 혈장농도 측정을 요한다.

용량

둘째로, 약물의 용량은 신중히 결정해야 한다. 위에 언급했듯이, 대부분의 환자들에게 저용량의 신경이완제는 고용량만큼이나 효과적이라는 증거가 있다. 용량이 낮을수록 추체외로 부작용이 적고 이는 좋은 순응도로 이어진다(항파킨슨제를 사용해도 추체외로 부작용이 감소한다). 할로페리돌 5-10mg/day 혹은 그 등가용량 정도면 충분한 용량인 반면, 일부 환자에겐 더 많은 용량이 필요할 수도 있다(할로페리돌 또는 그 등가용량 20mg/day까지, 심지어 40mg/day까지).

약물의 선택

세 번째는 약물의 선택과 몇 가지 다른 약물을 시도할 것인가의 문제이다. 양성증상의 관해라는 측면에서 보자면, 특정한 한 가지의 전통적 신경이완제가 다른 약물에 비해 우월하다는 증거는 없다. 따라서, 상이한 계통의 두 번째 전통적인 신경이완제 시도는(예를 들면, 부티로페논계 약물 사용 후에 페노싸이아진계 약물을 시도하는 것) 거의 효과가 없다. 잘 설명될 수 없는 드문 예외가 있을 수는 있지만, 독특한 약물 기전 때문이라기보다는 전체 치료기간과 연관된 것일 수 있다.

기타 요인들

추가로, 정신사회적 스트레스나 동반된 약물남용, 특히 각성제에 대한 임상적 판단도 있어야 한다. 일부 경우에서는 지나친 비난과 일상 생활의 간섭을 통해 환자의 정신병리에 미치는 '표출감정'(가족이나 기타 보호자의 영향)이 유의한 스트레스로서 작용할 수 있다. 약물치료를 받지 않는다면 이러한 영향은 더 크겠지만, 약물치료 중에도 행동과 정신병리에 미쳐지는 영향은 무시하지 못할 정도다.

약물남용은 재발과 비순응을 야기할 수 있지만, 이 행동이 확인되었을 때 이를 수정하는 데에는 통상 제약이 따른다. 하지만, 집단지지모임에 참여시키고, 소변검사를 자주하고, 남용이 확인되면 보상(특권이나 금전)을 거두어들이는 방법 등이 도움이 된다.

전통적 신경이완제에 기타 정신과적 약물(예를 들면, 불안을 치료하기 위한 벤조디아제핀, 우울증을 치료하기 위한 항우울제 등)로 강화요법을 시도할 수 있다. 분열정동장애 환자의 경조증이나 기분의 불안정성을 줄이는 데에는 리튬 카보네이트, 카바마제핀, 소디움 발프로에이트 등이 유용하다. 카바마제핀은 또한 공격성에 효과적이다. 그러나 전반적으로, 대부분의 환자에게 그 효과는 제한적이다.[21]

치료-저항성 정신분열병의 특성

여성보다 남성이 치료 저항성을 보일 가능성이 높지만 그 비율이 크게 다르지는 않다. 신경이완제-저항성 정신분열병은 비-신경이완제-저항성 정신분열병에 비해 발병 연령이 빠르고(대략 평균 2년 정도 빠르다)[22] 신경이완제에 반응하는 환자들에게 통상 나타나는 성별 차이가(남성이 대략 2년 정도 일찍 발병한다)[23-25] 없다는 점에서 다르다. 저항성 환자들에게서 정신분열병의 가족력이 더 흔한 것은 아니다. 일란성 쌍생아는 통상 신경이완제에 동일한 반응성을 보인다는 부분적인 증거가 있다.[26] 일반인구에 비해 정신분열병 환자에게 더 흔한 주산기 합병증은 반응성 환자보다 신경이완제-저항성 환자에게 더 많다고 보고되었다.[27]

병전 기능

신경이완제-저항성과 반응성 환자들의 병전 기능을 비교한 연구에서[28] 소아기가 아닌, 후기 청소년기의 정신성적(精神性的) 기능장애가 클수록 신경이완제 치료에 불량한 반응이 예측된다고 밝혀졌다. 병전 비사회적 적응 척도(Premorbid Asocial Adjustment Scale)을 사용하여[29] 204명의 치료 저항성 환자를 포함한 411명의 정신분열병 또는 분열정동장애 환자들의 병전 정신사회적 기능 및 정신성적 기능을 평가했을 때, 양 군은 비사회성 양상이 달랐다. 치료반응이 불량한 환자들의, 성인기 이전 수년 동안의 병전 비사회성이 일관되게 나빴던 것은 아니었다.

치료 저항성의 발생: 첫-삽화 대(對) 치료경과 중 후발(後發)한 경우

치료 저항성은 정신병 첫 삽화 시기부터 나타날 수 있다. 비록 대부분의 환자들은 정신분열병의 정신병적 상태가 발병하는 시기에 망상과 환각이 신경이완제에 잘 반응하고, 종종 재발하는 경우를 제외하고는 반응성이 유지되지만, 첫-삽화 환자의 5-20%는 지속되는 양성증상을 지닌다.

연구들에 의하면, 치료 초기부터 신경이완제에 저항성을 보이는 환자들은 일반적으로 음성증상, 인지기능장애, 불량한 직업적 사회적 기능에 덧붙여 지속적인 양성증상을 지니게 된다고 한다. 이들은 질환에 대한 병식이 부족하고 질환의 후기 단계보다 높은 자살 또는 자해 위험을 보인다. 이 환자들의 가족들은 부담이 커질 것이다.

전형적 신경이완제에 반응이 불량한 223명의 환자들을 대상으로 한 최근의 한 연구는[30] 원발성 치료 저항성과 후발성 치료 저항성을 비교했다. 성별, 정신분열병의 가족력, 병전 요인에서는 유의한 차이가 없었다. 발병 연령, 전구기의 기간, 항정신병약물 치료가 시작된 나이, 첫 증상의 출현으로부터 치료 개시일까지의 기간, 첫 입원 기간에서도 유의한 차이는 발견되지 않았다. 그러나, 원발성 발병 군은 입원 횟수가 더 많았고 치료 순응도가 더 불량했다. 게다가, 첫 증상의 출현 이후로 치료 기간이 더 짧았고 자살 기도는 더 많았다.

원발성 또는 후발성 치료-저항성 환자의 구분은 적합한 치료 선택의 문제를 야기한다. 후발성 환자에게 비전형 항정신병약물로써 치료를 시작하면 질환의 경과를 변화시킬 수 있을 것이다; 초기에 원발성 치료-저항성 환자를 확인하고 클로자핀이나 다른 비전형 항정신병약물을 사용한다면 이 또한 더 양호한 방향으로 예후에 영향을 미칠 수 있겠다.

물론 의원성(醫原性) 형태(iatrogenic form)의 치료 저항성도 있는데,[31] Gerlach와 동료들의 연구에서[32] 확인되었듯이, 예전에 전형적 항정신병약물에 반응을 보였던 환자에게 클로자핀을 투여하다가 중단하면 발생할 수 있다. 이는 정신분열병 환자에게서 항정신병약물의 반응성이 실제로 소실될 수도 있다는 점을 보여준다.[31]

치료 저항성의 결과

치료 저항성은 일단 출현하면 통상 영구적이다. 진성 치료 저항성은 치료에 순응함에도 불구하고 일과성으로 재발하는 경우와 구분되어야 한다. 재발은 스트레스가 증가한 때문일 수도 있지만, 이는 질환이 진행함에 따라 정신병을 조절하는 신경이완제의 효과가 감소했음을 암시하는 것일 수 있다. 환경적 스트레스가 존재한다면, 밝혀내고 줄여야 한다. 일과성 재발의 경우에는 양성증상이 결국 신경이완제에 반응할 것이다. 한시적인 신경이완제의 증량이나 발프로익 산 또는 카바마제핀의 강화요법이 도움이 될 수 있다.

치료 저항성의 생물학적 기초

신경이완제는 정신분열병 환자의 약 70%에서 양성증상과 와해증상의 치료에 효과적이다. 이는 변연계의 D_2 수용체를 차단하는 능력 때문이다; 이 수용체는 이차 신호전달체계-아데닐레이트 싸이클레이즈(adenylate cyclase)의 활성을 저하시키도록 되어 있다. 전통적 신경이완제의 D_2 수용체 결합능력과 임상 용량 사이에는 강한 상관관계가 있다. 전통적 신경이완제에 저항성을 보이는 환자들이 위장관계에서 이 약물을 흡수하지 못한다는 증거는 없다. 환자가 충분한 반응을 보이지 않는다면 신경이완제의 용량을 올리는 것이 임상의의 자연스런 경향이므로, 반응이 불량한 환자들은 흔히 반응이 양호한 환자들보다 월등히 높은 용량과 혈장 농도를 보인다. 역설적으로, 이것이 부작용과 비순응을 증가시켜 오히려 치료반응을 떨어뜨리는게 될 수 있다. 양전자방출단층촬영 연구(PET) 및 단일광자방출전산화단층촬영(SPECT) 연구에서는 선조체의 D_2 수용체 점유율이 치료-반응성 환자와 치료-저항성 환자간에 유의하게 다르지 않았다. 따라서, 치료 저항성의 원인으로는, (1) 수용체 점유를 아데닐레이트 싸이클레이즈의 활성으로 전환하지 못하거나, (2) 세포 내에서 이어져야 하는 생물학적 신호전달 과정에 결함이 있거나, (3) 과다한 도파민 활성이 양성증상이나 와해증상의 기전이 아닐 가능성이 있겠다. D_2 수용체의 과도한 활성은 일부 양성증상에 관여하고 소수 환자들의 전통적 신경이완제에 대한 부분적인 반응을 설명할 수 있을는지 모른다. 신경이완제-반응성 환자들은 저항성 환자들에 비해 선조체의 도파민 전환률이 높다는 사실이 최근의 PET 연구에서 밝혀졌다. 이에 정신병 기간이 지속되거나 반복됨으로써 신경화학적 감작화 과정이 발생할 수 있다고 가정되었다(그리고 도파민 조절부전과 관련된다).[33]

정신병 발병 시에 나타나는 치료 저항성과 질환의 경과 중에 나타나는 치료 저항성의 기전은 다를 수 있다. 두 가지 형태의 병리가 각기 질환의 서로 다른 단계에서 치료 저항성을 발현시킨다고 시사되었다.[34,35] 신경이완제에 대한 반응을 방해하는 유전적으로 결정된 요인은 첫 삽화 시에 반응을 보이지 않는 환자에게 나타날 수 있다. 반면, 반응을 보였던 환자에게서 질환의 경과중에 발생하는 신경퇴행성 변화는 신경이완제에 대한 반응을 감소시킬 수 있다. 갑작스럽게 발생하는 저항성 또한 항도파민제의 정신병 억제 작용을 방해하는, 발달학적 신경화학적 변화 또는 신경구조학적 결함을 반영하는 것일 수 있겠다. 질환의 후기 단계에서도 물론 유사한 과정이 발생할 수 있다. 이 과정에서 5-HT_{1A}, 5-HT_{2A} 또는 5-HT_{2C} 수용체 자극에 대한 반응 변화와 같은 기전을 통해 도파민 활성 조절능력에 변화가 생길 수 있다.

치료 저항성의 뇌 구조적 이상에 관한 증거는 빈약하다. 1990년까지의 18개 연구들을 메타분석한 Friedman과 동료들은[36] 뇌의 구조적 이상이 항정신병약물에 대한 반응성을 예측하지 못한다고 결론지었다. 하지만, 저자들은 조기 발병한 환자들에게는 늦게 발병한 환자들에 비해 뇌 구조 이상이 치료반응에 더 큰 영향을 미친다는 점을 지적했다. 다른 두 개의 메타분석에서는[37,38] 정신분열병 환자들과 기분장애 환자들 사이의 뇌실-뇌 비율은 매우 유사했는데, 이러한 수준의 분석방법으로 발견된 구조적 변화는 비특이적인 것임이 시사되었다.

치료 저항성 정신분열병의 비전형 항정신병약물 치료

정신분열병의 약물학적 치료는 이 책의 다른 부분에 상술되어 있다. 이 장에서는 신경이완제-저항성 정신분열병에 비전형 항정신병약물을 사용하는 것에 관한 몇 가지 문제들을 간략히 검토하려고 한다. 제시된 표들은(표 12.1과 표 12.2), 현재 시판 중인 세 가지 주요 비전형 항정신병약물(클로자핀, 올란자핀, 리스페리돈)로 Kane 등의[7] 기준을 만족시키는 치료-저항성 환자들을 대상으로 수행된 연구들을 요약한 것이다. 그 상세한 내용은 다음 부분에 논할 것이다. 쿠에티아핀이 일부 치료-저항성 정신분열병 환자에게 효과가 있다고 보고한 것은 두 편의 사례보고가 전부이다.

클로자핀

이 환자군에게 효능에 관한 한 가장 일관된 결과를 보이는 약물이 클로자핀이다(표 12.1). 개방연구 및 대조군 연구의 모든 자료들은 클로자핀이 전형적 신경이완제에 비해 양성증상과 음성증상에 효과가 우월하다는 것을 보여준다.[16,39-42] 클로자핀으로 치료받은 신경이완제-저항성 환자의 60%가 반응을 보였다. 이들의 절반은 6주 이내에 반응했고, 나머지 절반은 치료 6개월 이내에 반응했다. 클로자핀에 대한 반응은 5-HT_{2A} 수용체의 다형성(多型性)과 관련 있다고 한다.[43] 신경이완제-저항성 환자들에게 사용되는 클로자핀의 평균용량은 400-500mg/day이지만, 일부는 100-200mg/day의 낮은 용량에서 반응하고 일부는 900mg/day의 고용량에서 최대의 이득을 얻기도 한다. 일부 연구자들은 클로자핀이 일차 음성증상도 치료한다고 믿고 있다.[44-46] 그러나, Carpenter와 동료들은 소위 결손상태의 정신분열병에서 보이는 음성증상 치료에 클

표 12.1 치료-저항성 환자들의 클로자핀 연구 요약

클로자핀(CLZ) 연구들	연구의 특성	표본 크기	치료 기간	결과
Kane 등 1988[7]	개방, 비맹검, 전향적, 정신분열병 환자	268	6주	CLZ 치료에서 BPRS(음성증상 및 양상증상에서) 및 CGI 점수 호전이 유의하게 월등함
Meltzer 등 1989[55]	개방, 비맹검, 전향적, 정신분열병 환자	51	10.3±8.1개월, 중심값 7.6개월, 최고 78개월	BPRS 전체 점수와 BPRS 편집증 점수가 높을수록 반응이 양호함
Meltzer 1991[44]	개방, 비맹검, 전향적, 정신분열병 환자	85	12개월	양성증상이 많고 음성증상이 적은 환자들이 양성증상에 더 많은 호전을 보임 ; 음성증상이 많고 양성증상이 적은 환자들에게는 역관계가 관찰됨
Pickar 등 1992[39]	교차, 위약-대조군, 이중맹검, 전향적, 정신분열병 및 분열정동장애 환자	21	플루페나진 치료 13-76일, 위약 17-55일을 거친 후에 클로자핀 치료	위약이나 플로페나진에 비해 CLZ이 양성증상 점수, 음성증상 점수, 전체 점수를 유의하게 감소시킴
Tandon 등 1993[56]	개방, 비맹검, 전향적, 정신분열병 환자	40	8주	음성증상과 양성증상 모두 유의하게 호전됨
Miller 등 1994[45]	개방, 비맹검, 전향적, 정신분열병 환자	34	6주	음성증상, 정신병적 증상, 와해증상, 추체외로 증상이 유의하게 호전됨
Lindenmayer 등 1994[57]	개방, 비맹검, 전향적, 정신분열병 환자	15	26주	양성증상, 음성증상, 인지, 흥분 및 우울 항목의 점수가 12개월 후 유의하게 호전되었으나, 12개월에서 26개월사이에는 더 이상의 유의한 호전이 없음
Lieberman 등 1994[41]	개방, 비맹검, 전향적, 정신분열병 환자	66명의 저항성과 18명의 불내약(不耐藥)성	52주	전체 집단의 52주 반응률은 57%. CLZ은 음성증상에 대해서도 치료 효과를 보였지만, 이는 양성증상이나 추체외로증상의 호전에 의존적임
Rosenheck 등 1999[42]	이중맹검(CLZ 대 할로페리돌HAL), 전향적, 정신분열병 환자	CLZ 205명, HAL 217명	12개월	양성증상과 음성증상에 대한 CLZ의 효과는 따로 분리되지 않는 동일한 효과; 전체 기간 내내 양성증상에 대해서는 우월한 효과를 보였고, 3개월 시점에서는 음성증상에 우월한 효과를 보임; 양성증상을 통제해보니, 음성증상에 대한 CLZ의 독립적인 효과는 어떠한 시점에서도 발견되지 않았음

BPRS는 간이정신과적평가 척도; CGI는 임상 전반적 인상

표 12.2 저항성 환자들의 올란자핀 연구 요약

클로자핀(CLZ) 연구들	연구의 특성	표본 크기	치료 기간	결과
Martin 등 1997[58]	개방, 비맹검, 전향적, 정신분열병 환자, OLZ: 15-25mg/day	25	6주, 경우에 따라 선택적으로 26주까지 연장	6주말에 양성증상과 음성증상이 유의하게 호전; 연장된 기간동안 치료받은 환자는 더욱 호전됨
Conley 등 1998[59]	이중맹검(OLZ 대 CPZ), 전향적, 정신분열병 환자, OLZ: 25mg/day	84 6주 할로페리돌 치료에 불응한 환자	8주	두 가지 약물의 효능 차이는 없음, 두 약물에 의한 호전은 중간 정도임
Sanders와 Mossman 1999[61]	개방, 비맹검, 전형적, 정신분열병 및 분열정동장애 환자, OLZ: 10-20mg/day	16	12주	OLZ은 만성적, 중증의 치료 저항성 정신병에 대한 효과가 없음
Dursun 등 1999[61]	개방, 비맹검, 정향적, 정신분열병 환자, OLZ: 5-40mg/day	16	16주	유의한 비율의 치료 저항성 환자에게 통상용량과 고용량 사이의 OLZ이 효과적임
Breier와 Hamilton 1999[62]	이중맹검(OLZ 대 HAL), 전향적, 정신분열병, 분열정동장애, 정신분열형 장애 환자, 2:1 할당(OLZ:HAL), OLZ: 5-20mg/day	526명의 치료 저항성 환자 (352명은 OLZ 치료, 174명은 HAL 치료) 및 1420명의 치료 비저항성	6주	치료 저항성 환자의 전체증상, 양성증상, 음성증상, 우울증상 및 추체외로증상에 대해 HAL보다 OLZ이 우월한 효과를 보임; 치료 비저항성 환자들이 반응률이 더 좋음

CPZ는 클로르프로마진; HAL은 할로페리돌; OLZ는 올란자핀

로자핀이 효과가 없다는 증거를 제시했다.[47,48]

클로자핀은 정신분열병의 인지 결손을 치료하는 데에 효과적이라고 보고되었다.[49,50] 어의(語意)기억력과 관련기억력에 가장 효과적이나, 실행기능과 작업기억력의 측정치에는 대부분 효과가 없었다.[49] 클로자핀은 사람에게 프롤락틴치 상승을 야기하지 않는다.[51] 전형적 신경이완제에 비해 성기능 장애도 덜 하다. 클로자핀은 정신분열병의 자살과 우울을 감소시키는 데에 효과적이고[52] 치료-저항성 환자들의 삶의 질을 개선시킨다고 보고되었다.[53] 앞서 언급했듯이, 클로자핀은 지연성 운동장애를 유발하지 않으며 그 어떤 항정신병약물보다 추체외로 부작용이 적다. 주요 문제점은 1% 발생률의 무과립구혈증, 주요 운동성 경련, 체중증가, 진정, 타액 과다 분비, 저혈압, 빈맥 등이다.

부작용 때문에 또는 반응이 없기 때문에 클로자핀

을 중단할 필요가 있을 때, 급격히 중단하면 금단증상이 나타날 수 있다. 따라서, 클로자핀 중단 직후에 또는 중단에 앞서 대체 약물치료를 요할 수 있다.[54]

치료-저항성 정신분열병에서 클로자핀의 비용-효율성

치료-저항성 정신분열병은 빈번한 입원과 위기관리를 요하기 때문에 정신분열병 중에서도 특히 많은 비용이 소요된다. 비싸지만 더 효과적인 항정신병약물로써 입원률을 감소시킨다면, 전반적인 비용절감이 가능하다. 이는 클로자핀에서 입증되었다.[63-65] 다른 약물에 비해 상대적으로 더 비싼 약가(藥價)와 매주의 혈액감시의 비용에도 불구하고, 정신분열병을 치료하는 모든 직접비용을 고려한다면 클로자핀 치료의 총비용은 다른 약물보다 적을 것이다. 실제, Meltzer와 동료들은[64] 클로자핀이 치료-저항성 정신분열병과 관련된 직접비용을 매년 거의 50% 정도 절감시킨다고 밝혔다. 클로자핀은 수입이 있는 직장을 되찾아주고 가족들이 계속 일할 수 있게 해주므로, 그만큼의 간접비용 또한 줄여주는 것이다.

클로자핀과 전기경련요법

전기경련요법이 클로자핀에 대한 반응을 강화시킨다는 일부 증거가 있다. 클로자핀과 전기경련요법을 병용했던 사례보고 36개를 검토한 최근의 한 종설에서[66] 36%의 환자가 호전되었다고 한다. 이 사례들에서 병용요법의 적응증은 전형적 신경이완제에 저항성이거나 내약력이 없는 경우, 또는 클로자핀이나 전기경련요법 단독 치료에 저항성인 경우였다. 전기경련요법의 치료 횟수는 12±6회였고, 전기경련요법 중의 클로자핀 용량은 385±172mg/day였다. 시술과정은 안전했고 환자들이 잘 견뎌낼 수 있었다고 보고되었다. 환자들의 16.6%에서 부작용이 발생했는데, 전기경련요법-유발성 경련(1례), 상심실성 빈맥(1례)과 동빈맥, 혈압 상승이었다. Kales와 동료들은[67] 클로자핀과 전기경련요법을 병용했던 예전의 사례들을 검토하면서 후향적으로 조사한 다섯 명의 환자 자료를 덧붙였는데, 네 명은 치료 저항성이었고 한 명은 내약력이 없었다. 대부분의 사례에서 병용요법은 안전하고 효과적이었다. 하지만, 최장 추적기간이 2개월과 3.5개월밖에 되지 않았다. 병용요법에 대한 기타 보고 중에서는 Benatov와 동료들만이[68] 치료-저항성 정신분열병에 관한 자료를 제시하고 있다. 병용요법은 세 명의 환자 모두에게 안전했고 두 명에게는 효과적이었다(BPRS 상 40% 이상의 호전). 이 보고에서의 추적기간은 상대적으로 길어, 세 명은 6-24개월 동안의 호전을 보였고 한 명은 일시적인 호전을 보였다. Kales와 동료들은[67] 현저한 증상 호전을 보였던 환자들은 10주가 지나면 호전이 유지되지 않았다고 했다. 전기경련요법 유지요법이 한 환자에게 시행되었으나 별 효과가 없었다. 보고자들은 병용치료의 초기에 나타난 좋은 반응은 상승작용 때문인데, 이 상승작용은 전기경련요법을 중단하면 사라질 수 있다고 주장했다. Kupchik 등은[66] 클로자핀이 경련 역치를 저하시키는 기전 또는 전기경련요법이 더 많은 클로자핀이 뇌에 도달할 수 있게끔 혈액-뇌 장벽의 투과성을 증가시키는 기전 등을 통해 병용치료의 효능이 나타남을 시사했다. 병용치료에 전기경련요법 유지치료 전략을 함께 사용한, 특히 6개월 이상 추적하는 연구조사가 필요하다.

기타 비전형 항정신병약물

전형적 신경이완제와 올란자핀을 비교한 이중맹검 연구들은 반응률이 7%에서[59] 35%에[62] 이르는 상충된 결과를 보였다. 전형적 신경이완제와 리스페리돈을 비교한 한 이중맹검 연구에서는[69] 반응률이 32%였다. 리스페리돈과 클로자핀을 비교한 이중맹검 연구들은 더 높은 반응률을 보였는데, 리스페리돈의 용량에 따라 53-63%의 반응률이었고,[70] 최고 67%를 보고한 연구도 있다.[71] 이 불일치된 결과들은, 약물의 용량뿐만 아니라 약물 저항성의 정도 및 중증도의 차이에서 기인하는 것으로 보인다. 신경이완제-반응성 환자들에게 효과적이라고 알려진 기타 비전형 약물들의 용량은 신경이완제-저항성 정신분열병 환자들에게는 부족한 용량일 수도 있다. 그러나, 저자들의 경험으로 보아, 20-30mg/day의 올란자핀 용량이나 6-12mg/day의 리스페리돈 용량은 치료-저항성 정신분열병에 거의 효과가 없었다. 더 높은 용량에서는 리스페리돈의 최적 효능이 상실되는가 하는 문제는 최근에 중요한 논제가 되고 있다.[72,73] 고용량의 올란자핀 효능은 연구 중이나, 리스페리돈은 추체외로 부작용으로 인해 고용량을 시험하기 어려울 것이다. 현 시점에서 이러한 약물들의 가용성과 실제 이용되는 정도는 국가에 따라 매우 다르다. 전체적으로 보아, 이 약물들이 일부 신경이완제-저항성 환자들에게는 유용하지만 클로자핀에 비하면 그 비율이 떨어진다는 데에 의견이 모아지고 있다. 이 문제를 규명하기 위해서는 다양한 기준을 고려해 신경이완제 저항성을 세심히 결정하고 거기에 따라 약물들을 직접 비교하는 시험이 요구된다. 연령, 질환의 기간, 항정신병약물의 용량, 약물투여 기간, 정신사회적 치료의 병용 등의 요인들이 예후에 영향을 미칠 것이다. 클로자핀을 제외한 다른 비전형 항정신병약물들은 일차-선택 약물로서 전형적 신경이완제에 비해 명확한 장점을 지니고 있다. 예를 들면, 추체외로 부작용이 적고, 일부 인지기능 요소뿐만 아니라 음성증상과 양성증상에 대한 효과가 더 좋다. 따라서, 정신분열병의 첫 항정신병 약물 치료 두 가지 중에 한 번 이상 이 약물들을 포함하는 것이 확실히 타당하다. 만약 포함되지 않았다면, 신경이완제-저항성 환자에게 클로자핀을 투여하기에 앞서 이 약물을 한 두 가지 시험할 것인가 하는 문제는 환자의 선호도와 임상적 판단의 문제가 된다.

올란자핀

치료-저항성 정신분열병에 올란자핀을 시험한 세 개의 개방 연구들이 있다(표 12.2).[58,60,61] 두 연구는 긍정적인 결과를 보였으나, 세 번째 연구는 그렇지 못했다. 성공적인 결과를 보인 연구에서는 고용량(25-40mg/day)이 사용되었다. 고용량의 올란자핀이 정신병리를 개선시켰다는 사례보고도 있는가 하면,[75] 정신병리에는 효과가 없었으나 사회적 기능을 개선시켰다는 사례보고도 있다.[74] 치료-저항성 정신분열병 환자들에게 고용량의 올란자핀의 효능이 어떠한지에 관해서는 대조군 연구를 통한 더 많은 조사가 필요하다.

치료-저항성 환자들에게서 올란자핀의 효능을 조사한 대조군 시험들의(표 12.2)[59,62] 결과는 일치하지 않는다. Breier와 Hamilton은[62] 할로페리돌보다(34.9%) 올란자핀에 반응한 치료-저항성 환자 비율(47.4%)이 유의하게 더 높았다고 보고했다. 연구자들은 대조군에 비해 올란자핀 치료군이 양성증상, 음성증상, 우울증상에서 더 큰 호전을 보였다고 했다. 그러나, Conley 등은[59] 올란자핀과 클로르프로마진 치료군 간에 차이를 발견하지 못했다. 양 군의 반응률은 매우 낮아, 올란자핀군은 7%, 클로르프로마진군은 0%의 반응률을 보였다. Conley의 연구에는 과거 전형적 신경이완제 치료를 받았던 환자들뿐만 아니라, 리스페리돈과 클로자핀으로 치료받았던 환자들도(클로자핀에 대해 내약력

표 12.3 치료-저항성 환자들의 리스페리돈 연구 요약

리스페리돈(RISP) 연구들	연구의 특성	표본 크기	치료 기간	결과
Smith 등 1996[76]	개방, 비맹검, 전향적, 정신분열병 및 분열정동장애 환자, RISP: 6-16mg/day	25	6개월	RISP이 일부 치료 저항성 환자군의 양성증상은 감소시키나 음성증상은 감소시키지 못함(BPRS 전체점수 및 BPRS 정신병적 요인); 기저 음성증상 점수가 높을수록 RISP에 대한 반응이 불량함
Jeste 등 1997[77]	개방, 비맹검, 전향적, 정신분열병 환자 (910명 중 27.6%는 치료 저항성), RISP: 4-12mg/day	945	10주(마지막 4주는 고정용량)	치료 저항성 및 비저항성 환자들 모두 양성증상, 음성증상, 정동증상의 호전을 보였고, 정신사회적 기능이 개선됨; 2주와 6주에 치료 비저항성 환자들이 훨씬 반응이 좋음
Wirshing 등 1999[69]	이중맹검(RISP 대 HAL), 전향적, 정신분열병 및 분열정동장애 환자, RISP 고정용량: 6mg/day, RISP 유동용량: 3-15mg/day	67	8주(고정용량 4주, 유동용량 4주)	첫 4주말에 HAL에 비해 RISP의 효능이 더 우월하나, 그 이후의 4주간은 아님; 양호한 반응의 예측자: 더 심한 양성증상, 개념의 와해, 더 적은 우울증상, 좌불안석 및 지연성 운동장애

이 없는 환자들만) 포함되어 있었다. Breier와 Hamilton의 연구에 포함된 환자들은 과거 2년간 최소 8주 이상의 적어도 한 가지 신경이완제 치료에 반응을 보이지 않았던 입원환자 및 외래환자로 구성된, 보다 덜 심한 환자들이었다. 이 두 연구는 일치된 치료-저항성 정신분열병의 정의가 중요하다는 점을 보여준다. 그러나, Kane 등의[7] 연구와 Conley 연구의 공통점을 고려한다면, 적어도 비저항성 환자를 치료하는 정도인, 상대적으로 낮은 용량에서는(Conley 연구에서는 25mg/day의 올란자핀이 사용되었음) 올란자핀이 클로자핀보다 치료-저항성 정신분열병 치료에 효능이 떨어진다는 것을 알 수 있다. 이 문제를 명확히 밝힐 수 있을만한, 올란자핀과 클로자핀의 직접 비교 연구는 아직 시행되지 않았다.

리스페리돈

치료-저항성 정신분열병 환자들에게 시행된 리스페리돈의 개방 비맹검 임상시험에서는[76,77] 리스페리돈이 양성증상에는 효과가 있지만 음성증상에는 효과가 없다고 보고되었다. Kane 등과[7] 동일한 기준을 사용한 최근의 이중맹검 연구에서는[69] 고정 용량의 리스페리돈과 할로페리돌을 비교한 결과, BPRS 총점 상 리스페리돈 치료군이 유의하게 양호한 호전을 보였다(표 12.3). 또한 치료-저항성 정신분열병에 리스페리돈과 클로자핀을 직접 비교한 다수의 연구들이 있다(표 12.4). Flynn과 동료들이[78] 시행한 개방, 비맹검, 전향적 연구에서는 CGI, 양성 및 음성 증후군 척도(PANSS[79]) 총점, 양성증상 아척도, 정신운동지연 요인, 정신사회적 위축, 흥분 점수에서 클로자핀이 리스페리돈에 비해 우월한 효과

표 12.4 치료-저항성 환자들의 리스페리돈 대 클로자핀 연구 요약

RISP 대 CLZ 연구들	연구의 특성	표본 크기	치료 기간	결과
Bondolfi 등 1998[71]	이중맹검(RISP 대 CLZ), 전향적, 정신분열병 환자, RISP 고정용량: 6mg/day, CLZ 고정용량: 300mg/day 일주일간 사용한 후 용량 적정	86	8주	양 치료는 정신병적 증상을 유의하게 감소시킴; 양 집단간의 차이는 없음
Lindenmayer 등 1998[80]	개방, 비맹검, 전향적, 정신분열병 환자	35	12주	두 가지 약물 모두는 전체적인 정신병리에 유의하게 효과적임; 산술적으로는, CLZ이 RISP에 비해 PANSS 전체 점수, 양성증상, 음성증상, 흥분, 인지 요인에 더 우월한 효과
Flynn 등 1998[78]	개방, 비맹검, 전향적, 정신분열병 및 분열정동장애 환자	CLZ 치료 57명, RISP 치료 29명	최소한 4주	CLZ이 RISP에 비해 더 월등한 효과; RISP은 전형적 항정신병약물을 이용했던 과거 연구결과보다 더 좋은 반응률을 보임

를 보였다. 클로자핀 치료군의 44%, 리스페리돈 치료군의 28%가 반응을 보였다. 연구의 개방성과 작은 표본 집단이(클로자핀 치료군 57명, 리스페리돈 치료군 29명) 결과에 영향을 미쳤을 것이다. 하지만, 이 연구의 환자들은 치료 저항성의 엄격한 기준을 만족시키지 않았다. Lindenmayer와 동료들에[80] 의한 또 다른 개방 비맹검 연구에서 클로자핀은 모든 결과 측정치에 우월한 효능을 나타냈지만 그 차이가 통계적 유의성에 이르지는 못해 검증력을 가질 수는 없었다.

Bondolfi 등의[71] 이중맹검 연구에서는 클로자핀과 리스페리돈이 정신병적 증상 개선에 똑같이 효과적이었다. Bondolfi 연구의 종료 시점에서 리스페리돈 치료군의 67%와 클로자핀 치료군의 65%가 PANSS 점수 20% 감소로 정의된 반응성을 보였다. 하지만, 이 연구는 여러 가지 이유로 비판받았고 두 약물의 동등한 효능을 입증하는 증거로 채택되지 못하고 있다.[81,82] 리스페리돈이 클로자핀 못지않게 치료-저항성 환자들에게 효과적이라는 사실을 입증하기 위해서는 치료-저항성 정신분열병 환자들만을 대상으로 한 6개월 연구가 필요하다. 거기에서는 전형적 신경이완제로 치료받는 일정 준비기간을 거쳐, 천천히 클로자핀으로 적정하고, 리스페리돈과 클로자핀을 여러 용량에 고정시켜 비교해야 한다.

4주간 전향적으로 리스페리돈과 클로자핀을 비교한 또 다른 이중맹검 연구에서는[70] 양 치료법간에 유의한 차이가 없이 정신병적 증상이 개선되었다. 그러나, 이 연구에 동원된 환자들은 반드시 치료 저항성이라고 보기 어려운 만성 정신분열병 환자들이었다.

결론적으로, 리스페리돈이 일부 치료-저항성 환자들에게 효과가 있다는 증거는 있는 셈이지만, 클로자핀과 동등한 정도의 효과로 밝혀진 바는 없다.

쿠에티아핀

치료-저항성 정신분열병에 쿠아티아핀의 효능을 시험한 연구보고는 없지만, 일부 저항성 환자들이 쿠아티아핀에 반응함을 시사하는 사례보고들이 있다.[83,84]

병합 항정신병약물 요법

병합 항정신병약물 요법은 대조군 연구를 통해 그 효능이 입증된 바는 없으나, 만성 및 저항성 환자들에게 널리 사용되는 치료법이다. 클로자핀이나 장기지속성 저장형 약물에 부분적인 반응을 보이는 환자들은 다른 계통의 약물을 추가함으로써 이득을 얻을 가능성이 있다.[85,86] 클로자핀에 반응을 보였으나 그 부작용에 내약력이 제한되었던 환자들이 설피라이드를 병합함으로써 강화요법에 성공했다는 이중맹검 시험보고가 있다.[87] 모든 종류의 비전형 항정신병약물에 연이어 반응을 보이지 않았고 클로자핀 투약은 거부하는 환자라면, 병합요법이 합리적인 전략이 될 수 있겠다.

부가적 치료

항정신병약물에 부분적인 반응만을 보일 때, 또는 잔류증상이나 기타 비정신병적 증상을 치료하고자 할 때, 치료 효능을 강화시키기 위해서 다른 계통의 정신과적 약물을 추가할 수 있겠다. 그러나, 이 약물들의 대부분은 제한적 효과를 보이는 것으로 밝혀졌고 향후 더 많은 연구를 필요로 한다.

벤조디아제핀

벤조디아제핀은 정신분열병 치료의 부가적 치료제로서 흔히 사용되어왔다. 부가적 치료로서 벤조디아제핀은 불안과 정신병적 초조에 가장 효과적인 것으로 알려졌고, 주로 치료의 초기 단계에 흔히 사용되고 있다.[88] 좌불안석증이나 긴장증 등의 운동장애를 가진 환자들에게 유용하다. 항정신병약물에 벤조디아제핀을 추가하는 기타 적응증에는 일반적 강화요법, 불안의 치료, 정신병적 초조나 불면의 단기치료 등이다.[89] 벤조디아제핀 사이에는 분명한 효능 차이가 존재하지 않지만, 가장 흔히 사용되는 약물은 로라제팜, 다이아제팜, 클로나제팜이다. 이 약물들이 선호되는 이유는 아마도 비경구 형태로 사용 가능하고 강도가 세기 때문인 것 같다. Wassef 등은[90] 벤조디아제핀과 발프로익산을 포함한 GABA성 약물이 정신분열병의 치료에 어떤 역할을 하는지 방대하게 검토했다.[90]

리튬

몇몇 연구들은 치료-저항성 환자들에게 부가적 치료로서 리튬을 사용함으로써 항정신병약물의 효능이 증대될 수 있음을 시사한다.[87] 더욱이, 정동증상, 충동성, 또는 난폭한 행동에도 효과가 있을 수 있다.[84,87] 리튬은 통상 항정신병약물 치료 중에 추가되며, 치료적 혈장 농도(0.8-1.2mEq/L)까지 용량을 적정한다. 리튬 사용과 관련된 응급 부작용에는 리튬의 일반적 부작용 외에 기존의 추체외로 부작용의 악화, 인지 부작용의 악화, 신경독성 위험의 증가 등이 있다.[91]

항경련제

일부 연구에서 항경련제가 항정신병약물의 효능을 증대시키는 것으로 밝혀졌는데,[92] 특정 환자군에게 가장 효과적일 수 있겠다.[93] 카바마제핀이나 발프로익 산을 추가하면, 조증성, 충동성, 폭력성 행동이 잘 반응할 수 있다.[88,94,95] 동반된 경련성 장애를 지녔거나 클로자핀-유발성 경련을 보인 환자 또한 항경련제를 추가하면 유용하다.[96] 발프로익 산은 카바마제핀에 비해 통상 더 선호되는데, 카바마제핀은 대사적 상호작용이 더 크고 혈액질환을 야기할 수 있기 때문이다. 치료적 혈장 농도를 낳는 용량까지 적정하도록 권장된다.

항우울제

우울증은 정신분열병에 흔하다. 우울증상이 존재한다면 부가적 항우울제 치료의 적응이 된다. 선택적 세로토닌 재흡수 억제제(SSRIs) 및 삼환계 항우울제(TCAs)가 정신분열병의 우울증에 사용되어왔다.[88,97,98] 잔류 음성증상, 강박증상, 기타 불안증상 등이 SSRIs에 반응할 수 있다.[99] 항정신병약물과 함께 투약하면 SSRIs와 TCAs는 모두 약물-약물 상호작용을 일으킬 수 있다. 약동학적 상호작용으로 인해 항우울제 또는 항정신병약물의 혈장 농도가 증가할 수 있다.[100] 특히, CYP1A2 계를 통해 대사되는 플루복사민은 클로자핀의 농도를 상당히 증가시킬 수 있다.[100,101]

베타-차단제

고용량의 프로프라놀롤(1200mg/day까지의 용량에서)은 치료-저항성 정신분열병에서 항정신병약물의 효능을 강화시키는 것으로 보고되었다.[93] 추체외로 부작용(좌불안석증)의 치료, 항정신병약물의 혈장 농도 증가, 불안증상의 경감, 또는 잠재적 항경련성 작용 등을 통해서 프로프라놀롤이 유용한 효과를 낳을 수 있다.[93]

글라이신과 D-싸이클로세린

정신분열병의 음성증상 치료에 있어서 NMDA 수용체의 글라이신 부위를 통해 작용하는 글라이신과 부분적 효현제(效現劑)(D-싸이클로세린과 같은)를 사용하는 데에 관한 관심이 최근 증대되고 있다. 저용량의 글라이신을 사용했던 초기 연구들은 불일치된 결과를 보였다. 항정신병약물에 더 높은 용량(30-60mg/day)의 글라이신을 추가한 최근 연구들은 음성증상의 개선을 보고하고 있다.[102,103] 전형적 항정신병약물 치료에 D-싸이클로세린을 추가한 시험들에서도 음성증상의 개선이 확인되었다.[104,105] 이 약물들은 보다 많은 연구를 필요로 하지만, 글라이신이나 글라이신 효현제가 음성증상의 부가적 치료로서 유용하리라는 점에는 의견이 일치하고 있다.

결론

치료-저항성 정신분열병은 정신분열병의 진성(眞性) 아형 중 하나일 수 있다. 치료-저항성 정신분열병은 질환의 발병 시점부터 혹은 저항성이 발현된 후기의 단계에서, 전통적 신경이완제에 대한 반응을 감소시키는 다양한 생물학적 특성을 지니고 있는 듯하다. 치료-저항성 정신분열병의 가장 두드러진 특성은 중등도에서 고도의 양성증상, 음성증상, 와해증상 등과 같은 지속적인 정신병리인 반면, 직업적 사회적 기능장해, 인지기능장애, 자살, 반복 입원(비순응 때문이 아닌), 심한 공격성 등의 기타 양상들도 중요하게 평가되어야만 한다. 이 모든 요인들이 정신분열병 환자의 삶의 질을 저하시키는 데에 기여한다.

전통적인 신경이완제 또는 새로운 항정신병약물에 대한 충분한 반응 속에는 정신병리의 관해뿐만 아니라, 좋은 사회적 기능이 포함되어야 한다. 이러한 관점에서 보자면, 충분한 반응을 보이는 환자는 40%에도 못 미친다. 치료 저항성은 치료 첫 단계에 신경이완제를 투약하는 바로 그 시점부터 나타날 수 있다. 다른 계통의 전형적 신경이완제로 교체하거나 통상의 용량보다 고용량을 사용하는 것은 거의 효과적이지 못하다. 다른 계통의 정신과적 약물을 보조적으로 사용하는 것도 별 도움이 되지 않는다.

정신병리, 인지기능, 사회적 직업적 기능, 자살, 그리고 삶의 질을 포함하는 예후 측정치 결과로 판단해 볼 때, 클로자핀 치료가 효과적인 치료-저항성 환자들은 6주 이내엔 30%, 3-6개월 이후엔 50-60%에 이른다. 치료-저항성 환자군을 대상으로 한 기타 비전형 항정신병약물들의 효능 및 클로자핀과 비교되는 상대적 효능은 현재 연구 중에 있다. 하지만, 일부 치료-저항성 환자들에게 이 약물들이 효과적이라는 명확한 증거도 있다.

참고문헌

1. American Psychiatric Association, *Diagnostic and Statistical Manual of Mental Disorders*, 4th edn (American Psychiatric Association: Washington, DC, 1994).
2. Davis JM, Casper R, Antipsychotic drugs: clinical pharmacology and therapeutic use, *Drugs* (1977) **14:**260–82.
3. Amsler HA, Teerenhovi L, Barth E et al, Agranulocytosis in patients treated with clozapine. A study of the Finnish epidemic, *Acta Psychiatr Scand* (1977) **56:**241–8.
4. Guy W, ed, Early Clinical Drug Evaluation Unit (ECDEU) *Assessment Manual for Psychopharmacology*, Department of Health, Education and Welfare (DHEW) Publication No. (ADM) 76-338, National Institute of Mental Health, Rockville, MD.
5. Overall JE, Gorham DR, Brief Psychiatric Rating Scale, *Psychol Rep* (1962) **10:**149–65.
6. Essock SM, Hargreaves WA, Dohm F-A et al, Clozapine eligibility among state hospital patients, *Schizophr Bull* (1996) **22:**15–25.
7. Kane J, Honigfeld G, Singer J, Meltzer H and the Clozaril Collaborative Study Group, Clozapine for the treatment-resistant schizophrenic: a double blind comparison with chlorpromazine, *Arch Gen Psychiatry* (1988) **45:** 789–96.
8. Juarez-Reyes MG, Shumway M, Battle C et al, Restricting clozapine use: the impact of stringent eligibility criteria, *Psychiatr Serv* (1995) **46:**801–6.
9. Endicott J, Spitzer RL, Fleiss JL, Cohen J, The Global Assessment Scale: a procedure for measuring overall severity of psychiatric disturbance, *Arch Gen Psychiatry* (1976) **33:**766–71.
10. Shaffer D, Gould MS, Brasic J et al, A Children's Global Assessment Scale (CGAS), *Arch Gen Psychiatry* (1983) **40:**1228–31.
11. Hegarty JD, Baldessarini RJ, Tohen M et al, One hundred years of schizophrenia: a metaanalysis of the outcome literature, *Am J Psychiatry* (1994) **151:**1409–16.
12. Helgason L, Twenty years' followup of first psychiatric presentation for schizophrenia: what could have been prevented? *Acta Psyciatr Scand* (1990) **81:**231–5.
13. Meltzer HY, Commentary: defining treatment refractoriness in schizophrenia, *Schizophr Bull* (1990) **16:**563–5.
14. Marder SR, Defining and characterising treatment-resistant schizophrenia, *Eur Psychiatry* (1995) **10(Suppl 1):**7S–10S.
15. Brenner HD, Merlo MCG, Definition of therapy-resistant schizophrenia and its assessment, *Eur Psychiatry* (1995) **10(Suppl 1):**11S–17S.
16. Meltzer HY, Treatment-resistant schizophrenia – the role of clozapine, *Curr Med Res Opin* (1997) **14:**1–20.
17. May PR, Tuma AH, Yale C et al, Schizophrenia – a follow-up study of results of treatment. II: Hospital stay over two to five years, *Arch Gen Psychiatry* (1976) **33:**481–6.
18. Loebel AD, Lieberman JA, Alvin J Jr et al, Duration of psychosis and outcome in first-episode schizophrenia, *Am J Psychiatry* (1992) **149:**1183–8.
19. Wyatt RJ, Neuroleptics and the natural course of schizophrenia, *Schizophr Bull* (1991) **17:**325–51.
20. Meltzer HY, Yamamoto BK, Lowy MT, Stockmeier CA, The mechanism of action of atypical antipsychotic drugs: an update. In: Watson SJ, ed., *Biology of Schizophrenia and Affective Disease-ARNMD Series* (American Psychiatric Press: Washington, DC, 1996) 451–92.
21. Meltzer HY, Treatment of the neuroleptic-nonresponsive schizophrenic patients, *Schizophr Bull* (1992) **18:**515–42.
22. Meltzer HY, Rabinowitz J, Lee MA et al, Age of onset and gender of schizophrenic patients in relation to neuroleptic resistance, *Am J Psychiatry* (1997) **154:**475–82.
23. Seeman MV, Gender differences in schizophre-

nia, *Can J Psychiatry* (1982) **27:**108–11.
24. Seeman MV, Current outcome in schizophrenia: women vs. men, *Acta Psychiatr Scand* (1986) **73:** 609–17.
25. Szymanski S, Lieberman J, Pollack S et al, Gender differences in neuroleptic nonresponsive clozapine-treated schizophrenics, *Biol Psychiatry* (1996) **39:**249–54.
26. Torrey EF, Bowler AE, Taylor EH, Gottesman II, *Schizophrenia and Manic-Depressive Disorder* (Basic Books: New York, 1994) 157.
27. Robinson DG, Woerner MG, Alvir JM et al, Predictors of treatment response from a first episode of schizophrenia or schizoaffective disorder, *Am J Psychiatry* (1999) **156:**544–9.
28. Findling RL, Jayathilake K, Meltzer HY, Premorbid asociality in neuroleptic-resistant and neuroleptic-responsive schizophrenia, *Psychol Med* (1996) **26:**1033–41.
29. Gittleman-Klein R, Klein DF, Premorbid asocial adjustment and prognosis in schizophrenia, *J Psychiatr Res* (1969) **7:**35–53.
30. Meltzer HY, Lee MA, Cola P, The evolution of treatment resistance: biologic implications, *J Clin Psychopharmacol* (1998) **18(Suppl 1):**5S–11S.
31. Meltzer HY, Lee MA, Ranjan R et al, Relapse following clozapine withdrawal: effect of cyproheptadine plus neuroleptic, *Psychopharmacology* (1996) **124:**176–87.
32. Gerlach J, Koppelhus P, Helweg E, Monrad A, Clozapine and haloperidol in a single-blind crossover trial: therapeutic and biochemical aspects in the treatment of schizophrenia, *Acta Psychiatr Scand* (1974) **50:**410–24.
33. Lieberman JA, Sheitman B, Kinon BJ, Neurochemical sensitization in the pathophysiology of schizophrenia: deficits and dysfunction in neuronal regulation and plasticity, *Neuropsychopharmacology* (1997) **17:**205–29.
34. Lieberman JA, Sheitman B, Chakos M et al, The development of treatment resistance in patients with schizophrenia: a clinical and pathophysiological perspective, *J Clin Psychopharmacol* (1998) **18:** 20S–24S.
35. Lieberman JA, Is schizophrenia a neurodegenerative disorder? A clinical and neurobiological perspective, *Biol Psychiatry* (1999) **46:**729–39.
36. Friedman L, Lys C, Schulz SC, The relationship of structural brain imaging parameters to antipsychotic treatment response: a review, *J Psychiatr Neurosci* (1992) **17:**42–54.
37. Van Horn JD, McManus IC, Ventricular enlargement in schizophrenia. A meta-analysis of studies of the ventricle:brain ratio (VBR), *Br J Psychiatry* (1992) **160:**687–97.
38. Elkis H, Friedman L, Wise A, Meltzer HY, Meta-analyses of studies of ventricular enlargement and sulcal prominence in mood disorders: comparisons with controls or patients with schizophrenia, *Arch Gen Psychiatry* (1995) **52:**735–46.
39. Pickar D, Owen R, Litman RE et al, Clinical and biologic response to clozapine in patients with schizophrenia. Crossover comparison with fluphenazine, *Arch Gen Psychiatry* (1992) **49:** 345–53.
40. Breier A, Buchanan RW, Kirkpatrick B et al, Effects of clozapine on positive and negative symptoms in outpatients with schizophrenia, *Am J Psychiatry* (1994) **151:**20–6.
41. Lieberman JA, Safferman AZ, Pollack S et al, Clinical effects of clozapine in chronic schizophrenia: response to treatment and predictors of outcome, *Am J Psychiatry* (1994) **151:**1744–52.
42. Rosenheck R, Dunn L, Peszke M et al and the Department of Veterans Affairs Cooperative Study Group on Clozapine in Refractory Schizophrenia, Impact of clozapine on negative symptoms and on the deficit syndrome in refractory schizophrenia, *Am J Psychiatry* (1999) **156:**88–93.
43. Masellis M, Basile V, Meltzer HY et al, Serotonin subtype 2 receptor genes and clinical response to clozapine in schizophrenia patients, *Neuropsychopharmacology* (1998) **19:**123–32.
44. Meltzer HY, The effect of clozapine and other atypical antipsychotic drugs on negative symptoms. In: Marneros A, Andreasen NC, Tsuang MT, eds, *Negative Versus Positive Schizophrenia* (Springer-Verlag: Heidelberg, 1991) 365–75.
45. Miller DD, Perry PJ, Cadoret RJ, Andreasen NC, Clozapine's effect on negative symptoms in treatment-refractory schizophrenics, *Compr Psychiatry* (1994) **35:**8–15.
46. Meltzer HY, Is another view valid? *Am J Psychiatry* (1995) **152:**821–5.
47. Carpenter WT Jr, Conley RR, Buchanan RW et al, Patient response and resource management: another view of clozapine treatment of schizophrenia, *Am J Psychiatry* (1995) **152:**827–32.
48. Buchanan RW, Breier A, Kirkpatrick B et al, Positive and negative symptom response to clozapine in schizophrenic patients with and without the deficit syndrome, *Am J Psychiatry* (1998) **155:**751–60.
49. Hagger C, Buckley P, Kenny JT et al, Improvement in cognitive functions and psychiatric symptoms in treatment refractory schizophrenic patients receiving clozapine, *Biol Psychiatry* (1993) **34:**702–12.
50. Meltzer HY, McGurk SR, The effects of clozapine,

risperidone, and olanzapine on cognitive function in schizophrenia, *Schizophr Bull* (1999) **25:**233–55.

51. Meltzer HY, Fang VS, Effect of clozapine on human serum prolactin levels, *Am J Psychiatry* (1979) **136:**1550–5.
52. Meltzer HY, Okayli G, Reduction of suicidality during clozapine treatment in neuroleptic-resistant schizophrenia: impact on risk–benefit assessment, *Am J Psychiatry* (1995) **152:**183–90.
53. Meltzer HY, Burnett S, Bastani B, Ramirez LF, Effects of six months of clozapine treatment on the quality of life of chronic schizophrenic patients, *Hosp Comm Psychiatry* (1990) **41:**892–7.
54. Tollefson GD, Dellva MA, Mattler CA et al, Controlled, double-blind investigation of the clozapine discontinuation symptoms with conversion to either olanzapine or placebo. The collaborative Crossover Study Group, *J Clin Psychopharmacol* (1999) **19:**435–53
55. Meltzer HY, Bastani B, Kwon KY et al, A prospective study of clozapine in treatment-resistant schizophrenic patients. I. Preliminary report, *Psychopharmacology* (1989) **99(Suppl):**68S–72S.
56. Tandon R, Goldman R, DeQuardo JR et al, Positive and negative symptoms covary during clozapine treatment in schizophrenia, *J Psychiatr Res* (1993) **27:**341–7.
57. Lindenmayer JP, Grochowski S, Mabugat L, Clozapine effects on positive and negative symptoms: a six month trial in treatment refractory schizophrenics, *J Clin Psychopharmacol* (1994) **14:**201–4.
58. Martin J, Gomez JC, Garcia-Bernardo E et al, Olanzapine in treatment-refractory schizophrenia: results of an open label study. The Spanish group for the study of olanzapine in treatment-refractory schizophrenia, *J Clin Psychiatry* (1997) **58:**479–83.
59. Conley RR, Tamminga CA, Bartko JJ et al, Olanzapine compared with chlorpromazine in treatment-resistant schizophrenia, *Am J Psychiatry* (1998) **155:**914–20.
60. Sanders RD, Mossman D, An open trial of olanzapine in patients with treatment-refractory psychoses, *J Clin Psychopharmacol* (1999) **19:**62–6.
61. Dursun SM, Gardner DM, Bird DC, Flinn J, Olanzapine for patients with treatment-resistant schizophrenia: a naturalistic case-series outcome study, *Can J Psychiatry* (1999) **44:**701–4.
62. Breier A, Hamilton SH, Comparative efficacy of olanzapine and haloperidol for patients with treatment-resistant schizophrenia, *Biol Psychiatry* (1999) **45:**403–11.
63. Revicki DA, Luce BR, Wechsler JM et al, Cost-effectiveness of clozapine for treatment-resistant schizophrenic patients, *Hosp Comm Psychiatry* (1990) **41:**850–4.
64. Meltzer HY, Cola P, Way L et al, Cost effectiveness of clozapine in neuroleptic-resistant schizophrenia, *Am J Psychiatry* (1993) **150:**1630–8.
65. Reid WH, Mason M, Toprac M, Savings in hospital bed-days related to treatment with clozapine, *Hosp Comm Psychiatry* (1994) **45:**261–4.
66. Kupchik M, Spivak B, Mester R et al, Combined electroconvulsive-clozapine therapy, *Clin Neuropharmacol* (2000) **23:**14–16.
67. Kales HC, Dequardo JR, Tandon R, Combined electroconvulsive therapy and clozapine in treatment-resistant schizophrenia, *Prog Neuropsychopharmacol Biol Psychiatry* (1999) **23:**547–56.
68. Benatov R, Sirota P, Megged S, Neuroleptic-resistant schizophrenia treated with clozapine and ECT, *Convuls Ther* (1996) **12:**117–21.
69. Wirshing DA, Marshall BD, Green MF et al, Risperidone in treatment-refractory schizophrenia, *Am J Psychiatry* (1999) **156:**1374–9.
70. Klieser E, Lehmann E, Kinzler E et al, Randomised, double-blind controlled trial of risperidone versus clozapine in patient schizophrenia, *J Clin Psychopharmacol* (1995) **15(Suppl 1):**45S–51S.
71. Bondolfi G, Dufour H, Patris M et al, Risperidone versus clozapine in treatment-resistant chronic schizophrenia: a randomized double-blind study, *Am J Psychiatry* (1998) **155:**499–504.
72. Collaborative Working Group on Clinical Trial Evaluations, Clinical development of atypical antipsychotics: research design and evaluation, *J Clin Psychiatry* (1998) **59(Suppl 12):**10S–16S.
73. Lane HY, Chang WH, Clozapine versus risperidone in treatment-refractory schizophrenia: possible impact of dosing strategies, *J Clin Psychiatry* (1999) **60:**487–8.
74. Sheitman BB, Lindgren JC, Early J, Sved M, High dose olanzapine for treatment-refractory schizophrenia, *Am J Psychiatry* (1997) **154:**1626.
75. Mountjoy C, Baldacchina A, Stubbs J, British experience with high-dose olanzapine for treatment-refractory schizophrenia, *Am J Psychiatry* (1999) **156:**158–9.
76. Smith RC, Chua JW, Lipetsker B, Bhattacharyya A, Efficacy of risperidone in reducing positive and negative symptoms in medication-refractory schizophrenia: an open prospective study, *J Clin Psychiatry* (1996) **57:**460–6.
77. Jeste DV, Klausner M, Brecher M et al, A clinical evaluation of risperidone in the treatment of schizophrenia: a 10-week, open-label, multicenter trial. ARCS Study Group. Assessment of Risperdal in a clinical setting, *Psychopharmacology* (1997) **131:** 239–47.

78. Flynn SW, MacEwan GW, Altman S et al, An open comparison of clozapine and risperidone in treatment-resistant schizophrenia, *Pharmacopsychiatry* (1998) **31:**25–9.
79. Kay SR, Fiszbein A, Opler LA, The positive and negative syndrome scale (PANSS) for schizophrenia, *Schizophr Bull* (1987) **13:**261–76.
80. Lindenmayer JP, Iskander A, Park M et al, Clinical and neurocognitive effects of clozapine and risperidone in treatment-refractory schizophrenic patients: a prospective study, *J Clin Psychiatry* (1998) **59:**521–7.
81. Meltzer HY, Risperidone and clozapine for treatment-resistant schizophrenia, *Am J Psychiatry* (1999) **156:**1126–7.
82. Rubin E, Risperidone and clozapine for treatment-resistant schizophrenia, *Am J Psychiatry* (1999) **156:**1127.
83. Szigethy E, Brent S, Findling R, Quetiapine for refractory schizophrenia, *J Am Acad Child Adolesc Psychiatry* (1998) **37:**1127–8.
84. Reznik I, Benatov R, Sirota P, Seroquel in a resistant schizophrenic with negative and positive symptoms, *Harefuah* (1996) **130:**675–7.
85. Marder SR, Management strategies for the treatment of schizophrenia, *J Clin Psychiatry* (1996) **57(Suppl 11):**26–30.
86. Naber D, Optimizing clozapine treatment, *J Clin Psychiatry* (1999) **60(Suppl 12):**35–8.
87. Shiloh R, Zemishlany Z, Aizenberg D et al, Sulpiride augmentation in people with schizophrenia partially responsive to clozapine: a double-blind, placebo-controlled study, *Br J Psychiatry* (1998) **171:**569–73.
88. American Psychiatric Association, *Practice Guidelines for the Treatment of Schizophrenia* (American Psychiatric Association: Washington, DC, 1997).
89. Wolkowitz OM, Pickar D, Benzodiazepines in the treatment of schizophrenia: a review and reappraisal, *Am J Psychiatry* (1991) **148:**714–26.
90. Wassef AA, Dott SG, Harris A et al, Critical review of GABA-ergic drugs in the treatment of schizophrenia, *J Clin Psychopharmacol* (1999) **19:**222–32.
91. Freeman M, Stoll A, Mood stabilizer combinations: a review of safety and efficacy, *Am J Psychiatry* (1998) **155:**12–21.
92. Fein S, Treatment of drug refractory schizophrenia, *Psychiatr Annals* (1998) **28:**215–19.
93. Johns C, Thompson J, Adjunctive treatments in schizophrenia: pharmacotherapies and electroconvulsive therapy, *Schizophr Bull* (1995) **21:**607–19.
94. Okuma T, Yamashitu I, Tahaharhi R et al, A double-blind study of adjunctive carbamazepine versus placebo on excited states of schizophrenia and schizoaffective disorders, *Acta Psychiatr Scand* (1989) **80:**250–9.
95. Luchin DJ, Carbamazepine in violent nonepileptic schizophrenia, *Psychopharmacol Bull* (1984) **20:** 571–96.
96. Kane JM, Lieberman JA, eds, *Adverse Effects of Psychotropic Drugs* (Guilford Press: New York, 1992).
97. Siris SG, Depression in schizophrenia. In: Hirsch SR, Weinberger DR, eds, *Schizophrenia* (Blackwell Science: Oxford, 1995) 128–45.
98. Goff DC, Kamal KM, Sarid-Segal O et al, A placebo-controlled trial of fluoxetine added to neuroleptics in patients with schizophrenia, *Psychopharmacology* (1995) **117:**417–23.
99. Sussman N, Augmentation of antipsychotic drugs with selective serotonin reuptake inhibitors, *Primary Psychiatry* (1997) **4:**24–31.
100. Ereshefsky L, Drug interactions: update for new antipsychotics, *J Clin Psychiatry* (1996) **57(Suppl 11):**12–25.
101. Hiemke C, Weigmann H, Hartter S et al, Elevated serum levels of clozapine after addition of fluvoxamine, *J Clin Psychopharmacol* (1994) **14:**279–81.
102. Heresco-Levy U, Javitt DC, Ermilov M et al, Efficacy of high-dose glycine in treatment of enduring negative symptoms of schizophrenia, *Arch Gen Psychiatry* (1999) **56:**29–36.
103. Farber NB, Newcomer JW, Olney W, Glycine agonists: what can they teach us about schizophrenia? *Arch Gen Psychiatry* (1999) **56:**13–17.
104. Goff DC, Guochuan T, Levitt J et al, A placebo-controlled trial of D-cycloserine added to conventional neuroleptics in patients with schizophrenia, *Arch Gen Psychiatry* (1999) **56:**13–17.

13 정신분열병의 정동증상

Sukhwinder S Shergill과 Robin M Murray

Kraepelin이[1] 조울 정신병에서 조기치매를 구분해낸 이래로, 정신분열병과 정동장애 사이의 관계에 대한 명확한 성격은 끊임없는 논란거리였다. 이 논쟁의 동력 역할을 했던 배경의 하나는 우울증이 정신분열병에서 흔하다는 사실이었다. Johnson 등은[2] 정신분열병 환자들의 19%가 우울증상을 지닌다고 했던 반면, Leff 등은[3] 정신분열병 환자들의 45%가 우울증상을 지닌다고 보고했다. Siris[4]는 종설에서 그 비율이 약 25% 정도라고 결론지었다.

자신의 삶을 대단히 파괴하는 만성 질환을 앓고 있으므로, 많은 정신분열병 환자들이 우울하다는 것은 놀랄만한 일이 아니다. 하지만, 우울증은 정신분열병의 첫 발병 시에 흔히 나타난다. Koreen 등은[5] 정신분열병 첫 삽화를 겪는 환자 64명 중 33명이 해밀턴 우울증 척도(HAM-D) 점수 15점 이상을 보였다고 했다. 이와 비슷하게, Jablensky 등의[6] 연구에 의하면 첫-발병 정신분열병 환자 1379명 중 38%가 슬프거나 애도하거나 절망적인 모습을 보였다. 더욱이, 재발의 전구증상을 조사한 연구자들은 불안과 우울이 특히 흔하다고 보고했다.[7,8] 따라서, 정신병의 첫 발병 또는 초기 재발에 나타나는 우울증상을 만성 질환에 대한 반응으로 치부하기는 어렵다.

정신분열병의 조증증상의 빈도에 관해서는 알려진 바가 훨씬 적다. 이는 부분적으로, 조증증상과 정신분열병 증상을 동시에 가진 환자들은 대개 분열정동장애 혹은 정신병적 증상을 동반한 양극성 장애로 진단되기 때문이다.

이 장에서는 우선 정신분열병과 정동장애의 관계를 어떻게 개념화하는 것이 최선인가를 살펴보고 그 후에 치료적 사항들을 기술하고자 한다. 하지만, 이러한 질문들을 다루기에 앞서, 정신분열병 증상 및 정동증상을 모두 지닌 환자들은 현재의 진단기준 중 어디에 속하는지를 간략히 검토하고자 한다.

범주적 진단

조작적 정의의 발달로 인해 정신분열병과 정동장애의 진단은 상당한 신뢰도를 지니게 되었다. 불행히도, 어떤 질환을 지니고 있다고 분류되는 환자 비율은 상이한 질병분류체계에 따라 광범위하게 달라진다. 예를 들면, Castle 등은[9] 어떤 정신분열병 진단기준이 사용되었는가에 따라, 20년에 걸쳐 런던 남부 정신과의사를 방문한 정신분열병 환자의 사례 수가 135명에서 470명까지 달라질 수 있음을 입증했다. 정동장애의 진단기준 또한 비슷하게 다양하므로 그 결과를 짐작할 만하다. 예를 들면, 연구결과마다 우울증을 진단하는 데에 어떤 기준을 사용했는가에 따라 정신분열병 환자들에게서 나타나는 우울증의 빈도가 매우 달라지는 것이

표 13.1 분열정동장애 및 정신병-후 우울증의 진단기준

DSM-IV 분열정동장애

주요 우울 삽화, 조증 삽화, 또는 혼재형 삽화가 정신분열병의 진단기준 A를 만족시키는 증상과 공존하는 연속된 기간이 있어야 한다.

이 기간동안 뚜렷한 기분증상이 없는 가운데 적어도 2주 이상 망상이나 환각이 있어야 한다.

활성기와 잔류기를 합한 전체 기간동안의 상당부분에 기분장애의 기준을 만족시키는 증상이 있어야 한다.

물질오용이나 일반적인 의학적 상태에 이차적으로 수반되는 생리적 원인의 직접효과에 의한 것이 아니어야 한다.

참고: 양극성 또는 우울성 아형으로 구분하라.

ICD-10 분열정동장애

조증형과 우울형으로 아형이 구분되어 있다.

조증형

뚜렷한 기분의 항진, 또는 홍분성이나 자극과민성의 증가를 동반한 기분의 항진; 동일한 삽화 내에 ICD-10 정신분열병(진단지침 a-d가 있어야 한다)에 명시된 적어도 한 개의, 혹은 보다 바람직하게는 두 개의 전형적인 정신분열병 증상이 있어야 한다.

우울형

ICD-10 우울 삽화에 열거된 전형적인 우울증상을 적어도 두 개 이상 만족시키는 뚜렷한 우울증상; 동일한 삽화 내에 ICD-10 정신분열병(진단지침 a-d가 있어야 한다)에 명시된 적어도 한 개의, 혹은 보다 바람직하게는 두 개의 전형적인 정신분열병 증상이 있어야 한다.

DSM-IV 정신분열병의 정신병 후 우울장애

주요 우울 삽화의 기준을 만족해야한다.

주요 우울 삽화가 정신분열병의 잔류기 시기에만 출현한다.

주요 우울 삽화는 물질이나 일반적인 의학적 상태의 직접적인 생리적 효과에 의한 것이 아니어야 한다.

ICD-10 정신분열병 후 우울증

지난 12개월 내에 정신분열병을 앓았어야 한다.

일부 정신분열병 증상이 남아 있어야 한다.

뚜렷하고 고통스러운 우울증상은 우울 삽화의 기준을 만족시켜야 하며 최소 2주 이상 지속되어야 한다.

다.[4] 수많은 정신분열병과 정동장애의 조작적 정의 중에서 어떤 것을 사용해야 하는가? 이상적으로 보면, 정신과적 진단범주는 원인론에 관한 지식에 의존해야 할 것이다. 그러한 지식이 부재한 상황에서는 가장 널리 사용되는 다음 두 개의 질병분류체계를 이용하는 것이 바람직하다: (a) *국제 질병 및 관련 보건문제 분류 제 10판(ICD-10)*과 (b) *정신장애의 진단 및 통계 편람 제 4판(DSM-IV).*

정신분열병 증상과 정동증상을 모두 지닌 환자들

Kendell과 Brockington은[12] 정신분열병 증상과 정동장애 증상 사이의 명확한 차이를 찾아내고자 특별히 애썼지만, 많은 환자들이 두 장애의 증상을 동시에 가지고 있어 실패했다. 그런 환자를 진단하는 임상의는 어떠한가?

분열정동장애

ICD-10과 DSM-IV는 정신분열병 증상이 정동증상에 선행해야만 정신분열병을 진단할 수 있다고 기술하고 있다. 만약 이 증상들이 동시에 혹은 수일 간격으로 나타난다면, 두 진단체계는 분열정동장애 우울형 또는 조증형으로 진단하도록 했다. 비록 정신분열병과 정동장애 사이에서 분열정동장애의 질병분류학적 위치는 불확실하지만, ICD-10과 DSM-IV의 양 체계 내에서 이 질환은 정신분열병/정신병적 장애 군에 포함되어 있다(표 13.1 참조). 양 분류체계에서 정동장애에 기분과 불일치하는 망상이나 환각이 존재한다고 분열정동장애 진단이 가능한 것은 아니다. DSM-IV 기준은 분열정동장애를 정신병적 우울증과 구분하기 위해서, 적어도 2주 동안 유의한 기분증상 없이 정신병적 증상이 있어야 한다고 열거하고 있으나, ICD-10은 이를 채택하지 않고 있다.

정신병-후 우울증

이와 가장 밀접히 관련된 범주는 ICD-10에 기술된 정신분열병후 우울증 또는 DSM-IV의 정신분열병의 정신병후 우울장애이다(표 13.1). 이 진단은 정신분열병을 앓은 후에 발생한 우울 삽화에 내려진다. 양 진단체계는 이 장애의 특징으로 적어도 경도의 우울 삽화 기준을 만족하고(최소 2주 이상), 정신분열병 삽화의 발병 1년 이내에 발생하며, 일부 정신분열병 증상이 지속되는 가운데에 나타난다고 기술하고 있다.

정신병적 우울증

어떤 증상들은 정신분열병과 우울증 모두에 나타날 수 있다. 예를 들어, 망상과 환각은 정신분열병에 전형적으로 나타나지만, 정신병적 우울증에서도 나타날 수 있다. 우울증에 이러한 정신병적 증상이 존재하면 심각한 장애로 간주되는데, 이 점은 ICD-10과 DSM-IV에 반영되어 중증 우울증의 진단기준에만 정신병적 증상의 유무여부를 포함하고 있다. 망상이나 환각은 기분-일치형과 기분-불일치형으로 세분될 수 있다. 과거에는 기분-일치형 정신병적 증상을 가진 경우가 정신병적 우울증으로 분류된 반면, 기분-불일치형 정신병적 증상을 가진 경우는 분열정동장애로 기술되는 경향이 있었다. 그러나, DSM-IV와 ICD-10은 두 가지 경우가 모두 정신병적 기분장애에 포함되어야 함을 시사하고 있다.

음성증상과 우울증상

이와 같이 현재의 진단분류체계는 정신분열병과 우울증을 범주적으로 구분하고 있고, 부적절할지는 몰라도 두 장애의 증상을 모두 지닌 환자들을 분류하는 방법도 포함하고 있다. 그럼에도 불구하고 정신분열병과 우울증의 일부 특징을 분간해내는 것이 매우 어려울 수도 있다; 특히 어려운 문제는 정신분열병의 음성증상이 갖는 우울증과의 유사성이다. 특징적인 음성증상의 다수가 우울증상과 유사하고, 어떤 양상들(무쾌감증, 무력증, 정동둔마, 사회적 위축 등)은 양측 모두에게 공통된다. 따라서, 정신분열병에서 우울증을 진단하기에 앞서, 외견상의 우울증상이 실은 음성증상이 아닌가를 우선 배제해야 한다. 환자들은 음성증상보다 우울증상을 더 힘들어하는 경향이 있고,[13] 우울증상은 일반적으로 우울한 기분 그리고/또는 우울한 인지상태를 흔히 동반한다.[14] 장기적으로 보면, 음성증상은 더 지속적인 경과를 거치는데 반해 우울증상은 재발과 관해의 경과를 거친다는 점이 유용한 감별점이 될 수 있다. 하지만, 음성증상은 흔히 일차 음성증상과 이차 음성증상으로 구분된다는 점이 또한 상황을 복잡하게 만든다. 후자는 약물, 무료한 환경, 또는 진성 우울증에 의한 것일 수 있다.

Sax 등은[15] 정신분열병이나 정신병적 우울증을 지닌, 투약한 적이 없는 급성 첫-발병 환자들의 음성증상, 양성증상, 우울증상 사이의 관계를 조사했다. 우울증상은 음성증상과 상관관계를 보였는데, 무쾌감증/비사회성과 무욕/무감동의 관계가 진단과 관계없이 나타났다. 하지만, 정신분열병 환자군 내에서는 양성증상만이 우울증상과 관련을 보여, 우울증상은 양성증상의 중증도에 이차적인 것임을 (혹은 그 반대를) 시사했다. Dolan 등의[16] 연구는 음성증상과 우울증이 맥을 함께 한다는 생각을 뒷받침하는데, 연구자들은 (a) 정신운동성 빈곤을 지닌 정신분열병 환자들과 (b) 지체를 지닌 우울증 환자들에게 양전자방출단층촬영을 이용한 연구를 시행했다. 연구자들은 정신운동성 빈곤과 지체의 기저 생리상태가 진단과는 무관하게 유사하다는 결론을 내렸다.

정신분열병의 예후와 우울증의 예후는 다른가?

정신분열병과 우울증이 분명히 구분되는 질환이라면, 이들의 경과와 예후도 마땅히 다를 것이다. 전반적으로 보면, 정신분열병의 예후가 우울증의 예후보다 불량한 것은 사실이나, 많은 정신분열병 환자들이 좋은 예후를 보이거나 많은 우울증 환자들이 불량한 예후를 보이는 상당한 중첩이 존재한다.[17] 중간 형태의 질환인 분열정동장애 또한 중간 정도의 경과를 보인다. 즉, 정신분열병보다는 양호하나 우울증보다는 불량하다.[18] 정신분열병의 범주 내에서 정동증상의 존재는 보다 양호한 결과를 예측하게 하는 요인으로 간주된다.[19] 하지만, 대략 10%의 정신분열병 환자가 자살로 사망한다는 사실과[20] 특히 우울 삽화 병력을 지닌 경우에, 더 특이하게는 뚜렷한 절망감이 있는 경우에 그러하다는[21] 점을 반드시 상기해야 한다. 물론, 자살을 기도하는 환자의 비율-아마도 20% 정도-은 자살에 성공하는 비율보다 높다; 자살을 기도하는 환자들은 기도하지 않는 환자들에 비해 주요 우울증의 기준을 만족하기 쉽다.[22] 더 상세한 논의를 희망하는 독자는 제 3장을 보라.

정신병리의 연속선

(a) 정신병적 질환에 대한 유전적 취약성,[23-30] (b) 산과적 합병증,[30-32] (c) 소아기 기능[33,34] 및 (d) 인생사적 사건에[35-40] 관한 문헌에서 분명히 알 수 있듯이, 정신분열병과 정동 정신병 사이에 질적인 현상학적 차이가 있음을 시사하는 증거는 거의 없다. 정신분열병과 우울증을 현상학적으로 구분하기는 매우 어려운데, 특히 양 장애의 증상을 모두 지니는 다양한 중첩형 범주간의 구분은 더욱 어렵고, 공존이환 또한 매우 흔하다. 더욱이 일부 환자들은

시기에 따라 다른 임상양상을 보여, 어떤 시점에서는 정신분열병으로 진단되고 다른 시점에서는 정동장애로 진단되기도 한다.[41,42] 다른 말로 하면, 분명히 구분되는 질병 단위보다는 정신병리적 연속성이 있다고 보는 편이 옳아 보이는데, 결과적으로 환자들은 연속성 상의 위치를 바꾸어 가는 것이다.

이 정신병적 정신병리의 연속선은 두 개의 주요 원인론적 영향 아래 놓인 듯 하다.[43,44] 첫째는 '신경발달학적 장해'로서 정신병의 종류와 무관하게 정신병에 작동하는데, 조기 발병과 불량한 예후를 지닌 만성질환의 사례에 가장 큰 영향력을 행사한다. 그러한 사례들은 정신분열병-유사 질환의 가족력을 지니거나, 산과적 합병증의 병력을 갖기 쉬우며, 병전 기능이 더 불량했을 법하다. 반면, 많은 환자들은 발달학적 장해의 증거 없이 정신분열병으로 진행하는데, 특히 재발과 관해 유형이 그러하다. 이 환자들은 흔히 정동증상의 개인력이나 가족력을 지니며, 어떤 유발 사건 후에 발병하는 경향이 있다. 즉, '사회적 역경'이 정동성 정신병의 유전적 소인에 작용하여 급성 정신병이 나타나게 하는 것이다. 급성 발병과 양호한 예후를 보이는, 정신병의 한쪽 극단에서 이러한 요인의 작용이 최대에 이른다. 이러한 환자들은 자기공명영상(MRI)에서 구조적 뇌이상을 거의 보이지 않는 경향이 있다. 예를 들면, Kohler 등은[45] 구조적 MRI를 이용하여 높은 해밀턴 우울증 척도 점수를 보이는 정신분열병 환자들과 낮은 점수를 보이는 정신분열병 환자들을 비교했는데, 우울증을 가진 환자들은 정상적인 측두엽 용적을 더 많이 보인 반면, 우울하지 않은 환자들은 더 적은 용적을 가진 경향이었다.

이 두 가지 주요 인자, 즉 신경발달학적 인자와 정동성 인자는 정신병적 질환의 연속선상의 양 극단에서는 독립적으로 작용하는 듯하다. 하지만, 많은 경우에 이 두 가지는 공존하는 것 같고 실제 상호작용한다. 이는 제 3장에 자세히 토의되어 있다.

범주가 아닌 차원의 치료

요인분석 연구들에 의하면 정신병의 증상은 차원으로 쪼개어질 수 있다고 한다. 초기에는 Liddle이나[46] 다른 연구자들이 만성 정신분열병 환자들의 증상을 요인분석하여 세 가지 주요 증후군을 구분했다: 언어의 빈곤, 자발성의 결여, 얼굴표정과 몸짓의 감소, 정동적 반응의 결여, 아둔함, 사회적 위축, 자기소홀 등의 *정신운동성 빈곤*; 부적절한 정동, 지리멸렬한 언어, 산만성, 괴이한 추론, 연상의 이완 등의 *와해*; 그리고 망상과 환각을 포함한 *현실왜곡*이다.

뒤이어, Maziade 등은[47] 정신분열병뿐만 아니라 양극성 장애에서도 이러한 요인들이 유도될 수 있다고 보고했다. 비슷하게, Toomey 등은[48] 정신분열병, 주요 우울증, 양극성 장애 환자들의 증상의 요인 구조를 비교하여 정신분열병과 기분장애에 흔한 증상요인을 보고했다. Van Os 등은[49] 위의 분석방법들이 우리가 주지하고 있다시피 정신분열병에 흔한 정동증상을 고의적으로 배제시켰음을 지적하면서, 자신들의 연구에는 정동성 정신병뿐만 아니라 정신분열병에도 나타나는 두 개의 정동요인을 추가했다; *조증 증후군*(흥분, 불량한 충동조절, 적대감과 긴장)과 *우울 요소*(불안, 죄책감, 우울감과 신체적 염려)이다. 509명의 첫-삽화 정신병을 비선택적으로 요인분석한 연구에서도 비슷한 결과가 나타났는데, 조증과 우울증이 두 개의 구분되는 요인을 형성했고, 양성증상 그리고 음성증상과 와해증상의 혼합이 다른 두 개의 요인을 형성해 모두 네 가지-요인으로 구분되었다.[50]

몇몇 연구들이 이 다양한 증상 차원의 예측자를 조사했다. 우리가 런던의 정신과 협회에서 시행한,

189명의 정신병 환자들의 현상태 평가 'PSE' 증상을 요인분석한 결과에 의하면, 망상과 환각, 그리고 음성증상은 양자 모두 정신분열병의 가족력에 의해서 그리고 발달학적 지연에 의해서 예측되었다. 망상과 환각은 또한 친족들의 정신분열형 증상과도 관련 있었다. 하지만, 정신분열병 정신병리의 세 번째 핵심차원으로 흔히 간주되는 와해증상은 양극성 장애의 가족력과 낮은 병전 지능지수가 결합하여 예측했다.

따라서, 정신병의 증상들은 기존의 진단범주를 뛰어넘어 차원으로 군을 형성할 수 있다. 비록 이 차원들이 개별적 진단에 특이한 것은 아니지만, 양성증상 및 음성증상 차원은 연속선상의 신경발달학적 극단 쪽에서 더 분명하고 조증차원과 우울차원은 인생사적 사건/유전적 소인의 극단 쪽에서 더 분명해지는 경향이다; 와해차원은 중간 위치를 차지하는 듯 하다. 증상차원의 예측 타당도는 진단범주의 예측 타당도보다 크다.[49] 이는 개별적인 환자에게 해당되는 진단보다, 환자가 지닌 정신병의 특정 증상을 치료하는 것이 더 중요하다는 것을 명백히 의미한다. 따라서, 양성증상과 우울증상을 모두 지닌 환자라면, 두 종류의 증상을 모두 치료해야 한다.

이 장의 나머지 부분에서는 정동차원의 약물학적 치료에 관해 다룰 것이다. 하지만, 약물치료 또한 좋은 치료적 관계와 질환에 대한 이해의 공유라는 맥락을 떠나서는 생각할 수 없다는 점을 강조하고 싶다. 의사 환자간의 치료적 동맹이 형성되어야, 순응도가 증가할 뿐만 아니라, 약물치료의 필요성과 그 기간은 물론, 처방된 약물의 부작용, 치료에 반응하는 데에 걸리는 시간 등을 전체적인 치료계획 안에서 철저히 설명해 줄 수 있다. 이 장에서 정동증상의 심리치료의 중요한 역할을 더 이상 다루지는 않으려 한다. 인지행동치료는 정신병적 증상뿐만 아니라 공존하는 우울증의 치료도 목표로 하고 있으므로, 독자들은 특히 제 5장을 참조하길 바란다. 여기에서는 항우울제, 항정신병약물-전통적 약물과 비전형 약물 모두, 그리고 기분안정제의 사용에 관해 간단히 살펴볼 것이다.

우울증상

항우울제

선택적 세로토닌 재흡수 억제제(SSRIs)의 도입 이전, 정신분열병에 다양한 구형 항우울제를 사용했던 연구들에 의하면, 항우울제 단독요법은 위약에 비해 우울증상을 치료하는 데에 효과적이지 못했다.[51] 하지만, 항정신병약물에 보조적 치료로서 항우울제를 추가한 경우가 위약 대조군 연구들을 통해 조사되었고, 이는 최소 한 개의 연구에서 부정적인 결과를 얻었음에도 불구하고,[56] 일반적으로 우울증상을 개선시키는 것으로 확인되었다.[52-55] SSRIs인 플루옥세틴(20mg/day)과[54] 설트랄린(50mg/day)을 각각 전통적 항정신병약물에 보조적 치료로서 사용한 보다 최근의 연구들 또한 우울증상의 유의한 감소를 보고했다.[55] 아미트립틸린의 사용에 관한 한 주의가 필요한데, 이 약물은 우울증상을 개선시켰지만 정신병적 증상의 악화와 관련 있었다는 점이다.[53,56]

항우울제 보조요법이 얼마나 유지되어야 하는가에 관한 자료는 거의 없다. 한 연구에서는 항우울제가 적어도 9주 이상 유지되어야 하며, 1년 치료 이후라 할지라도 약물치료를 중단하면 우울증상 및 정신병적 증상 모두가 재발할 위험이 있음을 시사한다.[57]

전통적 항정신병약물

개별적인 연구들의 방법론적 한계에도 불구하고

그 증거가 시사하는 바는, 클로르프로마진, 할로페리돌, 설피라이드, 티오리다진 등의 전통적 항정신병약물 치료가 정신분열병의 우울증상을 감소시킬 수 있다는 점이다.[58-61] 일부 비대조군 연구들은 이러한 약물들의 치료가 시작된 직후 우울증상이 발생할 수 있다고 보고하고 있지만,[62,63] 보다 엄격한 위약-대조군 연구들에 의하면, 우울증상을 야기하는 데에 클로르프로마진은 위약과 다르지 않았으며,[64] 장기지속성 저장형 항정신병약물은 우울증상을 억제하는 효과를 보였다.[65] 전통적 항정신병약물의 일부 부작용이 우울증상과 유사할 수 있고[66] 좌불안석증 등의 기타 부작용은 초조와 비슷하다는 관점은 여전하다. 따라서, 이러한 약물들을 과다한 용량으로 사용하지 않는 것이 중요하다. 전체적으로, 어떤 특정의 전통적 항정신병약물이 같은 계통의 다른 약물보다 정신분열병의 우울증상에 더 좋다는 증거는 없다.

비전형 항정신병약물

비전형 항정신병약물은 고유의 항우울 효과를 가지고 있음이 시사된 바 있다. 그 증거의 대부분은 현재, 사례보고에 근거하거나 기업이 후원한 연구들의 결과에 근거하고 있다. 비록 여기에 그 정보를 제공하지만, 정신분열병의 기분증상 치료에 있어서의 비전형 항정신병약물의 효능에 관한 체계적인 자료는 매우 제한적이라는 사실을 지적하지 않을 수 없다.

클로자핀이 정신분열병과 분열정동장애 모두에서 정동증상을 치료하는 데에 효과적이었다는 보고들이 이어지자,[67-71] 비전형 항정신병약물의 항우울 효과에 관한 연구에 박차가 가해졌다. 이 연구들은 부가적 약물을 사용했거나 적합한 대조군 설계가 없는 등의 방법론적 약점을 지녔지만, 공존하는 정신병적 증상과 정동증상의 치료에 클로자핀이 효과적일 것이라는 점을 분명히 시사한다.

몇몇 사례보고들은 리스페리돈이 정신병적 증상뿐만 아니라 우울증상에도 효과적임을 시사했다.[72,73] 하지만, 두 개의 대조군 연구결과를 보면 그다지 유망해 보이지는 않는다. 한 연구는 리스페리돈이 정신병적 우울증에서 할로페리돌과 아미트립틸린 병합요법보다 더 효과적이었고,[74] 정신분열병이나 분열정동장애에서는 호전의 정도가 양쪽 약물이 비슷했다고 보고했다. 다른 연구는 할로페리돌과 리스페리돈이 비슷한 항정신병 효능을 보였지만, 불안과 우울 척도를 호전시키는 데에는 리스페리돈보다 할로페리돌이 우월했다고 보고했다.[75]

정신분열병, 분열정동장애, 정신분열형장애에서 올란자핀의 항우울 효능을 리스페리돈과 할로페리돌의 항우울 효능과 비교한 대조군 연구들이 올란자핀 제조회사의 지원으로 시행되었다.[76-78] 이 연구들은 올란자핀이 우울증상을 더욱 경감시킬 수 있을 것이라 시사했다. 쿠에티아핀 또한 리스페리돈과 비교해서,[79] 그리고 할로페리돌 및 위약과 비교해서[80] 정신분열병에서의 항우울 효과가 뛰어나다고 주장되었는데, 두 번째 연구만이 무작위 대조군 설계를 따른 것이었다. 끝으로, 지프라시돈이 정신분열병과 분열정동장애의 우울증상에 위약보다 뛰어난 효과를 가진다는 예비적 단계의 일부 증거가 있다.[81]

기분안정제

우울증을 동반한 정신분열병 환자 치료에서의 기분안정제 사용에 관한 정보는 매우 제한적이다. 항정신병약물 단독에 반응하지 않는 우울증상의 치료에 리튬 강화요법이 도움이 된다고 알려져 왔다.[82,83] 카바마제핀은 정신분열병에 단독으로 사용되었을 때 우울증상을 경감시키는 데에 적어도 한 연구에서는 효과적이었고,[84] 정신분열병 증상을 지닌 정동장애 환자들의 정동증상과 정신병적 증상에도 효과적이었다.[85] 발프로익 산이 신경이완제 치료에 반응하지 않는 정신분열병 및 분열정동장애 환자의 정신병적 증상과[86] 우울증상을[87] 경감시키는 데에 사용되어 왔다.

요약

항우울제 사용은 아래와 같이 요약할 수 있다.

- 적절한 용량의 전통적 항정신병약물은 정신분열병 환자의 우울증을 유발하는 것 같지 않다.
- 전통적 항정신병약물은 정신병적 증상과 관련된 우울증상을 경감시키는 데에 효과적이다.
- 비전형 항정신병약물은 정신분열병의 우울증상을 경감시키는 데에 전통적 항정신병약물보다 더 효과적일 수 있다.
- 항우울제가 항정신병약물에 병합되면 우울증상을 분명히 감소시킨다.
- 저항성 우울증상은 항정신병약물에 기분안정제를 부가함으로써 경감될 수 있다.

조증증상

정신분열병 진단을 받은 환자의 조증증상의 급성 치료는 정신병 없는, 심한 조증증상을 지닌 환자의 치료와 유사하다. 따라서, 할로페리돌과 같은 전통적 항정신병약물이나, 로라제팜 혹은 클로나제팜과 같은 단기-작용성 벤조디아제핀 등 진정작용이 있는 약물을 통상 사용한다. 장기치료는 항정신병약물에 기분안정제를 부가적 치료로서 사용하거나 항정신병약물만을 사용하는 것이다. 아래에 논의한 치료적 방침은, 가능한 한 정신병과 조증양상을 동시에 지닌 환자들의 연구자료를 토대로 했다. 하지만, 그런 자료가 부족한 탓에, 조증증상만을 가진 환자들에 관한 일부 연구 자료도 포함했다.

전통적 항정신병약물

전통적 항정신병약물의 급성 조증 치료효과는 리튬에 필적한다.[88] 네 개의 대조군 연구를 메타-분석한 결과, 유지기(維持期)에서는 리튬이 우월한 효과를 보였다.[89] 그 차이는 우울 삽화를 예방하는 측면에서 더욱 유의했다; 저장형 항정신병약물 단독으로는 조증 재발을 억제하는 데에는 효과적이었지만, 우울증상을 억제하지는 못했다.[90,91] 항정신병약물은 리튬이나 카바마제핀에 병용되었을 때에 더 효과적으로 우울증상을 억제하는 것으로 보인다.[82,84]

비전형 항정신병약물

클로자핀은 기타 전통적인 치료법에 효과가 없는 치료-저항성 조증에 도움이 될 수 있다.[92] 비록 후향적 연구이기는 하나, 실제로 일부 연구에서는 전형적인 정신분열병 환자들의 반응률(52%)에 비해 분열정동장애 및 정신병적 증상을 동반한 양극성 장애 환자들의 반응률(74%)이 더 높았다.[68,71] 항조증 효과와 아울러, 클로자핀의 기분안정제 효과 또한 주장되고 있다(McElroy 등의 종설[88]).

올란자핀과 리스페리돈 모두 위약과 비교해서 급성 조증증상을 유의하게 개선시키는 효과가 있다고 밝혀졌다.[88,93] 그러나 한편으로는, 리스페리돈이 조증 삽화를 유발한다는 우려가 있고, 특히 기분안정제를 함께 사용하지 않는 경우에 그러하다.[94,95] 올란자핀은 양극형 분열정동장애의 급성기 치료에 일부 전망을 보였지만, 우울증상에 대한 효과는 가장 분명했다.[96]

기분안정제

급성치료

리튬과 카바마제핀은 양자 모두 급성 조증 삽화의 치료, 조증 삽화 및 우울 삽화의 예방, 그리고 우울 삽화의 치료에 이용될 수 있다. 앞서 논의한 것처럼, 이 약물들은 조증에 효과적이며,[90,91] 우울 삽화 또한 예방하는 효과가 있기에, 기분안정제로서는 아마도 항정신병약물보다 더 효과적인 것 같다. 카바마제핀은 삼환계 항우울제 이미프라민과 구조적으로 유사하다. 소디움 발프로에이트는 처음에는 프랑스에서 항경련제로 사용했었는데, 리튬이나 카바마제핀에 금기증이 되거나 두 약물에 효과가 없는 양극성 정동장애에 사용하게 되었다.[97] 하지만, 발프로에이트가 점차 두 약물에 우선하여 사용되는 경향이 있다. 발프로에이트는 급성 조증,[98] 특히 혼재형 정동상태 및 분열조증에(항정신병약물과 병용함으로써) 효과적인 듯하여 저자들 또한 이 약물을 선호한다. 벤조디아제핀인 클로나제팜 또한 정신병적 증상을 지니거나 그렇지 않은 급성 조증의 치료에 유용하다.[99]

라모트리진은 특정 유형의 간질의 단독요법으로 승인을 받은 항경련제이다. 이 약물은 나트륨 이온 통로를 차단해 흥분성 신경전달물질인 글루타메이트와 아스파테이트의 방출을 억제하고 연접전 신경세포막을 안정화시킴으로써 작용한다. 사례보고 및 개방 연구들이 시사하는 바에 의하면, 라모트리진은 대개 치료-저항성 환자들의 조증 치료에 효과적이고, 더 전통적인 약물학적 치료의 부가적 치료로서도 효과적이다.[100] 이 약물은 주의해서 사용해야 하는데, 특히 발프로에이트(라모트리진의 농도를 증가시킨다)와 병용할 때 더욱 그렇다. 피부발진이나 고열 등의 심한 부작용 때문인데, 이로 인해 약물치료를 중단해야 할 수도 있다.[101] 심각한 부작용 위험을 줄이기 위해 추천되는 전략은 라모트리진의 용량을 서서히 증량하는 것이다. 제조업자는 이를 염두에 두고 투약개시 키트를 제공했다. 저자들은 소수 저항성 분열조증 환자들에게 이 약물을 사용했지만 그 결과가 썩 효과적이지는 않았다.

유지치료

정신병적 증상과 조증증상을 모두 지닌 환자에게 예방치료 혹은 유지치료를 시작할 것인가는 몇 가지 요인을 평가해 결정해야 한다: 예전 삽화의 중증도, 치료에 따르는 부작용의 위험, 멀지 않은 시기에 재발할 가능성, 치료에 임할 수 있는 환자의 준비 상태 등이다. 급성 조증 삽화가 해소된 뒤 리튬 유지치료가 주어지면 양극성 정동장애의 재발률이 80%(위약을 사용한 경우)에서 35%로 감소한다고 알려져 있다.[102,103] 리튬 유지치료는 적어도 2년 이상 지속되어야 하는데, 리튬을 중단하면 재발할 수 있고 재발한 삽화에서는 리튬의 효과가 떨어질 수 있기 때문이다. 만약 리튬 유지 중에 재발했다면, 리튬을 중단하지 않고 카바마제핀이나 발프로에이트 강화요법을 사용해야 한다고 제안되고 있다.

한 무작위 다기관 연구에서는 분열정동장애를 대상으로 리튬과 카바마제핀의 예방 효과를 비교했다. 유지기에 해당하는(2.5년), 90명의 ICD-9 분열정동장애 환자들이 동원되었다. 환자들은 또한 연구진단기준(RDC) 및 DSM-III-R에 의해 진단 받았고 세부진단에 따라 분류되었다. 리튬과 카바마제핀은 넓게 정의된 분열정동장애의 유지치료로서 동등한 효과를 보이는 것 같았다. 하지만, 우울형이나 정신분열병-유사 양상을 지닌 환자들에게는 장기간의 내약성 측면에서 카바마제핀이 우월해 보였다.[104]

리튬 치료의 중단을 시도하기에(언제나 천천히

중단해야 한다) 앞서, 최소 2년, 이상적으로는 5년간 리튬 치료가 유지되어야 한다는 데에 의견이 모아지고 있다. 년 중 4회 이상의 삽화를 보이는 급속-순환성 질환은 리튬에 덜 반응하는데, 이런 환자들에겐 카바마제핀이 더 효과적인 듯하다.[105] 그러나, 선택된 연구들을 메타-분석한 결과, 우량의 대조군 연구가 부족하다는 점이 부각되므로 이 주장을 뒷받침할만한 자료가 부족하다는 주장도 있다.[106] 최근의 한 종설은 카바마제핀의 지속적 사용을 지지했다.[107] 양극성 정동장애의 예방적 치료에 발프로에이트를 사용하는 경우도 유사한 논란을 빚어낼 수 있다. 다수의 임상시험이 그 효능을 시사하고 있지만, 마찬가지로 양질의 대조군 연구는 부족한 실정이다.[108] 발프로에이트는 리튬과 카바마제핀에 충분한 반응을 보이지 않았던 일부 환자들에게, 단독으로나 리튬의 부가적 치료로서 혹은 리튬 및 카바마제핀과 모두 병용하는 삼중치료로서 효과를 보였다는 것이 밝혀졌다.[109] 이 연구는 전향적 무작위 연구로서 다음의 반응률을 보고했다: 리튬 33%, 카바마제핀 43%, 카바마제핀과 리튬 50%, 발프로에이트와 리튬 60%, 세 가지 모두를 사용한 경우 62%의 반응률이었다.

조증 삽화 및 우울 삽화의 예방에 관한 방대한 자료의 대다수는, 조증을 동반한 정신분열병이나 분열정동장애가 아닌, 양극성 정동장애의 범주적 진단을 받은 환자들을 대상으로 한 연구들에서 비롯되었다. 그러나, 앞서 요약했듯이, 환자가 받는 진단을 치료하는 것이 아니라 환자가 지닌 증상을 치료해야 한다는 것 저자들의 관점이다.

요약

조증의 급성치료 및 예방치료는 아래와 같이 요약할 수 있다.

- 기분안정제는 재발성 조증 삽화를 보이는 환자들의 급성치료 및 유지치료에 효과적이다.
- 전통적 항정신병약물 및 일부 비전형 항정신병약물은 급성 조증에 효과적이다.
- 전통적 항정신병약물은 조증 예방에는 효과적이나, 우울증 예방에는 효과적이지 못하다.
- 클로자핀은 항조증 효과와 기분안정 효과를 가질 수 있다. 올란자핀에 관한 고무적인 증거가 있긴 하나, 기타 비전형 항정신병약물의 역할은 아직 불분명하다.
- 치료반응이 불량할 경우, 기분안정제 단독요법보다 병합요법이 더 효과적일 수 있다.
- 기분안정제 단독요법보다 기분안정제와 항정신병약물의 병용요법이 예방치료에 더 효과적인지는 아직 잘 모른다. 하지만, 뚜렷한 정신병적 증상을 가진 환자들에게는 이러한 병용요법이 더 효과적일 수 있다.

참고문헌

1. Kraepelin E, *Psychiatrie, ein Lehrbuch fur Studierende und Artze*, 5th edn (Barth: Leipzig, 1896).
2. Johnson DAW, Pasterski G, Ludlow JM et al, The discontinuance of maintenance neuroleptic therapy in chronic schizophrenic patients: drug and social consequences, *Acta Psychiatr Scand* (1983) **67:**339–52.
3. Leff J, Tress K, Edwards B, The clinical course of depressive symptoms in schizophrenia, *Schizophr Res* (1988) **1:**25–30.
4. Siris SG, Diagnosis of secondary depression in schizophrenia: implications for DSMIV, *Schizophr Bull* (1991) **17:**75–98.
5. Koreen AR, Siris SG, Chakos M et al, Depression in first-episode schizophrenia, *Am J Psychiatry* (1993) **150:**1643–8.
6. Jablensky A, Sartorius N, Ernberg G et al, Schizophrenia: manifestations, incidence and course in different culture. A World Health Organization ten-country study, *Psychol Med Monogr Suppl* (1992) **20:**1–97.

7. Herz M, Melville C, Relapse in schizophrenia, *Am J Psychiatry* (1980) **137:**801–5.
8. Hirsch SR, Jolley AG, Barnes TRE et al, Dysphoric and depressive symptoms in chronic schizophrenia, *Schizophr Res* (1989) **2:**259–64.
9. Castle D, Wessely S, Murray R, Sex and schizophrenia: effects of diagnostic stringency, and associations with premorbid variables, *Br J Psychiatry* (1993) **162:**658–64.
10. World Health Organization, *The ICD-10 Classification of Mental and Behavioural Disorders. Clinical Descriptions and Diagnostic Guidelines* (World Health Organization 21: Geneva, 1992).
11. American Psychiatric Association, *Diagnostic and Statistical Manual of Mental Disorders* (American Psychiatric Association: Washington, DC, 1994).
12. Kendell RE, Brockington IF, The identification of disease entities and the relationship between schizophrenic and affective psychoses, *Br J Psychiatry* (1980) **137:**324–31.
13. Selten JP, Gernaat HB, Nolen WA et al, Experience of negative symptoms: comparison of schizophrenic patients to patients with a depressive disorder and to normal subjects, *Am J Psychiatry* (1998) **155:**350–4.
14. Kibel DA, Laffont I, Liddle PF, The composition of the negative syndrome of chronic schizophrenia, *Br J Psychiatry* (1993) **162:**744–50.
15. Sax K, Strakowski S, Keck P et al, Relationships between negative, positive and depressive symptoms in schizophrenia and psychotic depression, *Br J Psychiatry* (1996) **168:**68–71.
16. Dolan RJ, Bench CJ, Liddle PF et al, Dorsolateral prefrontal cortex dysfunction in the major psychoses; symptom or disease specificity? *J Neurol Neurosurg Psychiatry* (1993) **56:**1290–4.
17. Lee A, Murray R, The long term outcome of Maudsley depressives, *Br J Psychiatry* (1988) **153:**741–51.
18. Samson J, Simpson J, Tsuang M, Outcome studies of schizoaffective disorders, *Schizophr Bull* (1988) **14:**543–54.
19. McGlashan T, Carpenter WT, An investigation of the postpsychotic depressive syndrome. *Am J Psychiatry* (1976) **133:**4–19.
20. Caldwell CB, Gottesman II, Schizophrenics kill themselves to: a review of risk factors for suicide. *Schizophr Bull* (1990) **16:**571–89.
21. Drake RE, Cotton PG, Depression hopelessness and suicide in chronic schizophrenia. *Br J Psychiatry* (1986) **148:**554–9.
22. Jones P, Rodgers B, Murray R, Marmot M, Child developmental risk factors for adult schizophrenia in the British 1946 birth cohort. *Lancet* (1994) **344:**1398–402.
23. Taylor M, Are schizophrenia and affective disorder related? A selective literature review, *Am J Psychiatry* (1992) **149:**22–32.
24. Cardno AG, Marshall EJ, Coid B et al, Heritability estimates for psychotic disorders: the Maudsley twin psychosis series, *Arch Gen Psychiatry* (1999) **56:**162–8.
25. Kendler KS, Karkowski LM, Walsh D, The structure of psychosis: latent class analysis of probands from the Roscommon Family Study, *Arch Gen Psychiatry* (1998) **55:**492–9.
26. Kendler KS, McGuire M, Gruenberg AM et al, The Roscommon Family Study. I. Methods, diagnosis of probands, and risk of schizophrenia in relatives, *Arch Gen Psychiatry* (1993) **50:**527–40.
27. Maier W, Lichtermann D, Minges J et al, Continuity and discontinuity of affective disorders and schizophrenia. Results of a controlled family study, *Arch Gen Psychiatry* (1993) **50:**871–83.
28. Kendler KD, Hays P. Schizophrenia subdivided by the family history of affective disorder: a comparison of symptomatology and cause of illness, *Arch Gen Psychiatry* (1983) **40:**951–5.
29. Subotnik KL, Nuechterlein K Asarnow R et al, Depressive symptoms in the early course of schizophrenia: relationship to family psychiatric illness, *Am J Psychiatry* (1997) **154:**1551–6.
30. Maj M, Starace F, Pirozzi R, A family study of DSMIIIR schizoaffective disorder, depressive type, compared with schizophrenia and psychotic and nonpsychotic major depression, *Am J Psychiatry* (1991) **148:**612–16.
31. Cannon T, On the nature and mechanisms of obstetric influences in schizophrenia: a review and synthesis of epidemiologic studies, *Int Rev Psychiatry* (1997) **9:**387–93.
32. Verdoux H, Geddes JR, Takei N et al, Obstetric complications and age at onset in schizophrenia: an international collaborative meta-analysis of individual patient data, *Am J Psychiatry* (1997) **154:**1220–7.
33. Hultman CM, Ohman A, Cnattingiuus S et al, Prenatal and neonatal risk factors for schizophrenia, *Br J Psychiatry* (1997) **170:**128–33.
34. Davies N, Russell A, Jones P, Murray RM, Which characteristics of schizophrenia predate psychosis? *J Psychiatr Res* (1998) **32:**121–31.
35. Done J, Sacker A, Crow TJ, Childhood antecedents of schizophrenia and affective illness: intellectual performance at ages 7 and 11, *Schizophr Res* (1994) **11:**96–7.
36. Kuipers L, Bebbington P, Expressed emotion research in schizophrenia: theoretical and clini-

cal implications, *Psychol Med* (1988) **18:**893–909.

37. Malla A, Cortese L, Shaw TS, Ginsberg B, Life events and relapse in schizophrenia: a one year prospective study, *Soc Psychiatry Psychiatr Epidemiol* (1990) **25:**221–4.
38. Brown GW, Harris TO, Peto J, Life events and psychiatric disorders. Part 2: Nature of causal link, *Psychol Med* (1973) **3:**159–76.
39. Dohrenwend BP, Shrout PE, Link BG et al, Life events and other possible psychosocial risk factors for episodes of schizophrenia and major depression: a case-control study. In: Mazure CM, ed, *Does Stress Cause Psychiatric Illness?* (American Psychiatric Press: Washington, DC, 1995).
40. Van Os J, Fahy T, Bebbington P, The influence of life events on the subsequent course of psychotic illness, *Psychol Med* (1994) **24:**503–13.
41. Chen YR, Swann AC, Johnson BA, Stability of diagnosis in bipolar disorder, *J Nerv Ment Dis* (1998) **186:**17–23.
42. Sheldrick C, Jablensky A, Sartorius N et al, Schizophrenia succeeded by affective illness: catamnestic study and statistical enquiry, *Psychol Med* (1977) **7:**619–24.
43. Murray RM, Van Os J, Predictors of outcome in schizophrenia, *J Clin Psychopharmacol* (1998) **18(Suppl 1):**2S-4S.
44. Van Os J, Jones P, Sham P et al, Risk factors for onset and persistence of psychosis, *Soc Psychiatry Psychiatr Epidemiol* (1998) **33:**596–605.
45. Kohler C, Swanson C, Gur R et al, Depression in schizophrenia: MRI and PET findings, *Biol Psychiatry* (1998) **43:**173–80.
46. Liddle PF, The symptoms of chronic schizophrenia. A re-examination of the positive-negative dichotomy, *Br J Psychiatry* (1987) **151:**145–51.
47. Maziade M, Roy MA, Martinez M et al, Negative, psychoticism and disorganized dimensions in patients with familial schizophrenia or bipolar disorder: continuity and discontinuity between the major psychoses, *Am J Psychiatry* (1995) **152:**1458–63.
48. Toomey R, Faraone S, Simpson J et al, Negative, positive and disorganised symptom dimensions in schizophrenia, major depression and bipolar disorder, *J Nerv Men Dis* (1998) **186:**470–6.
49. Van Os J, Gilvarry C, Bale R et al, A comparison of the utility of dimensional and categorical representations of psychosis. UK700 Group, *Psychol Med* (1999) **29:**595–606.
50. McGorry PD, Bell RC, Dudgeon PL, Jackson HJ, The dimensional structure of first episode psychosis: an exploratory factor analysis, *Psychol Med* (1998) **28:**935–47.
51. Siris SG, van Kammen DP, Docherty JP, Use of antidepressant drugs in schizophrenia, *Arch Gen Psychiatry* (1978) **35:**1368–77.
52. Siris SG, Morgan V, Fagerstrom R et al, Adjunctive imipramine in the treatment of postpsychotic depression. A controlled trial, *Arch Gen Psychiatry* (1987) **44:**533–9.
53. Prusoff BA, Williams DH, Weissman MM et al, Treatment of secondary depression in schizophrenia. A double blind placebo controlled trial of amitryptiline added to perphenazine, *Arch Gen Psych* (1979) **36:**569–75.
54. Goff DC, Brotman AW, Waites M et al, Trial of fluoxetine added to neuroleptics for treatment resistant schizophrenic patients, *Am J Psychiatry* (1990) **147:**492–4.
55. Kirli S, Caliskan M, A comparative study of sertraline versus imipramine in postpsychotic depressive disorder of schizophrenia, *Schizophren Res* (1998) **33:**103–11.
56. Kramer MS, Vogel WH, DiJohnson C et al, Antidepressants in depressed schizophrenic inpatients. A controlled trial, *Arch Gen Psychiatry* (1989) **46:**922–8.
57. Siris SG, Adan F, Strahan A et al, Comparison of 6 with 9 week trials of adjunctive imipramine in postpsychotic depression, *Compr Psychiatry* (1989) **30:**483–8.
58. Dufresne RL, Valentino D Kass DJ, Thioridazine improves affective symptoms in schizophrenic patients, *Psychopharmacol Bull* (1993) **29:**249–55.
59. Krakowski M, Czobor P, Volavka J, Effect of neuroleptic treatment on depressive symptoms in acute schizophrenic episodes, *Psychiatry Res* (1997) **71:**19–26.
60. Abuzzahab FS Sr, Zimmerman RL, Psychopharmacological correlates of postpsychotic depression: a double-blind investigation of haloperidol versus thiothixene in outpatient schizophrenia, *J Clin Psychol* (1982) **43:**105–10.
61. Alfredsson G, Harnryd C, Weisel FA, Effects of sulpiride and chlorpromazine on depressive symptoms in schizophrenic patients – relationship to drug concentrations, *Psychopharmacology* (1984) **84:**237–41.
62. Harrow M, Yonan CA, Sands JR et al, Depression in schizophrenia: are neuroleptics, akinesia, or anhedonia involved? *Schizophr Bull* (1994) **20:** 327–38.
63. Knights A, Okasha MS, Salih MA et al, Depressive and extrapyramidal symptoms and clinical effects: a trial of fluphenazine versus flupenthixol in maintenance of schizophrenic outpatients, *Br J Psychiatry* (1979) **135:**515–23.
64. Hogarty GE, Munetz MR, Pharmacogenic depression among outpatient schizophrenic patients: a

failure to substantiate, *J Clin Psychopharmacol* (1984) **4:**17–24.
65. Wisted B, Palmstierna T, Depressive symptoms in chronic schizophrenic patients after withdrawal of long-acting neuroleptics, *J Clin Psychiatry* (1983) **44:**369–71.
66. Siris SG, Akinesia and postpsychotic depression: a difficult differential diagnosis, *J Clin Psychiatry* (1987) **48:**240–3.
67. McElroy SL, Dessain EC, Pope HG Jr et al, Clozapine in the treatment of psychotic mood disorders, schizoaffective disorder, and schizophrenia, *J Clin Psychiatry* (1991) **52:**411–14.
68. Banov MD, Zarate CA, Tohen M et al, Clozapine therapy in refractory affective disorders. Polarity predicts response in long term follow-up, *J Clin Psychiatry* (1994) **55:**295–300.
69. Calabrese JR, Kimmel SE, Woyshville MJ et al, Clozapine for treatment refractory mania, *Am J Psychiatry* (1996) **153:**759–64.
70. Zarate CA Jr, Tohen M, Baldessarini RJ, Clozapine in severe mood disorders, *J Clin Psychiatry* (1995) **56:**411–17.
71. Naber D, Hippius H, The European experience with the use of clozapine, *Hosp Community Psychiatry* (1990) **41:**886–90.
72. Hillert A, Maier W, Wetzel H et al, Risperidone in the treatment of disorders with a combined psychotic and depressive syndrome – a functional approach, *Pharmacopsychiatry* (1992) **25:**213–17.
73. Keck PE Jr, Wilson DR, Strakowski SM et al, Clinical predictors of acute risperidone responses in schizophrenia, schizoaffective disorder and psychotic mood disorders, *J Clin Psychiatry* (1995) **56:**466–70.
74. Muller-Seicheneder F, Muller MJ, Hillert A et al, Risperidone versus haloperidol and amitriptyline in the treatment of patients with a combined psychotic and depressive syndrome, *J Clin Psychopharmacol* (1998) **18:**111–20.
75. Ceskova E, Svestka J, Double-blind comparison of risperidone and haloperidol in schizophrenic and schizoaffective psychoses, *Pharmacopsychiatry* (1993) **26:**121–4.
76. Tran PV, Hamilton SH, Kuntz AJ et al, Double-blind comparison of olanzapine versus risperidone in the treatment of schizophrenia and other psychotic disorders, *J Clin Psychopharmacol* (1997) **17:**407–18.
77. Tollefson GD, Sanger TM, Lu Y et al, Depressive signs and symptoms in schizophrenia: a prospective blinded trial of olanzapine and haloperidol, *Arch Gen Psychiatry* (1998) **55:**250–8.
78. Tollefson GD, Beasley CM Jr, Tran PV et al, Olanzapine versus haloperidol in the treatment of schizophrenia and schizoaffective disorder and schizophreniform disorder: results of the international collaborative trial, *Am J Psychiatry* (1997) **154:**457–65.
79. Mullen J, Reinstein M, Bari M et al, Quetiapine and risperidone in outpatients with psychotic disorder: results of the quest trial, *Schizophr Res* (1999) **36:**290.
80. Arvanitis LA, Miller BG, Kowalcyk BB et al, Efficacy of Seroquel in affective symptoms of schizophrenia. In: Abstracts of the Thirty-sixth Annual Meeting of the American College of Neuropsychopharmacology, Honolulu, 1997.
81. Keck PE Jr, Harrigan EP, Reeves KR, The efficacy of Ziprasadone in schizophrenia and schizoaffective disorder: an update, *Biol Psychiatry* (1997) **42(Suppl):**42s.
82. Lerner Y, Mintzer Y, Schestatzky M, Lithium combined with haloperidol in schizophrenic patients, *Br J Psychiatry* (1988) **153:**359–62.
83. Terao T, Oga T, Nozaki S et al. Lithium addition to neuroleptic treatment in chronic schizophrenia: a randomised double-blind placebo-controlled crossover study, *Acta Psychiatr Scand* (1995) **92:**220–4.
84. Sramek J, Herrera J, Costa J et al, A carbamazepine trial in chronic treatment refractory schizophrenia, *Am J Psychiatry* (1988) **145:**748–50.
85. Placidi GF, Lenzi A, Lazzerini F et al, The comparative efficacy and safety of carbamazepine versus lithium: a randomized double blind 3 year trial in 83 patients, *J Clin Psychiatry* (1986) **47:**490–4.
86. Schaff MR, Fawcett J, Zajecka JM, Divalproex sodium in the treatment of refractory affective disorders, *J Clin Psychiatry* (1993) **54:**380–4.
87. Hayes SG, Long-term use of valproate in primary psychiatric disorders, *J Clin Psychiatry* (1989) **50:**35–9.
88. McElroy SL, Keck PE, Strakowski SM, Mania, psychosis and antipsychotics, *J Clin Psychiatry* (1996) **57(Suppl 3):**14–26.
89. Janicak PG, Newman RH, Davis JM, Advances in the treatment of manic and related disorders, *Psychiatr Annals* (1992) **22:**92–103.
90. White E, Cheung P, Silverstone T, Depot antipsychotics in bipolar affective disorder, *Int Clin Psychopharmacol* (1993) **8:**119–22.
91. Ahlfors UG, Baastrup PC, Dencker SJ et al, Flupenthixol decanoate in recurrent manic-depressive illness: a comparison with lithium, *Acta Psychiatr Scand* (1981) **64:**226–37.
92. Calabrese JR, Kimmel SE, Woyshville MJ et al, Clozapine for treatment-refractory mania, *Am J*

Psychiatry (1996) **153:**759–64.
93. Sanger T, Tohen M, Tollefson G et al, Olanzapine vs placebo in the treatment of acute mania, *Schizophr Res* (1998) **29:**152.
94. Dwight MM, Keck PE Jr, Stanton SP et al, Antidepressant activity and mania associated with risperidone treatment of schizoaffective disorder, *Lancet* (1994) **344:**554–5.
95. Sajatovic M, DiGiovanni SK, Bastani B et al, Risperidone therapy in the treatment of refractory acute bipolar and schizoaffective mania, *Psychopharmacol Bull* (1996) **32:**55–61.
96. Tran PV, Tollefson GD, Sanger TM et al, Olanzapine versus haloperidol in the treatment of schizoaffective disorder. Acute and long-term therapy. *Br J Psychiatry* (1999) **174:**15–22.
97. Goodwin FK, Jamison KR, *Manic-depressive Illness* (Oxford University Press: New York, 1990).
98. Bowden CL, Brugger AM, Swann AC et al, Efficacy of divalproex vs lithium and placebo in the treatment of mania, *JAMA* (1994) **271:**918–24.
99. Chouinard G, Young SN, Annable L, Antimanic effects of clonazepam, *Biol Psychiatry* (1983) **18:**451–66.
100. Berk M, Lamotrigine and the treatment of mania in bipolar disorder, *Eur Neuropsychopharmacol* (1999) **9(Suppl 4):**S119–23.
101. Matsuo F, Lamotrigine, *Epilepsia* (1999) **40(Suppl 5):**S30–6.
102. Pien RF, Maintenance treatment. In: Paykel ES, ed, *Handbook of Affective Disorders* (Churchill Livingstone: Edinburgh, 1992) 419–35.
103. Guidelines for the treatment of bipolar affective disorder, *J Clin Psychiatry* (1996) **57(Suppl 12A):**7–42.
104. Greil W, Ludwig-Mayerhofer W, Erazo N et al, Lithium vs carbamazepine in the maintenance treatment of schizoaffective disorder: a randomised study, *Eur Arch Psychiatry Clin Neurosci* (1997) **247:**42–50.
105. Post RM, Uhde TW, Roy-Byrne W et al, Correlates of antimanic response to carbamazepine, *Psychiatry Res* (1987) **21:**71–83.
106. Dardennes R, Even C, Bange F et al, Comparison of carbamazepine and lithium in the prophylaxis of bipolar disorders. A meta-analysis, *Br J Psychiatry* (1995) **166:**378–81.
107. Post RM, Denicoff KD, Frye MA et al, Re-evaluating carbamazepine prophylaxis in bipolar disorder, *Br J Psychiatry* (1997) **170:**202–4.
108. McElroy SL, Keck PE, Pope HG et al, Valproate in the treatment of bipolar disorder: literature review and clinical guidelines, *J Clin Psychopharmacol* (1992) **12(Suppl 1):**425–525.
109. Denicoff KD, Earlian E, Smith-Jackson RN et al, Valproate prophylaxis in a prospective clinical trial of refractory bipolar disorder, *Am J Psychiatry* (1997) **154:**1456–8.

14 정신분열병 환자의 자살행동

Povl Munk-Jorgensen

내용 · 도입 · 자살위험 · 자살기도 · 자살사고 · 정신병리 · 자살예방

도입

정신분열병은 다른 만성 질환에 필적하는 사망률을 지닌 심각한 질환이며, 자살이 주요 사인이 된다. 정신분열병을 포함한 다수 정신장애의 표준 사망비가 표 14.1에 제시되어 있다.

표에서 나타난 바와 같이, 정신분열병의 표준 사망비는 9.0으로 산출되는데 이는 제시된 예들의 평균치에 가깝다.[1] 높은 사망률에 관한 가장 당면한 의문 중 하나는 그 사망률이 변해왔는지, 특히 자살에 의한 사망률에 변동이 있었는지 여부이다.

지난 20세기 후반에 걸쳐 재구성된 정신의학은 정신분열병 같은 정신과 환자들의 상황 개선을 이루어야 했고, 이는 예를 들면 자살률의 감소 등과 같이 측정 가능한 것이어야 했다. 20세기 초반의 수용시설 시대에는 주로 결핵, 기타 감염성 질환, 영양결핍으로 인해 정신분열병의 사망률이 높았다. 자살이 흔한 사인이긴 했으나, 전체적으로 높은 사망률의 일부를 차지하는 정도에 머물렀었다. 20세기 중반에 들어, 이상한 치료법이 도입되자 사망률은 우려할 수준에까지 이르렀다: 카디아졸 경련치료, 인슐린 혼수치료, 뇌절단술 등의 치료법이었다.

수용생활의 신체적 합병증으로 인한 사망률 증가 시기와 의인성(醫因性) 사망률 증가 시기를 거친 후, 1950년대 신경이완제와 항우울제의 도입은 1960년대 정신과 영역에서의 개선된 상황을 기대하게 했다. 그러나 불행히도, 그러한 개선은 이루어지지 않았다. 정신분열병 환자들은 여전히 높은 사망위험에 처해있는데, 주로 자살위험이다.

자살위험

정신분열병의 일평생 자살위험은 대략 10-13%에 이르는데, 대부분의 보고는 13%보다는 10%에 가까운 수치를 보이고 있다.[3,4] 전체 자살의 상당 비율이 정신분열병 환자들의 자살이다. 핀란드의 한 연구에서는, 1987년 4월부터 1988년 3월 사이에 자살한 사람들의 7%가 정신분열병 환자인 것으로 확인되었다.[5] 오스트레일리아의 자해화상 연구에서는 16%가 정신분열병이었다.[6] 7% 및 16%라는 이 수치는 일반인구집단에서의 정신분열병의 유병률이 0.5-0.7% 정도에 불과하다는 점을 염두에 두

표 14.1 자살에 의한 사망: 일부 장애와 치료 환경에서의 표준화된 자살 비(남성과 여성 모두를 포함).[1]

위험요인	SMR	95% 신뢰구간
알코올 의존 및 남용	5.5	10.7-15.9
혼합 약물남용	13.1	10.7-15.9
정신분열병	9.0	8.4- 9.6
주요 우울증	21.2	17.9-15.0
양극성 장애	11.7	6.1-20.6
기분부전증	11.9	11.3-12.6
공황장애	7.5	2.8-16.3
신경증	2.5	1.8- 3.4
정신과적 입원치료	11.2	9.9-12.5
정신과적 외래치료	23.0	13.4-36.8
정신과적 지역사회치료	14.4	10.3-19.6

SMR은 표준 사망비

고 이해되어야 할 것이다.

10-13%라는 자살률 수치는 강력한 항정신병약물 치료가 가능했던 후기 수용소 시대에 주로 행해진 연구에서 비롯된 것이다. 당시 대부분의 정신분열병 환자들은 더 집중적인 관찰이 가능한 병원이나 요양시설에 수용되어 있었다. 항정신병약물과 수용시설은 두 가지 모두가 자살위험을 떨어뜨리는 요인으로 작용했을 것이다.

지난 이삼십년 동안 치료체계는 급격한 변화를 겪었다. 분산화(decentralization)가 더 천천히 진행된 나라에서조차, 현재 병원에 머물면서 치료받는 정신분열병 환자들의 수는 25년 전의 삼분의 일에 불과하다. 이는 예전에 입원해 있던 모든 정신분열병 환자들 중 삼분의 이가 전보다 훨씬 낮은 수준의 감독과 관찰을 받고 있다는 것을 뜻한다. 이 문제는, 개선된 효과의 항정신병약물 사용이 가능함에도 불구하고 변화가 없는 재발률에 아울러 약물 순응도를 고려해서 해석해야 한다. 일평생 자살 위험은 더 증가했으리라고 보는 편이 논리적인 가정일 것이다.

덴마크에서의 연구들은(그림 14.1) 첫-입원한 비기질성 정신병 환자들의 4년 동안의 자살에 의한 표준 사망비가 1970년대 초로부터 1980년대 말에 이르러 두 배로 증가했음을 보여준다.[7] 일반인구집단의 자살이 감소했다는 사실과 첫-입원한 정신분열병 환자 수도 감소했다는 사실을 고려한다면, 이 결과의 해석은 복잡해진다. 하지만, 그 해석과 무관하게, 일반인구집단에서의 자살 감소로부터 정신분열병 환자들의 자살 감소를 도출해낼 수 없었다고 결론지을 수는 있겠다.

일반인구집단에서의 자살의 고 위험요인은 참고 14.1과 같다. 일반인구집단을 대상으로 한 연구결과들은 여성보다 남성의 자살이 더 많다는 점으로 특징지어지는데, 이는 자살기도의 경우와는 상반된 결과다. 이 차이는 일반인구집단에서처럼 두드러진 정도는 아니지만, 정신분열병에서도 분명히

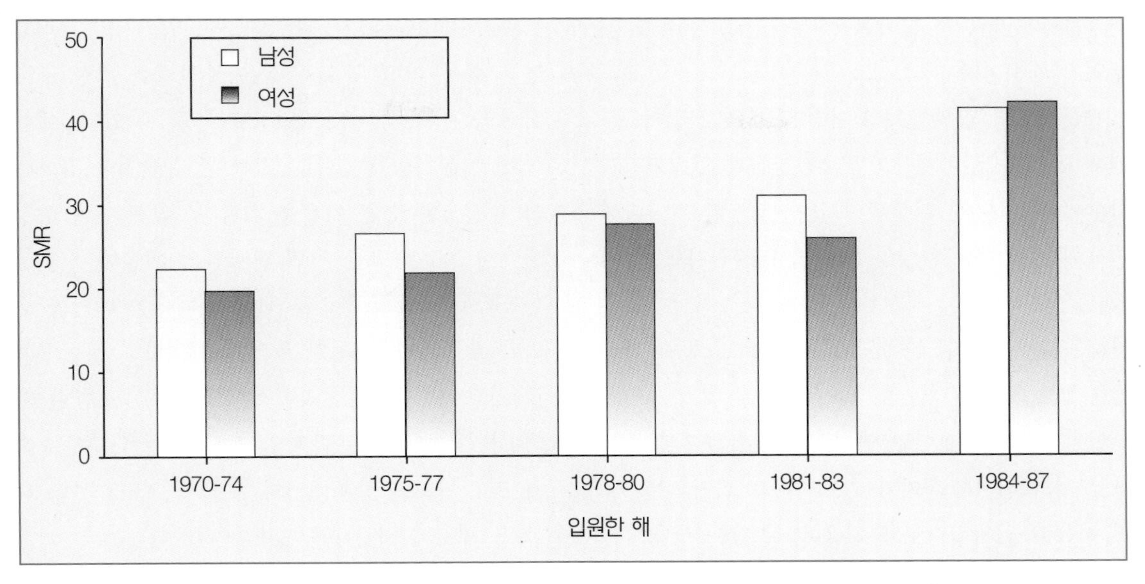

그림 14.1 첫 입원한 기능성 정신병에서의 자살에 의한 표준 사망비(SMR)[7]

참조 14.1 일반인구에서의 자살 위험요인

- 남성
- 과거의 자살기도
- 물질사용 장애
- 독신
- 고령
- 정신장애
- 심한 신체적 질환
- 사회보장금으로 생계를 꾸림
- 가까운 친족의 상실

참조 14.2 정신분열병에 특이한 자살 위험요인

- 입원을 반복함
- 과거 및 현재에 우울증상을 지님
- 과거에 종합병원에 입원한 적이 있음
- 정신분열병이 첫 발병연령이 어린 경우
- 질환의 초기 단계
- 정신병적 증상의 악화
- 정신과적 입원치료를 받다가 최근에 퇴원한 경우

나타난다. 자살에 앞서 경고를 주는 정신분열병 환자들은 다른 종류의 정신장애를 지닌 환자들에 비해 더 적다. 결과적으로, 다른 정신장애에 비해 자살을 예측하기가 더 어렵다. 앞서 인용한 바와 같이, 표준 사망비는 9.0이다. 특정 고위험군을 대상으로 산출하면 위험비(RR)는 극적으로 증가한다. 예를 들어, 한 덴마크 연구에서, 정신분열병으로 진단 받은 첫해 동안 30대 미만의 젊은 남성들의 RR은 160 이상이었고, 동일한 여성 집단은 320을 넘었다(이 성별 차는 일반인구집단에서의 남성 자살률이 여성의 두 배이기 때문이다).[8]

임상실제에서 정신분열병 환자들을 치료하고 다룰 때에는 항상 이러한 일반적 위험요인을 고려해야 한다. 여기에 덧붙여 정신분열병 환자들에게서 특별히 확인되는 위험요인은 참고 14.2와 같다.

입원환자의 자살

정신분열병 환자의 자살 중에서 특히 비극적인 경우는 입원환자의 자살인데, 희생자와 가족들뿐만 아니라 입원 중 환자를 책임진 치료진 또한 연루되기 때문이다.

정신분열병 입원환자의 자살은 드물지 않다. 문헌에 의하면 모든 자살의 5%가 정신과 입원환자의 자살이다. 3000건 이상의 자살을 조사한 캐나다의 연구에서는, 모든 자살의 3.4%가 입원환자였고, 이들 중 삼분의 일이 정신분열병이었다.[9] 자살행동은 전체 입원기간동안 관찰되지만, 첫 며칠 동안 가장 높은 빈도를 보인다.

입원환자의 자살이란 입원치료 상황하에서의 자살로 정의되는데, 환자가 외출이나 시험적 퇴원 등의 이유로 일시적으로 병원을 떠나 있는 상태에서의 자살도 포함한다. 따라서, 반드시 병원 안에서 자살이 일어나야 입원환자의 자살로 정의되는 것은 아니다. 입원환자의 자살의 절반 이상이 여러 가지 이유로 허락을 받아 병원을 벗어나 있는 중에 또는 정신과 주치의의 허락 없이 병원을 떠난 후에 발생한다. 입원환자의 자살과 관련 있다고 밝혀진 몇 가지 위험요인이 참고 14.3에 열거되어 있다. 남성, 독신, 물질남용 등의 일반적 위험요인은 열거하지 않았지만, 이들 또한 입원환자의 위험요인으로 타당하다.

몇 가지 자명한 예측자들이 있지만, 예방에는 별 도움이 안 된다. 예를 들어, 항정신병약물과 항우울제의 처방은 정신병적 증상과 우울증상을 가진 환자라는 것 외에 알려주는 바가 없다.

참조 14.3 입원환자의 자살 위험요인

- 정신분열병 진단
- 신경이완제와 항우울제를 더 자주 처방받는 경우
- 과거의 자해/자살기도
- 입원한 시점에 자살사고를 가진 경우
- 입원기간 중 자살사고를 보이는 경우
- 병동 이전이 잦은 경우

과거 자해력, 과거 자살기도력, 자살사고, 그리고 높은 병동 이전 횟수와 같은 불안정한 치료 조직화와의 관련성은 유용한 정보가 될 수 있다. 예를 들어, 자살사고를 감추고 있는 환자 관찰을 강화하고 불필요한 병동 이전을 피할 수 있겠다. 임상실제에서 자살사고를 지닌 환자들의 외출이나 일상생활활동의 교외 훈련을 허락할 때에는 대단한 주의가 요구된다. 다양한 형태의 지역사회 정신의학적 치료 및 사회정신의학적 치료 등을 포함한 외래 서비스에서는 포괄적인 정신과적 치료가 주어지므로, 이러한 상황에서의 자살 즉, '치료하의 자살' 을 새로이 평가해볼 필요가 있겠다.

자살기도

UK700 집단의 최근 한 연구에서 Walsh와 동료들은 만성 정신병 환자들의 2년 동안의 준자살행동의 유병률이 약 20%라고 했다.[10]

정신분열병 환자의 일평생 자살기도위험은 20-40%이다. 미국의 체스트넛 롯지의 정신분열병 연속선 장애의 장기추적(평균 19년)에서, 정신분열병 및 분열정동장애 환자의 23%가 자살을 기도했고 6.7%가 자살했다고 밝혀졌다. 결과적으로 전체 30%의 환자가 자살행동을 보였던 것이다.[11]

약간의 차이는 있지만, 자살기수(自殺旣遂)의 예측자는 자살기도에도 동일하게 해당된다는 점을 알아야 한다. 경고의 징후가 적고 우울증상이 덜 흔하다(비록 절반 정도는 우울증상을 보이지만). 사회적인 면을 보면, 자살기수자에 비해 자살기도자가 독신인 경우가 적다.

자살사고

정신분열병 환자는 흔히 자살사고를 숨긴다. 즉,

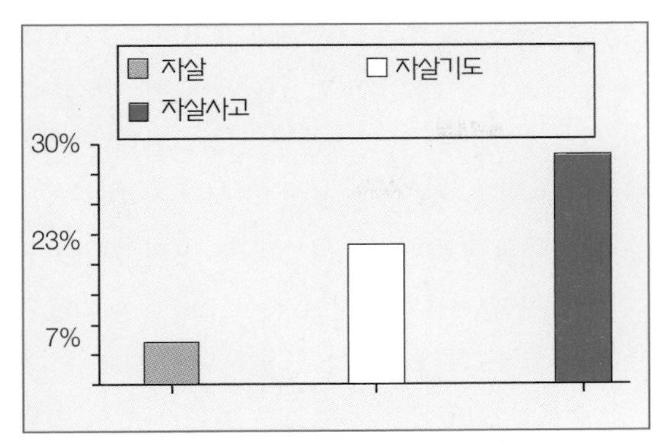

그림 14.2 평균 19년 추적동안의 자살, 자살기도 및 자살사고[11]

환자는 자발적으로 자살사고를 표현하지 않는다. 반면, 자살사고에 관해 질문하면, 자살사고는 매우 흔하게 드러난다. 앞서 언급한 Fenton과 동료들에[11] 의한 체스트넛 롯지의 장기추적연구에 의하면, 평균 추적기간 19년 동안, 정신분열병 및 분열정동장애 환자들의 39.3%가 자살사고를 경험했던 것으로 밝혀졌다(그림 14.2).

자살기수자인 6.7% 또한 자살사고를 가졌음에 틀림없기에 전체를 합하면 46%가 된다.

첫 삽화 정신분열병을 경험하는 환자들의 대략 10%는 질환이 분명해지고 1년 이내에 자살사고를 갖게 된다. 자신의 상황을 잘 알고 있는 고학력 환자 집단에서 종종 정신병후 자살이 발생한다. 더욱이, 정신분열병 외래환자의 코호트에서, 자살행동을 보이지 않은 환자보다 반복적인 자살사고나 자살행동을 보인 환자들은 자신의 양성증상뿐만 아니라 음성증상에도 더 많은 관심을 보였다.[12]

정신병리

우울증과 우울증상

정신병적 삽화 후에 이어지는 잔류기에서의 자살이 종종 기술되어 왔다. 첫-삽화 정신분열병 환자들의 정신병적 삽화기와 그 후 몇 개월 기간동안 우울증상의 발생이 증가한다고 알려져 있다.[13]

핀란드의 심리학적 부검연구에 의하면, 자살한 정신분열병 환자들의 64%가 자살 전에 우울증상을 보였다고 한다.[5] 첫-삽화 정신분열병의 20-25% 사이에서 아증후군성 우울증을 보인다고 기술되어 있다.

정신분열병 환자들의 우울증 발생이 일반인구집단과 동일하다면, 비선택적인 정신분열병 환자들의 5%가 주요 우울증을 지니게 될 것이다. 그러나, 질환의 경과에 따른 상이한 시기마다 우울증 발생률이 달라질 것이기에, 일반인구집단과 같은 방식, 즉 평균치로 정신분열병에서의 우울증의 유병률을 따지는 것은 의미가 없다. 문헌에 의하면, 그 발생률은 일반인구집단보다 높다. 정신분열병에서의 주요 우울증이 5-10% 정도라면 이는 과장이 아닐 것이다. 반면, 불쾌한 기분은 50% 정도에서 보인다.

기타 증상

자살성 정신분열병 환자에게서 공격성이 자주 언급된다. 첫-삽화 정신분열병 환자 2년 추적연구에서는, 남자 환자의 삼분의 이와 여자 환자의 절반이 공격적 행동을 보였다.[14] 자살행동과 양성증상 및 음성증상 사이에 상관관계가 있어 보이지만, 결정적인 결과를 보이지는 못하고 있다. 명령하는 환청은 자살행동과 상관관계가 있어 보인다.

최근 수십년 간 정신분열병 환자의 물질남용이 극적으로 증가했다. 그 결과, 사회적으로 침울한 도시 지역의 병동보다 부담이 덜한, 지방 마을의 일반정신과 병동에서조차, 환자들의 50-60%가 혼합약물, 합법 및 비합법 약물, 알코올 등을 사용하는 물질남용 환자들일 것으로 예상된다.[15] 물질남용이 자살의 일반적 위험요인임을 염두에 둔다면,

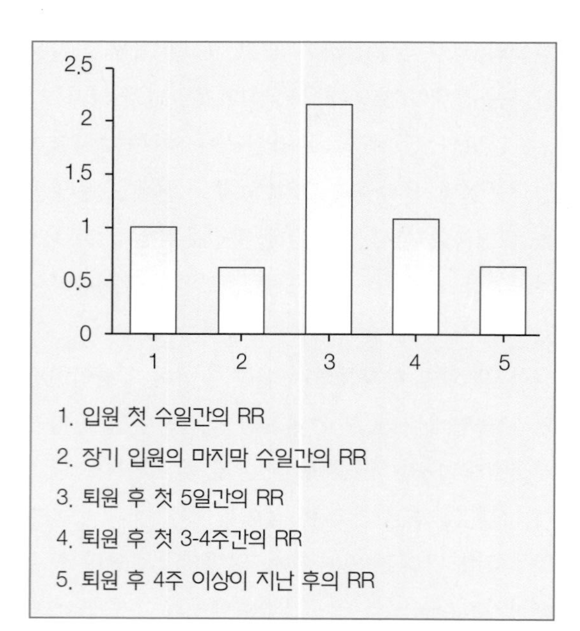

그림 14.3 입원기간 중 여러 시점에서의 정신분열병의 상대적 자살 위험도(relative risk, RR).[8,17] **입원 당시의 자살 위험도 = 1.**

이런 수치는 놀라운 것이다.

절망감, 반추하는 사고, 사회적 위축, 활동 감소는 자살위험이 있는 정신분열병 환자의 주요 증상이다.

자살예방

앞서 언급한 어떠한 예측자도 특정 환자의 자살 예방치료에 직접적으로 도움이 될만한 예측력을 지니지 못한다. 이는 정신분열병 환자의 자살이 상대적으로 드물기 때문이다. 취해져야 할 조치는, 자살/자살기도에 특이하게 적용될 뿐만 아니라 일반적인 성질도 지니고 있는 것이어서, 자살위험이 있는 환자는 물론 모든 환자에게 보편적이고 긍정적인 가치를 지니고 있어야 한다. 가장 중요한 요소로서 충분하고 장기적인 신경이완제 치료를 강조한다. 자살한 정신분열병 환자들은 불충분한 항정신병약물 치료를 받았음이 밝혀졌다. 정신분열병 환자들의 자살을 연구한 핀란드의 연구에서, 절반 이상의 환자들은 불충분한 신경이완제 치료를 받았거나 약물 비순응을 보였고, 대략 사분의 일은 순응도가 좋았으나 반응이 불량한 환자들이었다. 따라서, 이 환자들의 사분의 삼이 불충분한 약물치료를 받은 셈이다.[16]

불충분한 신경이완제 치료와 자살 사이의 인과관계가 어떻든 간에, 약물치료에 집중적인 노력을 기울임으로써, 정신분열병 환자들의 일반적인 재발 빈도의 감소를 기대할 수 있다.

환자의 치료 중도 탈락을 줄이는 노력 또한 충분한 신경이완제 치료에 포함된다. 특히, 약물치료로부터의 탈락을 줄여야 하고, 일반적인 치료적 접촉으로부터의 탈락도 줄여야 한다.

정신분열병 환자들은 흔히 치료에서 탈락되므로, 접촉을 유지하고 신경이완제 치료를 지속할 수 있도록 하는 최대의 노력이 필요하다. 부작용이 적은 새로운 항정신병약물을 사용하면 약물치료를 유지하는 데에 도움이 된다. 정신교육적 치료는 보건서비스체계와의 접촉을 늘이고 약물 순응도를 증가시키는 두 가지 형태로서 환자의 순응을 향상시키리라 기대된다. 하지만, 이런 연결구조 속에서, 자신의 질병에 더 많은 병식을 지닌 환자들의 높은 자살위험 또한 주지하고 있어야 한다.

분산화되어 지역사회에 기반을 둔, 정신과적 치료 서비스의 조직화 그 자체가 위험요인이라고 보아야 한다. 정신병후 우울증은 명백한 위험요인이므로, 단기입원만을 지향하는 경향이 일부 환자들에겐 치명적일 수 있겠다. 대다수를 위한 빠른 퇴원을 통해 얻어지는 이득이, 자살의 위험이 있는 소수에게는 위험요인으로 작용할 수 있다. 덴마크의 Mortensen 그룹이 가장 확실히 밝혔듯이, 질환의 경과 중 자살위험이 가장 높은 시기는 퇴원 후

첫 주이다. 이 위험은 퇴원 후 6개월까지 상당히 증가되어 있다.[8,17]

맨체스터에서의 정신과 퇴원 후 자살에 관한 최근의 한 연구에서는 덴마크에서의 연구결과가 반복 확인되었다.[18] 더욱이, 자살기수자들은 자살하지 않은 정신장애 대조군에 비해 유의한 치료 감소를 경험했다(승산비: 3.7, 95% 신뢰구간: 1.8-7.6). 그러나, 분산화 지역사회 모형이 야기한 위험은 정신병리적 예측자, 특히 우울증상, 자살사고에 주의를 기울이고, 정신병적 증상을 관찰함으로써 완화시킬 수 있을 것이다. 이는 규칙적 간격의 구조화된 면담을 요한다. 통상의 구조화되지 않은 면담에서는, 구조화된 면담을 이용해서 발견할 수 있는 증상의 절반 이상을 놓칠 수 있다고 알려져 있다. 우울증상이 있다면 특히 이 방법이 추천되는데, 정신병적 증상에 비해 우울증상은 주목을 덜 받기 때문이다.

지역의 행정적 이념이 무엇이든 간에, 정신과의사는 소견에 대한 책임을 감수할 각오가 되어 있어서 정신병후 우울증을 보이거나 정신병적 증상이 충분히 치료되지 않은 환자를 절대 퇴원시켜서는 안 된다. 분산화된 모든 서비스가 문을 닫는 금요일에 절대 환자를 퇴원시켜서는 안 된다. 대신, 월요일 아침까지 기다려야 한다. 퇴원한 환자에게 분산화된 지역사회 서비스를 찾도록 지시해서는 안 된다. 대신, 서비스의 치료진이 환자를 추적하여 연속성이 유지되도록 해야 한다.

사회적 노력은 자살위험을 지닌 환자를 포함한 모두에게 유용하다. 사회적 예측자 및 기타 인구학적 예측자 단독으로는 자살의 예방치료에 별 소용이 없다. 독신과 실직은 자살의 예측자이나 개별적인 정신분열병 환자를 다루는 임상적 예방에서는 쓸모가 없는데, 이는 정신분열병 환자들의 거의 대부분이 독신 및 실직 상태에 있고 매우 소수만이 자살/자살기도(을)를 할 것이기 때문이다.

물질사용장애에 대해서도 똑같이 말할 수 있다. 정신분열병 환자들의 이러한 장애 발생이 극적으로 증가해왔다. 정신분열병 환자들의 물질남용을 조절하고자 하는 노력은 정신분열병 환자들 전반에게 이득이 될 뿐만 아니라 자살위험을 지닌 환자들에게도 도움이 될 수 있겠다.

모든 정신분열병 환자들은 자살을 범할 위험이 있는 질환의 경과 중에 항상 놓여 있다. 따라서, 높은 순응도를 보이는 충분한 치료가 될 수 있게끔 주의를 기울이고, 동기를 부여하고, 최대한의 노력을 경주해야 한다.

마지막으로, 고도의 자살위험을 지닌 환자의 윤곽을 살펴보자: 최근에 발병한, 젊은 남자 정신분열병 환자이다. 그는 과거에 자살행동을 보인 적이 있었다. 실직 상태이고 좋지 않은 환경 속에 혼자 살고 있다. 정신병후 단계에 해당되고 지속적인 우울증상을 지니고 있다. 약물치료를 피하고자 시도하며 물질남용으로 돌아가고 싶어한다. 지적이고 정신병적 상태가 아닐 때에는 자신의 질병에 분명한 병식을 보인다. 그는 금요일 오후에 막 퇴원해서 주말을 홀로 지내야 하는 자신의 임대 방으로 돌아왔고, 월요일에 가까운 지역사회정신보건센터를 찾아가도록 권유받았다.

참고문헌

1. Harris EC, Barraclough B, Excess mortality of mental disorder, *Br J Psychiatry* (1998) **173:**11–53.
2. Brown S, Excess mortality of schizophrenia, *Br J Psychiatry* (1997) **171:**502–8.
3. Harkavy-Friedman JM, Nelson E, Assessment and intervention for the suicidal patient with schizophrenia, *Psychiatr Q* (1997) **68:**361–75.
4. Harkavy-Friedman JM, Nelson E, Management of the suicidal patient with schizophrenia, *Psychiatr Clin North Am* (1997); **20:**625–40.

5. Heilä H, Isometsä ET, Henriksson MM et al, Suicide and schizophrenia: a nationwide psychological autopsy study on age- and sex-specific clinical characteristics of 92 suicide victims with schizophrenia, *Am J Psychiatry* (1997) **154:**1235–42.
6. Cameron DR, Pegg ST, Muller M, Self-inflicted burns, *Burns* (1997) **23:**519–21.
7. Ministry of Health's Life Expectancy Committee, Development in suicide mortality in Denmark 1955–1991 (in Danish), Ministry of Health (1994).
8. Mortensen PB, Suicide among schizophrenic patients: occurrence and risk factors, *Clin Neuropharmacol* (1995) **18:**51–8
9. Proulx F, Lesage AD, Grunberg F, One hundred in-patient suicides. *Br J Psychiatry* (1997) **171:**247–50.
10. Walsh E, Harvey K, White I et al, Prevalence and predictors of parasuicide in chronic psychosis, *Acta Psychiatr Scand* (1999) **100:**375–82.
11. Fenton WS, McGlashan TH, Victor BJ, Blyler CR, Symptoms, sub type, and suicidality in patients with schizophrenia spectrum disorders, *Am J Psychiatry* (1997) **154:**199–204.
12. Amador XF, Friedman JH, Kasapis C et al, Suicidal behavior in schizophrenia and its relationship to awareness of illness, *Am J Psychiatry* (1996) **153:**1185–8.
13. Addington D, Addington J, Patten S, Depression in people with first-episode schizophrenia, *Br J Psychiatry* (1998) **172(Suppl 33):**90–2.
14. Steinert T, Wiebe C, Gebhardt RP, Aggressive behavior against self and others among first-admission patients with schizophrenia, *Psychiatr Serv* (1999) **50:**85–90.
15. Hansen SS, Munk-Jørgensen P, Guldbæk B et al, Psychoactive substance use diagnoses among psychiatric inpatients, *Acta Psychiatr Scand* (2000), in press.
16. Heilä H, Isometsä ET, Henriksson MM et al, Suicide victims with schizophrenia in different treatment phases and adequacy of antipsychotic medication, *J Clin Psychiatry* (1999) **60:**200–8.
17. Rossau CD, Mortensen PB, Risk factors for suicide in patients with schizophrenia: nested case-control study, *Br J Psychiatry* (1997) **171:**355–9.
18. Appleby L, Dennehy JA, Thomas CS et al, Aftercare and clinical characteristics of people with mental illness who commit suicide: a case-control study, *Lancet* (1999) **353:**1397–400.

난폭한 환자 : 급성 치료

Ceri L Evans와 Lyn S Pilowsky

현재 난폭하거나 곧 난폭할 가능성이 아주 높아 보이는 환자의 처치는 정신과적 응급에 해당한다. 난폭한 행동의 결과로서 환자, 치료진 또는 다른 환자들에게 상당한 신체적, 심리적 위해가 가해질 수 있으므로, 잠재적으로 위험한 상황을 조기에 안전하게 억제할 필요가 있다. 하지만, 급성 폭력 상태에 대한 효과적이고 일관된 접근법이 분명히 요구되고 있음에도 불구하고, 특정한 임상개입법을 뒷받침해줄 만한 합당한 경험적 근거가 상대적으로 부족한 탓에, 그 임상적 지침 개발에 어려움이 있어왔다. 그럼에도 불구하고, 잠재적으로 난폭한 환자를 다루는 대부분의 현대 정신과 병동에서는 대단히 다양한 프로토콜과 함께 급속 진정(RT)을 위한 지침을 마련해왔다. 이 장에서는 주로 정신보건환경 내에서의 난폭한 행동에 대한 급성 처치 중 약물학적 처치에 관한 경험적 증거들을 요약할 것이다. 비록 이 장에서 종합적인 치료 흐름도를 구성하고자 하는 바는 아니지만, 급성진정 사용을 현실적인 임상적 토대 위에 올려놓기 위한 시도로서, 급성처치의 다양한 비약물학적 측면에 관한 원칙들 또한 실제적인 순서에 따라 제시할 것이다.

임상적 우선순위

정신과에서 난폭한 행동을 다룰 때 기억해야 할 우선적인 고려사항 세 가지가 있다. 첫째, 치료진과 환자를 위한 안전한 환경을 객관적이고 신속하게 구축하는 일이 으뜸이다. 재산보호는 마땅히 우선순위가 떨어지는 것으로 간주되고 있다. 둘째, 난폭하거나 위협적인 환자의 급성 스트레스를 줄이고자 시도해야 한다. 셋째, 훌륭한 처치는 적절한 진단 및 위험 평가를 가능케 하고 효과적인 향후 위험 처치를 전망할 수 있게 하는 것이어야 한다.

제압 획득

억제와 제압의 획득은 광범위한 의미에서 난폭한 행동 처치의 우선 목표이다. 난폭한 행동이 일어난 위치에 도착하면, 간호 치료진이 이미 신체적인 제압을 가하고 있는 것을 흔히 발견하게 될 것이고 난폭한 행동은 종결되어 있을 것이다. 많은 환자들이 난폭한 행동을 중단하는 데에는 '제압

(control)과 강박(restraint)' (C와 R)을 필요로 한다. 강박의 의미는 국가에 따라 다양한데, 몇몇 유럽국가와 미국에서는 벨트와 손목띠나 구속복 형태의 장비를 사용해 환자의 동작을 제한한다. 이 장에서의 강박의 의미는 협동으로 안전하게 환자를 신체적으로 고정시키는 것으로 사용되었다. 제압과 강박의 방법에 관한 강력한 경험론적 정설은 없지만, C와 R이 시행되기 전에 치료진은, 수가 충분하고, 잘 훈련받았어야 하며, 임상적 상식을 적절하게 따를 줄 알아야 한다는 사실은 분명하다. 일단 환자를 움직이지 못하게 하면, 물리적 환경을 즉각 안전하게 조처할 수 있고, 병동에서 다른 환자들의 위치가 적절하지 않다면 적절한 장소로 이동시킬 수 있고, 환자를 강박하거나 다른 환자들을 감독하는 데에 다른 치료진의 도움을 얻을 수 있으며, 합리적인 의사결정을 위한 시간을 벌 수 있다.

어떤 경우에는 난폭한 행동이 아직 발생하지 않았지만 매우 절박하게 느껴져 환자와의 면담이 필요할 때도 있다. 난폭할지도 모르는 환자와 안전하게 면담하는 지침은 잘 마련되어 있다. 무기가 될만한 물건을 치우고, 출입문이나 탈출구 또는 비상벨에 가까운 자리에 면담자가 위치하고, 적절한 수의 치료진을 동원해야 한다.[1] 또 다른 경우, 환자가 매우 폭력적이거나 무기사용과 같은 상황적 요인이 있을 때에는 치료진이 C와 R 과정을 적절히 수행할 수 없다. 이럴 때에는 경찰력과 같은 추가적인 전문서비스의 도움이 필요할 수 있다. 치료진 중에서 전체 과정을 감독할 권한을 가진 선임자가 확인되고, 안전한 환경이 확보되었으며, 일정 수준의 제압이 이루어졌으면, 임상상황에 기초하여 다양한 비약물적 치료 및 약물치료를 세심하게 선택하고 순서를 정해 실행할 수 있도록 주의를 돌릴 수 있다.

감별진단

종종 불안을 유발할 만큼 상대적으로 빠른 결정을 내려야 하는 부담감 아래에서, 폭력 또는 준폭력의 임상적 가설을 세우는 데에 관련된, 서로 연관되어 있으나 분명히 구분되기도 하는 두 가지의 과제가 있다. 이미 진단이 내려졌을지도 모르지만, 환자의 잠정적인 진단을 내리는 것이 첫 번째 과제이다. 급성 혼동 상태의 기질적 문제인지, 급성 정신병인지, 혹은 취약한 병전 성격으로 인한 급성 스트레스 반응, 즉 기질성도 아니고 정신병도 아닌 것인지 정도의 일반적인 용어로 진단을 내려도 충분할 때가 많다. 덜 구체적이긴 하나, 이런 종류의 범주구분으로도 약물치료가 유용할지, 의학적 검사나 조사가 얼마나 시급할지를 결정하는 데에 도움이 된다. 급성으로 동요하는 난폭한 행동과 관련된 진단은 정신병적 장애, 성격장애, 물질남용, 신경증적 상태, 다양한 종류의 기질적 병변 등을 포함하여 매우 광범위하다.[2]

두 번째 과제는 법의학적, 위험평가 시각에서 임상적 상황을 구성하는 것인데, 이 부분에서 진단은 일부에 지나지 않는다. 기본적인 위험평가는 난폭한 행동에 대한 최소한의 분석으로서의 '환자, 상황, 피해자' ('삼자')를 둘러싼 다양한 요소를 고려해야 한다.[3] 인원초과상태, 투약시간과 같은 특정 시간, 물질오용, 다른 환자나 방문자에 의한 자극, 요구의 거절, 무기 사용의 가능성 등을 포함한 방대한 병동-환경 요인들이 난폭한 행동에 선행하거나 난폭한 행동과 관련되어 있다고 밝혀져 있으므로,[3] 충분한 평가를 위해서는 상황적 요인이 꼭 필요한 경우가 많다. 전적으로 진단에만 국한된 평가는 효과적인 개입과 향후 위험관리를 어렵게 만들 수 있다.

비약물학적 개입

일반적으로 사용될 수 있는 두 가지 전략은, 주의분산 또는 '말로써 달래기' 등의 심리적 접근을 이용하여 상황을 '진정시키는' 시도와 격리(seclusion)의 이용이다. 심리적 접근법은, 환자로 하여금 '체면을 살릴' 기회를 갖고 '항복한다'는 느낌을 갖지 않게끔, 명확한 한계 내에서 현실적인 대안을 제공하는(그 대안이 가능하다면) 데에 기반을 둔다. 이는 비위협적이고 비언어적인 암시를 지닌 공감적 태도를 정확히 사용하면서, 직면시키지 않으면서도 확고한 면담 방식을 필요로 한다.[5] 강박이나 기타 임상적 조치를 기민하게 사용함으로써 흔히 격리를 피할 수 있다. 격리는 치료진이나 다른 환자들을 잠재적으로 난폭한 행동으로부터 일시적으로 떨어져 있게 할 수 있고 치료진의 사기에 긍정적인 영향을 미칠는지는 몰라도, 질환의 경과에 영향을 끼치거나, 약물 순응도를 높이거나, 앞으로의 난폭한 행동을 줄이지는 못한다고 밝혀져 있다.[6] 조용하고 차분한 분위기의 조성과 유지는 급성진정의 성공에 주요한 역할을 한다.

약물학적 개입

급성진정에 약물을 사용하는 데에 관한 자신감을 저해하는, 중요한 방법론적 요인들이 다수가 있다. 연구마다 용어의 정의, 예를 들면, '장애행동' 대 '난폭한 행동' 등의 정의가 일치하지 않고, 사용된 평가 방법이 달라, 연구들의 비교를 통해 정설을 얻어내기가 어렵다. 게다가, 정신상태, 진단적 문제, 환경 변수들이 충분히 고려되지 않아, 응급상황에서 이 요인들이 약물과 어떻게 상호작용하는지를 알 수가 없다. 따라서, 증거의 토대는 개방 연구 또는 불완전한 대조군 연구에 주로 의존할 수밖에 없고, 그 결과, 임상실제에서 급성진정에 사용된 약물에 있어서도 큰 차이를 보인다. 특히, 앞으로 이 장에서 논의할 어떤 계통의 약물을 어느 정도의 용량으로 사용하는 것이 응급상황에 적절한지에 대해서도 문헌을 통한 의견일치는 없는 셈이다. 이는 주로 정신과적 약물에 대한 개개인 반응 차이에 관여하는 약동학적 요소와 특히 약물의 진정작용의 차이 때문이다. 환자의 체중, 질환의 중증도, 조직의 반응성, 작용부위에서의 약물 농도에 따라 약물의 효과가 다르다. 진단적 문제가 해결되기 전에는 과도한 진정을 피해야 한다는 점을 강조하면서, 임상적 호전정도에 따라 약물 용량을 조절해야 한다고 제안되어 왔다.[7]

항정신병약물

급성진정에 항정신병약물을 사용하면서 추구하는 치료적 효과는 빠른 진정작용이다(몇 분 내지 몇 시간). 급속 '신경이완화'는 이런 상황에서 그다지 현실적이거나 안전한 방법으로서 인정받지 못하고 있으며, 진정한 '항정신병' 작용이 나타나는 몇일에서 몇 주의 시간은 줄일 수 없다는 점이 받아들여지고 있다.[8] 가장 많이 연구되었기에 급성진정에 가장 흔히 사용되는 항정신병약물은 고강도 신경이완제인 할로페리돌과 드로페리돌이다.[7,9-11] 록사핀, 티오리다진, 몰린돈 등의 기타 항정신병약물들은 할로페리돌보다 나은 효능을 보이지 못했다.[12] 클로자핀과 같은 비전형 항정신병약물을 포함한 새로운 약물들은 아직 응급상황에서 평가되지 못했다. 아세테이트 형태의 주클로펜틱졸 저장형 주사제는 사흘까지 지속되는 분명한 진정효과를 보이는 중간정도의 작용기간을 가지므로, 항정신병약물 주사의 반복을 피할 수 있다.[13] 그러나, 이 약물은 항정신병약물을 사용했던 적이 없거나 격렬히 저항하는 환자에게는 금기이다.

약물선택에 영향을 미치는 주요 요소는 부작용의 유무를 포함한 안전성이다. 클로르프로마진은 급성진정에서 일차 선택제로서 널리 사용되고 있지만, 근육주사 시에 매우 아프고, 알파-아드레날린성 차단 성질에 의한 이차적인 심각한 저혈압과 관련 있고, 심지어는 돌연사와도 연관되어 있기 때문에 비경구투여는 권장되지 않는다.[15] 할로페리돌과 드로페리돌은 양자 모두 부작용 발생이 적은 것으로 보고되었고,[7] 심장마비와 돌연사를 포함한 치명적인 부작용이 일부 보고되어 있지만,[17] 이 약물들의 안전성은 심혈관계 중환자실에서도 잘 확인되어 있다.[16] 그 심각한 부작용은 심장조직이 고농도의 약물에 직접 노출되어 Q-Tc 간격이 증가한 것과 관련 있을 수 있다.[18] 할로페리돌 정맥주사는 비록 흔히 사용되는 방법이긴 하나[19] 논란이 되고 있다.[2] 정맥주사를 지지하는 이들은 그 안전성과 빠른 효과를 지적하지만, 드로페리돌의 경우 근주가(5-20분) 정맥주사만큼이나 안전하고 빠른 효과를 보였다. 추체외로 부작용 위험은 할로페리돌이나 드로페리돌 같은 고강도 약물 사용 시에 가장 높은데, 젊은 남자, 고령 환자, 파킨슨병을 지닌 환자, 추체외로 반응의 병력을 지닌 환자 등의 고-위험군에게는 항콜린성 약물을 예방적으로 사용하자고 주장되어 왔다.[12]

임상실제에서 사용되는 용량에 대한 조사는 거의 없다. 응급실에서 소란을 피운 환자 136명의 급성진정에 사용된 할로페리돌의 평균용량은 8mg이었던 데에 반해,[11] 일반 정신과병원에서 RT에 사용된 할로페리돌의 평균용량은 22mg(10-60mg 범위), 드로페리돌은 14mg(10-20mg 범위), 클로르프로마진은 162mg(50-400mg 범위)이었다.[13]

벤조디아제핀

항정신병 작용이 없음에도 불구하고, 독성이 적기 때문에 벤조디아제핀의 진정작용과 항불안 작용이 정신과적 응급에 흔히 이용된다. 벤조디아제핀은 항정신병약물 필요량을 줄여줄 수 있고, 항정신병약물 사용의 상대적 금기가 되는 환자들, 예를 들면, 경련을 일으키기 쉬운 환자나 신경이완제에 특이체질반응을 일으켰던 적이 있는 환자들에게 사용될 수 있다. 또한, 약물-유발성 초조, 정신병 재발의 초기, 조증에서 리튬과 병용하여 사용되어 왔다.[20,21]

정신과적 응급에 가장 많이 사용되는 벤조디아제핀은 다이아제팜과 로라제팜이다. 다이아제팜은 정맥주사제로 적합하고, 환자의 반응에 따라 용량을 적정한다. 근육주사는 흡수가 느리고 변동이 커서 사용하지 않는다. 다이아제팜은 할로페리돌만큼 효과적이라고 보고되어 있다.[21] 로라제팜 또한 효과적이고 내약력이 좋은데, 다이아제팜과 로라제팜 사이에는 중요한 약동학적 차이가 있다. 다이아제팜은 반감기와 작용기간이 길어 체내에 축적되기 쉬울 뿐만 아니라 활성 대사물을 가지므로 잔류 효과를 야기하기 쉬운데, 특히 투약을 반복할수록 그렇다. 로라제팜은 반감기와 작용기간이 짧고 체내에 덜 축적되며 활성 대사물이 없다.[22] 게다가, 간에서의 산화를 통해 배설되지 않으므로, 간질환을 지닌 환자나 약물상호작용이 우려되는 환자에게 유용하다. 급성진정에 유용하다고 보고된 기타 벤조디아제핀에는 클로나제팜과[23] 미다졸람[24] 등이 있다.

벤조디아제핀의 주요 위험은 과도한 진정으로 인한 호흡억제이다. 물론 치료지수가 넓고 길항제인 플루마제닐을 투여하면 호흡억제는 즉각 회복되지만, 다른 약물들과 함께 벤조디아제핀을 복용하던 환자들의 돌연사가 보고된 적도 있으므로 완전히 안전한 약물이라고 볼 수는 없다.[15] 결정적인 증거는 없지만, 클로나제팜이 공격적 반응과 관련

되기도 했다.[25]

일반 정신과병원에서 급성진정에 사용된 다이아제팜의 평균용량은 27mg(10-80mg 범위)이었다.[26] 응급상황에서의 과다 투약을 막기 위해 최고 속도 5mg/분 정도로 천천히 정주하면서 임상반응에 따라 용량을 적정하는 것이 현명한 방법이다.[27] *영국 국립처방집*(BNF)의[27] 예와 같은, 급성진정에 추천되는 약물요법이 출판되어 있지만, 고도로 심한 정신과 환자를 다룰 때에는 부적당할 수도 있다.[2]

항정신병약물과 벤조디아제핀의 병합요법

급성진정에 항정신병약물과 벤조디아제핀을 흔히 병용한다.[19,20] 이 병합요법은 상승작용을 일으켜 각각의 약물용량을 줄일 수 있고, 따라서 부작용의 발생 또한 감소시킬 수 있다고 주장되어 왔다.[7] 일반 정신과병원에서의 급성진정 경험을 조사한 바에 의하면, 단일 계통의 약물이 아닌 병합요법을 사용했을 때 공격성의 수준이 더 빨리 감소했고, 그 결과에 대한 치료진의 만족도도 더 높았으며, 환자에게 재차 약물을 투여해야 할 필요성도 감소했다.[26] 항정신병약물/벤조디아제핀 병합요법이 성공적이었다는 기타 보고로서, 심각한 암 질환 환자들에게,[28] 그리고 일반 개방병동에서 폭력적 행동을 보인 환자들에게[29] 할로페리돌/로라제팜 병합요법을 사용한 예가 있다. 이러한 종류의 병합요법을 반대하는 주장은 우발적인 과용량의 가능성을 우려한다. 위에 기술된 조사에서는,[26] 한 환자가 과용량으로 인해(10분 동안 60mg의 다이아제팜과 80mg의 할로페리돌을 일회 투약함) 심폐성 쇼크를 경험한 사례가 있지만, 심각한 부작용은 드물었다.

기타 약물요법

대부분의 급성진정에 항정신병약물과 벤조디아제핀이 사용되지만, 다른 계통의 약물도 마지막 선택제로서 치료 흐름도 안에 포함되어 있다. 이 약물들은 극도의 주의를 요한다. 바비튜에이트인 소디움 아밀로바비톤은 진정작용을 지니고 있지만, 치명적인 호흡억제, 저혈압 반응, 유해한 약물상호작용의 가능성이 있으므로 주의해야 한다. 파라알데하이드 역시 호흡억제를 일으키고 근주 시에 무균성 농양과 신경손상을 일으키므로 주의해야 하며, 절대 정주해서는 안 된다. 카바마제핀이나 소디움 발프로에이트 등의 항경련제는 급성 조증에 효과적이지만, 그 치료적 효과가 수 일 후에 나타나므로 급성진정에 사용되지 않는다. 주로 말초에 작용하는 베타-차단제인 나돌롤은 급성으로 공격적인 정신분열병 환자들에게 부가적 치료로서 효과적임이 입증되었지만, 급성진정에 사용하지는 않는다.[30]

사후처리

환자 처치는 급성진정으로 종결되는 것이 아니다. 여러 가지의 중요한 임상적 문제들이 다루어져야 한다. 급성진정 하에 있는 환자는 규칙적인 활력징후 측정(사용 가능하다면 맥박산소포화도 측정도 포함한)을 포함한 집중 간호감독을 최소 1시간 이상 요한다. 이로써 치료진은 호흡억제 및 약물 특이반응을 감지하거나, 진정작용이 떨어지는 것을 확인해 또 다른 위험행동을 예측할 수 있고, 거기에 합당한 개입을 시행할 수 있다. 내과적 질환이 있는 환자는 철저한 이학적 검사 및 치료를 받아야 할 것이다. 난폭한 행동과 급성진정 과정, 그리고 그 반응을 잘 기술하여, 응급팀과 임상치료진 사이의(만약 두 팀이 다르다면) 의견교환을 원활케 하고, 진단 및 향후 위험평가에 관한 임상적 가설설정을 돕고, 법의학적 이유를 제시하며, 진료감사 시에 근거가 될 수 있게 한다. 환자가 있던 장소에서 적절한 처치가 이루어졌는지, 다른 장소로 옮겨야 했는지, 약물을 바꿔야 했는지, 격리가 필요했는지, 환자의 법적 지위에 관한 문제가 있는지에 관한 판단이 내려져야 할 것이다. 선임자에게 보고해야 할 수도 있다. 병동에서는 지지, 정보교환, 또는 환자 치료 전략을 검토하기 위한 다양한 회의를 개최해야 한다. 난폭한 행동이 병동의 다른 환자들에게 미친 영향도 고려되어야 할 것이다.

새로운 방향

난폭한 행동의 처치에 관한 체계적인 연구가 없고, 따라서 몇 가지 가능한 연구전략이 미완의 상태로 남아있지만, 두 가지 연구 방향이 특히 성과가 있을 것으로 보인다. 급성진정에 사용하는 후보 약물을 비교하는 잘 설계된 연구, 즉 좋은 검증력(큰 표본 크기)을 지니고, 신뢰도와 타당도를 갖춘 평가도구를 이용한, 무작위, 대조군, 이중맹검 시험연구가 필요하다. 많은 연구들이 이러한 요구조건을 부분적으로 만족시키고 있지만, 방법론적으로 완전한 연구는 매우 드물고, 약물요법의 역할과 비약물학적 개입법 간의 관계를 다루고자 했던 연구는 더더욱 드물다. 비전형 항정신병약물을 '응급' 치료로 간주하지는 않지만, 난폭한 행동 처치에 이 약물들이 어떤 역할을 할 지에 대한 관심이 증가하고 있다. 공격성이 문제가 되는 상황에서 클로자핀이나 올란자핀 같은 비전형 항정신병약물을 사용하면 난폭한 행동을 감소시킬 수 있다는 증거가 축적되고 있다.[31-33]

요약

정신보건 상황에서 난폭한 행동이나 임박한 폭력성은 정신과적 응급에 속하는데, 이 상황에 대한 임상적 처치에는 큰 격차가 있다. 임상적 우선순위는 안전성, 환자의 스트레스 경감, 그리고 진단 및 위험평가 문제에 국한한 가설설정에 둔다. 상황이 제압된 후에는 예정된 비약물학적 개입을 고려할 수 있다. 비록 급성진정의 적응증이 된다 하

참조 15(i).1 위험행동에 대한 약물학적 응급처치. Pilowsky와 Kerwin 1997년에서 발췌함.[34]

1. 벤조디아제핀을 단독으로 사용하거나(로라제팜/디아제팜), 고강도 신경이완제(할로페리돌/드로페리돌)와 병용한다.
2. 벤조디아제핀을 1회 투약(로라제팜 1-3mg을 근주나 정주, 또는 디아제팜을 20mg까지 정주)하고/하거나
3. 할로페리돌/드로페리돌을 20mg까지 근주나 정주한다.
   정주의 이점: 융통성이 더 있고, 용량 수준을 더 잘 조절할 수 있으며, 작용이 빠르다(수초에서 수분).
4. 정주로 투약할 때는 분당 1mg씩 주입하여 5mg까지 주입한다. 목표 행동(예를 들면, 신체적 억제에 대한 저항)에 대한 효과를 판단하기 위해 5-15분간 기다린다.
5. 응급소생술 시설이 갖추어져 있지 않은 병원이 아니면 정주 투약하지 않아야 한다.
6. 위와 같은 방법으로 진정되지 않으면, 더 많은 약물이나 다른 전략(행동치료, 전기경련요법)이 필요하다; 따라서, 다음 단계로 진행하기에 앞서 상급 전문가에게 긴급하게 자문해야 할 것이다.
7. 치료 팀이 잘 알고 있는 환자로서 항정신병약물에 대한 내약력이 좋다면, 장기적인 치료가 개시되어야 하며, 주클로펜틱졸 아세테이트(중간 정도의 작용기간을 갖는 항정신병약물)를 사용할 수 있다. 그러나, 이는 위험행동에 대한 일차선택 치료는 아니다.

더라도, 급성진정을 난폭한 행동에 대한 자동적 반응으로 생각해선 안 된다. 환자의 질환의 특성, 현 투약 상태, 신체적 상태, 사용하려는 약물의 부작용과 역기능 등을 고려해서 급성진정에 사용할 약물을 선택해야 한다. 일반적으로, 반응에 따라 용량이 적정된다면, 개별적인 고강도 항정신병약물이나 벤조디아제핀 사용이 안전하고 효과적이라고 생각되고 있다(참조 15(i).1). 항정신병약물과 벤조디아제핀의 병합요법은 상승작용을 통한 추가적 이득을 줄 수 있다. 뒤이어 책임 있는 사후처리가 필요하다.

참고문헌

1. Coid J, Interviewing the aggressive client. In: Kidd B, Stark C, eds, *Management of Violence and Aggression in Health Care*, (Gaskell: London, 1995) 27–48.
2. Kerr I, Taylor D, Acute disturbed or violent behaviour: principles of treatment, *J Psychopharmacol* (1997) **11:**271–7.
3. Scott P, Assessing dangerousness in criminals, *Br J Psych* (1977) **131:**127–42.
4. Powell G, Caan W, Crowe M, What events precede violent incident in psychiatric hospitals? *Br J Psych* (1994) **165:**107–12.
5. Brown TM, Scott AIF, *Handbook of Emergency Psychiatry* (Churchill Livingstone: London, 1990).
6. Angold A, Seclusion, *Br J Psych* (1989) **154:**437–44.
7. Dubin WR, Rapid tranquillization: antipsychotics or benzodiazepines? *J Clin Psych* (1988) **49(Suppl):**5–12.
8. King DJ, Neuroleptics and the treatment of schizophrenia. In: King DJ, ed, *Seminars in Clinical Psychopharmacology* (Gaskell: London, 1995) 259–327.
9. Ayd FJ, Intravenous haloperidol therapy, *Int Drug Ther Newsletter* (1978) **13**.
10. Ayd FJ, Parenteral (IM/IV) droperidol for acutely disturbed behaviour in psychotic and nonpsychotic individuals, *Int Drug Ther Newsletter* (1980) **15**.
11. Clinton JE, Sterner S, Stelmachers Z, Ruiz E, Haloperidol for sedation of disruptive emergency patients, *Ann Emerg Med* (1987) **16:**319–22.
12. Goldberg RJ, Dubin WR, Fogel BS, Review: behavioural emergencies; assessment and psychopharmacologic management, *Clin Neuropharmacol* (1989) **12:**233–48.
13. Chakravarti SK, Muthu A, Muthu PK et al, Zuclopenthixol acetate (5% in Viscoloe): single-dose treatment for acutely disturbed psychotic patients, *Curr Med Res Opin* (1990) **12:**58–65.
14. Cunnane JG, Drug management of disturbed behaviour by psychiatrists, *Psychiat Bull* (1994) **18:**138–9.
15. Jusic N, Lader M, Post-mortem antipsychotic drug concentrations and unexplained deaths, *Br J Psych* (1994) **165:**787–91.
16. Tesar GE, Murray GB, Cassem NH, Use of high dose intravenous haloperidol in the treatment of agitated cardiac patients, *J Clin Psychopharmacol* (1985) **5:**344–7.
17. Goldney R, Bowes J, Spence N et al, The psychiatric intensive care unit, *Br J Psych* (1985) **146:**50–4.
18. Metzger E, Friedman R, Cardiac effects of haloperidol and carbamazepine treatment, *Am J Psych* (1996) **153:**135.
19. Nielssen O, Buhrich N, Finlay-Jones R, Intravenous sedation of involuntary psychiatric patients in New South Wales, *Aust N Z J Psychiatry* (1997) **31:**273–8.
20. Modell JG, Lonox RH, Weiner S, Inpatient clinical trial of lorazepam for the treatment of manic agitation, *J Clin Psychopharmacol* (1985) **5:**109–13.
21. Lerner Y, Lwow E, Levitnin A, Belmaker R, Acute high dose parenteral haloperidol treatment of psychosis, *Am J Psychiatry* (1979) **36:**1061–5.
22. Cooper SJ, Anxiolytics, sedatives and hypnotics. In: King DJ, ed, *Seminars in Clinical Psychopharmacology* (Gaskell: London, 1995) 103–37.
23. Chouinard G, Annable L, Turlier L et al, A double-blind randomised clinical trial of rapid tranquillization with IM clonazepam and IM haloperidol in agitated psychotic patients with manic symptoms, *Can J Psychiatry* (1993) **38(Suppl 4):**S114–S120.
24. Mendoza R, Djenderedjian AH, Adams J, Anath J, Madazolam in acute psychotic patients with hyperarousal, *J Clin Psychiatry* (1987) **48:**291–2.
25. Dietch JT, Jennings RK, Aggressive dyscontrol in patients treated with benzodiazepines, *J Clin Psychiatry* (1988) **49:**1262–6.
26. Pilowsky LS, Ring H, Shine P et al, Rapid tranquillisation – a survey of emergency prescribing in a general psychiatric hospital, *Br J Psychiatry* (1992) **160:**831–5.
27. *British National Formulary*, no. 36 (The British Medical Association and The Pharmaceutical Press: London, 1998).
28. Adams F, Emergency intravenous sedation of the delirious medically ill patient, *J Clin Psych* (1988) **49(Suppl):**22–7.

29. Chakrabarti GN, Rapid relief of psychotic states by intravenous administration of haloperidol followed by intravenous diazepam, *Proc V11th Congress Psychiatr Vienna* (1983) 573.
30. Allan ER, Alpert M, Sison CE, Citrome L et al, Adjunctive nadolol in the treatment of acutely aggressive schizophrenic patients, *J Clin Psych* (1996) **57:**455–9.
31. Hector RI, The use of clozapine in the treatment of aggressive schizophrenia, *Can J Psychiatry* (1998) **43:**466–72.
32. Glazer WM, Dickson RA, Clozapine reduces violence and persistent aggression in schizophrenia, *J Clin Psychiatry* (1998) **59(Suppl 3):**8–14.
33. Evans C, Millet B, Olie JP, Pilowsky LS, Prescribing in psychiatric intensive care (PICU) – a place for atypical antipsychotic drugs? *Schizophr Res* (2000) **41:**B99.
34. Pilowsky LS, Kerwin RW, Biological treatments in psychiatry. In: Murray R, Hill P, McGuffin P, eds, *The Essentials of Postgraduate Psychiatry*, 3rd edn (Cambridge University Press: Cambridge, 1997) 605–35.

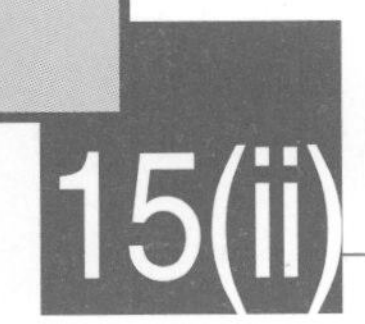

15(ii) 난폭한 환자의 장기 치료

Jan Volavka

내용 · 일시적으로 난폭한 정신분열병 환자 · 지속적으로 난폭한 정신분열병 환자

대부분의 정신분열병 환자들은 난폭한 행동을 보이지 않는다. 하지만, 이들 중 소수에서 보이는 폭력은 치료의 지속을 방해하고 가족들의 부담을 가중시키는 중요한 요인이다. 정신분열병 및 공존 약물남용을 지닌 성인 자식과 동거하는 어머니들이 특히 희생양이 될 가능성이 크다.[1] 기능수준이 낮은 환자들은 가족 및 친구들과의 접촉이 잦아질수록 난폭한 행동을 보일 가능성이 커진다. 그러나, 기능수준이 높은 환자들의 잦은 사회적 접촉은 더 낮은 폭력 위험 및 더 높은 관계에 대한 만족도와 관련 있다.[2]

난폭한 행동을 보이는 대부분의 환자들은 항정신병약물 치료를 시작하고 -적용 가능하다면-약물이나 알코올을 끊으면, 수 주 내에 난폭한 행동을 더 이상 보이지 않는다. 이렇게 *일시적으로 난폭한* 환자들에게는 항정신병약물 치료 결속을 유지하고 남용물질을 끊게 하는 것이 난폭한 행동의 장기적인 예방책이 될 것이다.[3] 그러나, 항정신병약물 치료가 유지되고 더 이상 알코올이나 물질을 남용하지 않음에도 불구하고 지속적으로 난폭한 행동을 보이는 일부 정신분열병 환자들이 있다. 이 환자들이 정신과병원에 기록된 폭력 건수 발생의 불균등한 수치를 낳게 한다. 한 조사에 의하면, 입원환자의 5%가 폭력 건수의 53%를 일으켰다고 한다.[4] 이렇게 *지속적으로 난폭한* 환자들이 장기 치료의 주요 난점이 되고 있다.

일시적으로 난폭한 정신분열병 환자

이 환자들이 지역사회에 나갔을 때 *항정신병약물 치료에의 결속*이 대단히 중요하다. 일부 환자들에게는 추체외로 부작용이 비-결속의 원인이 된다. 부작용이 적은 비전형 항정신병약물로 교체하고 효과적인 최소용량을 사용하면 문제가 해결될 수 있다. 또 다른 환자들은 약 먹는 것을 잊어버리거나 외래 약속을 지키지 못하기 때문에 투약을 중단하기도 한다. 이들은 저장형 할로페리돌이나 플로페나진 근주로써 치료될 수 있다. 질환에 대한 병식 결여 등의 여러 가지 이유로 인해서, 일부 난폭한 정신분열병 환자들은 공공연하게 또는 암암리에 투약에 저항한다. 이들이 병원에 입원해 있는 한 병원과 지역에 따라 차이가 있는 임상적 법률적

방법으로 그 저항을 극복할 수 있다. 하지만, 이 환자들이 지역사회에 거주하고 있다면 상황이 어려워진다. 투약을 중단하고 지역사회 내에서 난폭해진 환자들이 있는데, 난폭한 행동 때문에 입원하고, 병원에서는 약물에 잘 반응해 퇴원하고, 퇴원 후에는 투약을 중단해 또 난폭해지는 순환이 다시 반복된다. 치료 비순응과 약물이나 알코올 남용이 결합하면 특히 난폭한 행동의 위험이 높다. 이 폭력의 순환을 중단시키기 위해서, 미국의 일부 주와 몇몇 국가들은, 반복적인 폭력행동을 보였거나 치료에 비협조적이었던 기록을 가지고 있는 정신병적 환자들을 주 대상으로 외래환자 수용 프로그램을 채택했거나 시험 중에 있다. 이 체제 아래서는 법원이 환자에게 지역사회에 거주하는 동안 치료에 따르도록 명령한다(통상 항정신병약물 치료를 포함). 환자는 감독을 받는다. 순응하지 않으면, 경찰력이 동원되어 강제입원시킬 수 있다. 이 체제를 옹호하는 이들은 외래환자 수용 프로그램이 치료에의 결속을 증가시키고, 지역사회에서 환자들의 난폭한 행동을 감소시키고, 입원의 필요성을 줄여주고, 이 프로그램을 통해 입원한 환자들의 재원일수를 줄일 수 있다고 주장한다. 자유론자들은 이 프로그램이 환자의 권리를 침해한다고 불평하는 반면, 옹호론자들은 자신의 질환에 병식이 없는 정신분열병 환자들을 돕기 위해서 그리고 잠재적인 희생자를 보호하기 위해서 이 프로그램이 필요하다고 주장한다. 하지만, 외래환자 수용의 효과는 아직 공식적으로 밝혀지지 않았다.

환자들에 의해 지역사회에서 발생하는 폭력사건들의 상당부분은 환자가 치료받기를 거부해서가 아니라 환자가 이용할 수 있는 서비스가 부적당하기 때문에 발생하는 것으로 보인다. 정신과적 치료를 받기 위해 반복적으로 애썼지만 받지 못했던 환자들이 전형적으로 어처구니없는 난폭한 행동을 보인다.[5] 이 환자들은 그 후에 수감시설이나 감옥에서 장기간의 치료를 받게 되는 것이다.

지속적으로 난폭한 정신분열병 환자

이런 환자들은 고도로 훈련된 직원이 배치된 특별 보안병동에서 가장 잘 다루어질 수 있다. 이들 질환은(그리고 그 신경생물학적 기반은) 일시적으로 난폭한 환자들이나 난폭하지 않은 환자들에게서 볼 수 있는 전형적인 정신분열병과는 명백히 다르다. 이 환자들의 일부는 공존 정신병적[6] 혹은 신경학적 장해를 보인다.[7,8] 이러한 공존 문제가 치료에 어떤 의미를 갖는지는 아직 불분명하다.

지속적으로 난폭한 환자를 치료하는 데에 다양한 행동치료적 접근법이 시도되어왔다.[9,10] 이 중 일부는 분명 사회적 학습이론에 기반하고 있다.[11] 그러한 행동이나 학습 프로그램의 장기적인 효과의 증거는 강하지 않다; 사실, 위험성을 줄이기 위한 어떤 프로그램이 오히려 위험을 증가시키기도 한다.[12] 입원 또는 감금된 환자가 장기간의 치료에 반응했다면, 환자의 법적 지위에 따라 퇴원을 고려할 수 있다. 지속적 폭력이나 심각한 범죄 전과를 가진 환자는 상세한 위험평가를 마친 후에야 지역사회로 돌아갈 수 있다; 그러한 평가의 과학적 근거는 다른 곳을 참조하기 바란다.[13]

지속적으로 난폭한 환자의 약물학적 치료

항정신병약물

이 환자들은 전형 항정신병약물에 반응하지 않는다; 그럼에도 불구하고, 때로는 고용량의 전형적 약물 치료를 받는다.[14] 비전형 항정신병약물의 공격성에 대한 효과가 집중적인 연구 중에 있다. 항공격성 효과의 특이성은 중요한 관심사이다. 이는 두 가지로 이해될 수 있다: 첫째, 특이한 효과가

표 15(ii).1 정신분열병 및 분열정동장애 환자의 공격적 적대적 행동에 대한 클로자핀의 효과

저자, 년도	n	시험기간	효과의 측정
Maier 1992[17]	25	6-15개월	안전성 수준, 퇴원
Volavka 등 1993[16]	223	1년	BPRS 적대성 항목
Ebrahim 등 1994[19]	27	6개월	격리와 신체강박, BPRS, 권익체계
Chiles 등 1994[15]	139	3개월	격리와 신체강박, NOISE
Buckley 등 1995[20]	30	6개월	격리와 신체강박, BPRS
Rabinowitz 등 1996[21]	75	6개월	신체적 언어적 공격성 발생 정도, BPRS 적대성 항목

BPRS는 간이정신과적평가; NOISE 척도는 입원환자 평가의 간호관찰 척도

되기 위해서는 진정작용을 매개로 하지 않아야 한다. 클로자핀은 항공격성 효과와 진정효과가 각기 독립적이라고 밝혀졌다.[15] 둘째, 특이한 항공격성 효과와 일반적인 항정신병 효과는 상대적으로 독립적이어야 한다. 이 독립성 역시 클로자핀에서 확인되었다.[16] 이러한 특이성은 정신병이 아닌 사람에게 사용할 항공격성 치료제로서의 약물을 선택하는 데에 중요하다.

정신분열병 및 분열정동장애 환자들에게 클로자핀이 장기적이고 아마도 특이한 항공격성 효능을 지닌다는 점을 뒷받침하는 많은 연구들이 있다. 하지만, 그 증거들은 임상적 필요에 따라 환자들을 클로자핀에 할당한(무작위 할당이 아닌) 개방, 비대조군 연구들에 기반하고 있으며, 후향적 기록검토를 통해 자료를 수집했다.[15-21] 일부 연구들이 표 15(ii).1에 요약되어 있다. 전형적인 한 연구가 그림 15(ii).1에 예시되어 있다. 클로자핀 도입 후 상당 수의 신체적 언어적 공격성이 감소했다. 하지만, 위약효과, 시간효과, 기저효과 등을 배제하기 위한 대조군이 없으므로 해석에는 어려움이 있다. 개별적인 연구들이 지닌 방법론적 약점에도 불구하고, 연구들의 결과를 종합해보면 클로자핀의 항공격성 효과는 상대적으로 강해 보인다. 클로자핀의 항공격성 효과는 정신분열병이나 분열정동장애 환자에만 국한되지 않는다.[22]

기타 비전형 항정신병약물의 항공격성 효과 또한 클로자핀과 유사할는지 모르나, 아직 사용할만한 자료가 별로 없다. 리스페리돈이 정신분열병 환자들의 적대감과[23] 공격성을[24] 감소시킬 수 있다는 일부 증거가 있다. 올란자핀에 관한 비슷한 자료가 현재 분석 중에 있다. 일반적으로, 항정신병약물의 항공격성 효과에 관한 문헌은 심각한 방법론적 문제를 지니고 있는데, 이는 다른 곳에 검토 및 분석되어 있으니 참고하기 바란다.[22]

부가적 치료

지속적으로 난폭한 정신분열병 환자들은 다수가 항정신병약물과 부가적 약물의 병합요법을 받고 있다.

카바마제핀

두 개의 위약-대조군 연구에서 정신분열병 및 분열정동장애 환자들의 부가적 치료로서 카바마제핀의 항공격성 효과가 시사되었다.[25,26] 첫 번째 연구는 작은 표본집단이었고 다른 진단의 환자들도 포함했다. 두 번째 연구는[26] 다양한 항정신병약물을 투약 중인 162명의 정신분열병 또는 분열정동장애 환자들을 무작위로 둘 중의 한가지 부가적 치료:

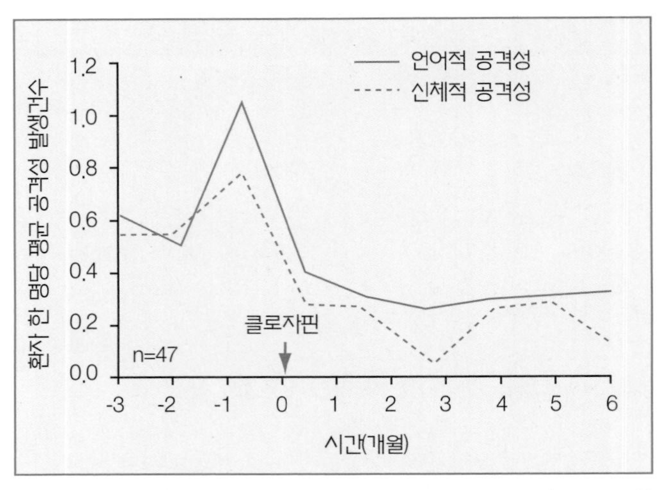

그림 15(ii).1 명백히 드러나는 공격성에 대한 클로자핀 효과 연구[21]

카바마제핀 또는 위약(이중맹검)에 할당했다. 초조나 공격성에 카바마제핀이 위약보다 유의하게 좋은 효과를 보였다; 불행히도 이 두 행동은 자료분석에서 서로 합쳐져 버렸다. 따라서, 항공격성 효과 그 *자체*를 평가할 수 없게 되었다. 이 위약-대조군 연구 외에도, 정신분열병 및 분열정동장애 환자들에게 카바마제핀이 항공격성 효과를 보인다고 시사하는 관찰소견들이 있다.[27-29] 따라서, 이 환자들에게 부가적으로 사용한 카바마제핀이 진정 항공격성 효과를 내는지 모른다. 하지만, 그런 효과를 입증하는 결정적인 연구는 부족한 실정이다.

발프로에이트

뉴욕주의 정신병원에 입원한 12,444명의 환자를 조사한 바에 의하면, 정신분열병으로 진단된 모든 환자의 28%가 발프로에이트를 복용하고 있었고(발프로익 산 및 디발프로익스 소디움),[30] 이 비율은 증가하고 있다.[31] 같은 입원환자집단 중 일부 소집단을 대상으로 했던 과거의 조사에 의하면, 이 약물의 사용목적은 충동조절을 개선시키고 공격적 행동을 감소시키는 것이었다.[32]

발프로에이트가 항공격성 효과를 지니고 있을런지 모르지만, 그 효능의 증거는 대부분이 치매, 정신지체, 뇌손상 환자들을 기술한 비대조군 연구들 및 사례보고들에 근거하고 있다. 정신분열병 환자들에게 발프로에이트의 항공격성 효능이 어떠한지에 관해서는 거의 알려진 것이 없다.[33] 소규모 대조군 연구에서 정신분열병에 부가적으로 사용한 발프로에이트가 항정신병 효과를 가질 수 있음을 시사했지만,[34] 또 다른 소규모 연구에서 이는 확인되지 않았다.[35] 따라서, 정신분열병 환자의 공격성을 줄이고자 널리 사용되고 있는 발프로에이트 요법은 확고한 효과의 증거에 입각한 것이 아니다. 특히 발프로에이트로 인한 간독성의 가능성을 염두에 두자면 이는 문제가 아닐 수 없다.

선택적 세로토닌 재흡수 억제제(SSRIs)

중추신경계 세로토닌 교체율 저하가 충동적 공격성과 관련있으므로,[13] SSRIs가 공격성을 억제할 것으로 기대할 수 있겠다. 실제로 한 개의 이중맹검 교차시험에서 정신분열병으로 진단된 법정 환자들의 부가적 치료로서 시탈로프람은 확실한 항

공격성 효과를 나타냈다.[36]

벤조디아제핀

오랜 시간동안, 필요에 따라(p.r.n.) 벤조디아제핀을 사용하는 방법이 공격성의 단기치료에 흔히 이용되어 왔다. 그러나 더욱 최근에는, 지속적으로 난폭한 환자들의 장기 치료에 점차 정규적으로(p.r.n.으로가 아닌) 사용하는 경우가 늘어나고 있다. 따라서, 일부 환자들은 공격적 행동을 조절할 목적으로 몇 개월 간 정규적으로 벤조디아제핀을 투약한다. 그런 장기 치료의 효과는 아직 밝혀지지 않았다. 실제로 몇 주 사용 후 내성이 생길지도(부수적인 효능 소실과 함께) 모른다.

어떤 정신과 기관에서는 정신분열병의 공격성 조절을 위해 클로나제팜을 정규적으로 처방한다. 정신분열병 외의 다양한 질환에서 클로나제팜의 항공격성 효과를 시사하는 일부 증거가 있지만, 이중맹검, 위약 대조군 시험에서는 부가적 치료로서 클로나제팜이 정신분열병 환자들에게 별 이득이 없었으며, 일부 환자들은 오히려 난폭한 행동이 증가했다.[37] 따라서, 지속적으로 난폭한 행동을 보이는 정신분열병 환자에게 벤조디아제핀을 장기간 사용하는 것은 효능의 근거에 입각한 것이 아니라고 생각된다. 경련성 질환을 동반하지 않은 정신분열병 환자의 공격성을 조절하기 위해 클로나제팜을 사용하는 것은 특히 의문시된다.

베타-아드레날린 차단제

다양한 조건에서의 지속적으로 공격적인 행동을 치료하는 데에 이 약제들이 사용되어 왔다(Volavka,[13] 279-83을 보라). 특별히 공격적이었던 정신분열병 환자들에게 프로프라놀롤을 사용해 그 공격성을 성공적으로 치료한 사례들이 개별적으로 보고되어 있다.[38,39] 만성 정신분열병 환자 6명의 의무기록을 후향적으로 조사한 한 보고에서 나돌롤의 항공격성 효과가 확인되었다.[38] 대부분이 정신분열병인 공격적인 환자들에게(n=41) 이중맹검, 위약-대조군 병렬-집단 시험을 통해 나돌롤이 공공연한 공격성의 건수를 줄이는 데에 우월한 효과가 있음이 확인되었다.[40] 불행히도, 양 치료군의 공격성 수준의 기저치에 상당한 차이가 있었던 것 같다; 이 차이가 결과에 어떻게 영향을 미쳤는지는 분명하지 않다.

흥미롭게도, 나돌롤은 상대적으로 소지성(疏脂性)인 화합물이라서 혈액-뇌 장벽을 많이 투과하지 못할 것으로 생각된다(이런 생각이 일반적인 것은 아니다; Whitman 등을[39] 참조하라). 따라서, 소지성 약물로 얻은 이러한 고무적인 결과는 베타-차단제의 항공격성 효과의 적어도 일부는 말초 작용기전을 통한다는 것을 암시한다. 좌불안석증, 긴장, 또는 불안의 말초 요소들은 나돌롤에 의해 호전될 수 있고, 항공격성 효과도 이러한 호전에 의해 매개되는 것일는지 모른다. 결론적으로, 엄격히 설계된 연구는 아직 시행되지 않았지만, 부가적인 베타-차단제는 지속적으로 난폭한 정신분열병 환자들에게 항공격성 효과를 보일 수도 있다. 그 작용기전은 불분명하다.

참고문헌

1. Estroff SE, Swanson JW, Lachicotte WS et al, Risk reconsidered: targets of violence in the social networks of people with serious psychiatric disorders, *Soc Psychiatry Psychiatr Epidemiol* (1998) **33(Suppl 1):**S95–101.
2. Swanson J, Swartz M, Estroff S et al, Psychiatric impairment, social contact, and violent behavior: evidence from a study of outpatient-committed persons with severe mental disorder, *Soc Psychiatry Psychiatr Epidemiol* (1998) **33(Suppl 1):**S86–94.
3. Swartz MS, Swanson JW, Hiday VA et al, Violence and severe mental illness: the effects of substance abuse and nonadherence to medication, *Am J Psy-*

chiatry (1998) **155:**226–31.
4. Convit A, Isay D, Otis D, Volavka J, Characteristics of repeatedly assaultive psychiatric inpatients, *Hosp Community Psychiatry* (1990) **41:**1112–15.
5. Winerip M, Bedlam on the street, *The New York Times*, 23 May 1999, Magazine, pp 42–70.
6. Nolan KA, Volavka J, Mohr P, Czobor P, Psychopathy and violent behavior among patients with schizophrenia or schizoaffective disorder, *Psychiatr Serv* (1999) **50:**787–92.
7. Krakowski M, Czobor P, Violence in psychiatric patients: the role of psychosis, frontal lobe impairment, and ward turmoil, *Compr Psychiatry* (1997) **38:**230–6.
8. Krakowski MI, Czobor P, Clinical symptoms, neurological impairment, and prediction of violence in psychiatric inpatients, *Hosp Community Psychiatry* (1994) **45:**700–5.
9. Rice ME, Harris GT, Varney GW, Quinsey VL, *Violence in Institutions: Understanding, Prevention, and Control,* (Hogrefe & Huber Publishers: Toronto, 1989).
10. Ball GG, Modifying the behavior of the violent patient, *Psychiatr Q* (1993) **64:**359–69.
11. Bellus SB, Vergo JG, Kost PP et al, Behavioral rehabilitation and the reduction of aggressive and self-injurious behaviors with cognitively impaired, chronic psychiatric inpatients, *Psychiatr Q* (1999) **70:**27–37.
12. Rice ME, Violent offender research and implications for the criminal justice system, *Am Psychol* (1997) **52:**414–23.
13. Volavka J, *Neurobiology of Violence* (American Psychiatric Press: Washington, DC, 1995).
14. Krakowski MI, Kunz M, Czobor P, Volavka J, Long-term high-dose neuroleptic treatment: who gets it and why? *Hosp Community Psychiatry* (1993) **44:**640–4.
15. Chiles JA, Davidson P, McBride D, Effects of clozapine on use of seclusion and restraint at a state hospital, *Hosp Community Psychiatry* (1994) **45:** 269–71.
16. Volavka J, Zito JM, Vitrai J, Czobor P, Clozapine effects on hostility and aggression in schizophrenia, *J Clin Psychopharmacol* (1993) **13:**287–9.
17. Maier GJ, The impact of clozapine on 25 forensic patients, *Bull Am Acad Psychiatry Law* (1992) **20:**297–307.
18. Ratey JJ, Leveroni C, Kilmer D et al, The effects of clozapine on severely aggressive psychiatric inpatients in a state hospital, *J Clin Psychiatry* (1993) **54:**219–23.
19. Ebrahim GM, Gibler B, Gacono CB, Hayes G, Patient response to clozapine in a forensic psychiatric hospital, *Hosp Community Psychiatry* (1994) **45:**271–3.
20. Buckley P, Bartell J, Donenwirth K et al, Violence and schizophrenia: clozapine as a specific antiaggressive agent, *Bull Am Acad Psychiatry Law* (1995) **23:**607–11.
21. Rabinowitz J, Avnon M, Rosenberg V, Effect of clozapine on physical and verbal aggression, *Schizophr Res* (1996) **22:**249–55.
22. Volavka J, Citrome L, Atypical antipsychotics in the treatment of the persistently aggressive psychotic patient: methodological concerns, *Schizophr Res* (1999) **35:**S23–33.
23. Czobor P, Volavka J, Meibach RC, Effect of risperidone on hostility in schizophrenia, *J Clin Psychopharmacol* (1995) **15:**243–9.
24. Buckley PF, Ibrahim ZY, Singer B et al, Aggression and schizophrenia: efficacy of risperidone, *J Am Psychiatry Law* (1997) **25:**173–81.
25. Neppe VM, Carbamazepine as adjunctive treatment in nonepileptic chronic inpatients with EEG temporal lobe abnormalities, *J Clin Psychiatry* (1983) **44:**326–31.
26. Okuma T, Yamashita I, Takahashi R et al, A double-blind study of adjunctive carbamazepine versus placebo on excited states of schizophrenic and schizoaffective disorders, *Acta Psychiatr Scand* (1989) **80:**250–9.
27. Hakola HP, Laulumaa VA, Carbamazepine in treatment of violent schizophrenics [letter], *Lancet* (1982) **i:**1358.
28. Yassa R, Dupont D, Carbamazepine in the treatment of aggressive behavior in schizophrenic patients: a case report, *Can J Psychiatry* (1983) **28:** 566–8.
29. Luchins DJ, Carbamazepine in violent non-epileptic schizophrenics, *Psychopharmacol Bull* (1984) **20:** 569–71.
30. Citrome L, Levine J, Allingham B, Utilization of valproate: extent of inpatient use in the New York State Office of Mental Health, *Psychiatr Q* (1998) **69:**283–300.
31. Citrome L, Levine J, Allingham B, Valproate use in schizophrenia: 1994–1998, Poster presentation NR 307, American Psychiatric Association Annual Meeting, Washington, DC, 1999. [Abstract].
32. Citrome L, Use of lithium, carbamazepine, and valproic acid in a state-operated psychiatric hospital, *J Pharm Technol* (1995) **11:**55–9.
33. Wassef AA, Dott SG, Harris A et al, Critical review of GABA-ergic drugs in the treatment of schizophrenia, *J Clin Psychopharmacol* (1999) **19:**222–32.
34. Wassef AA, Dott SG, Harris A et al, Randomized, placebo-controlled pilot study of divalproex sodium in the treatment of acute exacerbations of

chronic schizophrenia, *J Clin Psychopharmacol* (2000) **20:**357–61.

35. Hesslinger B, Normann C, Langosch JM et al, Effects of carbamazepine and valproate on haloperidol plasma levels and on psychopathologic outcome in schizophrenic patients, *J Clin Psychopharmacol* (1999) **19:**310–15.
36. Vartiainen H, Tiihonen J, Putkonen A et al, Citalopram, a selective serotonin reuptake inhibitor, in the treatment of aggression in schizophrenia, *Acta Psychiatr Scand* (1995) **91:**348–51.
37. Karson CN, Weinberger DR, Bigelow L, Wyatt RJ, Clonazepam treatment of chronic schizophrenia: negative results in a double-blind, placebo-controlled trial, *Am J Psychiatry* (1982) **139:**1627–8.
38. Sorgi PJ, Ratey JJ, Polakoff S, Beta-adrenergic blockers for the control of aggressive behaviors in patients with chronic schizophrenia, *Am J Psychiatry* (1986) **143:**775–6.
39. Whitman JR, Maier GJ, Eichelman B, Beta-adrenergic blockers for aggressive behavior in schizophrenia [letter], *Am J Psychiatry* (1987) **144:**538–9.
40. Ratey JJ, Sorgi P, O'Driscoll GA et al, Nadolol to treat aggression and psychiatric symptomatology in chronic psychiatric inpatients: a double-blind, placebo-controlled study, J *Clin Psychiatry* (1992) **53:**41–6.

16 공존하는 약물남용

Robert E Drake와 Kim T Mueser

내용 · 도입 · 역학, 현상학 그리고 관련 요소 · 서비스 쟁점 · 평가 · 치료 · 결론

도입

지난 이십년 간 정신분열병 환자들에게 물질사용장애(substance use disorder, SUD)가 병발(竝發)하는 문제에 대한 인식은 점점 넓어졌다. 이 장에서는 '이중진단', '이중 장애', 'SUD 공존이환' 이라는 용어를 따로 구분하지 않고 SUD와 정신분열병이 병발한 것을 일컫는 말로 사용한다. 역학, 현상학, 이중진단의 상관관계를 간략히 살펴보고, 서비스 조직화, 평가, 치료에 대한 현재의 접근법을 검토하고자 한다.

역학, 현상학 그리고 관련 요소

정신분열병 환자는 공존 SUD의 위험이 높다.[1] 예를 들어, 역학적 대상지역 연구에 의하면 미국 일반인구집단에서의 SUD 일평생 유병률은 17%인데 반해, 정신분열병 환자는 48%나 된다.[2] 정신분열병환자에서는 SUD의 일평생 유병률이 높을 뿐만 아니라, 최근 알코올 및 약물 장애 발생률 또한 높다. 대부분의 연구들은 정신분열병 환자의 25-30% 정도가 지난 6개월 동안 SUD를 지녔음을 시사한다. 정신분열병의 높은 SUD 공존이환률에 관한 초기 연구가 주로 미국에서 보고된 반면, 다른 국가의 많은 연구들은 그 결과를 반복 확인했다.[3-8] 이중진단은 젊은이, 남성, 독신, 낮은 교육수준의 환자들에게, 그리고 품행장애의 병력이 있는 경우와 SUD의 가족력이 있는 경우에 더 많은 경향을 보인다.[1,6] 노숙자, 수감자, 또는 응급실이나 병원 방문자들도 다른 환자에 비해 SUD를 더 많이 보인다.

정신분열병 환자에게 가장 흔한 남용물질은 알코올이고 대마와 코카인이 그 뒤를 잇고 있다.[9] 이 환자들의 SUD는 사회적 행동인 경향이 있으며, 탈억제, 공격성, 정신사회적 불안정성과 관련 있다.[10-13] 정신분열병 환자들이 보고하는 물질사용의 이유는 다른 SUD 환자들이 말하는 이유와 매우 흡사하다.[14,15] 즉, 알코올이나 기타 물질을 사용하는 이유로서 정신분열병의 특이 증상이나 약물 부작용보다는 고독, 사회적 불안, 지루함, 불면 등을 꼽는다는 것이다. 끝으로, 일반인구집단에서의 SUD와 마찬가지로, 정신분열병의 SUD 또한 만성적 재발

성 장애로서 수년 간 지속된다.[16,17]

정신분열병 환자들은 정신활성물질에 대한 민감성이 높아져 있기 때문에 매우 적은 양으로도 나쁜 결과가 초래되며, 무증상성의 혹은 문제가 되지 않을 정도의 물질사용은 거의 없다.[18] 이들은 정신활성물질에 대한 민감성이 높을 뿐만 아니라 그 물질들을 접할 기회 또한 높다. 탈수용화 및 가난, 교육부족, 사회적 기술의 부족, 직업적 기술의 부족, 취업 기회의 감소, 약물이 흔한 거주환경 등의 기타 위험요인들로 인해서 이들은 정신활성물질에 정규적으로 접할 확률이 높고 그 물질 사용을 조장하는 주변의 압력을 느낀다.

정신분열병 환자 개인은 흔히 예측할 수 있는 곤경에 처하게 되는데, 이는 일반인구집단에서 보이는 결과와 다소 차이가 있다.[19] 이중진단은 특이한 부정적 결과와 높은 관련을 보인다: 금전관리 미숙으로 인한 심한 재정적 어려움; 불안정한 거주와 노숙; 약물 비순응, 재발, 재입원; 폭력, 법적 문제, 감금; 우울과 자살; 가족 부담; 높은 성병 유병률 등이다. 일반인구집단에서의 SUD와 관련된 가장 흔한 문제인 부부관계 혹은 직업적 어려움 등은 정신분열병에서는 흔하지 않다. 정신분열병 환자집단의 SUD가 임상적 사회적으로 미치는 영향의 중요한 결과 중 하나는, 이중진단 환자들이 단독 진단 환자에 비해 정신과적 서비스, 특히 응급실이나 입원실 같은 값비싼 서비스를 더 많이 이용한다는 점이다.[20,21]

정신분열병 환자들에게 SUD의 유병률이 높고 만성화가 많을 뿐만 아니라, 이중진단이 질환의 경과와 사회적 문제에 미치는 영향이 심각하고, 치료비용이 높기 때문에, 1980년대 중반부터 이중진단에 대한 효과적인 치료법 개발에 많은 관심을 가져왔다. 이중진단을 치료하는 현재의 개입법은 전통적인 방법의 서비스 조직화 및 임상적 개입에 큰 변화를 수반한다.

서비스 쟁점

이중진단 서비스에 대한 초기의 종설은[22] 두 개의 기본적인 문제점을 노출시켰다. 첫째, 대부분의 이중진단 환자들은 주로 서비스 접근의 어려움으로 인해 SUD 치료를 받지 못해왔다는 점이다. 둘째, SUD 치료를 받았더라도, 그것은 공존 정신질환을 가진 개인의 요구에 맞추어지지 않았었다는 점이다. 접근이 어렵거나 부적합한 치료는 부분적으로 정신보건서비스와 물질남용치료서비스가 역사적으로 분리된 데에서 기인한다.

미국과 많은 국가들에서는 정신보건서비스와 물질남용치료서비스가 수년 간 분리되어 있었다. 각기 다른 조직이 각각의 서비스를 제공해왔고; 재정기구가 분리되어 때로는 부족한 공중보건 자원을 두고 경쟁하기도 했고; 전문가 자격 인증을 위한 교육, 수련, 과정이 양 체계간에 달랐으며; 서비스를 받을 수 있는 자격기준 또한 달랐다. 이러한 요인들로 인해, 이중진단 환자들의 치료에 대한 두 개의 일반적 접근법이 최근까지 존재했다. 순차적 치료 접근법은 다른 체계로 옮겨지기에 앞서 한 체계에서 충분히 치료를 받는 것이다. 예를 들면, 한 정신분열병 환자는 정신보건치료를 받을 수 있으려면 SUD를 완전히 치료해야 한다고 들었던 것이다. 평행적 치료 접근법은 두 체계에서 독립적인 각각의 치료를 받는 것이다. 다시 말하면, 한 체계 내의 치료 중에 있는 환자가 다른 치료 체계로 구분된 기관에 평가 의뢰된다. 양 접근법은 서비스를 통합하는 부담을 공급자가 맡지 않고 전적으로 환자에게 부과했으며, 이중진단 환자들의 요구에 맞게 정신보건서비스나 SUD 서비스를 수정해야 할 필요성을 무시했다.[23]

실제로는, 정신분열병 환자들이 물질남용치료 서비스를 찾아가더라도 대부분이 곧 치료 프로그램에서 배제되었다. 반면, SUD가 발견되지 않거나 치료되지 않았기에 정신보건체계에서의 이들의 예후는 불량했다. 더욱 안 좋았던 점은, 이중진단을 지니고 있다는 이유로 두 체계에서 모두 거절 당하는 환자들도 종종 있었다는 것이다. 예를 들면, 이중으로 진단된 한 환자는 SUD 때문에 정신보건체계에서 제공하는 입원이나 주거시설 서비스를 받기에 부적합하다고 결정되었고, 동시에 정신병 때문에 SUD 입원이나 주거시설 서비스를 받을 수 없다고 결정되는 것이었다. 따라서, 순차적 접근법 및 평행적 접근법은 공급자의 전문적 분야와 재정적 분야를 방어했을 뿐, 환자에게 좋은 서비스를 제공하지는 못했다.[24]

1980년대 말에 이르러 임상의, 옹호자, 연구자들은 정신보건서비스와 물질남용서비스를 통합한 프로그램을 요구했다.[22] 결국 1980년대 중반부터 서비스를 통합하는 일차적 목표를 지닌 새로운 모델이 급속도로 개발, 발전되어왔다.[25-30]

통합적 치료

통합의 핵심은 동일한 임상의 혹은 치료팀이 한 장소에서 작업하며, 공동협조 방식으로 정신보건치료 및 물질남용치료를 제공하는 것이다. 임상의가 공존질환에 맞도록 치료적 개입을 통합하는 책임을 진다. 흔히 통합은, 정신보건전문가와 물질남용 전문가가 치료와 교차-수련의 책임을 공유하는 다면적 팀의 이용을 통해 달성된다. 통합은 공통의 행정구조와 자금 흐름의 합류에 의해 뒷받침되고 유지되어야만 한다.[31] 이중진단을 받은 환자 입장에서는, 서비스가 짜임새 있어 보이고, 접근법, 철학, 권장사항에 일관성이 있어 보이며, 각기 분리된 체계와 공급자들, 지불인들 사이에서 각각 협상해야 하는 수고가 덜어진다.

통합은 정신보건치료 및 물질남용치료 양자 모두의 전통적인 접근법의 변형을 필요로 한다.[32] 예를 들어, 사회기술훈련은 의미 있는 관계 형성의 요구에 초점을 둘 뿐만 아니라, 물질사용과 관련된 사회적 상황을 다루기도 해야 한다. 물론 약물치료도 증상조절 뿐만 아니라 남용 가능성을 염두에 두어야 한다. SUD 접근법은 정신분열병 환자가 직면(直面)에 취약하고, 지지를 요하며, 전형적으로 물질을 끊은 상태를 유지하려는 동기가 부족하다는 점에 맞추어 변형된다.

통합적 치료를 제공하는 모형은 다양하지만, 양호한 결과를 얻은 프로그램들은 몇 가지 공통점을 지니고 있다.[33] 첫째, 거의 대부분이 항상 외래 정신보건프로그램 안에서 개발되었다는 점이다. 이는 일차적으로, 정신분열병 환자들이 이미 사용 가능한 지역사회지지서비스의 배열 속에 물질남용치료를 추가하는 것이 물질남용치료의 테두리 안에서 모든 서비스를 재창출해내는 것보다 훨씬 적절하기 때문이다.

둘째, SUD의 인식을 기존 정신보건프로그램의 모든 측면에 스며들게 하고, 물질남용치료에 별도로 국한된 것으로 생각하지 않는 것이다. 아래에 기술되겠지만, 사례관리, 평가, 개인상담, 집단치료, 가족 정신교육, 주거, 직업재활 등의 모든 요소들이 이중진단을 반영하는 특별한 형태를 가지고 있다.

셋째, 성공적인 프로그램은 서비스를 연결하고 치료 결속을 유지하는 데에 이중진단 환자들이 갖는 어려움을, 지속적인 현장치료와 면밀한 감시 기술을 통해 다루어 준다. 이는 아래에 기술될 것이다. 이러한 방법은 환자가 서비스에 접근하는 것을 용이하게 해주고, 수개월 수년에 걸쳐 일관된 프로그램과의 관계를 유지시켜 줄 것이다. 이런 노력이 없다면, 비순응과 탈락률이 높다.

넷째, 수개월 혹은 수년에 걸쳐 지역사회 내에서의 회복이 이루어지는 경향이 있다는 점을 고려한 통합적 프로그램이어야 한다. 아무리 집중적인 치료 프로그램이라 할지라도, 심한 정신질환과 SUD를 동반한 환자들은 좀처럼 빨리 회복되지 않는다. 일관된 이중진단 프로그램 속에서 대략 일년에 10-15% 정도가 안정된 관해에 도달하는 비율로, 오랜 기간에 걸쳐 안정된 관해에 이르는 경향이 있다. 따라서, 성공적인 프로그램은 장기적이고 외래중심의 관점에 입각해야 한다.

다섯째, 대부분의 정신과 환자들은 금욕 지향적인 SUD 치료에 참여하지 않으려는 경향이 있다는 점을 인식한 이중진단 프로그램이어야 한다. 단순히 치료동기가 높은 환자만을 치료할 것이 아니라, 자신의 SUD를 알지 못하거나 물질남용치료를 원치 않는 환자들을 도와, 이들이 물질사용금지에 더 한정된 목표를 갖는 치료에 적극 참여할 수 있게끔 동기를 제공하는 방법을 통합해야 하는 것이다. 동기를 제공하는 방법은, 환자 개인이 자신의 목표를 설정하도록 돕고, 그런 목표를 달성하는 데에 물질사용이 지장을 초래한다는 것을 인식하게끔 하는 것이다.[34]

통합적 프로그램은 이중진단 환자들을 치료에 결속시키고, 그들이 SUD 행동을 줄이고 안정적 관해를 얻는 데에 유용하다고 일관되게 보고된다.[33] 병원이용, 정신과적 증상, 그리고 삶의 질과 관련된 기타 결과들도 긍정적이지만, 덜 일치되는 면도 있다. 하지만, 통합적 치료 프로그램의 고무적인 결과와 이 환자군에게 비통합적 치료보다 통합적 치료가 더 좋다는 사실이 널리 인정되고 있음에도 불구하고, 조직 및 재원에 관련된 문제 때문에 이중진단 프로그램의 실행은 느리게 진행되고만 있다. 이 프로그램을 위한 조직지침은 마련되었지만,[31] 성공적으로 통합이 이루어진 대규모 서비스는 드물다.

평가

SUD 평가의 표준적 접근은 맞물려 있는 몇 가지 단계로 구성된다: 발견, 분류, 세부평가(혹은 기능적 평가), 그리고 치료계획이다.[35] 정신분열병 환자들에게 실행되려면 각각의 단계가 약간씩 수정되어야 한다.

발견

SUD는 숨겨지는 경향이 있고 그 치료는 발견에 달려 있기 때문에, 선별검사가 결정적이라 하겠다. 정신과적 치료환경 하에서는 SUD가 발견되지 않는 경우가 허다하다.[36] 중요한 이유는 많은 정신보건프로그램이 전혀 선별검사를 하지 않기 때문이다. 선별검사가 시행되더라도, 정신분열병 환자들은 적절히 자기 보고를 하지 않는 경향이 있는데, 이는 부분적으로는 표준적 물질남용 선별도구가 이 환자군에게 적합하지 않기 때문이다.

선별을 위한 몇 가지 유용한 방법들이 추천된다. 첫째, 정신보건 임상의들은 모든 내담자들에게 물질남용 및 관련 문제들에 대해 물어 보아야 한다. 아마도 가장 효율적인 방법은 새로운 선별도구, 다트머스 생활방식 평가도구를 사용하는 것이 아닐까 싶은데, 이는 심한 정신질환을 가진 환자들을 위해 특별히 개발된 것이다.[37]

둘째, 환자가 부정하더라도, 특히 SUD를 시사하는 기타 특성을 가진 젊은 남자 환자라면, 임상의는 SUD를 강력히 의심해 보아야 한다. 증상이 있거나 정신사회적으로 불안정한데도 SUD를 부정한다면, 소변약물선별검사, 다른 정보원과의 면담, 지역사회에서의 장기간 관찰 등의 다차원적 평가로 이어져야 한다. 실험실 검사는 위음성이 나타날 수 있고 물질사용 시점으로부터 검사가 지연된다면 소용이 없긴 하지만, 환자가 부정하는 약물사용을 드물지 않게 감지해내곤 한다.[38,39] 사례관리자의 보고 또한 정신과 환자들의 SUD를 발견하는 데에 유용한 방법이다.[40] 사례관리자는 다양한 평가 접촉, 지역사회에서의 환자의 직접 관찰, 친척으로부터의 부가적 정보, 여러 가지 상황에서 환자의 자가보고 등을 통해 의학적 정보를 종합해낼 수 있으므로, SUD에 상당한 민감도를 갖게 된다.

마지막으로, SUD의 과거병력이 있거나 알코올이나 기타 물질을 정규적으로 사용한다고 자가보고한 모든 환자들을 면밀히 추적해야 한다. SUD는 만성적이고 재발이 잦은 장애이므로, SUD 병력이 있고 현재에 남용자가 아닌 경우는 다시 재발할 가능성이 매우 높다.

분류

SUD의 분류는 상대적으로 간단하다. 정신활성물질을 반복적으로 사용하고 이로 인해 의학적, 정서적, 사회적, 직업적 장해 혹은 신체적 위험이 초래된다면, SUD 진단이 주어져야 한다.[41,42] 물질의존과 대별되는, 물질남용(또는 위험한 사용)은 심한 정신질환자들에게 흔하고, 둘을 구분하는 것이 치료에 중요하다.[43] 나아가, 우리는 '장해를 보이지 않는 사용' 이라는 분류를 향후 문제발생 가능성의 표지자로서 사용하자고 추천하는 바이다.[40]

비록 SUD 진단이 간단하긴 해도, 공존하는 정신과적 증상, 증후군, 진단을 분간해내기가 쉽지 않은 경우가 허다한데, SUD의 결과로서 모든 종류의 정신과적 증상이 나타날 수 있기 때문이다.[44] 정신질환의 진단 및 통계 편람 제 4판(DSM-IV)에서는[41] 물질사용과 치료약물이 없는 상태에서 1개월간 관찰한 후에만 장애의 진단을 내리도록 하고 있다. 반면, 제 10판 국제질병분류(ICD-10)는[42] 덜 세부적인데, 정신분열병 같은 정신과적 증후군들은 급성 물질중독 또는 금단상태 중에는 진단을 내릴 수 없다고만 명시하고 있다. 표준화되어 있고 단순하긴 하지만, DSM-IV의 추천은 정신병적 증상을 가진 환자들에게는 경험적 근거가 부족하고 현실적이지 못하다. 이 환자들은 통상 즉각적인 투약을 필요로 하며, 관찰할 만큼 충분한 시간동안 물질을 금지하지 않은 경우가 허다하기 때문이다. Weiss 등은[45] 단순한 DSM 규정 대신, 분류된 장애들에 관한, 남용되고 있는 특정 물질의 이미 알려진 효과에 기초한 특이 금욕기준을 사용토록 권하고 있다. 그들도 통시적인 평가, 횡적으로 수집한 정보의 확인, 다양한 정보원 등의 요소가 진단을 정확히 하는 데에 자주 필요하다는 점을 인정하고 있다.

SUD 및 병발한 정신병적 증상을 가진 환자들을 분류하고자 했던 시도는 많은 환자들을 불특정 범주에 속하게 하는 어려움에 처하고야 말았다.[46] 실제로 임상의들은 이런 불특정 진단의 환자들을 정신분열병으로 간주하고 치료하며, 가능할 때 투약을 중단하고 안정된 금욕이 유지되면 진단을 재평가한다.

세부평가

물질사용행동의 세부평가, 혹은 기능적 평가는 이중진단의 치료계획의 초석이다.[47] 세부평가는 물질사용의 동기, 특정 물질의 사용과 관련된 경험들, 변화하고자 하는 동기 등을 포함한 SUD; 주거, 관계, 질병관리, 직업을 포함한 여러 기능영역에서의 적응에 SUD가 어떤 영향을 미치는가; 그리고 환자의 개인적 목표를 자세히 평가한다. 이런 모든 요소를 통해 임상의는, 환자의 장점과 목표에 부합하여, 구체적인 목표를 가진 개별화된 치료계획과 개입방법을 구축할 수 있다.

이런 유형의 행동분석은, 물질사용을 지속케 하는 동기요인이 있고 그 요인을 다룸으로써 물질사용을 감소시키거나 금지시킬 수 있을 것이라고 가정한다. 예를 들어, 이중진단 환자들은 물질사용이 사회적 기회를 확대시켜주고, 지루함, 불안, 불쾌감을 극복할 수 있게 해주며, 중요한 휴식의 원천이라고들 말한다. 물질남용치료는 이런 유형의 개인적 문제점들을 다룬다.

세부평가에 대해 더 상술하는 것은 이 책의 범위를 벗어나지만, 가족 및 친구들과의 사회적 관계, 여가 및 오락활동, 직업 및 교육, 경제적 문제, 법적 문제, 영적 문제와 같은 영역을 반드시 포함해야 한다. 한 가지 목표는 환자의 장점과 잠재적 재원을 평가하는 것이다. 예를 들면, 환자가 직장을 갖고 싶은 소망을 표현한다면, 경쟁적 직업을 확보하고, 고용을 얻거나 유지하는 데에 물질사용이 미치는 영향을 줄이는 전력을 개발하는 데에 치료의 주안점을 둘 수 있다.

또 다른 목표는 물질사용의 부정적 결과에 대한 환자의 인식, 물질사용문제가 있다는 병식, 변화하고자 하는 동기, 치료에 대한 선호도를 평가하는 것이다. 동기를 개발하기 위해 특별히 설계된 개입법이 다수의 환자들에게 필요하다. 더욱이, 다른 개입법들은 환자의 치료참여단계에 맞춘다.[32,48] 치료단계의 개념은 Osher와 Kofoed가[26] 개발한 4단계 모형에 근거한다: 결속(이중진단 임상의와 정규적인 만남이 없다), 설득(임상의와 접촉하지만 물질남용은 감소하지 않았다), 적극적 치료(물질남용에 유의한 감소가 있다), 재발예방(지난 6개월간 약물남용의 문제가 없었다)이 그것이다. 환자의 치료단계는 부분적으로 치료목표를 결정한다. *결속* 단계에서, 환자는 임상의와의 치료 관계에 있지 않고 물질사용행동을 바꾸고자 하는 동기도 결여된 상태이므로, 치료의 일차적 목표는 규칙적인 접촉 및 환자의 기본적인 요구 충족에 초점을 둔다. *설득* 단계에서는, 환자가 임상의와 규칙적으로 만나지만, 물질사용행동을 줄이고자 애쓰는 바는 미미한 상태이다. 이 단계에서의 현실적인 목표는 물질사용행동에 대해 더 이해하고 이야기하면서 그 환자에게 개인적으로 적합한 기타 재활 목표에 대해 작업하는 것이다. *적극적 치료* 단계에서는, 환자의 물질사용이 줄어들기 시작하며 물질사용을 더 줄이기 또는 금욕에 목표를 두게 된다. *재발예방* 단계에서 환자는 최근 물질사용과 관련된 문제를 보이지 않는다. 물질남용 중단상태를 유지하고 개인적 성장의 기타 영역에 대해 작업하는 것이 이 단계의 전형적 목표가 된다.

치료계획

평가의 마지막 단계인 치료계획은 앞선 세 단계에서 얻은 정보를 통합한, 종합적 행동평가를 수반한다. 치료계획에는 SUD를 직접 다루는 개입법(예를 들면, 물질사용을 줄이거나 금욕 동기 개발) 혹은 SUD에 영향을 미치는 기타 영역을 다루는 개입법(예를 들면, 물질사용의 기회를 줄이고 자존감을 향상시킬 수 있도록 경쟁적 직업을 찾아주기) 등이 포함된다.

물론, 치료계획은 환자 자신이나 타인에 대한 중대한 위험, 주거문제, 치료받지 않은 의학적 상태, 정신과적 안정성의 결여 등과 같은 급한 요구를 다루어주어야만 한다. 하지만, 더욱 중요한 것은 세부평가에 근거한 목표 행동의 변화를 위한 장기계획이다. 예를 들면, 사회적 연결망 바꾸기, 직업 구하기, 사회적 불안을 다루기 위한 행동기법 학습하기 등이 장기 계획에 포함된다. 목표 행동의 변화를 달성하는 데에 이용될 수 있는 다양한 치료 전략들이 개발되어 있다.[32]

치료

위에 기술한 바와 같이, 효과적인 이중진단 서비

스는 조직 및 재정 프로그램을 포함한, 정신보건서비스와 물질남용서비스의 통합을 요한다. 하지만, 통합된 프로그램 내에서도 각양각색의 구체적 요소들이 개발되었고 현재 개량되고 있다. 개별적인 구성요소들은 각기 다른 목표를 가지고 있어 다른 요소들과 조합하여 사용토록 설계되어 있다. 예를 들면, 사례관리와 근접감시는 이중진단 환자를 치료에 연결짓기 위해, 물질남용치료는 물질남용과 고위험 행동을 다루기 위해, 가족 정신교육과 주거지원은 환경이 안정성과 금욕을 뒷받침하도록 하기 위해, 재활치료는 의미 있는 역할 기능을 촉진하기 위해, 약물치료는 정신질환의 증상과 SUD 행동을 조절하기 위해 사용된다.

각각의 구성요소들을 논의하기에 앞서, 이중진단 환자의 치료는 외래를 위주로 한다는 점을 다시 한 번 강조한다. 입원치료는 안정화, 평가, 외래 프로그램과의 연결에만 한정된다.[49] 임상치료의 과정에 관해서는 다른 곳에 매우 상세히 기술했으니 참조하길 바란다.[32] 이중진단 서비스의 각각의 구성요소에 대한 연구는 매우 부족한데, 그 종설 또한 다른 곳에 기술했다.[50] 여기에서는 통합적 치료의 흔한 공통요소만 간략히 살펴보고자 한다.

사례관리

정신보건치료와 물질남용치료를 통합하고 이중진단 환자를 외래 서비스에 연결짓는 데에 가장 흔히 이용되는 방법은 종합적 사례관리 팀을 조직하는 것이다.[51] 서비스를 통합하기 위해서는, 같은 팀의 정신보건전문가와 물질남용전문가가 수련 경험, 치료의 책임, 공동의 철학을 개발할 임무를 공유함으로써 각각의 기술을 공통의 과정에 섞어 넣어야 한다. 이 팀의 임상의는 정신질환과 SUD의 증상뿐만 아니라 흔히 외상 후유증도 치료한다.

이중진단 환자를 서비스에 연계시키고 치료관계를 유지시키기 위해서 팀은 현장치료, 실질적인 보조, 환자와 함께 하는 의사결정 등의 방법을 적극 활용한다. 종합팀이 완성되기 위해서는 수개월에 걸친 수련과 공동작업이 필요하다. 이중진단 치료의 질을 평가하는 특정 기준을 이용해서 그 이행을 지도하고 감시할 수 있으며,[52] 이중진단 서비스의 질에 근거하여 물질남용치료의 예후를 예측할 수 있다.[53]

근접관찰

현장치료 및 직접적인 물질남용치료 이외에, 이중진단 팀은 '근접관찰'이라고 기술될 수 있는 다양한 개입을 제공한다.[54] 근접관찰에는 투약감독, 보호적 수취, 약물복용의 후견, 소변약물선별검사, 주거지원, 보호관찰, 가석방, 외래치료 등이 포함된다. 이 접근법의 다수는 환자의 협조를 필요로 하지만, 환자가 자신의 문제를 처리할 능력이 없을 때 혹은 환자와 타인을 위험으로부터 보호해야 할 필요가 있을 때에는 약간의 강제성을 띠는 경우도 있다.

물질남용치료

일단 환자가 외래치료에 참여하면, 모든 이중진단 프로그램은 어떤 형태로든 물질남용치료를 제공한다. 환자는 금욕에 대한 동기가 부족한 경우가 많으므로, 대부분의 프로그램은 금욕보다 우선하여 교육, 위험요인감소, 동기부여 등에 더 집중한다.[29,30,54,55] 위에 기술한 바와 같이, SUD가 자신의 목표달성을 방해하고 있다는 점을 인식시키고 따라서 SUD를 줄여 끊고자 하는 환자의 소망을 키워주는 것이 동기부여를 위한 접근법이다. 일부 형태의 인지-행동 상담이 통상의 물질남용치료에 포함된다. 동기가 길러진 후에는, 금욕을 달성해내고 금욕을 유지하는 기술 습득을 위한 두 가지 접근법이

흔히 결합된 형태로서 또는 단계별로 제공된다.[56]

약물남용치료에는 개인치료, 집단치료, 또는 가족치료의 형태가 있다. 종합팀의 임상의는 환자의 선호도와 공동의사결정 모형에 따라 이러한 접근법의 모든 형태를 이용하는 경우가 많다.[32] 실제에서 대부분의 이중진단 프로그램은 동료환자 지향적인 집단이 강력한 방법이라고 보고, 전문가가 지도하는 한 개 이상의 집단에 환자를 참여시켜 물질남용 행동을 다루고 있다. 집단의 지향은 12단계 모형으로부터 교육-지지, 연출된 상황의 사회기술훈련에 이르기까지 다양하다. 후천성면역결핍증이나 간염과 같은 심각한 감염성 질환이 많기 때문에 이 치료에서는 고위험 행동 또한 다룬다.

지역사회의 금주동맹과 같은 자조(自助)모임, 또는 특별히 이중진단 환자들을 위한 자조모임과의 연계는 물질남용치료의 보조적 접근법 중 하나다. 임상경험에 의하면, 이런 연계는 정신보건 스태프의 준비와 교육을 필요로 하며, 일단 환자가 적극적으로 금욕을 추구할 때 더욱 효과적이다.

재활

SUD로부터의 회복은 장기적인 과정으로 이어진다. 단지 물질을 회피하는 것보다는 새로운 인생형성이 요구되기 때문이다.[57] 안정적인 금욕은 통상, 내적 외적 스트레스, 사회적 연결망, 습관, 자기에 대한 관념 및 직업활동을 다루는 방식의 근본적인 변화를 필요로 한다. 대부분의 이중진단 환자들은 수년에 걸쳐 물질남용의 사회적 상황에 빠져들게 되므로, 회복 또한 수년이 걸린다.[16] 많은 이중진단 프로그램이 주간 치료, 재활 집단, 혹은 보호작업으로 과거의 활동과 관계를 대체하고자 시도한다. 이런 접근법의 단점은 정신보건 활동이 장기간 지속되기 어렵다는 점, 그리고 더 중요하게는, 환자들이 이를 높게 평가하지 않고 가치를 떨어뜨린다는 점이다.[58] 지지적 교육 또는 지지적 고용은 환자가 지역사회 내에서 정상적인 역할을 수행할 수 있도록 도와준다. 예를 들어, 지지적 고용의 표준적 접근은 환자의 금욕을 촉진할 수 있다.

주거

이중진단 환자들은 대개 주거를 유지하기 어렵고 흔히 물질남용을 지속하게 만드는, 물질사용이 용이한 주거 환경에 살기 때문에, 주거 마련은 이중진단 치료법의 특별한 초점이 되어 왔고, 특히 노숙자들에겐 더욱 그러했다.[59] 환자들은, 심지어 노숙자인 환자들조차 독립적인 주거를 원하는 경향이 있다. 이념적 기반에 근거하여 독립적 주거가 더 좋다는 일부 주장도 있지만, 이중진단 환자들의 특별한 취약성은 전문적 스태프의 근접관찰을 포함한 구조화된 주거 환경에서만 겨우 다루어질 수 있다는 주장도 있다. 유명한 한 프로그램은 주거 연속체를 개발했는데, 여기에서는 이중진단 환자가 현재 물질을 왕성하게 남용하고 있는 중에도 주거에 들어갈 수 있고, 동시에 회복의 다양한 단계에 있는 환자들을 위해 스태프가 갖추어져 있고 지지적인 광범위한 범위의 주거를 제공한다.[60]

약물치료

약물치료에 대한 비순응은 공존 SUD와 상관관계를 보이는데,[61] 그 이유 가운데 하나는, 이중진단 환자들이 처방된 치료제에 알코올이나 불법 약물을 함께 복용하면 건강에 심각한 위험이 초래될 수 있다는 말을 들었기 때문일 것이다. 반면, 임상적 경험에 의하면, 약물치료에의 결속과 증상조절은 SUD 치료의 전제조건이다. 따라서, 대부분의 프로그램은 교육, 투약관리기술, 투약 감독, 저장형 형태의 항정신병약물을 제공함으로써 순응도를 향상시키고자 애쓰며, 외래환자의 강제입원과 보호

등과 같은 수단을 강제하기도 한다.

항정신병약물치료는 정신분열병 환자에 대한 약물치료의 주춧돌이다. 전형적 항정신병약물 자체로서는 SUD 행동을 줄이지 못할 것이며, 실상 SUD를 유발 또는 악화시킬 수도 있다.[62] 그러나, 비전형 항정신병약물인 클로자핀이 이중진단 환자들의 SUD를 줄일 수 있다는 증거들이 나타나고 있다.[63] 기분안정제 또한 심한 정신질환 치료의 초석이며, 이중진단 환자들에게 흔히 처방되고 있다. 이중진단 치료의 또 한가지 중대한 문제는 항불안제의 효과와 이 약물이 남용될 가능성에 관한 것이다. 긴 반감기를 가진 벤조디아제핀이 유용한가 혹은 위해한가에 관한 임상적 토의는 심한 의견차이를 야기할 수 밖에 없다. 항파킨슨제의 남용 가능성에 관한 염려도 있다.

마지막으로, 많은 정신과 의사들은 이중진단 환자들이 안정적인 관해 상태에 이르도록 항정신병약물을 처방한다. Kofoed 등은[64] 개방 임상시험을 통해 부가적으로 디설피람을 사용하는 것이 유용하다고 보고했고, 날트렉손 또한 흔히 사용되고 있다.

결론

공존 SUD는 심한 정신질환의 흔한 합병증이자 몇 가지 좋지 않은 결과와 관련 있다. 지난 20년간 보건분야에서는 이중진단 환자들에게 독립적인 두 서비스 체계를 통해 제공하는 치료의 비효율성을 깨달았고, 정신보건치료와 물질남용치료를 통합하는 서비스 모형을 급속히 발달시켜왔다. 일반적 통합치료의 결과에 관한 최근의 증거는 일관되게 긍정적이나, 통합 프로그램의 조직과 재정에 관한 많은 과제가 남아있다. 또한, 통합 치료의 기본 요소들-사례관리, 근접관찰, 물질남용치료, 가족 정신교육, 재활, 주거, 약물-은 계속 개발되고 개량되는 중이다.

참고문헌

1. Mueser KT, Bennett M, Kushner MG, Epidemiology of substance use disorders among persons with chronic mental illnesses. In: Lehman AF, Dixon L, eds, *Double Jeopardy: Chronic Mental Illness and Substance Abuse* (Harwood Academic: New York, 1995) 9–25.
2. Regier DA, Farmer ME, Rae DS et al, Comorbidity of mental disorders with alcohol and other drug abuse, *JAMA* (1990) **264:**2511–18.
3. Cantwell R, Brewin J, Glazebrook C et al, Prevalence of substance misuse in first-episode psychosis, *Br J Psychiatry* (1999) **174:**150–3.
4. Duke PJ, Pantelis C, Barnes TRE, South Westminster Schizophrenia Survey: alcohol use and its relationship to symptoms, tardive dyskinesia and illness onset, *Br J Psychiatry* (1994) **164:**630–6.
5. Fowler IL, Carr VJ, Carter NT, Lewin TJ, Patterns of current and lifetime substance use in schizophrenia, *Schizophr Bull* (1998) **24:**443–55.
6. Menzes PR, Johnson S, Thornicroft G et al, Drug and alcohol problems among individuals with severe mental illnesses in South London, *Br J Psychiatry* (1996) **168:**612–19.
7. Scott J, Homelessness and mental illness, *Br J Psychiatry* (1993) **162:**314–24.
8. Soyka M, Albus M, Kathmann N et al, Prevalence of alcohol and drug abuse in schizophrenic inpatients, *Eur Arch Psychiatry Clin Neurosci* (1993) **242:**362–72.
9. Lehman AF, Myers CP, Dixon LB, Johnson JL, Detection of substance use disorders among psychiatric inpatients, *J Nerv Ment Dis* (1996) **184:** 228–33.
10. Dixon L, Haas G, Weiden P et al, Acute effects of drug abuse in schizophrenic patients: clinical observations and patients' self-reports, *Schizophr Bull* (1990) **16:**69–79.
11. Rasanen P, Tiihonen J, Isohanni M et al, Schizophrenia, alcohol abuse, and violent behavior: a 26-year follow-up study of an unselected birth cohort, *Schizophr Bull* (1998) **24:**437–41.
12. Scott H, Johnson S, Menezes P et al, Substance misuse and risk of aggression and offending among the severely mentally ill, *Br J Psychiatry* (1998) **172:**345–50.
13. Smith J, Hucker S, Schizophrenia and substance abuse, *Br J Psychiatry* (1994) **165:**13–21.
14. Addington J, Duchak V, Reasons for substance use

in schizophrenia, *Acta Psychiatr Scan* (1997) **96:** 329–33.

15. Mueser KT, Nishith P, Tracy JI, Expectations and motives for substance use in schizophrenia, *Schizophr Bull* (1995) **21:**367–78.
16. Drake RE, Mueser KT, Clark RE, Wallach MA, The course, treatment, and outcome of substance disorder in persons with severe mental illness, *Am J Orthopsychiatry* (1996) **66:**42–51.
17. Kozaric-Kovacic D, Folnegovic-Smalc V, Folnegovic Z, Marusic A, Influence of alcoholism on the prognosis of schizophrenic patients, *J Stud Alcohol* (1995) **56:**622–7.
18. Mueser KT, Drake RE, Wallach MA, Dual diagnosis: a review of etiological theories, *Addict Behav* (1998) **23:**717–34.
19. Drake RE, Brunette MF, Complications of severe mental illness related to alcohol and other drug use disorders. In: Galanter M, ed, *Recent Developments in Alcoholism, vol 14. Consequences of Alcoholism* (Plenum: New York, 1998) 285–99.
20. Dickey B, Azeni H, Persons with dual diagnosis of substance abuse and major mental illness: their excess costs of psychiatric care, *Am J Public Health* (1996) **86:**973–7.
21. Maslin J, Graham H, Birchwood M, COMPASS Programme Service Development Group. The prevalence of co-morbid severe mental illness/psychotic symptoms and problematic substance use in the mental health and addiction services within NBMHT, Northern Birmingham Mental health Trust (NBMHT), Birmingham, England, 1999.
22. Ridgely MS, Osher FC, Goldman HH, Talbott JA, *Executive Summary: Chronic Mentally Ill Young Adults with Substance Abuse Problems: A Review of Research, Treatment, and Training Issues* (Mental Health Services Research Center, University of Maryland School of Medicine: Baltimore, MD, 1987).
23. Kavanagh DJ, Greenaway L, Jenner L et al, and members of the Dual Diagnosis Consortium, Contrasting views and experiences of health professionals on the management of comorbid substance abuse and mental disorders, *Aust NZ J Psychiatry* (2000) **34:**279–89.
24. Rorstad P, Checinski K, *Dual Diagnosis: Facing the Challenge* (Wynne Howard Publishing: Kenley, 1996).
25. Minkoff K, An integrated treatment model for dual diagnosis of psychosis and addiction, *Hosp Community Psychiatry* (1989) **40:**1031–6.
26. Osher FC, Kofoed LL, Treatment of patients with psychiatric and psychoactive substance abuse disorders, *Hosp Community Psychiatry* (1989) **40:**1025–30.
27. Dailey DC, Moss HB, Campbell F, *Dual Disorders: Counseling Clients with Chemical Dependency & Mental Illness* (Hazelden: Center City, MN, 1993).
28. Ziedonis DM, Fisher W, Assessment and treatment of comorbid substance abuse in individuals with schizophrenia, *Psychiatr Annals* (1994) **24:**477–83.
29. Carey KB, Substance use reduction in the context of outpatient psychiatric treatment: a collaborative, motivational, harm reduction approach, *Community Ment Health J* (1996) **32:**291–306.
30. Mercer-McFadden C, Drake RE, Brown NB, Fox RS. The Community Support Program demonstrations of services for young adults with severe mental illness and substance use disorders, *Psychiatric Rehab J* (1997) **20:**13–24.
31. Mercer CC, Mueser KT, Drake RE, Organizational guidelines for dual disorders programs, *Psychiatr Q* (1998) **69:**145–68.
32. Mueser KT, Drake RE, Noordsy DL, Integrated mental health and substance abuse treatment for severe psychiatric disorders, *J Pract Psychiatry Behav Health* (1998) **4:**129–39.
33. Drake RE, Mercer-McFadden C, Mueser KT et al, Treatment of substance abuse in patients with severe mental illness: a review of recent research, *Schizophr Bull* (1998) **24:**589–608.
34. White A, Kavanagh DJ, Wallis G et al, *Start Over and Survive (SOS) Treatment Manual: Brief Intervention for Substance Abuse in Early Psychosis* (University of Queensland: Brisbane, Australia 1999).
35. Drake RE, Rosenberg SD, Mueser KT, Assessing substance use disorder in persons with severe mental illness. In: Drake RE, Mueser, KT, eds, *Dual Diagnosis of Major Mental Illness and Substance Abuse, vol 2. Recent Research and Clinical Implications* (Jossey-Bass: San Francisco, 1996) 3–17.
36. Ananth J, Vanderwater S, Kamal M et al, Missed diagnosis of substance abuse in psychiatric patients, *Hosp Community Psychiatry* (1989) **4:**297–9.
37. Rosenberg SD, Drake RE, Wolford GL et al, The Dartmouth Assessment of Lifestyle Instrument (DALI): a substance use disorder screen for people with severe mental illness, *Am J Psychiatry* (1998) **155:**232–8.
38. McPhillips MA, Kelly FJ, Barnes TRE et al, Comorbid substance abuse among people with schizophrenia in the community: a study comparing self-report with analysis of hair and urine, *Schizophr Res* (1997) **25:**141–8.
39. Shaner A, Khaka E, Roberts L et al, Unrecognized cocaine use among schizophrenic patients, *Am J Psychiatry* (1993) **150:**777–83.
40. Drake RE, Osher FC, Noordsy D et al, Diagnosis of alcohol use disorders in schizophrenia, *Schizophr Bull* (1990) **16:**57–67.
41. American Psychiatric Association, *Diagnostic and*

Statistical Manual of Mental Disorders, 4th edn. (American Psychiatric Association: Washington, DC, 1994).
42. World Health Organization, *The ICD-10 Classification of Mental and Behavioral Disorders: Clinical Descriptions and Diagnostic Guidelines* (World Health Organization: Geneva, 1992).
43. Minkoff K, Substance abuse versus substance dependence, *Psychiatr Serv* (1997) **48:**867.
44. Rounsaville BJ, Clinical assessment of drug abusers. In: Kleber HD, ed, *Treatment of Drug Abusers (Non-Alcohol), A Task Force Report of the American Psychiatric Association* (American Psychiatric Association Press: Washington, DC, 1989) 1183–91.
45. Weiss RD, Mirin SM, Griffin ML, Methodological considerations in the diagnosis of coexisting psychiatric disorders in substance abusers, *Br J Addict* (1992) **87:** 179–87.
46. Shaner A, Roberts LJ, Eckman TA et al, Sources of diagnostic uncertainty for chronically psychotic cocaine abusers, *Psychiatr Serv* (1998) **49:**684–90.
47. Carey KB, Correia CJ, Severe mental illness and addictions: assessment considerations, *Addict Behav* (1998) **23:**735–48.
48. McHugo GJ, Drake RE, Burton HL, Ackerson TH, A scale for assessing the stage of substance abuse treatment in persons with severe mental illness, *J Nerv Ment Dis* (1995) **183:**762–7.
49. Drake RE, Noordsy DL, The role of inpatient care for patients with co-occurring severe mental disorder and substance use disorder, *Community Ment Health J* (1995) **31:** 279–82.
50. Drake RE, Mueser KT, Psychosocial approaches to dual diagnosis, *Schizophr Bull* (2000) **26:**105–18.
51. Fariello D, Scheidt S, Clinical case management of the dually diagnosed patient, *Hosp Community Psychiatry* (1989) **40:**1065–7.
52. Teague GB, Bond GR, Drake RE, Program fidelity in assertive community treatment, *Am J Orthopsychiatry* (1998) **68:**216–32.
53. McHugo GJ, Drake RE, Teague GB et al, The relationship between model fidelity and client outcomes in the New Hampshire Dual Disorders Study, *Psychiatr Serv* (1999) **50:**818–24.
54. Drake RE, Bartels SB, Teague GB et al, Treatment of substance use disorders in severely mentally ill patients, *J Nerve Ment Dis* (1993) **181:**606–11.
55. Kavanagh DJ, An intervention for substance abuse in schizophrenia, *Behaviour Change* (1995) **12:**20–30.
56. Bellack AS, DiClemente CC, Treating substance abuse among patients with schizophrenia, *Psychiatr Serv* (1999) **50:**75–80.
57. Vaillant GE, *The Natural History of Alcoholism Revisited* (Harvard University Press: Cambridge, MA, 1995).
58. Estroff S, *Making It Crazy* (University of California Press: Berkeley, 1981).
59. Osher FC, Dixon LB, Housing for persons with co-occurring mental and addictive disorders. In: Drake RE, Mueser KT, eds, *Dual Diagnosis of Major Mental Illness and Substance Abuse, vol 2. Recent Research and Clinical Implications* (Jossey-Bass: San Francisco, 1996) 53–64.
60. Bebout RR, The Community Connections housing program: preventing homelessness by integrating housing and supports, *Alcohol Treatment Q* (1999) **17:**93–112.
61. Swartz MS, Swanson JW, Hiday VA et al, Violence and severe mental illness: the effects of substance abuse and nonadherence to medication, *Am J Psychiatry* (1998) **155:**226–31.
62. Voruganti LNP, Heslegrave RJ, Awad AG, Neuroleptic dysphoria may be the missing link between schizophrenia and substance abuse, *J Nerv Ment Dis* (1997) **185:**463–5.
63. Buckley PF, Substance abuse in schizophrenia: a review, *J Clin Psychiatry* (1998) **59(Suppl 3):**26–30.
64. Kofoed L, Kania J, Walsh T, Atkinson RM, Outpatient treatment of patients with substance abuse and coexisting psychiatric disorders, *Am J Psychiatry* (1986) **143:**867–72.

17 여성 정신분열병 환자의 문제점

Ruth A Dickson과 William M Glazer

도입

성별에 따라 질환의 신경생물학, 역학, 치료반응, 사회적 상황이 다르기 때문에, 성별 문제는 오랫동안 정신분열병 연구자 및 임상의 모두의 관심사였다. 여성의 정신분열병은 남성에 비해 병전 기능이 더 좋고, 발병이 늦고, 입원 횟수가 적고, 약물에 대한 반응이 좋으며, 예후가 더 양호하다는 것을 문헌을 통해 알 수 있다. 증상의 양상 또한 달라, 여성은 양성증상이 더 많고 음성증상은 더 적다. 특히, 후자는 만발(晩發) 정신분열병에서 더욱 그러하고, 이 때에는 기분증상이 더 흔하다.[1-5] 신경영상술 연구와 신경심리학적 기능에 있어서도 이러한 성별 차이가 기술되어 왔다.[6,7] 여성 정신분열병의 발병 시점, 경과, 그리고 치료에 대한 반응에 영향을 미치는 잠정적인 생물학적 매개인자로서 에스트로젠이 종종 주목받아왔다. 성별과 정신분열병의 이러한 측면에 관해서는 몇몇 종설이 발표되어 있다.[8-11]

정신분열병을 이해하는 데에 성별이 중요하다는 점을 인식하고 있음에도 불구하고, 남성과 여성의 치료 모두를 개선시킬 수 있다고 가정되는, 성별에 기초한 치료법의 개발에는 진보가 거의 없었다. 여성 정신분열병 환자들에게 맞도록 설계된 소수의 치료 프로그램 모형은 인생주기 전반에 걸쳐 종합적인 치료를 제공하는 데에 필요한 통합 정신사회적 서비스를 포함하고 있다.[12] 이 장의 목표는 여성 정신분열병의 치료를 논하는 것으로서, 다음에 초점을 두고자 한다: (a) 항정신병약물의 사용, 특히 2세대 약물; (b) 여성에게 고유한 성적 문제와 출산 문제이다.

여성과 항정신병약물 치료

정신약물학과 성별 차이에 관한 방대한 문헌에도 불구하고,[13] 정신분열병 환자들을 대상으로 한 연구는 언제나 부족하다. 모든 항정신병약물의 대략 60% 가량이 여성 정신분열병 환자에게 처방되고, 약 30%는 20-50세의 여성들에게 처방된다(IMS).[14] 이 약물들은 정신분열병을 대상으로 임상시험을 거치지만, 일단 시장에서 판매되면 기분장애, 기질적 뇌 증후군, 일부 성격장애 등을 포함한 기타 진단의 환자들에게 광범위하게 '승인되지 않은 용도로(off-label)' 사용되고 있다. 따라서, 항정신병약물 치료의 성별 특성을 이해하는 것은 정신분열병 환자를 치료하는 것 이상으로 타당하다 할 수 있다.

지난 10년간 새로운 정신분열병 치료제가 도입되었다. 1세대 신경이완제 또는 '전형' 항정신병약물은, '비전형약물', '새로운' 합성물, 또는 2세대 약물이라고 총칭되는 클로자핀, 리스페리돈, 올란자핀, 쿠에티아핀, 그리고 아직 개발 중이며 시판되지는 않고 있는 지프라시돈 같은 기타 약물을 제외한 모든 화합물을 포함한다.

법령 및 태도의 변화로 인해 최근에는 새로운 약물의 임상시험에 여성의 참여가 요구되고 있긴 하나, 역사적으로 보면, 출산 가능성이 있는 여성은 연구에서 제외되어 왔기에 남성보다 훨씬 소수만이 연구대상으로 동원되어 왔다.[15] 더구나 심한 정신질환자를 위한 많은 프로그램은 여성보다 남성을 더 많이 치료하고 있기 때문에, 연구자들이 약물시험에 여성을 참여시키려는 윤리적, 과학적 관점을 갖더라도 여성 동원은 더욱 어려워진다. 대체로 2세대 항정신병약물의 임상시험에 포함된 표본들은 이러한 남성 치우침을 반영하고 있다.[16,17] 따라서, 새로운 약물의 판매시점과 현재에 이르기까지, 폐경 전의 여성에게, 그리고 임신과 산욕기 같은 여성에게 독특한 기간동안에 있어서의 이 약물들의 효능과 내약력에 관한 정보는 부족할 수밖에 없다.

효능

제 2세대 항정신병약물의 도입 후 성별에 따른 차별적 효능에 관한 의문이 제기되었다. 치료-저항성 정신분열병의 경우 클로자핀에 대한 여성의 반응이 남성만큼 좋지 않다고 보고한 한 연구가 있지만,[18] 이 연구는 작은 표본을 대상으로 했다. Canadian Clozaril Support와 Assistance Network database의 분석결과는 여성이 남성보다 클로자핀 치료로부터 더 많이 탈락한다는 소견을 뒷받침할 수 없었다. 이는 클로자핀이 여성에게 효과가 덜하고 내약력이 더 좋지 않을 때 나타날 수 있는 소견일 것이다(캐나다 노바티스, 1999). 올란자핀 대 할로페리돌에 대한 반응 차이 연구에서는 올란자핀에 대한 여성과 남성의 반응이 동등했다.[19] 리스페리돈과 쿠에티아핀에 관해서는 성별 차이 연구로서 상응한 것이 없다.

항정신병약물의 용량

일반적으로 폐경 전 여성에게는 남성이나 폐경 후 여성보다 낮은 용량의 전통적 항정신병약물이 사용되고 있다. 이런 경향은, 에스트로젠의 신경조절 효과 및 여성보다 남성에서 빠른, 연령에 따른 도파민 수용체 감소로 설명할 수 있다.[9,20] 폐경기 여성은 에스트로젠 농도가 감소하므로 더 고용량의 항정신병약물을 필요로 하는가에 대해서는 논란이 있다.

새로운 세대의 항정신병약물 중에서는 클로자핀이 가장 많이 연구되어 있다. 중국인을 대상으로 했던 한 클로자핀 농도 연구에서는 여성이 남성보다 35% 높은 농도를 보였다. 연령은 클로자핀 및 클로자핀의 두 가지 주요 대사물의 농도를 상승시키는 또 하나의 변수이다.[21] 이 연구는 동등한 혈중농도에 도달하기 위해서 여성이 필요로 하는 용량은 남성의 용량보다 적다는 과거의 소견을 확인했다.[22] 기타 새로운 항정신병약물의 성별에 따른 용량 연구로서 참고할 만한 것은 없으나, 전통적 약물이나 클로자핀과 마찬가지로, 폐경 전 여성은 남성보다 더 적은 용량을 필요로 할 것 같다. 항정신병약물의 추천 용량은 대부분이 남성 환자들을 대상으로 했던 임상시험 경험에 기반하고 있다. 따라서, 임상의들은 여성에게 이 약물들의 '표준용량' 을 처방하는 데에 주의하고, 더 낮은 용량으로 시작할 것을 고려해야 한다.

약물 용량은 최소 효과 용량까지 적정되어야 한다. 내약력을 좋게 하고 추체외로 부작용 발생을 줄이기 위해서라는 일반적인 이유에서 뿐만이 아니라, 월경 중단을 막기 위해서도 더욱 그러하다.[23] 항정신병약물 치료 중에 무배란 상태가 초래되면, 폐경 전 여성의 에스트로젠이 어떤 잠재적 보호 기능을 상실하게 된다. 여성 환자의 상대적인 항정신병약물 '과용량' 상태는 정신분열병 증상의 치료반응에 불리한 영향을 끼칠 수 있다.[11]

항정신병약물의 부작용

성별 차이는 항정신병약물의 부작용 발생 빈도에도 영향을 미친다. 예를 들어, 고령의 여성은 클로자핀-유발성 무과립구혈증의 발생 빈도가 높다.[24] 물론, 현재의 혈액감시 시스템으로 그 위험은 질환자체의 위험보다 상대적으로 낮다. 새로운 항정신병약물의 부작용 중 특별한 관심 대상인, 운동장애와 신경이완제-유발성 고프롤락틴혈증(NIHP)에 관해 아래에 논하고자 한다.

성별과 약물-유발성 운동장애

신경학적 운동장애는 가장 많이 연구된, 항정신병약물의 부작용이자, 2세대 약물들이 광범위하게 사용되면서 가장 감소한 부작용이다. 환자의 성별이 급성 추체외로 증상(파킨슨증, 근긴장증, 혹은 좌불안석증)이나 1세대 항정신병약물 치료에 이차적인 지연성 운동장애(TD)의 일관된 위험요인으로 밝혀지지는 않았다. 다수의 연구들이 TD 발생의 인구정보학적 위험요인을 밝혀내고자 했다.[25] 초기의 연구는 고령의 여성에게서 TD의 빈도가 높다는 사실을 밝혔지만, 성별의 원인론적 역할은 시간이 지나면서 불분명해졌다.[26] 유병률 연구에서 위험요인을 평가하는 방법론적 문제점, 특히 선택 치우침과 시간적 모호성(원인과 결과의)이 상충된 결과를 야기했고, 여성은 TD의 원인요인이라는 임상적 편견이 지속되게 만들었다. 두 개의 유병률 연구에서 성별 효과가 발견되었는데, 고령의 남성과[27] 질병의 악화 경과에 있는 남성이[28] 고 위험군이었다.

새로운 항정신병약물에 관한 것으로서 성별 위험요인에 특별히 초점을 둔 종설은 없다. 전통적 약물에 관한 문헌으로부터, 여성과 남성은 괴로운 부작용이 줄어든 새로운 약물의 효용을 동등하게 얻을 것이라 기대할 수 있겠다. 한편, 약물치료의 기타 부작용을 연구할 수 있도록 전환이 가능한 것도, 부분적으로는, 새로운 항정신병약물이 운동장애를 덜 유발함으로써 부담을 덜어주었기 때문이기도 하다.

신경이완제-유발성 고프롤락틴혈증

프롤락틴 치를 상승시키는 새로운 항정신병약물의 다양한 성질이 관찰되고, 성별에 특이한 치료 문제점들에 대한 인식이 증대되면서, 신경이완제-유발성 고프롤락틴혈증은 최근 관심의 대상으로 새롭게 주목받고 있다. 여기에서는 항정신병약물의 신경내분비계 부작용, 특히 생식기능에 영향을 미치는 고프롤락틴혈증에 이차적인 부작용들에 주안점을 두고자 한다. 남성과 여성의 성, 행동, 잠재적인 장기간의 부작용을 포함하는 NIHP에 관한 내용은 Dickson과 Glazer의 종설을 참조하길 바란다(참조 17.1).[16,17]

프롤락틴은 포유류의 유즙생성에 주요 역할을 담당하는, 뇌하수체 전엽에서 분비되는 폴리펩타이드 호르몬이다. 시상하부에서 분비되어 문맥순환에 들어간 신경전달물질 도파민이 프롤락틴의 주요 억제인자로 작용함으로써 일차적 조절을 담당한다. 프롤락틴 분비조절은 다수의 생리적 자극

참조 17.1 고프롤락틴혈증의 임상 효과

A. 월경에 미치는 효과
- 무배란
- 무월경
- '월경 혼돈'

B. 성기능에 미치는 효과
- 성욕 감소
- 성적 각성 감소
- 극치감 기능이상

C. 유방에 미치는 효과
- 충혈
- 유즙분비과다

D. 뼈에 미치는 효과
- 에스트로젠/테스토스테론 결핍에 의해 매개되는 골밀도 감소

E. 심혈관계에 미치는 효과
- 에스트로젠 부족에 의한 이차적인 부작용

F. 행동에 미치는 효과
- 직접 효과
- 성선기능저하에 의한 이차적인 효과

프롤락틴-유지형	프롤락틴-증가형
올란자핀, 쿠에티아핀 – 일차 선택제	전통적 신경이완제
클로자핀 - 이차선택제	리스페리돈

그림 17.1 항정신병약물과 프롤락틴

및 신경내분비 자극과 억제인자들이 상호작용하여 뇌하수체 유즙영양세포에서 방출되는 프롤락틴 양에 영향을 미치는 복잡한 과정이다.[29]

클로자핀,[30] 올란자핀,[31] 그리고 쿠에티아핀은[32] 제한적인, 혹은 경한 프롤락틴 상승을 야기하며, '프롤락틴-유지형' 항정신병약물로 총칭된다(그림 17.1).[16] 개발 중인 새로운 항정신병약물인 지프라시돈 또한 혈장 프롤락틴 치에 미미하고 일시적인 영향만을 미친다. 리스페리돈이 혈장 프롤락틱 치를 상승시키는 정도는 할로페리돌과 비슷해서, 4-6mg이 대략 할로페리돌 20mg과 동등하다.[33] 폐경 전 여성에서 리스페리돈은 전형적 약물의 두 배 이상으로 프롤락틴 치를 상승시킨 바 있다.[34,35]

신경이완제는 프롤락틴에 대한 도파민성 억제의 정상적인 긴장도를 방해함으로써 프롤락틴 치를 상승시키는 것으로 생각되지만, 왜 어떤 약물은 더 심하고 지속적인 고프롤락틴혈증을 유발하는지에 관해서는 잘 모르고 있다.[36] 프롤락틴의 증가는 약물의 임상 역가와는 관련이 적고, 항정신병약물의 약물학적 특성 및 약동학적 특성의 영향을 받는다.[37] 항정신병약물 치료에 따르는 프롤락틴 치의 상승은 남성보다 여성에서 크다.[37] 신경이완제가 단지 약간만 프롤락틴 치를 상승시킨다는(정상범위 상한 값의 6배 정도까지) 통상적인 믿음은, 1세대 항정신병약물을 복용 중인 여성에게서 정상치의 15배까지 프롤락틴 치가 증가되어 있다는 최근의 보고들로 인해 흔들리게 되었다.[38] 비록 일부 환자들에게는 내성이 생겨나지만,[39] 고프롤락틴혈증은 만성적 치료 전과정을 통해 지속될 수 있다. 즉, 계속적인 신경이완제 처방은 지속적인 프롤락틴 상승의 위험을 내포하고 있다.

고프롤락틴혈증은 시상하부에서 성선자극호르몬 분비호르몬(GnRH)의 정상적인 박동성 분비를 억

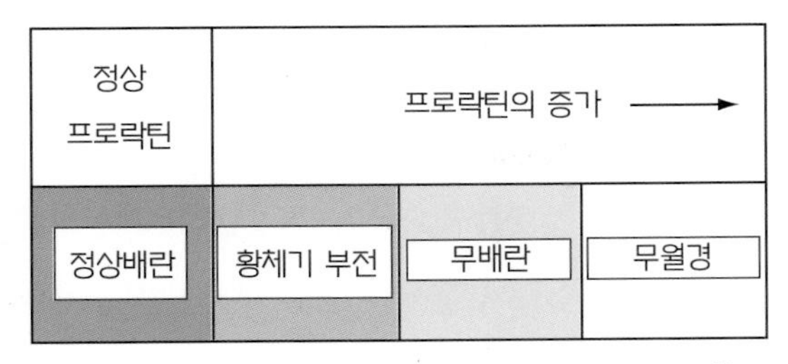

그림 17.2 프롤락틴과 월경기능이상. Speroff 등(1999)[29]

제한다. 이는 뇌하수체에서의 황체화호르몬(LH)과 여포자극호르몬(FSH)의 정상적 분비 및 난소 여포의 스테로이드 신호에 대한 뇌하수체의 정상적인 배란 반응에 필수적인 것이다(그림 17.2).[29] GnRH 박동성 분비가 중단되면, 여포 성장에 지장이 생겨 수정능력을 상실한 규칙적인 월경주기로부터, 너무 잦거나 드문 월경, 그리고 양이 너무 많거나 적은 월경에 이르기까지 월경주기의 장해가 초래된다.[15] GnRH 박동성 분비의 더 심한 장해는 난소반응을 일으키기에 불충분한 성선자극호르몬을 분비하게 되고, 따라서 모든 종류의 장기간의 에스트로젠 결핍증상인, 비뇨기계 증상, 성교통, 골밀도 감소,[41,42] 심혈관계 질환의 위험 증가와 아울러,[43] 무배란성 무월경 상태에 이르게 된다.[29,40] 에스트로젠은 정신기능에 상당한 영향을 미치므로, 정신병리, 기분상태 및 인지기능 또한 모두 영향을 받는다.[9] 만성적인 무배란은 현재 심각한 의학적 상태로 간주되고 있다. 불임 및 자궁내막암의 발생위험을 피하기 위해 평가와 치료를 요하는 상태인 것이다.[29,44] 여성 정신분열병 환자들의 이러한 부작용에 관해서는 연구가 덜 되어 왔다.[16,17]

고프롤락틴혈증의 원인론은 다양하지만, 그 핵심은 일단 진단이 주어지면, 기저의 원인을 치료하거나 도파민 효현제로 프롤락틴 분비를 억제시킴으로써 치료의 여지가 있다는 점이다.[45] 프롤락틴 유지형 항정신병약물이 도입됨으로써, 여성 정신분열병 환자들의 NIHP에 의한 부작용 치료에는 새로운 치료적 선택이 가능해 진 것이다.[16]

임신 및 출산 건강

심한 정신질환을 가진 여성이 현재에는 수용시설보다 지역사회에 거주하는 경우가 압도적으로 많기 때문에, 정신질환을 지니지 않은 여성들에게 영향을 미치는 문제들이 이 환자들에게도 영향을 미친다. 가용한 피임기구의 부족, 원치 않는 혹은 계획하지 않은 임신과 출산, 성병 전염, 성적 학대는 모든 여성들의 우려 사항이다.[46] 정신질환을 앓고 있는 여성들은 이러한 문제에 대처할 준비가 덜 되어 있고, 특히 취약한 인구집단이라는 일부 증거가 있다.[47] 정신분열병 환자들은 또한 HIV/AIDS 발생위험이 높아 특별히 교육과 예방을 요한다.[48] 교육, 가정폭력과 성폭력을 다루기 위한 중재, 가족계획, 임신에 대한 다양한 대응을 통합한 모형 프로그램이 있기는 하지만,[12,49,50] 이는 오히려 예외적인 것이고, 여성 정신분열병의 치료체계에 일반적인 것은 아니다.

최근 들어, '조기 정신병 프로그램'이라 흔히 불리는 치료 프로그램이 개발되었다. 이는 정신병적 질환의 조기발견과 조기개입에 주안점을 둔다. 10세에서 19세 사이의 세계인구가 십억이 넘고, 정신분열병의 발병연령, 특히 남성의 발병연령은 중기 및 후기 청소년기라는 점을 감안한다면, 이 인구집단을 대상으로 성과 출산에 관한 그들의 요구를 연구하는 것은 매우 중요하다 하겠다. 그러나, 정신질환이 없는 인구집단 내에서조차 정상적인 기능을 유지할 수 있도록 '청소년에게 친숙한 방식으로' 그들의 문제를 소통하도록 돕는 가장 좋은 방법이 무엇인지는 불분명하다.[46] 이러한 프로그램들은 질환의 초기 상태에 있는 환자들을 위한 것이므로, 역사적으로 등한시되어왔고 정신분열병 연구자들의 관심을 얻지 못해왔던 성과 출산 문제들의 연구는 중요한 것이다.

물론, 심한 정신질환자들을 위한 남성의 생식 건강 문제에도 거의 관심이 주어지지 않아 왔다. 같은 서비스와 프로그램에 참여하는 환자들간에는 친밀한 관계가 발전한다. 따라서, 남성이 이러한 문제들에 대해 알고 교육받게 함으로써, 남성 자신의 건강뿐만 아니라 여성 정신분열병 환자들의 건강에도 영향을 미칠 수 있다. 관계형성, 피임, 성과 출산에 관한 남녀 모두의 의사결정을 돕는 상담과 서비스가 인생주기 전체에 걸쳐 정신분열병 환자들의 종합적인 치료 프로그램 안에 통합되어야 한다.

월경과 정신분열병

신경이완제가 도입되기 전부터 정신분열병과 관련된 월경주기 이상과 무월경이 언급되어 있었다. 약물을 사용하지 않고 수용시설에 입원한 폐경 전 여성 정신분열병 환자들의 일부 표본에서, 뇌절개술, 인슐린 혼수요법, 전기경련요법 등 당시 사용되던 신체치료에 의해서 발생한 월경주기 기간의 변화 증가, 무월경 발생의 증가, 월경주기 이상 등이 관찰되었다.[51] 항정신병약물 또한 월경이상과 무월경을 초래할 수 있기에, 여성 정신분열병 환자의 장애가 질환 때문인지, 약물 때문인지 혹은 양자 모두 때문인지가 불분명할 때가 있다. 정신분열병이 뇌의 질환임을 감안한다면, 여성 정신분열병 환자들의 시상하부-뇌하수체-난소 축의 조절기전이 특히 약물에 취약할 가능성도 있겠다.[16,17,52] 무월경에 관한 최근 자료는 Speroff 등의 종설을[29] 참조하길 바란다.

정신분열병 환자들의 성, 출산하고픈 욕망, 출산하는 데에 따르는 제한 등의 심리적 문제들을 인식하고 이해하는 것이 중요하나, 역사적으로는 정신보건관련자들이 여기에 임상적 중요성을 덜 두어왔다. 출산능력은 성정체감과 출산에 관한 느낌에 영향을 미친다. 교육, 개인적인 체험, 문화적 전통 등 다양한 변수가 물론 그 의미에 영향을 미친다. 항정신병약물 사용에 따른 이차적인 무월경은 심리적으로는, 젊음의 상실, 생식능력의 상실, 혹은 성장 등으로 냉담하게 받아 들일 수도 있다.[52] 월경 중단과 유즙분비는 여성 환자에게 임신의 확고한 증거로 오해되어 망상적 신념을 공고히 만들 수도 있다.[53,54]

정신보건 임상에서는 항정신병약물의 생물학적 부작용으로서의 월경불순과 무배란을 과소평가해 정규적으로 감시하지 않고 있으며, 이러한 증상이 발생하더라도 부적절하게 안심시키는 정도의 치료에 머무르는 경우가 많다. 모든 전통 항정신병약물은 프롤락틴을 상승시키는 효과로 인해 출산 및 성기능 부작용을 야기할 수 있다. 리스페리돈은 소수의 일련의 후향적 사례보고를 통해 전통적 신경이완제보다 더 많이 무월경과 유즙분비를 일으킨다고 보고되어 있는데,[34] 이는 고프롤락틴혈증을 일으키는 성질과 관련된 사실로서, 폐경 전 여성 정신분열병 환자들에게는 내약력이 좋지 않을 수 있음을 뜻한다. 리스페리돈 임상시험자료의 사후 분석은 이를 반박하고 있지만,[33] 임상시험자료를 통해 새로운 약물의 프롤락틴 상승 효과에 이차적인 출산 및 성기능 부작용에 관해 결론짓기는 어렵다. 그 이유가 되는 방법론적 문제에는 다음과 같은 것들이 포함된다.

1. 정상적인 월경주기의 기간과 다양성에 비해, 통상 6-8주라는 임상시험기간은 짧다.
2. 단기간의 약물시험 중에 월경불순을 탐지해내기 위한 척도 이용이 설계되어 있지 않다; 예를 들면, UKU는[55] 무월경을 진단하기 위해서

3개월 간 월경이 없어야 할 것을 요구한다.

3. 경구피임약, 호르몬대체요법, 자궁절제술 등의 이용이 통제되지 않았다.
4. 시험이 시작되는 시점에 폐경상태의 결정이 부적절했다. 내분비 상태에 대한 평가 없이 연령으로 폐경상태를 분류하는 것은, 월경 기능이 유지되고 있어 월경이상이 나타날 위험을 지닌 여성의 수를 과대평가 혹은 과소평가할 수 있다.

사례연구를 통해 프롤락틴-유지형 항정신병약물로 교체하면 월경 부작용이 회복된다고 알려져 있다.[56-58] 하지만, 이를 분명히 밝히기 위해서는 보다 장기간의 대규모 연구가 필요하다.

신경이완제 투약 전의 초기 월경력 조사, 월경불순과 폐경 발생의 감시는 정규적인 정신과 임상 관례가 되어야 한다. 생리주기에 문제가 있었던 여성에게는 무월경 발생의 위험요인을 한 가지 제거하는 의미에서 프롤락틴-유지형 약물이 선호될 수 있겠다. 고프롤락틴혈증과 동반된 월경이상이 발생하면, 올란자핀, 쿠에티아핀, 혹은 클로자핀으로 약물을 교체하는 것이 진단에 도움이 된다. 그러나, 항정신병약물을 교체하기에 앞서, 약물의 효능, 반응의 정도, 재발 가능성에 따른 비용부담, 기타 부작용 등 다양한 변수를 고려해야만 한다. 전통적 항정신병약물 또는 리스페리돈의 용량을 줄임으로써 프롤락틴 농도를 감소시켜 부작용을 해소할 수도 있다. 또 다른 선택으로는 도파민 효현제(브로모크립틴 같은)를 추가해 프롤락틴 치를 낮추거나, 약물-유발성 호르몬 결핍을 치료하기 위해 경구 피임제를 처방하는 방법이 있다.[16,17,59] 후자의 방법은 NIHP와 직접 관련된 유즙분비와 성기능장애 같은 부작용을 해소시켜 주진 못한다. 임상의는 고프롤락틴혈증을 역전시키는 것은 불임치료의 한 방법이라는 점을 기억해야 한다. 따라서, 프롤락틴 치를 낮추기 전에 경구 피임제의 필요성 여부를 검토해보아야만 한다.

정신과 의사, 산부인과 의사, 사회학자들은 폐경과 정신과적 증상에 관해 관심을 가져왔지만, 여성 정신분열병 환자의 폐경에 관해 밝혀진 것은 거의 없다.[60,61] 폐경에 수반되는 에스트로젠 농도의 감소가 만발(晩發) 정신분열병에 관여하리라고 시사되었고, 젊은 여성에 비해 사십대의 여성이 더 고용량의 항정신병약물을 필요로 하는 것도 같은 이유로 설명된다.[20] 폐경이 시작될 연령의 여성 정신분열병 환자에게 NIHP에 이차적인 무월경이 발생하면 폐경의 시작으로 오인될 수 있고, 프롤락틴-유지형 약물로 교체한 후에 월경이 돌아올 수가 있다. 따라서, 젊은 여성과 나이든 여성 모두에게 약물을 교체하면 월경주기가 회복될 수 있음을 조언해주어야 한다.[52]

가임력과 정신분열병

정신분열병을 가진 남성과 여성 모두는 질환이 없는 그들의 형제자매에 비해 가임력이 저하되어 있다고 밝혀졌는데, 그 정도는 남성이 더하다.[62,63] 자녀의 수가 적은 이유는 복잡한 것으로서, 질환 그 자체, 치료에 사용된 약물, 수용시설에의 입원, 심각한 정신질환자로 낙인찍힌 사회적 요소 등으로 설명되어 왔다. 그러나, 적어도 일부 문화권에서는 분위기가 달라지고 있다. 최근 미국 지역사회의 여성 정신분열병 환자들의 표본을 인구정보학적으로 짝지어진 대조군과 비교했을 때, 평균 임신 횟수에는 차이가 없었다. 하지만, 계획하지 않은 임신이나 원치 않았던 임신, 그리고 유산이 더 많았다.[50]

심한 정신장애를 가진, 더 많은 수의 남자 여자 환자들이 지역사회 내에서 치료받게 되고, 정신과적 증상들이 더 잘 조절되며, 성기능 및 출산기능 부작용이 더 적은 약물이 사용되고 있으므로, 이론적으로는 임신이 더 많아질 듯 하다.[64-66] 그러나, 모집단 수준에서 새로운 약물을 복용하는 여성 환자들과 구세대 약물을 복용하는 여성 환자들의 임신 차이를 비교한 역학연구는 없다. 클로자핀, 올란자핀, 쿠에티아핀은 첫 시판된 프롤락틴-유지형 항정신병약물로서, 신경이완제로 치료받는 여성 중 일부의 월경이상을 회복시켜줄 것이므로, 시간이 지남에 따라 정신병적 장애를 지닌 여성 인구 집단의 회임 경향이 나타날 수도 있겠다.

피임법을 사용하는가의 여부가 임신율에 분명히 영향을 미친다. 여성 정신분열병 환자들은 일반 여성보다 여러 피임법을 이해하고 사용하는 데에 더 큰 어려움을 지닌다.[47] 환자가 원치 않는 임신을 피할 수 있게 도와주면서 동시에 환자의 자율성을 존중하는 것이 임상의에게는 어려운 일이다.[67] 임상의가 여성 환자와 가부장적이지 않은 동맹을 형성하면서 출산 문제에 개입하는 데에는 '가변적으로 손상된 자율성' 의 개념,[68] 즉, 고정된 것이 아니라 시간에 따라 달라질 수 있는 의사결정능력이라는 개념이 도움이 된다. 정신상태가 안정되었을 때 피임에 대한 잘못된 관념을 다루는 교육을 하고, 현실검증력의 손상에 더 효과적인 약물을 사용함으로써, 여성 환자가 더 현실적인 판단을 내릴 수 있게 돕는다. 이식하는 피임법과 같은 기술적 진보와 보다 소비자 지향적인 정신보건서비스 체계 내에서의 가치체계의 변화와 아울러, 이 분야는 복잡하게 진보하고 있다.

임신과 정신분열병

보통의 여성들에게는 규칙적인 월경의 중단이 임신의 단서가 되지만, 항정신병약물을 복용 중인 여성 정신분열병 환자에게는 월경불순이 흔해 월경이 규칙적이지 않으므로, 임신진단이 늦어질 수 있다. 게다가, 양육권을 박탈당하는 비율이 높고 임신에 대해 의료진이 부정적으로 반응할 것임을 알기에, 일부 환자들은 임신 사실을 숨긴다.[69,70] 또는, 정신병 때문에 임신의 징후를 잘못 해석하거나 잘못 이해하기도 하며, 극단적인 경우에는 임신에 대한 망상적 부정을 보이기도 한다. 임신 부정은 만성 정신분열병의 진단, 과거에 자녀 양육권을 상실했던 경우, 아이와 이별을 예기하는 경우와 관련 있다.[71] 이 모든 사실들은 임상의가, 아이를 갖는 것에 대한 환자의 느낌을 이해하고, 임신 가능성을 의심해야 하며, 지속적으로 이를 관찰해야 한다는 것을 뜻한다.

여성 정신분열병 환자들이 임신 중에 호전된다는 임상적 관찰에도 불구하고, 많은 환자들에게 임신은 고통스런 시간이며, 특히 원치 않게 임신한 젊은 환자들은 정신상태가 악화되기도 한다.[42,72,73] 정신분열병의 진단은 부적절한 산전관리와 더 많은 출산 합병증을 예측하는 요인이다.[74] 태아 성장 지체, 미숙아 출산, 주산기 이병률 및 사망률 증가와 관련된 요인들에는 흡연, 물질남용, 경제적 빈곤 등이 있으므로, 임신한 여성 정신분열병 환자들의 이러한 추가적인 위험 요인들을 줄이도록 애써야 한다.[50,75] 임신에 관한 망상 또는 정신병적 부정을 지닌 환자는 임박한 분만 징후를 잘 감지하지 못하는 경향이 있고 출산 합병증의 위험이 높다.[49] 따라서, 이러한 정신병리가 있다면, 임상의는 집중적인 정신과적 추적, 산전관리, 분만예정을 계획해야 한다.

정신분열병 여성 환자가 임신했을 때, 정신과 의사는 포괄적 진료를 조정하고, 기타 의료 전문가와 지역사회 종사자들을 대상으로 정신분열병과 약물치료의 장단점을 교육하는 데에 핵심적인 역할을 담당한다.[70] 2세대 항정신병약물이 도입되고, 임신 환자 및 산욕기 환자에게 이 약물을 사용한 임상적 경험이 짧으므로, 이 분야는 더욱 복잡해지고 있다.

임신 중에 정신병의 약물치료가 요구된다면, 트리플루오페라진이나 할로페리돌 같은 고강도 약물이 추천된다. 새로운 항정신병약물보다 이러한 약물들에 대한 임상적 경험이 더 풍부하기 때문이다. 부가적 항콜린제나 저강도 항정신병약물은 사용하지 않아야 한다. 이상적으로는, 임신 첫 삼분의 일 기간동안은 약물을 사용하지 않아야 하나, 현실적으로, 재발의 위험과 거기에 따르는 결과는 이를 불가능하게 만드는 경우가 많다.[47,59,76,77] 부작용의 위험, 특히 추체외로 부작용의 위험을 줄이기 위해서 분만에 앞서 5-10일간 항정신병약물을 줄여나가거나 끊어야 하는가에 관해서는 논란이 있다.[78]

클로자핀이 기형을 유발한다고 알려진 것은 아니지만,[79] 임신 중에는 태아의 혈액검사를 할 수 없으므로 클로자핀 사용에는 또 다른 위험요인이 내포되어 있다 하겠다.[80] 클로자핀 치료를 받은 어머니에게서 태어난 신생아 중 무과립구혈증이 발생한 사례는 보고된 바 없지만, 문헌의 한계를 고려한다면 완전히 배제할 수는 없는 결과이다. 이 신생아들을 대상으로 4주간 전혈구수를 검사하는 것은, 성인이 클로자핀을 중단했을 때와 동일한 방법이므로, 합리적이라고 생각된다. 임신 중에 클로자핀을 유지할 것인가, 혹은 심한 치료-저항성 여성에게 클로자핀 투약을 시작할 것인가의 여부는 개별적인 사례에 따라 위험과 이득의 정도를 따져서 결정해야 한다. 치료-저항성 정신분열병을 지닌 여성 환자가 임신 중에 덜 효과적인 전통적 항정신병약물로 교체된다면, 정신병이 악화되어 궁극적으로 클로자핀을 유지한 것보다 더 큰 위험이 산모와 아기에게 초래될 수도 있다. 일부 정신과 의사들은 전통적 신경이완제 치료에 실패했던 여성 환자는 임신을 포기해야 한다는 의견을 가지고 있지만,[77] 여기에는 논란의 소지가 있다. 집중적인 정신사회적 지지와 아울러 클로자핀 치료가 주어진다면, 이 환자들은 산전관리에 만전을 기할 수 있고, 분만을 다룰 수 있으며, 불리한 조건을 궁극적으로 개선시켜 자녀의 양육권을 획득하게 될 것이다. 이는 심한 정신질환을 지닌 많은 여성들의 소망이다.[70]

클로자핀 투약 후에 당 불내응성(glucose intolerance)이 증가된 사례가 보고되어 있다.[81] 클로자핀으로 치료받은 후 임신성 당뇨의 두 사례가 보고되었다.[69,70] 클로자핀이 산모의 고혈당을 유발하고 그로 인한 거대태아 때문에 난산(견갑난산)의 위험을 증가시키는가에 관해서는 아직 모르나, 임상의는 그 가능성을 염두에 두고 있어야 하겠다.[70]

임신 중에 올란자핀, 리스페리돈, 혹은 쿠에티아핀을 처방받은 여성 환자에 관한 사례보고는 없다. 저장형 항정신병약물에서 올란자핀으로 약물을 교체한 후 임신이 되었다가 치료적으로 유산한, 클로자핀의 경우와 매우 유사한 한 개의 사례보고가 있다.[70,83] 가임 연령의 많은 여성들이 새로운 항정신병약물을 처방 받고 있지만, 임신 중에 이러한 약물들을 사용한 자료가 매우 부족하다는 점을 고려할 때, 임상의는 환자가 임신한 경우에 제약회사와 캐나다의 Motherisk Program[84] 같은 기형 정보 서비스에 접촉해야 할 것이다.

산욕기와 정신분열병

산욕기에는 기분장애를 지닌 여성 환자들의 급성 악화 비율이 더 높긴 하지만, 정신분열병의 재발 위험 또한 유의하게 높다.[85-87] 만약 임신기간 중 항정신병약물의 용량을 줄였다면, 재발 위험을 최소화하기 위해 충분한 용량을 다시 시작해야 하고 정신사회적 지지가 제공될 수 있게 해야 한다.

정신분열병을 지닌 여성이 자녀를 돌볼 수 있는가 하는 문제는 어머니와 아이 모두에게 대단히 중요한 사안이다. 아이 양육에 대한 문제는 분만

전에 결정되는 것이 이상적이다. 하지만, 아동 보호 서비스가 영아의 안전성을 확보할 권한을 통해 출산시점에서 개입하는 것이 흔한 현실이며, 예전의 아이가 위험했던 경우라면 더욱 그렇다. 정신질환을 지닌 여성이 양육권을 유지하는 데에 대한 사회복지체계의 태도는 다양하고 가용한 재원 또한 다양하다; 여성 환자를 진료하는 임상의는 따라서, 자신이 속한 지역사회에서 선택할 수 있는 방법들에 관해 잘 알아야 한다.

정신질환을 지닌 여성의 자녀양육 능력을 평가하는 문제는 대단히 복잡한 주제로서 이 장의 범위를 벗어난다. 심지어 예전에 영아살해가 발생한 극단적인 경우라 할지라도, 한 여성이 영구적으로 부모역할을 하지 못하리라고 예측할 수 있는 요인은 없다.[88] 많은 환자들이 부모 역할에 어려움이 있긴 하나, 정신분열병이 부모 역할의 금기는 아니다. 부모역할의 재활을 통합하고 여성 정신분열병 환자들에게 지지를 제공하는 프로그램들이 기술되어 왔지만,[12,89,90] 대부분의 경우, 부모역할훈련은 심한 정신질환자를 위한 정신사회적 재활프로그램 안에 통합되어 있지 않다. 새로운 항정신병약물이 심한 정신질환을 가진 여성들의 양육권을 향상시킬 수 있는가에 대해서는 아직 모르고 있다.

항정신병약물을 복용 중인 여성은 모유수유를 하지 않도록 흔히 권고받는데,[59] 이는 항정신병약물이 40년 넘도록 처방되고 있다는 사실에 비하면 매우 빈약한 자료에 근거한 권고사항이다. 임신 중의 약물사용과 마찬가지로, 모유수유 또한 개별적인 위험-이득 평가에 따라야 한다. 영아가 약물에 노출되는 것을 최소화하면서 여성의 정신질환을 적절히 치료하는 것이 목표가 된다.[78,91] 항정신병약물을 복용하면서 모유수유를 선택한 여성은 아이를 감시할 능력이 있어야 하며, 영아의 위험을 최소화하는 데에 기꺼이 함께 노력하고자 하는 소아과 의사와 접할 수 있어야 한다.

비전형 약물로서는 클로자핀만이 수유에 대한 정보가 알려져 있다. Barnas 등은[92] 소량의 클로자핀으로 증상 관해를 얻은 31세 여자 환자의 계획된 출산 과정을 기술하고 있다. 이 사례에서 임신 기간 중 산모의 혈장 클로자핀 농도는 매달 측정되었고, 분만 시에는 산모의 혈장농도, 태아의 혈장농도, 모유에 함유된 농도가 측정되었다. 고농도의 클로자핀이 모유에서 검출되었다. 저자들은 클로자핀을 복용하는 여성은 모유수유를 하지 않도록 권고하고 있다.

산욕기 중에 항정신병약물을 투약해야 하는 여성에게는 프롤락틴-유지형 약물을 처방하는 것이 이득이 될 수 있겠다. 수유를 피해야 하는 경우가 흔하기 때문이다. 유선염과 산욕기 정신병을 지닌 환자를 클로자핀으로 성공적으로 치료한 한 사례가 보고되어 있다.[93] 하지만, 혈액학적 부작용으로 인해 클로자핀 사용에는 제한이 따르므로, 치료저항성이 아니면서 모유수유를 원하지 않는 여성 환자의 산욕기에는 새로운 프롤락틴-유지형 약물인 올란자핀이나 쿠에티아핀이 유용하겠다.

결론

정신분열병이 '여성 질환'은 아니지만, 성별에 주안점을 둔 치료는 여성 정신분열병 환자에게 이롭다. 여기에는 피임과 성에 관한 교육과 상담, 부모역할의 지지, 출산주기의 각 단계에 특이한 의학적 치료와 정신과적 치료의 통합 등의 전략이 포함된다. 성별에 따른 약물반응 및 부작용의 차이, 그리고 호르몬의 조절 효과에 관한 연구가 발전하고 있으며, 이는 남녀 정신분열병 환자 모두의 치료를 개선시킬 것이다. 프롤락틴-유지형 항정신병약물의 역할은 더 연구되어야 할 필요가 있다.

참고문헌

1. Hafner H, Maurer K, Loffler W et al, The epidemiology of early schizophrenia. Influence of age and gender on onset and early course, *Br J Psych* (1994) **(Suppl 23):**29–38.
2. Szymanski S, Lieberman JA, Alvir JM et al, Gender differences in onset of illness, treatment response, course, and biologic indexes in first-episode schizophrenic patients, *Am J Psychiatry* (1995) **152:**698–703.
3. Fennig S, Putnam K, Bromet EJ, Galambo SN, Gender, premorbid characteristics and negative symptoms in schizophrenia, *Acta Psychiatr Scand* (1995) **92:**173–7.
4. Nopulos P, Flaum M, Andreasen NC, Sex differences in brain morphology in schizophrenia, *Am J Psychiatry* (1997) **154:**1648–54.
5. Lindamer LA, Lohr JB, Harris MJ et al, Gender related clinical differences in older patients with schizophrenia, *J Clin Psychiatry* (1999) **60:**61–7.
6. Bryant NL, Buchanan RW, Vladar K et al, Gender differences in temporal lobe structures of patients with schizophrenia: a volumetric MRI study, *Am J Psychiatry* (1999) **156:**603–9.
7. Goldstein JM, Seidman LJ, Goodman JM et al, Are there sex differences in neuropsychological functions among patients with schizophrenia? *Am J Psychiatry* (1998) **155:**1358–64.
8. Seeman MV, Gender differences in treatment response in schizophrenia. In: Seeman MV, ed, *Gender and Pathology* (American Psychiatric Press: Washington, DC, 1995) 227–51.
9. Seeman MV, Psychopathology in women and men: focus on female hormones, *Am J Psychiatry* (1997) **154:**1641–7.
10. Taminga CA, Gender and schizophrenia, *Can J Psychiatry* (1997) **(Suppl 15):**33–7.
11. Kulkarni J, Women and schizophrenia, *Aust N Z J Psychiatry* (1997) **31:**45–56.
12. Seeman MV, Cohen R, A service for women with schizophrenia, *Psychiatr Serv* (1998) **49:**674–7.
13. Jensvold MF, Halbreich U, Hamilton JE, eds, *Psychopharmacology and Women: Sex, Gender, and Hormones* (American Psychiatric Press: Washington, DC, 1996).
14. IMS, National Disease Therapeutic Index. November 1996 to April 1997.
15. Romach MK, Drug development for women, *Can J Clin Pharmacol* (1999) **6:**7–8.
16. Dickson RA, Glazer WM, Neuroleptic-induced hyperprolactinemia, *Schizophr Res* (1999) **35:**75S-86S.
17. Dickson RA, Glazer WM, Women and antipsychotic drugs: focus on neuroleptic-induced hyperprolactinemia. In: Lewis-Hall F, Panetta JA, Williams TS, Herrera JM, eds, *Women's Issues in Psychiatry* (American Psychiatric Press: New York, in press).
18. Szymanski S, Lieberman J, Pollack S et al, Gender differences in neuroleptic nonresponsive clozapine-treated schizophrenics, *Biol Psychiatry* (1996) **39:**249–54.
19. Cohen LS, Goldstein J, Lee H et al, Sex and neuroendocrine differences in response to treatment with olanzapine: a preliminary analysis. Presented at the New Clinical Drug Evaluation Unit Conference, Boca Raton, FL, May 1997.
20. Seeman MV, Interaction of sex, age, and neuroleptic dose, *Compr Psychiatry* (1983) **24:**125–8.
21. Lane HY, Chang YC, Chang WH et al, Effects of gender and age on plasma of clozapine and its metabolites: analyzed by critical statistics, *J Clin Psych* (1999) **60:**36–40.
22. Haring C, Meise U, Humpel C et al, Dose related plasma levels of clozapine: influence of smoking behavior, sex and age, *Psychopharmacology (Berl)* (1989) **99(Suppl):**S38–S40.
23. Seeman MV, Lang M, The role of estrogens in schizophrenia gender differences, *Schizophr Bull* (1990) **16:**185–94.
24. Alvir JM, Leiberman JA, Agranulocytosis: incidence and risk factors, *J Clin Psychiatry* (1994) **55(Suppl B):**137–8.
25. Glazer WM, Morgenstern H, Doucette JT, Predicting the long-term risk of tardive dyskinesia in outpatients maintained on neuroleptic medications, *J Clin Psychiatry* (1993) **54:**133–9.
26. Yassa R, Jeste DV, Gender as a factor in the development of tardive dyskinesia. In: Yassa R, Nair NP, Jeste DV, eds, *Neuroleptic-Induced Movement Disorders* (Cambridge University Press, 1997) 26–40.
27. Morgenstern H, Glazer WM, Identifying risk factors for tardive dyskinesia among long term outpatients maintained with neuroleptic medications, *Arch Gen Psychiatry* (1993) **50:**723–33.
28. van Os J, Fahy T, Jones P et al, Tardive dyskinesia: who is at risk? *Acta Psychiatr Scand* (1997) **96:**206–11.
29. Speroff L, Glass RH, Kase NG, *Clinical Gynecologic Endocrinology and Infertility*, 6th edn. (Lippincott, Williams & Wilkins: Baltimore, 1999).
30. Meltzer HY, Goode DJ, Schyve PM et al, Effect of clozapine on human serum prolactin levels, *Am J Psychiatry* (1979) **136:**1550–5.
31. Crawford AM, Beasley CM Jr, Tollefson GD, The

acute and long-term effect of olanzapine compared with placebo and haloperidol on serum prolactin concentrations, *Schizophr Res* (1997) **28:**224–67.
32. Arvanitis LA, Miller BG, Multiple fixed doses of 'Seroquel' (quetiapine) in patients with acute exacerbation of schizophrenia: a comparison with haloperidol and placebo. The Seroquel Trial 13 Study Group, *Biol Psychiatry* (1997) **42:**233–46.
33. Kleinberg DL, Davis JM, de Coster R et al, Prolactin levels and adverse events in patients treated with risperidone, *J Clin Psychopharmacol* (1999) **19:**57–61.
34. Dickson RA, Dalby JT, Williams R, Edwards AL, Risperidone-induced prolactin elevations in premenopausal women with schizophrenia [letter], *Am J Psychiatry* (1995) **152:**1102–3.
35. Caracci G, Ananthamoorthy R, Prolactin levels in premenopausal women treated with risperidone compared with those of women treated with typical neuroleptics [letter], *J Clin Psychopharmacol* (1999) **19:**194–6.
36. Petty RG, Prolactin and antipsychotic medications: mechanism of action, *Schizophr Res* (1999) **35:**S67–S73.
37. Grunder G, Wetzel H, Schosser R et al, Neuroendocrine response to antipsychotics: effects of drug type and gender, *Biol Psychiatry* (1999) **45:**89–97.
38. Pollock A, McLaren EH, Serum prolactin concentration in patients taking neuroleptic drugs, *Clin Endocrinol (Oxf)* (1998) **49:**513–16.
39. Zelaschi NM, Delucchi GA, Rodriguez JL, High plasma prolactin levels after long-term neuroleptic treatment, *Biol Psychiatry* (1996) **39:**900–1.
40. Corenblum B, Disorders of prolactin secretion. In: Copeland LJ, ed, *Textbook of Gynecology* (WB Saunders: Philadelphia, 1993) 447–67.
41. Halbreich U, Palter S, Accelerated osteoporosis in psychiatric patients: possible pathophysiological processes, *Schizophr Bull* (1996) **22:**447–54.
42. Biller BM, Baum HB, Rosenthal DI et al, Progressive trabecular osteopenia in women with hyperprolactinemic amenorrhea, *J Clin Endocrinol Metab* (1992) **75:**692–7.
43. Shaarawy M, Nafei S, Abul-Nasr A et al, Circulating nitric oxide levels in galactorrheic, hyperprolactinemic, amenorrheic women, *Fertil Steril* (1997) **68:**454–9.
44. Dexeus S, Barri PN, Hyperprolactinemia: an inductor of neoplastic changes in endometrium? A report of two cases, *Gynecol Endocrinol* (1998) **12:**273–5.
45. Biller BM, Hyperprolactinemia, *Int J Fertil Womens Med* (1999) **44:**74–7.
46. Khanna J, Van Look PFA, eds, *Reproductive Health Research: The New Directions.* Biennial Report 1996–97 (World Health Organization: Geneva, 1998).
47. Miller LJ, Sexuality, reproduction, and family planning in women with schizophrenia, *Schizophr Bull* (1997) **23:**623–35.
48. Gottesman II, Groome CS, HIV/AIDS risks as a consequence of schizophrenia, *Schizophr Bull* (1997) **23:**675–84.
49. Spielvogel A, Wile J, Treatment and outcomes of psychotic patients during pregnancy and childbirth, *Birth* (1992) **19:**131–7.
50. Miller LJ, Finnerty M. Sexuality, pregnancy, and childrearing among women with schizophrenia-spectrum disorders, *Psychiatr Serv* (1996) **47:**502–6.
51. Gregory BA, The menstrual cycle and its disorders in psychiatric patients – II, *J Psychosom Res* (1957) **2:**199–224.
52. Dickson RA, Seeman MV, Corenblum B, Hormonal side-effects in women: typical vs. atypical antipsychotic treatment, *J Clin Psychiatry* (2000) **61(Suppl 3):**10–15.
53. Michael A, Joseph A, Pallen A, Delusions of pregnancy, *Br J Psych* (1994) **164:**244–5.
54. Wesselmann U, Windgassen K, Galactorrhea: subjective response by schizophrenic patients, *Acta Psychiatr Scand* (1995) **91:**152–5.
55. Lingjaerde O, Ahlfors UG, Bech P et al, The UKU side effect rating scale: a new comprehensive rating scale for psychotropic drugs and a cross sectional study of side effects in neuroleptic-treated patients, *Acta Psychiatr Scand* (1987) **334:**1–100.
56. Bunker MT, Marken PA, Schneiderhan ME, Ruehter VL, Attenuation of antipsychotic-induced hyperprolactinemia with clozapine, *J Child Adolesc Psychopharmacol* (1997) **7:**65–9.
57. Canuso CM, Hanau M, Jhamb KK, Green AI, Olanzapine use in women with antipsychotic-induced hyperprolactinemia [letter], *Am J Psych* (1998) **155:**1458.
58. Gazzola LR, Opler LA, Return of menstruation after switching from risperidone to olanzapine, *J Clin Psychopharmacol* (1998) **18:**486–7.
59. Working Group for the Canadian Psychiatric Association and the Canadian Alliance for Research on Schizophrenia, Canadian Clinical Practice Guidelines for the Treatment of Schizophrenia, *Can J Psychiatry* (1998) **43(Suppl 2 revised):**25S-40S.
60. Beumont PJ, Corker CS, Friesen HG et al, The effects of phenothiazines on endocrine function: II. Effects in men and post-menopausal women, *Br J Psychiatry* (1974) **124:**420–30.
61. Ballinger CB, Psychiatric aspects of the menopause, *Br J Psychiatry* (1990) **156:**773–87.
62. Bassett AS, Alison B, Hodgkinson KA, Honer WG,

Reproductive fitness in familial schizophrenia, *Schizophr Res* (1996) **21:**151–60.
63. McGrath JJ, Hearle J, Jenner L et al, The fertility and fecundity of patients with psychoses, *Acta Psychiatr Scand* (1999) **99:**441–6.
64. Dickson RA, Edwards A, Clozapine and fertility [letter], *Am J Psychiatry* (1997) **154:**582–3.
65. Currier GW, Simpson GM, Antipsychotic medications and fertility, *Psychiatr Serv* (1998) **49:**175–6.
66. Dickson RA, Glazer WM, Hyperprolactinemia and male sexual dysfunction, *J Clin Psychiatry* (1999) **60:**125.
67. Haggis F, Contraception without consent? [letter] *Br J Psych* (1985) **146:**91–2.
68. Coverdale JH, Bayer TL, McCullough LB, Chervenak FA, Respecting the autonomy of chronic mentally ill women in decisions about contraception, *Hosp Community Psychiatry* (1993) **44:**671–4.
69. Waldman MD, Safferman A, Pregnancy and clozapine [letter], *Am J Psychiatry* (1993) **150:**168–9.
70. Dickson RA, Hogg L, Pregnancy of a patient treated with clozapine, *Psychiatr Serv* (1998) **49:**1081–3.
71. Miller LJ, Psychotic denial of pregnancy: phenomenology and clinical management, *Hosp Community Psychiatry* (1990) **41:**1233–7.
72. McNeil TF, Kaij L, Malmquist-Larsson A, Women with nonorganic psychosis: pregnany's effect on mental health during pregnancy, *Acta Psychiatr Scand* (1984) **70:**140–8.
73. McNeil TF, Kaij L, Malmquist-Larsson A, Women with nonorganic psychosis: factors associated with pregnancy's effect on mental health, *Acta Psychiatr Scand* (1984) **70:**209–19.
74. Goodman SH, Emory EK. Perinatal complications in births to low socioeconomic status schizophrenic and depressed women, *J Abnorm Psychol* (1992) **101:**225–9.
75. Bennedsen BE, Adverse pregnancy outcome in schizophrenic women: occurrence and risk factors, *Schizophr Res* (1998) **33:**1–26.
76. Taylor D, Duncan D, McConnell H, Abel K, *Prescribing Guidelines* (The Bethlem and Maudsley NHS Trust: London, 1997).
77. Hertz MI, Liberman RP, Lieberman JA et al, Practice guidelines for the treatment of patients with schizophrenia, *Am J Psychiatry* (1997) **154(Suppl 4):**
78. Goldberg HL, Nissim R, Psychotropic drugs in pregnancy and lactation, *Int J Psychiatry Med* (1994) **24:**129–49.
79. Altshuler LL, Cohen L, Szuba MP et al, Pharmacologic management of psychiatric illness during pregnancy: dilemmas and guidelines, *Am J Psych* (1996) **153:**592–606.
80. Pinkofsky HB, Fitzgerald MJ, Reeves RR, Psychotropic treatment during pregnancy [letter], *Am J Psychiatry* (1997) **154:**718–19.
81. Popli AA, Konicki PE, Jurjus GJ et al, Clozapine and associated diabetes mellitus, *J Clin Psychiatry* (1997) **58:**108–11.
79. Altshuler LL, Cohen L, Szuba MP et al, Pharmacologic management of psychiatric illness during pregnancy: dilemmas and guidelines, *Am J Psych* (1996) **153:**592–606.
80. Pinkofsky HB, Fitzgerald MJ, Reeves RR, Psychotropic treatment during pregnancy [letter], *Am J Psychiatry* (1997) **154:**718–19.
81. Popli AA, Konicki PE, Jurjus GJ et al, Clozapine and associated diabetes mellitus, *J Clin Psychiatry* (1997) **58:**108–11.
82. Dickson RA, Dawson DT, Olanzapine and pregnancy [letter], *Can J Psychiatry* (1998) **43:**2.
83. Kaplan B, Modai I, Stoler M et al, Clozapine treatment and risk of unplanned pregnancy, *J Am Board Fam Pract* (1995) **8:**239–41.
84. Koren G, Pastuszak A, Ito S, Drugs in pregnancy, *N Engl J Med* (1998) **338:**1128–37.
85. Verdoux H, Bourgeois M, A comparative study of obstetric history in schizophrenics, bipolar patients and normal subjects, *Schizophr Res* (1993) **9:**67–9.
86. Kumar R, Marks M, Platz C, Keiko Y, Clinical survey of psychiatric mother and baby unit: characteristics of 100 consecutive admissions, *J Affect Disord* (1994) **33:**11–22.
87. Videbech P, Gouliaev G, First admission with puerperal psychosis: 7–14 years of follow-up, *Acta Psychiatr Scand* (1995) **91:**167–73.
88. Jacobsen T, Miller LJ, Mentally ill mothers who have killed: three cases addressing the issue of future parenting capability, *Psychiatric Serv* (1998) **49:**650–7.
89. Waldo MC, Roath M, Levine W, Freedman R, A model program to teach parenting skills to schizophrenic mothers, *Hosp Community Psychiatry* (1987) **38:**1110–12.
90. Miller LJ, Comprehensive prenatal and postpartum psychiatric care for women with severe mental illness, *Psychiatr Serv* (1996) **47:**1108–11.
91. Llewellyn A, Stowe ZN, Psychotropic medications in lactation, *J Clin Psychiatry* (1998) **59:**41–52.
92. Barnas C, Bergant A, Hummer M et al, Clozapine concentrations in maternal and fetal plasma, amniotic fluid, and breast milk [letter], *Am J Psychiatry* (1994) **151:**945.
93. Kornhuber J, Weller M, Postpartum psychosis and mastitis: a new indication for clozapine, *Am J Psychiatry* (1991) **148:**1751–2.

18 환자 순응도

Roisin A Kemp와 Anthony S David

도입

환자 순응도는 치료의 중요한 측면이나 다소 소홀히 다루어지기도 한다. 환자 순응도는 간단히 정의하면 치료적 처방에 적절하게 따라 오는 것이라고 할 수 있다. 서비스에 참여하지 않거나, 약속시간에 나타나지 않거나, 추천해주는 치료적 절차 또는 프로그램에의 참여를 거부하는 등의 예가 모두 불량한 순응도에 해당된다. 하지만, 이 장에서는 약물치료에 국한하여, 특히 처방된 항정신병약물을 완전히 복용하지 않거나 부분적으로만 복용하는 경우를 살펴보고자 한다. 최근에는 '순응도'라는 용어가 너무 권위적이고, 환자의 비정상적인 측면과 임상의의 강요하는 측면을 암시한다는 비난이 있어왔다. 치료의 이상적 동반자로서의 의사-환자 관계의 변화하는 속성을 좀더 잘 반영하는 대체 용어가 제안되어왔고, 현재는 '조화(concordance)' 라는 용어가 선호되고 있다.[1]

비순응에 관해서는 어떠한 용어가 채택되든 간에, 그 정도와 비용은 어마어마한 것이다. Weiden과 Olfson은[2] 미국에서 년간 20억불에 달하는 재발 정신분열병 환자들의 재입원 비용의 40%가 치료 비순응 때문인 것으로 추산한다. 영국의 경우 Bebbington에[3] 의하면, 그 비용은 대략 1억 파운드에 달할 것으로 추정된다.

환자 순응도의 임상적 중요성

불량한 순응도는 재입원률, 재발한 삽화의 중증도 및 재원일수의 증가와 관련 있다. 불량한 순응도는 재입원의 위험요인 중 가장 중요하고 수정 가능한 요인이다.[4] 비순응의 비율은 처한 조건, 대상 환자군, 사용된 측정방법에 따라 다양하게 추산되고 있는데, 90%까지도 보고되어 있다.[5,6] 입원 치료에서 외래 치료로 전환되면 비순응률이 더 증가한다는 것이 놀랄만한 일은 아닐 것이다(표 18.1).[7-10] Weiden 등은[11] 환자들의 48%가 1년 추적 중에 최소 1주 이상 비순응을 보이며, 이 비율은 2년 기간으로 연장되면 70%에 달함을 보고했다. 저장형 약물치료를 받는 환자들을 연구한 바에 의하면, 약물 주사를 빼먹거나 거부하는 비율이 43%에 이른다고 한다.[12-14]

표 18.1 정신분열병의 비순응 비율

연구	치료환경	측정방법	비순응 비율
Forrest 등 1961[7]	입원	소변 측정	15%
Irwin 등 1971[8]	개방병동	소변 측정	32%
Scottish Schizophrenia Research Group 1987[9]	입원	혈청 측정	46%
Serban과 Thomas 1974[10]	외래	자가 보고	42%
Weiden 등 1991[11]	외래	관찰자 평가 및 자가 보고	1년째에 48% 2년째에 70%
Carney와 Sheffield 1976[12] Falloon 등 1978[13] Quitkin 등 1978[14]	저장형 약물, 외래	주사를 안 맞음	40%

연구문헌을 요약하여, Cramer와 Rosenheck가[6] 밝힌 평균 순응률은 항정신병약물을 처방 받은 환자의 58%(24-90 범위)였다. 항우울제를 처방 받은 환자의 순응률은 65%(40-90)였고, 다양한 신체장애의 경우에는 76%(60-90)였다. 이 자료는 만성 정신분열병 환자 집단의 순응률이 기타 만성 질환에서 보이는 순응률과 다르지 않다는 주장을 반박한다. 약물이 건강에 좋지 않다는 믿음이나 약물에 대한 개인적 문화적 편견을 차치하고라도, 심한 정신질환에 수반되는 현실검증력과 이성적 사고력의 저하, 인지기능저하, 병식 결여 등이 모두 불량한 순응도에 기여할 가능성이 있는 것이다.

순응도 평가에 이용된 방법은 자가보고, 임상의 평가척도, 약 알의 개수 세기, 소변이나 혈액검사 등 다양하다. 전자 덮개 검사는 정신병 환자를 대상으로 최근에서야 사용되기 시작했다. Babiker는[15] 이러한 다양한 방법들의 장단점을 논했는데, 주요 문제점은 다음과 같다: 자가보고는 신뢰도가 떨어지고, 임상의 평가척도는 순응도를 과대평가하는 경향이 있고, 약 알 개수 세기는 조직화하기 어려운 방법이며 '없어진 약 알'이 반드시 '복용한 약'을 의미하지는 않는다; 소변검사는 반감기가 긴 약물의 경우 순응도를 과대평가하게 되고, 혈액검사는 최근의 순응도만을 반영한다. 또한 현재 사용 가능한 방법으로는 낮은 용량의 약물을 신뢰도 있게 측정하지 못한다. 임상의는 순응도를 과대평가하기 쉬운데, 특히 지역사회 내에서 더욱 그렇다.[16] 현재 연구 중인 순응도 평가에 유망한 한 가지 방법은 모발 분석이다. 그 이용이 지금까지는 공존 물질남용을 평가하는 데에 국한되어 왔고, 정신분열병 환자들에게 잘 받아들여졌다. 현재 사용 가능한 방법들이 제한된 까닭에, 연구에 있어서는 두 가지 이상의 순응도 측정방법을 사용하도록 권장되고 있다.

낮은 순응도를 예측할 수 있는가?

여기에서는 비순응의 '예측인자'에 관한 문헌적 증거들을 고찰하고자 한다. 증거를 토대로 많은 요인들의 인과관계를 밝혀내기는 쉽지 않지만, 어떤 요인이 존재할 경우, 임상의는 낮은 순응도의 가능성을 주의할 수 있을 것이다(참조 18.1).

참조 18.1 정신분열병의 비순응-관련 요인 목록

서비스 특성
- 서비스의 일관성이 불량함
- 적극적인 현장 치료가 없음
- 약속시간에 오지 않는 환자를 추적하지 않음

치료제
- 복잡한 용법, 복합병용요법
- 투약 지시 및 정보를 충분히 주지 않음
- 저장형 약물의 주사가 적절함에도 불구하고 이를 사용하지 않음

환자 특성
- 비순응이 높을 것으로 기대되는 경우:
  - 젊은 환자
  - 독신 혹은 노숙
  - 물질남용의 공존
  - 강제입원을 한 적이 있음

병식
- 질환의 부정
- 치료의 필요성 부정
- 재발의 취약성 부정

치료에 대한 태도
- 약물의 주관적 효과를 부정적으로 여김
- 약물의 효능과 이득을 부정적으로 여김

부작용
- 추체외로 증상, 특히 좌불안석증과 무운동증
- 진정
- 성기능 이상

증상
- 편집망상
- 사고장애
- 적대성
- 과대감
- 우울증

인지손상
- 주의력과 기억력의 손상
- 계획능력의 손상과 와해를 동반한 실행기능의 이상

질환, 개인 및 치료와 관련된 요인의 제하(題下)에서 예측인자를 고려할 수 있다. 질환과 관련된 요인에는 정신병적 증상학, 인지기능장애, 기분증상이 포함된다. 개인과 관련된 요인에는 입원 상태, 치료 태도, 병식 능력이 포함된다. 치료 관련 요인에는 의사-환자 관계의 질, 서비스 제공, 치료 그 자체: 치료의 복잡성, 투약 방법, 부작용 등이 포함된다. 끝으로, 고려되어야 할 보다 폭 넓은 요인으로서, 사회일반에 만연한 치료 및 정신장애에 대한 태도, 그리고 집안에서의 가족친지들의 태도가 있다. 이러한 요인들을 순서대로 살펴보자.

질환-관련 측면

편집 망상, 적대감, 과대감, 혼란감과 사고장애 등의 급성 정신병적 증상의 중증도가 공공연한 치료거부와 관련 있다고 수 차례 확인되어 왔다;[17-19] 전반적인 중증도와 비순응이 전체적으로 관련된 것은 아니지만, Bratko 등과[20] van Putten 등은[21] 과대감과의 특이한 관련을 보고했다. 또한 Bratko 등은[22] 순응도가 좋은 재발 환자와 비순응 재발 환자를 비교했을 때, 비순응 재발 환자들이 병원 입원 당시 더 심한 양성증상을 보였고, 한 달 치료 후에도 마찬가지였음을 확인했다. 급성 정신병적 증상으로서 각종 편집증상을 지닌 환자들은 치료를 의심스러워할 것이며, 과대한 환자는 자신의 정신상태를 치료가 요구되는 상태로 해석하지 않을 것은 당연하다. 사고장애가 심한 환자들 또한 치료의 필요성을 깨닫기 어려울 것이며 나아가, 추적치료에 결속되기 위해서도 상당한 감독을 필요로 할 것이다. 이러한 정신병적 증상은 치료거부, 치료목표에 대한 의심, 그리고 중독되고 있다거나 처벌받고 있다는 등의 약물에 대한 망상과 흔히 관련되어 있다.

기분증상의 영향을 살펴보면, 저장형 약물을 투약하는 임상에 순응하는 환자들과 순응하지 않는

환자들을 비교한 연구에서 우울증상이 위험요인으로 확인된 바 있다.[23] Young 등도[24] 유사한 결과를 보고했는데, 이 연구에서의 우울증상은 환자의 정신병리라기보다는 항정신병약물의 부작용(무운동증과 아마도 항정신병약물에 의한 불쾌감)에서 기인한 듯 했다. Weiden 등은[25] 외래 출석률과 처방약물에의 결속에 영향을 미치는 요인으로서 결핍증후군의 한 부분인 동기 문제를 언급했다. 더 일반적으로 보자면, 만성적인 정신병 환자들은 일반인구 대다수가 누리는 직업적 보상, 여가활용, 사회적 관계를 박탈당함으로써, 사기저하, 사회적 고립, 그리고 좌절을 흔히 경험하게 되는 것이다. 마지막으로, 순응도에 영향을 미치는 또 하나의 중요한 요소는, 정신분열병에 수반되는 주의력, 기억력, 실행기능 장애를 포함한 인지기능장애이다.[26-29] 환자들은 약물 복용을 잊어버리거나 혼동하여 생략과 추가 오류를 범한 결과, 약물 복용을 빼먹거나, 엉뚱한 방법을 고수하거나, 또는 부주의한 조합으로 복용한다. 이는 요구되는 투약감독, 투약감시, 투약독려의 정도, 약물 조합을 검토하고 연습시킬 필요성, 행동전략의 사용과 정규적인 강화전략의 역할에 대한 중요한 의미를 내포하고 있다.

개인-관련 측면

사회인구학적 요인

사회인구학적 요인은 상대적으로 덜 중요하다. 소수의 연구에서는 환자가 젊을수록 순응도가 떨어진다는 결과를 보였지만,[30-32] 몇몇의 다른 연구에서는 그러한 차이가 발견되지 않았다.[33,34] 성별에 관해서도 분명한 결론이 없기는 마찬가지이다. 남성이 여성보다 덜 순응한다는 결과이거나,[30] 똑같은 정도로 순응한다는 결과들이 보고되어 있다.[33,34] 결혼상태는 순응도에 별 영향을 미치지 않는 것으로 조사되었다. 낮은 사회경제적 상태는 불량한 순응도와 연결되어 있었다.[24,29] 두 개의 영국 연구는 아프리카-카리브인 인구집단의 특별한 순응도 문제를 부각시켰다.[35,36] 다른 연구에서는 인종이 주요 요인으로 밝혀지지 않았다.[30,34] 노숙자(露宿者)와 물질남용자들이 높은 비순응률을 보였다.[37,38] 끝으로, 가족의 태도는 중요한 변수이다. Smith 등은[39] 환자가 지명한 '중요한 사람'과 접촉하여 이들이 지니고 있는 질환에 대한 신념을 조사했다. 저자들은 이들의 삼분의 일이 비협조적이고, 약물의 유용한 효과를 인정하지 않는 등 흔히 환자와 비슷한 태도를 지니고 있음을 발견했다. 가족과 보호자들은 약물치료의 실패를 직접 체험했거나, 의료 전문가들에게 환자의 질환에 대해 꾸지람을 들었을는지도 모른다. 이들 또한 정신과적 장애를 체험했던 것이다.

병식과 태도

병식의 구성에 대한 연구가 발빠르게 증가해왔고, 병식은 현재 다양한 축으로 구성된 다차원적 현상으로 이해되고 있다: 질환의 인지, 증상을 질환으로써 설명하기, 그리고 치료의 수용이다.[40] 순응도와 병식의 관계를 강조한 몇몇 연구가 있었는데, 이 연구들에서 병식은 질환의 인식으로서 단순히 정의되거나, 현상태 검사(PSE)의 한 항목으로부터, 또는 구조화된 척도에 따라 평가되었다.[20,21,32,41,42] 흥미롭게도, McEvoy 등은[41] 병식과 순응도 사이에는 다소의 괴리가 있어 병식으로써 순응도를 자동적으로 예측할 수 없으며 그 역(逆)도 마찬가지였음을 보여줬다. 현재에는 병식을 측정하는 몇몇 척도가 개발되었기에,[43] 병식과 순응도의 관계는 보다 잘 밝혀질 수 있을 것이다. Nageotte 등은[44] 횡단면적 대형 연구에서(n=202), 건강 신념 모형의 측면에서 순응도를 예측할 수 있음을 발견했는데, 스스로가 정신적으로 건강하지 않다고 믿는 사람들의 대다수는 순응도가 좋았다(자가-보고 척도로써 평가됨). 이와 비슷하게, 향후 재발의 취약성을 인정하는 사람들 또한 좋은 순응도를 보였다. 하지만, 정신적으로 건강하지 않다는 것을 믿지 않는 사람들의 38% 또한 좋은 순응도를 보였으니, 이 관계가 단순 명료한 것은 아니다. 분명히 다른 요인들이 여기에서 차지하는 역할이 있고, 아마도 치료적 동맹이나 가족적 지지, 혹은 성격 특성 등이 포함되어 있을 것이다.

치료-관련 측면

치료가 긍정적인 도움을 주었다는 믿음이 순응도와 관련 있다고 몇몇 연구에서 밝혀졌다.[34,35] 일부 저자들이 시사한 바에 의하면, 환자들은 증상경감 그 자체보다 간접적인 치료효과(기능이 향상됨)를 더 높이 산다고 한다.[46] 불량한 순응도와 연결된 항정신병약물의 부작용으로서 잘 알려진 것들에는, 체중증가, 진정작용, 성기능 장애, 그리고 특히 추체외로 부작용이 있다. 하지만, 임상실제에서의 증거에도 불구하고, 부작용에 관한 연구를 통한 증거는 확고하지 못하다. 순응도와 부작용의 관계가 원인과 결과의 관계인지가 불확실하다. 예를 들면, 과거의 한 외래환자 연구에서 Willcox 등은[47] 클로르프로마진에 의한 부작용이 비순응 환자군에 비해 순응 환자군에게 더 많음을 발견했다(순응도는 소변검사로 평가했음). 이 초기 연구 결과의 해석 또한 문제인데, 당시에는 보다 고용량이 흔히 사용되었고 횡단면적 연구에서는 순응하는 환자들이 더 많은 부작용을 보이리라는 의심을 피하기 어렵기 때문이다. Nelson은[48] 새로 입원한 환자들(n=120)을 대상으로 소변검사를 통해, 항정신병약물 부작용의 존재와 순응도 감소 사이에 유의한 관련이 있음을 밝혀냈다. Van Putten에 의하면,[49] 특히 추체외로 부작용(EPS)과 좌불안석증이 치료 거부와 관련 있었다. 하지만, Marder는[50] 치료 거부자와 동의자 사이에 EPS나 기타 부작용의 차이를 발견할 수 없었다. 이와 비슷하게, Pan과 Tantam의 연구에서도[23] 순응도가 높은 환자와 낮은 환자 사이에 EPS의 차이가 없었다. Buchanan의 2년 추적 연구에서는,[34] 추적기간동안 무운동증의 출현이 불량한 순응도와 관련을 보였던 반면, 좌불안석증, 근긴장증, 진전, 졸림증은 그러한 관련을 보이지 않았다. 위에 열거된 연구들은 일반적으로 포괄적인 부작용 평가척도를 이용하지 않았음을 참작해야 할 것이다.

환자들이 보고하는 비순응의 이유라는 측면에서 부작용의 상대적 중요성을 살펴보면, 치료에 대한 태도보다 부작용이 덜 영향을 미치는 것 같다는 증거가 있다(비록 일부 환자들에게는 두 가지가 서로 영향을 미치겠지만). 예를 들어, 환자 132명을 추적한 Renton 등의[51] 연구에서는, 12개월 추적 시점에서 46%가 불량한 순응도를 보였고 부작용은 환자들이 꼽은 비순응의 두 번째 이유였다. 환자들이 꼽은 비순응의 가장 흔한 이유는 스스로 괜찮다고 느끼고 지속적인 치료가 필요하지 않다고 본다는 점이었다. Kelly 등의[52] 자가-보고 연구에서는 부작용의 경험이 순응도 변인의 10%에 기여했다. 흥미로운 점은, 비순응에 대한 질문을 받았을 때 환자들은 임상의보다 부작용을 더 자주 언급한다는 것이다.[19] 요약하면, 순응도에 미치는 부작용의 영향력에 대한 증거는 현재까지 불분명하다; 부작용이 심하면 순응도에 부정적인 영향을 미칠 것이고, 보다 경하면 그 영향력을 예측하기는 어려워지며 아마도 병식이나 치료적 동맹과 같은 기타 요인들의 효과에 묻혀지리라는 것이 대다수가 동의하는 바이다.

고려해야 할 치료의 기타 측면에는 서비스 수용의 일관성, 서비스의 제공, 그리고 투약 방식이 있다. Nageotte 등의[44] 대형 연구에서는 최근 3개월간 외래치료를 안 받았거나 거의 받지 않은 환자들이 약물 비순응을 보이기 쉬웠다. 투약방법에 관해서는, Wilson과 Enoch가[53] 경구 투약의 경우에 비순응이 더 많음을 보고한 바 있다. 이러한 연구들의 메타-분석을 통해, 경구 약물에서 저장형 약물로 교체할 경우 2년째에 재발률이 저하된다는 것이 시사되었다.[54] 잘 조직화된 서비스 내에서 치료에 잘 출석하지 않는 환자들을 조기에 추적하여 저장형 약물을 사용한다면 순응도가 더 좋아질 것임은 틀림없다. 새로운 항정신병약물이 사용되면서, 순응도 문제는 재차 관심의 대상이 되고 있다. 예를 들면, 약동학적 특성이 개선되었고 부작용, 특히 EPS 발생률이 적기에 이 약물들은 대다수 환자들의 순응도 문제를 해결해 줄 것으로 기대되었다.[55] 하지만, 질환에 대한 태도 및 병식과 관련된 문제로 인해, 상황은 그렇게 단순하지 않아 보인다. 새로운 약물이 순응도를 향상시킨다는 것을 확실히 증명해줄 자료는 더 기다려 보아야 할 것이다. 우리의 견해로는, 새로운 약물의 사용이 환자들에게는 현실적으로 유용할 것이지만, 효과적인 약물치료에 덧붙여 순응도 향상을 위한 방법을 현명하게 병합해야 가장 좋은 효과를 가져 올 수 있을 것이다.

순응도를 향상시키는 데에 있어서의 일반적 문제점

Haynes 등은[36] 의학적 치료의 순응도 향상 전략에 관한 연구들을 검토했는데, 엄격한 포함 기준을 만족시킨 연구는 모두 14개였다. 이중 8개가 순응도 향상을 보고했으나, 치료 예후 또한 일관되게 향상되었던 것은 6개에 불과했다. 중요한 요인들은 다음과 같다: 전화 통화와 정규적인 독려; 구두

참조 18.2 순응도를 향상시키기 위한 전략

1. 일반적 전략
   - 접근 가능하고 반응이 좋은 서비스를 제공
   - 서비스의 일관성을 감시
   - 약속시간에 나타나지 않는 환자들을 조기에 추적
   - 전화로 약속을 상기시켜주는 방법을 정규적으로 사용
   - 환자 주변의 중요한 인물들이 환자를 감독, 격려할 수 있게 개입시킴
   - 모든 정신보건전문가들에게 정신교육 및 약물 최신정보 교육을 훈련시킴
   - 비 처벌적 태도(변덕스럽고 다양한 순응도를 예측)
   - 약물 부작용의 정규적 감시(환자가 호소하지 않더라도)
   - 용법을 간단히 함
   - 약속시간에 약병을 가지고 오게 함
   - 부작용이 적은 새로운 항정신병약물을 사용
   - 혼돈된 환자에게는 저장형 약물 근주로 투약경로 변경을 고려
   - 정규적으로 환자에게 용법을 지시하고 연습시킴
   - 처방된 대로 약을 구입하는지 약국에서 정보를 제공하는 연계체계
2. 특정 전략
   - 단순 행동 전략:
     - 자가-감시 달력
     - 도세트 상자Dosette box(매일매일의 용량이 따로 구분되어 보관되는 상자)
     - 단서 카드
     - 의례적 일과에 투약을 짝지어 시행
   - 정신사회적 개입:
     - 투약관리 모듈:
     - 투약의 이점에 관한 정보
     - 부작용을 추적하기
     - 투약 문제를 임상의와 협상하기
   - 순응도 치료:
     - 동기유발 면담기법을 사용
     - 치료에 대한 양가성을 탐색

설명과 서면 정보의 병용, 자기-감시, 환자 지지 집단, 특별 현장치료 간호사, 가족치료, 그리고 순응도 치료였다. 대부분의 임상의들에게는 분명해 보일 내용인, 일반적 순응도-향상 방법에는(참조 18.2) 즉각 반응하는 현장치료를 수반한 일관되게 접근 가능한 서비스를 제공하기, 부작용을 최소화한 약물요법을 사용하기, 투약을 감독하고 독려할 수 있는 중요한 주변인들을 활용하기 등이 있다. 인지기능장애와 깨져 버린 생활방식을 보상하는 전략에는 단순화된 요법 이용하기, 요법 지시를 정규적으로 연습시키기, 단서 카드와 자기-감독 달력 이용하기, 양치질이나 식사와 같은 의례적 일과에 맞추어진 약물 처방하기 등이 있다.[57] 단순한 언어를 사용하고, 환자가 이해했는가를 확인하고, 중요한 내용은 반복하며, 구두 지시 내용을 서면 정보로써 강화시킴으로써 의사소통이 더욱 원활해질 수 있다.[58]

정신병적 장애에 있어서 정신교육적 개입법은 행동요법이나 인지-행동적 접근법에 비해 덜 효과적이며, 효과가 유지되려면 지속적인 교육이 주어져야 한다.[59] 소수의 연구는 특별히 언급할 가치가 있겠다. UCLA에서 개발한 노동-집중 투약관리는, 아직까지 순응도 자료는 발표되지 않았지만, 현장연구 및 소규모 무작위 대조군 시험에서 상당히 유망한 결과를 보였다.[60] 이 방법에서는 다중매체와 역할극을 이용하며, 약물요법의 정확한 자가-투약, 약물 효과에 대한 지식, 부작용을 탐지하고 임상의와 치료 문제를 토의하기 등과 같은 '기술'을 다룬다. Lecompte와 Pelc는[61] 치료적 동맹에 초점을 둘뿐만 아니라 교육적, 인지적, 행동적 전략까지도 모두 포함하는 절충적 개입을 사용했다. 이 연구에서는 약물에 반응이 좋은 환자들을 대상으로 선정했다. 무작위 시험에서 환자들의 입원과 관해는 순응도와 아울러 좋아졌다. 가장 최근에, Cramer와 Rosenheck는[62] 소규모의(n=60) 혼합 정신과적 장애 집단을 대상으로 했던 예비연구결과를 발표했는데, 이들은 투약을 어떻게 각자의 생활방식 속에 통합시킬 것인가에 관한 지시법과 동시에, 약물 사용 정보를 되먹임으로 알려주는, 병 뚜껑에 부착된 소형 전자장치를 이용했다. 대조군에게는 약물 사용 정보가 되먹임으로 알려지지 않는 장치를 사용했고, 약물에 관한 구조화된 조언을 덜 제공했다. 처방 받은 것과 동일한 횟수만큼 병 뚜껑이 열려진 날짜 수를 계산해 보았더니, 개입이 제공된 환자군은 76%였고 대조군은 57%였다.

정신병 환자들의 순응도 치료 연구

순응도 치료(CT)는 항정신병약물치료에의 결속을 향상시킬 목표를 지닌, 새로운 실용적 개입법이다. 이는 개별화된 개입법으로서, 입원치료나 외래치료 모두에서 일반적 프로그램의 한 부분으로 사용될 수 있다. 우리가 개발한 이 방법은 동기유발 면담법의 원리를 기반으로 하는데, 이는 의료(금연, 체중감량, 물질남용 줄이기, 섭식장애의 교정 등)에 광범위하게 적용되어 온, 행동변화를 목표로 하는 상담기법이다. 반향적 청취를 이용하고, 어떤 행위의 장단점 및 대체행동의 장단점에 비중을 둠으로써 양가성을 탐색하는 데에 그 기본 원리가 함축되어 있다. 치료시간을 유연하게 하고, 거듭 반복하며, 스스로 동기 부여하는 말을 이끌어내는 데에 덜 의존함으로써 정신병 환자들에게 적합하게 사용할 수 있도록 수정했다. 또한, 정신병 환자들을 위해 개발된 인지기법을 추가했고, 정신교육적 요소를 포함시켰다.

순응도 치료의 요약

세 단계가 있다(참조 18.3).

참조 18.3 순응도 치료

1 단계
치료에 대한 입장을 확인하라.
투약 중단을 재발과 연결시켜라.
2단계
약물치료에 대한 환자의 걱정을 예상하라.
약물치료의 효과와 단점을 비교하게 하라.
3단계
유지치료의 이유를 제공하라.
좋은 상태를 유지하고 목표를 달성하는 전략으로서의 약물요법임을 확인시켜라.

1 단계

환자의 병력을 검토하고, 환자가 질환을 어떻게 생각하고 있는지를 확인하며, 치료에 대한 입장을 탐색한다. 적합한 시점이라면, 투약중단과 재발의 관련성을 강조한다. 부정적인 치료 체험이 있다면 이를 받아들인다. 질환을 공공연히 부정하거나 치료 필요성을 부정하더라도, 이 단계에서는 여기에 직접적으로 설득하지 않도록 한다; 대신 그 환자가 건강하지 못한 상태가 됨으로써 사회적 측면과 생활방식에 어떤 결과가 초래되는가를 부드럽게 질문한다.

2 단계

치료에 대한 양가성을 더욱 탐색한다. 환자가 주저하는 심정을 직접 표현하지 않더라도, 치료자는 환자들이 치료에 대해 흔히 갖는 걱정을 개방적으로 예측한다.[63] 여기에는 약에 중독될 것에 대한 두려움, 통제력 상실의 두려움, 성격 변화 또는 인격 상실에 대한 두려움 등이 포함되어 있다. 환자들은 때때로 증상과 부작용을 혼동하는데, 그런 잘못된 개념도 교정될 수 있다. 괜찮다고 느낄 때 약을 중단하는 자연스러운 경향에 대해 토론한다. 환자가 약물복용에 부여하는 의미를 토론하고(예를 들면, '이 약을 복용하는 것은 미쳤다는 뜻이지'), (1) 약물 사용의 정상화를 시도하고 (2) 도움되지 않는 방식으로 개별화된 생각을 다루기 위한 인지기법 사용을 시도한다.

환자에게 치료의 효과와 단점을 비교하게끔 하고, 치료자는 치료의 효과 쪽으로 논의를 '유도한다.' 특히, 환자가 그 효과를 자연스럽게 꺼낼 때에 더욱 잘 유도할 수 있다. 환자가 보고한 증상은 치료의 '목표 증상'이라는 점을 강조한다. 간접적인 투약 효과 또한 토의한다(예를 들면, 가족들과 더 잘 지내게 됨). 약물의 가치는 '보호막'과 같다는 식의 비유를 사용할 수 있다. 치료자는 환자의 마음속에 불량한 순응도는 환자 자신의 목표를 달성하는 데에 실제로 불리하게 작용한다는, 어느 정도의 인지 부조화가 생길 수 있게 해야 한다.

3 단계

개입의 최종단계에서는, 환자가 삶의 질을 향상시키기 위해 자유로이 선택한 전략이 약물사용이라는 인지적 재구성을 통해 낙인문제를 다룬다. 많은 정상적인 근거가 사용된다. 유지치료를 필요로 하는 신체질환과의 유사성을 설명하고, 핵심을 강조하기 위해 환자가 아는 사람이나 가족 중에 그 예를 들어보게끔 한다. 일반인구의 정신과적 장애 유병률이 상당히 높다는 점을 강조하고 유명인 사례를 이용한다. 약물은 '건강을 유지하는 보험 정책'이라고 설명한다.[64] 치료자는 환자가 향후 다시 안 좋은 상태가 되지 않길 바라는 어떠한 이유든지 생각해보도록 한다. 그리고는, 좋은 상태를 유지하는 것이 개인적 목표를 달성하고 성취감을 느낄 수 있는 것들(흥미, 직업, 관계)을 유지하는 데에 얼마나 가치 있는 일인가를 숙고하게 한다. 약물을 중단했을 때 나타날 결과를 예측하고, 끝으로 발견 가능한 전형적인 전구증상을 확인하며, 만개(滿開)한 삽화 발생을 미리 방지하기 위한 조기 치료의 가치를 강조한다.

임상 증례: '래리의 사례'

래리는 남자 25세 아프리카-카리브인으로서 좋지 않은 과거 치료 경험을 지니고 있었다. 그는 강제로 입원되었고 그 사실을 매우 불쾌하게 여기고 있었다. 경찰과 정신과 의사들이 공조하여 자신을 핍박하고 자신의 인생을 어렵게 만들고 있다고 느꼈다. 치료진에 대한 그의 태도는 거부적이었고 적대적이었으며 비협조적이었다. 그는 항정신병약물에 대해 그것은 일종의 처벌이라는 견해를 지니고 있었다. 게다가, 발기부전, 떨림, 진정작용 등의 부작용이 있었다. 래리와의 치료시간에는 항정신병약물을 복용하는 데에 관한 모든 의혹을 일일이 열거해보도록 했다. 그의 주요 관심사는 타인에 의해 통제 받고 싶지 않다는 점이었다. 그는 무한정의 치료가 필요한 질환 개념을 받아들이지 못했다. 처음에는 래리가 생각해낼 수 있는 약물복용의 효과는 한 가지도 없었다. 그러나 나중에는, 흥분상태가 아닌 차분한 상태로 만들어 주는 것이 한 가지 좋은 점이고, 스스로 통제할 수 있는 상태에 머무르는 데에는 아마도 약물의 보호작용이 필요하리라는 점을 받아들일 수 있었다. 래리는 자신이 '머리가 돌아버린' 시기가 있었고, 결과적으로 자신의 아이에게도 접근할 수 없게 된 것을 포함해 난관에 봉착했었던 것을 인정했다. 또한, 그는 가장 곤혹스러운 부작용에 대해 임상의와 상세히 토의하도록 격려 받았다. 약물이 조절된 후 그의 진전은 호전되었다. 이것은 자신의 약물요법의 일부 참여권을 '소유' 하게 해준 것이었다. 추후의 치료시간은 강인한 상태를 유지하고 재발이 초래할 결과를 피하는 전략으로서의 유지치료에 집중되었다. 긴장, 흥분, 집중곤란, 그리고 수면곤란은 래래에게는 다른 사람들의 압박으로 인한 증상으로 여겨졌지만, 이 증상들은 그의 재발을 경고하는 위험 징후들이었다. 이 각본은 래리와 함께 반복적으로 연습되었다. 임상의와 빨리 접촉하고 이 '스트레스 증상' 을 다루기 위해, 그리고 가능한 한 입원해야 하는 상황을 방지하기 위해 일시적으로 약물용량을 올려야(혹은 재개해야) 한다는 것도 함께 강조되었다.

임상 증례: '수잔의 사례'

35세 여자인 수잔은 길거리를 지나가는 행인을 난데없이 공격해 집중치료 병동에 강제로 입원되었다. 그녀는 이웃들에 대한, 이야기가 잘 꾸며진 편집망상을 지니고 있었다. 병전 지능은 보통이었고 유의한 인지기능장애는 보이지 않았다. 그녀가 호소하는 약물 부작용은 체중증가, 기면과 진정이었다. 첫 치료시간에는 보호병동에 격리된 좌절감과 정신보건전문가들에 대한 불신을 탐색했다(그러나, 주 치료자와의 관계는 좋았다). 부작용 문제도 다루어졌다. 불안을 감소시켜주고, 최적의 기능 유지를 위해 수면을 향상시켜주는 약물치료의 가치가 강조되었다. 얼마 후 체중증가와 진정작용이 적은 비전형 약물로 교체하자는 제안을 받았다. 수잔은 처음에는 '실험동물' 이 된 것 같다고 염려했지만, 약물의 안전성과 내약력 측면에서의 이점을 보여주는 정보를 제공하자 안심했다. 좋은 상태에서의 지속치료의 중요성이 계속해서 탐색되었다. 입원에 앞서 있었던 사건들로 인해 수잔은 집이 없는 상태였고, 수잔은 독립적으로 생활하면서 자신의 관심을 추구할 수 있는 능력 함양을 장기적인 유지치료의 목표로 하자는 데에 동의했다.

연구

순응도 치료는 무작위, 대조군 임상시험을 통해 검증되었다.[65,66] 간략히 요약하면, 연구대상은 정신장애의 진단 및 통계편람(DSM-III-R)의 정신병적 장애로 진단된 18-65세 사이의 연령으로서 런던 내부의 빈민대상지역 환자들을 위한 급성치료 병동에 연속해서 입원한 환자들이었다. 시험에 포함된 74명의 환자들은 4-6회의 순응도 치료를 받는 군과 4-6회의 지지적 상담을 받는 대조군 둘 중의 하나에 무작위로 할당되었다. 대조군에 속한 환자들은 약물 문제에 대해서는 치료팀과 상의하도록 했다. 순응도 치료는 비공식적 정신교육 등을 포함한 정규적 치료에 추가된 것이었고, 치료자들은 치료팀과는 무관했다. 퇴원 후 모든 환자들은 치료팀에 의해 결정된 정규 추적치료를 받았다. 3, 6, 12개월 째에 촉진 치료시간이 주어졌다.

모든 대상 환자들은 표준화된 정신병리 평가를 받았다(확장 간이 정신과적 평가 척도,[67] 전반적 기능 평가 척도-장해,[68] 병식 평가 척도-확장판,[59] 약물 태도 설문,[69] 그리고, 약물 부작용, 병전 지능지수, 서비스 이용을 평가하기 위한 척도들(내담자 서비스 수용 설문).[70] 순응도는 환자의 일차 간호사에 의해 평가되었고 추적 시기마다 몇몇 정보원을 이용하도록 했다(참조 18.4). 평가는 퇴원 직전과 6, 12, 18개월 째에 반복되었다.

양 집단은 잘 짝지어져 연령, 성별, 인종, 만성화의 정도, DSM-III-R 정신분열병의 비율에 차이가 없었다. 양 집단 모두에서 절반 이상의 환자들이 강제로 입원되었다는 점을 주목할만하다. 양 집단은 항정신병약물 동등 용량을 복용했다. 각 집단의 소수 환자들은 클로자핀을 포함한 비전형 약물을 복용하고 있었다. 순응도 치료군의 12명과 대조군의 14명은 저장형 항정신병약물을 투약했다.

참조 18.4 관찰자가 평가하는 순응도 측정

1 = 투약을 완전히 거부함
2 = 부분적인 거부(이를테면, 저장형 주사약 거부), 또는 최소한의 용량만 수용
3 = 강제적인 분위기에서만 수용하거나, 계속적인 설득을 요함, 또는 필요성을 자주 질문함(이를테면, 이틀에 한 번꼴로 질문)
4 = 이따금씩 주저하기 때문에 설득이 필요함(이를테면, 일주일에 한 번씩 질문을 제기)
5 = 수동적인 수용, 질문을 제기하지 않고 수용하지만 명백한 관심이나 정보가 거의 없음
6 = 중등도의 참여, 다소의 관심이나 정보를 지니고 있음, 투약을 독려할 필요가 없음
7 = 적극적인 참여, 기꺼이 수용함과 동시에 투약에 책임감을 보임

또한, 각 집단의 비슷한 비율의 환자들이, 즉 순응도 치료군의 14명과 대조군의 11명이 리튬, 카바마제핀, 혹은 항우울제를 복용하고 있었다.

순응도 치료군은 순응도, 병식, 치료 태도, 그리고 사회적 기능에 유의한 향상을 보였다.[65]

끝으로, 양 집단간 재입원하는 데에 걸린 시간을 생존분석한 결과, 순응도 치료군이 재입원하기 전에 지역사회 생활을 더 오래 유지했다. 임의의 시점에서 대조군에 속한 환자의 재입원률은 순응도 치료군에 속한 환자의 2.2배에 달했다. 서비스 이용과 예후를 평가해본 결과, 순응도 치료는 비용-효과적이었다.[71] 따라서, 이 연구는 환자들에게 잘 받아들여지고, 바쁜 임상상황에서 쉽게 적용가능하며, 측정 가능하고 지속되는 효과를 낳는 실용적인 개입법을 증명한 것이다.

결론

비순응은 가장 강력한 약물일지라도 그 효과를

제한하고, 정신분열병 환자들이 자신의 잠재력들을 한껏 실현해 나가는 과정을 방해한다. 약물복용에 영향을 미치는 광범위한 요인들을 고려해야만 비로소 비순응의 문제를 이해할 수 있다. 내약력이 양호한 항정신병약물요법, 환자들을 그들 자신의 치료에 관여시키는 좋은 다면적 치료, 그리고 순응도 치료와 같은 개입법을 결합시켜야 최적의 증상조절과 재발예방을 얻을 수 있다는 것이 우리의 견해이다.

참고문헌

1. Royal Pharmaceutical Society of Great Britain, *From Compliance to Concordance: Towards Shared Goals in Medicine Taking* (Royal Pharmaceutical Society: London, 1997).
2. Weiden PJ, Olfson M, Cost of relapse in schizophrenia, *Schizophr Bull* (1995) **21:**419–29.
3. Bebbington PE, The content and context of compliance, *Int Clin Psychopharmacol* (1995) **9(Suppl 5):** 41–50.
4. Sullivan G, Wells KB, Morgenstern H et al, Identifying modifiable risk factors for rehospitalisation: a case-control study of seriously mentally ill persons, *Am J Psychiatry* (1995) **152:**1749–56.
5. Corrigan PW, Liberman RP, Engel JD, From noncompliance to collaboration in the treatment of schizophrenia, *Hosp Community Psychiatr* (1990) **41:** 1203–11.
6. Cramer JA, Rosenheck R, Compliance with medication regimens for mental and physical disorders, *Psychiatr Serv* (1998) **49:**196–201.
7. Forrest FM, Forrest IS, Mason AS, Review of rapid urine tests for phenothiazines and related drugs, *Am J Psychiatry* (1961) **118:**300–7.
8. Irwin DS, Weitzel WD, Morgan DW, Phenothiazine intake and staff attitudes, *Am J Psychiatry* (1971) **127:**1631–5.
9. Scottish Schizophrenia Research group. The Scottish First Episode Study 11. Treatment: pimozide versus flupenthixol, *Br J Psychiatry* (1987) **150:** 334–8.
10. Serban G, Thomas A, Attitudes and behaviours of acute and chronic schizophrenic patients regarding ambulatory treatment, *Am J Psychiatry* (1974) **131:**991–5.
11. Weiden PJ, Dixon L, Frances A. Neuroleptic noncompliance in schizophrenia. In: Schulz SC, ed, *Advances in Neuropsychology and Pharmacology* (Raven Press: New York, 1991) 285–96.
12. Carney MWP, Sheffield BF, Comparison of antipsychotic depot injections in the maintenance treatment of schizophrenia, *Br J Psychiatry* (1976) **129:**476–81.
13. Falloon I, Watt DC, Shepherd M, A comparative controlled trial of pimozide and fluphenazine decanoate in the continuation therapy of schizophrenia, *Psychol Med* (1978) **8:**59–70.
14. Quitkin F, Rifkin A, Kane JM et al, Long-acting versus injectable antipsychotic drugs in schizophrenics. A one year double-blind comparison in multiple episode schizophrenics, *Arch Gen Psychiatry* (1978) **35:**889–92.
15. Babiker IE, Non-compliance in schizophrenia, *Psychiatric Developments* (1986) **4:**329–37.
16. Trauer T, Sacks T, Medication compliance: a comparison of the views of severely mentally ill clients in the community, their doctors and their case managers, *J Ment Health* (1998) **7:** 621–9.
17. Appelbaum PS, Gutheil TG, Drug refusal: a study of psychiatric inpatients, *Am J Psychiatry* (1980) **137:**340–6.
18. Marder SR, Mebane A, Chien CP, A comparison of patients who refuse and consent to neuroleptic treatment, *Am J Psychiatry* (1983) **140:**470–2.
19. Hoge SK, Appelbaum PS, Lawlor T, A prospective, multi-center study of patients' refusal of antipsychotic medication, *Arch Gen Psychiatry* (1990) **47:**949–56.
20. Bartko G, Herczeg I, Zador G, Clinical symptomatology and drug compliance in schizophrenic patients, *Acta Psychiatr Scand* (1988) **77:**74–6.
21. van Putten T, Crumpton E, Yale C, Drug refusal in schizophrenia and the wish to be crazy, *Arch Gen Psychiatry* (1976) **33:**1443–5.
22. Bartko G, Maylath E, Herczeg I, Comparative study of schizophrenic patients relapsed on and off medication, *Psychiatry Res* (1987) **22:**221–7.
23. Pan PC, Tantam D, Clinical characteristics, health beliefs and compliance with maintenance treatment. A comparison of regular and irregular attenders at a depot clinic, *Acta Psychiatr Scand* (1989) **79:**564–70.
24. Young JL, Zoanana HV, Shepler L, Medication noncompliance in schizophrenia: codification and update, *Bull Am Acad Psychiatry Law* (1986) **14:**105–22.
25. Weiden P, Olfson M, Essock S, Medication noncompliance in schizophrenia: effects on mental Health Service policy. In: Blackwell B, ed, *Treatment Compliance and the Therapeutic Alliance* (Harwood Academic Press: Brunswick, NJ, 1997).

26. Geller JL, State hospital patients and their medication: do they know what they take? *Am J Psychiatry* (1982) **139:**611–15.
27. MacPherson R, Double DB, Rowlands RP, Harrison DM, Long-term patients' understanding of neuroleptic medication, *Hosp Community Psychiatry* **44:**71–3.
28. Lysaker P, Bell M, Milstein R et al, Insight and psychosocial treatment compliance in schizophrenia, *Psychiatry* (1994) **57:**307–15.
29. Weiden PJ, Shaw E, Mann J, Causes of neuroleptic non-compliance, *Psychiatric Annals* (1986) **16:** 571–5.
30. Tunnicliffe S, Harrison G, Standen PJ, Factors affecting compliance with depot injection treatment in the community, *Soc Psychiatry Psychiatr Epidemiol* (1992) **27:**230–3.
31. Zito JL, Routt WW, Mitchell JE, Roerig JL, Clinical characteristics of hospitalised psychotic patients who refuse antispychotic drug therapy, *Am J Psychiatry* (1985) **142:**822–6.
32. Agarwal MR, Sharma VM, Kishore Kumar KV, Lowe D, Non-compliance with treatment in patients suffering from schizophrenia, *Int J Soc Psychiatry* (1998) **44:**92–106.
33. Atwood N, Beck JC, Service and patient predictors of continuation in clinic-based treatment, *Hosp Community Psychiatr* (1985) **36:**865–9.
34. Buchanan A, A two-year prospective study of treatment compliance in patients with schizophrenia, *Psychol Med* (1922) **22:** 787–97.
35. Sellwood W, Tarrier N, Demographic factors associated with extreme non-compliance in schizophrenia, *Soc Psychiatry Psychiatr Epidemiol* (1994) **29:**172–7.
36. Perkins RE, Moodley P, Perception of problems in psychiatric inpatients: denial, race and service usage, *Soc Psychiatry Psychiatr Epidemiol* (1993) **38:**189–93.
37. Pristach CA, Smith CM, Medication compliance and substance abuse among schizophrenic patients, *Hosp Community Psychiatr* (1990) **41:** 1345–8.
38. Salloum IM, Moss HB, Daley DC, Substance abuse and schizophrenia: impediments to optimal care, *Am J Drug Alcohol Abuse* (1991) **17:**321–36.
39. Smith CM, Barzman D, Pristach CA, Effect of patient and family insight on compliance of schizophrenic patients, *J Clin Pharmacol* (1997) **2:**147–54.
40. Amador XF, David AS, eds, *Insight and Psychosis* (Oxford University Press: New York, 1998).
41. McEvoy JP, Freter S, Everett G et al, Insight and the clinical outcome of schizophrenic patients, *J Nerv Ment Dis* (1989) **177:**48–51.
42. Lin IF, Spiga R, Fortsch W, Insight and adherence to medication in chronic schizophrenics, *J Clin Psychiatry* (1979) **40:**430–2.
43. Sanz M, Constable G, Lopez-Ibor I et al, A comparative study of insight scales and their relationship to psychopathological and clinical variables, *Psychol Med* (1998) **28:**437–46.
44. Nageotte C, Sullivan G, Duan N, Camp PL, Medication compliance among the seriously mentally ill in a public health system, *Soc Psychiatry Psychiatr Epidemiol* (1997) **32:**49–56.
45. Chan DW, Medication compliance in a Chinese psychiatric out-patient setting, *Br J Med Psychology* (1984) **57:**81–9.
46. Adams SG, Howe JT, Predicting medication compliance in a psychotic population, *J Nerv Ment Dis* (1993) **181:**558–60.
47. Willcox D, Gillan R, Hare EH, Do psychiatric outpatients take their drugs? *BMJ* (1965) **2:**790–2.
48. Nelson A, Drug default among schizophrenic patients, *Am J Hosp Pharmacy* (1975) **32:**1237–42.
49. van Putten T, Why do schizophrenic patients refuse to take their drugs? *Arch Gen Psychiatry* (1974) **31:**67–72.
50, Marder SR, Facilitating compliance with antipsychotic medication, *J Clin Psychiatry* (1998) **59:**21–5.
51. Renton CA, Affleck JW, Carstairs GM, Forrest AD, A follow-up of schizophrenic patients in Edinburgh, *Acta Psychiatr Scand* (1963) **39:**548–81.
52. Kelly GR, Mamon JA, Scott JE, Utility of the health belief model in examining medication compliance among psychiatric out-patients, *Soc Sci Med* (1987) **25:**1205–11.
53. Wilson JD, Enoch MD, Estimation of drugs rejection by schizophrenic patients with analysis of clinical factors, *Br J Psychiatry* (1967) **113:**209–11.
54. Glazer W, Kane J, Depot neuroleptic therapy: an underutilized treatment option, *J Clin Psychiatry* (1985) **53:**426–33.
55. Marder SR, Facilitating compliance with antipsychotic medication, *J Clin Psychiatry* (1988) **59**:21–5.
56. Haynes RB, McKibbon KA, Kanani R et al, Interventions to assist patients to follow prescriptions for medications (Cochrane review). In: The Cochrane Library, Issue 3, (Update Software: Oxford, 1998).
57. Boczkowski JA, Zeichner A, DeSanto N, Neuroleptic compliance among chronic schizophrenic outpatients: an intervention outcome report, *J Consult Clin Psychol* (1985) **53:**666–71.
58. Ley P, Communicating with patients. Improving communication, satisfaction and compliance (Chapman & Hall: London, 1992).
59. Kemp R, David A, Insight and compliance. In:

Blackwell B, ed, *Treatment Compliance and the Therapeutic Alliance* (Harwood Academic Publishers: Newark, NJ, 1997) 61–84.
60. Eckman TA, Wirshing C, Marder SR et al, Technique for training patients in illness self-management: a controlled trial, *Am J Psychiatry* (1992) **149:**1549–55.
61. Lecompte D, Pelc I, A cognitive-behavioral program to improve compliance with medication in patients with schizophrenia, *Int J Mental Health* (1996) **25:**51–6.
62. Cramer JA, Rosenheck R, Enhancing medication compliance for people with serious mental illness, *J Nerv Ment Dis* (1999) **187:**53–5.
63. Goldstein MJ, Psychosocial strategies for maximising the effects of psychotropic medications for schizophrenia and mood disorder, *Psychopharmacol Bull* (1992) **28:**237–40.
64. Falloon IRH, Developing and maintaining adherence to long-term drug-taking regimens, *Schizophr Bull* (1984) **10:**412–17.
65. Kemp R, Hayward P, Applewhaite G et al, Compliance therapy in psychotic patients: randomised controlled trial, *BMJ* (1996) **312:**345–9.
66. Kemp R, Kirov G, Everitt B et al, Randomised controlled trial of compliance therapy: 18-month follow-up, *Br J Psychiatry* (1998) **172:**413–19.
67. Lukoff D, Nuechterlein KH, Ventura J, Manual for expanded BPRS, *Schizophr Bull* (1996) **12:**594–602.
68. American Psychiatric Association, *Diagnostic and Statistical Manual of Mental Disorders,* revised 3rd edn, (American Psychiatric Association: Washington, DC, 1987).
69. Hogan TP, Awad AG, Eastwood R, A self-report scale predictive of drug compliance in schizophrenics: reliability and discriminative validity, *Psychol Med* (1983) **13:**177–83.
70. Beecham JK, Knapp MRJ, Costing psychiatric interventions. In: Thornicroft G, Brewin C, Wing JK, eds, *Measuring Mental Health Needs* (Gaskell: London, 1992) 163–83.
71. Healey A, Knapp M, Astin J et al, Cost-effectiveness evaluation of compliance therapy for people with psychosis, *Br J Psychiatry* (1998) **172:**420–4.

19 정신분열병 환자의 의학적 관리

Lisa Dixon, Karen Wohlheiter와 Donald Thompson

도입

정신분열병 환자들의 임상치료가 상당히 달라졌고 향상되었기에, 이 환자집단의 신체적 건강 및 건강행동에 최근 관심이 집중되고 있다. 첫째, 항정신병약물은 적은 부작용으로 많은 환자들의 정신병적 증상을 줄이거나 없애주고, 대다수의 환자들은 정신사회적 지지와 개입을 받으며 지역사회 내에 거주하고 있다. 따라서, '뇌를 넘어서' 일반 건강 및 삶의 질을 향한 관심이 증대된 것이다. 둘째, 보건체계의 변화와 '관리 치료' 의 출현으로 보건비용을 지불하는 사람들은 정신분열병 환자들의 모든 치료비용을 고려하게 되었다. 정신보건서비스를 '새겨 넣을 것인가' (통합할 것인가) 아니면 나머지 기타 보건서비스로부터 '파낼 것인가' (분리시킬 것인가)를 결정하기에 앞서 신체적 보건의 필요성과 그 비용을 이해해야 한다. 셋째, 정신분열병 환자들의 건강행동에 주어진 관심은, 더 많은 개인적 책임을 기대하는 사회적 현상, 그리고 건강행동에 대한 소비자의 지식과 참여가 사회 전반에 확대된 데에 자극 받은 바 있다. 정신분열병 환자들, 환자의 가족들, 그리고 정신보건전문가들은 식이조절, 운동, 건강에 좋은 기타 행동들을 통해 일반건강을 증진시킨다는 광범위한 대중매체 메시지를 받고 있다.

이 장에서는 정신분열병 환자들의 신체건강의 의학적 관리에 관한 지식을 요약하고자 한다. 우선 일반적인 문제들을 개괄한 후에, 비만과 흡연에 관련된 연구결과 및 임상소견을 검토할 것이다. 이어서 특이한 내과적 질환, 제 II형 당뇨병에 관해 상세히 논할 것이다. 당뇨병과 정신분열병의 공존이환으로부터 얻어진 교훈은, 정신분열병과 기타 질환의 공존이환에 중요한 의미를 지닌다. 정신분열병 그 자체의 의학적 합병증인 다음증에 대한 토의와 함께 결론을 지을 것이다. 알코올이나 기타 불법 약물 사용은 이 책의 다른 장에 기술되어 있기에 이 장에서는 다루지 않는다.

정신분열병 환자들의 사망률

정신분열병 환자들의 사망률은 일반인구집단보다 높다.[1-7] 자살률 증가가 그 일부를 설명하지만

표 19.1 정신분열병의 사망률 검토(Harris와 Barraclough로부터[7]).

사인	남성			여성		
	연구의 수	대상집단 크기	SMR	연구의 수	대상집단 크기	SMR
모든 사인	12	14 619	156[a]	10	10 356	141[a]
비 자연사	12	14 619	480[a]	10	10 356	378[a]
자연사	12	14 619	129[a]	10	10 356	129[a]
자살	8	13 634	979[a]	6	9424	802[a]
기타 난폭성	8	13 634	225[a]	6	9424	229[a]
감염	3	3645	455[a]	3	2446	490[a]
신생물	8	13 457	86[a]	7	9682	115[a]
내분비	1	2122	182	1	1501	250
정신장애	1	2122	556[a]	1	1501	600[a]
신경장애	1	2122	100	1	1501	222
순환계	8	13 457	110[a]	7	9682	102
호흡기계	5	12 486	214[a]	5	9331	249[a]
소화기계	3	10 756	208[a]	3	8201	163[a]
비뇨기계	3	10 756	182[a]	3	8201	130[a]

SMR은 표준 사망비. [a]통계적으로 유의함

전체 사망률 증가를 설명하지는 못한다.[1,2,6] 감염성 질환, 내분비 질환, 순환기계 질환, 호흡계 질환, 소화기계 질환, 그리고 비뇨기계 질환으로 인해 정신분열병 환자들은 일찍 사망한다고 보고되어 있다.[1,3,4,6,7] 증가된 사망률의 특정 원인은 연구에 따라, 성별에 따라, 연령에 따라 약간씩 차이를 보이지만, 여러 나라에서 수행한 연구들은 '자연사' 에 의한 전체적인 사망률 증가를 공통적으로 보고하고 있다(표 19.1 참조).

첫발병 환자들이나 보다 만성 환자들의 추적 연구들은 상대적으로 일관된 결과를 보였다. 전체적으로 보아, Simpson과 Tsuang은 평균적으로 정신분열병 진단이 한 사람의 기대 수명을 10년 단축시킨다고 결론지었다.[8]

정신분열병 환자들의 이환률

사망률 연구를 통해 사망률과 직접 사인을 알 수 있지만, 개인들이 지니고 있던 의학적 질환과 공존이환을 알 수는 없다. 정신분열병 환자들은 의학적 질환에 높은 이환률을 보인다고 알려져 있으나, 여기에 주목한 연구는 많지 않다.[2,5] 옥스퍼드의 연구자들은 의무기록분석 연구를 통해 정신분열병 환자에서 심혈관계 질환과 폐렴 발생이 매우 높다고 보고했다.[9,10] Dalmau와 동료들은[11] 스웨덴의 정신분열병 환자들과 연령 및 성이 짝지어진 대조군 비교 연구결과를 최근 보고했다. 다양한 의학적 질환으로 입원했던 횟수가 정신분열병 환자들의 입원 횟수와 동일한 환자들을 대조군으로 삼았다. 정신분열병 환자들은 '증상, 징후, 그리고 불명확한 상태' 로 명명된 범주에서뿐만 아니라, 감염과 기생충 질환; 신생물; 내분비 질환; 호흡기계, 순환기계, 소화기계, 신경계 질환; 피부와 피하조직 질환; 손상으로 인한 입원비율이 더 높았다. 이 연구자들은 정신분열병 환자들에서 높은 이환률이 관찰되는 데에는 물질남용이 중요한 매개역할을 할 가능성이 있음을 강조했다. 하지만, 물질남용이 배제된 상황에서도 정신분열병 환자들의 입원률은 대부분의 질환 범주에서 여전히 높게 나타났다. 신체적 질환을 앓고 있는 심한 정신질환자들은 더 심한 형태로 장애를 앓고 있는 것이라는 점을 시사한 연구였다.[5]

정신분열병 환자 예후 연구팀은 서로 다른 두 주(州)의 다양한 치료 환경에서 정신분열병으로 치료받는 719명의 환자를 면담했다. 이는 자가-보고한 의학적 공존질환의 유병률, 그리고 신체적 정신적 건강상태와 의학적 이환률의 관련성을 알 수 있게 해준 연구였다.[12] 환자들은 12개의 의학적 문제 중에 의사로부터 어떤 문제가 있다고 들었던 적이 있는가, 만약 있다면, 치료는 받고 있는가 하는 질문을 받았다. 대부분의 환자들은 적어도 한 가지의 문제를 보고했다(표 19.2 참조). 시력 문제, 치아 문제, 그리고 고혈압이 가장 흔했다. 현 문제에 대해서 치료를 받지 않는 비율은 14%(당뇨병)에서 59%(청력 문제)에 달했다. 이 연구는 환자가 의학적 문제를 자가-보고하는 데에 상당한 신뢰도가 있음을 확인했다. 당뇨병, 심장 질환, 호흡기계 질환, 그리고 성병을 포함한 다수의 질환 비율은 비슷한 연령층의 일반인구를 대상으로 동일한 방법을 사용해서 얻은 비율을 초과한다.

예상했던 바와 같이, 신체적 건강상태를 덜 지각할수록 현재 의학적 문제의 *개수*가 많다는 독립적 관련이 확인된 연구였다. 또한, 현재 의학적 문제의 개수가 많을수록 더욱 심한 정신병과 우울증을 보였고, 자살기도 병력이 있는 경우가 더 흔했다. 의학적 이환률과 좋지 않은 정신건강상태 사이의 이러한 관련성은 정신분열병 환자들의 정신보건에 신체적 건강 평가가 중요하다는 점을 부각시킨다.

표 19.2 정신분열병 환자 예후 연구팀의 연구에서 보고된 정신분열병 환자의 신체질환(n=719)

신체적 상태	신체적 질환이 있다고 의사에게 들은 적이 있는가? n (%)
고혈압	245 (34.1)
당뇨병	107 (14.9)
성병	71 (10.0)
암	33 (4.6)
호흡 문제	148 (20.6)
심장 문제	112 (15.6)
위장관 문제	172 (23.9)
경련	84 (11.7)
청력 문제	93 (13.0)
시력 문제	392 (54.6)
치아 문제	276 (38.4)
피부 문제	107 (14.9)

공존이환의 모형

왜 정신분열병 환자들은 높은 사망률과 높은 의학적 이환률을 보이는가에 관해서는 알려진 것이 거의 없다. 정신분열병 또는 그 치료가 개인을 병에 걸리기 쉽게 만들어 의학적 질환 발생이 많아지고 더 심하게 한다는 것이 흔한 설명이다. 예를 들면, 입원해서 하루 종일 앉아서만 지내는 생활방식이 비만의 발생과 거기에 관련된 의학적 질환 발생을 증가시킨다. 신경학적 수준에서 보면, 정신분열병 환자들은 동통 감수성이 저하되어 있고, 따라서 건강문제의 내부 신호를 지각하지 못하므로, 질환이 더 진행하고 나서야 진료를 찾는다고 한다.[5] 항정신병약물은 체중증가를 유발할 수 있고, 흡연위험을 증가시키며, 이 두 가지로 인한 건강문제를 야기할 수 있다. 일부 정신과 약물들은 당 대사에 관여하여 당뇨병 발생을 촉진할 수 있다.[13] 이러한 현상이, 확인된 이환률과 사망률 증가에 얼마나 기여하는가는 불분명하다. 이러한 문제들을 성공적으로 치료하기 위해서는, 정신분열병 환자들의 이환률과 사망률의 원인을 더 밝혀내야 할 필요가 있다.

적절한 보건의 장애물

이환률이 증가된 이유를 개인에게서 찾는 것도 필요하지만, 정신분열병 환자들을 위한 보건의 장애물에 대한 고려 또한 중요하다.[14] 이 장애물은 환자-관련 요소, 보건제공자-관련 요소, 그리고 체계-관련 요소로 구분해 개념화할 수 있다. 환자-관련 요소에는 정신병적 사고장애로 인해 신체적 증상을 분명히 표현하지 못하는 일부 환자들의 문제가 포함된다. 예를 들면, 보건제공자가 실제 증상인지 신체 망상인지를 구분하기가 모호하게 환자들이 신체 증상을 표현하기도 한다. 의사소통의 어려움, 치료에 대한 불만족, 두려움, 가난, 부정, 또는 병식 부족이 치료에의 결속을 떨어뜨리고, 신체적 정신적 건강에 영향을 미치게 된다.

보건제공자는 활동성 정신병적 증상이나 혼돈을 보이는 환자, 또는 의사소통이 안되거나 효과적으로 상호작용하는 기술이 부족한 환자들을 담당하는 데에 부담을 느낄 수 있다. 또한, 그러한 환자들의 의학적 문제를 적절히 평가하기 위해 필요한 여분의 시간을 내지 않으려 할 수도 있다. 아직도 어떤 보건제공자는 낙인을 이용한다. 예를 들면, 정신병을 가진 환자의 신체문제 호소를 '정신신체화' 증상으로 간주해버리고 적절한 진찰을 하지 않는 것이다. 또 다른 맥락에서, 일부 정신과 의사들은 환자들의 의학적 문제에 관여하는 것을 부담스러워하면서 '주치의' 역할을 한다.

체계-관련 장애물에는 일반보건과 정신보건 두 전달체계의 이원화가 포함된다. 대부분의 체계에서 양자는 잘 통합되어 있지 못하다. 이 분리는 치료를 단편화시키고, 조정과 전인적 치료를 어렵게 만든다. 빈곤, 그리고 보건범위의 한계는 일부 지역에서의 서비스 이용을 제한하므로, 정신분열병 환자들의 보건에 더더욱 장애요인이 된다.

공존 의학적 질환 치료의 또 다른 장애물로는 서로 관련이 없는 공존이환 그 자체가 있다. Redelmeier 등은[15] 캐나다 온타리오 주의 거주자 중 65세 이상의 약 1,300,000명을 대상으로 연구했다. 서로 관련이 없는 의학적 질환의 세 쌍을 가진 경우, 첫 번째 장애가 있음으로 인해서 두 번째 장애는 치료를 훨씬 덜 받고 있었다. 당뇨병 환자들은 에스트로젠 대체요법을 60%나 덜 받았고, 폐기종 환자들은 지질 강하제 치료를 31% 덜 받았다. 정신병적 증후군을 지닌 환자들은 관절염 치료를 41% 덜 받았다. 이러한 일관된 결과를 그럴 듯하게 설명할 수 있는 방법은 많다. 하지만, 이 연구는 만성질환을 가진 경우에 공존이환이 덜 치료되고 있을 가능성을 강력히 시사한다.

각 개인에게 가장 심각한 장애물을 이해하고 이를 적극적인 치료계획에 활용함으로써, 정신분열병 환자들의 의학적 치료를 개선하고 이환률을 감소시킬 수 있을 것이다. 이 장의 나머지 부분은 특정 건강, 행동, 그리고 상태의 맥락 속에서 지금까지 논의해 왔던 문제들을 살펴볼 것이다.

흡연과 정신분열병

유병률

연구에 의하면, 정신분열병 환자들의 흡연률은 일반인구의 거의 두 배에 달한다.[16-18] 흡연의 유병률은 56%에서 88% 정도로 보고되고 있다. 면담한 정신분열병 환자의 93%가 일생 중 어떤 시기에 흡연을 했었다고 보고한 연구도 있다. 아일랜드, 이탈리아, 그리고 칠레를 포함한 다수의 국가와 문화권에서도 국제적으로 비슷한 수치의 흡연률이 발견된다.[18]

정신분열병 환자들은 타르가 많이 함유된 담배를 피우고,[18] 더 깊이 들이키며, 더 긴 시간동안 흡연한다. 따라서, 흡연이 건강에 미치는 결과는 정신분열병 환자들에게 더욱 심화된다. Lohr와 Flynn의 연구에서는, 정신분열병 환자들의 80%가 18년이 넘도록 흡연을 해왔다고 한다.[17] 일반인구의 흡연자 수는 해마다 감소하고 있지만, 정신분열병 환자들은 그렇지 않은 듯 하다.[17]

가설

왜 그렇게 많은 정신분열병 환자들이 흡연을 하는가에 관해 몇 가지 가설이 있다. 과거에는 병원이나 기타 시설에서 담배가 보상의 수단으로 이용되었다.[19] 치료가 달라지고 병원에서의 금연이 증가하는 추세와 더불어, 이런 치료방법은 사용되지 않거나 줄어들었지만, 현재의 니코틴 중독에는 기여한 바가 있었을 것이다. 높은 실직률, 사회적 활

동의 감소, 그리고 일상적인 따분함이 정신분열병 환자의 흡연에 기여할는지도 모른다.[20]

정신분열병 환자들이 높은 흡연률을 보이는 데에 대한 생물학적인 이유도 있다. 연구를 통해 니코틴과 도파민의 상호작용이 환자들의 흡연 행동에 기여한다고 시사되었다.[16] 니코틴은 기분조절제로서 작용하고 각성도와 주의력을 향상시킬 수 있다. 정신분열병의 음성증상과 관련 있다고 추정되는, 전전두엽의 감소된 도파민은 니코틴에 의해 증가될 수 있다.[18] 따라서, 일부 환자들은 음성증상을 경감시키기 위한, 혹은 추체외로 부작용까지도 경감시키기 위한 자가-약물요법으로서 흡연을 이용하는 것일 수 있다. 니코틴의 주관적인 단기 효과는 정신분열병 환자들이 일단 흡연을 시작한 후에는 금연을 훨씬 더 어렵게 할 수 있다.

건강 문제

정신분열병 환자들에게 직접적으로 영향을 미치는, 흡연의 부정적인 결과가 몇 가지 있다. 첫째, 정신분열병을 지니지 않은 사람들이 경험하는 것과 동일한 건강 문제를 경험하게 된다. 기관지 암, 호흡 문제, 그리고 폐암은 일반인구에서 비흡연자보다 흡연자에게 많다. 하지만 흥미롭게도, 한 연구에서는 정신분열병 흡연자는 정신분열병이 아닌 흡연자보다 암에 덜 걸리는 경향이 있음이 발견되었다.[21]

흡연자는 비흡연자에 비해 약물이나 알코올을 많이 사용한다. 또한 흡연자는 비흡연자에 비해 성적 활동정도가 높아 후천성면역결핍증을 포함한 성병에 걸리기 쉽다.[22] 과도한 흡연은 다음증(多飮症)이나 자가-유발성 물 중독증과 관련 있다.[16]

항정신병약물의 용량조절

비흡연자와 똑같은 항정신병약물 효과를 얻기 위해서, 흡연자는 더 높은 용량의 항정신병약물을 필요로 한다.[23,24] 흡연이 일부 항정신병약물의 혈장 청소율을 증가시킬 수 있기 때문이다.[17] 흡연은 벤조디아제핀의 효과 또한 감소시킬 수 있다고 밝혀져 있다.[25] 항정신병약물의 대사가 증가한 만큼 용량을 보상적으로 증량하지 않는다면, 주의력 증상, 인지증상, 그리고 기분증상이 초래될 수 있다.[24] 이러한 증상에 대한 자가-요법으로서 담배를 사용하는 환자들은 더 흡연해야 할 필요를 느끼고, 이에 따라 항정신병약물의 농도는 더욱 낮아질 것이며, 결국 자가-요법이 또 필요한 악순환이 초래될 것이다. 따라서, 흡연을 많이 하는 환자들에게 약물을 처방할 때에는 담배의 역할을 고려하는 것이 필수적이다.

치료에 시사하는 점

정신과적 장애를 지닌 환자들 또한 금연으로부터 다른 흡연자들과 마찬가지의 동일한 이득을 얻을 수 있다. 따라서, 연구자들과 임상의들은 정신분열병 환자들의 흡연을 감소시키기 위한 많은 방법을 제시해왔다. 가장 중요한 원칙은, 금연 프로그램이 정신분열병 환자들의 특별한 요구를 충족시킬 수 있게 맞추어져야 한다는 점이다. 이를테면, 정신분열병 증상에 대한 니코틴의 단기 효과와 같은 측면이다. 흡연이 아직도 허용되는 기관에서는 흡연을 삼가도록 하거나 금지시켜야 할 것이다.

피부접착 니코틴 반창고나 니코틴 껌과 같은 약물학적 니코틴-대체 전략이 효과적일 수 있다.[26] 행동 전략 또한 중요하다. Ziedonis와 동료들은 동기강화기법을 이용한 10회의 행동치료 프로그램을 기술했다.[27] 최근에는, 미국폐협회의 '흡연으로부터의 해방' 프로그램이 정신분열병 환자들에게 적용될 수 있게 수정되었다.[23] 7주간 8회 시행되는 이 프로그램은 정신분열병 환자들의 삶에서 흡연이 차지하는 역할에 주목했고, 정신병적 사고에 대해 보다 유연히 대처하면서, 잠재적인 보상과 흡연의 대체행동을 설계하는 데에 정신분열병 환자들의 사회적 경제적 제약을 고려한 것이었다.[26]

새로운 항정신병약물은 금연에 도움이 될는지 모른다. 한 연구에서는 전형적 신경이완제에 비해 클로자핀이 극심한 흡연자의 일일 담배 사용량을 유의하게 줄이는 데에 기여했음을 확인했다.[28] 니코틴 금단증상이 정신분열병 증상에 영향을 끼친다는 증거는 아직까지 없지만, 임상의는 치료에 미치는 니코틴 금단증상의 잠재적 효과를 고려하는 것이 좋겠다.

언급

임상의들은 정신분열병 환자의 흡연을 흔히 간과한다. 임상의들은 환자의 금연 시도를 몇 안 되는 즐거움을 박탈하는 일이라 생각할 수도 있다. 환자, 임상의, 그리고 가족들이 다루어야 하는 다른 정신과적 주요 문제에 비하면 흡연을 다루는 일은 무의미해 보일지도 모른다. 그러나, 흡연이 건강에 미치는 영향은 막대하다. 더욱이, 가족이나 주거 제공자는 채 꺼지지 않은 꽁초 때문에 화재가 날 것을 항상 우려한다. 담배 값은 점차 인상되고 있어, 장해만큼 수익이 전형적으로 제한되어 있는 정신분열병 환자들이 이를 담당하기에도 어려움이 따를 것이다. 흡연의 부정적인 영향력은 임상의의 세심한 주의를 요하기에 충분하다. 궁극적으로, 가장 중요한 공중보건 과제는 청소년과 정신분열병 환자들이 흡연을 시작하지 않도록 예방하는 일이다.

체중과 운동

유병률과 식이

정신분열병 환자들은 과체중과 관련된 건강문제를 흔히 지니게 된다. 최근 한 연구에서는 정신분열병 환자군과 다른 집단의 체질량지수(BMI)를 비교했다.[29] 정신분열병 환자들은 적어도 다른 사람들보다 비만했다. 특히 여성이 더욱 그랬다. 비만에 관여하는 잠재적 원인인자의 하나는 적당한 영양의 부족인데, 패스트푸드와 고지방 음식의 잦은 섭취는 비만에 기여할 수 있다.[14] 영양에 관한 지식 부족과 건강식이 또한 불량한 식습관을 초래할 수 있다.

약물 효과

환자들의 체중증가의 또 하나의 주요 인자는 약물 부작용이다. 거의 모든 항정신병약물이 어느 정도의 체중증가를 유발하며, 몇 가지 약물은 심한 체중증가를 일으킨다.[14,29] 이는 부분적으로는 식이 섭취를 증가시킬 수 있는 세로토닌(5-HT) 또는 히스타민(H_1)의 활성에서 비롯된다고 생각되었다.[14] 리스페리돈과 클로자핀의 비교연구에서는 클로자핀을 복용하는 환자들이 유의하게 체중증가가 더 많은 것으로 나타났다(12주 동안 10.7Kg 대 1.2Kg). 올란자핀 또한 유의한 체중증가와 관련 있다.[14]

건강 문제

원인과 무관하게, 체중증가와 비만은 심장 질환, 심혈관계 문제, 그리고 피로의 위험을 증가시킨다. 만약 항정신병약물이 체중증가를 유발했거나 체중증가에 기여했다면, 결과적인 우울증이나 고민으로 인해 약물 비순응이 초래될 수 있다.[14]

치료에 시사하는 점

체중증가와 비만은 다수의 신체적 감정적 문제를 야기할 수 있으므로, 의사와 치료자들은 정신분열병 환자를 치료할 때 이 문제를 다루어야 한다. 약물을 처방할 때에는 체질량, 연령, 성별, 그리고 체중증가의 예측인자를 고려해야 한다. 추가로, 정신분열병 환자에게, 특히 클로자핀을 복용 중인 환자에게 영양평가와 체중감량 개입을 제공한다면 유용할 것이다.[14]

운동

운동 프로그램 또한 비만과 체중 문제를 다루는 데에 이용될 수 있다.[30] 정신분열병 환자들은 별로 움직이지 않는 생활방식에 젖어들기 쉽다.[31] 일반인구를 대상으로 운동의 무수한 효과가 수많은 연구를 통해 증명되었다.[32,33] 하지만, 정신질환자들의 신체적 건강은 서비스에서 흔히 간과되는 부분이다. 일반인구에서는 운동의 건강증진 효과가 밝혀졌음에도 불구하고, 정신질환자들을 위한 운동 프로그램에 관한 연구는 빈약한 실정이다. 기존의 소수의 연구에서는 운동이 심리적으로 그리고 생리적으로 유용할 것임이 시사되었다.[32,33]

유산소 또는 무산소 운동 프로그램에 참여한 정신분열병 환자들을 면담 조사한 소형 연구에 의하면, 운동에 참여한 대부분의 환자들이 우울감과 불안감을 덜 느끼게 되었고, 활력이 증가했으며, 다른 재활 프로그램에 더 잘 참여하게 되었다고 응답했다고 한다.[33] 유산소 운동과 무산소 운동에 무작위로 할당된 환자들을 비교해보니, 유산소 운동의 효과가 더 우수했다. 유산소 운동군은 무산소 운동군에 비해 벡 우울 척도(BDI) 점수에서 더 큰 호전을 보였다. 또한 이들은 더 큰 유산소 건강 향상을 보였다. 12주간 유산소 운동에 참여한 환자들은 유산소 능력의 20.9% 향상을 보였다. 이러한 향상은 환자들이 프로그램 참여 이전에 평균 이하의 유산소 적성을[역주6] 보였기 때문일 가능성도 있지만, 일부 환자들은 유의하게 체중이 감소되어(13.7Kg-27.2Kg) 자신의 신장과 체중에 해당하는 정상범위의 체중으로 돌아갔다. Pelham 등에[33] 의한 세 번째 연구에서는 재활 프로그램에 참여하지만 정규 운동요법에는 참여하지 않는 15명의 환자를 면담했다. 이 환자군에서 우울증의 정도와 유산소 적성 사이에는 역 상관관계가 있었다. 유산소 적성이 높을수록 우울증의 정도가 낮은 것으로 관찰되었다.

언급

비만과 불량한 신체적 능력은 분명 정신분열병 환자들의 건강에 문제가 된다. 연구를 통해 시사된 바는, 운동이 유용하고, 비용-효과적이고, 안전한 개입법이며, 신체적 효과와 정서적 효과를 동시에 지니고 있다는 점이다. 이러한 프로그램은 정신분열병 환자들의 체중 문제를 다루는 재활 프로그램 안에 통합될 수 있다. 어떠한 개입법이든 마찬가지겠지만, 이 프로그램 역시 정신분열병 환자들에게 특이한 결함을 고려해야만 한다.

당뇨병과 정신분열병

정신분열병은 다양한 특정 의학적 장애와 독특한 관련을 보인다. 그 중에서도 암, 후천성면역결핍증, 그리고 자가면역성질환이 주목받아 왔다. 각 질환의 세밀한 검토가 불가능하기에, 하나의 질환, 제 II형 당뇨병을 예로 삼아, 정신분열병의 기타 의학적 공존이환에 함의된 의미를 논하고자 한다. 정신분열병에 동반된 제 II형 당뇨병에 관한 역사적 관심은 1980년대로 거슬러 올라간다. 제 II형

역주 6 일정기간 이상 운동을 유지할 수 있는 능력으로서, 근육에 산소를 보내는 심폐능력에 좌우된다.

당뇨병은 상대적으로 흔하고 흡연과 비만의 영향을 받으며, 불량한 자가관리의 급성 및 만성 후유증을 나타낼 수 있다. 당뇨병의 발생률은 새로운 항정신병약물이 광범위하게 이용되면서 더욱 증가할는지 모른다.

유병률

정신분열병으로 진단된 환자들은 제 II형 당뇨병 발생 위험이 높다고 알려져 있다.[2,34-37] 예를 들어, 정신분열병 PORT 연구의 대형 국가 자료에 의하면, 참여자의 15%가 일생 중 어떤 시기에 당뇨병을 지녔다고 보고했고, 11%는 현재 당뇨병을 지니고 있다고 보고했다고 한다.[13] 이는 1994년 국가건강면담 연구에서 나타난 18-44세에서의 1.2%, 45-64세에서의 6.3%라는 비율과 대별된다.[38]

항정신병약물이 체중증가를 흔히 유발하는가 하면, 정신분열병 그 자체가 인슐린 저항성과 포도당 대사 장애와 관련 있기도 한데,[37,39-42] 양자는 모두 당뇨병과 관련된 것이다. 게다가, 일부 증거에 의하면, 새로운 비전형 약물이 고혈당에 직접 기여하기도 한다.[35,43,44] 흡연 또한 당 대사를 방해하고,[40] 움직이지 않고 고립된 생활방식이나 불량한 식이가 당뇨병 위험을 증가시킬 수 있다. 이 모든 요인은 정신분열병 환자들의 생활에 너무나 흔한 것들이다.

다수의 인구학적 특성들이 정신분열병 환자 표본[13] 및 일반인구집단에서의[45-48] 당뇨병 진단과 관련을 보였다. 고령, 아프리카-미국인 혹은 다른 기타 소수 인종 집단, 낮은 교육, 미혼 등이 포함된다.[13]

건강 문제

정신분열병 환자 예후 연구팀(PORT) 연구 기간에 수집된 자료에 의하면, 자가보고한 신체적 건강 상태는, 당뇨병을 가지고 있지만 치료받지 않고 있다고 응답한 피면담자들이 가장 좋지 않았고(표본의 14%), 당뇨병이 없는 사람들이 가장 좋았다. 당뇨병이 없는 정신분열병 환자들에 비해 당뇨병을 지닌 이들은 보건 서비스를 뚜렷이 더 많이 이용했고, 더 많은 비용을 지출했다. 메디케어Medicare 인구를 대상으로 했던 과거 1992년의 연구에서는 1992년 한 해 동안 당뇨병을 가진 사람들의 진료 비용이 기타 메디케어 수혜자들의 1.5배에 달한 것으로 나타났다.[49] PORT 연구에서도 대략 비슷한 비율이 관찰되었다. 하지만, 정신분열병 환자군에서는 그 비율이 연령에 따라 증가함으로써, 고령의 정신분열병 환자들의 공존 당뇨병 진단 비용이 상대적으로 증가함을 시사했다.[13] PORT 연구에서 당뇨병 환자들은 당뇨병 외에도 기타 의학적 공존이환을 더 많이 지니고 있었다.[13]

관리와 치료

만성 질환인 당뇨병의 적정 관리에는 적극적인 자가관리가 필요하다. 정신분열병에 흔한 인지장애, 기억장애, 그리고 사회기술장애로 인해 당뇨병을 공존이환으로 지닌 환자들은 당뇨 치료 및 자가관리를 이해하고, 유지하고, 조직화하고, 행하는 데에 곤란을 겪는다. 보건제공자와의 효과적인 의사소통에도 문제가 있다. 새로운 항정신병약물이 당뇨병 비율과 발생률에 미치는 잠재적 영향을 면밀히 감시해야 한다. 건강문제의 선별, 치료계획, 비용, 그리고 치료전달의 장소 등의 의미 또한 중요하다.

다음증(多飮症)과 정신분열병

유병률 및 다음증에 관한 기술

정신분열병 환자들은 음료를 과다하게 마시는 다음증을 흔히 경험한다.[50] 펜실베니아 주립 병원의 deLeon 등이 수행한 연구에서는 표본의 26%에 해당하는 환자들이 다음증을 보였다.[51] 이들의 80%는 정신분열병 또는 분열정동장애로 진단된 환자들이었다. 다음증 환자들은 하루 3리터 이상의 수분을 섭취하고 일부 심한 경우에는 하루 10-15리터를 섭취하기도 한다. 이 환자들의 요비중은 1.009 미만이다. 하루 3리터 이상의 소변을 배출하는 다뇨증, 그리고 수분 중독증은 양자 모두 다음증과 관련 있다.[51] 다음증과 수분 중독증은 오랜 입원기간, 고용량의 항정신병약물, 중등도 용량의 항콜린제, 그리고 심한 흡연과 관련된 것으로 알려져 있다.[51] 다른 인구학적 요인보다 백인과 남성이 다음증이 될 가능성이 큰 요인이다.[50]

환자의 다음증 행동은 흔히 발견하기 어렵다. 스태프의 관찰사항을 보고 받거나, 요비중, 요 크레아틴 농도, 일중 체중증가와 같은 생물학적 결정인자를 측정함으로써 다음증을 발견해낼 수 있다.[51] 지나친 수분섭취로 인한 체중증가는 일시적이다. 이러한 여러 가지 방법들이 있음에도 불구하고, 연구들이 시사하는 바는, 정신분열병 환자들의 다음증은 과소 평가되고 있다는 것이다.[51] 제한이 가해지면 환자들은 몰래 물을 마시고, 정확한 행동관찰은 어려워진다. 생물학적 표지자는 검사 24시간 이내에 있었던 행동을 반영할 뿐이다.[51] 수분 중독증이 없는 경우 또한 다음증이 간과될 수 있다.

건강 문제

다음증과 수분 중독증은 신장의 문제나 골다공증과 같은 다른 신체적 합병증을 야기할 수 있다.[50-52] 신체적 합병증은 수분 중독증이나 다음증을 장기간 앓는 환자들에게 흔히 발생한다. 골다공증은 칼슘이 소변으로 다량 배출된 결과로서 발생할 수 있다.[52] 비뇨기 및 소화기 장관의 만성적인 팽만 또한 지나친 음수와 관련 있다. deLeon의 연구에서는 전체 52%의 환자들이 수분 중독증과 연관된 수분 축적을 보였다. 약 5%는 과거 수분 중독증의 병력을 지니고 있었다.[51] 수분 중독증은 낮은 혈중 소디움 농도가 뇌부종을 야기할 때 발생하며, 오심, 구토, 운동실조, 경련, 혼수, 정신병, 초조, 흥분 등의 신경학적 증상 및 정신과적 증상을 일으킨다.

원인론적 가설

정신분열병 환자들에게서 다음증의 유병률이 높은 이유를 설명하는 몇 가지 가설이 제안되어왔다. Goldman과 Blake는[33] 바소프레신과 구갈(口渴)을 조절하는 해마의 기능이상이 중요할 수 있다고 주장했다. 정신과적 약물과의 관련성도 연구되었다; 하지만, 다음증에 관한 기술은 약물이 개발되기 전부터 있어 왔다.[52] 도파민 과민감성과의 관련도 시사되어, 지연성 운동장애를 보이는 환자들이 수분 조절 문제를 많이 지닌 이유를 이 기전으로 설명하기도 한다.[54] 원인론은 아직 해결되지 않은 채 남아 있지만, 서비스 제공자는 다양한 소견을 통해 다음증과 그 합병증 발생 위험이 높은 내담자를 확인할 수 있다.

치료에 시사하는 점

행동치료 및 약물치료 모두가 정신분열병 환자들의 수분섭취를 줄이는 데에 시도되었지만, 그다지 성공적이지는 못했다.[55] 물질남용치료 모형을 적용해서, Millson과 Smith는 다음증 환자들을 대조군(다음증에 대한 치료가 없는)과 치료군(4개월 동안 매주 2회 집단정신교육)에 할당했다. 치료군은 수분섭취 증가와 관련된 문제들을 더 잘 알게 되었고 자신의 체중증가를 감시할 수 있었음에도 불구하고, 양 군의 평균 체중증가는 동일했다. 또

한, 연구가 종료된 후 치료군 환자들은 과거 수분 섭취 수준으로 빠르게 돌아가고 말았다.[55]

다음증의 치료에 클로자핀이 사용되기도 했다.[57] 치료-저항성 정신병 때문에 클로자핀을 투약하는 환자들의 64%가, 첫 2주 동안 오전 6시와 오후 4시에 채혈했을 때 유의하게 증가된 혈중 소디움 측정치를 보였다(수분섭취의 감소를 의미하는 것으로서). 이것은 클로자핀의 중등도 D_1 차단효과가 동물의 수분섭취 감소와 관련 있다는 연구결과로서 설명될 수 있다.

요약

정신분열병 환자들은 다른 인구대상에 비해 더 많고 더 심한 의학적 질환을 앓는 불행한 처지에 놓여 있다. 이것은 경미한 정도의 이환률이 아니며, 다수의 기타 장애들로 인한 사망률 증가라는 결과로 이어진다. 이러한 의학적 위험은 부분적으로, 정신분열병의 증상 및 그 생물학, 정신분열병의 치료, 그리고 이환을 효과적으로 다룰 장치가 부족한 보건체계에서 비롯된다. 흡연과 비만은 정신분열병에 동반된 의학적 질환을 매개하는 중요한 요인이다. 항정신병약물 치료는 비만 위험을 증가시키고, 더 연구가 필요하겠으나, 흡연률 증가에도 기여할 수 있다. 정신분열병 환자들의 삶의 질에 대한 관심에서 뿐만이 아니라, 정신건강과 신체건강 사이의 관련성을 고려한다면, 정신분열병 환자들의 의학적 문제가 간과되어서는 안 될 것이다.

참고문헌

1. Allebeck P, Schizophrenia: a life-threatening disease, *Schizophr Bull* (1989) **15:**81–9.
2. Felker B, Yazel JJ, Short D, Mortality and medical comorbidity among psychiatric patients: a review, *Psychiatr Serv* (1996) **47:**1356–63.
3. Baxter DN, The mortality experience of individuals on the Salford psychiatric case register I. All-cause mortality, *Br J Psychiatry* (1996) **168:**772–9.
4. Mortensen PB, Juel K, Mortality and causes of death in first admitted schizophrenic patients, *Br J Psychiatry* (1993) **163:**183–9.
5. Jeste DV, Glasjo JA, Lindamer LA, Lacro JP, Medical comorbidity in schizophrenia, *Schizophr Bull* (1996) **22:**413–30.
6. Saku M, Tokudome S, Ikeda M et al, Mortality in psychiatric patients, with a specific focus on cancer mortality associated with schizophrenia, *Int J Epidemiol* (1995) **24:**366–72.
7. Harris EC, Barraclough B, Excess mortality of mental disorder, *Br J Psychiatry* (1998) **173:**11–53.
8. Simpson JC, Tsuang MT, Mortality among patients with schizophrenia, *Schizophr Bull* (1996) **22:** 485–99.
9. Herman HE, Baldwin JA, Christie D, A record-linkage study of mortality and general hospital discharge in patients diagnosed as schizophrenic, *Psychol Med* (1983) **13:**581–93.
10. Baldwin JA, Schizophrenia and physical disease: a preliminary analysis of the data from the Oxford Record Linkage Study. In: Hennings G, ed, *Biochemistry of Schizophrenia and Addiction* (MTP Press: Lancaster, 1980) 297–318.
11. Dalmau A, Bergman B, Brismar B, Somatic morbidity in schizophrenia – a case control study, *Public Health* (1997) **111:**393–7.
12. Dixon LB, Postrado L, Delahanty J et al, The association of medical comorbidity in schizophrenia with poor physical and mental health, *J Nerv Ment Dis* (1999) **187:**496–502.
13. Dixon LB, Weiden PJ, Delhanty J et al, Diabetes in schizophrenia, *Schizophr Bull*, in press.
14. Masand P (Editor), Weight gain and Antipsychotic Medications, Journal of Clinical Psychiatry Visuals, 1999, Physicians Postgraduate Press, Memphis Tennessee.
15. Redelmeier DA, Tan SH, Booth GL, The treatment of unrelated disorders in patients with chronic medical diseases, *N Engl J Med* (1998) **338:**1516–20.
16. deLeon J, Smoking and vulnerability for schizophrenia, *Schizophr Bull* (1996) **22:**405–9.
17. Lohr JB, Flynn K, Smoking and schizophrenia, *Schizophr Res* (1992) **8:**93–102.
18. Chiles JA, Cohen S, Maiuro R et al, Smoking and schizophrenic psychopathology, *Am J Addict* (1993) **2:**315–19.

18. O'Farrell TJ, Connors GJ, Upper D, Addictive behaviors among hospitalized schizophrenic patients, *Addict Behav* (1983) 329–33.
19. Maiuro RD, Michael MC, Vitaliano PP et al, Patient reactions to a no smoking policy in a community mental health center, *Community Ment Health J* (1989) **25:**71–7.
20. Hughes JR, Possible effects of smoke free inpatient units on psychiatric diagnosis and treatment, *J Clin Psychiatry* (1993) **54:**109–14.
21. Masterson E, O'Shea B, Smoking and malignancy in schizophrenia, *Br J Psychiatry* (1984) **145:**429–32.
22. Hymowitz N, Jaffe FE, Gupta A et al, Cigarette smoking among patients with mental retardation and mental illness, *Psychiatr Serv* (1997) **48:** 100–102.
23. Ziedonis DM, Koster TR, Glazer WM et al, Nicotine dependence and schizophrenia, *Hosp Community Psychiatry* (1994) **45:**204–206.
24. Vinarova E, Vinar O, Kabvach Z, Smokers need higher doses of neuroleptic drugs, *Biol Psychiatry* (1984) **19:**1265–8.
25. Swett C, Drowsiness due to chlorpromazine in relation to cigarette smoking, *Arch Gen Psychiatry* (1974) **31:**211–13.
26. Addington J, Group treatment for smoking cessation among persons with schizophrenia, *Psychiatr Serv* (1998) **49:**925–8.
27. Ziedonis DM, Gorge TP, Schizophrenia and nicotine use: report of a pilot smoking cessation program and review of neurobiological and clinical issues, *Schizophr Bull* (1997) **23:**247–54.
28. George TP, Sernyak MJ, Ziedonis DM, Effects of clozapine on smoking in chronic schizophrenic outpatients, *J Clin Psychiatry* (1995) **56:**344–6.
29. Allison DB, Fontaine KR, Moonseong H et al, The distribution of body mass index among individuals with and without schizophrenia, *J Clin Psychiatry* (1999) **60:**215–20.
30. Skrinar GS, Unger KV, Hutchinson DS et al, Effects of exercise training in young adults with psychiatric disabilities, *Can J Rehab* (1992) **5:**151–7.
31. Layman E, Psychological effect of physical activity. In: *Exercise and Sport Sciences Reviews*, American College of Sports Medicine Series. (Academic Press: New York, 1974) 33–70.
32. Pelham TW, Campagna PD, Benefits of exercise in psychiatric rehabilitation of persons with schizophrenia, *Can J Rehab* (1991) **4:**159–68.
33. Pelham TW, Capagna PD, Ritvo PG et al, The effects of exercise therapy on clients in a psychiatric rehabilitation program, *Psychosocial Rehab J* (1993) **16:**75–84.
34. Mukherjee S, Decina P, Bocola V et al, Diabetes mellitus in schizophrenic patients, *Compr Psychiatry* (1996) **37:**68–73.
35. McKee HA, D'Arcy PF, Wilson PJ, Diabetes and schizophrenia – a preliminary study, *Journal of Clinical Hospital Pharmacology* (1986) **11:**297–9.
36. Dynes JB, Diabetes in schizophrenia and diabetes in nonpsychotic medical patients, *Diseases of the Nervous System* (1969) **30:**341–4.
37. Richter D, Biochemical aspects of schizophrenia. In: Richter D, ed, *Schizophrenia: Somatic Aspects* (Pergamon Press: London, 1957).
38. Adams PF, Marano MA, Current estimates from the National Health Interview Survey, 1994, National Center for Health Statistics, *Vital Health Stat* (1995) **10:**193.
39. Brambilla F, Guastalla A, Guerrini A et al, Glucose–insulin metabolism in chronic schizophrenia, *Diseases of the Nervous System* (1976) **37:**98–103.
40. Holden RJ, The estrogen connection: the etiological relationship between diabetes, cancer, rheumatoid arthritis and psychiatric disorders, *Med Hypotheses* (1995) **45:** 169–89.
41. Holden RJ, Schizophrenia, suicide and the serotonin story, *Med Hypotheses* (1995) **44:**379–91.
42. Holden RJ, Mooney PA, Schizophrenia is a diabetic brain state: an elucidation of impaired neurometabolism, *Med Hypotheses* (1994) **43:**420–35.
43. deBoer C, Gaete HP, Neuroleptic malignant syndrome and diabetic keto-acidosis, *Br J Psychiatry* (1992) **161:**856–8.
44. Kamran A, Doraiswamy PM, Jane JL et al, Severe hyperglycemia associated with high doses of clozapine, *Am J Psychiatry* (1994) **151:**1395.
45. Cantor AB, Krischer JP, Antor AB et al, Diabetes-mellitus (IDDM) in relatives of patients with IDDM, *J Clin Endocrinol Metab* (1995) **80:**3739–43.
46. Casparie A, Epidemiology of type II diabetes mellitus and aging of the population: health policy implications and recommendations for epidemiological research, *Int J Epidemiol* (1991) **20(Suppl 1):**S25–S29.
47. MMWR (Morbidity and Mortality Weekly Report of the Centers for Disease Control and Prevention), Self-reported prevalence of diabetes among Hispanics – United States, 1994–1997, *Morbidity and Mortality Weekly Report* (1999) **48:**8–12.
48. Harris MI, Diabetes in America: epidemiology and scope of the problem, *Diabetes Care* (1998) **21(Suppl 3):**C11–C14.
49. Krop JS, Powe NR, Weller WE et al, Patterns of expenditures and use of services among older adults with diabetes – implications for the trans-

ition to capitated managed care, *Diabetes Care* (1998) **21:**747–52.
50. Shutty MS, Song Y, Behavioral analysis of drinking behaviors in polydipsic patients with chronic schizophrenia, *J Abnorm Psychol* **106:**483–5.
51. deLeon J, Verghese C, Tracy JI et al, Polydipsia and water intoxication in psychiatric patients: a review of the epidemiological literature, *Biol Psychiatry* (1994) **35:**408–19.
52. Blum A, Tempey FW, Lynch WJ, Somatic findings in patients with psychogenic polydipsia, *J Clin Psychiatry* (1983) **44:**55–6.
53. Goldman MB, Blake L, Association of nonsuppression of cortisol on the DST with primary polydipsia, *Am J Psychiatry* (1993) **150:**653–6.
54. Umbricht DSG, Saltz B, Polydipsia and tardive dyskinesia in chronic psychiatric patients – related disorders? *Am J Psychiatry* (1993) **150:**1536–9.
55. Millson RC, Smith AP, Self-induced water intoxication treated with group psychotherapy, *Am J Psychiatry* (1993) **150:**825–7.
56. Spears NM, Leadbetter RA, Shutty MS, Clozapine treatment in polydipsia and intermittent hyponatremia, *J Clin Psychiatry* (1996) **57:**123–8.

정신분열병에서의 인종의 영향 : 약물유전학

Katherine J Aitchison

내용 · CYP2D6 · CYP3A4 · CYP1A2 · CYP2C19 · 약물-약물 상호작용 · 결론

'약물유전학' 이라는 용어가 생겨난 것은, 처음으로 유전적 요인으로써 약물 부작용을 설명하면서부터였다.[1] 유전적 요인은 약물 대사(약동학, pharmacokinetics)와 목표 기관에서의 약물 반응(약역학, pharmacodynamics) 모두에 영향을 미친다. 정신병의 치료에 영향을 미치는 인종간 차이에 관한 한, 약물대사효소(혹은 DMEs) 정보를 지닌 유전적 요인에 대한 연구가 약역학적 유전인자보다 훨씬 방대하게 진행되어왔다.

DMEs 중 중요한 것은 시토크롬 P450 효소 계열로서, 헴티올래이트 단백라고도 불린다. 이 효소들은 약물뿐만이 아니라, 생체 내에서 화합된 물질(예를 들면, 스테로이드 류), 식물 추출물질, 그리고 인공 환경 독소도 대사한다. 이 계열의 효소 중에서 항정신병약물 대사에 관여하는 것은 세 가지로서; CYP2D6, CYP3A4, 그리고 CYP1A2이다('CYP'는 cytochrome P450을 뜻한다). CYP2C 아(亞)계열의 효소를 포함한 기타 효소들 또한 약물-약물 상호작용 측면에서 고려해야 한다.

CYP2D6

이 효소가 대사하는 탐침 약물을 이용해 세 가지의 상이한 CYP2D6 활성 수준이 확인되었다; 여기에 따라, 한 개인은 초급속 대사능력을 가진 사람(UM), 광범위 대사능력을 가진 사람(EM), 또는 불량한 대사능력을 가진 사람(PM)으로 구분될 수 있다. 효소 활성에 이러한 변이가 존재하는 이유는 다수의 *CYP2D6* 대립유전자 변종이 존재하기 때문인데[역주7] 그 빈도는 인종집단에 따라 다르게 나타난다.[2]

효소 활성이 떨어지는 사람은 CYP2D6를 통해 대사되는 약물을 일정량 주더라도 약물의 혈액농도가 보다 높아지는 경향이 있고, 따라서 부작용에 민감할 것이라고(내약력이 좋지 않음) 예측할 수 있다. 반면, 초급속 대사능력을 가진 사람은 표준

역주 7 대립유전자, allele, 상동염색체의 같은 유전자 위치에서 서로 다른 염기서열을 갖는 유전자

용량을 주었을 때 특히 낮은 혈액농도를 보일 것이므로 치료 저항성처럼 보일 수 있다. 이러한 이유로 정상인을 대상으로 한 연구에서 불량한 대사능력을 가진 사람의 퍼페나진 및 주클로펜틱솔의 혈액농도가 유의하게 높았다.[4] 환자들의 유지치료 중 퍼페나진과 주클로펜틱솔의 경구 청소율은 CYP2D6 유전형으로써 유의하게 예측할 수 있음이 입증되었다.[5]

CYP2D6는 할로페리돌, 플루페나진, 그리고 트리플루페리돌의 대사에도 관여한다.[6] 불량한 대사능력과 높은 부작용 감수성 사이의 관련성은 사례보고들을 통해 뒷받침된다.[7,8] 운동장애를 동반한 정신분열병 환자들에게 돌연변이 CYP2D6 대립유전자가 과다한 경향이 관찰되었다.[9] 하지만, 전형적 항정신병약물에 내약력이 떨어지는 정신분열병 환자들 가운데 PMs이 많다는 사실이 발견되지 않은 연구도 있다(Aitchison 등, 미출판 자료).

백인 인구집단에서는 PMs의 빈도가 5-10%인데 반해, 흑인 아프리카인은 0-8%, 미국 흑인은 3.7%, 그리고 동양인은 대략 1%이다. 게다가, 인구집단 평균 효소 활성도는 백인에 비해 중국인, 짐바브웨인, 가나인에게서 더 낮다. 동양인 중에서 PM이 드문 이유는 주로 *CYP2D6*4* 돌연변이 대립유전자의 빈도가 매우 낮기 때문인데, 이 돌연변이 유전자는 효소활성이 없는 것과 관련 있고 백인 PM 대립유전자의 66%를 설명한다. 인구집단 평균 효소 활성도가 낮은 이유는 중국인은 *CYP2D6*10*이 상대적으로 많고, 가나인과 짐바브웨인은 *CYP2D6*17*이 상대적으로 많기 때문인데, 양자의 대립유전자는 CYP2D6 활성 감소와 관련 있다.[11] *CYP2D6*17* 대립유전자는 또한 미국 흑인들에게서 고빈도로 발견된다.[12]

효소 활성 스펙트럼의 반대쪽 극단으로서, UMs의 빈도도 인종에 따라 다르다. 덴마크인이나 스웨덴인은 0.8-2%, 독일인은 3.6%, 흑인 짐바브웨인은 5% 미만, 스페인인은 7%, 사우디 아라비아인은 20%, 그리고 이디오피아인은 29%이다.[13]

정신분열병을 앓고 있는 중국인들은 높은 할로페리돌 농도를 보인다고 알려져 있다.[14] 그 이유가 CYP3A4 활성의 인종별 차이 때문일 수도 있겠지만(아래를 보라), 중국인들의 평균 CYP2D6 활성도가 낮다는 사실에 잘 부합하는 소견으로 볼 수 있다. Nyberg 등은[15] 할로페리돌 데카노에이트 치료기간 4주에 걸쳐 CYP2D6의 PM 한 명이 EM 7명보다 할로페리돌 혈장농도가 더 높았음을 증명했다. Suzuki 등은 일본인 정신분열병 환자 50명을 연구하여, 돌연변이 대립유전자가 없는 환자보다 한 개의 돌연변이 대립유전자를 가진(주로 *CYP2D6*10* 환자들이 안정상태 혈장 할로페리돌 평균 농도가 더 높았고, 한 두 개의 돌연변이 대립유전자를 가진 환자들 또한 안정상태 환원 할로페리돌 평균 혈장농도가 더 높았다고 보고했다. 그러나, Lin 등은[17] 체중에 따라 보정된 고정 용량을 사용했을 때에는 동양인의 할로페리돌 평균 혈장농도가 약간만 증가되어 있을 뿐이라고 보고했다. 그럼에도 불구하고, 이들은 추체외로 증상을 유의하게 더 많이 보였고, 할로페리돌에 의한 프롤락틴 상승반응도 더 컸다.[18] 이는 인종간의 약역학적 차이 때문일 수도 있다. 예를 들면, 도파민 D_2 수용체의 다양성 때문이거나 CYP3A4의 인종별 차이 때문일 수 있겠다.

UM에 관해 살펴보자면, 치료반응을 얻기 위해서 CYP2D6에 의해 대사되는 삼환계 항우울제가 특별히 고용량으로 필요했던 두 환자의 사례가 기술되어 있다.[19] 하지만, 전형적 항정신병약물로 성공적으로 치료된 73명의 환자와 235명의 난치성 환자를 비교한 연구에서는 난치성 환자군에 UM이 더 많지 않았다.[20] UM의 수는 양 군 모두에서 매우 적었지만(저항군에서 2명, 비 저항군에서 3명),

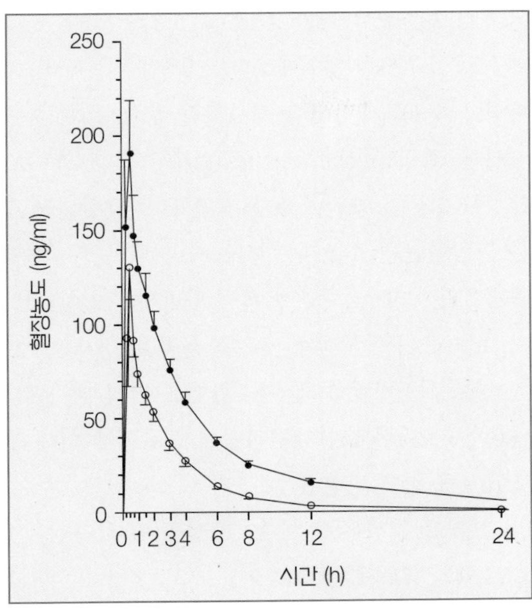

그림 20(i).1 백인 대상자(빈 원; n=27)와 남아시아인 대상자(검은 원; n=30)에게 20mg 니페디핀 캡슐 투여 후 혈장농도-시간 곡선. 평균값을 나타낸 것이며 표준오차는 수직막대로 표현되어 있다(Ahsan 등, 1993[23]).

오히려 비 난치성 환자군에 UM이 더 많은 경향이었다. 이 소견은 CYP2D6에 의한 항정신병약물의 초급속 수산화가 약물치료 실패의 원인이라는 주장을 반박한다.

CYP3A4

CYP3A4는 간과 소장에 분포하며, 많은 전형 항정신병약물과 클로자핀 대사에 관여한다.[21] 약물뿐만 아니라 음식과 같은 환경적 요인이 이 효소를 유도할 수 있고, 억제 또는 불활성화시키기도 한다. 따라서, 인구집단간의 차이는 효소 활성의 본질적 편차에 의한 것이기도 하나, 환경인자 효과의 이차적인 결과일 수도 있다.

니페디핀은 CYP3A4에 의해 대사되는 심혈관계 약물로서 특정 인구집단의 CYP3A4 활성을 조사하는 탐침 약물로서 사용되어왔다. 남부 아시아인들은(인도 아대륙) 백인보다 유의하게 느린 속도로 니페디핀을 산화시켜,[22,23] 지속적인 혈역학적 변화를 낳는다. Ahsan과 동료들의 첫 번째 연구에서 백인들은 전형적인 서구 음식을 섭취했고 남부 아시아인들은 본래 식생활을 유지하고 있었다. 6명의 백인에게 니페디핀을 투약하기 사흘 전부터 인도 음식을 먹게 함으로써 음식의 효과를 조사했다; 약동학적 지표에는 어떠한 차이도 발견되지 않았다. 이는 CYP3A4가 음식의 영향을 받을 수 있음에도 불구하고, 백인과 남부 아시아인의 니페디핀 산화 속도의 차이는 식생활과 같은 문화의 차이에서 비롯되는 것이 아니라 유전적인 것임을 의미하는 결과이다.

마찬가지로, CYP3A 아과(亞科) 효소에 의해 촉매되는 코데인의 *N*-demethylation 또한 백인보다 중국인들에게서 유의하게 느리다.[24] 흥미롭게도 중국인들은 일본인에 비해서도 코데인 *N*-methylation 평균 활성이 유의하게 느렸다.[25]

최근에 *CYP3A4* 유전자 5' 측쇄부 -289 위치의 니페디핀 반응부위에서 A가 G로 점돌연변이 된 것이 발견되었다.[26] 이 돌연변이는 59명의 대만인, 59명의 핀란드인, 그리고 75명의 미국 흑인을 대상으로 더 분석되었고, 이 인구집단 각각에서 0%, 4.2%, 그리고 66.7%의 대립유전자 빈도가 나타나는 것으로 확인되었다(Sata, 개인적 서한을 통함). 여기에 관한 기능적 연구는 아직 수행되지 않았지만, 이 돌연변이는 CYP3A4 활성의 인종간 차이를 낳은 일차적 돌연변이일 가능성이 있다.

CYP3A4는 환원 할로페리돌을 거꾸로 할로페리돌로 바꾸는 산화작용 및 할로페리돌의 *N*-dealkylation에 관여한다.[27,28] 임상반응과 환원 할로페리돌/할로페리돌 비 사이에는 역 상관관계가 있음이 관찰되었다.[29] 따라서 CYP3A4 활성이 높은 사람은 CYP3A4 활성이 낮은 사람보다 할로페리돌에 더 잘 반응할 것이다. 새로 입원한 중국인 정신분열병 환자들에게서 Lane과 동료들은[30] 추체외로 증상을 경험하는 환자들은 환원 할로페리돌 농도 및 환원 할로페리돌/할로페리돌 비가 다른 환자들보다 유의하게 높았음을 발견했다. 또한, 추체외로 증상을 가진 환자군에서 할로페리돌의 농도가 더욱 높아지는 경향이 관찰되었다. 이는 CYP3A4 활성이 낮은 사람은 추체외로 증상에 더욱 취약하다는 것과 일치되는 소견이다.

CYP3A4는 카바마제핀에 의해 잘 유도된다; 카바마제핀을 사용할 때에, 항정신병약물의 혈장농도가 카바마제핀을 사용하지 않을 때와 같아지려면 대부분의 전형 항정신병약물은 두 배의 용량을 필요로 한다.[21] 이 상호작용은 분열정동성 정신병 치료에 특히 관련된다. 일부 약물들(ketoconazole과 itraconazole 등)은 CYP3A 효소의 대사를 억제하고, 발프로애이트와 시메티딘은 강력한 CYP 억제제이다. Erythromycin의 CYP3A4 억제로 인해, erythromycin과 클로자핀을 병용한 뒤 클로자핀 독성이 나타난 사례가 보고되어 있다.[31] CYP2D6 활성이 낮은 사람이나 CYP2D6 대사를 억제하는 약물을 복용 중인 사람은 CYP3A4 약물 상호작용의 이차적 효과에 의한 위험이 크며, 그 역 또한 마찬가지이다.

CYP1A2

CYP1A2는 클로자핀과 올란자핀 외에도 다수의 전형 항정신병약물의 대사에 관여한다. 인종간 차이를 보여준 한 예비연구에서, 일본인들은 백인에 비해 일정 용량의 올란자핀 복용 후 최대 혈장농도가 더 높았고, 백인은 반감기가 24시간인데 비해 일본인들은 반감기가 평균 34시간이었다.[21] Le Merchand 등도[32] 백인에 비해 일본인들은 CYP1A2 활성이 유의하게 낮음을 입증했다. Nakajima 등은[33] 카페인caffeine 3-demethylation으로 측정한 CYP1A2 활성이 일본인 집단에서 쌍봉(雙峰) 분포한다는 것을 입증했는데, 14%가 대사능력이 떨어지는 쪽에 해당했다. Relling 등은[34] 백인에 비해 흑인 집단에서 CYP1A2가 유의하게 낮음을 입증했다(p=0.036).

이 효소는 방향족 및 복소환식 아민의 대사에도 관여하고, 대부분의 인구집단에서 흡연에 의해 유도된다.[32] 경구 피임제, 폐경기 에스트로젠 대체요법, 그리고 임신은 CYP1A2 활성을 떨어뜨리는 것으로 생각되고, CYP1A2 활성 저하는 남자보다 여자에게서 에스트로젠 효과에 의해 잘 설명되는 것으로 보인다.[32]

Le Merchand와 동료들은 또한, lutein(녹색 채소에서 발견되는)이 CYP1A2 활성을 억제한다는 것을 발견했다. 카페인과 파라세타몰(혹은 아세트아미노펜) 복용은 CYP1A2 활성을 증가시키며, 겨자과 식물(양배추, 브로콜리, 싹양배추, 물냉이)도 마찬가지이다. 하지만, CYP1A2 활성을 증가시킬 만큼의 다량의 겨자과 식물(예를 들면, 열흘간 500g의 브로콜리)이 정상적 식이에 함유되어 있지는 않다. 고온에서 급속히 조리한 육류 섭취도 CYP1A2 활성을 증가시킨다고 알려져 있다.[35]

위에 열거한 것들과 같은 환경요인이 CYP1A2 활성 변이에 기여하기는 하나, Le Merchand와 동료들에[32] 의하면, 주요 환경요인을 고려하더라도 다양한 인종배경을 지닌 90명의 하와이 거주자들의 변이의 73%는 설명되지 않았다고 한다. *CYP1A2*의 촉진자(promotor)[역주8]부위에서 한 개의 돌연변이가 최근

역주 8 RNA 전사가 시작되는 특정 DNA 염기 서열

발견되었다(Aitchison 등, 미발행 자료).

이 돌연변이는 인종에 따라 유의하게 다르다: 이 돌연변이의 이형접합과 동형접합을 가진 사람의 비율은 87명의 백인들은 각각 3.4%와 0%, 125명의 대만인들은 19.2%와 3.2%였다.

비록, CYP3A4, CYP2C19, 그리고 CYP2D6 모두가 조금씩 관여하지만, 클로자핀의 대사는 CYP1A2 활성과 상관관계를 갖는 것으로 보인다.[36] 치료반응과 관련된 클로자핀 농도는 350-420ng/ml이고, 용량이 증가함에 따라 경련과 뇌파 이상소견이 잦아진다. 중국인 환자들은 클로자핀 혈장농도가 높은 것으로 알려졌다(안정상태 혈장농도가 백인에 비해 30-50% 가량 높다).[38] 스펙트럼의 반대쪽 극단에는, 매우 높은 CYP1A2 활성과 관련하여 고용량과 좋은 순응도에도 불구하고 클로자핀의 혈장농도가 매우 낮았던 사례들이 보고되어 있다.[39] 따라서, CYP2D6와 마찬가지로, CYP1A2에 대해서도 초급속 대사능력을 가진 사람들이 있을 가능성이 있다.

CYP2C19

CYP2C19의 불량한 대사능력을 가진 사람의 빈도에는 본질적인 인종간 차이가 존재한다. 백인은 2-5%, 사우디 아라비아인은 2%, 흑인 짐바브웨인은 4%, 이디오피아인은 5%, 한국인은 13%, 중국인은 15-17%, 인도인은 21%, 그리고 일본인은 18-23%가 불량한 대사능력을 가진 사람들이다.[2] 경도(longitude)에 따라 PM 빈도의 제곱근을 표시해보면, 사우디 아라비아와 봄베이 중간 지역에서 제곱근 값이 한 단계 증가하는 것을 관찰할 수 있다(그림 20(i).2).

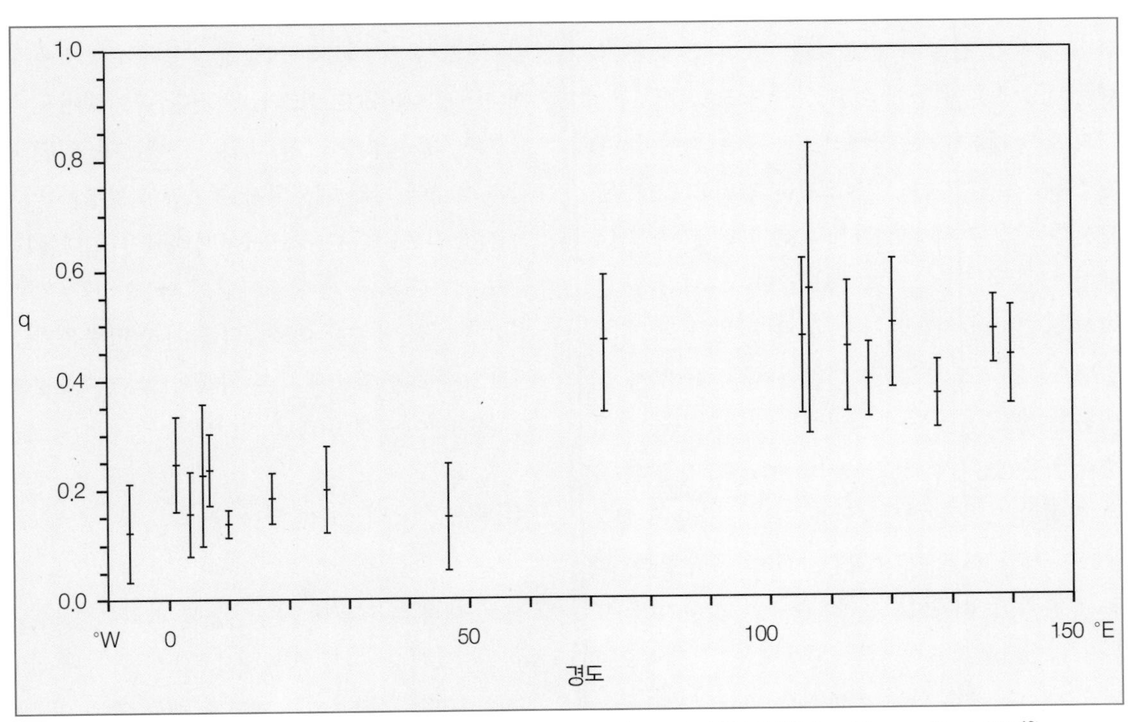

그림 20(i).2 경도에 따른 q 추산치, PM 빈도의 제곱근과 95% 신뢰구간(Price Evans 등, 1995[40]).

정상형 *CYP2C19* 대립유전자 두 종류(*CYP2C19*1A*와 *CYP2C19*1B*)와 불완전 대립유전자 일곱 개가 PM 표현형에 관여한다.[41]

오메프라졸이 CYP2C19 활성 연구의 탐침 약물로서 사용되어왔다; 일회 투약 연구에서, 백인, 중국인, 그리고 한국인 CYP2C19 EM은 PM보다 오메프라졸 청소율이 높았고, 백인 EM은 중국인과 한국인 EM보다 유의하게 청소율이 높았다.[42] 오메프라졸을 여러 횟수 투약한 경우에는, 모형(母型) 약물의 혈장농도-시간 곡선 평균 면적을 통해 동종접합 EM보다 이형접합을 가진 사람들의 대사율이 낮음을 알 수 있었다. 따라서, 백인보다 동양인에게서 이형접합 EM 비율이 높기 때문에 백인과 동양인의 청소율 차이가 나타나는 것일는지 모른다.

다이아제팜 청소율은 백인과 한국인 CYP2C19 PM이 EM보다 유의하게 낮다.[42] 하지만, 중국인 8명의 EM과 8명의 PM 사이에는 제거 반감기의 유의한 차이가 관찰되지 않았다. 이들 전체집단의 평균 청소율은 백인에 비해 상대적으로 낮았다. 8명의 중국인 EM 중, 상대적으로 낮은 다이아제팜 청소율을 보인 7명은 이형접합을 가지고 있을지도 모른다는 점이 시사되었다. 이로써 전체적인 청소율이 낮은 이유, 그리고 EM 집단과 PM 집단 간 차이가 없었던 이유가 설명될 수 있겠다. 또 다른 설명으로는, CYP2C19이 다이아제팜 약동학에 기여하는 정도가 인종에 따라 다를 수 있다는 점을 생각할 수 있다. CYP2D6 처럼, CYP2C19 또한 높은 친화력과 낮은 대사능력을 지닌 효소로서 약물농도가 낮을 때에 더 주요한 기능을 수행한다. 약물의 용량이 높아지고 투약 횟수가 잦아지면, 또는 CYP2C19 결핍이 있는 경우에는, 상대적으로 높은 대사능력과 낮은 친화력을 지닌 CYP3A4가 전체적인 약물 청소율에 더 많이 기여하게 된다. Schmider 등이[43] 계산한 바에 의하면, 일회 투약한 경우라 할지라도 다이아제팜 청소율의 대략 60%가 CYP3A4에 의존적이다. 따라서, 중국인들은 CYP3A4 활성이 낮은 경우가 상대적으로 많으므로 다이아제팜 평균 청소율이 낮다고 볼 수 있겠다. 또한, CYP3A4 및 CYP2C19의 다형성이 분리되지 않는다면, S-mephenytoin PM과 EM 사이에 유의한 다이아제팜 청소율 차이가 없었던 것도 같은 이유로 설명될 수 있겠다. '다수의 홍콩 의사들은 백인보다 중국인에게 더 적은 양의 다이아제팜을 처방한다' 는 것이 알려져 있다;[44] 이 임상전통은 실험적으로 확인된 낮은 청소율과 잘 일치한다.

약물-약물 상호작용

인종간 대사 변이를 보이는 정신과 약물을 처방할 때에는, 비 정신과 약물과 상호작용이 나타날 수 있다는 점을 염두에 두어야 한다. 위에 논의된 효소들을 통해 대사되는 물질들이 표 20(i).1에 요약되어 있다. 많은 효소들은 기질 특이성이 중복되므로, 대사의 주요 경로만을 표시했다. 어떤 기질은 효소에 의해 대사되지 않으면서 상당한 억제작용을 일으킨다는 것 또한 기억해야 한다(예를 들면, CYP2D6에 대한 퀴니딘의 작용). 특정 CYP 효소에 대해 불량한 대사능력을 가진 사람은 다른 시토크롬 동종효소에서의 약물-약물 상호작용에 더 취약한 경향이 나타날 것이다.

결론

약물대사효소의 활성은 인종에 따라 상당히 큰 차이를 보인다. 특정 약물대사효소의 활성과 임상효과 사이의 상관관계를 찾고자 했던 일부 연구들은 상이한 결과를 내놓았다. 이는 다른 약물대사

표 20(i).1 다형성 CYP 효소의 기질 일부 (Aitchison 등으로부터[2])

CYP2D6		CYP3A4			CYP1A2	CYP2C19
Haloperidol	Codeine	Haloperidol	Valproate	Cortisol	Chlorpromazine	Clozapine
Perphenazine	Dextromethorphan	Clozapine	Codeine	Prednisolone	Trifluoperazine	Olanzapine
Zuclopenthixol	Methadone	Amitriptyline	Dextromethorphan	Amiodarone	Clozapine	Amitriptyline
Thioridazine	Methamphetamine	Imipramine	Dextropropoxyphene	Diltiazem	Olanzapine	Imipramine
Risperidone	Methylenedioxyme-	Clomipramine	Orphenadrine	Nifedipine	Amitriptyline	Clomipramine
Amitriptyline	thamphetamine[a]	Fluoxetine	Erythromycin	Nimodipine	Imipramine	Moclobemide
Clomipramine	Propranolol	Fluvoxamine	Clarithromycin	Nicardipine	Clomipramine	Citalopram
Imipramine	Metoprolol	Sertraline	Doxycycline	Digitoxin	Zopiclone	Diazepam
Desipramine	Pindolol	Nefazodone	Isoniazid	Proguanil	Tacrine	Propranolol
Nortriptyline	Timolol	Trazodone	Rifampicin	Quinidine	Caffeine	Phenytoin
Fluvoxamine	Flecainide	Venlaflaxine	Trimethoprim	Cisapride	Theophylline	Ibuprofen
Paroxetine	Mexiletine	Diazepam	Testosterone	Lidocaine	Aminophylline	Diclofenac
Mianserin	Perhexiline	Midazolam	Androsterone	Terfenadine	Paracetamol/	Naproxen
Desmethylcitalopram	Propafenone	Clonazepam	Dapsone	Cyclosporin	acetaminophen	Omeprazole
Maprotiline	Metoclopramide	Alprazolam	Dehydroepiandrostendione	Ondansetron		Pantoprazole
Venlaflaxine	Orphenadrine	Zolpidem	Oestradiol	Vinblastine		Proguanil
	Ondansetron	Caffeine	Tamoxifen			Piroxicam
		Theophylline	Progesterone			
		Carbamazepine	Oral contraceptives			

[a] '엑스타시ecstacy' 라고도 알려져 있다.

효소들을 통하는, 약물대사의 대체 경로가 존재하기 때문일는지 모른다. 예를 들어, CYP2D6 혹은 CYP2C19이 결핍된 경우에는 CYP3A4가 대체 역할을 할 것이다. CYP2D6 혹은 CYP2C19 활성이 상대적으로 낮은 사람은 CYP3A4 억제제의 효과에 더욱 취약할 것이다. 한 가지 효소 결핍의 임상효과는 일관되지 않더라도 두 가지 이상의 효소 결핍은 유의한 효과를 낳을 것이라는 가정은 논리적인 생각이라 할 수 있겠다. 이러한 가정은 Rojas와 동료들의[45] 연구결과에 의해 뒷받침된다. 그들의 연구에 의하면, CYP1A1과 glutathione S-transferase M1(GSTM1) 두 가지가 모두 결핍된 흡연자는 CYP1A1 또는 GSTM1 중 한 가지만 결핍된 흡연자에 비해, 활성화된 DNA-결합 잠재적 발암성 대사물 농도가 높았던 것이다.

참조 20(i).1 약물-대사 효소(DMEs)의 인종 간 차이에 내포된 임상적 의미

- 어떤 인종은 약물-대사 효소가 두 가지 이상 결핍되어 있다.
- 두 가지 이상의 약물-대사 효소가 결핍된 사람은 이 효소들에 의해 대사되는 약물의 부작용에 훨씬 더 취약할 것으로 예상된다.
- 이와 비슷하게, 두 가지 약물-대사 효소의 활성이 과다한 경우가 있을 수 있고(이를테면, CYP2D6와 CYP1A2), 이런 사람은 이 효소에 의해 대사되는 약물에 반응하지 않을 수도 있다.
- 식품 구성성분이 약물-대사 효소의 활성에 영향을 미쳐 인종 간의 차이를 낳을 수도 있다.
- 많은 약물-대사 효소들은 기질 특이성이 중첩되며, 복잡한 약물-약물 상호작용이 나타날 수 있다. 특정 약물-대사 효소의 활성이 떨어지는 사람(낮은 대사 능력을 가진 사람)은 약물-약물 상호작용에 또는 식품 성분이 기타 약물-대사 효소에 미치는 영향에 더욱 취약할 것이다.

백인에 비해 일본인들은 CYP2D6 평균 활성이 낮고, CYP1A2 활성이 낮으며, CYP2C19 대사능력이 불량한 사람들이 많음을 이미 언급했다. 흑인 대상자들은 CYP2D6 평균 활성이 낮고, CYP3A4 촉진자의 돌변연비 발생률이 높다. 인도 아대륙의 대상자들은 CYP3A4 활성이 저하되어 있고, CYP2C19 대사능력이 불량한 사람들의 빈도가 높다. 따라서, 이러한 인종집단에 속하는 정신분열병 환자를 치료할 때에, 위의 효소들에 의해 대사되는 약물은 낮은 용량이 필요할 수 있고, 다른 부위에서의 약물-약물 상호작용에 보다 취약해지거나 음식물과 같은 환경요인의 효과가 증가할 수도 있다. 약물대사효소의 인종간 변이에 내포된 주요 임상적 의미는 참조 20(i).1에 요약했다.

참고문헌

1. Vogel F, Moderne Probleme der Humangenetik, *Ergebn Inn Med Kinderheilk* (1959) **12:**52–125.
2. Aitchison KJ, Jordan BD, Sharma T, The relevance of ethnic influences on pharmacogenetics to the treatment of psychosis, *Drug Metabol Drug Interact* (2000) **16:**15–38.
3. Dahl-Puustinen M-L, Liden A, Nordin AC, Bertilsson L, Disposition of perphenazine is related to polymorphic debrisoquin hydroxylation in human beings, *Clin Pharmacol Ther* (1989) **46:**78–81.
4. Dahl M-L, Ekqvist B, Widén J, Bertilsson L. Disposition of the neuroleptic zuclopenthixol cosegrates with the polymorphic hydroxylation of debrisoquine in humans. *Acta Psychiatr Scan* (1991) **84:**99–100.
5. Jerling M, Dahl M-L, Åberg-Wistedt A et al, The CYP2D6 genotype predicts the oral clearance of the neuroleptic agents perphenzaine and zuclopenthixol, *Clin Pharmacol Ther* (1996) **56:**423–8.
6. Lin KM, Polan RE, Ethnicity, culture, and psychopharmacology. In: Bloom FE, Kupfer DJ, eds, *Psychopharmacology: The Fourth Generation of Progress* (Raven: New York, 1995) 1907–17.
7. Aitchison KJ, Patel M, Taylor M et al, Neuroleptic sensitivity and enzyme deficiency in two schizophrenic brothers: a case report [abstract], *Schizophr*

Res (1995) **18:**140.
8. Gill M, Hawi A, Webb M, Homozygous mutation at cytochrome P4502D6 in an individual with schizophrenia: implications for antipsychotic drugs, side effects and compliance, *Ir J Psych Med* (1997) **14:**38–9.
9. Armstrong M, Daly AK, Blennerhassett R et al, Antipsychotic drug-induced movement disorders in schizophrenics in relation to CYP2D6 genotype, *Br J Psychiatry* (1997) **170:**23–6.
10. Marez D, Legrand M, Sabbagh N et al, Polymorphism of the cytochrome P450 *CYP2D6* gene in a European population: characterization of 48 mutations and 53 alleles, their frequencies and evolution, *Pharmacogenetics* (1997) **7:**193–202.
11. Droll K, Bruce-Mensah, Otton SV et al, Comparison of three CYP2D6 probe substrates and genotype in Ghanaians, Chinese and Caucasians, *Pharmacogenetics* (1998) **8:**325–33.
12. Leathart JBS, London SJ, Steward A, CYP2D6 phenotype–genotype relationships in African-Americans and Caucasians in Los Angeles, *Pharmacogenetics* (1998) **8:**529–41.
13. Bathum L, Johansson I, Ingelman-Sundberg M et al, Ultrarapid metabolism of sparteine: frequency of alleles with duplicated CYP2D6 genes in a Danish population as determined by restriction fragment length polymorphism and long polymerase chain reaction, *Pharmacogenetics* (1998) **8:**119–23.
14. Potkin SG, Shen T, Pardes H et al, Haloperidol concentrations elevated in Chinese patients, *Psychiatry Res* (1984) **12:**167–72.
15. Nyberg S, Farde L, Halldin C et al, D_2 dopamine receptor occupancy during low-dose treatment with haloperidol decanoate, *Am J Psychiatry* (1995) **152:**173–8.
16. Suzuki A, Otani K, Mihara K et al, Effects of the CYP2D6 genotype on the steady-state plasma concentrations of haloperidol and reduced haloperidol in Japanese schizophrenic patients, *Pharmacogenetics* (1997) **7:**415–18.
17. Lin KM, Polan RE, Nuccio I et al, A longitudinal assessment of haloperidol dosage and serum concentration in Asian and Caucasian schizophrenic patients, *Am J Psychiatry* (1989) **146:**1307–11.
18. Lin KM, Poland RE, Lau JK, Rubin RT, Haloperidol and prolactin concentrations in Asians and Caucasians, *J Clin Psychopharmacol* (1988) **8:**195–201.
19. Bertilsson L, Dahl M-L, Sjöqvist F et al, Molecular basis for rational megaprescribing in ultrarapid hydroxylators of debrisoquine [letter], *Lancet* (1993) **341:**63.
20. Aitchison KJ, Munro J, Wright P et al, Failure to respond to treatment with typical antipsychotics is not associated with CYP2D6 ultrarapid hydroxylation, *Br J Clin Pharmacol* (1999) **48:**388–94.
21. Ereshefsky L, Pharmacokinetics and drug interactions: update for new antipsychotics, *J Clin Psychiatry* (1996) **57(suppl 11):**12–25.
22. Ahsan CH, Renwick AG, Macklin B et al, Ethnic differences in the pharmacokinetics of oral nifedipine, *Br J Clin Pharmacol* (1991) **31:**399–403.
23. Ahsan CH, Renwick AG, Waller DG et al, The influences of dose and ethnic origins on the pharmacokinetics of nifedipine, *Clin Pharmacol Ther* (1993) **54:**329–38.
24. Yue QY, Svensson JO, Alm C, Sjöqvist F, Säwe J, Interindividual and interethnic differences in the demethylation and glucuronidation of codeine, *Br J Clin Pharmacol* (1989) **28:**629–37.
25. Yue QY, Svensson JO, Alm C, Sjöqvist F, Säwe J. Interindividual and interethnic differences in the demethylation and glucuronidation of codeine. *Br J Clin Pharmacol* (1989) **28:**629–37.
26. Rebbeck TR, Jaffe JM, Walker AH et al, Modification of clinical presentation of prostate tumors by a novel genetic variant in CYP3A4, *J Natl Cancer Inst* (1998) **90:**1225–9.
27. Pan LP, De Vriendt C, Belpaire FM, In-vitro characterization of the cytochrome P450 isoenzymes involved in the back oxidation and *N*-dealkylation of reduced haloperidol, *Pharmacogenetics* (1998) **8:**383–9.
28. Fang J, Baker GB, Silverstone PH, Coutts RT, Involvement of CYP3A4 and CYP2D6 in the metabolism of haloperidol, *Cell Mol Neurobiol* (1997) **17:**227–33.
29. Bareggi SR, Mauri M, Cavallaro R et al, Factors affecting the clinical response to haloperidol therapy in schizophrenia, *Clin Neuropharmacol* (1990) **13(Suppl 1):**S29–S34.
30. Lane H-Y, Hu O Y-P, Jann MW et al, Dextromethorphan phenotyping and haloperidol disposition in schizophrenic patients, *Psychiatry Res* (1997) **69:**105–11.
31. Funderburg LG, Vertrees JE, True JE et al, Seizure after the addition of erythromycin to clozapine treatment, *Am J Psychiatry* (1994) **151:**1840–1.
32. Le Marchand L, Franke AA, Custer L et al, Lifestyle and nutritional correlates of cytochrome CYP1A2 activity: inverse associations with plasma lutein and alpha-tocopherol, *Pharmacogenetics* (1997) **7:**11–19.
33. Nakajima M, Yokoi T, Mizutani M et al, Phenotyp-

ing of CYP1A2 in Japanese population by analysis of caffeine urinary metabolites: absence of mutation prescribing the phenotype in the CYP1A2 gene, *Cancer Epidemiol Biomarkers Prev* (1994) **3:**415–21.

34. Relling MV, Lin J-S, Ayers GD, Evans WE, Racial and gender differences in *N*-acetyltransferase, xanthine oxidase, and CYP1A2 activities, *Clin Pharmacol Ther* (1992) **52:**643–58.
35. Sinha R, Rothman N, Brown ED et al, Panfried meat containing high levels of heterocyclic aromatic amines but low levels of polycyclic aromatic hydrocarbons induces cytochrome P4501A2 activity in humans, *Cancer Res* (1994) **54:**6154–9.
36. Shader RI, Greenblatt DJ, Clozapine and fluvoxamine, a curious complexity, *J Clin Psychopharmacol* (1998) **18:**101–2.
37. Byerly MJ, DeVane CL, Pharmacokinetics of clozapine and risperidone: a review of recent literature, *J Clin Psychopharmacol* (1996) **16:**177–87.
38. Chang WH, Lin SK, Lane HY et al, Clozapine dosages and plasma drug concentrations, *J Formos Med Assoc* (1997) **96:**599–605.
39. Bender S, Eap CB, Very high cytochrome P4501A2 activity and nonresponse to clozapine, *Arch Gen Psychiatry* (1998) **55:**1048–9.
40. Price Evans DAP, Krahn P, Narayanan N, The mephenytoin (cytochrome P450 2C19) and dextromethorphan (cytochrome P450 2D6) polymorphisms in Saudi Arabians and Filipinos, *Pharmacogenetics* (1995) **5:**70.
41. Goldstein JA, Polymorphisms in human *CYP2C19.* Proceedings of the Twelfth International Symposium on Microsomes and Drug Oxidations, Montpellier, France, July 1998.
42. Bertilsson L, Geographical/interracial differences in polymorphic drug oxidation. Current state of knowledge of cytochromes P450 (CYP) 2D6 and 2C19, *Clin Pharmacokinet* (1995) **29:**192–209.
43. Schmider J, Greenblatt DJ, von Moltke LL, Shader RI, Relationship of in vitro data on drug metabolism to in vivo pharmacokinetics and drug interactions: implications for diazepam disposition in humans, *J Clin Psychopharmacol* (1996) **16:**267–72.
44. Kumana CR, Lauder IJ, Chan M et al, Differences in diazepam pharmacokinetics in Chinese and white Caucasians – relation to body lipid stores, *Eur J Clin Pharmacol* (1987) **32:**211–5.
45. Rojas M, Alexandrov K, Cascorbi I et al, High benzo[a]pyrene diol-epoxide DNA adduct levels in lung and blood cells from individuals with combined CYP1A1 *MspI/MspI-GSTM1*0/*0* genotypes, *Pharmacogenetics* (1998) **8:**109–18.

20(ii) 정신분열병에 미치는 문화적 영향

Julian Leff

내용 · 정신분열병은 문화와 관계없이 나타나는가? · 정신분열병의 발병률은 문화에 따라 다른가? · 정신분열병의 예후는 문화에 따라 다른가? · 정신분열병의 치료는 문화에 따라 다른가?

이 장에서는 문화가 정신분열병의 인식, 정신분열병의 발병률, 정신분열병의 예후와 치료에 미치는 영향을 논하고자 한다. 오해를 피하기 위해서는 문화의 정의를 짚고 넘어가야 할 필요가 있다. 백 가지 이상의 정의가 주창되었지만,[1] 이를 검토하려는 시도는 하지 않기로 한다. 대신, 간단한 정의로서 시작한다: 문화는 인간이 생물학적 개체라는 사실로부터 직접 유래한 것과는 대별되는, 인류가 건설하고 고안해낸 모든 것을 포함한다. 물론 이 정의는 생물학적으로 결정된 특성과 문화적 기원을 가진 특성을 구분하는 데에 복잡한 문제를 야기한다. 예를 들면, 개별적인 언어의 형태는 분명 양육환경에 의해 결정되는 반면, 언어의 심층구조는 인간의 뇌 속에 만들어져 있다는 설득력 있는 논쟁이 있다. 문화와 생물학의 상대적 기여도를 결정하는 복잡한 문제는 이 장에서 거듭 반복하여 다루어질 것이다.

정신분열병은 문화와 관계없이 나타나는가?

정신장애의 민속적 범주

이는 다른 문화권에서의 정신질환 빈도를 연구하기에 앞서, 반드시 대답되어야 할 질문이다. 서구 정신의학을 수련받은 전문가들이 이 문제를 연구하는 것에 대해 반론이 제기되어 왔는데, 서구의 진단체계에 맞지 않는 마음의 상태는 감지되지 않을 것이기 때문이다.[2] 이러한 취약점을 극복하기 위해, 특정 문화권 사람들은 어떤 상태를 정신장애로 간주하는가를 알아야 한다. 이를 위해 인류학적 연구 기법이 필요하다. 일반 대중과의 면담 이외에도 지역사회 지도자와 전통적 치유자에게 질문하는 것이 바람직하다. 이러한 방법으로 조사된 모든 문화권에는, 그 의미하는 바가 다소 다르기는 하지만, 광기에 해당하는 단어가 있다. 세네갈의 세레르 족(Serer)은 일곱 종류의 '영혼의 질병'을 구분하는데, 그 중의 하나가 O Dof이다 - 영혼을 공격당한 결과 광인이 되어 적대성, 흥분 및 파괴적 행동을 보이는 것을 말한다.[3] 나이지리아의 요루바 족은 *워어(were)*라는 용어를 사용하는데, 아무런 이유 없이 웃고, 자신의 옷을 찢고, 불을 지르고, 난데없이 타인을 때리는 경우를 일컫는다.[4]

에스키모 유픽 족은 *누트카비학*이라는 단어를 사용해 혼잣말을 하고, 도망 다니고, 소변을 마시며, 타인을 위협하는 사람들을 일컫는다.[4] 서구 정신의학이 출현하기 이전에 쓰여진 고전은 이러한 정보의 또 다른 출처가 된다. 최소 3,000년 전에 기록된 인도 전통의학서에는 정신병임을 알 수 있는 기술이 담겨있다.[5] 신약성서 또한 정신장애가 기술되어 있다. 마가복음과 누가복음에는 예수가 광기의 원인이라고 추정되는 악마를 쫓아 치료한 정신질환자에 대해 기술되어 있다. 그 기술로부터 추정해보면, 광인은 알몸으로 집도 없이 떠돌아다니다가 공동묘지로 되돌아오곤 했는데, 추정컨대 그곳에서 악천후를 피했을 것이리라. 광인은 난폭하여 쇠사슬에 묶여야만 했지만, 그것을 부수었다. 그의 질환은 만성적인 것으로 기술되어 있고, 광인은 아마도 어떤 음성에 반응하듯 소리를 질러댔다고 묘사되어 있으며, 돌 조각으로 자신을 베었다고 한다. 이는 자살기도 혹은 자해로 볼 수 있겠다. 이천 년 전 중동지방에서 묘사된 이 광인은 만성적인 정신병, 거의 확실히 정신분열병을 앓고 있었음을 알 수 있다.

이러한 광기의 민속적 범주는 심리적 증상보다는 주로 관찰된 행동으로 정의되는데, 전자는 면밀한 탐구를 통해서만 가능하므로 놀랄만한 일은 아니다. 현대 유럽 및 북미 일반대중이 떠올리는 정신질환자의 모습 또한 의사소통곤란, 괴이한 행동, 불량한 자기관리, 공격성, 예측 불가능성 등과 같은 행동적 측면으로 특징지어진다.[6,7] 전세계와 수 세기를 통틀어 문외한들이 인지했던 심한 정신장애의 형태는, Kraepelin이 조울 정신병에서 정신분열병을 구분해내기 이전 19세기의 광기에 대한 전문적 범주와 매우 유사하다. 그러나, Onyango가[8] 면담한 케냐의 한 전통적 치유자는 한 개의 독립된 범주로서의 조울병을 분명히 인식하고 있었다. 그 치유자는 증상의 이유가 머리 속에 들어있는 벌레 때문이라고 했으며, 다음과 같이 진술했다:

> *벌레의 몸에 털이 많아 뇌 기능에 장애가 생긴다. 머리 속의 벌레가 깨어나면, 환자는 매우 흥분하게 되고, 말이 많아지며, 목소리가 변하고 눈이 충혈된다. 반면, 벌레가 잠들면, 환자는 매우 슬퍼지고, 말을 하지 않으려 하고, 음식을 거부하며, 매우 폭력적일 수도 있다.*

문화에 따른 정신분열병의 진단

정신분열병 진단을 위한 실험실 검사가 없기 때문에, 정신분열병의 진단에 정신과 전문가들 사이에 합의가 필요하다. 따라서, 정신분열병의 진단은 그 시대의 유행이나 정신분열병의 본질에 관한 지배적 여론에 좌우되기 쉽다. 이러한 의미에서 정신분열병의 진단은 이리저리 흔들릴 수 있는, 한 시대의 정신의학 문화를 반영한다고 하겠다. 이 현상은 1970년대의 두 연구, 미:영 프로젝트와 국제 정신분열병 시범연구(IPSS)에서 두드러지게 드러났다. 미:영 프로젝트는 미국 병원과 영국 병원에서 정신분열병과 조울정신병의 첫 입원률에 크게 차이가 난다는 사실을 관찰한 후 이 현상을 연구하기 위해 설계된 것이었다.[9] 진정한 발병률의 차이가 아니라 진단방법의 차이 때문이 아니겠는가 하는 의심이 있던 터였다. 표준화된 증상과 징후 평가인 현 상태 검사(PSE)를 이용하고,[10] 가능한 한 똑같은 진단규칙을 정신병리에 적용하도록 훈련받은 연구 정신과의사들로 구성된 프로젝트 팀이 구성되었다. 대서양의 양측에서 이 팀을 이용하자, 분명했던 입원률 차이는 사라지고 말았다.[11] 미국 정신과의사들은 영국 정신과의사들보다 훨씬 광범위한 정신분열병의 개념을 가졌었고, 영국에서는 조증, 우울증, 또는 성격장애로 진단 받을만 한 많은 환자들을 정신분열병에 포함시켰던 것이다. 같은 언어를 사용하는 정신과 의사들 사이에 어떻게 이러한 틈이 생긴 것일까? 가장 중요한 원인은 당시 미국에서 득세하고 있던 정신분석에서 비롯된 것으로 보인다. 정신분석은 영국에서는 별 영향을 미치지 못하고 있던 때였다. 정신분석은 행동의 표층 아래 깔린 역동적 기제에 주목한다. 투사나 부정 등 가정할 수 있는 기제의 범위가 좁고, 이 기제들은 정신병적 증상과 신경증적 증상에서뿐만 아니라 분명한 증상이 없는 일반인에게도 흔해 보인다. 따라서, 밑바탕의 정신역동에 주목하다보면 병리에 관한 관점이 넓어지게 되므로, 당시 미국의 광범위한 정신분열병 진단 경향도 이로써 설명될 수 있다. 반면, 영국의 개념은 주로 독일 정신의학의 현상학적 접근법에 의해 형성된 것이었다.

국제 정신분열병 시범연구(IPSS)는 미:영 프로젝트와 거의 비슷한 시기에 시작되었지만, 더 큰 야망으로 정교한 방법론을 사용했다. PSE의 자료를 처리하여 표준화된 진단분류를 제공하는 Catego라는 전산화 알고리듬을 사용했던 것이다. IPSS는 9개 국가에 센터를 두었는데, 미국과 모스크바를 포함한 유럽 5개국과, 개발도상국 4개국이었다: 인도의 아그라, 콜롬비아의 칼리, 나이지리아의 이바단, 그리고 대만의 타이페이에 센터를 두었다. 각 센터마다 연속적인 100명의 정신분열병 사례를 모아 지역 정신과의사의 진단과 표준화된 PSE-Catego 진단을 비교하는 것이 목표였다. 일곱 개 센터의 정신과의사들은 정신분열병 진단에 대해 상당한 일치를 보였다.[12] 구별된 두 센터는 워싱턴과 모스크바였다. 미국 정신과의사들의 이견의 이유는 앞에서 살펴보았다. 그러나, 모스크바의 상황은 완전히 다르게 설명된다. 당시 모스크바의 정신의학는 정신의학회장이었던 Snezhnevsky 한 사람에 의해 주도되고 있었다. 그가 지도하던 정신의학계에서는 증상 자체보다 질환의 경과와 삽화 사이의 사회적 기능 수준을 진단에 더욱 중요하게 여겼다. 자주 재발하거나 삽화 사이에 사회적 적응이 저하되면, 어떤 질환이든지 정신분열병으로 분류되었다. 사회적 적응은 주로 소비에트 연방체제에 순응할 수 있는 능력으로써 평가되었다. 이 기준은 권력기관에 의해 쉽게 악용되어 반체제 인사들을 정신분열병으로 진단하기도 했다. 흥미로운 것은, 성 페테스부르크 출신 정신과의사들은 모스크바 진단기준의 이상한 성격을 알아차리고, 자신들의 개념이 유럽의 주류 관점과 비슷하다고 주장했다는 점이다.

이 두 가지의 국제적 연구에서 드러났듯이 환자만 문화의 영향을 받는 것이 아니라, 정신과 전문가도 문화적 사고와 신념에 파묻혀, 모스크바의 경우처럼 정신분열병을 포함한 정신과적 진단에 대단히 중대한 영향을 끼칠 수 있다. 모스크바의 진단 문화는 계속되는 정치적 격변의 결과에 따라 변화했고, 미국의 진단 문화는 정신분석의 이론 및 임상치료가 광범위하게 쇠퇴하면서 더 극적인 변화를 겪었다. 그러나, 우리는 정신분열병의 현 진단이 문화로부터 자유롭다고 생각해서는 안 된다. 서구의학의 지배적 사조는 생물학과 환원주의이다. 분자유전학이 정신분열병을 포함한 대부분의 질환에 대한 답을 제공해 줄 것으로 기대하고 있다. 진단체계는 이러한 사조를 반영해 개정되고 있다. 우리는 현 정신분열병 진단을 영구적이고 결론적인 것으로 수용하지 않도록 주의해야 한다. 우리가 목격해왔듯이, 정신의학적 사상의 문화는 혁명적으로 변할 수 있고, 정신분열병의 진단적 한계에 대한 오늘날의 이단적 관점이 내일은 정설이 될 수도 있다.

정신분열병의 발병률은 문화에 따라 다른가?

초기의 역학연구

구조적 면담과 표준화된 진단기법이 도입되기 전에도 특정 문화집단 내에서 정신병의 역학을 조사한 소수의 연구가 있었다. 정신분열병의 매우 높은 발병률과 매우 낮은 발병률을 보고했기에 특별히 유명해진 두 개의 연구가 있다. Böök는[13] 북극권 북부 스웨덴 지역사회를 조사하여 이례적으로 높은 정신분열병 발병률을 발견했다. 높은 발병률의 이유는, 분열성 인격을 가진 사람만이 이 지역의 혹독한 물리적 환경과 사회적 고립을 견뎌낼 수 있기 때문이라고 설명되었다. Eaton과 Weil은[14] 미국의 후터파 공동체(Hutterite community)를 조사해 매우 낮은 정신분열병 발병률을 보고했다. 이 낮은 발병률의 이유는, 밀착력 있고 지지적인 공동체 특성이 취약한 사람을 보호하여 정신분열병 발병을 막아주기 때문에, 혹은 정신분열병 소인을 지닌 사람은 강요된 친밀감을 견딜 수 없으므로 공동사회를 이탈하기 때문이라고 설명되었다. 불행히도, 당시에는 표준화된 방법론이 사용되지 않았기 때문에 흥미로운 이 연구결과를 이후의 연구들과 비교하기는 어렵다. 타당성 있는, 국제적 발병률 비교는 IPSS를 통해 실제적이고 엄격한 연구과정이 마련된 이후에야 가능한 일이 되었다.

발병률과 예후에 관한 국제적 연구

IPSS의 성공은, 야심에 찬 국가간 비교 프로젝트, 심한 정신장애의 예후 결정인자 연구(DOSMD)의 시작으로 이어졌다. 각 센터의 대상 지역에서 연구기간동안 정신과적 서비스를 찾는 모든 정신병 환자들을 수집하는 것이 연구의 목적이었다. 즉, 각 센터마다 정신분열병 환자들의 첫 접촉 비율의 비교가 가능하도록, 순수한 역학적 표본을 수집하고자 한 것이었다. 연구의 주요 관심사 중 한 가지는, 사회적 문화적 차이가 원인론에 포함되어 있을지 모른다는 가정 하에 선진국과 개발도상국간의 비율을 비교하는 것이었다.[15] 두 개의 참여 센터는 개발도상국인 나이지리아의 이바

표 20(ii).1 상이한 진단기준에 따른 정신분열병의 첫 접촉 비율(Jablensky 등으로부터)[16]

센터	인구 100 000명당 첫 접촉 비율	
	S+	non-S+
아루스	7	8
찬디가르 농촌	11	31
찬디가르 도시	9	26
더블린	9	13
호놀룰루	9	7
모스크바	12	16
나가사키	10	10
노팅험	14	8
X^2	7.7	61.8
d.f.=7	$p > 0.1$	$p < 0.000001$

단과 북부 인도의 찬디가르에 위치했다. 찬디가르는 프랑스 건축학자 Le Corbusier가 설계한 현대적 도시로서, 글을 알고 도시화된 인구가 상대적으로 많았다. 그 주변은 전통적 삶의 방식이 유지되고 있는 농촌으로 둘러싸여 있다.

개발도상국에서 포괄적인 사례-발견 연결망을 확보하는 데에는 막대한 문제점이 따른다. 정신과적 시설이 부족하고 전통적 치유자의 협조를 구해야 하는 등 여러 가지를 고려해야 하는 것이다. 결국, 이바단에서는 너무나 많은 사례를 놓치고 있다는 결론이 내려졌다. 표 20(ii).1은 나머지 센터들로부터 얻은 비율을 나타내고 있다.

좌측 행은 협의(狹義)의 정의에 의한 정신분열병의 비율을 나타낸다: Catego 체계에서의 S+로서, 슈나이더의 일급증상이 적어도 한 가지 이상 존재하는 경우이다. 우측 행은 비 슈나이더형(型) 정신분열병의 비율로서, 여기에 속한 환자들 대부분은 일급증상 없이 편집망상을 지니고 있었다. 협의의 정의에 의한 정신분열병의 발병률은 센터간에 유의한 차이를 보이지 않았음을 알 수 있다.[16] 이 놀라운 발견은 많은 관심을 끌기에 충분했는데, 전세계적으로 불변의 발병률을 보인 질환은 없었기 때문이었다. 이 결과가 옳은 것이라면, 슈나이더형 정신분열병의 원인요인은 사회적 문화적 환경의 영향을 받지 않는다는 뜻이 된다. 반면, 비-슈나이더형 정신분열병의 비율은 덴마크의 아아루스에서 가장 낮고 시골 찬디가르에서 가장 높은 양상으로 그 차이는 네 배나 되었고, 대단히 유의한 차이였다. 센터에 따라 이만큼이나 달라지는 발병률 차이는 환경요인 때문일 가능성이 매우 큰데, 과연 어떤 환경요인이 작용하는가 하는 문제는 연구대상으로 남아 있다.

정신분열병의 범주 내에서도 한 가지 유형은 시대와 문화에 따라 대단히 큰 빈도 차이를 보이는 것이 있는데, 소위 긴장형 정신분열병이 그러하다. 지난 세기에 걸쳐 긴장증은, 서구의 정신과 병동 및 종합병원 정신과 임상에서 점차 자취를 감추어갔다. 예를 들어, 런던 베들렘 왕립병원(본래는 Bedlam)의[역주9] 기록을 검토해보면, 1850년대 모든 입원의 6%에 해당하던 긴장증 비율은 1950년대에 이르러 0.5%로 감소했음을 알 수 있다. 미국 아이오와 주립정신병원의 기록에서도 비슷한 양상이 관찰된다.[17] 첫 입원 비율 연구에서는, 정신분열병 중에서 긴장증 비율이 1920-44년 사이 14.2%이던 것이 1945년과 1966년 사이에는 8.5%로 떨어져, 대단히 유의한 감소를 보였다. 이 수치가 특별히 호소력을 지니는 이유는, 첫 입원 비율은 긴장증의 소멸을 설명하던 한 가지 방법이었던 혁명적 약물치료 혹은 사회정신치료의 영향을 받지 않기 때문이다.

개발도상국에서는 상황이 사뭇 다르다. 카이로의 아인 샴스 대학병원을 1966년에 방문한 모든 정신분열병 환자 중 긴장증의 비율은 14.4%였고, 1970년대에 스리랑카 캔디 지역의 정신병원에서의 비율은 21%에 달했다.[19] DOSMD 연구는 긴장증 발생 비율에 관한, 가장 신뢰도 있는 문화간 비교 자료를 제공해준다. 개발도상국에 위치한 센터에서는 정신분열병 환자들의 10%가 긴장증이었던 데에 반해, 선진국에서는 아주 소수의 환자들만이 긴장증 진단을 받았다. 긴장증이 개발도상국에서는 여전히 창궐한 반면 서구사회에서는 실질적으로 소멸된 이유를 생물학적으로 설명하기는 어렵

역주 9 광기라는 뜻임

다. 한 가지 가능한 설명은 긴장증은 정신분열병의 비-언어적 형태라는 점이다. 모두는 아닐지언정, 긴장증의 일부 특징적 증상들은 망상이나 환각의 비-언어적 등가(等價) 증상이라고 볼 수 있다. 납굴증(waxy flexibility), 반향동작(echopraxia), 반향언어(echolalia)는 타인의 행위에 의해 부과된 환자의 행동을 나타낸다. 이러한 증상들은 조종망상의 신체적 등가 증상으로 간주될 수 있겠다. 특정한 자세나 메너리즘은 환자에게 어떤 상징적 의미를 지녔다고 생각되는 몸짓으로서, 망상의 신체적 표현으로 해석될 수 있다. 긴장증의 신체적 징후와 기타 아형 정신분열병의 심리적 증상 사이에 이와 같이 서로 상응하는 바가 있다는 사실은, 서구사회에서는 일반인들이 신체적 표현 양식을 심리적 표현 양식으로 전환한 결과로서 긴장증이 사라졌다는 추측을 뒷받침한다. 이 설명이 옳다면, 개발도상국도 점차 서구화되어감에 따라 향후 수십 년에 걸쳐 긴장증 발병률이 감소할 것이다.

소수인종집단에서의 정신분열병의 발병률

정신분열병의 역학에 관한 가장 초기 연구 중 하나였던 Faris와 Dunham의,[20] 시카고의 서로 다른 지역에서의 정신과 입원 조사를 보면, 흑인 시민이 정신분열병으로 입원하는 비율이 높았다. 백인 거주지역에 사는 흑인들이 특히 높은 비율을 보였기에, 연구자들은 사회적 고립을 원인요인의 하나로 가정했다. 그러나, 이 가정을 둘러싸고 상당한 논쟁이 진행된 결과, 사회적 하향 이동가설이 우세해졌다. 최근에는 도시 출생에서 정신분열병 발병 위험이 높다는 연구결과를 통해 이 문제가 다시 제기되고 있다.[21,22] 정신분열병의 위험이 될 만한 사회적 문화적 요인들의 가능성에 관한 연구는 소수인종집단 연구에 의해 발전했다.

다수의 초기 연구들은 영국에 거주하는 아프리카-카리브인의 정신분열병 발병률이 높다고 보고했지만,[23-25] 이는 입원 진단을 이용했거나 구조화된 면담을 이용하지 않았다는 약점을 지녔다. 구조화된 면담 및 진단 방법을 이용하여 엄격히 수행된 일련의 연구들이 최근에 발표되었다.[26-28] 각각의 연구에서는 백인 집단에 비해 아프리카-카리브인의 정신분열병 발병률이 유의하게 높다는 것이 확인되었다. 노팅험에서 수행된 Harrison의 연구에서는 그 발병률이 12-13배나 높았지만, 대상인구집단이 정확하지 않았을 가능성도 있다. 뒤이은 두 연구는 런던에서 수행된 것으로, 처음으로 자신의 인종을 밝힌 정보를 수집한 1991년 인구조사자료를 이용했다. 아프리카-카리브인의 정신분열병 발병률은 Bhugra와 동료들의 연구에서는 두 배, King의 연구에서는 네 배였다. 또한, Bhugra와 동료들의 연구에서는 아시아인과 백인 사이에 발생률 차이가 없었지만, King과 동료들의 연구에서는 아시아인의 발생률이 백인의 두 배였다. Bhugra 연구팀은 King의 팀보다 세 배나 많은 아시아인들을 수집했기에, 보다 신뢰할 만하다.

영국에서의 연구결과는 네덜란드의 한 연구에 의해 뒷받침된다.[29] 네 종류의 이주민 집단인 수리남, 네덜란드 앤틸레스, 터키, 그리고 모로코로부터의 이주민들의 정신분열병 첫 입원률을 결정하고자 연구자들은 네덜란드 국민등록 자료를 이용했다. 수리남과 앤틸레스 이주민들의 연령 층화비율은 원주민의 2-5배였다. 모로코 이주민의 젊은 남성 또한 매우 높은 비율을 보였지만, 터키 이주민은 원주민과 차이를 보이지 않았다. 이 결과는 유럽으로 이주한, 혹은 이주민에게서 태어난 아프리카-카리브인의 이례적으로 높은 정신분열병 발병률을 지지한다. 다른 이주민 집단도 높은 발병률을 보이기는 하나, 아프리카-카리브인의 취약성 수준만큼은 아니다. 이세대 집단에서도 높은 발병률이 유지되고 심지어는 증가되기도 하는 걸로 보아, 이주 경험에 따른 스트레스로 설명할 수는 없다. 서인도제도에서 수행된 세 역학연구에서는 이 인구집단의 높은 정신분열병 발병률이 나타나지 않았다.[30-32] 따라서 유럽에 거주하는 아프리카-카리브인의 높은 발생률은 물리적 사회적 환경요인으로 가장 잘 설명될 수 있다. 최근에는 영국에 거주하는 아프리카-카리브인 환자들의 부모가 아닌, 형제자매들은 동일한 조건의 백인에 비해 정신분열병 위험이 높다고 밝혀졌다.[33] 이는 독립적으로 확인된 결과였다.[34] 이 결과에 따라 몇 가지 사회문화적 환경요인이 주목받게 되었다. 사회경제적 박탈이 더 크므로, 백인보다 아프리카-카리브인들에게 더 흔할 것으로 생각되는 기대와 성취 사이의 괴리가 여기에 포함된다. 주거 영역에서 이러한 괴리의 증거가 발견된다.[35] 가능성 있는 또 다른 요인으로서 문화적 주변화가 있다. 아프리카-카리브인들은 지배적인 백인 문화에 동화되길 소망하나 거부당한다는 느낌을 갖게 되는 것이다.[36] 이러한 사회문화적 문제를 다루는 연구들이 계속 진행됨에 따라, 향후 수년 안에 어느 정도의 결론이 도출될 수 있을 것으로 기대된다.

정신분열병의 예후는 문화에 따라 다른가?

1970년대 초반부터 개발도상국에서 일련의 정신분열병 예후 연구가 수행되어왔고, 그 중 일부는 서구사회보다 좋은 예후를 암시하고 있다. 이들은 모리셔스 섬,[37] 홍콩,[38] 찬디가르,[39] 그리고 스리랑카에서[40] 수행된 연구들이다. IPSS는 2년 추적과 5년 추적을 통해 선진국보다 개발도상국에서 가장 좋은 예후를 보이는 환자들이 더 많다는 증거를 덧붙였다.[41,42] 하지만, IPSS는 역학적 표본을 수집하지 않았기에 결과 해석에 문제가 있다. 대상지역 인구집단에 기초한 DOSMD 연구에는 이런 문제점이 없다. 이 연구에 수집된 정신분열병 환자들의 2년 추적 결과는 IPSS의 결과를 확인시켜주었다.[16] 완전히 회복되어 추적 기간동안 좋은 상태를 유지함으로써 가장 좋은 예후를 보인 환자들은 개발도상국의 표본에서는 37%에 달했고, 선진국의 표본에서는 15.5%에 불과했다. 개발도상국의 표본에는 양호한 예후와 관련 있는 급성 발병 환자 비율이 높았다. Susser와 Wanderling은[43] 전구증상 없이 1주 이내에 정신병이 발현되었고 완전히 회복한 경우를 비-정동성 급성 관해성 정신병으로 정의하여 구분하고는 DOSMD 자료를 재분석했다. 연구자들은 이 환자들의 발병연령과 성별 분포가 다른 유형의 정신분열병 환자들과 유의하게 다르다는 점을 발견했고, 특별히 좋은 예후를 지닌 다른 진단적 단위일 것이라고 주장했다. 그러나, 면담자와의 접촉 1개월 이내에 발병한 경우를 제외하더라도, 개발도상국 환자들은 여전히 유의하게 더 좋은 예후를 보였다.[16] 이는 진단적 단위의 구분 이외에 또 다른 설명이 요구된다는 것을 의미한다.

개발도상국에는 의료시설이 부족하고 항정신병 약물 유지치료를 받는 환자들이 극소수이므로, 예후가 더 좋다는 결과는 다소 의심을 받아왔지만, 보다 엄격하게 수행된 연구들를 통해 누적되고 있는 결과의 일관성으로 그 타당성이 입증이 된다. 이 현상을 설명할 수 있는 많은 사회적 문화적 요인이 있을 법도 하나, 현재까지는 한 가지, 소위 가정의 감정적 분위기만이 연구되었다. 1950년대부터 친족들의 표출감정(EE)과 정신분열병의 경과 사이의 관계에 관한 연구들이 있어왔다. EE는 캠버웰 가족 면담(CFI)을 이용해 측정한다.[44,45] 환자의 질환의 발병 또는 악화 시점에 가족구성원과 면담한 것을 녹음하고, 추후에 이 녹음을 통해 EE

를 평가한다. EE의 핵심 요소는 비난, 적대감, 그리고 지나친 간섭이다. 높은 EE를 가진 친족과 동거하는 환자들은 9개월에 걸쳐, 낮은 EE 가정에 거주하는 환자들에 비해 두 배 이상의 재발률을 보였다는 최초의 연구결과는, 다수의 미국 및 유럽 연구들을 통해 거듭 확인되었다. Bebbington과 Kuipers는[46] 1,300명 이상의 환자를 포함한 이러한 연구 25개를 종합 분석했다. 그러나, 개발도상국에서 시행된 연구는 아직까지 없다. DOSMD 프로그램은 그러한 연구 기회를 제공했고, 북부 인도 찬디하르에 위치한 센터에서는 EE 연구를 프로토콜에 포함시켰다. 번역의 정확성을 평가하기 위해 역-번역 방법을 차용했고, 영어와 인도어 모두에 능통한 독립적인 정신과의사가 평가함으로써, 양 언어 사이에 면담기법의 타당도를 측정했다.[47] 첫-발병 환자 70명의 친족들은 성공적으로 평가되었고, 이들의 자료는 런던의 첫 발병 환자 자료와 비교되었다. 친족들이 적대감을 보이는 비율은 양 도시간에 비슷했지만, 찬디하르의 친족들은 런던의 친족들에 비해 적대감과 과도한 간섭을 훨씬 덜 보였다. 시골 친족들은 도시 거주자에 비해 EE의 모든 측정치 점수가 더욱 낮았다.[48] 1년 추적자료를 조사해보니, 적대감 요소만이 재발과 유의한 관련성을 보였다. 예상했던 대로, 인도 환자들은 재발률 14%로서, 29%의 재발률을 보인 런던 환자들보다 예후가 좋았다. 이러한 좋은 예후는, 높은 EE를 가진 인도 친족들의 비율이 적다는 것으로 잘 설명될 수 있었다. 높은 EE 친족 비율은 런던에서 47%였던 것에 비해, 인도에서는 23%에 불과했던 것이다.[49]

이 결과는, 찬디하르 환자 친족들의 높은 인내력 수준이 환자들의 좋은 예후를 잘 설명해준다는 것을 뜻한다. 개발도상국의 정신분열병 환자들의 90% 이상은 가족들과 동거하고 있으므로, 동일한 요인이 개발도상국 문화권 모두에 작용할 것이다. 이 결과는 몇 가지 중요한 의미를 내포하고 있다. 첫째, 시골 친족들에 비해 도시 친족들이 높은 EE를 보였다는 사실은, 개발도상국의 도시화 및 산업화가 진행될수록 정신분열병 환자의 증상과 행동에 대한 인내력이 확실히 감소할 것이며, 그 결과 환자들의 예후는 서구 환자들의 예후와 비슷해질 것임을 경고한다. 둘째, 정신분열병의 재발률을 줄이는 데에 효과적이라고 입증된 가족치료는,[50] 시간이 지날수록 중요해질는지는 몰라도, 현재의 개발도상국에서는 덜 중요하다. 셋째, 개발도상국에서 서구사회로 이주한 가정은 정신분열병 환자에 대한 전통적 인내력을 유지하고 있는가, 혹은 문화변용(acculturation)을 겪으면서 그 인내력을 상실하는가에 관한 의문이 발생한다. 이 의문은 과제로 남아 있다.

정신분열병의 치료는 문화에 따라 다른가?

전통적 치유자의 역할

비록 서구의 진단체계와는 상이한 다채로운 상태를 모아 일컫는 지역적 용어를 사용하기는 하나, 연구된 모든 문화권은 광기를 인지하고 있음을 앞에서 살펴보았다. 전통 문화의 관점에서 정신분열병의 양성증상을 보이는 모든 환자들은 광인으로 인지될 것이나, 음성증상만을 보이는 환자는 인지되지 않을 수도 있다. 이 문화권에서는 광기를 보이는 사람을 전통적 치유자에게 가장 먼저 데려간다. 부분적으로는 서구적 정신과 시설이 부족하고, 긴 여행을 통해서나 그런 시설을 이용할 수 있기 때문이기도 하나, 대개는 전통 문화의 일반적 질병 분류 때문이다.

천연두 등의 감염성 질환을 두드러지게 성공적

으로 치료한 서구 생물의학에 대한 전통 문화의 공통적 반응은, 질병을 토착질병과 서구의학에 속하는 질병으로 나눈 것이었다. 토착질병은 강력하고, 환자의 외부에 주입된 것이며, 전통적 치료에 반응하는 것으로 특징지어진다. 반면, 서구의학에 속하는 질병은 약하고, 환자의 내부에서 생겨난 것이며, 서구 의학에 반응하는 것으로 특징지어진다.[51]

생물의학의 상대적 치료효과가 떨어지는 질병상태는 토착질병의 영역에 남게 된다. 정신과적 질병상태의 전체 범위가 바로 그러하다. 결과적으로 광기에 대한 처치를 처음으로 의뢰받는 사람은 전통적 치유자고, 일부 치유자들은 정신질환을 전공하기도 한다.[52,53] 주술적 의식 이외에 전통적 치유자가 환자에게 해주는 것이 있는가? 대답은 분명히 그렇다는 것이다. 치유자는 광기를 다루는 데에 방대한 기법을 이용한다. 현대 서구인들은 사슬로 억제하는 것을 무척 꺼리지만, 인도와 아프리카의 전통적 치유자는 사지억제와 함께 약초, *라우월피아*(뱀독을 해독하는 식물뿌리)를 사용하는 것으로 알려져 있다. 서구 화학자들은 이 약초로부터 rauwolfia를 추출했던 것이다. 이 물질은 효과적인 항정신병약물로 밝혀졌고, 1950년대 초기에 서구 정신의학에 도입되었다가 곧 클로르프로마진으로 대체되었다. 생물의학이 그것과 동등한 물질을 개발하기 수천 년 전에 이미 인도의 전통의학은 특이한 항정신병 물질을 사용하고 있었다고 생각하면, 실로 놀라지 않을 수 없다. 아프리카에는 문헌기록은 없으나, 전통적 치유자들이 라우월피아를 적어도 100년 동안 사용해왔다는 증거가 있다.[52]

약물 사용과는 별도로, 일부 치유자들은 재활의 중요성을 알고 있다. 일단 문제 행동이 조절되면, 환자는 사슬에서 풀려나 치유자의 집 주변에서 조금씩 일을 시작하게 된다.[54] 효과적인 항정신병약물과 점진적인 활동 복귀를 병용하는 것은, 서구 정신의학의 가장 좋은 치료에 필적한다. 이와는 대조적으로, 전통적 치유자는 정규적으로 악령추방을 행하기도 했는데, 서구사회에서는 정신분열병 환자에게 그것을 행한 종교인은 거의 없다. 많은 전통문화는, 광기는 악령이 환자에게 씌운 결과이고 치유는 그 악령을 추방하는 것이라고 믿고 있다. 여기에 사용되는 다양한 기법의 공통점은, 극적인 형태의 대중 의식에 환자의 가족과 환자의 사회적 테두리 내 인물들을 참여시킨다는 점이다. 정신분열병에 대한 이러한 방법의 효과는 연구된 적이 없지만, 환자를 자신의 사회적 지지망 내에 통합시키는 가치는 무시되어서는 안 될 것이다.

서구사회에서의 소수인종집단

전통적 치유자가 개발도상국에 국한되어 있는 것은 아니다. 이들 중 일부는 서구로 이주하는 동포들과 동행하고, 일부는 소수인종집단이 서구에 정착한 후에 동포들을 찾아 여행하기도 한다. 게다가, 많은 서구인들은 생물의학적 서비스와 아울러, 혹은 생물의학적 서비스보다 선호하여 대체요법을 사용한다. 서구 정신과의사들은 소수인종집단에 속하는 환자의 문화적 전통을 알고 존중해야 할 필요가 있다. 이 환자들은 병원에 오기 전에 이미 전통적 치유자의 진찰을 받았을지 모른다. 세 가지 주요 사항은 특별히 기억할 필요가 있겠다. 환자는 고립된 사회적 단위가 아니다: 이미 언급했듯이, 개발도상국에서 정신분열병 환자들의 90% 이상은 가족들과 동거한다. 가족들은 당연한 일로서 환자와 동행하고 정신과 진료에 관여하길 희망한다. 프라이버시와 비밀유지 개념은 서구문화에 독특한 것으로, 문화 변용이 덜 이루어진 소수인종 구성원에게는 당황스럽고 불쾌한 것이 될 수도 있다. 앞에서 논의했듯이, 개발도상국에서 정신분열병의 예후가 더 좋은 이유의 일부는 가족의 지지적인 태도에서 비롯된다. 따라서, 환자의 진료와 치료에 가족이 관여하는 것을 긍정적으로 보아야 한다.

전통의학은 예방의 원리를 알고 있다. 타자에 의해 움직이는 사악한 마법을 물리치기 위한 요법이 처방될 수 있다. 그러나, 전통의학서에 유지치료의 개념은 발견되지 않는다. 단기간에 효력이 나지 않는 요법은 실패로 간주된다. 따라서, 소수인종집단의 환자와 가족들에게 항정신병약물의 유지요법의 중요성을 설명하는 데에 상당히 많은 주의를 기울여야 한다. 가족들이 지니고 있는 정신질환의 개념을 탐색하고, 정신분열병의 생물의학적 모형과의 차이점을 잘 조율함으로써, 순응도를 향상시킬 수 있다. 서구사회에서는 신의 존재와도 같은 의사의 지위가 더 이상 존재하지 않는다. 힘의 위계는 평준화되었고, 다수의 의사들은 고소당할까봐 두려운 나머지 방어진료를 하고 있다. 그러나, 전통적 치유자의 권위는 의문의 여지없이 유지되고 있으며, 흔히 영적 세계의 힘이 뒷받침해준다. 치유자는 전지(全知)하다고 기대된다. 내가 남아프리카에서 면담했던 한 전통적 치유자는 다음과 같은 예를 하나 설명해주었다. 세 남자가 찾아와 문간에 조용히 서있다. 그들은 잃어버린 소를 찾기 위해 찾아왔다는 사실을, 치유자가 말해주길 기대한다. 사건이나 행동에 관해 세세히 질문하는 서구의학의 접근 방식은 전통문화권에 속한 많은 환자에게 낯설게 보일 것이며, 의사 측면에서의 능력부족으로 보일 수도 있다.

결론적으로, 오늘날 소수인종집단이 없는 서구사회는 거의 없는 듯하다. 정신과의사가 정신분열병 환자들을 효과적으로 진단하고, 치료하고, 다루기 위해서는, 가능한 한 자신이 속한 지역의 문화적 전통과 신념에 익숙해져야 한다. 정신과의사도 전문가 문화의 일부분이며, 그 문화적 신념 또한 사회적 영향을 받고 시간에 따라 급변할 수 있다는 것을 잊지 않아야 하겠다.

참고문헌

1. Kroeber AL, Kluckhohn C, *Culture: A Critical Review of Concepts and Definitions* (Papers of the Peabody Museum, Cambridge: Massachusetts, 1952).
2. Kleinman A, Depression, somatisation and the new 'cross-cultural psychiatry', *Soc Sci Med* (1977) **11:**3–10.
3. Beiser M, Ravel J-L, Collomb H, Engelhoff C, Assessing psychiatric disorder among the Serer of Senegal, *J Nerv Ment Dis* (1972) **154:**141–51.
4. Murphy JM, Psychiatric labelling in cross-cultural perspective, *Science* (1976) **191:**1019–28.
5. Bhugra D, Psychiatry in ancient Indian texts: a review, *History of Psychiatry* (1992) **3:**167–86.
6. Reda S, Public perceptions of former psychiatric patients in England, *Psychiat Serv* (1996) **47:** 1253–5.
7. Wolff G, Pathare S, Craig T, Leff J, Public education for community care. A new approach, *Br J Psychiatry* (1996) **168:** 441–7.
8. Onyango PP, The views of African mental patients towards mental illness and its treatment. MA Thesis, University of Nairobi, Kenya, 1976.
9. Kramer M, Cross-national study of diagnosis of the mental disorders: origin of the problem, *Am J Psychiatry* (1969) **125:**1–11.
10. Wing JK, Cooper JE, Sartorius N, *The Measurement and Classification of Psychiatric Symptoms* (Cambridge University Press: London, 1974).
11. Cooper JE, Kendell RE, Gurland BJ et al, *Psychiatric Diagnosis in New York and London*, Maudsley Monograph No. 20 (Oxford University Press: London, 1972).
12. World Health Organization, *The International Pilot Study of Schizophrenia*, vol 1 (WHO: Geneva, 1973).
13. Böök J, A genetic and neuropsychiatric investigation of a North-Swedish population with special regard to schizophrenia and mental deficiency, *Acta Genet et Stat Med* (1953) **4:**1–139.
14. Eaton JW, Weil RJ, *Culture and Mental Disorders* (Free Press of Glencoe: New York, 1955).
15. Sartorius N, Jablensky A, Korten G et al, Early manifestations and first-contact incidence of schizophrenia in different cultures, *Psychol Med* (1986) **16:** 909–28.
16. Jablensky A, Sartorius N, Ernberg G, Anker M, Schizophrenia manifestations, incidence and course in different cultures. A World Health Organization Ten Country Study, *Psychol Med*

(1992) **20:**1–97.

17. Morrison JR, Changes in subtype diagnosis of schizophrenia: 1920–1966, *Am J Psychiatry* (1974) **131:**674–7.
18. Okasha A, Kamel M, Hassan AH, Preliminary psychiatric observations in Egypt, *Br J Psychiatry* (1968) **114:**949–55.
19. Chandrasena R, Rodrigo A, Schneider's first rank symptoms: their prevalence and diagnostic implications in an Asian population, *Br J Psychiatry* (1979) **135:**348–51.
20. Faris REL, Dunham HW, *Mental Disorders in Urban Areas* (Chicago University Press: Chicago, 1939).
21. Marcelis M, Navarro-Mateu F, Murray RM et al, Urbanisation and psychosis: a study of 1942–1978 birth cohort in the Netherlands, *Psychol Med* (1998) **28:**871–9.
22. Mortenson PB, Pedersen CB, Westergaard T et al, Effects of family history and place and season of birth on the reisk of schizophrenia, *New Engl J Med* (1999) **340:**603–8.
23. Cochrane R, Mental illness in immigrants to England and Wales, *Soc Psychiatry* (1977) **12:**25–35.
24. Rwegellera GGC, Psychiatric morbidity among West Africans and West Indians living in London, *Psychol Med* (1977) **7:**317–29.
25. Dean G, Walsh D, Downing H, Shelley E, First adminissions of native-born and immigrants to psychiatric hospitals in South-East England 1976, *Br J Psychiatry* (1981) **39:**506–12.
26. Harrison G, Owens D, Holton A et al, A prospective study of severe mental disorder in Afro-Caribbean patients, *Psychol Med* (1988) **18:**643–57.
27. King M, Coker E, Leavey G et al, Incidence of psychotic illness in London: comparison of ethnic groups, *BMJ* (1944) **39:**1115–19.
28. Bhugra D, Leff J, Mallett R et al, Incidence and outcome of schizophrenia in whites, African Caribbeans and Asians in London, *Psychol Med* (1997) **27:**791–8.
29. Selten JP, Sijben N, First admission rates for schizophrenia in immigrants to the Netherlands, *Soc Psychiatry Psychiatr Epidemiol* (1994) **29:**71–7.
30. Bhugra D, Hilwig M, Hossein B et al, First contact incidence rates of schizophrenia in Trinidad and one-year follow-up, *Br J Psychiatry* (1996) **169:**587–92.
31. Hickling F, Rodgers-Johnson P, The incidence of first contact schizophrenia in Jamaica, *Br J Psychiatry* (1995) **167:**193–6
32. Mahy GE, Mallett MR, Leff J, First-contact incidence rate of schizophrenia on the island of Barbados, *Br J Psychiatry* (1999) **175:**28–33.
33. Sugarman PA, Craufurd D, Schizophrenia and the Afro-Caribbean community, *Br J Psychiatry* (1994) **164:**474–80.
34. Hutchinson G, Takei N, Fahy T et al, Morbid risk of schizophrenia in first-degree relatives of White and African-Caribbean patients with psychosis, *Br J Psychiatry* (1996) **169:**776–80.
35. Mallett R, Leff J, Bhugra D et al, Ethnicity, goal striving and schizophrenia: a case-control study of three ethnic groups in the United Kingdom, *Soc Sci Med* submitted.
36. Leff J, The culture and identity schedule: a measure of cultural affiliation. In preparation.
37. Murphy HBM, Raman AC, The chronicity of schizophrenia in indigenous tropical peoples, *Br J Psychiatry* (1971) **118:**489–97.
38. Lo WH, Lo T, A ten-year follow-up study of Chinese schizophrenics in Hong Kong, *Br J Psychiatry* (1977) **131:**63–6.
39. Kulhara P, Wig NN, The chronicity of schizophrenia in North West India: results of a follow-up study, *Br J Psychiatry* (1978) **132:**186–90.
40. Waxler NE, Is outcome for schizophrenia better in nonindustrial societies? The case of Sri Lanka, *J Nerv Ment Dis* (1979) **167:**144–58.
41. World Health Organization, *Schizophrenia. An International Follow-up Study* (John Wiley & Sons: Chichester, 1979).
42. Leff J, Sartorius N, Jablensky A et al, The International Pilot Study of Schizophrenia: five-year follow-up findings, *Psychol Med* (1992) **22:**131–45.
43. Susser E, Wanderling J, Epidemiology of nonaffective acute remitting psychosis vs. schizophrenia, *Arch Gen Psychiatry* (1994) **51:**294–301.
44. Brown GW, Rutter M, The measurement of family activities and relationships: a methodological study, *Hum Relat* (1966) **19:**241–63.
45. Vaughn C, Leff J, The influence of family and social factors on the course of psychiatric illness: a comparison of schizophrenic and depressed neurotic patients, *Br J Psychiatry* (1976) **129:**125–37.
46. Bebbington P, Kuipers L, The predictive utility of Expressed Emotion in schizophrenia: an aggregate analysis, *Psychol Med* (1994) **24:**707–18.
47. Wig NN, Menon DK, Bedi H et al, Expressed Emotion and schizophrenia in North India. I. Cross-cultural transfer of rating of relatives' expressed emotion, *Br J Psychiatry* (1987) **151:**156–60.
48. Wig NN, Menon DK, Bedi H et al, Expressed emotion and schizophrenia in North India. II. Distribution of expressed emotion components among relatives of schizophrenic patients in Aarhus and Chandigarh, *Br J Psychiatry* (1987) **151:**160–5.
49. Leff J, Wig NN, Ghosh A et al, Expressed emotion

and schizophrenia in North India. III. Influence of relatives' expressed emotion on the course of schizophrenia in Chandigarh, *Br J Psychiatry* (1987) **151:**166–73.

50. Anderson J, Adams C, Family interventions in schizophrenia, *BMJ* (1996) **313:**505–6.
51. Orley JH, Leff JP, The effect of psychiatric education on attitudes to illness among the Ganda, *Br J Psychiatry* (1972) **12:**137–41.
52. Prince R, Indigenous Yoruba psychiatry. In: Kiev A, ed, *Magic, Faith and Healing* (Free Press of Glencoe: New York, 1964) 84–120.
53. Gatere S, Patterns of psychiatric morbidity in rural Kenya. MPhil Thesis, University of London, 1980.
54. Harding T, Psychosis in a rural West African community, *Soc Psychiatry* (1973) **8:**198–203.

21 여러 국가의 정신분열병 환자 진료체계

T Scott Stroup와 Joseph P Morrissey

내용 · 도입 · 개발도상국 · 선진국 · 요약 관찰

도입

정신분열병에 대한 현대적 이해는, 국제적으로 세계보건기구(WHO)가 수행한 비교문화 연구에 힘입은 바 크다. 국제 정신분열병 시범연구(IPSS),[1] 심한 정신장애의 예후 결정인자 연구(DOSMeD),[2,3] 그리고 국제 정신분열병 연구(ISoS)가[4] 여기에 속한다. 비록 방법론적 문제점에 상당한 비판이 있었고, 연구자들의 결과 해석에 의문이 제기되었지만,[5,6] 이 연구들은, 많은 문화권에 걸쳐 신뢰도 있게 정신분열병이라고 명명될만한 어떤 질병상태가 존재하고, 정신분열병의 예후는 선진국보다 개발도상국에서 더 좋다는 관점을 일관되게 뒷받침하고 있다.

몇 가지 가설이, 사회적 문화적 영향력이 개발도상국에서의 정신질환의 예후가 양호한 데에 이바지하는 방식을 설명하기 위해 제안되었다.[7] 이 가설들은 정신분열병의 원인론과 질병경과에 관한 개념을 만들어내기가 어렵다는 흔한 통념에 주목하면서, 확대가족과 그들의 표출감정의 영향, 정신질환자들이 보람있는 고용에 종사할 수 있는 기회, 그리고 치료 환경과 특정 치료의 성격 등에 관심을 둔다. 이 가설들 중 첫 세 가지는 이 책의 다른 부분에 논의되어 있다(제 20(ii)장 참조). 이 장에서는, 정신분열병의 예후 차이에 영향을 미칠 가능성이 있는 요인으로서, 개발도상국과 선진국의 형식적 서비스 체계간의 차이점과 유사점을 살펴보고자 한다.

우선, 한 가지 난점을 알아둘 필요가 있다. 전세계적으로 다양한 국가들의 정신분열병 진료체계에 관한 현대적이고, 포괄적이며, 일관된 기술이 없다는 점이다. 영어로 쓰여진 문헌 중에서 사용 가능한 자료들은, 개별적인 프로그램의 사례 연구, 지역적 연구 프로젝트, 일인칭 관찰, 혹은 과거 자료에 근거한 것들이 많다. 따라서, 일반적 범주와 기술(記述)에 근거한 국가적 정신분열병 진료체계의 현대적이고 정확한 자료를 수집하기가 어렵다. 여기에서는, 정신분열병의 진료체계가 국제적 역학 자료의 차이를 설명해줄 수 있는 가능성을 따져보려는 노력의 일환으로, 개발도상국과 선진국의 진료체계에 관한 전반적 특성 중 일부를 다루고자 한다. WHO 연구에 참여한 개발도상국(나이지리아, 인도)과 선진국(영국과 미국) 몇 개국을 포함할 것이며, 보완적으로 중국과 이탈리아의 경우도 살펴보겠다.

전세계의 거의 모든 국가는 공식적으로 서구 의학 및 정신보건체계를 인가하고 있다.[8] 19세기 초, 유럽 식민지화의 부산물로서 정신과적 치료의 서구 모형이 개발도상국에 전파되었다. 서구에서처럼 개발도상국에서도 수용시설이나 정신병원이 정신보건의 구심점을 형성했다. 1970년대와 1980년대를 거쳐, 또 다시 서구의 경향을 좇아, 개발도상국들은 탈수용화 및 지역사회 치료 정책을 채택했다. 이 정책은, 대형 중심화 정신병원에 전적으로 의존하던 것으로부터 지역사회에 기반한 치료프로그램으로 병원치료를 대체하는 균형잡힌 서비스 체계로의 전환을 요구하는 것이었다.[9] 개발도상국에 생물의학적 정신과학과 정신사회적 지역사회 정신보건의 발달을 주창했던 주요 공로자는 세계보건기구였다.[10]

하지만, 서구의 정신보건 프로그램을 개발도상국에 재현하려는 목표에 이의가 제기되지 않았던 것은 아니다. 예를 들어, Higginbotham은[11] 방대한 재원 투자가 가능한 선진국에 적합한 서구의 생물의학적 정신과학이, 개발도상국에서는 전국적인 서비스 전달의 표준으로서 실행될 수 없다고 주장했다. 그는 대만, 필리핀, 태국의 사례 연구에 기초하여, 엄청난 장애물들이 이 모형의 확산을 가로막고 있음을 피력했다. 그 장애물에는, 우선권이 주어진 다른 개발 과제에 비해 정신보건에 대한 정부의 지지와 지도력이 약하고; 우수 전문인력이 서구 선진국으로 빠져나가는 '두뇌 유출'이 발생하고 있고; 각 국가마다 소수 도시의 센터에 정신보건 재원이 집중되어 불균등 배분이 심하며; 제도적인 정신과학이 지역사회 접근성, 통합성, 널리 퍼진 건강 신념 및 풍습과의 연결성을 얻는 데에 실패했다는 점 등이 있다.

재원이 부족한 국가의 정신보건체계는, 불가피하게, 가장 시급한 대상을 향할 수밖에 없다-정신분열병이나 기타 주요 정신장애를 앓는, 증상이 두드러진 환자들이다. 대부분의 개발도상국들은 여전히 소수의 고립된 대형 정신병원과 대도시에 국한된 단기 임상치료에 의존하고 있고, 중간거주시설이나 정신사회적 재활 프로그램 같은 지역사회 재원은 거의 없다.[8] 대부분의 개발도상국들은 기본 정신보건 서비스를 더 넓은 인구대상에게 확대시키는 방편으로서, 지역사회에 기초한 정신과적 프로그램을 개발하기보다는 일차 진료체계를 이용하고 있다.[10] '이 국가들은 대도시권 이외의 지역에 온전하게 기능하는 (정신보건) 전달체계를 만들기에는 정치적, 경제적, 교육적, 그리고 인적 재원이 부족한 상황이다.'[11] 따라서, 일차적으로 부유한 국가들만이 정신질환의 치료뿐만 아니라 정신건강을 지향하는 훈련과 서비스를 제공할 수 있는 여유가 있는 것이다.

개발도상국

나이지리아

1998년 나이지리아의 인구는 1억6백4십만이었고, 그 이전의 20년 동안 2.7%의 년간 인구성장률을 보여왔다.[12] 나이지리아에는 세 주요 부족이 거주하고 있다: 하우사 족은 주로 북부지역에 거주하고, 요루바 족과 이그보 족은 남쪽에 거주한다. 전체적으로 주요 종교는 이슬람교이며, 특히 북부지역이 그러하다. 반면, 기독교는 남부에서 우세하다. 대부분의 인구는 시골에서 농토를 경작하며 생활한다. 1960년대 초반부터 석유생산이 국가경제의 주축을 형성해왔고, 이로써 지난 30년간 산업화와 도시화가 급속히 진행되었다. 그러나, 지난 10년간 국제유가의 하락과 정치적 파동으로 말미암아, 정부의 지역사회 정신보건 서비스 재정지출은 삭감되었다.

오늘날 나이지리아의 대부분의 정신과의사들은 도시의 삼차 기관에 근무한다.[13] 정신보건 서비스의 제공은 주로 병원이 담당한다; 종합병원이나 일차진료기관에서 사용할 수 있는 정신과적 서비스는 대단히 부족하다. 1990년 정신과적 서비스를 제공하는 병원은 모두 27개였고, 정신보건전문가는 대략 2000명이었다.[14] 10개의 주립 정신병원, 9개의 대학교육병원, 4개의 종합병원 정신과, 그리고 4개의 전문병원이었다. 전문가의 90% 이상은 정신과 간호사였고, 6%는 정신과의사 혹은 의사, 4%는 사회사업가나 심리학자였다. 나이지리아에는 유럽이나 미국에서 볼 수 있는, 지역사회에 기반한 정신보건센터가 없다. 매우 기본적인 의학적 정신과적 수련을 받는 보건인력이 대부분의 일차진료기관에 근무한다.

국민의 상당 비율이 정신질환의 치료에 대해서는 전통적 종교적 치유자를 선호한다. 진료경로 연구에 의하면, 정신분열병 및 기타 정신질환을 지닌 많은 환자들이 우선적으로 전통적 혹은 종교적 치유자의 진료를 받은 후에야(흔히 상당히 오랜 기간동안) 정신과 시설을 찾았다고 한다.[13,15,16] 전통적 치유자를 정신과적 진료체계 속에 포함시키고 그들의 의뢰기술을 향상시키기 위한 노력이 있어왔다.

선진국에서 볼 수 있는 조직화된 사회복지 서비스가 부족하기에, 정신질환자에게 사회적 지지를 제공해주는 유일한 기반은 확대가족뿐이다.[17] 1950년대, 아로마을체계라는 것이 대단한 갈채 속에 탄생했는데, 이는 심한 정신질환으로 입원한 환자들의 가족을 치료에 참여시키기 위한 혁신적인 노력이었다.[18,19] 길(Gheel)과 유사한[역주10] 이 모형은 두 가지 생각에 기초한 것이었다: (1) 명확한 역할과 상호 의무를 지시하는 밀접한 혈연관계의 존재; 그리고 (2) 지역적 풍습을 고려한 가장 단순한 치료 방법의 필요성이었다. 이 마을체계는 낮병원 프로그램으로 시작하여 마을에 기초한 포괄적 서비스 체계로 발전했다. 처음에는 아베오쿠타에 개원(開院)한 200병상의 아로병원 주변의 네 개 마을이 참여했다. 건강한 친척이 환자와 동거하면서 환자의 기본적 요구(음식, 세탁 등)를 보살펴주고 아침에 환자를 병원으로 데려왔다가 저녁에 데려간다는 조건으로, 각 환자들은 마을에 입주할 수 있었다. 각 마을은 200-300명의 환자들을 수용할 수 있었고, 환자들은 스태프와 가족들이 집에 돌아가도 괜찮겠다고 만족할 때까지 머무를 수 있었다. 곧 마을에는 진료소가 들어섰고, 병원에 가지 않고 마을 지역사회 내에서 치료할 것을 강조하게 되었다. 전통적 치유자는 환자들을 위한 사회적 활동 및 집단 활동을 개발하는 데에 종사했다. 마을 원로들과 병원 스태프는 진료소 및 공중보건사업을 계획하고 운영하기 위한 건강 자문회의를 개최하기도 했다.

엄격한 비교 연구가 수행된 적은 없지만, 환자의 사회적 통합과 수용이 확대되고, 상대적으로 회복이 빠르고, 사회적 장해 위험이 감소하며, 비용이 저렴하다는 것이 마을체계의 이점으로 간주되었다.[19] 이러한 장점으로 인해, 마을체계는 아프리카 다른 국가들로 널리 퍼지게 되었다.

나이지리아에서 계획했던 이 프로그램의 전국적 확대는 1980년대 중반까지 이루어지지 않았고, 이

역주 10 Gheel, 북부 벨기에 안트워프 지방의 공동체로서 독특한 가족치료체계로 유명하다.

당시에는 원래 프로그램에 참여했었던 마을 중 오직 한 마을만이 계속 유지되고 있었다.[17,19] 마을체계가 아로Aro에서 쇠퇴한 이유로는, 인사(人事)변동과 재정부족 등 여러 가지를 들 수 있겠다. Jegede는[19] 다수의 사회적 변화가 결합하여 마을체계의 농업적 기반을 잠식했음을 지적한다. 이 중에서도 도시화, 임금경제의 성장, 그리고 이러한 변화에 수반하여 환자와 함께 시골을 여행하고 무한정 머무를 수 있는 친척을 찾기가 어려워졌다는 점 등이 주요하게 작용했다.

서구와 마찬가지로, 심한 정신질환자 중 가족들과의 연결이 두절되고 기타 사회적 지지를 상실한 노숙자들의 문제가 1980년대 초반부터 점차 증가하고 있다.[17] Odejide 등은[20] 이 상황을 다음과 같이 묘사한다:

> *잦은 재발 때문에 친척들뿐만 아니라 사회 전체가 그들을 멀리한다. 목적 없이 길거리를 배회하고, 아무 곳에서나 잠을 자고, 버려진 음식을 먹도록 남겨지는 것이다. 떠돌이 정신병자가 되지 않으면, 장기 병원에 버려진다. 친척들이 해방을 얻는 한 방법인 셈이다. 이 범주에 속하는 환자들 또한 사회적 불명예를 짊어지게 된다. 질병의 성격은 고려되지 않은 채, 직업을 잃고, 이혼 당하고, 교도소에 수감되는 것이다.*

Asuni가[21] 최근 나이지리아에서의 정신분열병 환자들의 보호, 치료, 재활에 관해 보고한 바에 의하면, 최근 몇 년 사이에 심한 정신질환자의 치료는 개선되었지만, 아직 주요과제가 남아 있다고 한다. 전통적 종교적 치유방법은 여전히 넓은 신뢰와 인정을 받고 있다. 정신분열병 환자들은 일차적으로 주립 정신병원에서, 흔히 비자발적으로 치료받고 있으며, 조직화된 정신사회적 재활 프로그램은 도시의 센터에서만 제한적으로 이용되고 있다고 한다. 나이지리아에서의 항정신병약물의 비용은 외래 정신분열병 환자들의 질병 평균 전체비용의 53%에 달한다고 보고되어 있어, 유럽의 2-5%와 대조를 이루고 있다.[22] 나이지리아에서는, 사회복지 프로그램과 요양원이 부족한 탓에 정신분열병의 비용으로 지불되는 주 예산을 줄일 수야 있겠지만, 경제적 궁핍에 시달리는 많은 친족들은 치료비용의 부담을 떠맡아야 한다.

인도

1998년 인도 인구는 9억8천2백2십만이었고, 1978-98년 사이 년간 인구성장률은 2%였다.[12] 인도는 '[대부분이 농촌에 거주하는] 인구를 지닌... 방대한 다(多)인종성의, 농업적, 비종교적, 민주주의 개발국가' 라고 기술되어 있다.[23] 1990년 국가정신보건 인적 재원은 1,500명의 정신과의사와 1,500명의 임상심리학자 및 정신과 사회사업가를 합쳐 대략 3,000명 가량이었다. 42개의 주립병원이 있어 수용능력은 모두 합쳐 25,000 병상이다. 정신보건전문가 1명당 인구 266,000명, 정신병원 1병상당 인구 32,500명에 해당하는 셈이다. 주요 도시지역에는 종합병원 정신과가 있어, 대개 급성 정신약물학적 치료를 제공하고 있다. 심한 정신질환의 유병률에 관한 전국적인 역학 자료는 없지만, 갖가지 지역적 조사에 근거해 추정해보면, 1000명당 5명(4,000,000명)이 서비스를 긴급히 요하는 심한 정신질환을 앓고 있다.[23]

1987년, 국가정신건강프로그램(NMHP)이 제정되었다. 이는 정신보건을 개발도상국에 확대시키고자 했던, 수년간의 WHO 공동연구에 자극 받은 바 컸다.[10] NMHP는 일차진료에서의 정신보건서비스와, 정신건강문제를 일차적으로 처치하는 역할의 일차진료인력의 교육, 그리고 정신보건서비스 개발에 지역사회의 참여 촉진을 통합하고 탈중심화함으로써, 모두가 정신보건을 이용할 수 있게 하고자 했다. 그러나, 충족되어야 할 요구에 비하면, 이 계획에 편성된 예산은 너무나도 적은 것이었다.[23]

심한 정신질환자들이 재활치료를 받을 수 있는, 조직화되고 지역사회에 기초한 서비스는 턱없이 모자란다. 대부분의 정신병원에는 원내(院內) 직업재활 및 작업재활 프로그램이 있다.[24] 몇몇 교육센터들(예를 들면, 뱅갈로르의 국립 정신보건 및 신경과학원, 랜치의 중앙정신과학원, 마드라스의 정신보건원)은 각각 100-150명의 수용능력을 지니고 직업재활 및 정신사회적 재활 프로그램을 운영한다. 심한 정신질환자들을 돕는 자원봉사도 물론 있지만, 대부분은 도시지역에서 활동하고 재정이 불량하다.

심한 정신질환자를 위한 공공 정책은 인도 사회의 내부 갈등과 복잡하게 얽혀있다.[23] 다른 개발도상국들과 마찬가지로, 적절하고, 비용-효과적이며, 쉽게 적용할 수 있는 재활 모형은 없다. 선진국에 비해 인력과 재정적 재원이 심한 불균등을 보이기 때문에, 서구적 모형이 인도에 이식되긴 어렵다.[11] 이러한 상황은, 국가적 빈곤, 부적절한 주거, 실업, 정신질환에 대한 사회의 부정적 태도, 전통적 치유자에 대한 만연한 신뢰, 문맹, 극심히 불균등한 인력과 시설의 지리적 분포, 장기간 이 환자들을 치료하는 데에 대한 전문가들의 무관심 등으로 더욱 악화된다.[23]

이토록 어려워 보이는 장애와 난관에도 불구하고, 전국에 걸쳐 몇 군데 지역에서 혁신적인 지역사회 치료 및 재활 프로그램이 개발되었다.[23,34] 이 프로젝트는 정신보건의 하부구조를 추가적으로 생산해내지 않는 대신, 한 마을 또는 그 이웃마을에 이미 존재하는 인력을 활용하고자 했다. 보건관계자, 마을 지도자, 고용인, 토착 치유자, 그리고 가족 구성원들이 여기에 속한다.

중국

1998년 중국의 인구는 12억5천5백만이었고, 1978-98년 사이 년간 인구성장률은 1.3%였다.[12] 세계 최고의 인구를 가졌기에, 중국은 그 어느 국가보다 많은 정신분열병 환자들이 있을 것이다. 많은 부분이 발달하고 있고 몇 개의 대도시 지역이 생겨났지만, 대다수의 중국 시민들은 시골지역에서 살아가고 있다. 상하이 및 일부 대도시에는 서비스체계가 상대적으로 잘 발달되어 있지만, 정신보건치료의 가용성은 전국에 걸쳐 심하게 제한되어 있다.[25] 정신과적 서비스는 일반적으로 도시지역에 위치한 정신병원에서 제공되고 있다.[25]

Pearson은[26] 정신질환자의 80% 이상이 치료를 받지 못하고 있으며, 95%에게는 입원이 불가능하다는 중국의 조사를 인용한다. 중국에서는 정신질환자에 대한 낙인이 너무나 심하므로, 경미한 정신장애를 가진 사람들은 치료를 찾아 나서지 않으며,[27] 정신분열병 환자의 가족들은 가족 중에 환자가 있다는 사실을 숨긴다.[26]

중앙권력을 지니지 않은 국가 행정부처에서 정신보건서비스를 제공하므로, 체계의 수용능력이나 서비스 제공자의 수에 관한 신빙성 있는 자료는 없다.[25] 가장 그럴 듯한 추정치는 인구 10,000명당 정신병원 병상 1.1개이다.[25] 중국 정신과의사가 진료한 대부분의 환자는 정신분열병으로 진단된다.[26,27] 형식적인 정신보건서비스는 오직 의사와 간호사에 의해서만 제공된다. 1950년대 초반부터 사회과학을 금지해온 정치적 정책으로 인해, 심리학자, 사회사업가, 혹은 작업치료사는 사실상 없다.[26] 정신과 및 정신보건 간호사는 낮은 신분의 직종이다.[28] 사회과학이 금지된 한편, 전문가들은 1949년 이후에 주로 발달한 생물학적 치료 모형에

의존하고 있다.[26]

중국의 정신보건은 개인적 관심보다 집단적 관심을 계속 강조해왔다. 따라서, 재활보다는 위험행동을 조절하고, 사회적 문제를 줄이고, 재발을 방지하는 데에 더 우선권을 둔다. 그러나, 우선되는 장소 및 정신보건서비스의 목표로서의 지역사회치료와 재활치료가 환자수용이나 사회붕괴의 통제를 대체했다는 것이 중국의 공식적인 태도이다.[25]

문화혁명의 여파로 1978년 시작된 경제개혁은 중국의 오랜 경향을 지속시켰고, 보건서비스의 경제적 배분을 강화시켰다. 의학적 치료가 무료이거나 보편적인 것은 결코 아니었지만, 1978년 이전에는 가격조절과 정부 보조금이 있었다. 이 사실은, 다른 사업처럼 병원이 경제적 자립을 위해 기능해야 하는 현재보다 과거에 치료가 더 쉽게 제공될 수 있었음을 뜻한다.[27] Phillips와 동료들은[27] 1984년과 1993년 사이에 입원비용과 정신과 치료비용이 급격하게 상승했음을 언급했다.

병원이 자급자족하게 되자, 돈 많은 환자들을 대상으로 한 경쟁이 나타났고, 돈을 벌 수 있는 치료, 이를테면, 약물이나 전기경련요법 등을 제공할 수 있는 병원과 의사들이 장려되는 분위기가 되었다.[25] 입원을 연장시키면 이득이 된다. Phillips와 동료들은[27] 자가부담 환자들보다 보험 환자들의 입원기간이 더 길었음을 언급했다. 지역사회치료는 이윤을 낼 가능성이 떨어지는 까닭에, 그리고 특히, 더 수익성이 좋은 입원서비스에 대한 요구가 줄어들 수 있기에, 병원으로서는 이러한 서비스를 제공하는 데에 매력을 느끼지 못한다.[25]

중국의 건강보험은 고용과 연결되어 있다. 국민의 10-15%만이 정신과 입원비용지불을 포함한 종합건강보험 혜택을 받는다.[25] Pearson은,[26] 아직은 사회주의 국가인 중국에서, 만성질환과 장해를 지닌 사람들이 치료에 접근하기가 가장 어려운 현상황-비록 어느 나라나 친숙한 주제이긴 하나-에 놓여있다는 것은 아이러니임을 지적한다.

중국의 모든 정신병원은 사실상 독립적이다 - 종합병원에는 정신과 병동이 없다.[27] 대부분의 재원이 입원치료에 할당되지만, 병원의 병상 수는 턱없이 부족하다고 보고되고 있다.[26] 앞부분에 언급했던, 인구 100,000명당 정신과 병상 11개라는 수치는 정신분열병 환자들의 대규모 수용이 없다는 것을 뜻한다. 그러나, 이는 의도적인 정책 때문이라기보다는 재원이 부족한 탓에 생긴 결과인 것이다.[25]

지역사회에 기초한 치료의 이용은 극히 제한되어 있다 - 대도시 센터 중 일부에서 서비스 프로그램을 운영하기도 하나, 이는 극히 드문 경우에 해당된다.[29] 농촌에는 그런 서비스가 '사실상 존재하지 않는다.'[25] 중국에서는 만성 정신분열병 환자들의 90% 이상이 가족과 동거한다.[27] 1978년부터 시작된 극적인 치료비 인상과 보험적용범위의 축소는, 정신분열병 환자들의 장기치료에 핵심역할을 담당할 가족들에게 엄청난 부담을 지웠다.[25]

소수의 모형 프로그램 이외의 재활서비스 또한 극히 드물다. 공식적인 정책은 재활에 비중을 두고 있지만, 재정부족으로 인해 달라진 것은 없다. Pearson과 Phillips는[25] 중국의 재활치료는 정신사회적 재활이라기보다는 작업재활임을 보고했다 - 사회로의 재통합의 목적이 직업인 것이다. 중국 헌법에는, 노동은 모든 중국시민의 권리이자 의무라고 명시되어 있다. 가족과 동거하는 것이 사회적 덕목이므로, 정신분열병 환자가 독립적으로 살아갈 수 있게 도와주는 서구적 목표는 중국에 적합하지 않다.

선진국

영국

1998년 영국 인구는 5천8백6십4만9천이었고,

1978-98년 사이 년간 인구성장률은 0.2%였다.[12] 정신분열병 환자들은 다양한 상황 속에서 여러 종류의 공식적 비공식적 조직망으로부터 치료받고 있다.[30] 병원서비스는 국립의료서비스(NHS)로부터 기금을 지원받는다. 여기에는 입원치료, 낮병원, 외래치료, 저장형 주사제 투약 진료소 등이 포함된다. 지역사회치료는 일반의, 지역사회 정신과 간호사, 그리고 주간보호를 통해 제공된다. 사회사업가, 보호시설, 비공식적 보호자(대개는 가족들), 민간부문기관(공공기관과의 계약을 통해 치료를 제공하거나 자비 부담하는 환자들을 치료함), 그리고 자원봉사단체는 또 다른 치료의 출처가 된다.

1949년부터 영국의 정신과적 서비스는 NHS를 통해 제공되었는데, NHS는 모든 국민들에게 무상으로 서비스를 제공한다. 잉글랜드과 웨일즈에서 1992-93년 사이 정신분열병의 직접비용은 NHS와 성인사회보장지출의 2.8%였다. 다른 산업국의 정신분열병 지출비율과 거의 비슷한 수치이다.[30,31]

1990년의 국립의료서비스와 지역사회치료에 관한 법령은 1993년에 이행되었다.[32,33] 이때부터 정신질환자의 지역사회치료에 대한 책임을 보건부와 사회복지부가 공동으로 맡아 요구평가와 사례관리를 담당해오고 있다. NHS와 사회보장부가 주관하는 지역사회정신보건센터 및 주간센터에서는 외래치료를 제공한다. 지역사회치료가 권장되고 있지만, 그 기금은 부족한 실정이다. 이미 자금이 부족한 병원 재정을 전환할 수는 없기 때문에, 지역사회치료 프로그램을 향상시키기 위해서는 추가예산 할당이 필요할 것이다.

미국에서 관찰되는 양상과 매우 유사하게, 영국의 대형 정신병원의 입원수용은 1955년에 최고에 달했다. 당시의 입원 환자 수는 대략 150,000명이었다. 1990년대 중반까지 이 수치는 50,000명 정도로 감소했다.[32] 현재 대형 NHS 병원은 시대에 뒤떨어졌고, 기금도 부족하다.[32] 1980년대 후반과 1990년대에 많은 병원들이 문닫았고, 대부분은 다양한 서비스를 필요로 하는 환자들을 남겨 놓았다. Rogers와 Pilgrim은,[32] '빅토리아 시대의 수용시설' 로부터 지역 종합병원으로 전환되긴 했지만, 영국의 정신과학은 여전히 병원-지향적이라고 주장했다. 그들은 NHS 정신보건예산의 90%가 병원에 할당된다는 사실을 지적했다.

Knapp은,[30] 비록 정신분열병 환자들의 44%가 병원의 정신과 전문진료를 받긴 하나, 가장 많이 이용되는 서비스는 일반의(一般醫)로부터 제공되는 것(55%)이라고 보고한다. 21%의 정신분열병 환자들만이 지역사회 정신과 간호사(CPNs)를 찾는다.

임의의 시점에서 정신분열병 환자들의 13%는 입원 중이고,[34] 이들의 삼분의 이는 장기 입원병동에 있다고 한다. 이를 보고한 저자들에 의하면, 치료 중인 정신분열병 환자들의 55%가 집에 살고 있고, 16%는 보호시설에 거주하고 있다고 한다. 영국에서의 정신분열병 환자들의 주거에는 갖가지 형태가 있다. 60%의 환자들은 가족들과 동거하고 있다.[35] 기타의 형태에는 거주보호, 요양소, 집단거주 등이 있다.

미국

1998년 미국 인구는 2억7천4백만이었고, 1978-98년 사이 년간 인구성장률은 1.0%였다.[12] 미국의 정신보건체계가 상대적으로 높은 비용을 지출하고, 서비스들이 파편화되어 있으며, 기타 의료분야로부터 고립되어 있다는 점은 주목할만하다. 개발도상국가와는 달리, 미국에서는 공식적인 서비스체계에서 가장 흔히 접하는 진단이 정신분열병이 아니다. 그러나, 직접의료비지출에서 정신분열병이 차지하는 비율은 높다. Rice에[31] 의하면, 질병으로 인한 모든 개인보건지출의 3%가 정신분열병으로 인한 것이라고 하며, 이는 다른 선진국과 비슷한 비율이다.

개인건강보험은 고용과 직결되어 있지만, 미국에는 정부가 후원하는 두 가지 프로그램이 있다 - 사회보험 프로그램(메디케어)과 공적부조(公的扶助) 프로그램(메디케이드)이다. 이 프로그램들은 정신분열병을 지닌 장애자들 다수를 적용범위에 포함하고 있다. 재향군인 관리국에서도 정신분열병을 지닌 제대군인들을 위한 정신과적 서비스를 제공하고 있다. 이렇게 다양한 서비스가 제공되고 있음에도 불구하고, 1999년에 미국에서 의료혜택을 받지 못했던 사람들은 4천3백만에 이르렀다. 보험이 적용되지 않는 이 사람들은 주와 지역에서 기금을 지원하는 기관을 통해서만, 혹은 비일관적으로 기타 자선단체를 통해서만 체계적인 정신과적 치료를 받을 수 있다.

지역사회정신보건센터(CMHCs) 및 주립병원은 정신분열병 환자들의 공공지원서비스가 시행되는 일차 장소가 된다. 메디케이드 같은 공적부조 프로그램과 메디케어 같은 사회보험 프로그램의 민영화는 서비스의 파편화를 심화시켰다. 의료서비스를 제공하기로 계약한 공급자들은 많은 정신분열병 환자들이 필요로 할만한 사회 서비스를 제공하고자하는 의욕이 없다.

20세기 후반기에 주립정신병원에 입원해있던 환자 수는 극적으로 감소했다. 이 탈수용화는 1955년에 500,000명이었던 입원환자 수를 1990년대에는 100,000명으로 끌어내렸다. 입원수용으로부터 종합병원 및 민간전문병원의 정신과 병동 급성 치료모형으로 전환된 것이었다.

외래치료 또한 다양한 기관에서 제공되는데, 여기에는 교육병원, CMHCs, 개인의원, 그리고 재향군인 관리국(VA)이나 주립병원과 연계된 진료소 등이 있다. 적극적인 지역사회 치료팀은 상대적으로 드물지만, 일부 주에서는 이를 의무화하고 있다.

Torrey에[36] 의하면, 미국에서는 정신분열병 환자들의 40%가 가족과 동거하고 있다. 거주 서비스의 활용은 지리적 위치에 따라 대단히 큰 차이를 보인다 - 주립 정신보건국을 통해 방대한 범위의 서비스를 제공하는 주가 있는가 하면, 일부 주는 감독이 소홀하고 수련이 부족한 인력을 활용하는 요양소나 보호소에 의존하기도 한다.

이탈리아

1978년 이탈리아는 국가정신보건법을 제정했는데, 이는 현대적 서구 정신보건정책의 가장 근본적 전환으로서 환영받았다.[37,38] 정신보건법(Law 180)은 수용시설이 없는 공공정신보건체계 개발을 명시하고 있다. 법령은 1981년 1월 이후 공공 정신병원(주립 수용시설)에 새로 입원하는 것을 금지시켜 강제입원을 더욱 어렵게 만들었고, 과거 수용시설 기능을 대체할 수 있게 지역사회에 기반한 서비스(종합병원과 지역사회정신보건센터에 15병상 규모의 정신과 병동을 둘 것) 개발을 요구했다. 수용 격리와 통제로부터, 정신분열병 환자들의 재활, 그리고 환자들을 지역사회 및 사회적 생활의 모든 측면 속에 재통합시키는 방향으로 전환하고자 한 목표에 따른 것이었다. 이 법령의 제정은 1970년대 이탈리아의 광범위한 사회개혁의 일부였다. 같은 해에 국가건강보험법이 통과되었고, 산업안전개혁, 이혼과 낙태에 관한 법률의 극적인 개정, 그리고 이탈리아 국립보건서비스의 도입 모두가 그 개혁의 성과들이다.[37]

정신과적 개혁의 기원은 1960년대의 구 수용시설체계 내에서 비롯된다. 고리찌아 및 트리에스테의 국립정신병원 의학감독관이었던 Franco Basalglia가[39] 이끌던 일군의 정신의학자들은 개방병동, 치료적 공동체, 그리고 환자노동협동조합을 도입하기 시작했다. 이 운동은 점차 확산되면서, 정부관료주의의 저항과 관성을 극복하고자 하는 노력으로 정치화되었다. 1972년, 개혁자들은 대중의 지지와 정신과 개혁의 전국적 확대를 얻기 위해 *민주주의 정신의학*(민주주의 정신의학 협회)을 창립했다. 이탈리아 정신보건체계가 작동하는 방식에 근본적인 법적 정치적 변화를 이끌어낼 만한 정치적 역량을 확보하기 위해, 좌파인사 및 북부 이탈리아 산업지역 공산당과의 동맹이 형성되었다.

Law 180이 통과한지 20년이 지난 지금, 이러한 노력은 성공했다고 볼 수 있는가? 무작위 할당, 표준적 치료, 독립적 평가자에 의한 추적을 통한 대조군 연구는 수행된 바 없다.[40] 대부분의 증거는, 정신보건전달의 국가적 경향 분석 및 북부 이탈리아의 두 개의 사례 등록에서 찾아볼 수 있다. 북부 이탈리아에서는 정신보건서비스의 종합적인 연결망을 구축하려는 공동의 노력이 있었던 것이다.[41] 이러한 출처에 있는 증거들에 의하면, 이탈리아 정신보건서비스에는 분명 극적인 변화가 나타났다. 하지만, 그 결과는 1978년의 개혁목표에 미치지는 못한다.

법령을 이행할 책임은 20개 지역정부에 할당되었는데, 각 정부는 상당한 행정 자율권을 지니고 있지만, 지정학적, 사회경제학적, 그리고 정치적 특성은 모두가 제 각각이었다. 결과적으로, 남부지역(농촌지역)보다 중부 및 북부지역(산업지역)에서 법령 이행이 더 잘 진행되었다. (1978년 이전에는, 남부지역에 비해 중부 및 북부지역에서 공공 병원에 입원한 환자 수가 더 많았다.) 서비스 또한 대도시지역보다 중소도시에서 더 광범위하게 활용되고 있다. 1980년대 및 1990년대 초반의 정치불안과 경제침체로 정부 보조금이 감소했고, 이로 인해 지역사회서비스의 발달과 확산은 무뎌지고 말았다.[37,38,42]

입원 서비스의 이용 양상 또한 1978년 이후 크게 달라졌다.[38,41] 정신과 병상 이용이 1975년에 인구 100,000명당 478병상이던 것이 1987년에는 인구 100,000명당 278병상으로 감소했다(-42%). 게다가, 이 병상들의 위치는 공공 정신병원으로부터 종합병원 정신과 병동으로 옮겨졌다. 1979년에는 종합병원의 정신과 입원이 62,000건이었으나; 1987년에는 92,000건이었다(48% 증가). 민간정신병원의 이용은(일차적으로 공공기금으로 지원되며, 공공 정신병원과 비슷한 역할을 함) 1977년에 최고에 달해 50,000건의 입원을 보였고, 입원 환자 수는 이후 10년에 걸쳐 서서히 감소 추세에 있지만, 상대적으로 일정하게 유지되고 있다. 비록 Law 180의 제정으로 공공 정신병원에 새로 입원하는 것이 차단되었지만, 이 병원들이 모두 사라진 것을 아니었다. 1987년에는 약 25,400명의 입원환자들이 여전히 공공 정신병원에서 치료받고 있었으며, 비록 법으로는 금지되었지만, 같은 해에 이들 기관에 새로 입원한 건수는 14,000에 달했다.[41] 일부 보고에 의하면, 여기에 남아 있는 환자들은 대부분이 고령의 장기입원 환자들로서 기질성 정신장애와 상당한 사회적 장해를 지닌 사람의 비율이 높았다.

외래 서비스 부문에서는 1978년과 1984년 사이 지역사회정신보건센터(CMHCs)가 249개소에서 674개소로 급격히 증가했다(171%).[41] CMHCs에 관한 전국적 자료는 수집되지 않았고, 신뢰할만한 설명은 1984년의 특별조사자료에 의존하고 있다. 그 당시에는 CMHCs를 찾는 대부분의 환자들이 심하고/심하거나 만성적인 정신장애를 지니고 있었다. 일부지역, 특히 부부에서는, CMHCs가 진료소 및 가정치료, 재활서비스, 주거보조 등을 포함한 완전히 통합된 지역사회정신보건서비스를 제공하고 있었다.[38] 이들 지역에서는 공공 정신병원 이용이 거의 자취를 감추었다. 다른 지역들, 특히 남부지역에는 CMHCs가 매우 드물었고, 그나마도 훨씬 포괄적이지 못한 서비스를 제공하고 있었다. 이들 지역에서는 정신병원이나 기타 입원시설에 의존하는 비율이 높았다.[38]

지역사회 거주치료 부문을 살펴보면, 1984년 말에 모두 248개소의 주거보호시설(대부분의 공공시설)이 있었다.[38] 평균적으로 한 개 시설당 12명을 수용할 수 있었고, 전국적으로 합치면 약 3,000병상의 수용능력이었다. 이들 시설의 절반 이상은 북부에 위치하고 있었다. 치료의 수준은 고도 감독수준(24시간/일), 중등도 감독수준(9-18시간/일), 그리고 경도 감독수준(4-8시간/일) 모두에 거의 균등하게 배분되어 있었다. 대부분의 스태프는 예전에 공공 정신병원에서 일하던 간호사들로 구성되어 있었다. 이들 시설은 사회기술 및 일상생활기술, 기타 재활과제 등의 치료를 제공했다. 일부 연구들은 이들 시설에 장기 거주하는 환자들의 수에 대한 우려 및 과거의 수용시설을 닮아갈 것이라는 전망에 관한 우려를 제기했다.

노동자협동조합은 민주주의 정신의학 운동이 낳은 또 다른 혁명으로서, 기존의 공공 정신병원이 환자의 노동력을 착취하는 것을 중단시키고자 했다.[38] 1985년까지 모두 합쳐 1400명의 회원이 50개 조합에 가입해 있었다: 북부에 19개, 중부에 23개, 남부에 8개였다. 1989년에는 조합의 수가 두 배로 증가했고, 그만큼 정신질환자의 고용도 증가했다. 음식점, 우편배달, 청소부, 미용실 등 다양한 형태의 서비스 업종과 제조업에 협동조합이 생겨났다.

대형수용으로부터 지역사회치료로의 전환은 다른 서구 국가보다 이탈리아에서 더 탁월한 것이었다.[41] 그러나, 오늘날 이탈리아의 정신병원에 입원해 있는 환자 수(인구 100,000명당 44명)는, 아직도 정신병원이 중요한 역할을 떠맡고 있는 미국과 대략 비슷하며, 대부분의 서구 유럽 국가보다는 약간 적다. 참고할만한 자료에 의하면, 민간입원시설이나 형사사법제도가 정신과 환자들을 수용, 치료하는 정신병원의 역할을 대체한 것 같지는 않다. 초기의 개혁자들이 뜻했던 지역사회에 기반한 서비스의 확충은 1980년대 후반과 1990년대 초반의 경기침체로 인해 제한되었다. 이탈리아 정부의 지방분권화와 지역적 재원의 큰 차이는 지역사회 정신보건서비스의 가용성과 접근성에 상당한 불균등을 낳았다.

요약

이 책의 다른 장에서 언급된 바와 같이, 최근 수십 년간 정신분열병의 치료는 대단히 향상되었다. 항정신병약물, 가족 정신교육, 그리고 선진국의 적극적 지역사회치료(ACT) 모형의 치료효과를 뒷받침하는 강력한 증거들이 있다.[43] 공식적인 치료 환경에서 항정신병약물은 전세계적으로 이용되고 있다. 그러나, 정신사회적 개입이 개발도상국에서 얼마나 적용되고 있는가는 의문이다. 개발도상국에서는 ACT나 그와 유사한 개입법을 이용하여 가족이 없는 환자 또는 보호자의 연결망이 필요한 환자들에게 포괄적인 지지를 제공할 수 있다. 확대가족이 흔하고 재원이 부족한 개발도상국 사회에서는 아마 ACT가 적절하지 않을는지도 모른다. 가족들과 접촉을 유지하고 있는 정신분열병 환자들을 위해 가족 정신교육개입이 개발되었고, 이 개입법은 효과적이라고 입증되어 있다. 문화에 따른 표현감정의 차이가 상당히 그럴 듯하므로, 적대감과 지나친 감정적 간섭을 줄이는 것을 목표로 하는 가족개입은 어떤 상황에서든지 예후를 좋게 만들 수 있을 법하다.[44]

우리가 검토해본 치료체계 안에서는 WHO 연구들을 통해 일관되게 관찰되었던, 개발도상국과 선진국 사이의 예후 차이를 설명할만한 것이 발견되지 않았다. 표면상으로는, 증거에 기초한 치료법에 훨씬 더 접근이 용이한 편(그리고 그렇게 접근되고 있다)은 개발도상국보다 선진국이다. 하지만, 이 선진국에서 정신분열병 환자들의 예후가 일관되게 더 좋지 않은 것이다. Esrtoff는[45] 잘 계획된 치료가 뜻하지 않은 역기능적 결과를 낳을 수도 있고, 외견상 비정상으로 보이는 이 경우가 거기에 해당될지도 모른다고 경고한다.

선진국보다 개발도상국에서 정신분열병 환자들의 예후가 더 좋다는 사실을 서비스체계로는 설명할 수 없는 가운데, '문화' 로서 그 차이를 설명할 수 있는가? 집중적인 인류학적 탐구가 계속된다면 더 나은 대답이 나올 수 있을런지 모른다.[46] 우리는, 공식적 서비스 부문은 개발도상국에서 더 양호한 예후를 초래하는 사회문화적 환경의 문화요소가 아니라고 믿어야 하는 입장이다. 좋은 진단도구를 이용했음에도 불구하고, WHO 연구에 포함된 대상인구집단이 원인론적으로나 진단적으로 근본적인 차이가 없는 집단이었을까 하는 의혹을 가져볼 만도 하겠다.[5,47]

전세계적인 추세인 시장에 기반한 의학적 치료 및 사회복지체계의 위축은 정신분열병 환자들에게는 좋은 징조가 아니다. 정신분열병은 의학적-정신과적 문제인 동시에 사회복지 문제이기도 한 것이다. 치료체계가 실제로 지역사회에 기반하고, 필요로 하는 사람들이 이 체계를 일반적으로 이용할 수 있게 하기 위해서는, 형식적 치료 이외에도 주거, 수입, 사회적 지지를 제공해야만 한다. 국가의료보험과 사회복지체계를 갖춘 서구 유럽 국가들은 이점에 관해서는 미국이나 대부분의 개발도상국가보다 상대적으로 유리한 입장에 놓여있다. Phillips와 동료들은,[27] 경제배분과 병행한, 시장에 기반한 개혁은 중국인 가족들에게 더 과중한 부담을 안겨주었음을 보여주었다. 미국의 관리의료, 영국의 NHS 내부에서의 준(準)시장 논리의 도입, 그리고 다른 국가들의 비슷한 노력들을 포함한 의료체계의 비용절감 노력은, '의학적' 개입만 협소하게 강조하고 질환과 회복에 있어 중요한 사회적 측면은 무시하는 결과를 빚어냈다.

우리가 조사한 국가들의 놀라운 공통점은, 많은 사람들이 심한 정신질환자 치료를 위한 국가적 계획을 주장했지만, 이 계획을 완전히 이행할 수 있는 정치적 의지를 보여준 사례는 단 하나도 없다는 것이다. 제한된 재원으로 인해, 가장 비용-효과적이라고 믿어지고 있는 의학적 개입만이 사용될 수 있고, 또한 가장 심하고 혼란스러운 환자들에게만 적용되는 상황이 초래되고 마는 것이다. 사회적 개입의 비용-효과가 입증되지 않는다면, 재원이 충분하고 정신분열병 환자들의 복지에 관한 적절한 관심이 있는 환경에서도, 사회적 개입은 이차적인 역할을 하게 될 것이다. 어떤 경우든지, 재원이 부족한 개발도상국이 정신분열병의 치료에 예산의 우선권을 둘 것 같지는 않다.

소수의 모형 프로그램을 제외하곤, 정신분열병 환자들을 위한 서비스는 전세계적으로 적절한 수준에 미치지 못한다. 모형 프로그램이 충분한 정치적 재정적 지원을 확보하여 더 넓은 인구대상에게 대규모로 적용될 수 있을 것 같지도 않다. 개발도상국에서 정신분열병 환자들의 예후가 더 좋다는 것을 포함하는, 기존의 경향은 얼마간 지속될 듯하다. 국가들이 경제적으로 발달하고 시장 중심적 이윤추구가 전세계적으로 의료부문에 확대됨에 따라, 선진국/개발도상국의 구분은 정신분열병 환자들에게 의미를 상실케 될 것이며, 보건재원을 시장의 힘에 따라 할당하는 임금원리의 경제구조 아래에서는 정신분열병 환자들의 생활이 더욱 어려워질 것이다.

참고문헌

1. World Health Organization, *Schizophrenia: An International Follow-up Study* (John Wiley and Sons: New York, 1979).
2. Jablensky A, Sartorius N, Ernberg G et al, Schizophrenia: manifestations, incidence and course in different cultures: a World Health Organization ten-country study, *Psychol Med Monogr* (1992) **20 (Suppl)**:1–97.
3. Jablensky A, Sartorius N, Cooper JE et al, Culture and schizophrenia, *Br J Psychiatry* (1994) **165:** 434–6.
4. Sartorius N, Gulbinat W, Harrison G et al, Long-term follow-up of schizophrenia in 16 countries. A description of the International Study of Schizophrenia conducted by the World Health Organization, *Soc Psychiatry Psychiatr Epidemiol* (1996) **31:** 249–58.
5. Cohen A, Prognosis for schizophrenia in the third world: a reevaluation of cross-cultural research, *Cult Med Psychiatry* (1992) **16:**53–75.
6. Hopper K, Some old questions for the new cross-cultural psychiatry, *Med Anthropol Q* (1991) **5:**299–330.
7. Desjarlais R, Eisenberg L, Good B, Kleinman A, *World Mental Health: Problems and Priorities in Low-Income Countries* (Oxford University Press: New York, 1995).
8. Lefley HP, Mental health systems in cross-cultural context. In: Scheid T, Horwitz A, eds, *A Handbook for the Study of Mental Health: Social Contexts, Theories, and Systems* (Oxford University Press: New York, 1999).
9. Goldman H, Morrissey J, Bachrach L, Deinstitutionalization in international perspective: variations on a theme, *Int J Ment Health* (1983) **11:** 153–65.
10. Sartorius N, Harding T, The WHO collaborative study on strategies for extending mental health care, *Am J Psychiatry* (1983) **140:**1470–3.
11. Higginbotham HN, *Third World Challenge to Psychiatry: Culture Accommodation and Mental Health Care* (East-West Center, University of Hawaii: Honolulu, HI, 1984).
12. World Health Organization, *Statistical Annex. The World Health Report 1999 – Making a Difference* (WHO: Geneva, 1999).
13. Abiodun O, Pathways to mental health care in Nigeria, *Psychiatr Serv* (1995) **46:**823–6.
14. Ohaeri J, Odejide O, Admissions for drug and alcohol-related problems in Nigerian psychiatric care facilities in one year, *Drug Alcohol Depend* (1993) **31:**101–9.
15. Erinosho OA, Pathways to mental health delivery systems in Nigeria, *Int J Social Psychiatry* (1977) **23:**54–9.
16. Guerje O, Acha R, Odejide O, Pathways to psychiatric care in Ibadan, Nigeria, *Tropical and Geographical Medicine* (1995) **47:**125–9.
17. Jegede R, Williams A, Sijuwola A, Recent developments in the care, treatment, and rehabilitation of the chronically mentally ill in Nigeria, *Hosp Community Psychiatry* (1985) **36:**658–61.
18. Lambo T, The village at Aro, *Lancet* (1964) **ii:** 513–14.
19. Jegede R, Aro village system of community psychiatry in perspective, *Can J Psychiatry* (1981) **26:**173–7.
20. Odejide A, Jegede R, Sijuwola A, Deinstitutionalization: a perspective from Nigeria, *Int J Ment Health* (1983) **11:**98–107.
21. Asuni T, Nigeria: report on the care, treatment, and rehabilitation of people with mental illness, *Psychosocial Rehabilitation Journal* (1990) **14:**35–44.
22. Suleiman T, Ohaeri J, Lawal R et al, Financial cost of treating outpatients with schizophrenia in Nigeria, *Br J Psychiatry* (1997) **171:**364–8.
23. Nagaswami V, Integration of psychosocial rehabilitation in national health care programmes, *Psychosocial Rehabilitation Journal* **14:**53–65.
24. Dunlap D, Rural psychiatric rehabilitation and the interface of community development and rehabilitation services, *Psychosocial Rehabilitation Journal* (1990) **14:**68–90.
25. Pearson V, Phillips MR, The social context of psychiatric rehabilitation in China, *Br J Psychiatry* (1994) **164(Suppl 24):**11–18.
26. Pearson V, *Mental Health in China: State Policies, Professional Services and Family Responsibilities* (Gaskell: London, 1995).
27. Phillips MR, Lu SH, Wang RW, Economic reforms and the acute inpatient care of patients with schizophrenia: the Chinese experience, *Am J Psychiatry* (1997) **154:**1228–34.
28. Bueber M, Letter from China (no. 3), *Arch Psychiatr Nurs* (1993) **7:**249–53.
29. Yucan S, Changhui C, Esixi Z et al, An example of a community-based health/home care programme, *Psychosocial Rehabilitation Journal* (1999) **14:**29–34.
30. Knapp M, Costs of schizophrenia, *Br J Psychiatry* (1997) **171:**509–18.
31. Rice DP, The economic impact of schizophrenia, *J Clin Psychiatry* (1999) **(Suppl 1):**4–6.
32. Rogers A, Pilgrim D, *Mental Health Policy in Britain* (St Martin's Press: New York, 1996).
33. Hollingsworth EJ, Mental health services in England: the 1990s, *Int J Law Psychiatry* (1996) **19:** 309–25.
34. Kavanaugh S, Opit L, Knapp MRJ et al, Schizophrenia: shifting the balance, *Soc Psychiatry Psychiatr Epidemiol* (1995) **30:**206–12.
35. Perring C, Twigg J, Aitken K, *Families Caring for People Diagnosed as Mentally Ill: The Literature Re-examined* (HMSO: London, 1990).

36. Torrey EF, *Surviving Schizophrenia: A Family Manual,* 3rd edn (Harper and Row: New York, 1988).
37. Mosher L, Radical deinstitutionalization: the Italian experience, *Int J Ment Health* (1983) **11:**129–36.
38. Burti L, Benson P, Psychiatric reform in Italy: developments since 1978, *Int J Law Psychiatry* (1996) **19:**373–90.
39. Basaglia F, Breaking the circuit of control. In: Engleby D, ed, *Critical Psychiatry* (Pantheon: New York, 1980).
40. Glick I, Improving treatment for the severely mentally ill: implications of the decade-long Italian psychiatric reform, *Psychiatry* (1990) **53:**316–23.
41. De Salvia D, Barbato A, Recent trends in mental health services in Italy: an analysis of national and local data, *Can J Psychiatry* (1993) **38:**195–202.
42. Bollini P, Mollica R, Surviving without the asylum: an overview of the studies on the Italian reform movement, *J Nerv Ment Dis* (1989) **177:**607–15.
43. Lehman AF, Steinwachs DM et al, At issue: translating research into practice: the Schizophrenia Patient Outcomes Research Team (PORT) Treatment Recommendations, *Schizophr Bull* (1998) **24:** 1–10.
44. Lefley H, Expressed emotion: conceptual, clinical, and social policy issues, *Hosp Community Psychiatry* (1992) **43:**591–8.
45. Estroff SE, *Making It Crazy* (University of California Press: Berkeley, CA, 1981).
46. Hopper K, Wanderling J, The role of culture in explaining the developed vs. developing center outcome differential in the WHO studies of schizophrenia. Presented at the Annual Meeting of the International Federation of Psychiatric Epidemiology, Taipei, Taiwan, Republic of China, 7–10 March 1999.
47. Warner R, *Recovery from Schizophrenia,* 2nd edn (Routledge: New York, 1994).

22 정신분열병 치료에 관한 경제적 전망

Robert Rosenheck과 Douglas Leslie

배경

경제성 분석은 사회적 수준에서 정신분열병 치료의 이득을 최대화시키는 데에 이용될 수 있는 도구로서, 다음과 같은 방법에 의존한다:

1. 임상적 이득을 최대화하고 비용을 최소화하는 치료를 찾아낸다.
2. 효과가 우월하지만 비용이 더 드는 치료를 위한 재원을 언제 충당할 것인가를 결정한다.
3. 다른 의학적 치료와 비교하는 측정방법을 이용하여 치료의 이득을 평가한다.

이 장에서는 현재 사용하는 방법들과 최근 연구를 검토하고, 세 가지 요점을 강조하고자 한다.

첫째, 비용-효과 분석은 현 재원 이용의 적정성을 결정하는 일차적인 도구이다. 이 분석을 통해 여러 가지 치료의 비용 및 임상효능을 비교할 수 있다. 예를 들면, 전통적 항정신병약물요법은 단독으로 시행된 비 약물학적 치료보다 비용-효과면에서 우수하다고 입증되었으나, 새로운 비전형 항정신병약물요법과 집중적인 지역사회치료는 전통적 약물요법과 외래치료의 병용에 비해 비용-효과면에서 우수하기는 하지만 전자의 경우보다는 월등하지 않은것으로 보인다.

둘째, 혁신적 치료법으로 입원을 감소시켜 비용 절감 효과를 거두었는데 실제 미국의 경우 그러한 치료법을 통해 병원 이용이 줄어든 것으로 보인다. 그러나 한편으로는 혁신적 치료법에 의한 비용증가가 있다는 연구 결과가 예상되는 상황이다. 건강상의 이득이 증가한 비용과 동일한가를 결정하는 일은 향후 비용-효과분석의 중요한 과제가 될 것이다.

셋째, 질보정생존년수(QALY)는 건강한 인생을 영위한 년 수에 해당하는 값으로서, 다양한 보건 개입의 이득과 비용을 비교하고, 다른 유가적(有價的) 목표와 비교할 목적으로 건강 이득의 금전적 가치를 매기는 데에 유용하게 사용되는 측정 도구이다.

이러한 경제성 분석은, 생물의학의 진보가 최대다수의 최고의 이득을 달성하는 데에 사용될 수 있게끔 하기 위한 것이다. 경제적 문제가 환자 개개인의 치료를 결정하는 데에 직접적 영향을 미치지 않도록 하는 것이 옳바른 일일지도 모른다. 그럼에도 불구하고, 비용에 대한 고려는 정신과 치료 경영에 점차 영향력을 행사하고 있어, 때로는 효과적인 치료에의 접근을 제한하기도 한다. 이러한 진료환경의 변화에 대해 임상의는 보건체계의 미래에 관한 전문가 회합 및 대중토론에 참여함으로써 적극적으로 정책결정에 참여하고자 할 수 있다. 이러한 활동을 위해서는 임상치료의 경제적 관점에 익숙해져야하는 것이 기본이다. 그러한 토론에 전문적 식견이 부족하다면, 환자들의 가장 강력한 옹호자는 환자들을 대표할 수 없게 되고, 환자들은 대중의 무시와 무지로부터 점점 피해를 입게 될 것이다.

음울한 분야?

비용절감과 이윤창출을 추구하는 경향이 정신보건서비스, 특히 가장 심한 질환을 앓고 있어 서비스가 가장 필요한 환자들을 위한 서비스의 질과 효과를 감소시켰다는 우려가 최근 수년에 걸쳐 높아지고 있다. 민간 및 공공 보건분야 모두에서 30-40%의 재원감소가 있었고,[1-4] 이는 경한 정신장애를 가진 환자들보다 심한 정신질환자들에게 더 큰 영향을 끼쳤다고 알려져 있다.[5] 상업주의가 팽배하고 의사의 권위가 하락하는 현실 속에서,[6] 경제학 및 경제적 사고는 환자-중심의 의학을 방해한다고 보는 관점이 적지 않다. 최근 미국정신과학회의 의장 연설은 다음과 같이 비난하고 있다.

> *일군의 경제학자들은... 자신들의 음울한 분야의 모호한 경계를 넘어서서, 병든 사람들 혹은 아파서 두려운 사람들의 동기 부여를, 그리고 아픈 사람들을 돌보고자 하는 의사들의 동기 부여를 절대주의적인 관점에서 결정해버린다.*[7]

물론, 경제학은 현 상황의 영웅도 아니오, 제물도 아니다. 경제학은 이윤추구를 선호하는 것도 아니오, 보건체계를 치유하려는 것도 아니다. 오히려, 한정된 재원의 합리적 이용을 연구하는 도구를 제공해주고, 보건체계가 작동하는 방식; 보건체계의 전개과정; 보건체계를 바꾸기 위한 우리의 선택사항; 상이한 사회 구성원들에게 그 선택이 가져올 결과 등을 기술하는 분석적 틀을 제공해주는 학문분야인 것이다. Samuelson의 기초 대학교재에 의하면, 경제학이란 다음과 같이 정의된다.

> *(a) 다양한 상품을 생산하고, (b) 그 상품이 소비될 수 있게 유통시키기 위해, (c) 다른 용도로 사용될 수도 있는 한정된 재원을 (d) 국민과 사회가 이용하기로 결정하는 방식에 관한 학문이다.*[8]

어떤 이들에게는 보건을 상품으로 간주하는 것이 불쾌할 수도 있다. 상품이란 단순히, 매매되는 한정된 재원이다. 보건에 적용하자면, 보건서비스를 제공하는 이들은 보상을 받아야 하며, 보상이 없을 때에는 서비스를 제공하지 않을 것이라는 것을 뜻한다 - 부정하기 어려운 현실인 것이다. 대다수의 보건전문가들은 환자에 대한 진지한 염려와 연민으로서 동기가 자극된다는 사실에 동의한다. 그러나, 전문인 수련 및 업무는 많은 비용이 들고 오랜 시간이 걸리므로, 결과적으로, 의사와 기타 보건전문가의 노고는 한정된 재원이 되는 것이다. 전문가들의 배당은 자연스럽게 그리고 불가피하게 보상체계의 영향을 받는다. 이는 항상 그래왔다.

보건서비스를 한정된 재원으로 간주함으로써, 경제학은 국민 복지를 최대화하기 위해 이들 재원을 할당하는 방법에 관한 체계적 사고의 틀을 제공한다. 정신분열병 치료는 우리 사회의 실제 재원을 소비하며, 단지 이 이유 때문에 신중한 경제성 분석을 통해 이득을 얻을 수 있는 것이다. 1990년 한 해 동안 미국사회가 지불한 정신분열병의 비용은 325억불(약 39조원)로 추산되는데, 이중 160억불(49%, 약 19조원)은 치료 및 기타 보건서비스 비용으로 지불되었다.[9] 인플레이션 및 관리의료 효과를 보정하면, 1998년에는 대략 200억불(약 24조원)이 정신분열병 환자들의 치료에, 정신보건기구의 직접 지원에, 그리고 치료 공급자들에게 지불된 것이다.

정신분열병 치료의 경제성 분석에 대한 세 가지 질문

따라서, 정신분열병의 경제성 분석에 대한 첫 번째 질문은 다음과 같다: '정신분열병 환자들과 그 가족들, 그리고 그들이 거주하는 지역사회의 복지를 최대화하기 위해 이 200억불을 어떻게 사용하는 것이 가장 좋겠는가? 더 효과적이고 동시에 비용이 덜 드는 치료로서, 충분히 사용되지 않고 있는 것이 있는가?' 이것은 냉담하고 이익에 눈먼, 이기적인 질문이 아니다. 환자에게 어떤 약물을 처방할 것인가, 혹은 응급입원이 필요한가 하는 질문 이상도 이하도 아닌 물음인 것이다. 이것은 의심할 여지없이 직접적인 환자 치료와는 거리가 멀다 - 그러나, 궁극적인 임상적 예후에는 결정적인 것이며, 전통적인 생물의학적 방법으로는 접근할 수 없는 부분이다. 안정적인 예산 하에서, 만약 가능한 것보다 비용-효과가 떨어지는 서비스를 이용한다면, 이는 환자에게 정확한 처방을 주지 않은 것만큼이나 확실하게 일부 환자들로부터 건강 효용을 빼앗는 일이 된다. 실제로, 비용-효과적이지 않은 치료를 사용하는 것은 잘못된 처방보다 더 해가 될 수도 있다. 후자의 경우는 일찍 부작용이 나타나므로 교정할 수 있지만, 전자의 경우는 눈에 띄지 않으므로 교정이 어렵기 때문이다. 이러한 이유로 다른 종류의 지식과 아울러, 우리가 환자를 잘 돕는 데에는 경제학적 지식이 요구되는 것이다.

하지만, 현재의 재원을 어떻게 쓸 것인가 하는 첫 번째 질문은 불완전하다고 볼 수 있다. 왜냐하면, 거기에는 200억불이라는 비용이 정신분열병 환자들의 치료에 '합당한' 양이라는 전제가 숨어 있고, 우리의 유일한 선택사항으로서는 그 200억불을 어떻게 해야 가장 잘 사용하는 것인가 하는 것밖에 남아 있지 않기 때문이다. 두 번째 질문은 훨씬 더 어려운 질문이다. 정신분열병의 치료에 얼마나 지불*해야만 하는가*? 어쩌면, 정신분열병 환자들을 위한 서비스 지출은 더 많아야 할지도 모르고, 혹은 더 적어야 할지도 모른다. 일부 새로운 치료법은 더 효과적이지만, 더 비쌀 수 있다. 비록 그것이 다른 유용한 프로그램으로부터 자금을 걷어오는 일일지라도, 이러한 치료가 실행 가능하도록 추가적인 기금을 사용해야 하는가?

정신분열병의 치료에 재원을 사용함으로써 얻을 수 있는 가치를, 교육이나 환경정화 등의 기타 사회적 상품들과 비교하는 체계적 사고를 위해서는, 세 번째 질문을 하지 않을 수 없다: '매우 상이한 유형의 지출과 관련된 이득을 어떻게 측정할 수 있을 것인가?' 같은 환자 집단에서 두 치료법을 비교하는 것과, 상이한 환자 집단에서 치료의 가치를 비교하는 일은 상당히 다른 작업이다. 다양한 조건에서의 건강상태 측정이 요구되기 때문이다. 우리에게 주어진 과제가 포괄적인 사회적 결정의 토대를 마련하는 것이라면, 우리는 공통적인 측정법을 사용하여 다양한 개입을 평가할 수 있어야만 한다.

따라서, 정신분열병 치료의 경제성 분석은 대단히 어렵지만 대단히 중요한 세 가지 질문으로서 시작된다 - 환자들에게, 환자의 가족들에게, 그리고 사회전체에 중요한 질문이다.

1. 정신분열병을 위한 200억불의 예산을 환자들의 복리를 최대화하기 위해 어떻게 사용해야 하는가?
2. 다른 가치 있는 목적에 배치된 기금을 거두어들여 정신분열병 치료에 재할당할 시점은 언제인가?
3. 한정된 재원을 여러 가지 가치 있는 사용에 할당하는 데에서 얻어지는 이득을 어떻게 개념화하고 정량화할 것인가?

시장과 완전경쟁

위의 세 가지 질문을 다루기에 앞서, 다른 상품을 생산하는 경우에는 그런 결정이 어떻게 내려지는가를 살펴보기로 하자 - 셔츠를 생산하는 경우를 예로 들어보자. 당해 년도 '셔츠' 예산을 편성하기 위한 학회가 열리거나 연구가 수행되지는 않는다. 이를테면, 학술 연구지를 통해 외투에 투자되는 경비보다 셔츠 생산에 투자되는 경비가 더 많아야 한다고 주장하는 사람은 없다는 뜻이다. 그리고, 옷장 속에 좋은 셔츠를 채워둠으로써 얻어지는 삶의 질 향상이 금전적으로 얼마만큼의 가치가 있는가를 결정하기 위한 조사방법을 개발시키고자 하지도 않는다. 셔츠에 관한 한, 우리는 '셔츠 경제학자' 또는 '셔츠 서비스 연구자'에게 셔츠제조에 할당된 재원 정보를 요구하지 않는다. 오히려, 다양한 취향을 지녔고 의류에 지불할 가계예산이 상이한 소비자들의 요구를 충족시킬 수 있는 셔츠의 생산량을 결정하는 것은 시장의 '보이지 않는 손'에 맡겨두는 편이다. 자유시장에서는 판매자와 구매자가 만나 가격을 협상하고 상품을 교환한다. 디자인이 수려한 셔츠에 대한 높은 수요는 이 상품의 가격을 상승시킨다 - 이는 제조업자에게 소비자의 취향과 선호도를 알려주는 신호가 되며, 유사한 상품 생산을 촉진시킨다. 판매되지 않고 선반에 쌓인, 인기 없는 상품은 결국 '특별할인 처분' 혹은 '재고 정리' 가격으로 팔리고, 이 또한 생산자에게 소비자가 이 상품을 어떻게 평가하는지를 생생히 전달한다. 가격은 분명하고, 강력하게, 그리고 정확하게 상품에 대한 대중의 선호도를 반영한다.

그렇다면, 보건서비스 생산을 자유시장에 내맡겨 보이지 않는 손에 의존하지 않는 이유는 무엇인가? 자유시장은 단지 특정 조건하에서만 상품의 생산과 분배를 통해 이윤을 최대화하는 마술을 수행할 수 있기 때문이다. 한 이론에서는[10] 그 조건을 다음과 같은 제목 아래 설명한다.

1. 시장은 무수히 많은 작은 회사들과 소비자들로 구성되어야 하며, 이들 중 아무도 가격을 스스로 결정할 수 없어야 한다.
2. 모든 상품은 동일해야 한다.
3. 생산자는 시장을 자유로이 드나들 수 있어야 한다. 즉, 시장의 출입에 장애물이 없어야 한다.
4. 생산자와 소비자는 생산된 상품의 질에 관해 완벽하고 똑같은 정보를 가져야 한다.

이 조건은 셔츠 시장에서는 대략 충족된다고 볼 수 있지만, 보건서비스 전달에 있어서는 단 한 가지도 만족되지 않는다.

1. 민간부문 의료가 성행했던 시대에도 병원과 전문가 협회는 보건서비스의 가격에 막강한 영향력을 행사했는데, 이는 개별적인 공급자나 환자의 영향력과는 비교가 안 되는 훨씬

큰 것이었다.

2. 수년 전 Wennberg가[11] 서비스 동질성의 한계를 명확하게 보여준 바와 같이, 보건서비스는 엄청나게 다양하다.
3. 공급자는, 상당한 수련과 면밀한 자격 및 허가 없이 시장에 들어갈 수 없고, 환자에게 다른 곳에서 치료를 받을 수 있게 보증해놓지 않고서는 시장을 단순히 빠져나갈 수 없다. 일부 대형 관리의료에서 주요 재정곤란을 겪기 시작하면서 이 문제는 점점 본격화되고 있다.
4. 마지막으로 가장 중요한 것으로서,
   (a) 많은 경우에, 보건서비스의 가치에 관한 과학적 정보는 매우 부정확하고 잘 알려져 있지 않다; 그리고
   (b) 더 결정적으로, 공급자와 환자의 보건서비스에 대한 이해는 대단히 다르다 - 환자의 교육 수준이 높아지고 인터넷을 통한 의학정보의 확산에도 불구하고 그 차이는 큰 것이다.

기술적으로는 '정보의 불균형' 이라 불리는 위의 마지막 사항은 특히 중요하다. 경쟁적 시장의 효용성은 판매자와 구매자가 상품의 질에 대해 동일한 정보를 지니고 있다고 가정한다. 의료분야에서는 환자가 의사로부터 구하는 것이 바로 전문적 지식이며, 대개의 경우 환자들은 별다른 의문 없이 의사의 권고를 따른다. 이를 셔츠 시장과 비교해보라. 티셔츠를 살 때에는 우리가 좋아하는 디자인에 관한 판매자의 전문적인 의견에 대해 대가를 지불하지 않는다. 판매자 또한 우리를 심각하게 대하면서 다음과 같이 말하지는 않는다: '위중한 상황이군요. 유감이지만, 당신에겐 와이셔츠가 필요할 것입니다. 티셔츠는 상황을 악화시킬 뿐이지요.'

'시장 실패' 때문에, 즉, 경쟁시장이 작동할 수 있는 특정 조건을 보건서비스가 충족시키지 못하기 때문에, 보건을 위한 적절한 재원할당 결정에 시장을 이용할 수 없다. 따라서, 그 대신 보건경제학 및 보건서비스 연구를 의사결정의 지침으로서 필요로 하는 것이다. 이러한 형태의 정보가 우리에게 알려주는 것은 무엇인가?

현 재원할당을 최적화하기 : 더 효과적이고 더 값싼 치료법 찾기

세 가지 중 첫 번째 질문, '정신분열병 치료를 위해 우리가 가진 돈을 어떻게 하면 가장 잘 활용할 수 있을 것인가?'를 평가하는 데에 가장 적합한 도구는 비용-효과 분석이다. 가장 단순한 형태의 비용-효과 분석에서는 같은 환자들에게 적용한 다른 치료법의 가치를 비교한다. 검증하고자 하는 치료 방법이 더 효과적이고 *동시에* 더 비용이 덜 든다면, 그 해석 및 결론은 분명해진다. 그런 상황에서 실험적 치료법은 선호 치료 또는 '우세' 치료가 되고, 적절히 이행된다면 사회의 일반 복지는 향상될 것이다. 정신분열병 치료법의 분석에 사용된 이런 종류의 분석의 대표적 예로서는 비전형 항정신병약물과 전형 항정신병약물의 비용-효과를 비교한 연구, 그리고 집중적인 지역사회치료 프로그램과 표준 외래치료의 비용-효과를 비교한 연구가 있다.

여러 가지 점에서 비용-효과 연구는 정신분열병 치료효과에 관한 다른 형태의 연구와 비슷한데, 체계적으로 측정한 결과로서 비용을 추가한 것과 마찬가지인 셈이다. 한편 또 다른 측면에서, 비용-효과 분석은 연구 설계, 분석 및 해석의 어떤 특성에 특히 민감하다. 여기서 우리는, 비용-효과 분석이 보건에 흔히 적용되기 이전 시대로부터 명확한 비용-효과적인 치료의 예를 하나 제시함으로써, 서술을 이어가려 한다: 정신사회적 치료를 단독으로 사용한 경우와 항정신병약물을 사용한 경우의 비교

이다. 그 다음에는 정신분열병의 비용-효과 연구 해석의 두 가지 방법론적 문제점에 주목할 것이다. 이는 방대하게 언급되고 있는 연구들의 결과에 상당한 영향을 미쳐왔다: (a) 실험적 설계 이용 대(對) 비실험적 설계 이용, 그리고 (b) 상이한 임상적 아(亞) 집단에 따른 치료의 비용-효과의 다양성이다.

전통적 항정신병약물 대 위약: 우세한 선택

정신분열병 치료에 *전통적인* 항정신병약물을 사용하는 것은, 약물치료를 포함하지 않는 다른 어떤 치료보다 월등하게 비용-효과적인 치료의 단순하고도 극적인 예를 보여준다. 35년 전, Philip May는 과감한 무작위 실험을 수행했는데, 정신분열병 입원치료의 다섯 가지 접근법을 비교한 것이었다: (a) 단독 항정신병약물 치료; (b) 전기경련요법; (c) 정신치료와 약물치료의 병용; (d) 환경요법; 그리고 (e) 단독 정신치료였다.[12] 1998년 달러화(貨)로서 표현될 수 있게끔 이 연구 자료를 갱신하기 위해 35년간의 통화팽창을 보정했고, May의 연구에서는 입원서비스의 이용과 그 비용만을 다루고 있으므로 외래 비용을 추산하여 추가했다. 이 보정을 통해, 단독 약물치료는 단독 환경요법에 비해 28,888불(51%)(역주-약 3,400만원)이 저렴하고 (33,650불 대 62,538불), 단독 정신치료에 비해 38,597불(129%)(역주-약 4,500만원)이 저렴한 (33,650불 대 72,247불) 것으로 계산된다. 한 해 항정신병약물 비용이 대략 300불이라는 점을 고려하면, 처음에 약물에 투자한 비용이 96배에서 129배가 되어 돌아오는 셈이며, 덧붙여 20%의 임상적 이득도 추가된다.[13]

물론 1964년에 비해 상황은 많이 달라졌지만, 분명한 비용과 효용의 범위를 가정한 모의시험을 통해 이 연구결과를 갱신시킬 수 있을 것이다. 우선, 항정신병약물 비용을 대략 300불/년으로, 하루 입원비용을 600불로 가정한다. 비록 항정신병약물과 위약을 장기간 비교한 최근의 임상시험자료는 없지만, 최근의 한 종설에 의하면, 전통적인 항정신병약물 치료는 약물치료를 받지 않는 환자의 연간 입원률인 70%를, 약물치료를 받는 환자의 입원률인 50%로 낮춤으로써 전형적인 임상현장에서 만성 환자의 재입원 위험을 20% 감소시킨다고 한다.[13] 환자의 약물 상태와 무관하게, 재발한 환자는 일년에 한 번 입원하고 재원일은 평균 15-30일이라고 가정하는 것을 포함해 매우 보존적인 일련의 가정을 이용한다면, 항정신병약물에 300불을 투자함으로써 한 환자당 1500-2700불의 비용절감효과가 나타난다는 것을 알 수 있다. 이는 약물 투자액의 5-9배에 해당하며, 아울러 실질적인 임상적 이득도 수반한다.

좀더 현실적으로 가정하자면, 약물치료를 받지 않는 환자는 입원일이 더 길 것이고 재발위험도 더 높을 것이다. 약물치료를 받지 않는 경우 입원일이 60일이고 환자들이 퇴원한 후 절반이 60일간 재입원한다고 가정하면, 물론, 이 역시도 꽤나 낙관적인 가정이지만, 비용절감은 33,300불로 증가하게 된다. 투자액이 11배로 되돌아오는 셈이며, 이는 May의 자료와 유사한 결과이다. 전통적인 항정신병약물 이용은 실제 모든 상황에서 분명히 비용-효과적이고 약물을 필요로 하는 모든 환자들에게 적절히 사용될 수 있어, 사회에 큰 이득이 된다. 비용-효과의 대조군 시험이 없더라도, 사회가 그 효과를 목격하고 비용-효과를 인정할 수 있는 경우도 종종 있다.

임상시험 대 비실험적 예후 연구

어떠한 형태의 예후 연구라 할지라도, 이론적으로만 보자면, 대조군이 없는 연구보다 무작위 임상시험의 타당도가 더 좋은 법이다. 비용-효과 연구는 비전형 항정신병약물 평가에 특히 중요한데, 연간 5,000불인 그 비용은 연간 300불밖에 되지 않는 전통적인 항정신병약물 비용보다 무려 10배 이상이나 높기 때문이다. 비전형 항정신병약물의 비용-효과 연구들은 상당히 상이한 결과들을 보고하고 있다. 특히 비실험적 연구들은 클로자핀 입원치료에서 큰 비용절감을 보고하는 경향이 있는데, 10,000불에서 50,000불이 넘는 연간 총 비용절감을 보고하고 있다.

발표된 연구 중 첫 번째 연구는,[16] 클로자핀에 반응한 환자들(클로자핀 치료를 시작한 환자들의 52%)과 탈락한 환자들을 비교하여, 치료 이듬해에 클로자핀 치료가 9,011불의 비용을 절감하는 효과가 있다고 보고했다(치료 첫 해는 아님). 하지만, 이 연구 설계를 가지고는 비용절감효과가 약물 때문인지 탈락된 환자들을 제외한 때문인지를 분간할 수 없다. 두 번째 연구는[17] 두 가지 종류의 분석을 보고했다: 첫째는 클로자핀 치료를 시작한 59명의 환자들의 비용이 치료 이전에 비해 8,702불 감소했다는 것이었고; 클로자핀 치료를 유지한 37명의 환자들의 비용과 예후를, 탈락한 10명의 환자들과 비교한 두 번째 분석에서는 클로자핀으로 유지한 경우 22,936불이나 더 큰 비용절감이 있더라는 것이었다. 이 분석에서도 약물의 효과와 시간이 흐른 효과, 또는 선택 치우침의 효과를 분간해내기 어려운 것은 역시 마찬가지이다.

세 번째 연구[18] 또한 전-후 설계를 이용했고, 클로자핀 치료를 받은 주립병원 입원 환자들의 연간 비용절감이 30,000-50,000불로 추산된다고 보고했다. 이 연구진은[19] 추적기간을 4.5년으로 연장해 클로자핀 치료 탈락 환자를 포함한 대조군을 추가시켰는데, 연간 비용절감은 25,000불로 추산되었다.

하지만, 이러한 비실험적 연구에 비해 두 개의 무작위 임상시험을[20,21] 통해 나타난, 입원치료 및 관련 비용에 미치는 클로자핀의 영향은 사실상 덜한 것으로 보인다. 15개 기관에서 12개월 동안, 연구 시작 전 해에 30-365일간 병원을 이용했던 환자들을 대상으로 했던 원호 병원 연구는 현재까지 발표된 연구 중 가장 완벽한 실험적 비용-효과 연구이다.[20] 이 연구는 클로자핀으로 치료받은 환자들의 입원일이 유의하게 감소하여 연간 입원비용이 8,684불 절감되는 효과를 낳는다고 보고했다 (p=0.01). 하지만, 클로자핀 비용을 더하면, 클로자핀 치료군의 비용절감은 대조군에 비해 2,441불에 불과하며, 전체 사회비용의 절감은 2,733불(5%)에 불과했다. 이 차이는 통계적으로 유의한 정도에 이르지 못했다.

코네티컷 주립병원에 매우 장기간 입원한 환자들을 대상으로 한 실험적 연구에서는 클로자핀 치료군이 대조군에 비해 더 많이 퇴원하는 것은 아니었지만, 재입원을 덜 하는 것으로 나타났다. 입원일과 비용의 정확한 감소가 어느 정도였는지는 발표되지 않았지만, 이 연구에서[21] 저자들은 '적어도 이들 환자 대상군에게는... 거울상 시험을[역주11] 통해 시사된 바와 같이... 병원 이용에 있어서... 클로자핀이 극적인 호전을 낳지는 못했다' 라고 결론짓고 있다 (683쪽).

이 연구들의 결과 차이는 일차적으로 실험적 연구들의 내적 타당도에 큰 차이가 있기 때문이다. 이를테면, VA 연구기간인 12개월에 걸쳐, 클로자

역주 11 연구기간 중의 치료효과를 대조군 없이 동일한 기간에 해당하는 과거의 다른 치료효과와 비교하는 종적 경과 연구

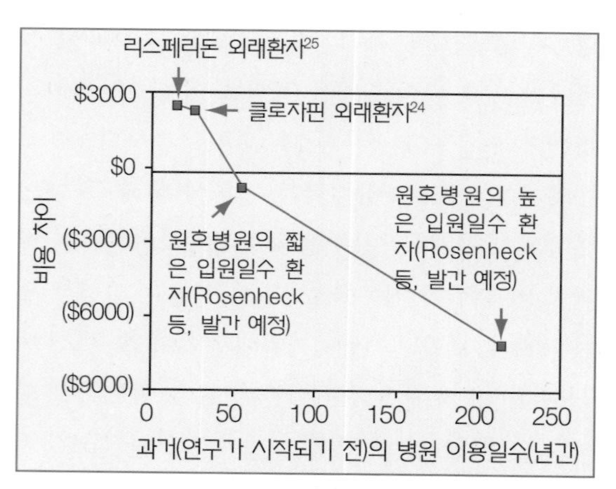

그림 22.1 비전형 항정신병약물과 전통적 약물 간의 보건비용 차이에 미치는 과거 병원 이용의 효과.

핀 환자군의 병원이용은 연구 초기에 매달 29일이었던 것에서 연구 말기에는 매달 겨우 7일로 무려 72%나 감소했다. 하지만, 같은 기간동안 대조군 또한 64%의 상당한 병원이용감소를 보였던 것이다. 무작위로 할당된 대조군이 없기에 클로자핀의 효과는 사실상 과대평가되었을 것이다. 대상인구집단이 입원환자를 포함하고 있다면, 비실험적 연구의 치우침bias은 특히 더 큰데, 장기입원환자라면 더더욱 그러하다.

연구시작 전 병원이용 수준에 의한 비용–효과의 다양성

세밀한 연구들을 통해 클로자핀의 특이 효과에 대한 확고한 임상적 예측자를 발견해내지 못한 반면,[22] 최근의 몇몇 연구들은 비용-효과 연구들의 결과는 서비스 이용수준이 높거나 낮은 환자들에게만 특이한 것이어서, 일반화되기에는 한계가 있음을 시사하고 있다. 위에 요약된 비전형 항정신병약물 연구들은 모두가 전 해에 상당한 병원이용을 보였던 환자들을 포함하고 있다. 비대조군 연구들에 포함된 환자들의 전 해 병원이용은 150일에서[18] 260일까지의[17] 범위였고, VA 연구에서의 110일로부터[20] 코네티컷 주립병원 연구에서의 2.9년에 이르기까지[21] 병원이용은 높은 수준이었던 것이다.

최근 VA 연구자료를 병원 이용률이 높은 환자들(연구 전 해 평균 정신과 재원일수 = 215일)과 병원 이용률이 낮은 환자들(평균=58일)로 나누어 클로자핀의 비용-효과를 재분석한 결과에 의하면, 약물 및 기타 보건비용을 포함해서 클로자핀 치료군이 대조군에 비해 병원 이용률이 높은 집단에서는 7,134불의 비용절감을 보였다고 한다. 반면 병원 이용률이 낮은 집단에서는 단지 759불만의 비용절감을 보였다.[23]

더욱이, 최근 외래 환자들(연구 전 해 평균 재원일수가 23.5일)을 대상으로 한, 클로자핀 이용에 관한 전-후 설계 연구에 의하면, 대조군에 비해 클로자핀 치료군의 총 치료비용이 2,363불이나 *더* 높은 것으로 나타났다(17,385불에서 19,748불로 증가시킴).[24] 실험적 시험 대(對) 비대조군 시험에 관해 우리가 앞서 논의했던 관점으로 보자면, 이 전-후 설계는 비용절감을 과장되게 평가했다고 가정할 수 있다. 따라서, VA 연구에서 관찰된 병원이용 감소 15%를 적용하면, 전통적인 항정신병약물을 사용할 때보다 실제로는 6,700불이나 비용이 증가했다고 추산할 수 있겠다.

입원 또는 기타 수용시설 재원일수가 13.9일밖에 되지 않는 환자들을 대상으로 한 리스페리돈 연구에서도 리스페리돈 투약 이듬해에 총 비용이 2,566불(26%) 증가한 것으로 나타났다(연간 9,711불에서 12,277불로 증가).[25]

따라서, 비전형 항정신병약물의 순수비용효과는 기저의 입원 이용률에 상당히 민감하다(그림 22.1을 보라). 이러한 관찰사항은 직관적으로 쉽게 이해할 수 있다. 왜냐하면, 클로자핀 치료비용은 상대적으로 일정한 한편, 병원 이용률의 가장 좋은 예측자는 과거의 병원이용이고, 입원 감소로 인한

비용절감은 이용하던 서비스의 양이 감소한 데에 따라 상당히 차이가 날 것이기 때문이다.[26]

집중적인 사례관리[27] 및 적극적인 지역사회치료[28] 연구에서도 병원 이용률이 높은 환자들은 상당한 비용절감효과를 보인 반면, 병원 이용률이 낮은 환자들은 비용에 차이가 없거나 더 높기까지 했다. 집중적인 정신과적 지역사회치료(IPCC)의 다기관 원호 시험에서, 이러한 고비용 치료는 장기입원, 고비용 병원의 경우(연구시작 전 2년 동안 평균 재원일수 452일) 2년에 걸쳐 환자 1인당 34,000불의 비용절감 효과를 보인 반면, 단기입원, 급성치료 병원의 경우(연구시작 전 2년 동안 평균 재원일수 123일)에는 5,100불이 증가한 것으로 나타났다.[27] 각 유형에 따른 병원 내에서조차, IPCC-관련 비용절감은 상대적인 저비용 환자들보다 고비용 환자들에게서 비용절감이 훨씬 더 큰 것으로 나타났다.[28]

주립정신보건체계의 적극적 지역사회치료(ACT) 연구에서도 유사한 소견이 보고되었다.[29] 이 연구가 시작될 시점에 외래환자였던 환자군은 ACT를 받음으로써 표준치료에 비해 4,152불(18%)의 비용증가를 낳았고, 이 비용은 VA 연구결과와 매우 유사하다.

이러한 비용효과의 차이가 특히 중요한 이유는, 연구자들이 전형적으로 매우 고비용인 환자들을 대상으로 새로운 치료법의 비용-효과를 평가해왔기 때문이다 - 이 환자군에서는 비용절감이 크게 평가될 것이다. 일단 '비용-효과적' 이라고 판정된 치료는 흔히 훨씬 저비용인 환자군에게 사용된다. 하지만, 이 저비용 환자군에서는 전통적 치료보다 더 많은 추가비용이 야기되기 쉽다. 따라서, 새로운 치료가 모든 환자군에게 표준적 치료보다 더 효과적임에도 불구하고, 일부 환자집단에서는 더 높은 비용을 초래할 수 있는 것이다.

비용이 증가함에도 불구하고 치료효과가 우수하여 그 치료를 선택해야 할 시점은 언제인가?

비용-효과 연구의 해석 및 정책을 위한 그 의미 평가는 상당히 어려울 수 있다. 어떤 종류의 치료, 이를테면, 단독 정신사회적 치료와 비교한 전통적인 항정신병약물 치료는 거의 모든 상황 하에서 보다 효과적이고 보다 저렴하다. 그렇기에 임상에서 널리 채택되는 우세한 치료가 되었고, 사회에 큰 이득을 안겨주었다. 반면, 비전형 항정신병약물이나 적극적인 지역사회치료 등과 같은 기타 치료법은 많은 환자들에게 임상적 이득을 줄 수는 있겠지만, 고비용 환자들의 비용을 절감시킬 뿐 나머지 환자들의 비용은 절감시키지 못할 수 있다. 새로운 치료가 차선의 치료보다 더 효과적이지만 더 비쌀 때, 이 새로운 치료에 재원을 할당할 것인가를 결정해야 한다. 정신보건전문가의 관점으로 보자면 이 결정은 단순한 것일 수 있다. 자신의 환자들에게 추가적인 이득을 안겨주는 새로운 치료법이라면 거기에 더 많은 기금이 투입되어야 한다고 생각하는 것이다.

하지만, 사회의 경제적 관점에서 보면, 정신분열병 치료에 한정된 재원을 투입하는 것은 사회적으로 가치 있는 기타 활동, 이를테면, 심질환의 치료; 자녀교육; 환경정화 등의 활동으로부터 재원을 거두어 들여야 한다는 것을 의미한다. 경제학의 핵심개념 중 하나는 '기회비용' 이라는 개념이다. 이 개념은 19세기 경제학자 David Ricardo의 생각 중 하나로서, 어떤 활동의 비용은 그 활동의 가치와, 그 활동의 재원을 차선책의 대체 활동에 사용했을 때에 만들어지는 가치 사이의 차이를 일컫는다. 따라서, 정신분열병 치료에 얼마나 더 많이 혹은 얼마나 더 적게 지출해야 하는가 하는 문제를 다루기 위해서, 우리는 치료가 이득이 되는가 하는 것보다 더 많은 것을 결정해야만 하는 것이다. 우리는 정신분열병 치료에 추가적인 비용을 지불함으로써 얻어지는 추가적인 복지가, 그 돈을 차선책에 이용해서 얻어지는 복지보다 더 큰 것인가를 결정해야 한다. 이것은 쉽지 않은 일이나, 그 개념적 중요성은 아무리 강조해도 지나치지 않다.

정신분열병 환자들의 건강상태나 삶의 질을 평가하는 좋은 도구들이 있지만, 경제성 평가를 위해서는 정신분열병에 국한된 것이 아니라, 정신분열병 치료, 우울증 치료, 심장 수술과 관련된 이득, 그리고 아마도, 3학년 사회화교육과정의 향상 또는 독성 폐기물 정화와 관련된 이득까지도 서로 비교할 수 있는 측정방법이 필요한 것이다.

정신분열병 치료를 기타 의학적 질환과 비교하기 위해서는 보편적인 건강상태 평가방법이 요구된다. 하지만, 정신분열병의 새로운 치료법의 이득을 기타 사회적 생산품과 비교하기 위해서는 훨씬 더 일반적인 측정방법이 요구된다. 이 사회에서 완전히 이질적인 것들을 비교하는 표준적인 방법은 그 금전적 가치를 추산하여 비교하는 것이다. 다른 말로 하면, 정신분열병 치료, 심장 수술, 혹은 환경정화에 1불을 투자함으로써 얻어질 수 있는 건강의 이득을 통화가치로 환산하는 것이다.

건강이나 행복을 통화가치로 환산한다는 것은 분명 가장 어려운 문제점들 중 하나이다. 이러한 모호한 개념에 금전적 가치를 매긴다는 데에 많은 사람들이 아연실색한다. 하지만 사실, 우리는 일상생활을 통해 이러한 결정을 해나가고 있다. 만약 우리가 심폐 이식수술에 500,000불을 지불했다면, 이 결정은 이러한 지출이 그만큼의 이득을 안겨줄 가치가 있다는 것을 뜻하거나, 권력 있는 이해집단이 더 바람직한 공공의 목적으로부터 기금을 변통시킨다는 것을 뜻한다. 건강의 이득을 금전적 가치로 평가하는 경험적 과제를 회피하는 것은, 중대한 결정을 합리적이고 과학적인 논의가 아닌, 예감이나 추측, 혹은 사회적 의학적 권력 위계체계에 맡겨버리는 셈이 된다.

위에서 언급했듯이, 외래 환자들에게 클로자핀을 사용했던 최근 연구는 전통적인 약물보다 클로자핀 치료가 더 비싸다는 것을 보여주는데, 그 이유는 재원일수 감소가(전-후 비교를 이용해 후하게 평가를 할 때조차도) 클로자핀 비용을 상쇄시키기에 불충분하기 때문이다.[24] 이 연구의 저자들은 클로자핀 치료의 가치로서, 재원일수의 유의한 감소를 강조했지만, 연구에서 제기된 어렵고도 핵심적인 질문에 충분히 답하지는 못했다: 클로자핀으로 인한 이득이 그 비용과 맞먹는가 하는 질문이다.

마찬가지로, 코네티컷 ACT 연구 및 VA 집중적인 사례관리 연구에서도 저비용 환자들에게는 집중적인 치료가 4,000-6,000불 더 비쌌다. 병원이용이 점차 감소하고 비축된 입원 재정이 줄어듦에 따라, 이런 종류의 결과가 더 자주 나타날 것이다. 여기에 정책입안과 프로그램 계획에 관한 중대한 딜레마가 존재한다. 완전히 고정된 예산을 사용하는 보건체계에서 외래 환자에게 비전형 약물을 제공한다면, 일부 소수 환자들의 예후는 향상되거나 적어도 불편한 부작용에 노출되는 정도는 줄어들 것이다. 그러나, 그 환자들의 비용이 늘어난 결과로서, 다른 일부 환자들은 치료를 전혀 받지 못하게 될 수도 있다. 따라서, 프로그램 입안자는 현재의 환자들에게 값비싼 치료를 제공함으로써 얻을 수 있는 이득이, 표준적 치료를 더 많은 환자들에게 제공함으로써 얻을 수 있는 이득과 동일한가를 결정해야만 한다. 경제성 분석의 분명한 한 가지 규칙은, 위에 기술한 기회비용에서 비롯된 것으로서, 한정된 재원의 할당에는 항상 대체 가능한 것들 가운데에서의 선택이 수반된다는 것이다. 이것은 결코 단순히 가치 있는 치료를 선택하는 문제가 아니라, 언제나 동일한 재원을 사용하는 다른 치료들보다 더 좋은 치료를 선택하는 문제이다. 문제 및 선택의 성격을 규정하는 것은 중요한 단계이고, 이를 통해, 불완전하지만 사용 가능한 자료를 토대로 분명한 의사결정을 내릴 수 있는 경우도 종종 있다. 부작용으로 인해 전통적인 항정신병약물을 견딜 수 없는 환자들에게는 오로지 비전형 약물만 사용할 수 있고, 비전형 약물 사용이 약물을 사용하지 않는 것보다 우세한 선택이 된다. 하지만, 때로는 이러한 선택을 결정하기가 극히 어려운 경우도 있는데, 고정량의 예산을 사용해야 하므로 열 명의 환자에게 비전형 항정신병약물을 제공하느냐(50,000불의 비용으로) 아니면 그 비용으로 사회사업가를 두어 노숙자들이 주거를 마련하도록 돕게 할 것인가를 결정해야만 하는 기관이 그 예가 된다.

한정된 재원을 가치 있는 다양한 용도에 할당함으로써 얻어지는 이득을 어떻게 정량화할 수 있는가?

약 30년 전 보건서비스 연구가들은 건강성과를 평가하는 중요한 측정방법을 제안했다: 질보정생존년수(QALY)가 그것이다.[29] 이 개념에서 이상적인 건강지수는 0점(사망 혹은 생존년수가 없는 경우와 동격)에서 1점(완벽한 건강상태와 동격) 사이의 간격척도가 될 것이다. 이 척도는 사망보다 더 좋지 않은 건강상태를 반영하는 점수를 허용하나(즉, 0 이하의 점수), 완벽한 건강상태보다 더 높은 점수(즉, 1 이상)는 주지 않는다. QALY는 삶의 기간(양)과 삶의 가치(질)를 고려하여, 한 개인이 치료를 통해 얻을 수 있는 건강한 삶의 양을 나타낸다.[30,31] 우선 한 예로서, 환청과 망상에 시달리며 사회활동이나 생산적 활동에 전혀 참여할 수 없었던 입원 환자가 약물치료로써 온전히 생산적이고 행복한 삶을 되찾았다고 생각해보자. 원래 상태가 사망과 같은 상태였고 최종 상태가 완전히 건강한 상태라면, 여기서 얻어진 이득은 온전한 QALY에 해당한다.

흔히 호전은 죽음보다 다소 나은 상태에서 시작하여 완벽하게 건강한 상태에 약간 못 미치는 정도에 머무른다. 예를 들어, QALY 수준을 기저치보다 0.2 증가시켜 생존년수 5년을 만들어내는 치료(5 x 0.2=1)는 건강상태 수준 0.5로서 2년을 만들어내는 치료(2 x 0.5=1)와 동등한 효과를 가진 것이다: 양자 모두 건강년수 1년 또는 1 QALY에 해당한다. 건강년수의 가치에 의거한 평가는 어떠한 질환에든지 적용될 수 있기 때문에 원칙적으로 꽤 매력적이다. 또한 다양한 치료법의 비용-효과 비(比) - 즉, 지출된 달러당 얼마만큼의 추가적인 QALYs 수가 얻어지는가를 비교할 수 있게 해준다. 아래에 언급될 것이나, 건강 이득을 통화가치로 추산하는 방법을 제시해주기도 한다.

가장 단순한 예로서, 이를테면, 일부 연구자들이[32,33] 시사한 바와 같이 정신분열병 치료가 자살을 예방함으로써 삶을 연장시킨다고 하면, 그 이득은 심장 수술, 면역요법, 혹은 대장암의 예방적 선별에서 얻어지는 이득과 직접 비교될 수 있을 것이다. 클로자핀의 연간 비용이 5,000불이고 해마다 자살 위험을 5% 감소시킨다고 치면, 비용-효과 비는 치료 첫 해에 삶의 연장 비용 5,000불/0.05=100,000불/년에 해당한다. 반면, 관상동맥우회로이식술(CABG)의 비용이 25,000불이고 삶을 평균 0.5년 연장시킨다면, 클로자핀 치료보다 두 배 비용-효과적이며(25,000불/0.5=50,000불/년), 연간 50,000불로 삶을 연장시킬 수 있는, 선호되는 치료인 셈이다.

그러나 이 예들은 연장된 인생을 숫자로서만 따

진 것이지, 그 질을 고려하지는 않았다. 또한, 다양한 건강상태가 QALYs로 전환될 수 있다면, 즉, 다양한 조건에 의한 건강상태의 가치를 똑같은 0-1 사망-완벽 건강 척도 상에서 비교할 수 있다면, 건강으로 연장된 인생년수를 가늠하는 것이 가능해진다. 따라서, 위에 제시된 예에서 QALYs로 측정한 건강 이득이 CABG보다 클로자핀에서 두 배라면(이를테면, 클로자핀은 0.2 QALYs, CABG는 0.1 QALY), 100,000불에 0.2 QALYs(클로자핀) 또는 50,000불에 0.1 QALY로서 두 치료법은 동등한 가치를 지닌다. 혹은, 500,000불에 1 QALY와도 같은 가치이다. 이 예에서 측정의 주요 난점은 다양한 건강상태를 공통적인 사망-완벽 건강 척도 상에 정확하게 평가하는 일이다.

건강상태를 QALYs로 측정하기

건강상태평가를 위한 접근법으로서 이론적으로 합당한 방법은 '표준 도박'이라 불린다.[30] 이 과정에서 대상은, 현재의 건강상태에 남는 한 가지 선택과 일정 정도의 사망 가능성이 있지만 완벽한 건강상태를 택하는 또 다른 선택 두 가지가 가능한 도박을 하겠느냐고 질문 받는다. 이 과정을 이용하여 반복되는 질문을 통해, 완벽한 건강에 못 미치는 어떤 건강상태에서, 한 개인이 완벽한 건강을 얻는 대가로서 어떤 사망의 위험을 수용하는가를 결정하는 것이 이론적으로 가능하다. 확인 가능한 그 위험은 사망에서 완벽한 건강에 이르기까지의 척도 상 그 대상의 건강상태와 동격이다.

심한 장해가 되는 정신분열병으로 인해 병원에 입원해 있는 환자의 경우를 구체적인 예로서 들어보자. 아마도 그들은 완벽한 건강을 얻는 대가로 50%의 사망 위험을 수용할 것이다. 그들이 일년간 그 상태를 유지한다면, 건강상태는 0.5 QALYs에 해당한다. 이 환자가 치료 후에 자신의 건강을 향상시키는 어떤 도박도 하지 않으려 한다면, 사망-완벽 건강 척도 상 1.0 점에 해당하고 호전된 정도는 0.5 QALY인 것이다. 이론적으로 이 과정은 다양한 건강상태 및 다양한 의학적 상태를 지닌 환자들에게 적용될 수 있다. 각각의 경우에 현재의 건강상태는 표준으로서, 그리고 일반적 선호도 측정인, 특정 사망 위험을 기꺼이 수용하는 정도로서 측정될 수 있고, 그들의 현재 건강상태의 표준화된 평가가 가능하다.

사실, 표준 도박은 실행하기가 매우 어려운 것으로 밝혀져 있다. 환자들이 받아들이기 어려워하거나 일치되지 않는 결과가 나온다. 다른 환자들도 마찬가지지만, 특히 정신분열병 환자들은 비록 허구일지언정 죽음과 관련된 치료에 관해서는 숙고하려 하지 않는다. 그리하여, 표준 도박을 실행하는 난점을 극복하기 위해 몇 가지 대체방법들이 개발되었다. 시간거래 방법은 피험자에게 남은 인생을 완벽한 건강상태에서 살기 위해서라면 몇 년의 생을 포기할 수 있는가 하고 물어보는 방법이다. 불량한 건강상태에 놓인 사람들은 완벽한 건강을 얻기 위해 기꺼이 더 많은 인생을 포기하고자 하고, 포기되는 삶의 비율은 대략 QALYs 상의 건강상태와 같다. 더 단순하지만 타당도가 좀 떨어지는 방법은 양 끝에 불량한 건강과 완벽한 건강이라고 표기된 간단한 0-1 선 척도에 피험자가 자신의 건강상태를 직접 평가하도록 하는 것이다.

정신분열병 환자들의 건강상태 평가에 표준 도박을 성공적으로 적용한 연구는 단지 한 개만이 발표되어 있다.[34] 이 연구에서는 정신과의사들이 환자들의 임상양상을 요약했고 표준 도박 과정을 이용해 환자들의 건강상태를 평가했다. 환자와 그 가족들이 표준 도박 과정을 완수하고자 했지만 성공하지는 못했다. 정신과의사들의 평가는 급성 양성증상을 지닌 입원 환자의 0.56으로부터, 심한 음성증상을 지닌 외래 환자의 0.60, 중등도의 기능 수준을 가진 외래환자의 0.70, 기능이 좋은 외래환자의 0.73, 그리고 경미한 증상에 기능이 양호한 외래환자의 0.83에까지 이른다.

더 최근의 연구에서는[35] 일반적인 정신평가적 도구를 이용해, 클로자핀과 할로페리돌의 저항성 정신분열병 치료효과를 비교하는 데에 사용할 QALYs의 대용물을 개발하고자 했다. 이 방법을 통해, 저항성 정신분열병 입원환자들은 사망에서 완벽한 건강에 이르는 건강척도 상 0.47로 평가되었는데, Revicki 등의 연구에서[34] 보였던 급성 입원환자들의 척도점수인 0.56과 대략 일치하는 점수였다. 이 연구에서 치료기간 일년에 걸쳐 클로자핀은 할로페리돌에 비해 0.021-0.027 QALYs만큼의 이득이 더 있는 것으로 나타났다.

외래환자에게 드는 클로자핀의 순수비용을 Luchins 등이[24] 산정한 값과 치료 한 해 동안의 QALYs 이득에 대한 위의 산정 값을 인정한다면, 이 환자들에게 클로자핀의 비용-효과는 2,636불/0.021-0.027 QALYs = 1 QALY당 87,000불-112,000불 범위로 추산된다. 그만큼의 이득을 얻기 위해 비용을 지불할 '가치가 있는가' 하는 문제는 1 QALY의 가치에 달렸는데, 이제는 그 문제를 살펴보고자 한다.

QALYs의 통화가치 결정

QALY의 통화가치를 결정할 수 있다면, 특정 치료로부터 얻어지는 이득을 통화가치로서 평가할 수 있다는 것이 QALY 접근법의 또 다른 장점이다. 즉, 어떤 치료가 치료 한 해 동안 0.25 QALYs를 만들어낼 수 있다면, 그리고 건강년수 한 해의 가치가 100,000불로 산정된다면, 이 치료의 통화가치는 0.25 × 100,000 = 25,000불로 계산된다. 치료비용이 25,000불보다 적다면, 이 치료는 비용보다 더 큰 이득을 낳는 것이다. 정확하고 신뢰할 수 있는 측정에 기초하여 이와 같이 계산할 수 있다면, 더 효과적이지만 더 값비싼 새로운 치료법을 평가하는 데에 큰 도움을 얻을 수 있다.

QALY의 통화가치를 평가하는 한 가지 방법은 현시선호분석이다.[31,36] 이 접근의 한 예는, 위험 직종이나 생명 위협이 높은 고용에 따르는 임금 인상 분석이다. 사망위험이 10% 높은 특정 고 위험 직종에 종사하는 고용인이 연간 10,000불의 임금을 평균적으로 더 받는다면, 다른 모든 것들이 동일하다는 조건 하에서, 온전한 인생 한 해의 가치는 100,000불(10,000불/0.10)로 추산될 수 있다. 현시선호를 이용하여 QALY의 값어치를 평가하는 또 다른 방법은, 널리 시행되고 있으면서 그 비용만큼의 가치가 있다고 통상 인정되는 의학적 치료로부터 얻어지는 QALY 이득을 평가하는 것이다.[37] 한 사회의 보건체계에서 통상 제공되는 가장 값비싼 치료가 50,000불의 비용이 들고 0.5 QALYs의 이득을 발생시킨다면, 이 사회에서의 온전한 1 QALY의 가치는 100,000불이라고 결론지을 수 있다. 보건치료의 경우에는 이러한 방법으로 측정한 1 QALY의 값어치가 20,000불에서 100,000불에 이르며,[31] 생명 위협 직종의 경우에는 600,000불에 달한다.[36] 이 양자의 예에서 인생 한 해의 가치는 시장이나 임상에서 행해지는 바를 통해 나타난 것이다. 이 접근법을 통해, 완벽한 건강을 누리는 인생년수의 추가분에 비용을 지불할 수 있는 사회의 의지를 분명히 알 수 있으며, 다양한 상품의 비용에 대한 사회의 집단 의지를 반영하는 가격이 형성되는 시장과정에 접근할 수 있다.

QALY의 사회적 통화가치를 규정하는 이러한 방법을 외래의 클로자핀 치료 환자에게 적용하고 앞서 제시한 치료예후 및 비용을 이용하면, 1 QALY당 87,000불에서 112,000불 수준의 비용이 지불되는 클로자핀 치료는 통상적으로 수용되고 있는 의학 기술의 상한선에 해당한다고 결론지을 수 있다.

여기에 요약한 접근법은 논리적으로 상당히 매력적임에도 불구하고, 그 이행에는 많은 방법론적 문제점들이 뒤따른다. 기본적인 개념을 설명한 이유는, 건강상태의 표준적 평가 및 건강상태 향상의 통화가치 부여가 개념적으로 가능하다는 것을 보여주기 위해서이다. 통상적인 정신보건 비용-효과 연구에 적용하는 것은 무리지만, 이러한 접근법은, 공공의 건강 효용을 극대화시킬 수 있게끔 경제성 분석을 통해 보건기술에 합리적인 우선순위를 매기는방법을 보여준다.

결론

우리는 정신분열병 환자들의 복지를 최대화시키는 치료체계에 직접적으로 영향을 미치는 세 가지 보건 경제적 질문에 관해 살펴보았다. 이러한 질문에 완전하고 확실하게 대답하기가 어렵다고 해서 그 중요성을 과소평가해서는 안 된다. 우리 동료들의 '음울한 분야'를 비난하는 대신, Adam Smith 이후로 이러한 질문에 대해 사고하는 유용한 방법을 발견하고자 애써온 그들에게 감사해야 한다. 과학적인 답변이 없으므로, 이 질문들은 정치적 과정을 통해 답변을 얻게 될 것이다 - 동정, 공명성, 혹은 정의보다는 권력과 탐욕이 분명 더 결정적인 역할을 하고, 정신질환자들은 또 다시 실패자가 되기 쉬운 과정인 것이다. 따라서, 경제성 분석은 정신과적 옹호를 위한 소중한 도구인 셈이다. 우리는 연구를 통해, 사회적 실험을 통해, 그리고 대중과의 대화를 통해, - 구식의 방식으로 - 그 경제성 분석을 이용하고, 키워나가고, 강화시켜 나갈 줄 알아야만 한다.

참고문헌

1. Ma C, McGuire TG, Costs and incentives in a behavioral health care carve-out, *Health Aff* (1998) **17:**53–69.
2. Goldman W, McCulloch J, Sturm R, Costs and use of mental health services before and after managed care, *Health Aff* (1998) **17:**40–52.
3. Rosenheck RA, Druss B, Stolar M et al, Effect of declining mental health service use on employees of a large self-insured private corporation, *Health Aff* (1999) **18:**193–203.
4. Rosenheck R, Horvath T, Impact of VA reorganization on patterns of mental health care, *Psychiatr Serv* (1998) **49:**56.
5. Leslie DL, Rosenheck RA, Shifting from inpatient to outpatient care? Mental health utilization and costs in a privately insured population, *Am J Psychiatry* (1999) **156:**1250–7.
6. Krause E, Death of the Guilds: professions, states and the advance of capitalism, 1930 to the present. (Yale University Press: New Haven, 1996).
7. Eist HI, Presidential address: Strengthening psychiatry's dedication and commitment to compassionate care, educational excellence, and creative research, *Am J Psychiatry* (1997) **154:**1343–9.
8. Samuelson PA, Nordhaus WD, *Economics,* 12th edn (McGraw Hill: New York, 1987).
9. Rice DP, Miller LS, The economic burden of schizophrenia: conceptual and methodological issues, and cost estimates. In: Moscarelli M, Rupp A, Sartorius N, eds, *Handbook of Mental Health Economics and Health Policy*, vol 1. *Schizophrenia* (Wiley: New York, 1996).
10. Baumol WJ, Blinder AS, *Microeconomics: Principles and Policy* (Dryden Press: Forth Worth, TX, 1986).
11. Wennberg JE, Gittlesohn D, Small area variation in health care delivery, *Science* (1973) **182:**1102–8.
12. May PRA, Cost efficiency of treatment for the schizophrenic patient, *Am J Psychiatry* (1971) **127:**118–21.
13. May PRA, *Treatment of Schizophrenia* (Science House: New York, 1968).
14. Dixon LB, Lehman AF, Levine J, Conventional antipsychotic medications for schizophrenia, *Schizophr Bull* (1995) **21:**567–77.
15. Revicki DA, Luce BR, Wechsler JM et al, Cost-effectiveness of clozapine for treatment resistant schizophrenic patients, *Hosp Community Psychiatry* (1990) **41:**850–4.
16. Meltzer HY, Cola P, Way L et al, Cost-effectiveness of clozapine in neuroleptic resistant schizophrenia, *Am J Psychiatry* (1993) **150:**1630–8.

17. Reid WH, Mason M, Toprac M, Savings in hospital bed-days related to treatment with clozapine, *Hosp Community Psychiatry* (1994) **45:**261–8.
18. Reid WH, Mason M, Psychiatric hospital utilization in patients treated with clozapine for up to 4.5 years in a state mental health care system, *J Clin Psychiatry* (1998) **59:** 189–94.
19. Rosenheck RA, Cramer J, Xu W et al, for the Department of Veterans Affairs Cooperative Study Group on Clozapine in Refractory Schizophrenia, A comparison of clozapine and haloperidol in the treatment of hospitalized patients with refractory schizophrenia, *N Engl J Med* (1997) **337:**809–15.
20. Essock SM, Hargreaves WA, Covell NH, Goethe J, Clozapine's effectiveness for patients in state hospitals: results from a randomized trial, *Psychopharmacol Bull* (1996) **32:**683–97.
21. Rosenheck R, Lawson W, Crayton J et al, Predictors of differential response to clozapine and haloperidol, *Biol Psychiatry* (1998) **44:**475–82.
22. Rosenheck R, Cramer J, Allan E et al, Cost-effectiveness of clozapine in patients with high and low levels of hospital use, *Arch Gen Psych* (1999) **56:**565–72.
23. Luchins DJ, Hanrahan P, Schinderman M et al, Initiating clozapine treatment in the outpatient clinic: service utilization and cost trends, *Psychiatr Serv* (1998) **49:**1034–8.
24. Viale G, Mechling L, Maislin G et al, Impact of risperidone on the use of mental health care resources, *Psychiatr Serv* (1997) **48:**1153–9.
25. Rosenheck RA, Massari L, Frisman L, Who should receive high cost mental health treatment and for how long? Issues in the rationing of mental health care, *Schizophr Bull* (1993) **19:**843–52.
26. Rosenheck RA, Neale MS, Cost-effectiveness of intensive psychiatric community care for high users of inpatient services, *Arch Gen Psychiatry* (1998) **55:**459–66.
27. Rosenheck RA, Neale M, Leaf P et al, Multisite experimental cost study of intensive psychiatric community care. *Schizophr Bull* (1995) **21:**129–40.
28. Essock SM, Frisman LK, Kontos NJ, Cost-effectiveness of assertive community treatment teams, *Am J Orthopsychiatry* (1998) **68:**179–90.
29. Torrance GW, Feeny D, Utilities and quality adjusted life years, *International Journal of Technology Assessment in Health Care* (1989) **5:**559–75.
30. Gold MR, Siegel JE, Russell LB, Weinstein MC, *Cost Effectiveness in Health and Medicine* (Oxford University Press: New York, 1996).
31. Weinstein MC, From cost-effectiveness ratios to resource allocation: where to draw the line. In: Sloan FA, ed, *Valuing Health Care* (Cambridge University Press: New York, 1996).
32. Meltzer HY, Okayli G, Reduction of suicideality during clozapine treatment of neuroleptic-resistant schizophrenia: impact of risk benefit assessment, *Am J Psychiatry* (1995) **152:**183–90.
33. Reid WH, Mason M, Hogan T, Suicide prevention effects associated with clozapine therapy in schizophrenia and schizoaffective disorder, *Psychiatr Serv* (1998) **49:**1029–33.
34. Revicki DA, Shakespeare A, Kind P, Preferences for schizophrenia-related health states: a comparison of patients, caregivers and psychiatrists, *Int Clin Psychopharmacol* (1996) **11:**101–8.
35. Rosenheck RA, Cramer J, Xu W et al, Multiple outcome assessment in a study of the cost-effectiveness of clozapine in the treatment of refractory schizophrenia, *Health Serv Res* (1998) **33:**1235–59.
36. Johanneson M, *Theory and Methods of Economic Evaluation of Health Care* (Kluwer Academic: Dordrecht, 1996).
37. Luapacis A, Feeny D, Detsky AS, Tugwell PX, How attractive does a new technology have to be to warrant adoption and utilization? Tentative guidelines for using clinical and economic evaluations, *Can Med Assoc J* (1992) **146:**473–81.

23 일인칭 이야기

John K Hsiao

내용 · 도입 · 일인칭 이야기: 내 자신을 발견하고 사랑하기 · 일인칭 이야기 : 개인적인 체험 · 일인칭 이야기 : 바다로 나갈 수 있게 되기 · 일인칭 이야기 : 정신분열병과 함께 살기 · 일인칭 이야기 : 정신분열병 3세대

도입

우리가 정신분열병에 관해 알고 있는 한 가지 과학적인 진실이 있다면, 그것은 정신분열병이 뇌의 질병이라는 사실이다. 이를 뒷받침하는 데에 가장 흔히 인용되는 두 가지 사실은: (1) 입양 가족이 아닌, 생물학적 친족에게서 발생 위험이 높기 때문에, 정신분열병은 유전적 질환이고, (2) 뇌실계의 확장이 보여주듯이 뇌의 발달이 비정상적이라는 점이다. 그러나, 정신분열병 환자들의 대다수에게는 이 질환을 지닌 친족이 없고, 환자들의 뇌 자기공명영상은 통상 정상이라고 판독된다. 이 점이 정신분열병은 뇌의 질환이 아님을 뜻하는 것은 아니다. 단지 환자집단을 통틀어서 환자가 아닌 집단과 비교했을 때, 유전과 신경해부학의 역할이 분명해진다는 의미이다.

마찬가지로, 임상연구는 환자집단을 대상으로 하고 환자집단에 대해 보고하며, 치료 지침 또한 환자집단에 적용된다. 하지만, 치료는 환자 개인에게 주어지는 것이고, 정신분열병이라는 질환은 한 개인과 그 가족이 짊어져야 하는 문제인 것이다. 정신보건 의료인들은 개별적인 환자를 마치 그 환자가 '평균적' 환자인양 치료하는 것을 당연시하는데, 실상 그러한 '평균적' 정신분열병 환자란 존재하지 않는다. 각각의 환자 및 가족은 자신만의 고유한 병력, 성격, 그리고 상황을 지니고 있다. 이러한 개별성을 과학적 문헌에 담아내는 것은 불가능하지는 않더라도 상당히 어려운 일이다. 전문잡지나 의학적 문헌은 질병 그 자체, 질병의 자연경과, 그리고 적정한 치료를 알려주지만, 이를 통해 정신분열병 환자나 그 가족의 사적인 체험에 관한 통찰을 얻을 수는 없다. 미국국립정신보건원(NIMH)에서는 1969년부터 *정신분열병 학회지*를 발행해오고 있다. 처음에는 비정기 간행물로 출발했으나, 1974년부터는 계간지로 발행되고 있다. 일차적인 독자층은 정신보건전문가 및 연구자들이나, 정신분열병에 관심 있는 비전문가들도 이 잡지를 구독하고 있다. *Bulletin*은 NIMH의 정신분열병 연구 프로그램의 중추적 역할을 담당하고 있고, 국제 학술계와 의사소통하는 수단이 됨과 동시에 학술계를 결집시키는 데에 기여하고 있다. 1979년부터 *Bulletin*은 환자, 과거에 환자였던 사람, 그리고 가족들이 직접 서술한 일인칭 이야기 연속물을 내용에 포함시켜왔다.

이 장에 기술될 다섯 개의 기사는 본래 *Schizophrenia Bulletin*에 실렸던 것들로서, 환자 및 가족들이 정신분열병을 겪었던 사적인 체험들을 기술하고 있다. 1984년에 실렸던 '내 자신을 발견하고 사랑하기' 는 급작스런 정신병이 발병했으나 치료받은 후 병전기능을 회복한 한 대학생의 체험을 그리고 있다. 반면, 1995년에 실렸던 '개인적인 체험' 은, 30대에 매우 서서히 발병하여 진단이 내려지는 데에 수년이 걸렸고, 치료에도 불구하고 지속적으로 '투병' 해왔던 한 여인의 이야기이다. 1985년에 실렸던 '바다로 나갈 수 있게 되기' 는 수년간 정신분열병을 앓아온 한 남자 환자가 기술한 것으로서, 정신분열병 환자에게 도움을 주는 가족의 중요성과 함께, 질환으로 인해 꿈을 잃어야만 했던 통한을 표현하고 있다. 나머지 두 개의 기사는 정신분열병 환자의 가족 이야기이다. 가족 이야기의 첫 번째 기사인 '정신분열병과 함께 살기' 는 1991년에 실렸던 것으로서, 딸의 정신분열병에 대해, 그리고 그 질병이 그들 모녀를 얼마나 유린했던가에 대해 어머니가 기술한 것이다. 1986년에 실린 '정신분열병 3세대' 는 정신분열병에 걸린 여러 가족들과 함께 생활했던 한 여인의 이야기이다.

이 다섯 편의 기사를 포함한 *Schizophrenia Bulletin*의 일인칭 이야기는 동일한 도입부를 달고 있다. 희망하는 바는, '정신보건 전문가들에게는 ... 정신보건 이용자들이 당면하고 있는 문제점과 어려움을 이해할 수 있는 기회가 될 것이다. 게다가, ... 이 이야기들은 환자들과 가족들에게, 심한 정서적 어려움을 지닌 사람들이 닥쳐올 문제를 직면함에 있어서 혼자가 아니라는, 보다 긍정적인 느낌을 줄 것이다.'

일인칭 이야기: 내 자신을 발견하고 사랑하기

지닌 M 오닐

정신분열병 첫 삽화가 나타났을 때, 나는 21세였고 조지아주 애틀랜타에 있는 대학의 졸업반이었다. 나는 꽤 좋은 성적을 받았었고, 여학생회 지부의 부회장이자, 스페인어 동호회 회장이었으며, 매우 인기 있는 학생이었다. 내 생애의 모든 면이 완벽하게 느껴졌다. 나는 무척 사랑하던 남자 친구가 있었고, 스페인어를 교습하는 아르바이트를 하고 있었으며, 졸업반 여왕 선출에 입후보하려던 참이었다.

갑자기 모든 것이 순조롭지 않게 되었다. 나는 내 인생의 통제력을 상실했고, 무엇보다도, 내 자신을 잃었다. 학업에 집중할 수 없었고, 잠을 이룰 수도 없었다. 어쩌다가 잠을 이루더라도 죽는 꿈을 꾸었다. 나는 사람들이 내 이야기를 하고 있다고 생각하며 교실에 들어가기가 두려웠고, 마침내 사람 목소리의 환청을 듣기 시작했다. 나는 피츠버그에 있는 어머니에게 전화를 걸어 조언을 구했다. 어머니는 캠퍼스를 떠나 언니와 같은 아파트에서 지내라고 말씀하셨다.

언니 집으로 이사한 후, 상황은 더 악화되었다. 외출하기가 겁났고, 창 밖을 내다보면 모든 사람들이 '그녀를 죽여라, 그녀를 죽여라' 라고 외치는 듯이 느껴졌다. 언니는 나를 억지로 등교하게 했다. 나는 집을 나섰다가 언니가 출근했다는 것을 확인하고는 다시 들어오곤 했다. 상황은 점점 악화되고 있었다. 나는 내 몸에서 역겨운 냄새가 난다고 생각했고, 하루에 여섯 번씩 샤워를 하기도 했다. 상점에 들렀던 어느 날, 가게에 있던 사람들이 '구원을 얻으려면, 예수님이 해답이다' 라고 말하고 있었던 것을 기억한다. 상황은 더 나빠졌다 - 나는 무슨 일을 기억할 수가 없었다. 그날에 해야 할 일을 알 수 있으려면, 공책에 기억해야 할 것들을 빼곡히 적어두어야만 했다. 학교에서 배운 것을 기억할 수 없었고, 오후 6시부터 새벽 4시까지 공부했지만 다음날 등교할 용기는 생기지 않았다. 나는 당시의 상황을 언니에게 설명하고자 했지만, 언니는 이해하지 못했다. 언니는 정신과의사를 만나 보라고 했지만, 의사를 만나러 집 밖으로 나서기가 무서웠다.

하루는 이러한 상처를 더 이상 견딜 수 없다고 결정하고 다르본[역주12] 35정을 과량 복용했다. 그때에 내 안에서 '무엇 때문에 이런 짓을 하는 거지? 이제 넌 천국에 갈 수 없어' 라고 말하는 소리를 들었다. 바로 그 순간, 나는 진정 죽고 싶지 않다는 것을 깨달았고, 살고 싶어졌고, 두려웠다. 전화를 집어 들고 언니가 추천해준 정신과 의사와 통화했다. 나는 의사에게 다르본을 과량 복용했으며 두렵다고 말했다. 의사는 택시를 타고 병원으로 오라고 했다. 병원에 도착하자, 구토를 시작했지만 쓰러지지는 않았다. 내가 정말로 정신과 의사를 만나러 왔다는 것을 받아들일 수가 없었다. 정신과 의사를 만나는 사람은 미친 사람이고 나는 분명 아직은 미치지 않았다고 생각하고 있었기 때문이었다. 그 자리에서 자신을 용납할 수가 없었다. 병원을 나왔고 집으로 오는 길에 언니를 만났다. 언니는 내가 분명 입원을 해야 할 것이라며 당장 병원으로 돌아가라고 말했다. 우리는 어머니에게 전화를 했고, 어머니는 다음날 비행 편으로 오겠다고 하셨다.

나는 그 특별한 병원에 1주일간 입원했다. 그다지 나쁜 체험은 아니었다. 첫 면담을 한 후 퍼페나진이라는 약물투여가 시작되었다. 그곳에서는 우울증 환자로부터 과대한 환영을 지닌 환자에 이르기까지 다양한 사람들을 만날 수 있었다. 꽤 흥미롭기도 했다. 나는 좋은 주치의를 만났지만, 선생님은 내가 정신분열병이라고 알려주지 않았다 - 단지 내가 가진 문제가 '정체성 위기' 라고만 말해주었다. 나는 그 뒤로 피츠버그에 있는 병원으로 옮겨졌고, 그곳에서 만난 주치의는 별로 호감이 가지 않았다. 주치의는 내가 여러 가지를 상상하고 있다면서 끊임없이 약물을 교체했다. 예를 들어, 내가 복통(腹痛)을 호소하면, 주치의는 그것이 내 상상이라고 말하는 식이었다. 회복기에 접어들자, 나는 더 이상 상상하지 않게 되었다. 그러나 두려웠다. 나는 사람들의 군중이 무서웠기에, 쇼핑을 하러 가거나, 춤을 추러 가거나, 버스를 타는 것(사람이 많은 곳은 어디든지)을 피했다. 나의 회복은 9월부터 이듬해 3월까지의 기간이 걸렸다. 그런데, 당시 내 주치의는 나를 '불안-우울 반응' 이라고 진단 내렸다. 그 기간동안 내 가족들의 지지는 큰 힘이 되었다.

사월이 되자, 나는 이제 괜찮아졌고 더 이상의 약물복용이 필요 없다고 판단했다(내 병이 잘 낫지 않는 질환인 정신분열병이라는 것을 몰랐던 것이다). 외래치료도 중단했다. 직장을 얻었다가 일주일 만에 그만 두었다. 나도 모르게 혈압이 오르고 예민해졌다. 친구들과 가족들은 내가 이상하게 행동한다고 말했지만, 나는 깨닫지 못하고 있었다. 두려움에 사로잡혀 있던 동안 잃어버렸던 시간들을 되찾기 위해 거의 매일 밤을 춤추러 다녔다. 나는 세상의 꼭대기에 있는 듯이 - 마치 자유인 듯이 느꼈다.

역주 12 마약성 진통제의 일종

여름은 빨리 지나갔다. 나는 가을이면 애틀랜타로 돌아가 졸업학기를 마쳐야겠다고 결심했다. 스페인어 학사 취득은 한 학기만을 남겨둔 상태였고, 나는 다니던 대학에서 교육과정을 이수하고 싶었던 것이었다. 하지만, 부모님은 무슨 일이 일어날 경우를 염려하여 내가 피츠버그에서 교육을 마치길 바라셨다. 나는 부모님의 말을 듣지 않았고, 아무래도 부모님이 나에 대해서 뭔가를 꾸미는 듯한 생각이 들었다. 나는 애틀랜타로 돌아갔고, 다시 아프게 되었다. 다른 정신병원에 또 다시 입원했다. 상황은 첫 입원 때보다 훨씬 나빴다. 더 이상의 목소리를 듣지는 않았지만, 내가 본 것과 꿈꾼 것은 훨씬 더 충격적이었다. 나는, 한 순간 내 자신이 주 예수이고 모든 사람의 죄를 사하기 위해 이 땅에 온 것이라고 생각하고 있었던 것을 기억한다.

그 병원에 있는 기간은 정말로 끔찍한 시간이었다. 나는 무엇인가를 볼 때마다 격리되어야 했다. 내 요구에 가장 잘 맞는 약을 발견하기 위해 그들은 끊임없이 나를 실험동물처럼 이용하고 있다는 느낌이었다. 그러나 많은 친구들(환자들)을 만났고, 그들 중 몇몇은 매우 친해졌다. 그 병원에 입원한 기간은 한 달하고도 이틀이었다. 내게는 결국 록시텐이 처방되었다. 이 약은 아직도 복용 중이다.

퇴원 후, 나는 피츠버그로 돌아왔고 서부정신과병원 외래를 다녔다. 나의 담당 의사는 매우 좋은 분이고, 나는 그녀를 매우 존경한다. 정말로 훌륭한 선생님이다. 내가 회복하는 데에는 6개월이 걸렸다. 나는 또 다시 사람들을 무서워했고, 가능한 한 사람들을 피했다.

지금은 거의 2년째 록사텐을 복용 중이며, 결과는 꽤 좋다. 모든 증상이 사라진 듯 하다. 나는 내 아파트에서 생활하면서 피츠버그에 있는 대학에 복학했고, 여학생회 회장 직을 맡고 있으며, 무엇보다도 내 생애에서 가장 행복하고 확신에 찬 생활을 누리고 있다. 내 과거의 고통을 돌아보면서 그 시간들을 교훈적인 체험으로 생각하고 있다. 나는 미래를 밝은 기회의 시간이라고 전망한다. 내 담당 선생님은 약을 복용하는 것이 무엇을 의미한다고 생각하는가 하고 언젠가 물으셨던 적이 있다. 그 때 나는 '아프지 않으려는 것' 이라고 대답했다. 요즘 나는 마치 고혈압이나 당뇨병을 가진 사람처럼 매일 약을 복용하고 있다. 나는 그것을 탐탁지 않게 여기지 않는다. 지금의 나는 정말 자유롭다.

이 글은 *Schizophrenia Bulletin*(1984) **10**:109-10에 처음으로 실렸고, 동의를 구해 여기에 실었다.

일인칭 이야기: 개인적인 체험

엘리자베스 헤릭

나는 12세 때 부모님께 정신과의사를 만나보아도 좋겠느냐고 여쭈었고 부모님은 이를 허락하셨다. 나는 의사 선생님에게 내가 정신분열병이 아닌가를 여쭈었다. 선생님은 그렇게 진단할 수 없다고 했다; 정신분열병에 걸리면 환각이나 망상이 생기는데, 나는 이성적인 것으로 보인다고 설명해 주셨다. 당시에는 환청이라고 할만한 경험이 전혀 없었다. 나는 강렬한 공포를 가지고 있었고 자주 우울했다. 학교 가기가 싫었고 결석하기 위한 변명을 자주 만들었다.

15세가 되자, 학교 상담교사의 추천으로 다른 정신과의사를 만났다. 그 의사 선생님은 나의 이상하고 고립된 행동양상을 알아 차렸다. 선생님과 함께 나눈 이야기들은 주로 내가 학교에서 느끼는 감정들이었다. 나는 독특하다고 느껴졌고 외로웠다. 학교 복도에서 수많은 사람들을 보면, 내 인생의 의미를 어떻게 찾을 수 있을지를 고민하게 되곤 했다. 나는 마치 책상처럼 교실 안에 뒤섞여 어울리고 싶어 했다. 나는 말이 없는 학생이었다. 그 어떤 과외 활동에도 참여하지 않았고, 친한 친구도 없었다. 나는 독서를 즐겼다. 특히 교과과정에 없는 책들을 좋아했다. 중간계에 관한 톨킨의[역주13] 책을 즐겨 읽었다. 영어시간에는 작문을 좋아했지만, 출중한 학생으로 인정받지는 않았다.

고등학교 졸업식은 내겐 고통스런 사건이었다. 나는 내내 홀로 서 있었고 오직 한 여학생만이 작별인사를 해왔을 뿐이었다. 졸업 후 집 근처의 대학에 등록했다. 그곳을 2년 동안만 다녔다. 선생님과의 문제 따위와 같은 일상적인 상황을 다루기가 너무 어려웠던 것이다.

내 전공은 작문에 비중을 둔 영어였다. 나는 모든 과정을 마칠 수 있으리라고 생각했던 것을 기억한다. 그러나, 작품집 평가에서(졸업에 필수적으로 요구되는) 작문능력이 부족하다는 평가결과를 받았고 결국 학위를 얻지 못했다.

나는 대학시절 동안 상당히 분노에 차 있었던 것으로 기억한다. 나는 그 분노가 어디에서 비롯된 것이며 어디로 향해야 하는지를 이해할 수 없었다. 강한 공포와 분노, 그리고 우울감이 나의 내면을 지배하려 들었다. 나는 학교를 그만두고 일자리를 찾기로 결심했다.

대학 2년을 마치고 이듬해 여름, 나를 담당하시던 정신과 의사는 할로페리돌 약물치료가 도움이 될 것이라는 결정을 내렸다. 내가 약품 안내서를 읽어본다면 그 약이 심하게 아픈 사람들에게 사용된다는 것을 알게 될 것이라는 선생님의 설명이 기억난다. 선생님은 나를 심하게 아프다고 보지는 않지만 그 약이 내 공포를 덜어줄 수 있을 것이라고 말씀하셨다. 그러나, 그 약을 복용한 후 내 공포감은 더 커졌던 것 같다. 길을 걷다가 아이들을 보면 무서워졌다. 또한 턱의 움직임을 조절할 수 없었기에, 그 움직임을 교정하기 위한 다른 약을 추가로 복용해야 했다. 할로페리돌은 나를 초조하게 만드는 효과가 있었다. 나는 부작용을 견딜 수 없었기에 복용을 중단했다. 선생님을 만나는 것이 내 문제해결에 조금이라도 도움이 될 수 있을까 하는 의구심이 들기 시작했으므로, 정신과 의사를 만나는 것도 그만두고 말았다.

나는 *시카고 트리뷴*의 광고를 통해 일자리를 구했고, 일을 시작하게 되었다. 상사와 동료들은 나를 이상하게 여겼지만, 일할 수 있는 능력과 의지 때문에 이내 더 어려운 업무가 주어졌다.

나는 체중이 많이 나갔던 적이 전혀 없었음에도 불구하고, 식이조절과 날씬해지려는 소망에 강박적으로 집착하게 되었다. 나는 과일과 채소만 먹기 시작했다. 인간이 아닌 영적 존재처럼, 아무런 무게 없이 공중에 둥둥 떠다니고 싶었다. 섬유질만을 섭취한 탓에 장폐색이 생겼고, 엄청난 고통으로 인해 병원으로 실려 가야 했다. 응급실의 의사는 내 피부가 진한 오렌지색으로 변한 것을 보고 놀랐다. 그것은 당근에 함유된 카로틴을 너무 과량 섭취했기 때문이었던 것으로 밝혀졌다.

전공의 선생님은 정신과 의사를 호출했다. 공교롭게도 호출된 선생님은, 수년 전에 내게 정신분열병 증상이 관찰되지 않는다고 말했던 바로 그 선생님이었다. 이번에는 내가 혹시 신경성 식욕부진이 아닌가를 감별하기 위해 호출된 것이었다. 내

역주 13 반지 전쟁의 저자, 중간계는 여러 종족이 살고 있는 소설 속의 세상임

몸무게는 당시 84파운드(38Kg)였다. 선생님은 나를 신경성 식욕부진으로 진단하지 않았다. 내 진단은 '회피성 성격장애' 및 '불안'이었다. 내 장폐색은 해소되었고 나는 다시 일을 시작했다.

그해 여름은 정말로 힘든 시간이었다. 평균적인 정상인들에게는 도무지 이해될 수 없는 지옥 같은 생활이었다. 그때 읽었던 책은 나에게 큰 영향을 끼쳤다. 리처드 라이트가 쓴 *토박이*[역주14]였다. 나는 주인공을 점점 강렬히 동일시하게 되었는데, 우리는 둘 다 모든 사람들에게 오해받고 있는 착한 사람이기 때문이었다. 젊은 여인을 살해한 주인공의 범죄는 그가 처한 상황에서는 필연적인 것이라고 느꼈다. 나는 호머의 *일리아드와 오디세이*같은 고전문학도 즐겨 읽었다.

내 질환의 진행과정을 연대순으로 기억하기는 어렵다. 세상은 더 혼돈스럽고, 더 무서웠으며, 더 납득하기 어렵게 느껴져만 갔다. 내 사고력이 달라지고 있다는 것을 깨닫기 시작한 것은 틀림없이 1984년 2월이었을 것이다. 내 마음이 두 부분으로 나뉜 듯 했다. 한 부분은 원래의 자리에 있어왔던 마음이고, 다른 한 부분은 내 사고(思考)의 배후에서 떠들어대는 목소리들로 꽉 찬 마음이었다. 나는 그 목소리들을 듣느라 산만해져서 집중하기가 매우 곤란했다. 내 질환이 진행되면서, 나는 나에게 일어난 일들을 이해할 수 없게 되었다. 나는 책상에 앉아 목소리에 귀 기울이곤 했다. 가족들과의 생활도 달라 보였다. 부모님과 함께 식당에 앉아 있었던 어떤 날에 들었던 이상한 대화가 기억난다. 아버지께서 '네 엄마가 늙어가는구나' 라고 말씀하셨다. 내가 어머니를 보니 울고 계셨다. 어머니께서는 나에게 나타난 변화를 슬퍼하셨고 자신이 무엇을 할 수 있는지를 몰랐노라고 추정할 수 있을 뿐이다.

직장에 나가는 것은 진정 지옥이었다. 나는 계속해서 목소리를 들었다. 하루는 책상에 앉아 있는데, 파리 한 마리가 내 팔에 앉았다. 내가 본 중에 가장 큰 파리였다. 2월이었기 때문에, 있을 수 없는 일이었다. 내 임무 중 하나는 군사요원을 위한 정보를 읽는 일이었다. 나는 헬파이어 미사일에[역주15] 관해 읽었던 것으로 기억한다. 나는 인공적인 헬파이어가 사람들을 죽이는 상상을 했다. 일급비밀정보를 읽었기에, 내가 이를 발설하지 못하도록 누군가가 나를 죽이려하고 있다고 확신하게 되었다.

내가 이 당시에 가졌던 많은 생각들은, 지금 분별력 있게 생각해보자면, 나에게 무척 당황스럽게 보였을 것이다. 어떤 생각은 흉악하고, 어떤 생각은 그저 사소하고 유치해 보인다. 나는 대부분의 사람들이 꿈을 받아들이듯이 그 생각들을 받아들이고 있다. 내가 통제할 수 없는 것들이었기에 나를 탓하지 않는다. 이런 방식으로 생각해야만, 지금 하고 있는 것처럼 내 이야기를 전할 수 있다. 나는 보통 사람들이 정신병 삽화를, 의식이 변조된 상태로서 이해할 수 있기를 바라며, 정신질환자들은 나쁜 사람들이라는 판단에 사용하지 않기를 바란다.

입원해야 했던 날 아침, 나는 누군가가 나를 사살하려 하기 때문에 직장에 가고 싶지 않다고 어머님께 말씀드렸다. 어머니는 내게 질문했고, 나는 말이 안 되는 음운으로 대답했다. 어머니 모르게 집을 나왔고 결국 직장에 가기로 결심했다. 나는 그날, 나에 대한 비밀을 공유하고 있는 세상 모든

역주
14 흑인문학의 대표적인 저항소설
15 헬기 발사 대전차 유도탄의 일종

사람들 곁을 지나가야 한다고 믿었다. 사람들의 몸짓에는 특별한 의미가 숨겨져 있다고 믿었다. 그들이 내게 비밀을 전하는 방식이었다. 사람들의 말소리는 나를 두고 하는 말이라고 생각했다. 직장에서는 시간을 잊어버린 채 출근시간카드를 찍었다. 시간은 아침의 중반이었다. 나는 자리에 앉았다. 일을 하려고 했는지 잘 기억이 나지 않는다.

누군가가 다가와 '의사에게 전화하세요' 라고 적힌 노트를 전해줬다. 나는 이 노트를 내게 방향을 제시해주는 신비한 힘으로부터 오는 것이라고 생각했다. 직장을 나와 열차를 타고 가정의를 만나러 갔다. 그 당시의 정신상태로 전혀 다치지 않고 걸어다닐 수 있었던 것은 기적이었다. 내 앞에서는 차들이 자동적으로 멈출 것이라고 생각했던 것이다. 또한 돈을 내야했던 모든 것들이 이 순간에는 공짜라고 믿었다. 의원에 도착했을 때 나는 간호사에게 왜 나를 불렀느냐고 물었다. 간호사는 부른 적이 없다고 했다. 나는 그녀에게 내가 누구인지 아느냐고 물었다. 나는 무슨 일이 벌어지고 있는지를 몰랐기에, 그녀가 상황을 통제하고 나를 인도해주길 바랬다. 어떤 힘이 나를 여기까지 이끌었고 이제는 나를 버려두려는 것 같았다.

다행이 의사선생님이 들어왔다. 어머니가 오전에 선생님께 전화를 걸어 내 상태를 이미 설명하셨던 것이었다. 선생님은 나에게 자리에 앉도록 권하고는 방을 나가 내가 의원에 와있음을 어머니에게 전화로 알렸다. 어머니는 아버지를 직장에서 불러내어 함께 나를 찾고 계신 중이었다. 어머니는 내가 일하는 직장에 전화를 해 내가 있는가를 알아본 후, 의원에서 전화를 하고 있다는 시늉을 하신 것이었다. 나는 사람들이 무서웠지만, 기꺼이 그들과 함께 갔고, 그들은 나를 차에 태워 병원으로 데려갔다. 응급실 간호사가 무엇이 문제냐고 물어보던 것이 기억난다. 나는 모세와 십계명에 관해 읽었던 것들을 말하기 시작했다. 간호사는 이해할 수 없으니 조용히 해달라고 했다. 나는 병원에 있다는 사실도 인식하지 못한 채 입원서류에 서명했다. 마치 어린 아이처럼 모든 사람을 믿었다. 심지어는 얼마나 오랫동안 입원해야 하고 어떤 처치를 받게 되는지에 관해서도 물어보지 않았다. 아무것도 물어볼 생각을 하지 않았다.

나는 3주간 입원했다. 바로 약물치료가 시작되어 할로페리돌을 복용했다. 언제부터 약의 효능이 나타났는지 나는 알지 못한다. 나는 사람들을 쳐다보며 복도를 서성거렸다. 나는 간호사에게 나를 지옥으로 이끄는 힘이 작용하고 있다고 말했다. 많은 괴이한 망상을 지니고 있었다. 나는 내가 아르헨티나 독재자의 부인 에바 페론, 당시 인기 있던 뮤지컬 *에비타*의 주인공이라고 믿고 있었다. 어머니가 흡연으로 인한 폐질환으로 돌아가셨다고 믿었다. 심박동수가 빨라지면, 나는 심장 이식술을 기다리는 중이라고 생각했다. 그렇게 강렬하게 고동치는 심장은 분명 오래 버티지 못할 것이라고 생각했던 것이다. 내 방에서 라디오를 들으면서, 모든 노래를 나에게 전달되는 메시지로 해석했다.

나는 누군가가 자신의 몸을 빠져나와 다른 사람의 몸에 들어가는 것이 가능하다고 믿었다. 내가 아는 사람들이 내 주변의 낯선 사람들의 입을 통해서 말하는 것을 들었던 것이다.

몇 주가 지나자, 약물효과가 나타나기 시작했고 세상은 좀더 온전해졌다. 들리던 목소리가 멈췄다. 모든 것들이 정상적으로 보이기 시작했다. 퇴원에 앞서, 나, 정신과의사, 그리고 사회사업가와 함께 하는 치료시간에 부모님이 참석했다. 사회사업가는 내가 독립적으로 사는 법을 익히는 것이 중요하다고 강조했다. 나는 정신과의사를 만나는 것은 꼭 필요하지만, 사회사업가를 만나는 것은 내 인생에 불필요한 방해물이라고 생각했다. 당시 사회사업가의 도움을 받지 않았던 것이 후회된다.

입원의 한 가지 좋은 점은, 내가 삶에서 진정 원하는 것이 무엇인가를 생각할 수 있는 기회가 된다는 점이다. 불행했던 그 따분한 직장을 계속 다니고 싶지는 않았다. 인생에는 더 많은 내용이 있어야 한다고 느꼈다. 나는 시카고의 일리노이 대학 편람을 받았고, 그곳에 고전 학부가 있다는 것을 알았다. 고대 그리스와 로마에 관해 공부하고 싶었다. 나는 석사 이상의 학위를 얻어 교직을 구하고 싶었다. 고전에 관한 내 관심은 그 후 몇 년간 다른 분야에 대한 왕성한 관심으로 대체되어 왔다. 그러나, 그 당시에 나를 자극시켜 준, 학문에 관한 관심이 있었다는 사실은 기쁜 것이다.

병원에서 퇴원하고 나는 다시 일을 시작했다. 어쩌면, 다시 일을 시작하려는 시도를 했다고 말해야 하는지도 모르겠다. 내 일은 온종일 앉아서 하는 일이었는데, 약은 나를 안절부절 못하게 만들었다. 일을 시작하면 20분마다 자리에서 일어나야만 했다. 일상 활동과 직장 생활의 실패로 인한 좌절은 참으로 견디기 어려웠다. 더 견디기 어려웠던 것은 아무도 내 문제를 이해하지 못했다는 사실이다. 인사과에 소환되어 내가 하루 종일 일할 수 없는 이유를 설명해야만 했다. 여직원은 나를 믿지 않으려 했고, 담당 정신과의사와 통화해 내 말이 사실인지를 확인하겠다고 했다.

입원 이후로 어언 9년이 흘렀다. 나는 정치과학 학사 과정을 밟았다. 석사과정도 시도했지만, 도서관학 대학원 이수 과정이 너무나 어려웠다. 9년 동안 실망과 좌절이 참으로 많았다. 나는 오랜 시기를 실직상태로 지냈다. 31세에 미혼인 나는 현재 자신을 부양하지 못하고 있다. 나는 부모님과 동거 중이다. 내가 진정 즐겨할 수 있는 직업을 찾고 있는 중이다.

투병 중이기는 하나, 최악의 상태는 뒤안길로 사라졌고 병은 재발하지 않을 것이라고 느끼고 있다. 그렇게 긴 시간동안 아팠던 것이 유감이다. 내가 잃어버린 시간들은 친구를 사귀고 내 재능과 기술을 개발하는 데에 훨씬 유용하게 사용될 수도 있었을 것이다. 앞으로는, 어린이나 청년들이 감정적 어려움을 가졌을 때 훨씬 쉽게 도움을 받을 수 있게 됨으로써, 나 같은 체험을 하는 사람이 없었으면 좋겠다. 정신보건이 지금과 같다면, 사람들은 자신의 인생이 황폐화되기 전까지는 필요한 치료를 받지 않고 지낼 수 있지 않은가.

이 글은 *Schizophrenia Bulletin*(1995) **21**:339-42에 처음으로 실렸고, 동의를 구해 여기에 실었다.

일인칭 이야기: 바다로 나갈 수 있게 되기

마크 스태익스

온화한 아침의 대양(大洋) 위엔 짙은 안개가 드리워져 있었다. 이렇게 이른 시간에는 깨어있는 사람이 별로 없다 - 최고가 되고자 서핑에 헌신한 일부 10대들만이 해변에 나와 있는 것이다.

붉은 머리칼을 지닌 14세의 주근깨 소년 짐보는 거친 물살 저쪽 어딘가를 오가며 파도를 타고 있었다. 나 또한 짐보를 찾아 멋진 파도를 함께 타며 실력을 겨루고자, 6피트짜리 파도 위를 달리고 있었다.

폭풍 직전의 거친 바다에서의 파도타기 경험으로 용기를 키워왔던 우리는 파도타기 경력이 각각 6년과 10년 된 베테랑이었다. 삶을 향한 우리의 동기와 열정은 조류의 물살만큼이나 강했다. 그러나 이것은 이제 과거가 되었다; 지금은 10대였던 때처럼 치우친 방향으로 동기가 자극되진 않지만, 나는 계속 바다를 느끼고 있다.

나는 더 이상 그 당시에 지녔던 열정을 지닌 채 바다에 들어가지 않는다. 나는 변했다. 내 선택이 아닌 운명에 의해 달라진 것이다. 나는 더 조심스러워졌고, 더 주저하게 되었으며, 어떤 활동을 시작할 때면 그 안전성과 내 자신의 안녕을 확인해야만 한다.

나는 20세가 되자, 현실감을 상실했다. 과거에는 폭풍 직전의 파도를 탈만큼 용감했었지만, 당시에는 사소한 일에도 두려움이 일었다. 특별한 메시지가 담겨 있다고 느껴지는 일들이었다. 이 메시지들은 마음의 속임수였다. 실질적인 해를 입히지는 않았을지언정 나를 두려움에 떨게 한 메시지였다. 예를 들면, 플로리다에서 비행기를 타고 집으로 돌아온 후 어느 날은 조절할 수 없는 두려움에 떨며 지하실에 앉아 있었다. 정말로 두려웠다 - 우리 고양이가 창 밖을 내다보는 것만 보아도 무서웠다.

더 이상 1년 전의 용감한 10대가 아니었다. 가장 적기(適期)에 병이 나를 엄습한 것임을 이제는 알 수 있다. 정신분열병의 호발연령은 17세에서 25세 사이라고 한다. 나는 20세였다. 의사는 나를 정신분열병으로 진단했다. 나는 현재 스무 살 때보다는 좋은 인생을 살고 있지만, 병이 없었더라면 훨씬 더 좋았을 것이다. 오해하지 않길 바란다. 나는 잘 살고 있다. 다만, 마음의 병이 없었더라면 내가 어떻게 살고 있었을까를 종종 상상해볼 때가 있다는 것이다. 나는 성공적인 삶의 희망을 포기하지 않았지만, 내 인생은 무엇인가에 항상 의지해야 한다. 일차적으로는 약에 의지해야 한다.

의사를 자주 만나는 것과 프롤릭신 주사를 매달 맞는 것은 이제 내 삶의 한 부분이 되었다. 30년 전의 치료와는 달리, 나는 대형주립병원에 수용되어 있지 않다. 나는 이 상태에서 꽤 양호하게 기능하며 다른 시민들처럼 자유롭다. 하지만, 그 자유에는 똑같은 양의 책임이 따른다.

내 자유를 누리기 위해서 나는, 가족들을 힘들게 하지 않도록 내 자신의 생활을 조절해야 한다. 가족들은 우리 환자들과 함께 분투하거나, 또는 우리가 홀로 버티도록 내버려두는 방법을 선택한다. 내 가족은 정신질환의 어려움을 나 홀로 맞서도록 하는 대신 내 편에서 함께 해주었다는 점에서 나는 운이 좋다. 부모님은 내 결점을 견뎌내시고, 결코 포기하지 않으신다. 부모님은 내게 기대를 가지고 계시지만, 내가 그 기대를 완전히 충족시켜 드리지 못하는 것 또한 견뎌내신다. 내 가족들은 지지적이고 따듯하며, 한 명을 제외하곤 건강하다. 우리 가족은 문제를 이혼 법정에서 해결하지 않고 몸소 헤쳐 나가는 사람들이다.

20세에 나는 프로서핑 선수가 되겠다는 꿈을 접었다. 여러 심리학자들이 내 적성을 평가했다; 나는 설계에서 높은 점수를 받았다(고등학교 때 설계에서 B학점을 받았었다). 주립 재활서비스부처에서는 내가 지역사회 대학에서 설계사 수련과정을 받는 비용을 지불했다. 나는 처음에는 잘 했지만, 한 학기를 거쳐 내 동기가 불량한 탓에 좋은 성적을 받지 못하고 탈락하고 말았다. 부모님의 규율과, 이해해주지만 엄격한 감독자의 도움으로 내 동기는 향상되었고, 나는 재입학하게 되었다.

학교에 처음 입학한 때부터 지금까지 나는 대부분을 노동자로서 그리고 현장조사팀의 측량조수로서 일했다. 현장조사는 설계에 대한 내 관심을 다시 불러일으켰고, 나는 곧 토목 설계사로서 공사 사무실에서 일하기 시작했다. 학교에 재입학했으니, 나는 건축 설계사의 준 학사과정을 마쳤으면 한다. 나는 건축 설계와 그래픽 자문을 시간제로 하고 있다. 금년 봄이면 내 교육과정을 이수하고 아파트를 구할 수 있으리라 기대한다. 가장 유용한 형태의 재활치료는 보다 큰 목표 달성으로 이어질 수 있는 작은 목표를 세워나가는 것이라고 생각한다. 솔직히 고백하자면, 나는 아직도 과거의 파도타기 경쟁심이 불타올라 마주치는 사람들과 경쟁하게 된다. 하지만, 대부분의 이 경쟁은 보람 있는 목표를 달성하는 데에 주안점을 두고 있다.

일 이외의 또 다른 분야가 내 건강을 촉진하고 병원 밖에서의 생활을 유지시켜 주고 있다. 그것은 친구와의 교제이다. 나는 정신질환자를 위한 재활프로그램을 운영하는, 과거에 정신장애를 앓았던 사람들의 클럽하우스 회원이다. 이곳에서 나와 비슷한 문제를 지닌 친구들을 만난다. 우리의 좌우명, 일과 우정은 정신분열병을 지닌 사람이 건강하게 생활하는 데에 핵심요소로서 강조된다.

나는 이곳에서 몇몇 여성들과 데이트를 한다. 회원 중 한 명은 나와 아파트를 함께 쓰고 있다. 클럽하우스에서 우리는 인생의 장애물과 낮은 수입에 대항하여, 혼자가 아니라, 함께 분투하고 있는 것이다. 재정이 문제인데, 클럽하우스 직원들이 우리를 많이 도와주고 있다. 프로그램이 있기 전에는, 돈을 벌고, 예산을 세우고, 돈을 쓰는 것이 모두 나에게 달려 있었다. 플로리다에서 내가 혼자였을 때에 닥쳐왔던 경제적 어려움은 내 질환을 더욱 악화시키는 역할을 했던 것 같다.

클럽하우스에서는 우리들 중에서 일할 수 없는 사람들이 사회보장혜택과 생계보장금을 취득할 수 있게 도와준다. 일할 수 있는 사람들에게는 클럽하우스 직원들이 지역사회에서 시간제 일자리를 구하도록 도와준다. 나는 돈을 벌 수 있는 기술을 지녔기에 운이 좋은 편이다. 클럽하우스에는 직업재활상담가가 있으므로, 장애자들은 보다 용이하게 일을 구할 수 있다. 이 상담가가 상주함으로 인해서, 정신증상과 의욕의 측면에서 누가 대학에 갈 수 있고, 누가 직업훈련을 받을 수 있으며, 누가 현장실습을 받을 수 있는가 등등에 대해 보다 잘 알 수 있게 된 것이다.

내가 병에 걸린 후로 지난 15년 동안, 나도 많은 발전이 있었고 연방정부나 주 기관 부문에서도 많은 발전이 있었다. 보다 많은 프로그램이 만들어져 지지의 연결망을 형성해줌으로써, 나는 장기적으로 입원해야 하는 운명에서 벗어날 수 있었던 것이다.

나는 물을 좋아하게 되었던 것처럼 이 프로그램들을 좋아하게 되었다. 유년시절 물에 대한 공포를 극복했던 것과 똑같이, 처음에 정신과의사의 사무실에 대해 느꼈던 공포감을 극복한 것이다. 이제 나는 약물치료 일정을 지키고, 사회사업가와 정신과의사와 다투기 보다는 그들과 협조하고 있다. 그들은 이제 나의 친구이자, 좋은 정신건강을 유지하는 도움을 주는 지지자이다.

이 글은 *Schizophrenia Bulletin*(1985) **11**:629-30에 처음으로 실렸고, 동의를 구해 여기에 실었다.

일인칭 이야기: 정신분열병과 함께 살기

에블린 스미스

내 딸 신디와 나는 2주마다 만나 점심을 함께 한다 - 둘 모두가 즐길 수 있는 것이 점심이다. 때로는 지방의 식당에서, 때로는 딸 아이 숙소 근처의 스낵바에서 만난다.

신디는 30대 중반에 접어들었고 나는 슬픈 마음으로 그 애의 몇 가닥 흰 머리카락을 발견하게 된다. 슬픈 마음은, 신디는 아직도 제 인생을 진정으로 즐기거나 누려보지 못했는데 자연의 시간은 어김없이 흘러가고 있기 때문이다. 이제 그 아이와 나는 둘 다 흰 머리카락을 지니게 되었다. 신디는 내 말을 이해하는 데에 어려움이 있기 때문에, 우리의 대화는 자주 끊기고 토막 나기 일쑤다. 그 애는 내 물음에 답하려고 씩씩하게 노력한다. 때로는 적절한 반응을 보이기도 한다. 17년이 지난 지금, 우리는 가끔 두세 가지 문장을 교환하여 진정한 대화를 주고받는다.

신디는 지난 17년을 정신분열병의 그늘 아래 살아왔다. 사람을 황폐화시키고 사기를 꺾어버리는 뇌 질병 중에서도 심한 형태를 앓고 있다. 정신분열병은 뇌의 화학적 불균형에서 기인하고 현실감의 붕괴-인격의 분열이 *아니다*-를 초래하며, 머리 속에 진행되는 대화가 왜곡되어 사고과정을 지배하므로 흔히 괴이한 결과를 나타내 보이게 된다. 그녀는 주립병원에 11년간 입원해오고 있으며, 이보다 앞선 5년간은 입퇴원을 반복했다. 신디 식의 표현으로, 이 '안개'는 그녀가 대학 3학년을 시작하던 20세로 거슬러 올라간다. 첫 5년간 진행성 악화의 경과를 보였고, 그 결과로서 정신병원 장기 입원에 이른 것이다. 우리가 희망할 수 있는 최선은, 언젠가 그녀가 공동생활가정에서 생활할 수 있게 되는 것이다; 현 시점에서는 요원한 목표다.

스낵바에 앉아 우리의 대화가 중단될 때면, 나는 오가는 다른 환자들을 관찰한다. 어떤 이는 머릿속에서 가상의 대화를 나누고 있다; 그녀만이 이해할 수 있는 재미난 무엇인가에 미소 짓는다. 나는, 탁자에 함께 앉아도 좋겠느냐는 요청에 청년이 대답으로 지어보이는 환한 즐거움의 표정을 본다. 또한, 한 여인의 의미 있는 눈빛을 본다. 그녀는 별 다른 의미가 담겨 있지 않은 다른 사람의 대화를 이해하려고 애쓰지만, 그녀가 포착하는 현실은 너무나도 얕아 보인다. 이 모습이 정신질환을 앓고 있는 사람들의 '정상적' 삶이다.

무엇보다도 가장 슬픈 것은, 가족생활의 이야기며 이 사람들 각자의 과거의 삶의 한 부분인 예전의 업적 이야기들이 그들에겐 더 이상 중요하지 않음을 깨닫는 일이다. 마치 과거의 삶은 존재하지 않았다는 듯한 모습이다. 어떤 종류의 관계이든 그것을 유지하거나 발전시키는 것이 불가능하기에, 이들은 기본적으로 세상 속에서 혼자이다. 이 괴물 같은 병마(病魔), 정신분열병은 삶의 궤적을 멎게 하고, 이를 목격하는 이의 가슴은 찢어진다. 신디는 지금의 일주일의 일과 중에서 월요일 저녁의 춤추는 시간과 금요일 아침의 볼링 외출에 가장 흥미를 느낀다. 병원에는 또 다른 많은 활동이 있다; 신디는 자신의 기분에 따라 어떤 활동에는 참여하고 어떤 활동에는 참여하지 않는다.

우리가 점심을 함께 할 때, 내 마음 속에선 매우 정상적이었던, 신디의 어린 시절과 청소년기에 관한 기억들이 홍수를 이룬다. 독서를 좋아해 많은 책을 탐독했던 소녀에 대한 기억; 피아노를 연습하고 라디오나 텔레비전에서 들었던 노랫가락이나 광고음악을 혼자 연주할 줄 알았던 소녀에 대한 기억; 지역 YMCA 수영 및 다이빙 팀에서 활동하던 10대의 모습에 대한 기억들이다. 학교에서 모범생이었던 기억; 고교 2학년 치어리더였고, 고교 필드하키 팀 선수였던 기억; 그리고 대학의 여름 바자회에서 종업원을 하던 기억들이다.

그녀가 성장하는 동안 그 어떠한 것도, 이 정상적이고 행복한 아이가 완전히 무능해진 정신분열병 환자가 되는 것을 목격하는 충격과 파탄을 준비시켜 주지 않았다. 처음에 우리가 정신분열병에 관해 알고 있었던 것은 빙산의 일각에 불과했다. 그 후 몇 년간 정신분열병에 관해 더 알게 되자, 혼란스럽고 두려워졌다. 이론들은 구식이었고, 적절한 정보는 얻기 어려웠을 뿐만 아니라 이해하기도 어려웠다. 신디를 쫓아다니며 부적절한 것을 일깨워주는 일은 시간을 탕진시켰고 결국은 무익한 시도였다. 내 신체적 정신적 힘이 다할 때까지 신디를 도왔다. 처음에는 그것이 얼마나 엄청난 과제인가를 몰랐다 - 혹은 얼마나 불가능한 일인지를 몰랐던 것이다. 나는 나머지 세 아이를 외면하고 있다는 것을 깨달았는데, 아이들은 다르게 말하겠지만, 나는 그들을 거의 유기했다고 느꼈다.

신디는 애교 있는 유머감각을 지녔었고, 이는 아직도 종종 나타난다. 신디는 꽤나 자주 핵심을 간파할 줄 알았고 그녀의 언어는 종종 신랄했다! 가끔은 자리에 앉아 피아노로 몇 개의 노래 가락을 - 모두 기억으로부터 - 연주할 것이다. 또한 그녀만이 알고 있는 성경 번역본으로부터 흔치 않은 성경문구를 흔히 인용하기도 할 것이다.

가족들은 엄청난 상실감과 좌절에 번민하면서 정신분열병과 함께 사는 법을 배운다. 친구들은 '접촉하며 머무르기' 가 불가능하므로 멀어지게 된다. 신디의 형제자매 관계는 그녀가 허용하는 한도 내에서 가깝게 유지되고 있다. 그녀에겐 끔찍이 사랑하는 쌍둥이 자매가 있다. 그 애정은 둘이 함께 있을 때면 언제나 분명히 드러났다. 그 관계의 중단은 둘 모두의 인생에 빈자리를 남겼다.

나는 신디가 자신에게는 없는 '남편' 이나 '아이' 라는 말을 많이 언급했던 걸로 보아, 그녀에게 가정생활이 매우 중요하다는 것을 알고 있다. 생의 이런 측면은 그녀에게 현실이 될 수 없기에, 나는 신디의 상실감을 감지할 수 있다. 내가 수년 전 가져다 준 래거디 앤 인형이[역주16] 신디의 아이가 된 것은 일년쯤 되었다. 그녀는 인형을 의자에 앉혀 점심을 먹이기도 했고, 자신 옆 소파에 기대놓기도 했다.

'엄마, 엄마는 내 머릿속의 지옥을 몰라.' 이것은 질병의 초기단계에 신디가 자신에게 일어나고 있던 일을 설명했던 말이다. 신디는 수차례 담뱃불로 자신을 태우려했고, 면도날로 자신을 베려했다. 그녀의 머릿속에는 이러한 행동에 대한 충분한 이유가 있었다; 통증이 없어 그 위험을 알 수 없었던 것이다. 한번은 경정맥을 0.5 센티미터 차이로 벨 뻔했던 적이 있었다. 그러나, 그녀를 응급에 태우고 가는 차 안에서 신디는 마치 아무 일도 없었다는 듯이 자신의 목에 감긴, 피가 흥건한 수건을 무시하며 이야기하고 있었다.

이러한 정신분열병의 희생자들이 느껴야 하는 전적인 무력감과 그들의 생애에서 잃어야 하는 세월을 생각한다면, 누구든지 절망 속에 울게 된다. 통계에 의하면, 100명 가운데 한 명이 다양한 중증도로 정신분열병을 앓게 된다고 한다. 현대의학의 시대를 살아가면서 우리는 몇 개의 알약을 먹고 증상이나 질병이 치료되는 데에 너무나 익숙해져 있기 때문에, 증상이 사라지지 않고 치료되지 않는다면 우리의 신뢰는 불신으로 탈바꿈한다. 일부 정신분열병 환자들은 약물에 잘 반응하지 않는데, 신디가 그런 환자다. 하지만, 삶에 대한 그들의 반응은 우리와 똑같다 - '그들은 자신에게 보이는 대로 말한다.' 그리고 그들의 행동은 자신들의 머릿속에 진행되는 바에 따른 완벽히 논리적인 반응이다. 괴로운 것은, 이 괴물, 정신분열병이 뇌를 완전히 돌게 만들고 인생을 파괴하며, 마치 누더기 인형을 마구 흔들어서 땅바닥에 내팽겨 치듯이, 사람을 껍데기만 남겨둔다는 사실이다. 세상을 겪고 그것을 이해하는 일은 아직 신디에겐 너무나도 큰 과제다. 그녀의 말 대부분은 아직도 지리멸렬하고 이해하기 어려운 상태에 있다.

신디의 행동에는 다 이유가 있겠지만, 그녀의 일상 생활습관과 몸단장은 매우 불량하다. 샤워는

역주 16 인기있는 전통적인 캐릭터 인형, 빨간 머리와 코를 가졌고, 헝겊으로 만듦

물 아래에, 대개는 찬 물 아래에 그저 서 있다가 수건으로 두 번 툭툭 치고 말리는 것을 의미한다. 신디는 매니큐어와 립스틱을 이용하는 것을 즐기지만, 코나 뺨에 칠하는 것을 좋아하기 때문에 누군가가 감독할 때에만 사용할 수 있다. 다리를 날씬하게 해주는 어떤 신발이 있는데, 신디는 그 목적으로 이 신발을 이따금씩 사용한다. 안경을 어디에 두었는지 추적하는 것은 신디가 해낼 수 있는 범위를 벗어난다.

자신의 아이가 수년간 정신병원에 살아야 한다는 것을 알게 되면, 진정으로 결코 사라지지 않는 무력감의 고통이 부모의 마음속에 남게 된다. 최선을 다해 그 고통과 함께 살아가야 한다. 정성스레 키우고 좋은 음식을 먹이고 치아진찰을 받게 했던, 내 딸아이의 인생에 녹아 있는 모든 시간들을 기억해보면, 그 모두가 쓸데없는 일이었다는 느낌에 사로잡히기도 한다. 지금은 흡연을 너무 많이 하는 탓에, 그녀는 폐암에 걸릴 위험도 높아졌다. 길을 건널 때 좌우를 살펴야 한다는 생각을 하지 않기 때문에, 차에 치일 지도 모른다.

신디는 지난해에야 가족사진을 볼 수 있었다. 신디의 현재 생활과 기억 속의 과거 사이에 놓인 깊은 골은 이 장면을 더욱 아프게 만든다. 신디가 집으로 외박을 나오면 나는 세 살짜리 아이를 둔 양, 온종일 그녀 곁을 지킨다. 신디에게는 일과에 따르는 생활이 전혀 중요하지 않다. 온 가족이 저녁 식탁에 모여 앉더라도, 신디에겐 담배를 한 대 피우는 것이 더 급하다. 외출을 하기로 계획해 놓으면, 계획된 시간의 20분전에 곤한 잠에 빠져들기도 한다.

병원의 치료진은 환자 중심의 분위기에서 건설적으로 신디의 활동을 감독한다. 내가 관찰한 바로는, 치료진이나 다른 환자들과 신디의 관계는 때로는 우호적이고, 때로는 반목하며, 때로는 무관심해 보인다. 신디는 자신을 발견할 수 있는 가장 최선의 세상을 만들어가고 있는 것이다.

정신질환자들은 시대가 흘러도 생지옥 같은 생활을 면치 못하고 있다. 끊임없는 연구를 통해서 찾아내는 해답만이 오늘날 이들을 구원할 수 있을 것이다. 현재 이러한 해답을 얻을 가능성이 있는 몇몇 유망한 연구 프로젝트가 진행 중이니 우리는 운이 좋은 편이다. 또한 모든 지역의 고통받는 사람들이 모인 활동적인 조직, 미국정신질환가족협회가 있어, 정신질환자 치료를 위임받은 많은 사람들이 너무나 오랫동안 등한시해왔던 문제들을 해결하려는 목표로 활동하고 있다. 산도즈 제약회사에서 개발한 새로운 약, 클로자릴은 정신분열병 치료의 주요 혁명으로서 환영받고 있으며, 일부 환자들에게 '기적적인' 작용을 일으키고 있다. 하지만, 일년에 9,000불이나 되는 가격으로 인해, 이 약을 절실히 필요로 하는 사람들은 이를 이용하지 못하고 있다. 산도즈가 클로자릴 및 매우 엄격한 혈액감시체계의 가격을 인하하도록 촉구하는 몇몇 소송이 진행 중이다. 산도즈는 가격인하를 천명했지만, 그 의미가 정확히 무엇인지는 지금으로선 명확하지 않다. 환자 가족들과 의료인들의 고통스런 탄원은 산도즈에게 계속 부담이 되고 있다.

지난해부터 신디는 새로운 모습을 보이고 있다. 전에는 적대적이고 불쾌해 보였지만, 보다 상냥해졌고 더 많은 반응을 보인다. 요즘에는 더 자주 웃는데, 이는 정신분열병 환자들에게서 자주 나타나지 않는 모습이다. 수년 동안 신디의 표정은 굳어 있었고, 감정을 주거나 받지 못하는 상태였다. 그녀는 자신에게 뭔가 끔찍한 일이 생겼다는 걸 알았지만, 왜 아무도 그녀 머릿속의 지옥으로부터 자신을 구원해주지 않는가를 이해하지 못했다. 지난 몇 달 동안 신디는 꽤나 사랑스러워졌고, 그녀의 미소는 자신의 얼굴과 나를 환하게 만들어 주고 있다.

나는 신디가 나를 보면서 내가 아름답다고 말하는 순간을, 내 옷이 예쁘다고 말하는 순간을, 그리고 몇 개월 전에 내뱉었던 욕설을 사과하는 순간을 보물처럼 소중히 간직한다. 이것이 '진짜' 신디의 모습이다 - 내 딸, 사랑스럽고, 관대하고, 유쾌하며, 지적인 내 딸의 본래 모습인 것이다.

끔찍한 이 고통을 벗어나, 그 본래의 모습으로 돌아갈 수 있기를, 내가 얼마나 바라는가!

이 글은 *Schizophrenia Bulletin*(1991) **17**:689-91에 처음으로 실렸고, 동의를 구해 여기에 실었다.

일인칭 이야기: 정신분열병 3세대

루시 폭스

초록

저자는 아동기에서 성인기에 이르기까지, 조카의 시선에서, 누이의 시선으로, 그리고 어머니의 시선으로 달라지는 관점을 통해 정신분열병의 3세대를 설명해주고 있다. 가족에게 미쳐진 50년 동안의 영향을 기술하면서 저자는, 치료의 변화 및 전문가들 생각의 변화뿐만 아니라, 정신질환에 대한 사회적 태도의 변화도 아울러 논하고 있다.

입센은 '유령'에서 이를 비극적으로 다룬 반면, 길버트와 설리반은 '루디고어'에서 이를 희극적으로 다루었다. 내가 지금 말하려는 것은, 한 세대에서 다음 세대로 전해진 정신병 형태로서의 가족적 저주(詛呪)라는 주제이다. 나는 그 음울하고 병적인 사고방식 때문에 ' 유령 '을 싫어하나, 어리석음을 쾌활하게 표현한 ' 루디고어 '는 좋아한다. 그러나 어느 쪽이든, 유전되는 정신질환에 대한 가정은 비현실적이라고 생각했다. 수년 후에야, 그동안 줄곧 우리 가족에게 몇 세대에 걸쳐 비극이 일어나고 있다는 것을 알게 되었다. 내가 선택한 적이 없었음에도 불구하고, 어린 시절 내게는 작은 역할이 부과되었고, 비극이 진행되면서 나는 무정하게 점점 큰 역할로 빠져들게 되었다. 바로 정신분열병에 관한 이야기이다.

내가 아주 어렸던 시절에 나는 아버지가 삼촌을 면회하러 다닌다는 것을 알게 되었다. 3시간동안 기차와 버스를 타고 칙칙하고 이상한 곳으로 가는 지루한 여정이었다. 어머니는 내가 알기론 친절한 분이지만, 그곳이 너무 착잡해서 기꺼이 가고 싶어 하진 않았다. 하지만 어머니는 그 전날이면 하루 종일 아버지와 삼촌이 함께 먹을 음식을 장만했다. 여행이 있는 날 이른 아침이면, 나는 부모님이 맛난 음식과 깨끗한 속옷을 싸고, 삼촌이 활동하도록 자극할 잡지나 그림도구를 준비하는 것을 지켜보았다. 다음날은 전날에 대한 이야기가 오간다. '의사가 뭐라고 하던가요?' 라는 말은 나도 이해할 수 있었다. 그러나 '아론이 어떻게 행동하던가요?' 라는 말은 어른이 무례하거나 유치한 행동을 한다는 것을 의미했으므로 나를 동요하게 만들곤 했다. 나는 더 자라면서, 면회를 다니는 데에 점점 지쳐가고 자신의 동생이 호전되지 않는 데에 점점 더 실망해 가는 아버지를 지켜보았다. 아버지가 면회를 다녀온 날 중에서 삼촌의 행동문제 때문에 결국 '악성 병동'으로 옮기게 되었다고 보고해야 했던 날은 가장 슬픈 날이었다. 1940년대 말엽, 부모님은 제안받은 뇌엽절단술에 대해 고민했고, 최선의 결과를 희망하며 결국 동의했다. 삼촌은 80대의 나이로 필그림 주립병원에서 사망했다. 그곳에서 60년을 살았던 것이다.

나는 어른이 되기 전까지 거실에 걸린 삼촌의 자화상 말고는 삼촌을 보지 못했었다. 잘생기고 생각에 잠긴 삼촌의 실제 모습은 상실감을 느끼게 했다. 다른 삼촌들도 있었지만, 예술가는 없었고 또 그렇게 젊지도 않았기 때문이었다.

무엇이 그의 슬픈 질병을 일으켰을까? 삼촌이 가진 장애의 명칭도 모르는 채, 우리는 정신분석적 사고를 가졌던 것 같다. 삼촌의 어머니인 우리 할머니는 위엄 있지만 차가운 분이었기에, 정신분열병은 모성거부 때문이었다는 믿음이 그럴 듯하게 생각되었다.

삼촌의 상태는 명명할 수 있는 것으로서 갑자기 찾아온 것이었다. 더 비극적인 경우는 내 오빠의 병인데, 그의 상태는 명명할 수 없게 천천히 시작되었다. 나보다 다섯 살 많은 오빠는 총명하고 잘생긴 소년이었고, 부모님의 사랑을 받았으며, 선생님들의 자랑이었다. 그런데, 오빠는 아이들에게 관심이 없었다. 오빠가 성장할수록 부모님은 어른을 좋아하는 오빠의 취향에 점점 불안해졌다. 나도 그 불안을 분담했었는데, 어느 정도였냐 하면, 40년이 지난 지금도 오빠가 두 소년을 집에 초대해도 되겠느냐고 물었을 때에 우리가 느꼈던 감격을 기억할 정도다. 결국 우리 집에 오진 않았지만 나는 아직도 그 이름들을 기억하고 있으니 말이다. 그래서, 미묘하게 오누이의 순서가 바뀠고, 나는 오빠를 이해하고 허용하도록 요구받았다.

자신의 친구가 없었기에, 오빠는 내 대장 노릇을 하려했고, 나를 놀렸다. 나와 함께 놀지 않으면서도, 내가 다른 아이들과 노는 것에 화를 냈고, 우리의 놀이를 방해했다. 내가 새 친구들을 집에 데려오면 당혹스러울 지경으로 까다롭게 굴었다. 내가 견디기 가장 힘들었던 것은 오빠의 갑작스런 기분변화였다. 오빠의 지시를 따르지 않으려면 그의 분노를 감수해야 했고, 압력에 굴복하려면 내 자존심을 버려야 했다. 이러한 선택이 더 고통스러웠던 이유는 내가 그를 사랑하기 때문이었다. 청소년이 되자, 오빠는 부모님에게도 비난과 분노를 더 해갔다. 부모님과 나, 우리 셋은 오빠와의 직면을 피하는 데에 익숙해져 갔다. 오빠가 16세였을 때 모든 것이 최고조에 달했다. 오빠는 지방대학에 다니기 시작했고 학업에 어려움을 겪고 있었다. 이제 나는 그 한 가지 이유가 정신분열병의 '사고의 상실' 때문이었음을 안다. 부모님은 정신과의사의 진료를 받게 했지만, 한 번 면담을 한 후 오빠는 치료를 거부했다.

이러한 어려움에도 불구하고, 오빠는 씩씩하게 노력했었음이 틀림없다. 대학을 졸업했을 뿐만 아니라, 몇 년간 군에서 복무하기까지 했다. 오빠는 정보분석원에서 일할 때 적극적인 업무를 찾지 않고 상관의 비호 아래 숨어 있었다. 그들은 오빠의 확실함과 엄격하고 종교적인 사고방식을 좋아했다. 그가 돌아오자, 따뜻한 장문의 편지를 썼음에도 불구하고, 여전히 함께 살기가 힘들어졌다. 오빠는 내 약혼을 반대했기에 나와 완전히 의절했고, 15년 전 어머니의 말기질환 때까지 나에게 말을 걸지 않았다. 이 기간동안 오빠는 자신이 대처할 수 있는 생활을 만들어냈다. 결코 결혼하지 않았고 대단히 종교적인 사람이 되어 연로한 부모님을 돕는데 많은 시간과 정력을 사용했다. 오빠는 도시 내 한 초등학교의 교사로 일했는데, 규율과 구조가 필요한 아이들에게 엄격하고 공정한 선생님으로서 다소 갈채를 받기도 했다. 그는 결국 엄격한 종교모임에서 몇몇 친구들을 사귀었고, 이 사실은 오빠가 결혼하지 않는 데에 포기해버린 부모님을 다소 안심시켰다. 자신의 일이 있고 마침내는 친구도 사귄다는 것을 알게 됨으로써 부모님은 어느 정도 만족할 수 있었다. 내가 여기에 오랜 기간에 걸친 오빠의 적응을 상술하는 이유는, 다른 '경미한 정신분열병 환자들' 에게도 관심이 주어져야 한다고 믿기 때문이다. 그들은 불행하고 사랑하는 사람들에게 고통을 안겨주고 있지만, 아직도 치료를 받지 않고 공식적인 진단도 없이 삶을 경영해 나가고 있다. 결국 오빠는 자가 진단을 내렸다. 망상적 사고가 근거를 상실하면 오빠의 분노는 수그러들었다. 오빠는 더 이상 나와 내 남편을 사악한 사람들로 여기지 않는다. 내 딸에게 정신병이 발병했을 때, 오빠는 자가 진단을 고백했다.

오빠는 내게 도움이 되길 원했고, 다른 질환으로 인해 약을 복용하면 생각이 덜 힘들어진다는 사실을 발견했노라고 말했다. 또한 환청이 힘들어지면 거기에 어떻게 대답하는지도 알려줬다. '뭔가 현명한 말이 아니라면, 조용히 해!' 라고 말한다는 것이었다. 오빠가 이러한 사실을 털어놓기 전에는, 나는 그의 상태를 정확하게 모르고 있었다. 오빠가 나를 불합리하게 비난하고 꾸짖었을 때, 혹시 진단이 정신분열병이 아닐까 생각하기도 했지만, 그의 비난이 현실에 기반하고 있을 때면 강박장애로 기울어지곤 했었다. 어찌되었건, 자신의 경험에 비추어 오빠는, 망상에 사로잡힌 우리 딸을 계속해서 인정스레 지지할 수 있도록 나와 남편을 격려했고, 희망을 유지하고 용기를 가져야 할 필요성을 강조했다. 그래서, 우리는 딸을 입원시키지 않고 수년간의 가족위임을 통해 고통과 광기와 혼란을 견뎌낼 수 있었고, 간단한 가족계약과 즐거움을 누릴 수 있는 시간을 맞게 되었다.

만약 내가 오랫동안 진단을 몰랐다면, 원인도 몰랐을 것이다. 나는 부모님을 동정하지만, 나 또한 시대의 사고방식에 영향을 받았고 마음속으로 부모님을 원망했다. 부모님은 본래 점잖고 사려 깊은 분들이지만, 정신적 장애가 있는 아들과 함께 살면서 점차 불안해졌다는 것을 나는 이제 안다. 당시에는 오빠의 문제가 부모님이 불안정하고 오빠의 화내는 행동에 어리석게 굴복해 버리기 때문이라는 이웃과 친척들의 말을 쉽게 믿었다. 오늘날에도 일부 가족치료자들은, 환자가 나머지 가족의 병리를 행동화한다는 '동일시된 환자' 이론으로서, 이러한 태도에 위험하게 의지하려고 한다. 아마도 특별한 경우에는 사실일는지 몰라도, 이 이론은 정신질환자와 함께 사는 가족들에게 나타나는 불가피한 변화를 매몰차게 무시한다. 어찌되었건, 어렸던 나는, 내가 부모가 되면 한 아이를 방임하지도 않을 것이며 다른 아이의 버릇을 망쳐놓지도 않겠다고 결심했다. 그리고 더 많은 즐거움을 누리면서 살겠다고 결심했다. 좋은 해결책이었지만 - 생물학적 또는 유전적 비극을 막아낼 수는 없었다.

내 어린 시절을 생각해보면, 내가 왜 고통받는 사람들과 일하는 데에 경도되었는지, 그리고 왜 그렇게 행복하고 건강한 가정을 갖고 싶어했었는지 분명해진다. 매사가 순조로웠고, 나와 남편은 애들이 어렸을 때에 그들의 미래를 확신했다. 물론, 완벽한 아이는 없고 모든 인생에는 어느 정도의 고통과 투쟁이 존재한다는 것도 알고 있었다. 이런 까닭에, 내 둘째 아이 수잔이 이상하게 조용한 아기였고 수줍음 많은 걸음마기를 거쳤어도, 아이의 본래 성격이 그러하겠거니 생각했던 것이다. 만약 사람들이 더 사교적인 수잔의 오빠보다 수잔에게 관심을 덜 가지면, 나는 그들을 당연시했고 수잔을 더 소중히 여겼다. 되돌아보면, 매우 일찍부터 내가 더 많이 돌보고, 더 놀아주고, 더 보호함으로써, 수잔과 세상 사이의 간격을 메우려 애썼다는 것을 알 수 있다. 그래서, 천천히, 꽤나 자연스럽게, 수잔의 방식과 수잔을 행복하게 만드는 느낌에 익숙해져왔던 것이다. 어린시절의 특이한 모습에도 불구하고, 일곱 여덟 살이 되자 수잔은 생기가 넘쳤고 호기심이 많아졌다. 학교에서 다른 아이보다 우수했고, 독서를 많이 했으며, 여러 가지 운동도 잘 했다. 그럼에도 불구하고, 친구는 쉽게 사귀지 못했다. 수줍어하고 쉽게 상처받았으며, 무엇보다도 비판적이고 따지길 좋아했다. 우리는 수잔이 결국 특별한 친구 한 두 명을 가지게 될 것이라고 생각했고, 그 아이가 뚜렷한 의견을 가졌고 독립적이라고 생각함으로써 논쟁을 최소화하고자 했다. 농담조로 우리는 수잔이 틀림없이 법률가가 될 것이라고 말하곤 했다.

고등학교에 들어가자 수잔은 더 사교적이 되었다. 지적이면서 사상과 여러 활동에 적극적인 관심을 가졌었기에, 친구가 될만한 아이들의 관심을 끌었다. 하지만, 수잔은 여전히 쉽게 상처받았고, 그녀의 관계는 평탄치 않고 격정적이었다. 물론 나에게도 혼란과 스트레스를 안겨준 시간들이었다. 수잔이 울면서 위로를 구할 수 있는 사람이 나였지만, 나는 수잔에게 따듯함과 상호적인 것이 결여되어 있다는 것을 깨닫기 시작했다. 우리는 더 이상 예전에 가졌던 좋은 시절을 누릴 수 없었다. 균형이 깨졌고, 딸아이와 함께 생활하는 것은 감정을 소진시키는 일이 되었다. 수잔은 청소년기를 겪고 있을 뿐이며 내가 지나치게 걱정하는 엄마라고 생각했다. 수잔이 15세가 되었을 때, 그녀는 숙제를 완성하는 데에 어려움을 보이는 새로운 증상을 나타냈기에, 우리는 결국 전문적인 도움을 얻기로 했다. 수잔은 이따금씩 생각을 할 수 없어서 미쳐가고 있는 것 같다는 말을 했다. 내 상상을 뛰어넘는 일이었다. 나는 대부분의 청소년들은 그런 두려움을 지니고 있다고 안심시켰다. 그것은 분명 정신과의사의 능력 밖의 일이었다. 정신과의사는 수잔이 자존감에 문제를 지니고 있다고 말하면서 내게 좀더 거리를 두라고 지시했다. 나는 이 권고를 따랐을 뿐만 아니라, 철저하게 치료과정에 관여하지 않으려 했고 대학에서 수잔을 본 정신과의사와도 마찬가지였다. 대학에서도 수잔은 똑같은 기복을 보였다: 세찬 약속과 고통스런 실망, 그리고 과제물 작성의 어려움이었다. 되돌아보면, 두 명의 정신과의사로부터 얻을 수 있었던 것은 통찰-지향적 치료가 아닌 그들과의 관계와 지지에서 비롯된 것이라고 생각한다. 수잔은 3학년 과정에서 탈락했다. 그로부터 2년 후 정신병이 발발하기 전까지 우리는 수잔이 정신분열병임을 깨닫지 못했다. 이제와 생각해보면, 많은 조기의 단서가 있었음을 나는 알 수 있다. 나는 '정상적인 청소년'이라는 판단이 너무 쉽게 내려진다고 생각하며 지금 의문을 제기한다. 또한 정신분열병의 조기 진단은 바람직하지 않고 필연적으로 자기만족을 위한 예언에 불과하다는 이론을 반대한다. 신경증의 오진은 어떠한가? 다른 어떤 분야에서 무지가 이점이 되는 경우가 있단 말인가? 고위험의 아동이 보다 빠르고 적절한 도움을 받을 수 있으려면, 진단이 보다 쉽게 내려져야 한다. 나는 전문가의 충고를 따라 청소년기에 수잔을 멀리했던 것이 특히 후회스럽다. 정신분열병 환자들은 이미 너무 멀다고 느끼고 있지 않은가.

따져보아야 할 다른 역동들이 많이 있다. 예를 들면, 내 오빠와 내 딸아이의 대장노릇과 따지기 좋아하는 성격은 표지자였던가? 이것이 수줍음과 합쳐진다면, 자신의 비전형적인 지각을 다른 사람들과 나누고자 했던 첫 시도로서 그것이 이해될 수 있었을까? 그 시도가 성공하지 못하자 상처받고 분노하여 위축되지 않았겠는가?

수잔은 떠돌이 생활을 하던 23세에 긴장증을 보였다. 경찰의 개입으로 입원했지만 병원의 권고를 무시하고 사흘 만에 퇴원했다. 환자 옹호자가 수잔에게 그녀의 권리를 알려준 결과였다. 우리는 수잔이 병원에서 도움을 얻을 수 있을 것이라고 생각했기에, 그녀가 병원에 있던 사흘 동안 안도의 숨을 내쉬었었다. 우리는 수잔이 퇴원할 때에 정신분열병이라는 진단을 통보받았고 경솔한 퇴원에 당연히 충격을 받았다. 그 후 일년 반 동안 수잔은 여러 도시를 떠돌아다니며 길거리나 보호소, 혹은 친구 집에서 생활했다. 드물게 연락이 왔는데, 때로는 터무니없는 고발과 위협이 그 통화내용이었다. 주기적으로 집에 돌아올 때면, 우리는 보호하고 도와주며 정신과적 도움을 얻으라고 권유했지만, 너무 세차게 몰아붙이기가 겁났다. 한 번은 우리가 완강한 태도를 보이자 폭발적인 행동을 보이고 달아났던 적이 있었기 때문이었다. 그녀의 두 번째 긴장증 삽화는 다행이도 집에 있는 중에 발생했고, 우리는 준비가 되어 있었다. 이번에는 집 근처의 병원에 입원시켰고 정신과의사도 이미 물색해 둔 상태였다. 약물치료는 다시 그녀를 움직이게 했고, 망상적 사고에도 도움이 되었다. 수년간 보아왔던 모습보다 훨씬 따듯하고 사교적인 모습이었다. 수잔은 중간거주시설로 옮겨졌고 집단치료 및 치료진과의 약속을 즐겼다. 우리는 다시 희망을 갖기 시작했다. 그러나, 보행이 어려워지는 부작용을 한 달 동안 견뎌내더니만, 마침내는 갑자기 투약을 중단했고 모든 이득을 잃고 말았다. 다시 부랑자의 생활로 돌아갔다. 우리는 여전히 우리가 수잔 앞에 있길 바라고, 그녀가 긍정적인 경험을 가졌었기에 자발적으로 도움을 구하길 바랬다. 우리는 아직 장애를 보이는 사고의 두려운 느낌을 이해하지 못하고 있었다. 대신, 똑같은 회전목마에 수잔과 함께 돌고 있었다: 또 다시 강제입원, 환자 옹호자의 '도움'을 통해 또 다시 섣부른 퇴원, 더욱 자기 파괴적인 행동, 도움 요청, 그리고 무질서한 귀향이 반복된 것이다.

수잔이 결국 도움을 받아들일지 혹은 활기찬 인생을 가질 수 있을지 우리는 모른다. 그러나 알지 못하기에 우리는, 우리 자신의 삶을 어떻게든 잘 꾸려가야 한다. 우리 자신을 위해서, 각자를 위해서, 그리고 우리 아들을 위해서 그렇게 해야 한다. 지금으로서도 아들은 자신의 나머지 인생에 또 다른 별도의 책임을 떠맡아야 할 것이므로, 우리가 아들의 짐을 부과하고 싶진 않다. 인간적 고통을 단지 보통 정도로 가지고 있는 내 아들과 끊임없는 고통 속에 살고 있는 내 딸을 위해서, 나는 최대한 잘 살아가야 한다고 느낀다. 가장 슬픈 비극의 경계선에 서 있는 것만으로도, 선택할 수 있는 것들을 찾아내야 하고 즐거움조차도 찾아내야 한다. 이 글을 쓰면서 내 스스로에게도 똑같은 말을 하고 있음을, 그리고 어릴 때 정신분열병 동생과 정신분열병 아들로 인해 고통받던 아버지를 목격하면서부터 이 말을 해왔음을 나는 새삼 깨닫는다.

이 글은 *Schizophrenia Bulletin*(1986) **12**:744-7에 처음으로 실렸고, 동의를 구해 여기에 실었다.

24 정신분열병의 치유, 정신분열병의 치료 : 연구결과를 임상으로 옮기기

John K Hsiao

내용 · 항정신병약물의 역사 개관 · 정신분열병의 치유 · 정신분열병의 치료 · 연구결과의 임상적 해석 · 결론

정신의학을 비롯한 지난 50년간의 의학의 변천을 돌아보면서 새천년을 맞는 지금은, 모든 정신질환 중에서 가장 심한 질환, 정신분열병의 치료에 우리가 얼마나 근접했는가를 자문(自問)해볼만한 적기(適期)이다. 우리는 인간의 전체 유전자를 해독해내기 직전에 서 있고, 많은 질환의 분자학적 기초를 밝혀냄으로써 치료와 예방의 새 지평을 열었으며, 인간의 살아있는 뇌 활동을 그려낼 수 있게 되었다. 그러나 정신과 영역에서는, 정신분열병에 관한 많은 것들을 알게 되었음에도 불구하고, 50년 전 항정신병약물이 처음으로 발견된 이후에서야 사람을 황폐하게 만드는 이 심각한 질환의 치료가 단지 점진적으로 발전하고 있을 뿐이다.

'뇌의 10년' 이라고 공표된 1990년대는 신경과학이 싹을 틔워 기하급수적으로 발전해온 시대라는 말은 과언이 아니다. 컴퓨터와 정보기술이 지난 20년간 사회를 바꾸어놓았듯이, 다음 단계의 인류의 위대한 혁명은 신경생물학의 진보에서 비롯될 가능성이 크다. 불행히도, 우리가 아는 것이 희박할 때 지식은 가장 빨리 축적된다. 뇌에 관해 우리가 발견한 것들로부터 얻은 가장 중요한 통찰의 한 가지는, 배워야 할 것들이 훨씬 더 많다는 점이다. 그리하여, 모든 신경생물학적 발견은 정신분열병이 생각했던 것보다 더 복잡한 병이라는 사실을 알게 해 주었다. 터널 속을 지나는 여행자처럼, 우리는 그 끝에서 빛을 보기 전까지는 깊이 들어갈수록 더 어둡게 느낄 것이다. 정신분열병의 이해와 치료에는 상당한 진척이 있었지만, 우리의 여행이 끝나려면 아직 멀었다.

우리는 아직 정신분열병을 치유하지 못하지만, 우리 앞에 놓인 길은 점차 명확해지고 있다. 혁신적인 치유가 가능해지기까지 1년이 걸릴지 혹은 10년이 걸릴지 모르지만, 무엇을 찾아내야 하고 찾아낸 것을 어떻게 치유로 이어지게 하는가에 대해서는 어느 정도 알고 있다. 과거는 미래를 안내한다. 첫 번째 항정신병약물, 클로르프로마진이 도입되었던 때로부터 현재에 이르기까지의, 항정신병약물의 성과와 제한점을 포함한 항정신병약물의 발전사를 살펴봄으로써, 정신분열병의 치료에 있어서 우리가 서 있는 위치를 조명할 수 있다. 뿐만 아니라, 이를 통해 향후 달성해야 할 과제를 확인하고 앞길을 밝혀나갈 수 있을 것이다.

항정신병약물의 역사 개관

1950년대 신경이완제 항정신병약물의 발달만큼 정신장애 환자들과 정신질환의 이해에 큰 영향을 끼친 혁신적인 진전은 별로 없었다. 하지만 그 시대의 대부분의 의학적 진보가 그랬듯이, 이 역시도 완전히 우연한 발견이었다. 클로르프로마진은 본래 항히스타민제 및 마취 보조제로서 개발, 사용되었다.[1] 이 약물의 진정 작용이 우연히 발견되었고, 이 발견은 결국 극적인 결과를 낳은, 정신분열병 환자들을 대상으로 한 임상시험으로 이어졌던 것이다.[2] 1950년대의 클로르프로마진 도입은 주립병원에 수용된 환자 수를 급격히 감소시켰고, 정신과 임상을 바꾸어놓았으며, 현대 정신약물학의 출현을 예고했다.

클로르프로마진의 독특한 성질은 사람에게만 분명한 것이 아니라 동물 행동에도 영향을 미쳤다: 무엇보다도, 강경증을 일으키고, 자발적인 동작을 감소시키며, 고전적 조건화를 방해한다.[3] 동물에서의 이러한 효과는 클로르프로마진-유사 약물들을 선별하는 유용한 방법임이 입증되었고, 1950년대와 60년대를 거치면서 클로르프로마진과 화학적으로 유관하거나 무관한 모든 종류의 항정신병약물들이 확인되었다. 이 약물들은 정신병을 경감시킬 뿐만 아니라 추체외로 부작용(파킨슨증, 근긴장증, 좌불안석증)을 일으키는 성질도 지녔기 때문에, 이 두 가지 효과를 반영하는 '신경이완제' 라는 용어가 만들어진 것이다.[1] Carlsson과 Lindquist는[5] 여러 신경이완제들이 신경전달물질, 도파민의 교체를 변질시킨다는 것을 관찰했고, 그 작용이 도파민 수용체의 차단을 통해 나타남을 시사했다. 이 사실은 Creese와 동료들에[6] 의해 재차 확인되었고, '도파민' 가설로 이어져 그 후 30년간 정신분열병에 관한 연구를 이끌었다.

신경이완제는 모두 효과적인 항정신병약물이었지만, 불행히도 그 중에 더 효과적이라고 밝혀진 약물은 없다.[7] 더욱이, 정신분열병의 음성증상에 특별히 유용한 약물도 없었으며, 모든 신경이완제는 급성 추체외로 부작용을 일으키는 외에도 지연성 운동장애의 위험이 있었다.[8] 신경이완제 항정신병약물의 한계는 임상치료뿐만 아니라 정신보건 연구에도 영향을 미쳤다. 모든 신경이완제가 동일한 작용기전을 통해 다소 동등한 효과를 보인다는 사실은 새로운 약물 개발 의욕을 저하시켰고, 대체 약물이 없는 가운데, 비-도파민 가설이 새로운 약물 연구를 크게 방해했다. 결과적으로 약물개발에 관심이 저하된, 약 15년 동안의 공백기를 맞았고 이 기간동안 정신분열병의 치료제로 승인된 약물은 전혀 없었다.

치료와 연구에 새로운 활력을 불어넣은 것은 '비전형' 신경이완제의 원형인 클로자핀이었다. 클로자핀은 1970년대 초반부터 유럽에서 사용되어 왔고, D_2 수용체에만 선택적으로 작용하지 않는다는 점에서 다른 항정신병약물과는 달랐다.[9] 많은 부작용이 있지만, 가장 심한 것은 무과립구혈증이었고 추체외로 부작용의 증거는 거의 없었다.[9,10] 무엇보다 더욱 중요한 사실은, 초기의 경험을 통해 클로자핀이 다른 항정신병약물들보다 더 효과적임이 시사되었다는 점이다.[11] 이는 1980년대 미국의 다기관 무작위 임상시험을 통해 결론적으로 입증되었고,[12] 클로자핀은 치료-저항성 정신분열병의 치료제로서 1990년에 미국식품의약국(FDA)의 승인을 받게 된다.

미국에서 클로자핀이 승인된 후, 몇몇 기타 비전형 항정신병약물들이 도입되었다. 1994년에는 리스페리돈이, 1996년에는 올란자핀이, 그리고 1997년에는 쿠에티아핀이 시판되기 시작했다. 설틴돌이 FDA의 승인을 얻었고(그러나 제약회사에 의해

회수되었다), 지프라시돈이 승인 대기 중이다. 비전형약물들은 선택적인 D_2 길항제가 아니다. 클로자핀처럼 이 약물들은 D_2 수용체뿐만 아니라 한 두 개 이상의 5-하이드록시트립타민(5-HT_2)계 세로토닌 수용체를 차단한다.[13] 이 외에도, 각각의 비전형 약물들의 약리학적 성질은 상당히 각양각색이다. 클로자핀과 마찬가지로 새로운 비전형 약물들은 추체외로 부작용을 일으키는 특성이 거의 없고,[14] 아마 지연성 운동장애도 마찬가지일 것으로 생각된다. 비전형 약물이 전형적 항정신병약물보다 더 효과적인가 하는 문제는 아직 의문으로 남아있다.

정신분열병의 치유

이 역사를 통해 몇 가지 교훈을 얻을 수 있다. 첫째는 우연의 중요성이다. 클로르프로마진이나 클로자핀 모두 합리적인 약물 개발과정을 통해 생산된 것이 아니다. 그렇지만, 이 약물들을 발견하는 데에는 행운 이상이 필요했다; 세심한 관찰과 지적인 준비과정이 선행되어야만 했던 것이다. 우리가 정신분열병에 관해 보다 많은 것들을 알게 되면서, 지식이나 이론에 지나치게 얽매여 우연히 발견되는 사실을 무시해서는 안 된다. 물론, 우연에만 의존할 수 없다는 것은 명백하다. 10년 넘게 새로운 항정신병약물이 개발되지 않은 적도 있다 - 그 큰 이유는 정신분열병에 관해 새로이 알아낸 사실이 없기 때문이었다. 합리적인 약물개발은 동물모형실험을 거쳐야 하는데, 이 과정은 정신분열병을 일으키는 신경생물학적 작용에 대한 이해를 필요로 한다. 우리는 아직 그 세부적인 수준까지 도달하지 못했지만, 몇 가지 연구 방향은 전망이 밝다. 우리가 현재 알고 있는 정도로도, 머지않은 장래에는, 새로운 치료법 개발 모형체계를 발달시킬 수 있을 만큼 뇌와 정신분열병을 충분히 이해하게 되리라고 예상할 수 있다.

정신분열병이 유전될 수 있다는 사실은 오래전부터 알려져 있었다. 그러나 이는 일부 소수의 환자에게만 해당된다. 대부분의 정신분열병 환자들은 '특발성'이며, 본인을 제외한 가족 중에는 정신분열병이 없다.[15] 그리고 다수의 환자들이 포함된 가계(家系)라할지라도, 유전형은 기껏해야 진단 변량의 절반 정도를 설명할 뿐이다(일란성 쌍생아 중 한쪽이 정신분열병이면, 나머지 한쪽도 정신분열병을 가질 가능성은 50%이다).[16] 더욱이, 정신분열병은 다수의 유전자가 관여하는 다원유전적인 성격을 띤다. 즉, 각 유전자는 정신분열병의 발병 위험을 높이지만 그 자체로 질환을 유발하는 것은 아니다.[16] 정신분열병은 헌팅턴씨 병이나 혈우병처럼 멘델의 유전법칙을 따르지 않으므로, 유전자 치료로서 치유될 가능성은 희박해 보인다. 하지만, 유전자 연구는 정신분열병의 병태생리를 이해할 수 있는 가장 좋은 방법 중 하나다. 연관 분석이나 관련성 연구를 통해 취약성 유전자가 발견된다면, 이 유전자에 암호화된 단백질을 분리해낼 수 있고, 신경기능에서의 이 단백질의 역할을 밝혀낼 수 있으며, 나아가 약물치료의 특정 목표를 선택할 수 있을 것이다.

신경해부학 연구를 통해 정신분열병은 뇌의 국소 형태 및 세포구조의 미세한 변화와 관련된 것으로 밝혀졌다.[17] 정신분열병 환자들의 뇌는 비정상적으로 발달했거나 질환의 경과에 따라 변형된 것으로 보인다. 신경해부학적 이상 그 자체가 새로운 치료를 시사하지는 않는다. 하지만, 최근 들어 생체조직의 신경영상술이 발달함에 따라, 신경해부학 연구는 해부학적 구조를 뛰어넘어 국소 부위의 신경기능을 탐구하는 데에 이용되기 시작했다.[18] 과거의 과학자들은 관련된 신경화학물질로서 뇌 기능을 개념화하는 경향이 있었던 반면(이를테면, '도파민' 가설), 지금은, 인지적 감정적 정보처리에 관여하는 신경회로 연구를 통해 행동을 설명하고자 하는 방향으로 패러다임이 변하고 있다.[19] 우리가 기대하는 바는, 언젠가는 정신분열병의 증상과 징후의 근간을 이루는 잘못된 '배선'을 발견하여, 그 지식으로써 새로운 치료법 선별에 이용될 동물모형을 만드는 것이다.

도파민 D_2 수용체를 차단하는 약물이 정신분열병의 '양성증상'을 개선시킨다는 사실은 오래전부터 분명했다. 하지만, 환각과 망상 이외에도 많은 문제들이 정신분열병에 관여하므로, 향후에는 도파민계 및 그 이외의 신경전달물질계에 함께 작용하는 약물, 또는 도파민계 대신에 다른 신경전달물질계에 작용하는 약물이 더욱 중요해질 전망이다. 앞서 언급했듯이, 사용 가능한 모든 비전형 항정신병약물들은 세로토닌 5-HT_2 계열 수용체에 작용하는데,[13] 이 작용이 추체외로 부작용을 적게 일으키는 특성과 관련 있을는지 모른다.[20] 최근에는 정신분열병의 펜싸이클리딘(PCP) 모형과 정신분열병에서의 흥분성 신경전달물질 글루타메이트의 역할에 상당한 관심이 쏠리고 있다.[21] 특히, 글루타메이트성 수용체에 작용하는 약물은 '음성증상'에 영향을 미칠 수 있다는 증거가 있다.[22] 이러한 예비결과들이 얼마나 새로운 치료로 연결될 수 있는가는 지켜보아야 하겠지만, 추구하고 있는 새로운 방향은 - 도파민으로부터 벗어나 전체적인 질환이 아닌 특정 증상을 치료하는 방향 - 고무적이라 할 수 있겠다.

정신분열병의 치료

치료의 궁극적인 목표가 치유이긴 하나, '마법의 탄약' 이라할만한 치료, 즉, 모든 증상과 징후를 역전시키고 환자를 다시 정상으로 되돌려놓을 수 있는 치료가 가능한 질환은 매우 희박하다. 현대적 치료, 특히 다인성(多因性) 원인을 지닌 만성질환의 치료는 기능을 향상시키고 역행적 후유증을 최소화시키는 것을 그 목표로 한다. 마찬가지로 정신분열병의 연구 또한 치유를 추구하는 데에 국한되어서는 안 된다. 증상을 다루고, 장해를 최소화하고, 장기적인 예후를 개선시키며, 삶의 질을 최대화시키는 방법을 탐구해야 하는 것이다.

불행하게도, 정신약물학적 연구는, 특히 제약회사의 지원으로 수행된 연구는 장기 예후를 주목하지 않아왔다.[23] 새로운 비전형 항정신병약물들은 더 효과적이고 더 나은(적어도 부작용의 측면에서는) 치료를 가능케 한 놀라운 발전임에는 틀림없지만, 이 약물에 관해 알려진 대부분은 정신병적 증상에 대한 단기간의 효능과 안전성에 관한 것들이다. 이 약물들의 장기적인 치료효과가 어떠한지, 혹은 삶의 질, 장해, 정신사회적 기능과 같은 다른 영역에 미치는 영향이 어떠한지에 대해서는 거의 알려지지 않았다. 이런 자료가 환자와 치료자들에게는 가장 실용적인 정보다. 미국에서는 국립정신보건원의 주도 하에 새로운 비전형 항정신병약물들이 공중보건에 미치는 영향을 조사하고, 정신분열병 환자들의 치료결과를 최대화시킬 수 있도록 더 나은 약물 사용법을 결정하는 중이다(항정신병약물의 개입 효용 임상시험, CATIE).[24]

정신분열병의 치료에 관해서는, 유감스러울 만큼 염세적인 시각이 오랫동안 존재해왔다. 정신보건전문가와 사회는, 정신분열병 진단이 만성적인 정신병, 기능의 황폐화, 장해를 평생토록 지니게 된다는 선고라고 생각했던 것이다. 클로자핀 및 기타 새로운 약물들이 도입되고 불량한 예후가 반드시 불가피한 것은 아님이 입증됨으로써, 염세적인 생각은 상당히 극복되었다. 이 낙관주의는(특희, 진전이 없던 오랜 시간 후에) 비 약물학적 개입에까지 일반화되었다. 비전형 약물이 도입되기 전에도, 정신교육적 접근은 입원을 감소시킨다고 밝혀져 있었다.[25] 하지만 지금은 재활치료에 점차 관심과 연구가 집중되고 있으며, 대인관계에서의 상호작용, 인지기능, 심지어는 직업적 결과까지도 개선시킨다는 증거가 나타나고 있다.[26] 이런 효과가 얼마나 오래 지속되고 얼마나 일반화될 수 있을는지는 지켜보아야 알겠지만, 가장 중요한 결과는 이런 중요한 영역에서의 개입이 가능하다는 사실일 것이다.

재활 연구가 부활하고 예후를 낙관하게 됨에 따라, 예방에 새로운 관심을 가지게 되었다. 정신분열병의 첫 삽화에는 전형적으로, 수개월에서 수년에 걸친 점진적인 기능저하와 증상 발생이 선행한다.[27] 이 전구기에 개입한다면 정신분열병의 발병을 예방하거나 지연시킬 수 있는가 혹은/그리고 뒤이은 질환의 경과를 개선시킬 수 있는가 하는 질문은 상당히 흥미롭다. 이 분야의 연구는 아직 제한적이며, 어려움이 많다. 전구기를 구성하는 대부분의 증상이 비 특이적이기 때문에, 사례를 확인하는 것이 문제가 된다.[28] 전구기에 정신사회적 치료와 약물학적 치료를 시도했던 자료가 있기는 하나,[29] 정신병적 상태가 되지 않을지도 모르는 사람을 치료하는 것은 윤리적 논쟁을 일으킬 소지가 있다. 그럼에도 불구하고, 정신분열병은 완전한 회복이 드물기 때문에, 전구기에서의 개입이 경과와 예후를 향상시키는 데에 결정적일지도 모른다.

연구결과의 임상적 해석

조만간 출현할 것으로 기대되는 치료의 발달이 임상가에게 선택되지 않고 환자에게 수용되지 않는다면, 그 효과는 무용지물일 것이다. 그러나, 연구결과를 지역사회정신보건 환경에 적용하는 것 또한 단순하거나 쉬운 일이 아니다. 가장 중요한 예후 결정인자의 하나가 순응도라는 사실을 우리는 이미 알고 있다.[30] 한 개인이 치료에 잘 결속되어 있는가, 특히, 유지치료에 잘 결속되어 있는가는, 질환 고유의 중증도 다음으로 장기간의 예후를 가장 잘 예측하는 인자이다.[30] 정신과적 질환이나 비 정신과적 질환 모두에서 치료에의 결속이 쟁점이 되지만, 정신분열병에서의 비순응은 이례적이라 할 만큼 흔해 보인다(장기 지속형 저장형 약물이 정신분열병에 유일한 처방형식이라는 점은 주목할만하다). 이는 부분적으로 항정신병약물의 부작용, 특히 구세대 전통적 신경이완제의 부작용 때문이기도 하다. 불량한 병식이 질환 본래의 성격임을 시사하는 증거도 있다.[31] 그 밑바탕의 원인이 무엇이든 간에, 순응도가 제한요인이 되고 있는 한, 정신분열병의 예후를 향상시키기 위해서는 더 나은 치료뿐만이 아니라, 더 나은 치료 순응도가 요구된다.

비순응은 환자의 문제로 생각되는 것이 보통이나, 치료제공자 측의 문제로 생각해볼 수도 있다. 치료 결속력이 환자 개개인의 예후에 영향을 미치듯이, 치료지침에의 결속력은 한 임상가 또는 한 진료소가 전체적으로 정신분열병을 얼마나 효과적으로 치료하는가를 결정할 수 있다. 정신과에서는 절대적인 지침이 거의 없고 개별적인 환자를 치료하는 데에 임상가에 따라 상당한 차이가 허용되지만, 전체적으로는 대부분의 환자 및 대부분의 치료자가 표준 치료의 넓은 범위 안에 속해야 한다. 불행이도 이는 미국의 정신분열병 치료에 한결같은 모습은 아닌 듯하다. 정신분열병 환자 예후 연구팀(PORT)은 서로 다른 두 지역의 정신보건 치료제공자들이 실증적인 정신분열병의 치료지침을 얼마나 잘 따르고 있는가를 조사했다.[32] 치료지침과 일치하는 비율은 기껏해야 중간정도에 불과했고, 특히 정신사회적 치료에서 더욱 그러했다. 여기에는 여러 이유가 있겠으나, 해결에 필요한 것은, 치료 연구결과의 보다 적극적인 보급과 임상가들의 충실한 자기 학습 노력일 것이다.

결론

21세기에 접어들었음에도, 여전히 정신분열병은 모든 정신질환 중에서 가장 파괴적인 질환으로 남아있다. 우리가 이 터널의 끝에서 빛을 보고 있다는 너무 섣부른 주장을 할 수는 없겠지만, 희망을 가질 이유는 있다. 정신분열병은 과거의 한 때처럼 더 이상 수수께끼가 아니며, 우리는 아직 그 치유법을 모르나, 무엇을 해야 하는지는 어느 정도 알고 있기 때문이다. 정신분열병의 소인이 되는 유전자를 찾는다면, 약물치료의 새로운 목표를 정할 수 있게 될 것이다. 정신분열병의 밑바탕을 이루는 기능적 신경해부학을 밝혀내면, 약물 선별을 위한 동물모형이 발달할 수 있을 것이다. 정신분열병 및 그 증상에 대한 새로운 신경화학적 모형은 약물개발의 새로운 방향을 제시할 것이다. 치유를 탐구함과 동시에, 보다 나은 치료를 찾으려는 노력도 아울러져야 한다. 새로운 비전형 항정신병약물은 괄목할 진척이지만, 장기간의 효과에 관한 더 많은 정보가 필요하다. 정신분열병과 관련된 기능적 결함의 재활치료는 관심이 고조되고 있는 분야이다. 전구기에 있는 환자를 확인해내고 정신병의 발병을 예방할 가능성에 기대하고 있다. 마지막으로, 향후 전망이 밝다하더라도, 치료의 발전 효과는 그것이 어떻게 수용되는가, 그리고 지역사회의 환자와 임상가들이 그것을 어떻게 이용하는가에 따라 달라질 수밖에 없다. 환자의 치료 순응도가 향상되어야 하듯이, 임상가의 치료지침에의 결속도 강해져야 할 것이다.

클로르프로마진이 처음으로 도입된 것은 참으로 기적이었지만, 그것은 독자적인 발전으로서 앞길을 거의 제시해주지 못했던 도약이었다. 그로부터 40년간, 정신분열병의 치료는 미진한 수준에서 발달했지만, 정신분열병에 대한 이해는 극적으로 풍부해졌다. 이내 기적이 닥쳐오지는 않을지언정, 지금은 적어도 앞길을 볼 수 있게 된 것이다. 오로지 희망에만 의지할 수는 없는 노릇이지만, 머지않은 장래에 정신분열병은 더 이상 평생동안의 불구를 의미하거나 지금처럼 끔찍한 불행으로 여겨지지 않을 것임을, 우리는 예견할 수 있다.

참고문헌

1. Frankenburg FR, History of the development of antipsychotic medication, *Psychiatr Clin N Am* (1994) **17:**531–40.
2. Delay J, Deniker P, Harl JM, Traitment des états d'excitation et d'agitation par une méthode médicamenteuse derivée de l'hibernothérapie, *Ann Med-psychol* (1952) **110:**267–73.
3. Brill H, Patton RE, Analysis of population reduction in New York state mental hospitals during the first four years of large-scale therapy with psychotropic drugs, *Am J Psychiatry* (1957) **116:** 495–508.
4. Lehmann HE, Ban TA, The history of the psychopharmacology of schizophrenia, *Can J Psychiatry* (1997) **42:**152–62.
5. Carlsson A, Lindquist M, Effect of chlorpromazine and haloperidol on formation of 3-methoxytyramine and normetanephrine in mouse brain, *Acta Pharmacologica Toxicologica* (1963) **20:**140–4.
6. Creese I, Burt DR, Snyder SH, Dopamine receptor binding predicts clinical and pharmacological potencies of antischizophrenic drugs, *Science* (1976) **192:**481–3.
7. Cole JO, the NIMH Psychopharmacology Service Center Collaborative Study Group, Phenothiazine treatment in acute schizophrenia, *Arch Gen Psychiatry* (1964) **10:**246–61.
8. Kane JM, Marder SR, Psychopharmacologic treatment of schizophrenia, *Schizophr Bull* (1993) **19:**287–302.

9. Coward DM, General pharmacology of clozapine, *Br J Psychiatry* (1992) **160:**5–11.
10. Alvir JMJ, Lieberman JA, Safferman AZ et al, Clozapine-induced agranulocytosis: incidence and risk factors in the United States, *N Engl J Med* (1993) **329:**162–7.
11. Tamminga CA, The promise of new drugs for schizophrenia treatment, *Can J Psychiatry* (1997) **42:**265–73.
12. Kane J, Honigfeld G, Sunger J, Meltzer H, Clozapine for the treatment-resistant schizophrenic. A double blind comparison with chlorpromazine. *Arch Gen Psychiatry* (1998) **45:**789–96.
13. Meltzer HY, Clinical studies on the mechanism of action of clozapine: the dopamine-serotonin hypothesis of schizophrenia, *Psychopharmacology (Ber)* (1989) **99:**S18–S27.
14. Dawkins K, Lieberman JA, Lebowitz BD, Hsiao JK, Antipsychotics: past and future, *Schizophrenia Bull* (1999) **25:**395–405.
15. Gottesmann II, Shields J, Hanson DR, *Schizophrenia: The Epigenetic Puzzle* (Cambridge University Press: Cambridge, 1982).
16. Moldin SO, Gottesman II, At issue: genes, experience, and chance in schizophrenia – positioning for the 21st century, *Schizophr Bull* **23:**547–61.
17. Buchanan RW, Carpenter WT, The neuroanatomies of schizophrenia, *Schizophr Bull* (1997) **23:**367–72.
18. Weinberger DR, Berman KF, Zec RF, Physiological dysfunction of dorsolateral prefrontal cortex in schizophrenia: I. Regional cerebral blood flow evidence, *Arch Gen Psychiatry* (1986) **43:**114–25.
19. Andreasen NC, Paradiso S, O'Leary DS, 'Cognitive dysmetria' as an integrative theory of schizophrenia: a dysfunction in cortical–subcortical–cerebellar circuitry? *Schizophr Bull* (1998) **24:**203–18.
20. Lieberman JA, Mailman RB, Duncan G et al, Serotonergic basis of antipsychotic drug effects in schizophrenia, *Biol Psychiatry* (1998) **44:**1099–117.
21. Olney JW, Farber NB, Glutamate receptor dysfunction and schizophrenia, *Arch Gen Psychiatry* (1995) **52:**998–1007.
22. Goff DC, Tsai G, Manoach DS, Coyle JT, Dose-finding trial for D-cycloserine added to neuroleptics for negative symptoms in schizophrenia, *Am J Psychiatry* (1995) **152:**1213–15.
23. Norquist G, Lebowitz B, Hyman S, Expanding the frontier of treatment research, *Prevention and Treatment* 2: Article 0001a, 1999. Available on the World Wide Web. http://journals apa.org/prevention/volume2/pre0020001a.html.
24. National Institute of Mental Health, New antipsychotic drug trials. NIH Guide NOT 98-155 (RFP NIMH-99-DS-001), Nov 6, 1998. Available on the World Wide Web: http://grants.nih.gov/grants/guide/notice-files/not98-155.html.
25. Falloon IRH, Boyd JL, McGill CW et al, Family management in the prevention of exacerbations of schizophrenia: a controlled study, *N Engl J Med* (1982) **306:**1437–40.
26. Bellack AS, Gold JM, Buchanan RW, Cognitive rehabilitation for schizophrenia: problems, prospects, and strategies, *Schizophr Bull* (1999) **25:**257–74.
27. Hafner H, Maurer K, Loffler W, Riecher-Rosslen A, The influence of age and sex on the onset of early course of schizophrenia, *Br J Psychiatry* (1993) **162:**80–6.
28. Yung AR, McGorry PD, McFarlane CA et al, Monitoring and care of young people at incipient risk of psychosis, *Schizophr Bull* (1996) **22:**283–303.
29. Miller TJ, McGlashan TH, Woods SW et al, Symptom assessment in schizophrenic prodromal states, *Psychiatr Q* (1999) **70:**273–87.
30. Fenton WS, Blyler CR, Heinssen RL, Determinants of medication compliance in schizophrenia: empirical and clinical findings, *Schizophr Bull* (1997) **23:** 637–51.
31. Amador XF, Strauss DH, Yale SA, Gorman JM, Awareness of illness in schizophrenia, *Schizophr Bull* (1991) **17:**113–32.
32. Lehman AF, Steinwachs DM, the Survey Co-Investigators of the PORT Project, Patterns of usual care for schizophrenia: initial results from the Schizophrenia Patient Outcomes Research Team (PORT) client survey, *Schizophr Bull* (1998) **24:**11–20.

index

A~Z

ㄱ

ㄴ

ㄷ

index

ㄹ

ㅁ

ㅂ

Comprehensive Care of Schizophrenia

ㅅ

index

ㅇ

Comprehensive Care of Schizophrenia

ㅈ

index

Comprehensive Care of Schizophrenia

index